C000025085

1 MONTH OF
FREE
READING

at

www.ForgottenBooks.com

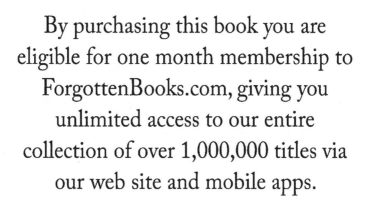

By purchasing this book you are eligible for one month membership to ForgottenBooks.com, giving you unlimited access to our entire collection of over 1,000,000 titles via our web site and mobile apps.

To claim your free month visit:

www.forgottenbooks.com/free588589

* Offer is valid for 45 days from date of purchase. Terms and conditions apply.

ISBN 978-0-484-38091-1
PIBN 10588589

This book is a reproduction of an important historical work. Forgotten Books uses
state-of-the-art technology to digitally reconstruct the work, preserving the original format
whilst repairing imperfections present in the aged copy. In rare cases, an imperfection in
the original, such as a blemish or missing page, may be replicated in our edition. We do,
however, repair the vast majority of imperfections successfully; any imperfections that
remain are intentionally left to preserve the state of such historical works.

Forgotten Books is a registered trademark of FB &c Ltd.
Copyright © 2018 FB &c Ltd.
FB &c Ltd, Dalton House, 60 Windsor Avenue, London, SW19 2RR.
Company number 08720141. Registered in England and Wales.

For support please visit www.forgottenbooks.com

THEORETISCHE NATIONALÖKONOMIE

VON

KARL DIEHL

DRITTER BAND:

DIE LEHRE VON DER ZIRKULATION
WERT UND PREIS / GELD UND KREDIT

JENA
VERLAG VON GUSTAV FISCHER
1927

Alle Rechte vorbehalten

Copyright 1927 by Gustav Fischer, Publisher, Jena

HB
175
D55
Bd. 3

Fürstlich priv. Hofbuchdruckerei (F. Mitzlaff) Rudolstadt

Vorwort.

Die Wert-, Preis- und Geldprobleme, die in dem vorliegenden dritten Bande meiner theoretischen Nationalökonomie behandelt werden, lassen die Eigenart der sozialrechtlichen Richtung, die in diesem Werke vertreten wird, in größerem Maße hervortreten, als dies im zweiten Bande, der Lehre von der Produktion, der Fall war. Wenn auch die Bedingtheit der wirtschaftlichen Erscheinungen durch die Rechtsordnung für die Phänomene der Produktionssphäre ebenfalls zutrifft, weil Art, Maß und Richtung der Produktion wesentlich von der rechtlichen Ordnung der Produktionsweise abhängen, so sind doch viele volkswirtschaftlich sehr bedeutsame Erscheinungen der Produktionswirtschaft naturbedingt und daher von der gesellschaftlichen Wirtschaftsform unabhängig; es sei nur an das Gesetz des abnehmenden Bodenertrags, an die natürlichen Standortsbedingungen der Produktion, an das Gesetz der abnehmenden Arbeitsintensität usw. erinnert. Viel schärfer tritt die Bedeutung der rechtlichen und sozialen Machtfaktoren bei der Gestaltung der Marktpreise und der Geldverhältnisse hervor. Dennoch ist gerade die Wertlehre das Gebiet, welches die Vertreter der „reinen Ökonomie" mit Vorliebe als Ausgangs- und Mittelpunkt wählen, von dem sie alle übrigen Erscheinungen des Wirtschaftslebens betrachten. Aus allgemein menschlichen Trieben, aus dem Gewinnstreben der Individualwirtschaften usw. werden „Gesetze" deduziert, die für das Wirtschaftsleben aller Zeiten und aller Völker gültig sein sollen. Aus der Knappheit der Gütervorräte einerseits und den Bedürfnissen der Menschen anderseits werden in mathematischer Formulierung gesetzmäßige Zusammenhänge für den Gütertauschverkehr abgeleitet, die von jeder staatlichen oder rechtlichen Normierung unabhängig dauernden Bestand haben sollen.

Ich habe mich im vorliegenden Bande bemüht, speziell an den Wert- und Preiserscheinungen zu zeigen, wie sehr diese nach der Methode der isolierenden Abstraktion gewonnenen Sätze zu wirklichkeitsfremden Resultaten führen. Es gibt keine allgemeinen Gesetze für das Wirtschaftsleben überhaupt, aber auch keine Gesetze für einzelne Wirtschaftsepochen. Selbst für die kapitalistische Wirtschaft, in der das freie Konkurrenzsystem herrscht und für welche diese „Gesetze" in besonderem Maße gelten sollen, trifft dies zu, und alle die oft genannten Gesetze dieser Richtung: das Produktionskostengesetz, das eherne Lohngesetz usw. haben sich als folgenschwere Irrtümer erwiesen; nicht minder gilt dies von dem aus ganz anderer Betrachtungsweise gewonnenen Grenznutzengesetz. Vollends in der Zeit der Kartelle, Verbände, Syndikate, der Tarifverträge und der zahllosen staatlichen Eingriffe in das Wirtschaftsleben können bei Betrachtung der Wirtschaftserscheinungen die Machtfaktoren der verschiedensten Art nicht außer acht gelassen werden. Die kühnen und stolzen Gedankengebäude der Vertreter dieser sog. reinen Ökonomie sind sozusagen in einem wirtschaftsleeren Raum errichtet, weil sie viele für den Verlauf des Wirtschaftslebens relevante Faktoren gänzlich außer acht lassen. Diese durch logische Geschlossenheit und großen Aufwand an Geist ausgezeichneten „Systeme" machen meist auf die Jünger der Wissenschaft und auch auf viele Laien gewaltigen Eindruck und können doch den, der die Erkenntnisse der wirklichen Wirtschaftserscheinungen erfassen will, nie befriedigen. Einer mehr auf die Erfassung der empirischen, realistischen, konkreten Vorgänge gerichteten Untersuchungsweise, die sich zum Ziel setzt, gewisse T e n d e n z e n in der wirtschaftlichen Entwicklung, nicht aber allgemein gültige Gesetze aufzustellen, muß die Zukunft gehören. Verharrt die nationalökonomische Wissenschaft bei ihrem Hang zur Dogmatik und zum Absolutismus der Lösungen und bei ihrem naturgesetzlich-naturrechtlichen Ausgangspunkte, so kann es kommen, daß die mächtig aufstrebende jüngere Privatwirtschaftslehre unserer Wissenschaft zum großen Teil den Wind aus dem Segel nimmt. Wenn auch die Privatwirtschaftslehre oder Betriebswirtschaftslehre, wie sie jetzt meist genannt wird, insofern eine gewisse Vorliebe für die in der reinen Ökonomie übliche individualwirtschaftliche Betrachtungsweise aufweist, als sie dem Gegenstand ihrer Disziplin entsprechend die inneren Vorgänge des Betriebes der auf Gewinnstreben gerichteten Einzelwirtschaften untersucht, so geht sie doch bei dieser Betrachtung weit mehr auf die konkreten Einzelheiten und Eigenarten der wirtschaftlichen Vorgänge ein und unterscheidet sich dadurch vorteilhaft von mancher nationalökonomischen Betrachtung, die mit Durchschnittsgrößen operiert.

Die deutschen nationalökonomischen Forscher, an welche der Verfasser mit Vorliebe anknüpft, sind B e r n h a r d i, H e r m a n n und L e x i s. Das Verdienst dieser Männer ist noch nicht genügend gewürdigt; in ihrer Forschungsweise und Denkrichtung muß weiter gearbeitet werden. Sie haben die Problemstellung von der klassischen Ökonomie übernommen, sind aber doch von dem Streben dieser Schule weit entfernt, die Wirtschaftsvorgänge auf einfache, glatte Formeln zu bringen. Der Vorwurf, der den Vertretern dieser mehr auf die realistisch-empirische Betrachtung gerichteten Methode gemacht wird, und der dem Verfasser dieses Werkes auch von seinen eigenen Schülern gemacht wurde, daß dies zu einer Preisgabe der Theorie überhaupt führen müsse, soll gerne ertragen werden, wenn die dabei gewonnenen Resultate zu richtigeren Erkenntnissen führen als die früher übliche und auch heute noch so oft geübte abstrakt-deduktive Methode. Am meisten wird sich die Notwendigkeit dieser Betrachtungsweise bei den Problemen zeigen, die im vierten (Schluß-)Bande erörtert werden sollen, den Fragen der Verteilung, der Einkommens- und Vermögenslehre, den Lohn-, Zins-, Gewinn- und Rententheorien. — Ich hoffe, in etwa 2 Jahren mit diesem letzten Bande, zu dem ich schon viele Vorarbeiten gemacht habe, das ganze Werk zum Abschluß bringen zu können.

Zum Schluß möchte ich nicht verfehlen, für die Aufstellung der beiden Indices Frau K n u p f e r - Freiburg und für die Hilfe bei der Revision der Druckbogen Herrn Dipl.-Volkswirt B o r c h e r s meinen Dank auszusprechen.

F r e i b u r g i. Br., den 28. Februar 1927.

Karl Diehl.

Inhaltsverzeichnis.

Zweiter Teil.

Die Lehre vom Kredit.

Erstes Buch:

Die Lehre von Wert und Preis.

———

Erster Teil:

Die Wertlehre.

1. Kapitel.
Aufgabe und grundlegende Begriffe der Wertlehre.

§ 1. Die Aufgabe der Werttheorie.

Wenn in allen nationalökonomischen Werken das Kapitel der Wertlehre einen so großen Raum einnimmt, und bei manchen nationalökonomischen Theoretikern die Wertlehre im Mittelpunkt ihres ganzen Systems steht, so hat das seinen Grund darin, daß die Probleme, mit denen sich die Wertlehre zu beschäftigen hat, zu den wichtigsten der Wirtschaftswissenschaft gehören. Die Gestaltung der P r e i s e ist für das Wirtschaftsleben von fundamentaler Bedeutung und das Hauptproblem der ökonomischen Wertlehre besteht darin, die P r e i s b i l d u n g der Güter auf ihre letzten Ursachen und Bestimmungsgründe zurückzuführen. Nicht nur die Erklärung der Warenpreise kommt in Frage, sondern weit darüber hinaus gibt die Wertlehre auch die Basis für das Verständnis wichtiger Phänomene der G ü t e r v e r t e i l u n g. Da der Arbeitslohn der P r e i s für überlassene Arbeitskraft ist, der Kapitalzins der P r e i s für die Nutzung des Kapitals und die Grundrente der P r e i s für die Nutzung des Bodens, so ergibt sich hieraus, welche Bedeutung die Wertlehre für fast alle wichtigen ökonomischen Probleme darbietet. Die Wertlehre hat P r e i s bildungen zu erklären. Daraus ergibt sich, daß der „Wert" keine allgemeine Kategorie und keine notwendige Bedingung des Wirtschaftslebens ist, sondern daß die Werttheorie nur zur Erklärung bestimmter historischer Wirtschaftserscheinungen dienen soll. Gerade vom Standpunkt der sozialrechtlichen Richtung aus, die in diesem Werke vertreten wird, kann keine Rede davon sein, einen allgemeinen Wertbegriff aufzustellen, der für alles Wirtschaften in allen denkbaren Wirtschaftsformen Anwendung finden könnte, sondern nur die Wertbildung im Tausch- und Marktverkehr.

Die Anhänger einer allgemeinen Werttheorie gehen davon aus, daß die wirtschaftenden Menschen einem knappen Gütervorrat gegenüberstünden; daraus resultierten bestimmte Wertschätzungen, je nach dem Wichtigkeitsgrad der Bedürfnisse, und so stellen sie auf Grund physiologischer und psychischer Tatbestände ein allgemeines Wertgesetz auf, das für alle Wirtschaftszustände gelten soll, für die isolierte Wirtschaft wie für die Verkehrswirtschaft, für die kapitalistische wie für die sozialistische Wirtschaft. So sagt z. B. W i e s e r[1]): „Die folgende Darstellung soll zeigen,

[1]) Grundriß der Sozialökonomik, Bd. 1, S. 189.

daß die Gesetze des Wertes im letzten Grunde Gesetze der Nutzkomputation sind, die in jeder Wirtschaftsordnung befolgt werden müssen, solange das wirtschaftliche Mengenverhältnis die Menschen unter den Druck stellt, mit dem Nutzen zu rechnen." Ferner: „Wenn einmal das Geheimnis der Wirtschaft eines Robinson, das Geheimnis der Einzelwirtschaft, aufgeklärt ist, dann kann in der Ware, die von Einzelwirtschaft zu Einzelwirtschaft geht, nichts Geheimnisvolles mehr sein"[1]), und in noch schärferer Fassung: „In ihrer letzten Ausgestaltung will die Grenznutzentheorie eine erschöpfende elementare Wirtschafts- und Werttheorie sein, die für die sozialistisch geordnete Volkswirtschaft nicht minder zu gelten hätte, wie für die tauschwirtschaftliche Ordnung[2]). Dieser ganze Gedankengang ist verfehlt. Die Bewertungen und Wertvorgänge sind in einer isolierten Wirtschaft gänzlich verschieden von denen in der Verkehrswirtschaft und die in der Verkehrswirtschaft sind wiederum verschieden, je nachdem es sich um die Periode des Zunftwesens und Merkantilismus oder um die Epoche der freien Konkurrenz handelt, und gänzlich verschieden wiederum würden die Bewertungsgrundsätze in einer sozialistischen Wirtschaft sein. Mit der verschiedenen Art des Bewertungsvorganges hängt die Unterscheidung von Gebrauchswert und Tauschwert zusammen.

§ 2. Gebrauchswert und Tauschwert.

Wertschätzungen kommen auch in der isolierten Wirtschaft vor. Der pater familias in der Wirtschaftsform, die uns B ü c h e r in idealtypischer Weise in der sogenannten Hauswirtschaft geschildert hat, „bewertet" auch die Güter seines Haushalts. Er bewertet die Güter, die ihm in unbegrenzter Menge frei zur Verfügung stehen, nach der Mühe ihrer Erlangung, die Güter, die selten und knapp sind, zugleich nach dem Grade ihrer Knappheit und Seltenheit. Aber: und das ist das wesentlich Unterscheidende dieses primitiven Wirtschaftszustandes gegenüber dem höher entwickelten der Verkehrswirtschaft: bei der Bewertung der Güter geht der Wirtschafter immer von den Bedürfnissen der e i g e n e n Wirtschaft aus. Er schätzt die Güter nur insoweit, als sie für ihn selbst und für seine Familie Brauchbarkeit haben. Auf dieser Stufe des Wirtschaftslebens tritt der „Wert" immer nur als „G e b r a u c h s w e r t" in Erscheinung. Der Wert ist hier die Bedeutung, die den Gütern beigelegt wird im Hinblick darauf, daß sie die e i g e n e n B e d ü r f n i s s e des Wirtschafters befriedigen. Nur die Bedeutung für den Eigengebrauch und den Eigenbedarf kommt in Frage. Der „Wert" ist auf dieser Stufe identisch mit dem Gebrauchswert.

Ganz anders in der auf Tausch- und Marktverkehr beruhenden Verkehrswirtschaft. Sobald die Arbeitsteilung sich nicht mehr auf das Innere des Haushalts beschränkt, sondern zwischen einzelnen Berufs- und Erwerbsklassen vor sich geht, werden in der Regel die Güter nicht für den eigenen, sondern für fremden Bedarf erzeugt, werden sie nicht in der eigenen Wirtschaft, sondern in fremden Wirtschaften konsumiert. Dann findet eine Bewertung für den Markt und seitens der am Markt beteiligten Personen statt.

---

[1]) a. a. O., S. 190.
[2]) a. a. O., S. 141.

Der „Wert" ist dann nicht mehr „Gebrauchswert", sondern „Tausch-wert". Den Gütern wird nicht Bedeutung im Hinblick darauf beigelegt, daß sie die eigenen Bedürfnisse befriedigen, sondern im Hinblick darauf, daß sie Gegenstand des Austausches und des Marktverkehrs sind. Tauschwert ist die Bedeutung, die den Gütern beigelegt wird im Hinblick auf ihre Verwertbarkeit im Tausch- und Marktverkehr. Wie der Gebrauchswert der Stufe der Hauswirtschaft entspricht, so ist der Tauschwert die Werterscheinung in der Ver-kehrswirtschaft. Der Tauschwert ist auch maßgebend für die natural-wirtschaftlichen und eigenwirtschaftlichen Vorgänge, soweit sie noch innerhalb der Verkehrswirtschaft vorkommen. Der Landwirt z. B. bewertet auch die vielerlei Produkte wie Eier, Butter, Getreide usw., die er nicht verkauft, sondern in der eigenen Wirtschaft konsumiert, nach dem Preise, den er für diese Produkte auf dem Markte erzielen kann und nicht nach der Bedeutung, die sie für seine eigene Wirt-schaft haben.

§ 3. Wert und Preis.

Wenn die Werttheorie die Aufgabe hat, die theoretische Er-klärung der Preise zu geben, so kann die Frage aufgeworfen werden, warum man nicht von einer Preistheorie spricht, und welches die unterscheidenden Merkmale von W e r t und P r e i s seien. Der Preis eines Gutes ist eine konkrete Feststellung; es ist die bestimmte Menge eines anderen Gutes, und zwar in der geld-wirtschaftlichen Periode eine bestimmte Menge von Geld, die für die Hingabe eines Gutes gezahlt wird, bzw. für die Hingabe dieses Gutes festgesetzt wird. — Die Preise sind ein Reflex des Wertes und der Wert ist eine Abstraktion der Preise: der Wert soll die tiefere Begründung des Preises geben. Wenn ein bestimmter Preis für ein Gut bezahlt wird, so geschieht es deshalb, weil das betreffende Gut von seiten des Käufers bzw. des Verkäufers eine bestimmte Wert-schätzung erfährt. An sich würde nichts im Wege stehen, diese theoretische Betrachtung unter dem Namen Preistheorie zusammen-zufassen und den Namen Werttheorie ganz zu vermeiden: doch dann ergäbe sich eine Schwierigkeit. Da die Preise der Güter regelmäßig in Geld festgesetzt werden, und da die Werttheorie uns angeben soll, welche Wertvorgänge zu bestimmten Preisen und zu bestimmten Preisänderungen, zu Preiserhöhungen und Preissenkungen führen, so wird immer zu fragen sein: liegt die Ursache der Preisänderung auf Seite der W a r e oder auf Seite des Preisgutes bzw. des G e l d e s ? Es gibt kein Gut von unveränderlichem Wert. Das Geld — wenig-stens im Hauptfall des Metallgeldes — ist die einzige Ware, die einen festen P r e i s hat, nämlich den Preis, der durch das be-treffende Münzgesetz festgestellt wird, aber trotzdem einen ver-änderlichen W e r t hat. Der Wert des Geldes hängt von den Pro-duktionskosten des Metalls bzw. der Nachfrage nach dem Metall ab. Da es also kein stabiles Wertmaß gibt, und bei jedem Preis der Wert des Geldes und der Wert der Ware unterschieden werden müssen, brauchen wir auch einen gemeinsamen Begriff für alle möglichen Preisänderungen, sowohl für die auf der Geldseite wie für die auf der Warenseite, und dieser gemeinsame Begriff ist der W e r t.

§ 4. Der subjektive Charakter des Wertes.

Wenn auch der Marktpreis, d. h. der Preis, der auf den Märkten der verschiedensten Art, vom kleinsten Wochenmarkt bis zur Börse hinauf, festgesetzt wird, einen objektiven Charakter insofern in sich trägt, als alle Käufer, mögen sie „subjektiv" noch so verschieden die Waren schätzen, ein und denselben Preis zahlen müssen, so ist der Wert selbst doch niemals etwas Objektives, sondern stets etwas Subjektives. Der Marktpreis ist die Resultante von zahlreichen subjektiven Wertschätzungen. Da in der individualistischen Wirtschaftsperiode der Käufer in der Wahl der Güter, die er kaufen will, vollkommen frei ist, so sind in letzter Linie auch die persönlichen Wertschätzungen der Käufer für die Höhe des Preises entscheidend. Stets haben wir es beim „Wert" mit einer Beziehung zwischen Subjekt und Objekt zu tun, immer sind es psychologische Vorgänge, die letztlich aller Wert- und Preisbildung zugrunde liegen. Daher sind die Ausdrücke „objektiver Wert" oder „objektiver Tauschwert" falsch und direkt irreführend. Von einem „objektiven Wert" könnte nur bei Preisfestsetzungen außerhalb des Rahmens des Marktverkehrs gesprochen werden, z. B. bei den behördlich festgesetzten Preisen, oder bei den in einem sozialistischen Staat von einer wirtschaftlichen Zentralbehörde festgestellten Preisen. Es gibt keinen objektiven Wert in nationalökonomischem Sinne, soweit es sich um die individualistische Verkehrswirtschaft handelt. Auch die Ausdrucksweise des täglichen Sprachgebrauchs: es seien „Werte" zerstört worden, darf in der Terminologie der Nationalökonomie nicht verwendet werden. Man müßte richtiger sagen, es sind Güter oder Vermögensobjekte zerstört worden, der „Wert" wird den Gütern beigelegt, die Güter selbst stellen keine Werte dar. Ebenso falsch ist es, von „wertschaffenden Ständen" zu sprechen oder zu sagen, „die Arbeit schafft Wert". Ein „Wert" kann niemals geschaffen werden, Güter oder Produkte werden geschaffen. Wert wird den Gütern oder Produkten nur b e i g e l e g t von den Menschen, die Güter begehren. Der Wert ist auch keine E i g e n s c h a f t oder eine N ü t z l i c h - k e i t der Güter. Die nützlichen Eigenschaften bewirken, daß ein Ding ein Gut wird, z. B. wegen ihrer Heizkraft wird die Kohle ein Gut, aber um Wert zu erlangen, muß noch die Schätzung eines Menschen hinzutreten; daher wird in unserer Wissenschaft der Ausdruck Heizwert der Kohle oder Nährwert einer Getreideart besser durch Heizkraft oder Nährkraft ersetzt.

§ 5. Gemeiner Wert und Affektionswert.

Wenn ich soeben den subjektiven Charakter des Wertes betont habe, so könnte daraus geschlossen werden, daß Tauschwert und Marktpreis mit dem Gebrauchswert identisch seien, so daß wir mit der Kategorie des Gebrauchswertes auskommen könnten. Dann würde Wert schlechthin immer die Bedeutung sein, die den Gütern auf Grund ihrer Geeignetheit, die eigenen Bedürfnisse zu befriedigen, beigelegt wird. Dies ist aber nicht der Fall. Wenn der Wert auch m der kapitalistischen Verkehrswirtschaft immer „subjektiv" ist, so ist er dennoch von dem Gebrauchswert der Wirtschaftsperiode, die der Verkehrswirtschaft vorangeht, verschieden. In der hauswirtschaftlichen Epoche ist der Wert etwas r e i n P e r s ö n l i c h e s.

Die Bewertung richtet sich nur nach den Bedürfnissen des einzelnen eigenen Haushaltes. In der Verkehrswirtschaft geht der Wert ebenfalls letztlich auf persönliche subjektive Schätzungen zurück, aber alle diese Schätzungen gleichen sich doch zu einer großen allgemeinen Durchschnittsgröße aus: dem Marktpreis, dem sich alle fügen müssen, u n a b h ä n g i g von den persönlichen Einzelschätzungen, die je nach der Dringlichkeit des Bedarfs, je nach den Vermögens- und Einkommensverhältnissen des Einzelnen stark auseinandergehen können.

Nur in Ausnahmefällen spielt auch in der verkehrswirtschaftlichen Epoche die rein individuelle persönliche Wertschätzung eine Rolle. Damit hängt die Unterscheidung von g e m e i n e m W e r t und A f f e k t i o n s w e r t zusammen. Der gemeine Wert ist der Wert, der im Marktpreise in die Erscheinung tritt; es ist der Wert der Waren, der nach der allgemeinen Durchschnittsbewertung im Verkaufspreise hervortritt. Der Affektionswert ist der Wert, der einer Sache lediglich auf Grund einer persönlichen individuellen Wertschätzung beigelegt wird. Im Wirtschaftsleben kommt in der Regel der gemeine Wert bei Zahlung eines Preises zum Ausdruck, nur in selteneren Fällen der Affektionswert. Es kann z. B. vorkommen, daß einem Sammler eine bestimmte seltene Münze in seiner Sammlung fehlt; der Verkäufer, der von dieser Tatsache Kenntnis hat, kann unter Umständen den Preis dieser Münze höher hinauftreiben — nämlich bis zum Affektionswert — als dem Preis entspräche, der für derartige Münzen in Sammlerkreisen bezahlt wird oder der bei einer Versteigerung zu erzielen wäre. Aber solche vereinzelte Ausnahmefälle können an der Regel nichts ändern, daß der Käufer den Preis gemäß dem gemeinen Wert und nicht gemäß dem Affektionswerte zahlt.

Zum Wesen des Marktpreises gehört nicht das Vorhandensein eines großen Marktes, etwa der Börse, wo die Preise amtlich festgesetzt werden, sondern nur, daß es sich um Preise handelt, die so zustandekommen, daß eine Mehrzahl von Käufern einer Mehrzahl von Verkäufern gegenübersteht. Der Marktpreis ist die wichtigste und hauptsächlichste Werterscheinung in der Verkehrswirtschaft. Dem Marktpreise gegenüber treten die sonstigen Preise wie etwa Liebhaber-, Gelegenheits- und Zufallspreise völlig zurück. Sie kommen nur außerhalb des Verkehrs zustande und haben deshalb in der wirtschaftlichen Praxis wie in der wirtschaftlichen Theorie nur eine untergeordnete Bedeutung.

§ 6. Gemeiner Verkehrswert und gemeiner Ertragswert.

Man findet sehr häufig — namentlich in den Steuergesetzen — die Unterscheidung von gemeinem Wert und Ertragswert. Diese Ausdrucksweise ist irreführend und sollte durch die Unterscheidung von g e m e i n e m V e r k e h r s w e r t und g e m e i n e m E r t r a g s w e r t ersetzt werden; denn sowohl beim sogenannten gemeinen Wert wie beim sogenannten Ertragswert handelt es sich um einen gemeinen Wert. In beiden Fällen soll z. B. das Grundstück nicht nach irgendeinem Affektions- oder Liebhaberwert versteuert werden, sondern nach einem allgemein üblichen Durchschnittswert. Der Unterschied von gemeinem Verkehrswert und gemeinem Ertragswert hat lediglich

kalkulatorische Bedeutung. Man kann bei der Besteuerung eines
ertraggebenden Objektes, z. B. eines Grundstückes, von den durchschnittlichen Erträgen, die ein Grundstück in einer gewissen Zeitperiode vor dem Steuertermin erzielt hat, ausgehen. Dieser durchschnittliche Reinertrag wird kapitalisiert und ergibt dann den
der Besteuerung zugrunde gelegten gemeinen Ertragswert. Die Besteuerung kann aber auch von dem Verkaufswert, den ein Grundstück z. Zt. der Steuerentrichtung hat, ausgehen. Dann spricht man
von gemeinem Verkehrswert. Auch dieser Wert wird auf Grund
von Erträgen festgestellt; denn alle Preise von ertraggebenden Objekten gehen auf gewisse Erträge der Objekte zurück. Während aber
beim gemeinen Ertragswert nur die Erträge in Betracht gezogen
werden, die in der Zeit vor der Steuerzahlung erzielt worden
waren, werden bei den Verkaufspreisen der Grundstücke auch die
künftigen Erträge und besonders auch die eventuelle künftige Steigerung der Preise in Rechnung gezogen. Auf dieser Möglichkeit,
in den Verkaufspreis der Grundstücke künftige Grundrenten ein-
zukalkulieren, beruht auch die Vorliebe der Bodenreformer für die
alleinige Besteuerung der Grundstücke nach gemeinem Wert. Da
die Bodenreformer den privaten Grundrentenbezug möglichst eliminieren wollen, sind sie auch Anhänger dieses Besteuerungsmodus.

Bei der 30. Jahresversammlung der deutschen Bodenreformer
rühmte D a m a s c h k e den Anhaltischen Staat, der als erster in
der Welt es fertig gebracht habe, gesetzgeberisch die Bestimmung
aufzunehmen: „Bei der Besteuerung wird der gemeine Wert zugrundegelegt." Diese Bemerkung bezieht sich auf das Anhaltische
Grundsteuergesetz vom 4. April 1923, abgeändert durch das Gesetz
vom 26. März 1925. Bei dieser Grunderwerbsteuer ist eine Trennung
von Boden und Bauwerk durchgeführt, und als Maßstab für die
Besteuerung des Grund und Bodens wird der gemeine Wert zugrundegelegt. Bauwerke auf und unter der Erde werden nicht mitbewertet[1]).
Die Verallgemeinerung dieser Besteuerung wäre aber unzweckmäßig,
und wenn D a m a s c h k e zugunsten der Besteuerung nach gemeinem Wert meint: „Neben der größeren Gerechtigkeit einer
schärferen Heranziehung der Bodenwerte zu den Lasten der Gesamtheit spricht für diese Reform (d. h. für die Besteuerung nach
gemeinem Wert) die Vereinfachung in der Berechnung der Steuer;
den gemeinen Wert seines Eigentums in runder Zahl anzugeben,
vermag jeder[2])", so trifft dies nicht zu. Bei den Verwaltungs-
gerichten spielt die Frage der Festsetzung des gemeinen Wertes
eine außerordentlich schwierige Rolle und die Sachverständigen
gehen oft in der Bewertung der einzelnen Grundstücke außerordentlich weit auseinander.

Hier liegt eine Einseitigkeit vor. In vielen Fällen ist die
Besteuerung nach gemeinem Ertragswert gerade im Grund-
stücksverkehr vorzuziehen, namentlich dort, wo die Grundstücke
selten verkauft werden und überhaupt mehr als dauernder Rentenfonds im Sinne von R o d b e r t u s anzusehen sind. Ich werde
auf diese Frage noch an einer anderen Stelle zurückkommen.

---

[1]) Vgl. Jahrbuch der Bodenreform, herausgeg. v. A. Damaschke. 19. Bd.,
1923; 21. Bd., 1925.
[2]) A. D a m a s c h k e , Die Bodenreform. 19. Aufl. Jena 1922. S. 100.

§ 7. Ablehnung der Begriffsspalterei in der nationalökonomischen Wertlehre.

Wir haben gezeigt, daß für die nationalökonomische Theorie die Unterscheidung von Wert und Preis, ferner von gemeinem Wert und Affektionswert, wobei der gemeine Wert noch in gemeinen Ertrags- und gemeinen Verkehrswert getrennt werden muß, völlig ausreichend ist. Die weitgehende Begriffsspalterei, die sich in der älteren nationalökonomischen Theorie im Kapitel vom Werte findet, dient eher zur Verwirrung und Verdunkelung, als zur Aufklärung und Erhellung des Wertproblems. Als typisches Beispiel solcher Begriffsspalterei mag N e u m a n n s Abhandlung „Wirtschaftliche Grundbegriffe"[1]), dienen. N e u m a n n unterscheidet zunächst (S. 151) die subjektiven Wertbegriffe, die sich auf gewisse Personen und ihre Interessen beziehen, und die objektiven Wertbegriffe, die von Personen absehen und die Tauglichkeit betreffen, gewissen Zwecken zu dienen, z. B. Heizwert, Nährwert usw. Den subjektiven Wert trennt N e u m a n n wieder in den subjektiven Wert im engeren Sinne oder subjektiven Vermögenswert und den subjektiven Wert im weiteren subjektiven Sinne. Der erstere soll mit dem Kauf- und Tauschwert identisch sein, der letztere mit dem Affektionswert. Der Wert im objektiven Sinn soll wiederum in drei Arten zerfallen:

1. der Wert als gemeiner Vermögenswert;
2. der Wert als Kauf- und Tauschwert im objektiven Sinne;
3. der Wert als Ertragswert, ebenfalls im objektiven Sinne.

Wie ich schon oben darlegte, erscheint mir der Ausgangspunkt von N e u m a n n , nämlich die Unterscheidung von objektivem und subjektivem Wert, verfehlt, weil der Wert für die wirtschaftliche Betrachtung immer etwas Subjektives ist. Diese Begriffsspalterei hat auch auf die juristische Terminologie von Wert und Preis Einfluß gehabt.

§ 8. Die juristischen Begriffe Wert und Preis.

Die Wert- und Preislehre, die in den nationalökonomischen Lehrbüchern einen so breiten Raum einnimmt, ja sogar im Mittelpunkt vieler ökonomischer Systeme steht, findet in der juristischen Doktrin und in den Rechtsbüchern viel weniger Beachtung. Auch die größten systematischen Werke der Rechtswissenschaft enthalten nur kurze Bemerkungen über das Wert- und Preisproblem, und in den wichtigsten Rechtsbüchern würde man vergebens nach scharfen und klaren Begriffsabgrenzungen von Wert und Preis suchen.

Der Grund hierfür liegt in dem verschiedenen Interessengebiet beider Disziplinen. Die Volkswirtschaftslehre, die den Zusammenhang der wirtschaftlichen Erscheinungen zu erforschen hat, kennt kein wichtigeres Problem als das: wie kommen die Preise zustande? Welches sind die letzten Preisbestimmungsgründe? Wie erklären sich Preissenkungen und Preissteigerungen? — Bei der überragenden Bedeutung der Preisbildung für alle wirtschaftlichen Vorkommnisse muß die theoretische Erforschung der Preiserscheinungen — und das ist die Aufgabe der ökonomischen Werttheorie — in größtem Maße das Interesse der Wirtschaftswissenschaft in An-

---

[1]) In Schönbergs Handbuch. 4. Aufl. 1. Bd. Tübingen 1896. S. 145 f.

spruch nehmen. Ganz anders die Rechtslehre. Die wichtigste und
schwierigste Aufgabe der ökonomischen Werttheorie, die Erforschung
des Ursachenkomplexes der Preiserscheinungen, gehört nicht zum
Forschungsgebiet des Juristen. Wohl aber hat der Jurist zu entscheiden, ob die tatsächlich gezahlten Preise oder die Preisangebote
mit bestehenden Rechtsnormen und Rechtssätzen im Widerspruch
stehen. Unter Umständen kann ein bestimmter Preis den Tatbestand eines rechtsungültigen Geschäfts oder einer strafbaren Handlung in sich schließen. Weiter interessiert den Juristen, welche der
verschiedenen Wertarten bei gewissen Preisfestsetzungen, namentlich auch bei Regelung von Ersatzansprüchen, in Frage kommt.
Der sogenannte „angemessene Preis" kann in Frage stehen in dem
Sinne, ob die Preishöhe nicht über die Höhe hinausgeht, die rechtlich zulässig ist. Der „angemessene Preis" kann auch in den Fällen
wichtig werden, wenn vertragsmäßig keine Preisfestsetzung vorliegt.
    Um einzelne Fragen, die juristisch bedeutungsvoll sind, heraus-
zugreifen, nennen wir die folgenden: soll der gemeine Wert oder
der Affektionswert, soll der gemeine Wert oder der Ertragswert,
soll der Anschaffungs- oder der Wiederanschaffungspreis bei der
Feststellung bestimmter Preise oder Bewertungen zugrundegelegt
werden? Inwieweit ist die Klausel „Preis freibleibend" zulässig?
Nach welchen Gesichtspunkten soll die Festsetzung staatlicher
Höchstpreise, Taxpreise, Monopolpreise vorgenommen werden? Wann
kommen Kartelle oder Syndikate bei ihren Preisfestsetzungen in
Kollision mit Rechtsnormen?
    Im Gegensatz zur neueren Zeit hatte früher das Wert- und
Preisproblem in der Jurisprudenz eine weit größere Bedeutung.
Als die Preisbildung keine „freie", sondern eine „gebundene" war,
zur Zeit als die Preisfestsetzung in großem Umfang Objekt staatlicher oder sonstiger obrigkeitlicher Verwaltung war, in der Zunftperiode, in der Zeit des Merkantilismus, in einer Zeit also, wo der
Preis in weitgehendem Maße Verwaltungsobjekt war, waren für den
Richter und Verwaltungsbeamten die Preise und ihre Bestimmungsgründe von viel größerer Bedeutung als heute.
    Da in der Periode der kapitalistischen Wirtschaft die Fest-
setzung der Preise dem freien Belieben der Kontrahenten überlassen ist, fällt die „normale" Preisgestaltung, deren Erklärung dem
Nationalökonomen obliegt, aus dem Rahmen der Rechtswissenschaft heraus. Nur in den Ausnahmefällen, wo die Preise n i c h t
durch die freie Konkurrenz bestimmt werden, also entweder
autoritativ durch Staat, Gemeinde usf. oder durch Interessen-
organisationen, wie Kartelle, Syndikate usw. festgestellt werden,
sind juristische Entscheidungen zu treffen und bei der freien Marktpreisbildung nur dann, wenn der Tatbestand des Wuchers gegeben ist.
    Ist sonach das Interessengebiet des Juristen in der Wert- und
Preislehre ein viel engeres, als das des Nationalökonomen, so zeigt
sich doch auch auf diesem Gebiete, wie eng die Beziehungen zwischen
Rechtswissenschaft und Nationalökonomie sind. — Überall dort,
wo der Jurist über die Bestimmung von Wert und Preis entscheiden
muß, muß er auf die nationalökonomische Wert- und Preislehre
zurückgreifen. Wir wollen zunächst die allgemeinen juristischen Begriffe von Wert und Preis in ihrem Verhältnis zum volkswirtschaftlichen Wertbegriff erörtern.

Im römischen Recht kommt die Unterscheidung von Wert und Preis nicht vor. Das Wort pretium wird für beide Begriffe promiscue gebraucht[1]). Wohl aber findet sich die Unterscheidung von gemeinem Wert und Affektionswert: „Es gibt nach römischem Rechte einen doppelten Wert: ein pretium commune, gemeinen Wert, welcher nach den gewöhnlichen Preisen angeschlagen wird, und ein pretium singulare oder individuellen Wert, welchen die Sache unter besonderen Umständen hat. Dieser ist wieder doppelt, denn man unterscheidet das pretium affectionis, quod affectu aestimandum und das pretium $\tau o\tilde{v}$ interesse singularis[2])."

Im allgemeinen wird die bloß subjektive Bedeutung eines Gutes nur für eine bestimmte Person im Rechtsverkehr nicht berücksichtigt, I., 33, pr. D 2: „pretia rerum non ex affectione nec utilitate singulorum, sed communiter fungi[3])."

Eine viel größere Begriffsspaltung findet sich im Preußischen allgemeinen Landrecht. Offenbar unter dem Einfluß der nationalökonomischen Wertlehre, die von Anbeginn an eine große Anzahl von Wertarten unterschied, hat das allgemeine preußische Landrecht nicht weniger als vier Wertbegriffe aufgestellt: 1. den Wert, 2. den gemeinen Wert, 3. den außerordentlichen Wert und 4. den Wert der besonderen Vorliebe.

1. Der Wert.

Dieser wird definiert als der Nutzen, welchen eine Sache ihrem Besitzer leisten kann (s. 1. Teil, II. Titel, § 111).

2. Der gemeine Wert.

Der Nutzen, welchen die Sache einem jeden Besitzer gewähren kann, ist ihr gemeiner Wert. Annehmlichkeiten oder Gewöhnlichkeiten, welche einem jeden Besitzer schätzbar sind und deswegen gewöhnlich in Anschlag kommen, werden dem gemeinen Werte beigerechnet (§ 112/113).

3. Der außerordentliche Wert.

„Der außerordentliche Wert einer Sache erwächst aus der Berechnung des Nutzens, welchen dieselbe nur unter gewissen Bestimmungen oder Verhältnissen leisten kann" (§ 114). Als Beispiele für den außerordentlichen Wert können angeführt werden: das getötete Pferd gehörte zu einem Viergespann; die günstige Lage eines Hauses für den Betrieb einer Gastwirtschaft; ein Landgut mit einer Quelle usw.

4. Der Wert der besonderen Vorliebe.

„Der Wert der besonderen Vorliebe entsteht aus bloß zufälligen Eigenschaften oder Verhältnissen einer Sache, die derselben nach der Meinung ihres Besitzers einen Vorzug vor allen anderen Sachen gleicher Art beilegen" (§ 115).

---

[1]) Paul Oertmann, Die Volkswirtschaftslehre des Corpus juris civilis. Berlin 1891. S. 38. — Rudolf Kaulla, Der Wertbegriff im römischen Recht. In: Zeitschrift für die gesamte Staatswissenschaft, 58. Jg., Tübingen 1902. S. 386.

[2]) Koch, Recht der Forderungen. S. 320 zit. bei Neumann, Wirtschaftliche Grundbegriffe. In: Schönbergs Handbuch der politischen Ökonomie, 4. Aufl. 1. Bd. Tübingen 1896. S. 161.

[3]) Oertmann, a. a. O., S. 38.

Diese Terminologie ist offenbar durch die früher in der Wirtschaftslehre übliche Haupteinteilung des Wertes in Gebrauchswert und Tauschwert oder in subjektiven und objektiven Wert beeinflußt. Der Wert im Sinne des allgemeinen preußischen Landrechts als der Nutzen, den eine Sache i h r e m B e s i t z e r leisten kann, ist identisch mit dem sog. Gebrauchswert, d. h. der Bedeutung, die einem Gute beigelegt wird im Hinblick auf die Benützung für e i g e n e Zwecke. Dieser Gebrauchswert gehört aber einer längst vergangenen Epoche des Wirtschaftslebens an, als es noch keinen Tausch- und Marktverkehr gab. In der Periode der sog. Eigenwirtschaft oder Hauswirtschaft wurde der Wert auf Grund der Brauchbarkeit der Sache für die e i g e n e n Zwecke geschätzt. Der Wert in diesem Sinne hat keine Bedeutung für die Periode der Markt- oder Verkehrswirtschaft, wo nur noch der Tauschwert oder der Marktpreis der Güter eine Rolle spielt. Dieser Tauschwert oder Marktpreis wiederum ist völlig identisch mit dem sog. G e - m e i n e n W e r t ; außer diesem gemeinen Wert oder Marktpreis kommt noch der Affektionswert oder Gelegenheitspreis in Frage, so daß statt der vier Wertbegriffe man mit den beiden Wertbegriffen: g e m e i n e r W e r t u n d W e r t d e r b e s o n d e r e n V o r - l i e b e hätte auskommen können. Auch der sog. außerordentliche Wert ist entweder identisch mit dem Tauschwert bzw. Marktpreis, oder fällt unter die Rubrik des Affektionswertes.

Auch auf das juristische Lehrbuch, welches die ausführlichste und gründlichste Betrachtung über den Wert- und Preisbegriff bietet, nämlich G o l d s c h m i d t s „Handbuch des Handelsrechts" (Erlangen 1868) hatte die ältere nationalökonomische Unterscheidung von Gebrauchswert und Tauschwert Einfluß. G o l d s c h m i d t definiert: „Wert ist das durch Schätzung ins Bewußtsein tretende Nützlichkeitsmaß eines Gutes zur Befriedigung menschlicher Bedürfnisse. Er ist Gebrauchswert (Konsumtionswert) vom Standpunkt des das Gut selber Verwendenden: der (wirtschaftliche) Wert bei Gebrauch, Tauschwert oder Erwerbswert in seiner Beziehung auf den Güterumlauf: der Nützlichkeitsgrad eines Gutes zur Eintauschung anderer Güter." Wenn dann G o l d s c h m i d t fortfährt: „Gebrauchswert und Tauschwert fallen nicht zusammen, wirtschaftlich wie rechtlich kommt überwiegend nur der letztere in Betracht", so hätte er auch sagen können, der Tauschwert kommt allein in Betracht. Auch G o l d s c h m i d t eignet sich die Dreiteilung des Wertes des preußischen Landrechts an, indem er fortfährt: „Der wirkliche Tauschwert eines Gutes (vera rei aestimatio) ist sein ordentlicher, wahrer, angemessener (justum pretium) oder g e m e i n e r W e r t (commune pretium), d. h. sein Wert für jedermann, abstrakter, absoluter Wert. Was die Doktrin und neuere Gesetzbücher als a u ß e r - o r d e n t l i c h e n , besonderen, relativen und als A f f e k t i o n s - w e r t bezeichnen, und was allerdings, wo nicht sowohl das Geldaequivalent des Gutes für sich, sondern das Interesse des Gläubigers in Frage steht, berücksichtigt werden darf oder muß, ist nicht Tauschwert. Vielmehr ist der sog. außerordentliche Wert der konkrete Gebrauchswert eines Gutes für eine oder auch viele Personen unter gewissen Umständen; der sog. Affektionswert hingegen ein nach nur individueller Neigung ohne Rücksicht auf den wirtschaftlichen Nutzen bemessener Wert" (S. 578/80).

Das Bürgerliche Gesetzbuch hat mit Recht die vielen Unterscheidungen von Wertarten nicht mehr aufgenommen. Das BGB. kennt nur den Begriff des Wertes schlechthin und gibt auch keine nähere Abgrenzung des Begriffs. — Aus den betreffenden Paragraphen geht hervor, daß es sich immer um den g e m e i n e n W e r t handelt. Dieser gemeine Wert ist im allgemeinen identisch mit dem Marktpreis. — Außerdem kennt das BGB. noch einen Marktpreis im engeren Sinne. Es lautet im § 385: „hat die Sache einen Börsen- oder Marktpreis, so kann der Schuldner den Verkauf aus freier Hand durch einen zu solchen Verkäufen öffentlich ermächtigten Handelsmakler oder durch eine zu öffentlichen Versteigerungen befugte Person zum laufenden Preise bewirken. Hier soll unter Börsen- oder Marktpreis der Preis zu verstehen sein, der für eine Sache bestimmter Gattung und Art von durchschnittlicher Güte an dem Handelsplatze, wo sie einen Markt hat, und in dessen Handelsbezirk zu einer gewissen Zeit im Durchschnitt gewährt wird." Es handelt sich wiederum um den gemeinen Wert, nur besonderer Art, wie er aus dem Handelsgesetzbuch schon bekannt war.

Ich wende mich jetzt zum HGB., in dem, wie bemerkt, diese besondere Art von gemeinem Wert schon eine Rolle spielte. Es liegt auf der Hand, daß in der Kodifikation des Handelsrechtes der Wert- und Preisfixierung eine besondere Wichtigkeit zukommen muß — daher auch im HGB. eingehendere Begriffsbestimmungen vorkommen. Im HGB. ist unterschieden der g e m e i n e W e r t und der g e - m e i n e H a n d e l s w e r t. Die Unterscheidung findet sich im § 430, der lautet: „Muß auf Grund des Frachtvertrages von dem Frachtführer für gänzlichen oder teilweisen Verlust des Gutes Ersatz geleistet werden, so ist der g e m e i n e H a n d e l s w e r t und in dessen Ermangelung der g e m e i n e W e r t zu ersetzen, welchen das Gut derselben Art und Beschaffenheit am Orte der Ablieferung an dem Zeitpunkte hatte, in welchem die Ablieferung zu bewirken war; hiervon kommt in Abzug, was infolge des Verlustes an Zöllen und sonstigen Kosten sowie an Fracht gespart ist. Im Falle der Beschädigung ist der Unterschied zwischen dem Verkaufswerte des Gutes im beschädigten Zustande und dem gemeinen Handelswerte oder dem gemeinen Werte zu ersetzen, welchen das Gut ohne die Beschädigung am Orte und zur Zeit der Ablieferung gehabt haben würde; hiervon kommt in Abzug, was infolge der Beschädigung an Zöllen und sonstigen Kosten erspart ist. — Ist der Schaden durch Vorsatz oder grobe Fahrlässigkeit des Frachtführers herbeigeführt, so kann Ersatz des v o l l e n S c h a d e n s gefordert werden."

Diese Unterscheidung von gemeinem Wert und gemeinem Handelswert ist überflüssig: ein gemeiner Handelswert soll nur in Frage kommen, wenn ein regelmäßiger Umsatz in der betreffenden Ware vorliegt. Dann ist dieser Wert aber gleichbedeutend mit dem Marktpreis, und da der gemeine Wert gleich dem Marktpreise ist, ist die besondere Kategorie „gemeiner Handelswert" entbehrlich[1]).

---

[1]) Übereinstimmend damit L. G o l d s c h m i d t , Handbuch des Handelsrechts (Erlangen 1868), S. 583: „. . . . aber sicher ist, daß die Charakteristik der Güter mit „gemeinem Handelswert" völlig auf die Güter „mit Marktpreis" paßt. Oder sollte man etwa noch subtiler und völlig nutzlos scheiden: Güter, welche regelmäßig im Handel sind — welche häufig im Handel sind —, welche regelmäßig nicht im Handel sind?! Das ist schwer denkbar."

Der gemeine Wert soll gerade den Gegensatz zu den Werten rein
persönlicher und individueller Art bilden wie etwa zum Zufalls-,
Gelegenheits- oder Affektionswert. Der gemeine Wert kommt überall
dort vor, wo eine Gruppe von Verkäufern einer Gruppe von Käufern
gegenübersteht, wo die Preise sich im Marktverkehr bilden. Wie
groß der Markt ist, ob es sich um einen Wochen-, Jahresmarkt oder
um eine Börse handelt, ist gleichgültig. Den Gegensatz zu diesem
gemeinen Wert (wobei wir den sog. gemeinen Handelswert ein-
schließen) bildet ein Wert rein persönlichen Charakters. Dahin gehört
auch der Fall des § 430, wo der „volle Schaden" vergütet wird,
d. h. über den gemeinen Wert hinaus soll auch ein etwa entgangener
Gewinn oder sonstiges rein persönliches Interesse des Geschädigten
vergütet werden, was bei dem gemeinen Wert ausgeschlossen ist[1]).

In der juristischen Literatur wird dieser gemeine Wert oft als
objektiver Wert bezeichnet[2]). Dieser Ausdruck sollte vermieden
werden, denn in der individualistischen Wirtschaftsordnung gibt es
einen „objektiven Wert" nicht. Auch der Marktpreis oder gemeine
Wert geht aus tausenden von subjektiven Schätzungen hervor. Er
bildet den Gegensatz zu dem rein individuellen Affektionswert, ist
aber doch nichts Objektives, selbst wenn er durch Sachverständige
festgestellt werden kann[3]).

§ 9. Der Begriff „Gemeiner Wert" im Rechtsverkehr im besonderen.

a) Im Handelsrecht.

Wir haben gesehen, daß im Rechtsverkehr der Begriff „ge-
meiner Wert" die überragende Rolle spielt, namentlich auch im
Handelsrecht, dagegen ist in den allgemeinen Bilanzvorschriften des
HGB. der Ausdruck gemeiner Wert vermieden, es heißt dort:

§ 39.

Jeder Kaufmann hat bei dem Beginne seines Handelsgewerbes
seine Grundstücke, seine Forderungen und Schulden, den Betrag
seines baren Geldes und seine sonstigen Vermögensgegenstände genau
zu verzeichnen, dabei den Wert der einzelnen Vermögensgegenstände
anzugeben und einen das Verhältnis des Vermögens und der Schulden
darstellenden Abschluß zu machen.

§ 40.

Die Bilanz ist in Reichswährung aufzustellen. Bei der Aufstellung des Inventars und der Bilanz sind sämtliche Vermögensgegenstände und Schulden nach dem Werte anzusetzen, der ihnen
in dem Zeitpunkte beizulegen ist, für welchen die Aufstellung stattfindet. Zweifelhafte Forderungen nach ihrem wahrscheinlichen
Werte anzusetzen, uneinbringliche Forderungen abzuschreiben.

Mit Absicht ist hier der farblose Ausdruck „Wert" statt des
schärferen Begriffs „gemeiner Wert" gewählt, wie aus der Genesis
dieser Bestimmungen und aus dem Zweck der Bilanzaufstellung
hervorgeht. Wenn es sich um die Entschädigung für ein in Verlust

---

[1]) Vgl. S t a u b s Kommentar zum Handelsgesetzbuch. 10. Aufl. 2. Bd.,
2. Halbbd., S. 1428.

[2]) Z. B. S t a u b , a. a. O., S. 1429.

[3]) S t a u b , a. a. O., S. 1429: „Der Verkaufswert des beschädigten Gutes,
d. h. der objektive Verkaufswert kann durch Sachverständige festgestellt werden.

gegangenes Gut handelt, so kommt der augenblickliche Marktwert in Frage, bei der Bilanz soll aber der Wert eines Geschäftsunternehmens festgestellt werden, wobei mit einer längeren Dauer des Betriebs gerechnet wird. Es handelt sich um einen Wert auf lange Sicht, nicht auf kurze Sicht, darum paßt die Kategorie des gemeinen Wertes hier nicht. Man hat den Wert, der hier in Frage kommt, treffend als Geschäftswert bezeichnet[1]). Dieser Geschäftswert steht allerdings ebenfalls im Gegensatz zu dem rein individuellen Wert, der etwa durch die persönlichen Verhältnisse des zufälligen Geschäftsinhabers bedingt wäre, aber er ist doch kein momentaner Veräußerungswert wie der gemeine Wert, er nimmt auf die Konjunktur des Geschäftslebens, auch auf die künftige, Rücksicht. S c h m a l e n b a c h erklärt: „Es ist demzufolge unter „Wert" im Sinne der Artikel 29 und 30 HGB. (des alten HGB.) nicht ein bestimmter Wert zu verstehen, sondern Wert ist hier derjenige Wert, den man anzuwenden hat, um zu einer fachgerechten Bilanz zu gelangen. Je nach Unternehmungsart, Bilanzobjekt und überwiegenden Bilanzzwecken ist dieser Wert verschieden[2])."

Es ist lehrreich, den Wandel zu verfolgen, den der Wertbegriff in den Bilanzvorschriften der verschiedenen Kodifikationen und Entwürfe erfahren hat. Die Nürnberger Kommission von 1857 hatte den Entwurf des alten HGB. beraten, dessen Bilanzvorschriften im wesentlichen auch in dem heute geltenden HGB. wiederkehren. Es bedeutete einen Fortschritt, daß in der zweiten Lesung bei der Vorschrift des Wertansatzes an Stelle der Worte „Wert anzusetzen, welchen sie zur Zeit der Aufnahme h a b e n" gesetzt wurde „Wert, welcher ihnen zur Zeit der Aufnahme b e i z u l e g e n i s t". Aus diesem Ausdruck „beizulegen" geht hervor, daß der Wert etwas Subjektives ist, daß er nach den Umständen des Geschäftsbetriebs anzusetzen ist, daß von einem sog. wahren oder objektiven Wert nicht die Rede sein kann. Daher hat man auch mit Recht die Bezeichnung „gemeiner Wert" vermieden[3]).

S t a u b erwähnt eine Reichsgerichtsentscheidung, wonach für den Wert die Richtlinien entscheidend seien, denen ein ordentlicher vernünftiger Kaufmann unter Würdigung der Eigenart des Geschäftes und der Geschäftslage folgen würde[4]). Wenn S t a u b im Anschluß an diese Entscheidung schreibt: „Mit dem Wertbegriff, den das Gesetz im Auge hat, ist der objektive Wert gemeint, den die Vermögensstücke für das Geschäft und bei dessen Fortbestehen haben", so kann diesem Satze zugestimmt werden, weil hieraus der Gegensatz zu

---

[1]) R e h m , H., Die Bilanzen der Aktien-Gesellschaften und Gesellschaften m. b. H. usw. usw. (München 1914.) S. 359. — S t a u b s Kommentar zum Handelsgesetzbuch. 10. Aufl. 1. Bd., 1. Halbbd., S. 247. — S c h m a l e n b a c h , E., Grundlagen dynamischer Bilanzlehre. Leipzig 1925. S. 283: „Kein bestimmter Wert, sondern ein von Fall zu Fall nach vernünftigem Ermessen zu bestimmender Wert, Anerkennung des praktischen Gebrauches."
[2]) Ebenda, S. 278.
[3]) S c h m a l e n b a c h , a. a. O., S. 276: „Ganz besonders ist den Versuchen entgegenzutreten, dem Gesetz die Auslegung zu geben, als ob der Gesetzgeber hier den gemeinen Wert gewollt habe. Hätte der Gesetzgeber diesen Wert gewollt, so wäre es leicht gewesen, diesem Willen den Ausdruck zu geben, den man im preußischen Landrecht bereits vorfand. Wenn er es trotzdem unterließ, so kann ich daraus nichts anderes herauslesen, als daß er eine solche Einschränkung des anzuwendenden Wertbegriffes ebensowenig wollte wie jede andere Einschränkung."
[4]) a. a. O., S. 246.

dem momentanen Veräußerungswert klar hervorgeht, nur sollte der Ausdruck objektiver Wert vermieden werden.

In den speziellen Vorschriften des HGB. über die Bilanzen der Aktiengesellschaften spielt dagegen der gemeine Wert eine Rolle. § 261 sagt über die Bewertung der Veräußerungsgegenstände: „Wertpapiere und Waren, die einen Börsen- oder Marktpreis haben, dürfen höchstens zu dem Börsen- oder Marktpreise des Zeitpunktes, für welchen die Bilanz aufgestellt wird, sofern dieser Preis jedoch den Anschaffungs- oder Herstellungspreis übersteigt, höchstens zu dem letzteren angesetzt werden." Da der Börsen- und Marktpreis mit dem gemeinen Wert identisch ist, würde hier der gemeine Wert in Frage kommen, doch ist auch hier der Begriff des gemeinen Wertes nicht streng und konsequent in Anwendung gekommen; denn z. B. Effekten, die nach dem Bilanztage gefallen sind, dürfen mit entsprechend niedrigerem Kurse angesetzt werden. Auch im Gesetz betr. die G. m. b. H. kommt der gemeine Wert vor. Für den Wert der Betriebsgegenstände soll der durch Taxe unmittelbar ermittelte gemeine Wert angesetzt werden[1]).

b) Im Versicherungsrecht.

Im Versicherungsrecht spielt der Begriff des gemeinen Wertes eine Rolle insofern, als in den meisten Kodifikationen bei der Entschädigung der Versicherten für Sachschäden nur der gemeine Wert, nicht aber der Affektionswert zugrunde gelegt werden darf.

Das allgemeine preußische Landrecht bestimmt (zweiter Teil, 8. Titel, § 1984): „Niemand darf eine Sache höher versichern lassen als bis zum gemeinen Werte derselben zur Zeit des geschlossenen Vertrages." Im preußischen Mobiliarversicherungsgesetz von 1837 lautet die analoge Bestimmung: § 1. „Kein Gegenstand des Mobiliarvermögens darf gegen Feuersgefahr höher versichert werden als nach dem gemeinen Werte zur Zeit der Versicherungsannahme." Die Überschreitung des gemeinen Wertes wird sogar mit Strafe bedroht. § 20. „Wer Mobiliar-Vermögensgegenstände gegen Feuersgefahr wissentlich zu einem höheren als dem gemeinen Werte versichert, hat, außer der Zurückführung der Versicherungssumme auf diesen Wert eine dem Betrage der Überschreitung gleichkommende Geldbuße verwirkt, welche, wenn die Entdeckung der Überversicherung erst nach eingetretenem Brande geschehen, verdoppelt wird[2])."

Im badischen Gesetz von 1840 für die Fahrnisversicherung werden die allerschroffsten Konsequenzen der landrechtlichen Interpretation des gemeinen Wertes gezogen. Darnach soll die Schätzung „durchaus nach dem wahren oder Verkaufswerte, d. h. nach dem Preise, der aus den versicherten Gegenständen im Veräußerungsfalle erlöst werden könnte, nicht aber nach den Verkaufspreisen oder den Kosten einer etwaigen Wiederbeschaffung derselben" geschehen[3]).

Im sächsischen Gesetze von 1886 betreffend das Mobiliar- und Privatfeuerversicherungswesen, ist statt des Begriffes gemeiner Wert der Begriff Verkehrswert getreten. Die Versicherung darf den Verkehrswert nicht übersteigen (§ 12). Unter Verkehrswert ist hier

---

[1]) S c h m a l e n b a c h, a. a. O., S. 282.
[2]) O t t o P r a n g e, Die Theorie des Versicherungswertes in der Feuerversicherung. 1. Teil. Jena 1895. S. 119.
[3]) P r a n g e, a. a. O., S. 124.

dasselbe zu verstehen, was § 78 des sächsischen BGB. als den ordentlichen Wert einer Sache bezeichnet. — Wichtig ist, daß auch hier der sog. Affektionswert nicht inbegriffen werden darf; nämlich der besondere Wert, den ein Gegenstand für den Besitzer hat.

Auch in den übrigen Partikulargesetzen der Einzelstaaten und in den gewohnheitsrechtlichen Grundsätzen, wie sie in den Statuten der öffentlichen und privaten Anstalten zur Geltung kommen, wird für das Gebiet des Feuerversicherungswesens immer der gemeine Wert bei Entschädigungen zugrunde gelegt.

So berechtigt der Grundgedanke aller dieser auf den gemeinen Wert bezüglichen Bestimmungen ist, weil sie eine Bereicherung der Versicherten und eine Übervorteilung der Gesellschaften ausschließen und verhindern wollen, daß jemand für sein persönliches Interesse an einem Gegenstand entschädigt wird und nicht nach dem Marktwerte, so wird doch mit Recht in der Spezialliteratur über die Mangelhaftigkeit dieser gesetzlichen Bestimmungen geklagt. Meist fehlt es an genügenden Bestimmungen über die Wertbemessung bei Gegenständen, für die es einen gemeinen Wert nicht gibt. Anderseits sucht man in den Gesetzen sowie in den Statuten der Versicherungsbedingungen der Privatanstalten vergeblich nach einer näheren Bestimmung des gemeinen Wertes überhaupt, dessen Einhaltung beansprucht wird, und darum herrscht auf diesem Gebiete noch eine große Unsicherheit und Willkürlichkeit[1]). In dem Gesetz über den Versicherungsvertrag vom 30. Mai 1908 ist der Ausdruck „Gemeiner Wert" vermieden, in der Sache aber desselben bestimmt in § 86 (Feuerversicherung): Als Versicherungswert gilt bei Haushaltungsgegenständen etc. derjenige Betrag, welcher erforderlich ist, um Sachen gleicher Art anzuschaffen.

c) Im Enteignungsrecht.

Wenn auch in den meisten Enteignungsgesetzen der Begriff gemeiner Wert nicht vorkommt, sondern der farblosere Ausdruck Wert gebraucht wird, so hat dennoch der gemeine Wert auch für das Enteignungsrecht in doppelter Hinsicht Bedeutung. Einmal negativ: Bei der Zwangsabtretung soll nicht der Affektionswert angesetzt werden, dann positiv: bei der Festsetzung der Entschädigung soll der Verkehrswert, der mit dem gemeinen Wert identisch ist, als Richtlinie betrachtet werden, allerdings nur als Richtlinie, denn eine unbedingt gültige Norm soll der gemeine Wert nicht sein. Da es sich bei Enteignungen fast immer um Grundstücke handelt, würde die Entschädigung, wenn sie nach dem Preise, der gerade am Zeitpunkt der Entschädigung der Konjunkturlage entsprechend festgesetzt würde, vielleicht zu hoch oder zu niedrig sein können. Die Entschädigung soll aber so hoch sein, daß die Vermögensinteressen des Enteigneten nicht geschädigt werden. Auch ein gewisses persönliches, subjektives Interesse kann abweichend von der sonstigen Auffassung des gemeinen Wertes berücksichtigt werden, zwar nicht der Affektionswert, wohl aber der Annehmlichkeitswert. Gewisse Annehmlichkeiten, die ein Grundstück, etwa durch seine Aussicht usw. besitzt, kommen in Betracht. Die in den Enteignungsgesetzen

---

[1]) Vgl. W. Rasch, Zur Frage des Versicherungswertes in der Feuerversicherung. Jena 1892.

K. Diehl, Nationalökonomie III.

häufige Ausdrucksweise: es soll der „volle Wert" oder es soll der „reichlich bemessene" Wert entschädigt werden, deutet auf diese Abweichung vom gemeinen Wert hin. — Es müssen aber Annehmlichkeiten sein, die j e d e m B e s i t z e r des betreffenden Grundstückes zukommen. Rein persönliche, also dem Affektionsinteresse entsprechende Momente, sind ausgeschlossen; z. B. wenn jemand ein Grundstück besitzt, das schon lange Zeit der Familie gehört und daher für den betreffenden Besitzer einen hohen Affektionswert hat, so kommt dies bei Entschädigungen nicht in Betracht, ebensowenig wie etwa der Umstand, daß der betreffende Besitzer Jagdliebhaber ist und einen Teil seines Grundbesitzes wegen der Erweiterung seines Jagdterrains besonders hoch einschätzt.

Im Preußischen Gesetz über die Enteignung von Grundeigentum vom 11. Juni 1874 heißt es § 8: „Die Entschädigung für die Abtretung des Grundeigentums besteht in dem vollen Werte des abzutretenden Grundstückes einschließlich der enteigneten Zubehörungen und Früchte."

Im Badischen Enteignungsgesetz vom 26. Juni 1899 lautet die betreffende Bestimmung § 7: „Die Entschädigung für die Entziehung des Eigentums umfaßt den Wert des abzutretenden Grundstückes einschließlich der mitenteigneten Zubehöre und Früchte sowie den etwaigen weiteren Schaden, welcher dem Eigentümer infolge der Abtretung in seinem übrigen Vermögen erwächst."

Im Württembergischen Gesetz betreffend die Zwangsenteignung von Grundstücken und von Rechten an Grundstücken vom 20. Dezember 1888 lautet Artikel 9: „Die Entschädigung für die Entziehung des Eigentums umfaßt den Wert des abzutretenden Grundstückes einschließlich der mitenteigneten Zubehörden und Früchte, sowie den etwaigen weiteren Schaden, welcher durch die Enteignung verursacht worden ist."

Allen diesen Bestimmungen ist die Wertauffassung gemeinsam, daß gewisse subjektive Vermögensinteressen des Enteigneten zu berücksichtigen sind. Nach einer Entscheidung des Reichsgerichts (Bd. 32, S. 304) entspricht es dem Grundsatz voller Entschädigung, daß der Enteignete so behandelt wird, wie wenn er einen freiwilligen Verkauf günstig abgeschlossen, also einen guten Preis erzielt hätte. Der Enteignete soll einerseits nicht bereichert, anderseits aber voll entschädigt werden, also keinerlei Nachteile erleiden. Die Abschneidung der Möglichkeit eines günstigen Verkaufs wäre aber ein solcher Nachteil, deshalb soll der zur Abgabe seines Eigentums Gezwungene den reichlich bemessenen Wert des Grundstücks erhalten[1]). Dieser Preis soll aber nicht derjenige sein, zu dem etwa der jeweilige Besitzer freiwillig das Grundstück hergegeben hätte, denn dann käme der Affektionswert in Frage; sondern nur der Preis kommt in Betracht, der der allgemeinen Marktlage nach einer gewissen objektiven Durchschnittsschätzung, wie oben bemerkt, entspricht.

Im älteren Badischen Zwangsabtretungsgesetz von 1835 war in § 24 festgesetzt, daß bei der Bestimmung der Entschädigungssumme der Wert zur Grundlage zu nehmen sei, den die Liegenschaft im Falle einer Veräußerung nach Maßgabe ihrer Größe, Beschaffenheit und

---

[1]) E. S. F u c h s , Das Badische Enteignungsgesetz. Tübingen 1901. S. 23.

Lage und nach den Durchschnittspreisen der sechs letzten Jahre oder sofern solche im Falle eingetretener besonderer Umstände im letzten Jahr gestiegen seien, nach dem neuesten Preise haben würde[1]). Im neuen Badischen Enteignungsgesetz ist diese Bestimmung nicht enthalten. In anderen Entscheidungen des Reichsgerichts ist ausdrücklich hervorgehoben, daß der Affektionswert nicht berücksichtigt werden darf; z. B. RG. vom 4. Juni 1880: Nicht aber das subjektive Interesse des Expropriaten ist zu berücksichtigen, also nicht der Affektionswert, den die Sache für den Eigentümer hat. Es ist unter Berücksichtigung der Lage des einzelnen Falles mit Rücksicht auf die bisherige Benutzungsart des enteigneten Grundstückes eine Vergütung insoweit zu gewähren, als sie erforderlich ist, in derselben Weise und mit demselben Erfolge, ein anderes Grundstück ebenso zu benützen wie das enteignete[2]).

Im Steuerrecht.

Auch im Steuerrecht ist der gemeine Wert von Bedeutung und zwar namentlich bei der Besteuerung der Grundstücke. Es ist eine alte Streitfrage in der nationalökonomischen und steuerrechtlichen Literatur, ob bei Grundstücken die Besteuerung nach gemeinem Wert oder nach Ertragswert die zweckmäßigere und gerechtere sei. Diese Gegenüberstellung von gemeinem Wert und Ertragswert ist insofern irreführend, als es sich bei dem sog. Ertragswert auch um einen gemeinen Wert handelt. Es würde richtiger lauten: gemeiner Verkehrswert und gemeiner Ertragswert; denn das, was ich oben als Kriterium für den gemeinen Wert angegeben habe, daß es sich um einen allgemeinen Verkehrswert handelt und nicht um einen individuellen, auf persönliche Verhältnisse basierten Wert, trifft sowohl für den „gemeinen Wert" als für den „Ertragswert" zu. In beiden Fällen soll ein Wert ermittelt werden, der von den besonderen speziellen Verhältnissen des einzelnen Grundstückes bzw. seines Inhabers absieht. Es handelt sich bei dem Gegensatz von gemeinem Wert und Ertragswert nur um einen Berechnungsmodus. Wird der gemeine Wert bei der Besteuerung oder sonst einer Wertfeststellung zugrunde gelegt, so soll nach den zeitlich und örtlich bedingten Kaufpreisen ein Durchschnittskapitalwert des betreffenden Grundstücks ermittelt werden. Bei der Wertfestsetzung nach Ertragswert soll auf Grund der zeitlich und örtlich bedingten Erträge ein durchschnittlicher Reinertrag ermittelt werden und durch Vervielfachung dieses Reinertrages ein Kapitalwert des Grundstückes festgestellt werden. Das Wesen des gemeinen Wertes, das Absehen von individuellen persönlichen Verhältnissen trifft also in beiden Fällen zu, sowohl beim gemeinen Verkehrswert wie beim gemeinen Ertragswert.

Diejenigen, die in dem Streit gemeiner Wert oder Ertragswert sich für den Ertragswert entscheiden, gehen dabei auf den wirtschaftlichen Unterschied zwischen den beweglichen Kapitalien und dem unbeweglichen Grundbesitz zurück. Am schärfsten hat R o d - b e r t u s darauf hingewiesen, daß ein Grundstück ein immerwährender Rentenfonds, aber nicht ein umsatzfähiges Kapital dar-

---

[1]) T h. F r a n t z , Die gesetzlichen Eigentumsbeschränkungen nach (französisch)-badischem und Reichsrecht. Freiburg 1887. S. 28.

[2]) T h. F r a n t z , a. a. O., S. 31.

stelle. Die Erträge, die alljährlich aus dem Grundbesitz erzielt werden können, sollten bei allen Rechtsgeschäften mit dem Grund und Boden zugrunde gelegt werden, nicht aber ein fiktiver Kapitalwert. Die Beweglichkeit sei das Kriterium des Kapitals und die Unbeweglichkeit das Kriterium des Grundbesitzes. Das Steuerrecht hatte sich früher ziemlich allgemein, namentlich bei der Grundsteuer, dieser Auffassung angeschlossen und fast regelmäßig war bei der Besteuerung des Grundbesitzes der Ertragswert, richtiger der gemeine Ertragswert, zugrunde gelegt. In neuerer Zeit ist ein Umschwung zugunsten des gemeinen Verkehrswertes eingetreten, und besonders bei der Vermögens- und Erbschaftssteuer usw. wird vielfach der gemeine Wert (richtiger der gemeine Verkehrswert) angewandt. Doch auch hier nicht allgemein, meist wird die Möglichkeit offengelassen, unter gewissen Umständen auch den gemeinen Ertragswert heranzuziehen.

Die neuere und neueste Steuergesetzgebung hat die Besteuerung nach gemeinem Verkehrswert in wiederholten Fällen festgesetzt, aber gleichzeitig bestimmt, daß in gewissen Fällen auch die Besteuerung nach gemeinem Ertragswert zuzulassen ist. Schon im Preußischen Erbschaftssteuergesetz von 1891 und im Preußischen Ergänzungssteuergesetz von 1893 war grundsätzlich der gemeine Wert zugrundegelegt. Der § 9 des erwähnten Ergänzungssteuergesetzes lautet:

„Bei Berechnung und Schätzung des steuerbaren Vermögens wird der Bestand und gemeine Wert der einzelnen Teile desselben zur Zeit der Veranlagung (Vermögensanzeige) zugrunde gelegt, soweit nicht im nachstehenden etwas anderes bestimmt ist." — Mit diesem allgemeinen Grundsatz ist nichts darüber gesagt, ob und inwieweit der gemeine Verkehrswert oder der gemeine Ertragswert gemeint sein soll; wohl aber ist damit gesagt, daß es auf durchschnittliche Verhältnisse ankomme und nicht auf individuell-persönliche[1]).

Ursprünglich war im Gesetzentwurf der gemeine Verkehrswert für die Grundstücke vorgesehen, aber diese Bestimmung wurde schon von der Kommission des Abgeordnetenhauses gestrichen. In den Ausführungsbestimmungen zu dem Gesetz ist festgesetzt, daß bei Bemessung des gemeinen Wertes der Grundstücke zum Anhalt zu nehmen sei:

a) Die im gewöhnlichen Verkehr gezahlten Preise,

b) wo aber Käufe, namentlich von land- und forstwirtschaftlich benutzten Grundstücken nicht in ausreichendem Umfang vorkommen, um einen zutreffenden Maßstab zu gewähren, außerdem die E r t r a g s w e r t e , d. h. die Kapitalwerte, deren jährliche Zinsen dem bei gemeingewöhnlicher Bewirtschaftung d a u e r n d zu erzielenden d u r c h s c h n i t t - l i c h e n jährlichen Ertrage unter Anwendung desjenigen Zinsfußes gleichkommen, der von dem in g l e i c h a r t i - g e m G r u n d b e s i t z a n g e l e g t e n K a p i t a l e in der betreffenden Provinz usw. erzielt zu werden pflegt[2]).

---

[1]) B. F u i s t i n g , Die preußischen direkten Steuern. II. Bd. Berlin 1906. S. 57.

[2]) F u i s t i n g , a. a. O., S. 61.

Analog lauten die Bestimmungen des Reichsvermögensgesetzes vom 8. April 1922, und zwar wurden bei der Bewertung des Vermögens die Vorschriften der Reichsabgabenordnung über die Wertermittlung zugrunde gelegt. Nach § 137 der Reichsabgabenordnung war bei Bewertungen, soweit nichts anderes vorgeschrieben ist, der gemeine Wert festgesetzt. Keineswegs gilt aber der gemeine Wert allgemein; bei der Gesetzesberatung kam es zu einem Streit zwischen Anhängern und Gegnern der Besteuerung nach gemeinem Wert, der schließlich zu einem Kompromiß führte. Nach § 152 der Reichsabgabenordnung ist bei der Bewertung von Grundstücken der gemeine Wert zugrundezulegen, soweit nicht der Ertragswert ausdrücklich gestattet ist. Wo aber der Ertragswert gestattet ist, kann der Steuerpflichtige nach freier Wahl den gemeinen Wert zugrunde legen; nur darf er nicht, wenn der gemeine Wert maßgebend sein muß, dafür den Ertragswert wählen. Dieser Ertragswert ist ausdrücklich gestattet bei land- oder forstwirtschaftlichen oder gärtnerischen Grundstücken, und zwar gilt als Ertragswert das 25fache des Reinertrages, den sie nach ihrer wirtschaftlichen Bestimmung bei ordnungsmäßiger und gemeinüblicher Bewirtschaftung unter gewöhnlichen Verhältnissen mit entlohnten fremden Arbeitskräften im Durchschnitt nachhaltig gewähren können. Dieser Ertragswert kann ferner auch für Grundstücke, die dauernd Wohnzwecken oder gewerblichen Zwecken zu dienen bestimmt sind, angesetzt werden.

Im Reichsbewertungsgesetz von 1925, das „Einheitswerte" nicht nur für die Vermögens- und Erbschaftssteuer des Reiches, sondern auch für die Grund-, Gebäude- und Gewerbesteuer der Länder feststellt, ist bestimmt, daß bei landwirtschaftlichen Betrieben vom Ertragswert auszugehen und die nachhaltige Ertragsfähigkeit festzustellen sei. Es heißt dort § 13: für landwirtschaftliche Betriebe gelten die Grundsätze der Reichsabgabenordnung über die Bewertung nach Ertragswerten.

Auch bebaute Grundstücke, die in ortsüblicher Weise bebaut sind oder gewerblichen Zwecken dienen, sind mit dem Ertragswert zu bewerten (§ 35). Dagegen bebaute Grundstücke, die nicht in ortsüblicher Weise bebaut sind und nicht gewerblichen Zwecken dienen, sowie Grundstücke, die sich im Zustande der Bebauung befinden, sind mit dem gemeinen Werte zu bewerten (§ 35). Selbst Grundstücke, die landwirtschaftlich, forstwirtschaftlich oder gärtnerisch benutzt werden, sind mit dem gemeinen Wert zu bewerten, wenn sie nach ihrer Lage und sonstigen obwaltenden Verhältnissen als Bauland oder als Land für Verkehrszwecke anzusehen sind (§ 36).

Es ist sachlich durchaus gerechtfertigt, wenn die neuere Steuergesetzgebung beide Steuerarten, sowohl den gemeinen Wert wie den Ertragswert zugelassen hat. Der Ertragswert ist überall dort zweckmäßig, wo, wie dies namentlich in rein ländlichen Verhältnissen vorkommt, die Grundstücke mehr als Familienbesitz angesehen werden, und Verkäufe von Grundstücken seltener vorkommen. Der gemeine Wert verdient den Vorzug namentlich bei städtischem Grundbesitz oder bei Grundbesitz in der Nähe der Stadt, aber auch hier nicht allgemein, wie wir gleich noch zeigen werden.

Unberechtigt ist die Forderung der Bodenreformer, bei der Besteuerung des Grund und Bodens immer nur den gemeinen Wert zugrundezulegen. Die Bodenreformer weisen mit Vorliebe auf solche Fälle hin, daß z. B. ein in der Nähe einer Stadt gelegener Kartoffelacker, wenn er nach Ertragswert besteuert würde, einer minimalen Steuer unterworfen würde, die in keinem Verhältnis zu dem wirklichen Wert des Grundstückes stünde, der etwa bei einem Verkauf zu Bauzwecken den hundertfachen Wert erreichen könnte. Demgegenüber stehen aber auch die vielen Fälle, wo Grundstücke, die in der Nähe der Stadt gelegen sind, tatsächlich zu gärtnerischen oder landwirtschaftlichen Betrieben benutzt werden und daher bei der Besteuerung nach gemeinem Wert eine schwer tragbare Belastung erfahren würden. Es ist jedenfalls ein durchaus berechtigter Kerngedanke von R o d b e r t u s , daß ein Grundstück einen Rentenfonds und nicht ein mobiles Kapital darstelle.

2. Kapitel.
Die objektivistische Werttheorie.

§ 10. Vorbemerkung: Die Haupttheorien über die Bestimmungsgründe der Höhe des Güterwertes.

Die wichtigste Aufgabe der nationalökonomischen Werttheorie besteht darin, die Höhe des Güterwertes bzw. Güterpreises auf ihre letzten Ursachen und Bestimmungsgründe zurückzuführen. Wir wollen wissen: wovon hängt letztlich die Höhe der Preise ab? Wenn die Preise insgesamt oder die Preise einzelner Artikel steigen oder sinken, so wollen wir wissen: was ist die Ursache des Steigens oder Fallens der Preise? Ist die Bildung der Preise etwas rein Zufälliges und Willkürliches, so daß sich wissenschaftlich nichts Bestimmtes darüber aussagen läßt? Oder ist die Preisbildung durch bestimmte ökonomische Faktoren beherrscht, deren Walten wir mit einer gewissen Regelmäßigkeit feststellen können? Diese Frage wurde häufig so beantwortet, daß man sagte, die Höhe des Preises sei durch das Verhältnis von Angebot und Nachfrage bestimmt. Damit ist aber eine befriedigende Antwort nicht gegeben, denn dann wüßte man doch nur, daß der Preis eine Resultante der zufälligen Situation des Marktes, und die Preishöhe von den Konstellationen der Marktlage bedingt wäre. An Stelle dieses unbefriedigenden Hinweises auf das Spiel von Angebot und Nachfrage wollten die Werttheoretiker ein festes klares Richtmaß aufstellen, wollten sie unabhängig von dem Verhältnis von Angebot und Nachfrage die ökonomischen Kräfte erkennen, deren Wirksamkeit so entscheidend wären, daß der jeweilige Preisstand kein Resultat des Zufalls oder der Willkür, sondern das notwendige Ergebnis einer bestimmten Gesetzmäßigkeit darstellt. In zweierlei Richtung haben die Werttheoretiker diese Klärung versucht: die eine Gruppe der Werttheoretiker geht von der Seite des Angebots der Waren aus; sie lehren, daß die Produzenten, welche die Waren anbieten, einen Preis verlangen müssen, der ihnen die Rückerstattung der von ihnen aufgewendeten Kosten einschließlich eines Gewinns, der sie für die Mühe und das Risiko ihrer Tätigkeit entschädigt, garantiere. In diesem Sinne wurden die verschiedenen sog. Kostentheorien aufgestellt, wobei entweder die Produktionskosten schlechthin oder die Produktionskosten einschließlich eines Durchschnittsprofits als Wertregulator angegeben wurden oder man versuchte, alle Kosten auf einen Generalnenner zu bringen, und zwar auf die Arbeit. Von manchen Kostentheoretikern wurden die Produktionskosten, von anderen die Reproduktionskosten als maßgebend bezeichnet.

Die andere Gruppe von Werttheoretikern geht umgekehrt von der Seite der Nachfrage aus. Die jeweilige Preislage soll durch die Schätzungen der Konsumenten determiniert sein. Die Käufer schätzen die Waren wegen des Nutzens, den sie ihnen stiften, aber diese Schätzungen sollen nichts Willkürliches sein, sondern auf Grund bestimmter physiologischer und psychologischer Tatbestände wäre eine Gesetzmäßigkeit vorhanden, kraft deren der jeweilige Preis als Resultat dieser Nutzenschätzung erscheinen müßte. Diese Lehre hat ihre sorgfältigste Durchführung in der sog. Grenznutzenlehre erhalten.

Man kann die erste Gruppe von Werttheorien als objektivistische Werttheorien bezeichnen, weil der Wert der Waren bestimmt sein soll durch objektive Größen, nämlich durch die technischen Aufwendungen, die zur Produktion der Waren notwendig sind. Die zweite Gruppe kann man als subjektivistische Werttheorien bezeichnen, weil bei ihnen die Preisbildung durch die subjektiven Schätzungen der Konsumenten bedingt ist.

Schließlich hat es auch nicht an Werttheoretikern gefehlt, die in einer Art von Synthese oder Verschmelzung eine Versöhnung der beiden Gruppen anstrebten. Ich will in den folgenden Abschnitten die einzelnen Gruppen dieser Werttheoretiker an typischen Vertretern kritisch behandeln und auch einiges über die Genesis dieser Theoriengruppen berichten. Ich beginne mit der objektivistischen Werttheorie.

1. A b s c h n i t t.
Zur Genesis der objektivistischen Werttheorie.

Bei meiner Darstellung der Genesis der objektivistischen Werttheorie ist ebensowenig wie bei der späteren Darstellung der Genesis der subjektivistischen Werttheorie an literaturgeschichtliche Vollständigkeit gedacht. Die Darstellung der geschichtlichen Entwicklung der Werttheorie findet sich in verschiedenen Spezialarbeiten, auf die hier verwiesen werden soll[1]). Ich will nur einzelne Vertreter der objektivistischen Werttheorie charakterisieren, die für die Entwicklung dieser Lehre eine besonders wesentliche und typische Bedeutung haben.

§ 11. Die objektivistische Werttheorie in der scholastischen Philosophie des Mittelalters.

Einzelne mittelalterliche Gelehrte können als Vorläufer der objektivistischen Werttheorie bezeichnet werden, da sich bei ihnen Ausführungen über Wert und Preis finden, die eine gewisse Ähnlichkeit mit den Anschauungen späterer objektivistischer Werttheoretiker

---

[1]) Z u c k e r k a n d l , Zur Theorie des Preises mit besonderer Berücksichtigung der geschichtlichen Entwicklung der Lehre. Leipzig 1889. — L i e b k n e c h t , Zur Geschichte der Werttheorie in England. Jena 1902. — K a u l l a , Die geschichtliche Entwicklung der modernen Werttheorie. Tübingen 1906. — B r e n t a n o , L., Die Entwicklung der Wertlehre. (Sitzgsber. d. Kgl. Bayr. Akad. d. Wissensch. Philos.-Philol. u. Hist. Klasse, Jahrg. 1908, 3. Abhdlg.) — D i e h l , K., Die Entwicklung der Wert- und Preistheorie im 19. Jahrhundert. Im Sammelwerk „Entwicklung der Deutschen Volkswirtschaftslehre im 19. Jahrhundert". I. Teil. Leipzig 1908. — D e r s., Sozialwissenschaftliche Erläuterungen zu David Ricardos Grundgesetzen der Volkswirtschaft und Besteuerung. 2 Bde. Leipzig 1905.

aufweisen. Jedoch muß gleich hier auf eine charakteristische Eigentümlichkeit dieser Scholastiker hingewiesen werden, durch die sie sich grundsätzlich von der Art unterscheiden, wie die objektive Wertlehre in der klassischen Nationalökonomie ausgebildet wurde. Wenn in der klassischen Nationalökonomie die Höhe von Wert und Preis auf gewisse Kosten der Produzenten zurückgeführt wird, so hat das kausale Bedeutung, d. h. nach ihrer Lehre soll tatsächlich der Preis im Wirtschaftsleben sich so gestalten, daß er den Aufwendungen gleichkommt, die zur Herstellung der Produkte nötig sind.

Bei den mittelalterlichen Gelehrten hat die Werttheorie ethische Bedeutung. Nach ihrer Meinung s o l l der Preis der Güter so hoch sein, daß er nicht über die Aufwendungen hinausgeht, die zur Herstellung der Güter notwendig sind. In dieser ethischen Färbung tritt die objektive Werttheorie auch später auf, namentlich bei einzelnen sozialistischen, sozialreformerischen und religiös-sozialen Schriftstellern. Mit der objektiven Werttheorie der klassischen Nationalökonomie hat diese Auffassung nichts zu tun.

Ich erwähne von den Vertretern der Scholastik A l b e r t u s   M a g n u s (1193 — 1280), der ebenso wie sein Schüler T h o m a s   v.   A q u i n o (1225—1274) ein Vertreter der objektivistischen Werttheorie ist. Diese objektivistische Werttheorie erlangt aber bei ihnen wie bei den meisten Scholastikern eine kirchlich-religiöse Färbung. Der Wert soll bedingt sein durch die Höhe der Kosten oder der Arbeit und Mühe, die auf die Güter aufgewendet ist, aber dieser Preis soll nicht identisch sein mit dem tatsächlich im Wirtschaftsleben zustandekommenden Preis, sondern es soll der Preis sein, wie er der Idee der G e r e c h t i g k e i t entspricht. Diesen Preis nannte man j u s t u m   p r e c i u m. Die Lehre vom justum precium ist für die ganze mittelalterliche Wirtschaftslehre charakteristisch.

M a g n u s wirft in seiner Ethica[1]) die Frage auf: In welchen Tauschvorgängen besteht die Gerechtigkeit in einer Wiedervergeltung und in welchen nicht? Er stellt dann einen Baumeister und einen Schuster einander gegenüber, die ihre Produkte gegeneinander austauschen. Der Baumeister muß vom Schuster dessen Arbeitsprodukt in Empfang nehmen und anderseits muß der Baumeister dem Schuster dafür zahlen, was dem Schuster nach gerechter Wiedervergeltung zukommt. Denn nur — wenn die Forderung erfüllt ist — wird Übereinstimmung nach Arbeit und Kosten herrschen. Wenn also zunächst bei einem derartigen Tausche Gleichheit unter Zugrundelegung der Proportion festgestellt ist, indem entweder Wertgleichheit oder vertragsmäßige Übereinkunft oder die gesetzliche Bestimmung beobachtet ist, und dann die Wiedervergeltung vor sich geht, dann ist, wie gesagt, das Wohl der Gemeinschaft gewahrt und ihr Bestand gesichert. Vom ersten aber sprechen wir wie von einem Kaufvertrage, der unter Wahrung des gerechten Preises abgeschlossen ist, und vom zweiten wie von der Zahlung des Preises. Wenn aber bei solchen Tauschverträgen nicht so verfahren wird, so führt diese Nichtbeachtung der Gleichheit nach Proportion zur Auflösung der Gemeinschaft, weil keine Wiedervergeltung nach Arbeit und Kosten stattfindet.

---

[1]) Ausgabe von Jammy, Lugdon 1651, IV. Bd., Liber V, Tract. II, Caput IX.

M a g n u s will seinen Ausführungen aristotelische Gedanken zugrunde legen. Auffallend ist aber, daß jene Lehre im Widerspruch zu Aristoteles steht, der gerade als Vertreter der subjektiven Werttheorie zu bezeichnen ist. In manchen seiner Schriften, z. B. der Rhetorik macht Aristoteles über die Schätzung der Güter Bemerkungen, die direkt an Sätze der modernen Grenznutzentheorie erinnern. Aristoteles hatte nur den Gedanken gehabt, daß die Vergleichbarkeit der Werte verschiedener wirtschaftlicher Güter irgendein gemeinsames Etwas bei den zu vergleichenden Größen zur Voraussetzung habe. Er wollte den Satz aber nicht so verstanden wissen, als sei ein gemeinschaftliches Etwas in den Gütern selbst zu suchen. Er fand das Maß vielmehr in dem Bedürfnis nach den Gütern.

Die Abweichungen der Anschauungen von A l b e r t u s M a g n u s und T h o m a s von Aristoteles lassen sich einmal durch gewisse Unklarheiten des aristotelischen Textes verstehen, die tatsächlich eine Erklärung im angegebenen Sinne als möglich erscheinen lassen, ferner in den besonderen wirtschaftlichen Verhältnissen des Mittelalters, wo man von dem Gedanken beherrscht war, daß jedem eine wirtschaftliche Existenz ermöglicht werden müsse und schließlich in der speziell christlichen Anschauung, daß jeder Arbeiter seines Lohnes wert sei.

§ 12. William Petty.

P e t t y kann als Vorläufer der objektivistischen Theorie im Sinne der klassischen Nationalökonomie bezeichnet werden, denn er will mit seiner Werttheorie nicht wie in der mittelalterlichen Lehre nach einem gerechten Maßstabe suchen, sondern er will die Frage behandeln, was sich t a t s ä c h l i c h im Marktverkehr durchsetzt. In diesem rein ökonomischen Sinn hat er zuerst eine objektive Werttheorie aufgestellt und man hat ihn mit Recht als „Vater der Arbeitswerttheorie" bezeichnet. P e t t y unterscheidet den inneren (intrinsic) und äußeren (extrinsic or accidental) Wert der Waren, ersterer ist der „natürliche", letzterer ist der Marktwert. Für die Bestimmung des „Natürlichen" Wertes der Waren gibt P e t t y eine Erklärung, die große Ähnlichkeit mit den späteren Formulierungen der Arbeitswerttheorie aufweist; die in den Gütern enthaltene Arbeitsmenge wird als ihr natürlicher Wert bezeichnet. P e t t y erklärt[1]: „Wir wollen annehmen, ein Mann könnte eigenhändig ein gewisses Stück Land mit Getreide bebauen, d. h. könnte so viel graben und pflügen, eggen, jäten, ernten, einbringen, dreschen und sichten, wie es die Bewirtschaftung dieses Bodenstückes erfordert und besäße außerdem Samen zur Aussaat. Ich sage also, daß, wenn dieser Mann seine Aussaat von dem Ertrag seiner Ernte abgezogen hat, ebenso wie alles, was von ihm verzehrt und anderen im Austausch gegen Kleider und andere natürliche Bedürfnisse gegeben worden ist, der Überrest des Getreides die natürliche und wahre Jahresernte des Grund und Bodens darstellt und der D u r c h - s c h n i t t von sieben Jahren oder besser von so viel Jahren, als

---

[1] The Economic Writings of Sir W i l l i a m P e t t y . Together with the observations upon the Bills of Moratlity more probably by Captain John Graunt edited by Charles Henry Hull, Ph. D. Cornell University Cambridge, University Press 1899. — Abhandlung über Steuern und Abgaben.

zu dem Kreislauf von Mißernte und Überfluß gehören, bildet die gewöhnliche Getreideernte des Bodens.

Eine weitere, aber verwandte Frage mag sein, wie viel dieses Getreide oder diese Rente in englischem Geld wert sei? Hierauf antwortete ich: soviel wie das Geld, welches ein anderer einzelner Mensch innerhalb derselben Zeit über seine Ausgaben hinaus ersparen kann, wenn er sich darauf verlegt, es ganz zu produzieren und fertig zu stellen, viz. Laßt diesen anderen in ein Land reisen, das Silber besitzt, es dort graben, läutern, an den gleichen Ort bringen, an dem der andere sein Getreide gebaut hat, es münzen usw., wobei dieser selbe Mann, während er an dem Silber arbeitet, auch die ihn zum Leben notwendigen Nahrungsmittel sammelt und seine Kleidung usw. beschafft usw. Ich sage, daß das Silber des einen von gleichem Werte wie das Getreide des anderen erachtet werden muß: also, daß das eine vielleicht 20 Unzen und das andere 20 Bushels beträgt. Woraus folgt, daß der Preis eines Scheffels von diesem Getreide eine Unze Silber beträgt."

§ 13. Franklin, Cantillon, Steuart und Harris.

Der nächste Autor, der nach P e t t y den T a u s c h w e r t auf die Arbeit begründete, ist der Amerikaner B e n j a m i n F r a n k l i n in seiner 1721 erschienenen Jugendarbeit „A modest inquiry into the nature and necessity of a paper money"[1]). Er erklärt es für nötig, ein anderes Maß der Werte als die edlen Metalle zu suchen; dies sei die Arbeit, „da", sagte er, „der Handel überhaupt nichts ist als ein Austausch von Arbeit gegen Arbeit, wird der Wert aller Dinge am richtigsten geschätzt durch Arbeit . . . " Er reduziert die Arbeiten bereits auf „abstrakte Arbeit" und meint: „Der Wert an Stiefeln, Minenprodukten, Gespinst, Gemälden usw. wird bestimmt durch abstrakte Arbeit, die keine besondere Qualität besitzt und daher durch bloße Quantität meßbar ist." Weitergeführt wird die Lehre durch den Verfasser einer anonym erschienenen Schrift, die M a r x [2]) erwähnt und aus welcher er die Stelle zitiert: „Der Wert von Gebrauchsgegenständen, sobald sie gegeneinander umgetauscht werden, ist bestimmt durch das Quantum der zu ihrer Produktion notwendig erheischten und gewöhnlich angewandten Arbeit."

Einen scharfsinnigen Vertreter fand die Arbeitswerttheorie bei den Physiokraten in C a n t i l l o n ; er unterschied den Marktpreis und den·Normalpreis der Waren; letzteren ließ er in der Hauptsache von der auf die Güter verwandten Arbeit abhängen. „Der Preis oder der innere Wert eines Dinges", erklärt er[3]), „ist das Maß der Menge an Land oder Arbeit, welche in seine Produktion eingeht, unter Berücksichtigung der Fruchtbarkeit oder der Menge des Bodenproduktes und der Qualität der Arbeit." In ähnlicher Weise wie C a n t i l l o n hat der Engländer H a r r i s in seinem 1759 erschienenen Werk „An Essay upon money and coins" Land und Arbeit als die Quellen des R e i c h t u m s erklärt. Als

---

[1]) Zitiert bei M a r x , a. a. O., S. 37.
[2]) Some Thoughts on the interest of Money in general and particularly in the Public funds etc. London, etwa 1740 erschienen.
[3]) Essai sur la Nature du Commerce en général 1735, vgl. S e w a l l , 82.

wichtigster Bestimmungsgrund des W e r t e s erscheint auch H a r r i s
die A r b e i t : die Arbeit macht bei den meisten Produkten den
größten Wertteil aus und demgemäß müsse der W e r t d e r A r b e i t
als Hauptmaßstab angesehen werden, der die Werte aller Waren
reguliere. ,,Die verschiedenen Bedürfnisse und Neigungen des Menschen zwingen sie, ihre eigenen Waren zu verkaufen in einem Verhältnis, das der Arbeit und Geschicklichkeit entspricht, die auf diejenigen Dinge, die sie umzutauschen wünschen, verwandt worden
sind[1]).'' Eine eigenartige Arbeitswerttheorie hat auch der verdienst-
volle, zu wenig beachtete unmittelbare Vorgänger A. S m i t h s :
J a m e s S t e u a r t ausgebildet: sie geht zunächst auf die Fixierung
des Wertes durch die Arbeitszeit hinaus, um sich aber zu einer
Produktionskostentheorie auszugestalten. Im Preise der Güter unterscheidet S t e u a r t zwei Bestandteile: einmal den w a h r e n
W e r t (real value) und dann den P r o f i t [2]). Der Preis könne
nicht niedriger sein, als der wahre Wert, was darüber hinausginge,
sei Profit.

Zur Bestimmung des wahren Wertes müsse man drei Faktoren
kennen:

1. die Menge an Arbeit, die ein Arbeiter mittlerer Geschicklichkeit in einer gewissen Zeit leisten kann;

2. den Wert der zur Erhaltung des Arbeiters notwendigen
   Lebensmittel;

3. den Wert des Arbeitsmaterials.

§ 14. Adam Smith.

A d a m S m i t h ist auch unter die objektivistischen Werttheoretiker zu zählen, doch nicht etwa in dem Sinne, daß er eine
scharfe, klare und konsequente Arbeitswerttheorie entwickelt hätte.

A d a m S m i t h , der so häufig als der eigentliche Schöpfer
der Arbeitswerttheorie bezeichnet wird, kann nur in sehr begrenzter
Weise als Vertreter dieser Theorie gelten: vor allem ist zu bemerken,
daß seine Werttheorie jeder einheitlichen geschlossenen Durchführung
entbehrt; es finden sich mehrere verschiedene Werttheorien nebeneinander und auch jede einzelne von ihnen ist nicht klar und scharf
herausgearbeitet; gerade im Hinblick auf die spätere Entwicklung
der Arbeitswerttheorie ist festzustellen, daß, wenn auch A. S m i t h
die ,,Arbeit'' als den wahren Maßstab für den Tauschwert aller Güter
betrachtet, er dies

1. in dem s u b j e k t i v e n Sinne meint, daß er die Mühen
   und Anstrengungen, die mit der Arbeit verknüpft sind,
   oder die p e r s ö n l i c h e n Opfer, die die einzelnen Produzenten bringen, im Auge hat;

2. daß er von der Arbeit spricht, welche man mit einem Gute
   e i n k a u f e n kann;

3. daß er diese Arbeitswerttheorie nur für die primitiven Wirtschaftszustände annimmt, während er für die höher entwickelte
   Volkswirtschaft eine Produktionskostentheorie aufstellt.

---

[1]) Vgl. L i e b k n e c h t , a. a. O., S. 14.
[2]) An inquiry into the principles of political economy. Vol. I. London 1767.
S. 179—181.

2. Abschnitt.

Die objektivistische Werttheorie von David Ricardo.

§ 15. Darlegung der Ricardoschen Werttheorie.

Im Gegensatz zu S m i t h hat R i c a r d o den Wert der Güter nicht auf die Arbeit, die man für die Güter e i n t a u s c h e n kann, sondern auf die Arbeit, die auf die Güter v e r w e n d e t ist, zurückgeführt. R i c a r d o wollte mit seiner Werttheorie das Grundgesetz der Preisbildung liefern. Nicht die „M a r k t p r e i s e", sondern die „D u r c h s c h n i t t s p r e i s e" sollten durch die Werttheorie erklärt werden. Er unterscheidet den G e b r a u c h s w e r t (value in use) und den T a u s c h w e r t (value in exchange). In ersterer Hinsicht sei die N ü t z l i c h k e i t entscheidend, die aber für den Tauschwert nicht maßgebend sei, da es sehr nützliche Dinge gebe, die gar keinen oder nur sehr geringen Tauschwert hätten. Die Nützlichkeit sei aber eine Voraussetzung des Tauschwertes. Für den Maßstab des Tauschwertes nützlicher Dinge gibt R i c a r d o zweierlei Bestimmungsgründe an, je nachdem es sich um Seltenheitsgüter oder sog. beliebig reproduzierbare Güter handelt. Für die ersteren, wie z. B. seltene Bildsäulen und Gemälde, seltene Münzen usw. sei der Tauschwert abhängig von den Wohlhabenheitsverhältnissen und dem Grade der Liebhaberei ihrer Käufer. Für die zweite Gruppe von Gütern, die nach R i c a r d o die Hauptmasse der wirtschaftlichen Güter bildeten, soll der Tauschwert f a s t ausschließlich von der verglichenen Arbeitsmenge abhängen, die auf jedes Gut verwandt worden sei. — Dieses Arbeitsquantum soll maßgebend sein für den „relativen" Wert der Güter, den R i c a r d o allein bestimmen will, d. h. für das Verhältnis, nach welchem gegenseitig Güter ausgetauscht werden. Die verschiedenen Arten der Arbeit werden von R i c a r d o nicht auf eine „Durchschnittsarbeit" reduziert, vielmehr sieht er davon ab und meint, daß „die Würdigung, welche verschiedener Beschaffenheit der Arbeit zuteil wird, ihre Ausgleichung schon auf dem Markte mit genügender Genauigkeit für alle praktischen Zwecke findet".

Unter „Arbeit" versteht R i c a r d o nicht nur die „lebendige", d. h. unmittelbar auf die Herstellung der Güter verwandte Arbeit, sondern auch die auf die Hilfsmittel der Produktion, d. h. die Werkzeuge, Geräte, Maschinen usw. verwandte Arbeit. Modifiziert wird das R i c a r d o sche Wertgesetz durch die Mitwirkung des Kapitals und zwar infolge der verschiedenen Mitwirkung von fixem und zirkulierendem Kapital: je nachdem mehr stehendes oder mehr umlaufendes Kapital bei der Produktion verwandt wird, wird die Höhe des Kapitalprofits bzw. Arbeitslohnes von Einfluß auf den Wert sein; dasselbe ist der Fall, wenn der gleiche Betrag an stehendem und umlaufendem Kapital angewandt wird, oder das stehende Kapital in beiden Fällen von ungleicher Dauerhaftigkeit ist. R i c a r d o weist auch darauf hin, daß Güter, welche dieselbe Menge Hervorbringungsarbeit in sich schließen, ihren Tauschwert ändern, wenn sie nicht in derselben Zeit auf den Markt gebracht werden; auch hier wegen des auf das Kapital zu berechnenden Gewinnes.

Im Gegensatz zu dem „Wert" der Güter hängt ihr „Marktpreis" von dem Bedarf und den Wünschen der Menschen ab; die

Marktpreise weichen fortwährend von den „natürlichen" Preisen ab,
haben aber immer die Tendenz, wieder zur Höhe der natürlichen Preise
zurückzukehren, und zwar bewirkt die Konkurrenz diese Ausgleichung.
Die Kapitalgewinne haben die Tendenz, sich in den verschiedenen
Gewerben auf ein gleiches Niveau zu erheben; wenn durch zu hohe
Preise in einem Gewerbe Extraprofite erzielt werden, so streben sie
doch wieder zu ihrem Gleichgewichtszustande hin: „mit dem Steigen
oder Fallen der Preise werden auch die Gewinne über ihren allgemeinen Gleichgewichtszustand gehoben oder unter denselben herabgedrückt und die Kapitalien entweder mit neuem Mute in das Gewerbe, in welchen die Veränderungen vorgegangen sind, angelegt,
oder aber mit Furchtsamkeit aus demselben wieder zurückgezogen."
Wie aus vorstehendem ersichtlich, ist R i c a r d o ein Vertreter der objektiven Werttheorie, weil er die objektive Größe eines
bestimmten Güter- oder Kostenaufwandes zum Wertmaßstab macht.
Aber keineswegs ist R i c a r d o ein konsequenter Vertreter der sog.
Arbeitswerttheorie, denn wenn er auch zuerst immer die Arbeit
in den Vordergrund seiner Betrachtungen stellt, hat er dann so viele
Modifikationen und Verklausulierungen dieses Prinzips vorgenommen,
daß man ihn richtiger als Produktionskostentheoretiker bezeichnet.
So sagt er selbst einmal in einem Briefe an M c C u l l o c h (Briefwechsel mit M c C u l l o c h , S. 65): „Nach der besten Überlegung,
die ich dem Gegenstande widme, glaube ich, daß es z w e i Ursachen gibt, welche Veränderungen in dem relativen Werte der Waren
bewirken: 1. die relativen Arbeitsmengen, die erforderlich sind, um sie
herzustellen, 2. die relative Zeitdauer, die verstreichen muß, bevor
das Resultat dieser Arbeit auf den Markt gebracht werden kann.
Alle Fragen des fixen Kapitals fallen unter die zweite Ursache."

Fragen wir nach der Kraft, welche es bewirkt, daß die M a r k t -
p r e i s e die Tendenz haben, sich immer wieder den n a t ü r l i c h e n
P r e i s e n zu nähern, d. h. daß die Marktpreise zwar zeitweilig, je
nach den Schwankungen von Angebot und Nachfrage, von den natürlichen Preisen abweichen können, daß aber im Durchschnitt längerer
Zeiträume die Preisbildung beherrscht wird durch die in den Gütern
verkörperte Arbeitsmenge und nicht durch die Höhe des Gewinns
usw. — abgesehen von der Modifikation, die wir soeben betrachtet
haben — so verweist uns R i c a r d o auf die K o n k u r r e n z.
Die Konkurrenz bewirke, daß, wenn der Marktpreis einer Ware
einen höheren Gewinn in sich schlösse, als den, der in anderen Branchen
zu erzielen sei, sofort neues Kapital in diesen lukrativen Erwerbszweig
einströme und umgekehrt: „Der rastlose Wunsch aller Kapital-
anwender, einen weniger einträglichen Geschäftszweig für einen vorteil-
hafteren einzutauschen, hat eine scharfe Tendenz, die Profitrate für
alle auszugleichen oder sie in solchem Verhältnis festzusetzen, daß
sich nach der Schätzung der Parteien ein Vorteil, welchen ein Geschäft vor dem anderen hat, oder zu haben scheint, ausgleicht . . .
Es ist dieses Streben, welches jeder Kapitalist hat, sein Kapital aus
einem weniger vorteilhaften zu einem vorteilhaften Gewerbe zuzu-
wenden, welches verhindert, daß der M a r k t p r e i s der Waren
längere Zeit viel über oder weit unter dem n a t ü r l i c h e n Preise
stehen kann."

Der Umstand, daß die Produktionskosten in den verschiedenen
Unternehmungen verschieden hoch sind, veranlaßt R i c a r d o ,

sein Wertgesetz in der Weise zn modifizieren, daß er näher angibt, welche Produktionskosten für die Wertbildung maßgebend sind. Es kommt nach R i c a r d o für die Wertbildung auf diejenigen Produktionskosten an, die die höchsten sind. Nicht diejenige Arbeit kommt in Betracht, die unter besonders günstigen Umständen ver-wandt wird, sondern die unter den u n g ü n s t i g s t e n Bedingungen zu leistende Arbeit[1]): „Der Tauschwert aller Güter, mögen sie gewerbliche Produkte sein oder Erzeugnisse der Minen oder des Grund und Bodens, wird immer nicht durch die geringere Menge der Arbeit geregelt, welche für ihre Herstellung unter besonders günstigen Umständen genügen mag, und von solchen, die besondere Erleichterungen in der Produktion haben, geleistet wird, sondern durch die g r ö ß e r e A r b e i t s m e n g e, die notwendigerweise auf die Produktion von denen verwandt wird, die solche Erleichterungen nicht haben; von solchen, die sie unter den ungünstigsten Bedingungen herstellen; d. h. unter den ungünstigsten Umständen solche verstanden, unter denen der notwendige Bedarf an Produkten es gebietet, die Hervorbringungsarbeiten fortzusetzen."

Später hat R i c a r d o dieses modifizierte Wertgesetz noch so formuliert: bei solchen Gütern, deren Herstellung Produktionskosten von verschiedener Höhe erfordert, kommen die Produktionskosten d e r Produzenten in Betracht, die unter den ungünstigsten Bedingungen produzieren, die aber noch zur Versorgung der Konsumenten herangezogen werden müssen. Die Schüler und Nachfolger R i c a r d o s haben die Lehre ihres Meisters nicht im Sinne einer inkonsequenten Arbeitswerttheorie, sondern einer reinen Produktionskostenlehre weiter fortgebildet.

Vor allem war J o h n S t u a r t M i l l mit seinen weitverbreiteten „Grundsätzen der Volkswirtschaftslehre" Vertreter dieser Produktionskostenlehre. Er sagt hierüber: „Wenn die Produktion einer Ware das Ergebnis von Arbeit und Verausgabung ist, so gibt es einen Minimumwert, welcher die wesentliche Bedingung ist, daß dieselbe fortdauernd produziert wird, die Ware mag nun eine unbegrenzte Vervielfältigung zulassen oder nicht. Der Wert ist zu jeder besonderen Zeit das Resultat von Nachfrage und Angebot und steht immer auf dem Punkt, der notwendig ist, damit sich ein Markt für das vorhandene Angebot ergibt. Sofern aber dieser Wert nicht hinreicht, die Produktionskosten zu erstatten und außerdem den gewöhnlichen Erwartungen von Kapitalgewinn zu genügen, wird die Ware nicht länger produziert werden. Kapitalisten werden sich nicht dazu verstehen, auf die Dauer mit Verlust zu produzieren, und selbst auch nicht mit einem Gewinne, der geringer ist, als daß sie davon leben können. Personen, deren Kapital schon angelegt ist und nicht leicht herausgezogen werden kann, halten es eine beträchtliche Zeit aus ohne Gewinn, ja selbst wohl gar mit Verlust, indem sie auf bessere Zeiten hoffen; allein sie tun dies nicht immerfort und lassen ab, sobald jede Aussicht fehlt, daß sich die Zeiten bessern werden. Kein neues Kapital wird in einem Geschäfte angelegt, wofern nicht dabei die Erwartung ist nicht nur auf einigen Gewinn, sondern auf einen so bedeutenden Gewinn, als zu der Zeit und an dem Orte von irgendeinem anderen Geschäfte erwartet werden kann (wobei natürlich

---

[1]) Principles of political economy. 3. Aufl. von McCulloch, London 1821, S. 37.

Rücksicht genommen werden muß, auf den Grad der Annehmlichkeit des betreffenden Geschäfts in anderen Beziehungen). Ist solcher Kapitalgewinn offenbar nicht zu erlangen, so unterläßt man wenigstens, das verbrauchte Kapital zu ersetzen, wenn man auch nicht das vorhandene herauszieht. Die Produktionskosten samt dem gewöhnlichen Kapitalgewinn kann man daher bezeichnen als den n o t - w e n d i g e n Preis oder Wert aller Dinge, welche durch Arbeit und Kapital entstehen. Niemand produziert freiwillig mit der Aussicht auf Verlust. Wer dies tut, der tut es, weil er sich verrechnet hat, und korrigiert es so schnell er dazu imstande ist.

Wenn eine Ware durch Arbeit und Kapital nicht nur herzustellen ist, sondern auf diese Weise sogar in unbeschränkter Menge produziert werden kann, ist der „notwendige Wert" — das Minimum, womit sich die Produzenten begnügen — zugleich auch das Maximum, welches sie erwarten können, sobald freie Konkurrenz stattfindet. Wenn der Wert einer Ware der Art ist, daß die Produktionskosten dadurch nicht allein mit dem gewöhnlichen, sondern mit einem höheren Kapitalgewinne erstattet werden, so strömt Kapital herbei, um an diesem Extragewinne teilzunehmen und durch Vermehrung des Angebots wird der Wert der Ware herabgedrückt . . .

Als allgemeine Regel gilt also, daß die Dinge die Tendenz haben, eines gegen das andere sich zu solchem Werte auszutauschen zu lassen, daß jeder Produzent in den Stand gesetzt wird, die Produktionskosten samt dem gewöhnlichen Kapitalgewinne zurückerstattet zu erhalten — mit anderen Worten zu solch einem Werte, wobei allen Produzenten ein gleicher Kapitalgewinn für ihre Auslagen zuteil wird. Damit aber der Kapitalgewinn gleich sei, wo die Auslagen, d. h. die Produktionskosten, gleich sind, müssen die Dinge durchschnittlich sich gegeneinander austauschen lassen im Verhältnis ihrer Produktionskosten; Dinge, deren Produktionskosten die nämlichen sind, müssen auch den nämlichen Wert haben[1])."

§ 16. Kritik der Ricardoschen Wertlehre.

1. Die allgemeine Bedeutung der Ricardoschen Werttheorie.

Wenn ich hier die R i c a r d o sche Wertlehre einer Kritik unterziehe, so gilt diese Kritik nicht dieser speziellen Theorie allein, sondern der objektivistischen Werttheorie überhaupt, denn alle Vertreter der objektivistischen Werttheorie bis zur Gegenwart stehen so stark unter dem Einfluß der R i c a r d o schen Lehre, daß sie in allen wesentlichen Grundzügen diese Lehre übernommen haben.

Bevor ich jedoch das Unbefriedigende der objektivistischen Werttheorie darlege, möchte ich auf das große Verdienst dieser Lehre hinweisen, auf den wissenschaftlichen Fortschritt, der durch diese Theorie erzielt wurde. Dieses Verdienst erblicke ich vor allem in der wissenschaftlichen Aufklärung über die Ursachen der Preiserscheinungen. Wenn man die Literatur aus der Zeit vor der klassischen Ökonomie betrachtet, erkennt man den großen Fortschritt,

---

[1]) Grundsätze der politischen Ökonomie nebst einigen Anwendungen derselben auf die Gesellschaftswissenschaft. Von J o h n S t u a r t M i l l. Mit Genehmigung des Verfassers übersetzt von A d o l f S o e t b e e r. (Dritte deutsche Ausgabe.). I. Bd. Leipzig (Pues' Verlag, R. Reisland) 1869. S. 117—118.

der mit der objektivistischen Werttheorie angebahnt wurde; aber dieses Verdienst ist nicht nur gegenüber der Literatur der älteren Epoche anzuerkennen, sondern auch gegenüber manchen Lehren der neueren Zeit und selbst bis in die Gegenwart herein. Die objektivistische Theorie gibt Hinweise auf die wirklichen ökonomischen Faktoren der Preisbestimmung gegenüber so vielen oberflächlichen Urteilen, welche bei der Erklärung der Preise sekundäre oder nebensächliche Umstände in den Vordergrund schieben. Wie oft kann man bei großen Preissenkungen oder Preiserhöhungen das schnellfertige Urteil hören, sie wären durch den Zwischenhandel oder die Börse oder die Spekulation, oder durch die Kartelle, durch die Schutzzoll- oder Freihandelspolitik usf. verursacht. Wie oft wird dabei die Hauptursache übersehen, die in den v e r ä n d e r t e n H e r s t e l l u n g s k o s t e n d e r P r o d u k t e l i e g t. Gerade zu der Zeit, als R i c a r d o schrieb, vollzog sich ein sehr wichtiger Preisumschwung, nämlich in den Preisen der Manufakturwaren. Die Preise der Wolle-, Baumwolle- und Leinenfabrikate gingen stark herunter. Damals wurde mit Vorliebe argumentiert, das läge daran, daß die Waren sich in der Qualität verschlechtert hätten, daß die gute solide Handarbeit durch die billige, aber schlechtere Fabrikarbeit verdrängt worden sei. Tatsächlich war der Zusammenhang ein anderer. Der große Preisumschwung war durch eine Änderung in der Produktionstechnik verursacht. Die Maschinenarbeit bedeutete eine große Arbeitsersparnis und damit eine Verbilligung der Produktion, ohne daß damit Verschlechterung der Qualität notwendig verbunden war. So mußte auch das Preisniveau sich senken, gemäß der Wahrheit, die in der Kostentheorie enthalten ist. Ebenso ist eine andere Preisumwälzung im 19. Jahrhundert durch die Kostentheorie leicht zu erklären. In den 70er Jahren des vorigen Jahrhunderts trat in Deutschland und in anderen Kontinentalländern ein großer Preissturz des Getreides ein. Auch hier wurden alle möglichen Ursachen zur Erklärung genannt: die Goldwährung, das Börsentermingeschäft, die Freihandelspolitik u. a. m. wurden für diese Preissenkungen verantwortlich gemacht. Und doch läßt sich auch hier der Kausalzusammenhang leicht durch das R i c a r d o sche Produktionskostengesetz erklären, wonach die Preise durch die Produktionskosten derjenigen Produzenten bestimmt werden, die unter den ungünstigsten Produktionsverhältnissen produzieren: solange Deutschland ein Agrar-Exportland war und solange die Einfuhr des transozeanischen Getreides durch die hohen Frachtspesen gehindert war, vollzog sich die Bildung der Getreidepreise auf Grund der deutschen Produktionsverh\"ltnisse, d. h. die Getreidepreise in Deutschland richteten sich nach den Produktionskosten derjenigen deutschen Landwirte, die unter den ungünstigsten Verhältnissen produzierten, die aber zur Deckung des Bedarfs in Deutschland herangezogen werden mußten. Die übrigen Landwirte erzielten einen Mehrgewinn bzw. eine Differentialrente. Dies änderte sich, als Anfang der 70er Jahre der Getreidebedarf in Deutschland immer größer wurde und andererseits durch die ungewöhnliche Verbilligung der Transportspesen das überseeische Getreide konkurrenzfähig wurde. Jetzt bildete sich ein Weltmarktpreis für Getreide heraus, der ebenfalls wieder bestimmt wurde durch die Kosten der Produzenten, die unter den ungünstigsten Umständen produzierten, die aber zur Deckung des Bedarfs noch herangezogen werden mußten. Das waren jetzt die amerikanischen, indischen und russischen Getreideproduzenten, die unter den ungünstigsten Umständen produzierten, d. h. teurer als die übrigen Produzenten, aber immerhin noch billiger als viele deutsche Landwirte, die unter besonders ungünstigen Umständen produzierten. Da die Produktionskosten jener transozeanischen Produzenten plus Frachtspesen unter denen der deutschen Landwirte mit schlechtem Boden lagen, trat der Preisdruck ein, der auf vielen deutschen Landwirten schwer lastete.

Eine dritte wichtige Preiserscheinung ist leicht durch das Produktionskostengesetz zu erklären. Gegenüber der Verbilligung vieler Manufakturprodukte trat vielfach eine Preiserhöhung ein bei den Rohstoffen, besonders in der Zeit, als in Deutschland und in anderen Ländern sich die Großindustrie entwickelte. Auch hier ist die Preiserhöhung zu erklären durch das Produktionskostengesetz. Da die Gewinnung der Rohstoffe, wie ich im ersten Bande gezeigt habe, unter dem Gesetz der abnehmenden Erträge steht, also steigende Kosten verursacht, mußte sich dieses Gesetz in wachsendem Maße fühlbar machen, als die Nachfrage nach den industriellen Rohstoffen immer größer wurde.

So sehr das Verdienstliche der objektivistischen Werttheorie für die Aufklärung großer und wichtiger Preiszusammenhänge anerkannt werden soll, muß auf der anderen Seite gezeigt werden, wie unzureichend und ungenügend diese Lehre ist, um zur Lösung des Wert- und Preisproblems selbst zu dienen.

2. Die Mängel der Ricardoschen Wertlehre.

a) D a s G e b i e t , f ü r w e l c h e s d i e R i c a r d o s c h e Wertlehre gelten soll, ist sachlich zu eng begrenzt.

Es ist charakteristisch für alle objektivistischen Werttheorien, daß sie, weil sie Wert und Preis auf die Kosten zurückführen, vollständig versagen gegenüber allen den Gütern, die überhaupt keinen Kostenaufwand erfordern. Diese Güter haben oft sehr hohen Wert und Preis, aber die objektivistischen Werttheoretiker sind gezwungen, sie aus ihrer Betrachtung auszuschalten. Der Kreis von Gütern, für welche die R i c a r d o sche Arbeitswerttheorie in Geltung stehen soll, ist so sehr verengert, daß nur ein kleiner Teil der Güter, die im Marktverkehr eine Rolle spielen, in Betracht kommen. Was zunächst die f r e i e n G ü t e r anlangt, so ist es selbstverständlich, daß sie aus der Betrachtung ausscheiden müssen; sie haben weder W e r t noch P r e i s.

Wohl aber bedeutet es eine sehr große und wichtige Einschränkung, wenn R i c a r d o die ganze Gruppe von Gütern ausschließt, für welche die „Seltenheit" und nicht die „Arbeit" wertbestimmend sein soll —: nämlich die, deren Anzahl nicht durch Arbeit vergrößert werden kann. R i c a r d o sagt zwar, daß diese Seltenheitsgüter nur einen s e h r k l e i n e n T e i l der Güter, die täglich auf den Markt kommen, ausmachten — dies ist aber tatsächlich nicht der Fall. Umgekehrt sind die beliebig vermehrbaren Güter, d. h. die „on the production of which competition operates without restraint", nur in geringer Zahl vorhanden. Vorerst müssen wir uns über die Bedeutung des Ausdruckes „beliebig vermehrbaren" Güter verständigen[1]).

Dieser Ausdruck ist irreführend und es wäre wünschenswert, wenn er aus der nationalökonomischen Terminologie verschwände. „Beliebig vermehrbare Güter" gibt es überhaupt nicht; die richtige Unterscheidung ist: Auf der einen Seite Güter, deren Produktion irgendwie m o n o p o l i s t i s c h beschränkt ist, z. B. weil eine besondere künstlerische oder technische Geschicklichkeit dazu erforderlich ist (Gemälde, Kunstwerke) oder die nur unter besonderen n a t ü r l i c h e n V o r b e d i n g u n g e n gedeihen (z. B. edle Weine) und endlich solche, bei denen durch eine r e c h t l i c h e Schranke die freie Konkurrenz ausgeschlossen oder eingeengt ist (Patente, Monopole usw.) und auf der anderen Seite Güter, bei denen derartige Beschränkungen n i c h t vorhanden sind. Aber auch letztere sind in keiner Weise beliebig reproduzierbar. Es gäbe keine Übervölkerungsgefahr und keine soziale Frage überhaupt, wenn es nur vom Entschlusse der Menschen, zu arbeiten, abhinge, daß die große Masse der Güter beliebig vermehrt werden könnte. Auch die Industrieerzeugnisse, auf welche R i c a r d o mit Vorliebe exemplifiziert, wie z. B. Baumwoll- und Wollwaren, sind nicht „beliebig vermehrbar". Alle menschliche Arbeit unterliegt den Schranken, welche die Natur dem menschlichen Schaffen gesetzt hat; alle Güterproduktion setzt Rohstofferzeugung voraus, alle Rohstoffe sind aber „natürlich" begrenzt, müssen den immer nur begrenzt vorhandenen Naturvorräten abgerungen werden. Der Unterschied beruht also darauf: wenn z. B. Johannisberger Wein sich besonderer Beliebtheit erfreut, so kann keine menschliche Arbeit seine Menge vermehren, weil nur auf besonderem Boden solche Reben wachsen; — werden baumwollene Strümpfe stark begehrt, so kann sofort die Fabrikation dieses Artikels außerordentlich verstärkt werden: durch neue Arbeit- und Kapitalinvestition in dieser Branche kann auch einer sehr gesteigerten Nachfrage Genüge getan werden —, aber selbstverständlich hat auch diese Produktion, wie alles menschliche Produzieren, schließlich ihre Grenzen in der Beschränktheit der Natur. Es gibt also zweierlei Gruppen von Gütern: Güter, deren Produktion irgendwie monopolistisch beschränkt ist, und Güter ohne solche monopolistische Beschränkung, d. h. commodities only as can be increased in quantity by the exertion of human industry and on the production of which competition operates without restraint.

Betrachten wir aus diesem Gesichtspunkte das Geltungsgebiet der R i c a r d o schen Arbeitswerttheorie, so ergibt sich, daß folgende Güterkategorien vollständig ausscheiden:

1. alle Güter, die n i c h t Arbeitsprodukte sind, z. B. der Grund und Boden;

2. alle Güter, die zwar Arbeitsprodukte sind, die aber nur von Grundstücken besonderer Qualität gewonnen werden können, z. B. edle Weine;

3. alle Güter, deren Herstellung besondere künstlerische oder technische Fertigkeiten voraussetzt, die nur einzelne Personen haben;

---

[1]) Vgl. hierzu die treffenden Bemerkungen von A u s p i t z , Die klassische Werttheorie und die Theorie vom Grenznutzen. Conrads Jahrb., II, 1890, S. 289 ff.; und P a t t e n . Die Bedeutung der Lehre vom Grenznutzen. Ebenda, II, 1891, bes. S. 515 ff.

4. alle Güter, die durch rechtliche Beschränkungen außerhalb des freien Wettbewerbs stehen, z. B. Patentartikel. —

Überblickt man alle diese Gütergruppen, so leuchtet sofort ein, welch eine große Masse von Gütern außerhalb der R i c a r d o schen Wertlehre steht. Man denke im einzelnen an folgendes: in die Gruppe 3 fallen nicht nur Gemälde und Statuen berühmter Meister — sondern alle die zahlreichen Artikel des Kunstgewerbes, wobei die P e r s ö n l i c h k e i t des betreffenden Handwerkers oder Fabrikanten von ausschlaggebender Bedeutung ist und wobei eine besondere, oft geheim gehaltene Spezialität in der Herstellungsmethode bewirkt, daß bestimmte Artikel nur von e i n z e l n e n Gewerbetreibenden geliefert werden können. Was die Gruppe 4 anlangt, so haben zwar die zahlreichen Personal- und Realprivilegien aus der älteren zünftigen Gewerbeverfassung in der Ära der freien Konkurrenz bedeutend abgenommen, dafür aber haben die freien vertragsmäßigen Beschränkungen in Form von Kartellen, Trusts, Syndikaten, Ringen usw. einen so großen Umfang angenommen, daß von „freier Preisbildung" bei vielen Warengruppen nicht mehr die Rede ist.

b) D i e R i c a r d o s c h e W e r t t h e o r i e g i l t f ü r v ö l l i g v e r s c h i e d e n a r t i g e W i r t s c h a f t s v e r h ä l t n i s s e.

Ist somit die R i c a r d o sche Werttheorie — wenn man alle Güter ausnimmt, die nach dem Gesagten ausscheiden müssen, eine s a c h l i c h sehr begrenzte, so ist sie andererseits zeitlich so u m f a s s e n d, daß sie die allerverschiedensten Produktionsverhältnisse gleichmäßig erklärt: denn die Arbeitswerttheorie soll in Geltung sein sowohl für den Urfischer und Urjäger als für den englischen Großindustriellen des 19. Jahrhunderts. Wenn auch R i c a r d o erklärt, daß das Arbeitsprinzip r e i n e r hervorträte in jenen primitiven Wirtschaftszuständen und daß es bei entwickelter Volkswirtschaft durch die von ihm angegebenen Faktoren „modifiziert" wird, so soll das „Grundprinzip" doch für alle Stufen der Volkswirtschaft in Geltung sein. Notwendigerweise führt dies dazu, daß der ganze Wertbegriff vag und verschwommen sein muß, wenn er so verschiedene ökonomische Zustände umfassen soll.

Wenn R i c a r d o immer wieder betont, daß seine Wertlehre nur für „beliebig reproduzierbare" Güter gelten soll, so wäre es falsch, zu meinen, er wolle sie nur für die entwickelte Warenproduktion aufstellen. Auch die Urfischer und Urjäger rechnen schon bei ihren Tauschakten nach dem „Arbeitswert"; auch für sie handelt es sich um „beliebig reproduzierbare" Güter, nämlich um solche, zu deren Erlangung nur Arbeit erforderlich ist und wobei die „Konkurrenz" nicht eingeschränkt ist. Diese ökonomischen Kategorien werden dann ohne weiteres auf die moderne kapitalistische Produktion übertragen. Nachdem nämlich R i c a r d o in der III. Abteilung des 1. Kapitels die Tätigkeit, die Waffen usw. des Urjägers geschildert hat, fährt er fort[1]): „Alle zur Erlegung des Bibers und Hirsches notwendigen Geräte könnten einer Klasse von Menschen gehören und die Arbeit zu ihrer Erlangung könnte von einer anderen

---

[1]) Princ. 16.

Klasse geleistet werden; trotzdem würden ihre verglichenen Preise im Verhältnis zur wirklich aufgewendeten Arbeit stehen, sowohl hinsichtlich der Bildung des Kapitals als hinsichtlich der Erlangung des Preises." Hier wird also der Sprung gemacht von der idyllischen Abwicklung eines Tauschgeschäftes zwischen einem Urfischer und einem Urjäger bis zur modernen Verteilung des Reinertrages zwischen Kapitalisten- und Arbeiterklasse. — Es muß zur V e r f l a - c h u n g führen, wenn so verschiedene soziale Phänomene, wie sie sich in der Haus- und Einzelwirtschaft, bei Jäger- und Fischervölkern finden — zusammengeworfen werden mit solchen, die sich auf der Stufe der Warenproduktion finden — wo nur Waren für den Markt produziert werden, die durch die Verkehrs- und Geldwirtschaft in die Hände der Konsumenten gelangen.

Hiernach ist die Stelle bei M a r x [1]) zu berichtigen, wo er meint, R i c a r d o habe sein Wertgesetz nur für die großindustrielle Produktion gelten lassen wollen: „R i c a r d o sagt nämlich, daß die Bestimmung der Wertgröße durch die Arbeitszeit nur für die Waren gelte, ,die durch die I n d u s t r i e beliebig vermehrt werden können und deren Produktion durch uneingeschränkte Konkurrenz beherrscht wird'. Es heißt das in der Tat nur, daß das Gesetz des Wertes zu seiner völligen Entwicklung die Gesellschaft der großen industriellen Produktion und der freien Konkurrenz, d. h. die moderne bürgerliche Gesellschaft voraussetze." Hier ist offenbar ein von R i c a r d o gebrauchter Ausdruck mißverstanden worden; in der betreffenden auch von M a r x zitierten Stelle heißt es: „Commodities only as can be increased in quantity by the e x e r t i o n o f h u m a n i n d u s t r y and on the production of which competition operates without restraint." Hier ist nicht „Industrie" gemeint, sondern „Anstrengung menschlichen Fleißes", also auch der Urfischer und Urjäger „bewerten" ihre Güter nach Arbeit; im Gegenteil: je mehr sich in der Gesellschaft die große industrielle Produktion ausbildet, um so mehr wird Stück für Stück das Arbeitswertprinzip von R i c a r d o eingeschränkt —.

Wenn R i c a r d o die Unterscheidung zwischen den verschiedenen Stufen der volkswirtschaftlichen Entwicklung bei seiner Werttheorie nicht berücksichtigt, ihr vielmehr einen „allgemeinen", keinen „historischen" Charakter zuweist, so hat dies einen Grund in seiner Grundauffassung der Volkswirtschaft. Für ihn ist der schlechthin „natürliche" und „ewige" Zustand der Volkswirtschaft der, wobei Privateigentümer untereinander im freien Wettbewerb ihre Güter austauschen. Zustände, wie etwa der Agrarkommunismus früherer Zeit, sind ihm „unnatürlich", einer ernsten volkswirtschaftlichen Betrachtung unzugänglich —, dagegen alle wirtschaftlichen Zustände, wo im freien Verkehr Güter ausgetauscht werden, lassen ihn schon die „Grundgesetze" der Volkswirtschaft erkennen: so erscheinen ihm die Unterschiede zwischen dem Fischer- und Jägervolke und der modernen kapitalistischen Volkswirtschaft nur als graduelle, nicht als prinzipielle, denn in beiden finden Tauschakte zwischen Privateigentümern statt, die sich auf Grundlage des Arbeitswertgesetzes vollziehen.

---

[1]) Zur Kritik der politischen Ökonomie. Herausgegeben von K. K a u t s k y. Stuttgart 1897. S. 43.

c) **Durch die „Relativität" seines Wertbegriffes sowie durch die vielen Modifikationen des Arbeitswertprinzipes stellt die Ricardosche Wertlehre eine unbefriedigende Lösung des Problems dar.**

Nachdem wir festgestellt haben, daß die Ricardosche Wertlehre nur den „relativen" Wert der Ware zu bestimmen sucht, und daß dort, wo dem Sinne nach Ricardo nur an „absoluten" Wert denken kann, wie z. B. im Abschnitt „Value and riches" die laxe Sprechweise Ricardos es verschuldet, daß er gelegentlich demselben Worte eine verschiedene Bedeutung beilegt, ist um so mehr das Unbefriedigende dieser Theorie hervorzuheben. Also nur die gegenseitigen Preisänderungen der Waren sollen auf Änderungen der Arbeitsmenge zurückzuführen sein; aber die „Arbeiten" selbst sollen ihrem „inneren Wert" nach verschieden sein — es entsteht sonach die Frage, wonach bestimmt sich der innere Wert der verschiedenen Arbeiten? Es ist ferner falsch, daß die verschiedene Wertschätzung der verschiedenen Arbeiten durch Geschlechts- alter hindurch sich gleich bleibe, so daß man Gewißheit hätte, daß es nur die Menge der Arbeit, nicht die Wertschätzung der Arbeit sei, auf welche bei Preisänderungen der Ware zurück- gegriffen werden müßte. Vielmehr ist diese „Wertskala" nicht so konstant, sondern ebenfalls fortwährenden Änderungen unterworfen: also angenommen, das Produkt eines Goldschmiedes habe zu be- stimmter Zeit einen Preis = 10, das eines Leinenwebers = 4, und nach gewisser Zeit sei der Preis des Goldschmiedeproduktes = 10, der des Leinenweberproduktes = 3, so — meint Ricardo — müsse mit Bestimmtheit gesagt werden, daß das Leinenweberprodukt jetzt mit weniger Arbeit herzustellen sei, als früher — tatsächlich kann aber die Preisänderung auch ihre Ursache in veränderter Schätzung der Leinenweberarbeit gegenüber der Goldschmiede- arbeit haben. —

Noch unbefriedigender wird aber diese Werttheorie dadurch, daß nicht einmal an diesem „Arbeitsprinzip" festgehalten ist, son- dern daß Ricardo selbst erklärt, daß auch die Höhe von Profit bzw. Lohn auf die Werthöhe von Einfluß sein könne.

Nur wenn bei den beiden verglichenen Waren die Zusammen- setzung des Kapitals die gleiche wäre, nur dann sei die „Arbeit" für den Wert entscheidend; wenn aber bei beiden verglichenen Waren diese Zusammensetzung verschieden sei, z. B. wenn bei der Herstellung der einen mehr fixes, der der anderen mehr zirkulierendes Kapital aufgewendet werden muß, so könnten durch den „Profit", der dann in Anrechnung kommen muß, ebenfalls Wertänderungen hervorgerufen werden. Es geht auch hieraus hervor, daß Ricardo keineswegs eine Mehrwerttheorie in dem Sinne ausgebildet hat, daß etwa der „Profit" eine über den Wert der Ware hinaus dem Kapitalisten zufallende Quote ist, sondern daß der Profit als selb- ständiger und notwendiger Faktor der Wertbildung auch bei Ri- cardo auftritt. So vage und unbefriedigend die Erklärung ist, die Ricardo dafür gibt, daß „Profit" berechnet werden muß — das nähere wird im Kapitel über die Zinstheorie nachgewiesen — die Tatsache steht jedenfalls fest, daß Ricardo dem „Profit" eine selbständige Rolle bei der Wertbildung zukommen läßt. Es ist auch nicht richtig, anzunehmen, R i c a r d o habe den Profit nur bei der P r e i s b i l d u n g , nicht aber bei der W e r t b i l d u n g berücksichtigt; vielmehr ist dies der Sinn seiner Modifikation des Wertgesetzes durch den Profit, daß — ganz abgesehen von der selbstverständlichen Beeinflussung der Preishöhe durch den auf das Gesamtkapital zu berechnenden Profit, — auch schon der W e r t durch die verschiedene Zusammensetzung des Kapitals, beeinflußt werden könne. An folgender Stelle zeigt sich deutlich, wie R i - c a r d o unterscheidet „Price" im Sinne von D u r c h s c h n i t t s - p r e i s — für dessen Höhe also das Wertgesetz bestimmend ist — und M a r k t p r e i s oder „accidental" price —, für dessen Höhe das Verhältnis von Angebot und Nachfrage bestimmend sein soll[1]): „Obgleich der P r e i s aller Waren in letzter Linie reguliert wird und auch immer tendiert nach ihren P r o d u k t i o n s k o s t e n , sind sie alle unterworfen und Getreide vielleicht mehr, als alle anderen, einem zufälligen Preise (accidental price), der aus zeitweiligen Ursachen hervorgeht."

Ricardo gibt selbst an verschiedenen Stellen seines Werkes zu, daß nicht die Arbeit allein für den Wert maßgebend sei. So sagt er in einem Briefe an M c C u l l o c h : „. . . Ich denke manchmal, daß, wenn ich das Kapitel über den Wert, das sich in meinem Buche findet, noch einmal zu schreiben hätte, ich zugeben würde, daß der relative Wert der Waren durch zwei Ursachen statt durch eine reguliert wird, nämlich durch die relative Menge der Arbeit, die nötig ist, um die betreffenden Waren zu produzieren und durch die Profitrate für die Zeit, während welcher das Kapital müßig lag (remained dormant) und bis die Waren zum Markte gebracht wurden. — Vielleicht würde ich die Schwierigkeiten fast ebensogroß finden bei dieser Betrachtung des Gegenstandes, als bei der, welche ich gewählt habe[2])."

Daß R i c a r d o in seiner Werttheorie nicht eine Arbeitstheorie, sondern eine Produktionskostentheorie gibt, geht deutlich auch aus anderen seiner Briefe hervor, z. B. schreibt er einmal an M a l t h u s [3]): „. . . Wie ungeheuer die Nachfrage auch sei, sie k a n n n i e d a u e r n d den Preis einer Ware über die Kosten i h r e r P r o d u k t i o n erheben, wobei in die Kosten die Profite der Produzenten inbegriffen sind. Es erscheint daher natürlich, in den P r o d u k t i o n s k o s t e n die Ursache der Veränderung des dauernden Preises (permanent price) zu sehen. Vermindert diese und die Ware muß schließlich fallen, vermehrt diese und sie muß ebenfalls höher steigen. — Was hat dies mit der Nachfrage zu tun? Ich mag so töricht parteiisch für meine eigene Lehre sein, daß ich blind sein mag für ihre Absurdität. Ich kenne die starke Neigung jedes Menschen, sich in seinem Eifer, eine Lieblingstheorie zu beweisen, zu täuschen, dennoch kann ich nicht umhin, diese Frage als eine Wahrheit anzusehen, die den Beweis zuläßt, und ich bin ganz erstaunt, daß sie einen Zweifel zulassen sollte. Wenn in der Tat diese meine fundamentale Doktrin falsch wäre, so gebe ich zu,

---

[1]) Essay on the influence, of a low price of corn. II, ed. 1815, 3 n.
[2]) Letters of David Ricardo to John Ramsay McCulloch, 1816—1823, ed. with introduction and annotations by J. H. Hollander. New York 1895. S. 14.
[3]) Letters of David Ricardo to Thomas Robert Malthus, 1810—1823, ed. by James Bonar. Oxford 1887. S. 148.

daß meine ganze Theorie mit ihr fällt, aber ich wäre deshalb doch nicht zufrieden mit dem Wertmaßstab, den Sie an seine Stelle setzen wollen." —

Daß hier R i c a r d o nicht an die P r e i s relation denkt, die durch die Produktionskosten bestimmt wird, sondern tatsächlich an „Wert", geht aus dem Ausdruck „permanent price" hervor, den er hier im Gegensatz zum „Marktpreis" in demselben Sinne wie den „Natural price" verstanden wissen will; das, was aber den „Wert" reguliert, bestimmt auch den „permanent" oder „natural" price.

Sobald die objektivistische Werttheorie in der Form der Kostentheorie aufgestellt wird, ergibt sich das völlig ungenügende dieser Wertlehre, denn die Produktionskosten sind selbst wieder Preise. Es wird also der Preis erklärt durch Hinweis auf andere Preise, denn was ist Arbeitslohn anderes als Preis der Arbeitsleistung, Gewinn anderes als Preis der Kapitalnutzung; es erhebt sich die Frage: was ist bestimmend für die Höhe des Lohns und Gewinns? Die Kostentheorie gibt keine Lösung des Wertproblems; sondern sie umgeht die Schwierigkeit. Sie soll beantworten, was in letzter Linie die Höhe der Preise bestimmt und antwortet mit dem Hinweise auf andere Preise. — Man müßte die ganze Lohn-, Zins- und Rententheorie aufrollen, um diese Frage zu beantworten.

d) Die Kosten sind nicht das wahre Prinzip der Wertregulierung.

Meine Kritik, die bisher hauptsächlich auf den Nachweis gerichtet war, daß die „Kosten"theorie unbefriedigend ist, weil sie neue Wertprobleme in sich birgt, soll jetzt auf andere Punkte gerichtet sein: ich will einmal annehmen, die „Kosten" seien in der Tat als Durchschnittsgröße zu ermitteln und will weiter annehmen, daß alle die von mir berührten f o r m a l e n Schwierigkeiten der Annahme der Produktionskosten als Wertmaßes behoben seien; dann muß mit um so mehr Nachdruck auf den entscheidenden Punkt der Kritik Wert gelegt werden: daß nämlich auch m a t e r i e l l die „Kosten" nicht Regulator des Wertes sein können. Und in diesem Punkte der Kritik ist es ziemlich nebensächlich, ob die „Kosten" oder die „Arbeit" zur Grundlage genommen werden; ob man im strikten Sinne der Arbeitstheorie alle Kosten auf „Arbeit" reduziert oder ob man im Sinne der Kostentheorie und damit in der zuletzt erwähnten Variante der R i c a r d o schen Theorie die Kosten auflöst in Arbeit und Kapitalaufwendung, sowie in Lohn und Profit — in dem ausschlaggebenden Gesichtspunkt bewirkt dies keinen Unterschied, weil der ganze hier eingeschlagene o b j e k t i v i s t i s c h e Weg ein falscher ist.

Es ist der falsche methodische Ausgangspunkt, feste Grundlagen für die Wertbildung dadurch zu gewinnen, daß man auf die P r o d u k t i o n der Waren und auf gewisse Stadien dieser Produktion blickt und sich um die Vorgänge auf seiten der Z i r k u l a t i o n der Güter nicht kümmert. Die bei den Konsumenten auftretenden Faktoren sollen nur kleine, vorübergehende Schwankungen der M a r k t preise bewirken; die große, für längere Perioden maßgebende Durchschnittspreisbildung soll durch bestimmte objektive, auf seiten der Produktion befindliche Faktoren beherrscht sein. Alles P e r s ö n l i c h e ist an dieser Werttheorie ausgelöscht und die Wert- und Preisbildung verläuft nach f e s t e n, o b j e k t i v e n Normen. Die „Kosten", welche die Wertbildung beherrschen, sind nicht etwa individuelle Kosten der einzelnen Unternehmer, sondern es sind die D u r c h s c h n i t t s k o s t e n der Industrie bzw. einzelner Branchen derselben. Was im Durchschnitt nötig ist an Auslagen, was im Durchschnitt an Profiten abfällt — das reguliert die Preishöhe. Auch die individuellen Wünsche, Begehrungen usw. auf seiten der Käufer sind nicht von dauerndem Einfluß: alles wird nivelliert durch das Wirken der K o n k u r r e n z. Diese Konkurrenz soll so wirken, daß, sobald etwa die Nachfrage der Käufer besonders groß sei, so daß die Preise über den durchschnittlichen Gewinn hinaus Extraprofite abwürfen, sofort ein Einströmen von Kapitalien in diese Branche stattfinde und umgekehrt ein Ausströmen, sobald die Preise nicht den Durchschnittsprofit garantierten. Als ob es möglich wäre, Kapitalien so schnell aus einer Sphäre hinaus- und in die andere Sphäre hineinströmen zu lassen. Je längere Zeit die Produktion einer Ware in Anspruch nimmt, um so mehr können sich die Elemente der Preisbildung im Sinne der Kostentheorie geändert haben, um so größer kann die Spannung werden zwischen „Kosten" und „Preisen": „Die Unberechenbarkeit der zukünftigen Preisgestaltung und damit das Spekulative der Wirtschaftsführung wächst also in dem Maße, als die Länge des Zeitraums zunimmt, der zwischen Produktionsanfang und Konsumtion der Güter verstreicht, und gleichzeitig die Veränderungen in den Produktionsbedingungen während jenes Zeitraums häufiger werden. Nun besteht aber die Tendenz, daß diese beiden Fälle sich immer regelmäßiger einstellen[1])." Die Produktion vieler Waren, namentlich der meisten der Mode unterworfenen, muß schon Monate und Jahre vorher begonnen werden, ehe sie auf den Markt kommen, wo dann erst je nach den Verhältnissen von Nachfrage und Angebot, je nach den Launen der Käufer usw. die Preise höher oder geringer ausfallen; in diesem Zeitpunkte wäre es aber gar nicht mehr möglich, durch „Einströmen" von Kapitalien eine Änderung des Preisniveaus herbeizuführen. — Wie viele Waren gibt es, von denen große Vorräte noch lagern, die zu Zeiten produziert sind, wo die Rohmaterialpreise gänzlich abweichend waren verglichen mit den später produzierten Vorräten, deren Preisbildung dann den veränderten Rohmaterialpreisen sich anpassen muß. „Wie ungeheuer auch die Nachfrage sei", ruft R i - c a r d o aus, „sie kann n i e dauernd den Preis einer Ware über ihre Produktionskosten erheben, wobei in die Kosten die Profite der Produzenten inbegriffen sind." Es gibt aber keinen „natürlichen" Wert, sondern nur Marktwerte; — es sind in letzter Linie in der privatwirtschaftlichen Wirtschaftsordnung die Begehrungen der Konsumenten, die über die Höhe der Preise bestimmen, und nicht die „Normalkosten". Je nach der Geschicklichkeit des Produzenten, seine Produktion quantitativ und qualitativ so zu gestalten, daß ihr Ergebnis den Wünschen der Konsumenten entspricht und

---

[1]) S o m b a r t, Der Stil des modernen Wirtschaftslebens. Archiv für soziale Gesetzgebung u. soziale Statistik. Bd. 17. 1902. S. 2.

je nach dem Maße, in welchem dies geschieht, wird die Preisbildung eine für ihn günstigere oder ungünstigere sein, d. h. wird ihm der Verkaufspreis einen höheren Ertrag über seine Auslagen gewähren. Diese Schwierigkeiten der Ausgleichung von Vorrat und Begehr finden sich — wenn auch in verschiedenem Maße — bei allen Waren, nicht nur bei wenigen Ausnahmen. Für diese will R i c a r d o selbst zugeben, daß die Ausgleichung des „Marktpreises" zum „natürlichen Preise" Schwierigkeiten hat[1]): „Die Übereinstimmung des Marktpreises und des natürlichen Preises aller Waren, hängt zu allen Zeiten von der Leichtigkeit ab, womit der Vorrat vermehrt oder vermindert werden kann. Beim Gold, bei Häusern und Arbeit, ebenso bei vielen anderen Dingen, kann diese Wirkung unter gewissen Umständen schwer erreicht werden. Aber es ist leicht bei den Waren, die jährlich konsumiert und produziert werden, wie Hüte, Schuhe, Getreide und Tuch; sie können vermindert werden, wenn es nötig ist, und es kann keine lange Zwischenzeit verstreichen, bis das Angebot im Verhältnisse zur vergrößerten Ausgabe für die Hervorbringung verringert ist." Die „Kosten" spielen tatsächlich für den Produzenten nur die Rolle, daß er bei seiner Kalkulation h o f f t, m i n d e s t e n s diesen Preisstand zu erreichen; die w i r k l i c h e Preisgestaltung kann aber nach oben und unten sehr stark abweichen. Sehr zutreffend sagt v. Z w i e d i n e c k: „In den subjektiven Grundlagen der Verkehrsvorgänge müssen die Voraussetzungen erfüllt sein, damit überhaupt das objektive Kostenelement als preisbestimmend wirksam werden kann" (Kritisches und Positives zur Preislehre, Zeitschr. f. ges. Staatswiss., Bd. 64, S. 62 f.).

Namentlich werden aber die Produktionskosten vielfach als Preisregulierungsmoment durch die große Bedeutung der fixen Kapitalien in der Produktion zurückgedrängt. Je größer die Kapitalien sind, die in Form von Maschinen und dauernden Werkanlagen in der Unternehmung investiert sind, um so mehr kann es im Interesse des Produzenten liegen, seine Ware längere Zeit auch unter den Produktionskosten zu verkaufen, um zu vermeiden, daß die großen fixen Kapitalien gänzlich ertraglos brach liegen.

Zwei der wichtigsten und beachtenswertesten Phänomene des 19. Jahrhunderts, die K r i s e n und die K a r t e l l e, sind ein Anzeichen dafür, in wie geringem Grade die „natürliche" Wirkung der Konkurrenz ausreicht, um eine für den Produzenten befriedigende Preisgestaltung zu erreichen. Die K r i s e n sind in letzter Linie durch die planlose Produktionsweise der freien Konkurrenz verursacht, welche Waren auf den Markt wirft, die nach Menge und Qualität in keiner Weise mit den Bedürfnissen des Marktes harmonieren, wodurch Überproduktion und eine derart ruinöse Preisgestaltung herbeigeführt werden kann, daß die Existenzfähigkeit ganzer Industriezweige in Frage gestellt werden kann. Die K a r t e l l e sind in ihrer Mehrzahl nichts anderes als Verabredungen der Produzenten über Produktionsmenge und Preise, damit die Preisbildung nicht dem Spiel von „Angebot und Nachfrage", dessen ausgleichende Wirkung allzuoft nicht vorhanden ist, überlassen bleibe.

---

[1]) Princ. 116.

3. Abschnitt.
Die objektivistische Werttheorie von Karl Marx.

§ 17. Darlegung der Marxschen Werttheorie.

Marx hat ebenfalls eine objektivistische Werttheorie vertreten und ist dabei auch in vielen Punkten der Ricardoschen Lehre gefolgt. Er weist aber anderseits große Abweichungen von der Lehre der klassischen Ökonomie auf.

Es gilt für die meisten „bürgerlichen" wie „sozialistischen" Nationalökonomen als ausgemachte Tatsache, daß die Wertlehre von Karl Marx nur eine Fortbildung der Ricardoschen Wertlehre sei: daß Marx die Gedankengänge Ricardos schärfer und konsequenter fortgesetzt habe: man spricht mit Vorliebe von einer Ricardo-Marxschen Werttheorie.

So sagt z. B. Wieser[1]: „Karl Marx und Friedrich Engels sagen aber nur unverhohlen, was in den Schriften der kapitalistisch gesinnten Autoren bereits vorgebildet war." An anderer Stelle sagt derselbe Verfasser: „Ricardos System bezeichnet den Höhepunkt der Arbeitswerttheorie, das sozialistische System ist ihre letzte Konsequenz", und Ehrenfels nennt die Marxsche Werttheorie „eine Schematisierung der von der sog. klassischen Schule der Nationalökonomie, namentlich der von Ricardo begründeten Lehren". Der Marxist Conrad Schmidt meint, Marx habe die von Ricardo und Smith begonnene Wertanalyse mit wunderbarer Kraft fortgeführt. Marx selbst weist zwar auf viele Abweichungen seiner Lehre von der Ricardos im einzelnen hin, aber hält an der Behauptung fest, daß die Ricardosche Lehre die Grundlage seiner eigenen Theorie bilde, daß Ricardo nur versäumt habe, die letzten Konsequenzen seines theoretischen Ausgangspunktes zu ziehen.

Alle diese Urteile scheinen mir weit über das Maß hinauszugehen, insofern sie nämlich die großen Abweichungen und grundlegenden Verschiedenheiten der Ricardoschen Lehre von der Marxschen zugunsten viel unbedeutenderer übereinstimmender Gedanken beider Autoren unterschätzen.

I. Die Ricardo und Marx gemeinsamen Grundgedanken.

a) Gemeinsam ist Ricardo und Marx die Aufgabe, welche sie der Werttheorie gestellt haben: sie wollen beide für die Bildung der Durchschnittspreise die in letzter Instanz entscheidende Regel finden.

Auch Marx unterscheidet, wie Ricardo, Gebrauchswert und Tauschwert. Ersterer hängt ab von der Nützlichkeit eines Dinges, letzterer ist das quantitative Verhältnis, die Proportion, worin sich die Gebrauchswerte austauschen. Diesen „Tauschwert" will Marx näher bestimmen. Der Tauschwert stellt also — wie bei Ricardo — etwas Relatives dar: „ein der Ware innerlicher, immanenter Tauschwert ist also eine contradictio in adjecto[2]". Für Marx ist der Wert das Gemeinsame, was sich im Austauschverkehr

---

[1] Grundgesetze S. V.
[2] Marx, Kapital, I, S. 3.

als Tauschwert der Ware darstellt. Als dieses Gemeinsame also, das bewirken soll, daß die Waren im Tausche gleichgesetzt werden, erklärt M a r x die in den Waren enthaltene gesellschaftlich notwendige Arbeitszeit. Diese Wertsubstanz ist es, welche in letzter Linie die P r e i s e reguliert. Daß auf den Preis noch andere Momente einwirken, ist eine Sache für sich; die tatsächliche Inkongruenz von Wert und Preis hindert nicht, daß der Preis in l e t z t e r L i n i e durch die Wertgröße bestimmt wird. Übereinstimmend mit dieser Auffassung sagt R o s e n b e r g [1]): „Ist somit schon bei der Bestimmung der Preise das Wertgesetz wichtig, so übt es, nach M a r x , seinen maßgebenden Einfluß erst recht aus bei den Änderungen und Bewegungen der Preise. Bei kürzeren Perioden ist es sogar als die eigentlich wirkende Ursache der Preisänderungen der Waren anzusehen."

Die Preise fallen im einzelnen natürlich nicht mit dem Werte zusammen; immer wieder betont M a r x , daß die Preise der einzelnen Waren beständig über oder unter ihrem Werte stünden, aber für die d u r c h s c h n i t t l i c h e n M a r k t p r e i s e nimmt M a r x den Arbeitswert als das Gravitationszentrum an. Es sei auf folgende Stellen namentlich hingewiesen: 1, S. 30: „Die Wertgröße der Waren reguliert ihre Austauschverhältnisse." III, 1, S. 156: „In welcher Weise immer die Preise der verschiedenen Waren zuerst gegeneinander festgestellt oder geregelt sein mögen, das Wertgesetz beherrscht ihre B e w e g u n g . Wo die zu ihrer Produktion erheischte Arbeitszeit fällt, fallen die Preise; wo sie steigt, steigen die Preise." III, 1. S. 157: „Die Annahme, daß die Waren der verschiedenen Produktionssphären sich zu ihren Werten verkaufen, bedeutet natürlich nur, daß ihr Wert der Gravitationspunkt ist, um den ihre Preise sich drehen und zu dem ihre beständigen Hebungen und Senkungen sich ausgleichen." III, 1, S. 339: „Preis, der qualitativ verschieden von Wert, ist ein absurder Widerspruch." III, 2, S. 188: „Der Preis, ist normaliter nichts als der in Geld ausgedrückte Wert." I, S. 28: „Die einfache Wertform ist die Keimform, die erst durch eine Reihe von Metamorphosen zur Preisform heranreift." — Ebenso wie für R i c a r d o hat für M a r x der Tauschwert nur „relative" Bedeutung: „Der Wert einer Ware", erklärt M a r x [2]), „v e r h ä l t sich zum Wert jeder Ware wie die zur Produktion der einen notwendige Arbeitszeit zu der für die Produktion der anderen notwendigen Arbeitszeit."

b) Wie R i c a r d o hat auch M a r x das Geltungsgebiet seiner Werttheorie sehr eingeengt. Eine Menge von Dingen sollen nicht unter seine Wertbegriffe fallen; sie können zwar v e r k a u f t werden, denn dazu gehört nur, daß sie monopolisierbar und veräußerlich sind; sie haben einen P r e i s , aber keinen W e r t nach der M a r x schen Terminologie. Dahin gehören:

1. Waren, deren Nutzen nicht durch Arbeit vermittelt ist, z. B. der Grund und Boden (vgl. III, 2, S. 173 u. S. 162) „da die Erde nicht das Produkt der Arbeit ist, also auch keinen Wert hat" (I, S. 67; III, 2, S. 188).

2. Dinge, die zwar durch Arbeit erzeugt sind, aber nicht durch beliebig reproduzierbare Arbeit, z. B. Altertümer, Kunstwerke berühmter Meister (vgl. III, 2, S. 173 u. S. 292), „von eigentlichen

---

[1]) R o s e n b e r g , Ricardo und Marx als Werttheoretiker. Wien 1904, S. 108.
[2]) I, S. 6.

künstlerischen Arbeiten nicht zu reden, deren Betrachtung der Natur der Sache nach von unserem Thema ausgeschlossen ist."

2. Die Abweichungen der Marxschen Werttheorie von der Ricardos.

a) Im Gegensatze zu R i c a r d o hat M a r x sein Wertgesetz nur für eine bestimmte Phase des Wirtschaftslebens aufgestellt, oder anders ausgedrückt: bei M a r x hat das Wertgesetz nur historische, bei R i c a r d o allgemeine Bedeutung: wo immer Menschen wirtschaften, tauschen sie auch — meint R i c a r d o, — nach dem Arbeitswerte. Demnach war das Wertgesetz für R i c a r d o ein allgemeines, „ewiges" Gesetz für alle Formen und Epochen des Wirtschaftslebens. Ganz anders bei M a r x : M a r x kennt allgemeine „ewige" Wirtschaftsgesetze überhaupt nicht, sondern nur Gesetze für bestimmte Produktionsverhältnisse. Das Wertgesetz sollte nur Gültigkeit haben für die Periode der W a r e n - p r o d u k t i o n. Also nicht für Gebrauchsgegenstände, wie R i c a r d o meint, sondern nur für die Waren gilt das Wertgesetz. „Das Arbeitsprodukt", sagt M a r x[1]), „ist in allen gesellschaftlichen Zuständen Gebrauchsgegenstand, aber nur eine historisch bestimmte Entwicklungsepoche, welche die in der Produktion eines Gebrauchsdinges verausgabte Arbeit als seine „gegenständliche" Eigenschaft darstellt, d. h. als seinen Wert, verwandelt das Arbeitsprodukt in Ware. Es folgt daher, daß die einfache Wertform der Ware zugleich die einfache Warenform des Arbeitsprodukts ist, daß also auch die Entwicklung der Warenform mit der Entwicklung der Wertform zusammenfällt." Allerdings sollte die Werttheorie nicht n u r für die eine Epoche der hochentwickelten, modernen, kapitalistischen Warenproduktion gelten, sondern im Gegenteil: gerade in den ersten primitiven Anfängen der Warenproduktion sollte das Arbeitswertgesetz am stärksten zur Geltung kommen und sich mehr und mehr abschwächen, je höher die kapitalistische Warenproduktion sich entfaltet.

Die M a r x sche Werttheorie sollte in ihrer reinen Gestalt für die Periode der e i n f a c h e n W a r e n p r o d u k t i o n gelten, in modifizierter Gestalt für die kapitalistische Warenproduktion; niemals aber sollte sie gelten für die zufälligen Tauschvorgänge, wie sie R i c a r d o zwischen dem Urfischer und Urjäger schildert. — Hiergegen wendet sich M a r x mit der spöttischen Bemerkung[2]): „Im übrigen betrachtet R i c a r d o die bürgerliche Form der Arbeit als die ewige Naturform der gesellschaftlichen Arbeit. Den Urfischer und den Urjäger läßt er sofort als Warenbesitzer Fisch und Wild austauschen, im Verhältnis der in diesen Tauschwerten vergegenständlichten Arbeitszeit. Bei dieser Gelegenheit fällt er in den Anachronismus, daß Urfischer und Urjäger zur Berechnung ihrer Arbeitsinstrumente, die 1817 auf der Londoner Börse gangbaren Annuititätentabellen zu Rate ziehen."

b) I m G e g e n s a t z e z u R i c a r d o h a t M a r x d e n „W e r t" v ö l l i g v o m T a u s c h w e r t g e t r e n n t u n d i h n o b j e k t i v i e r t.

---

[1]) Kapital I, S. 28.
[2]) Zur Kritik der politischen Ökonomie. Herausgegeben von K a u t s k y. Stuttgart 1897. S. 43.

In der Waren produzierenden Gesellschaft besteht nach M a r x der Reichtum aus W a r e n.

Die Waren werden untereinander ausgetauscht. Nehmen wir eine Reihe von Waren, die alle untereinander denselben Geldpreis haben, z. B.:

$$\left.\begin{array}{l} \text{20 Ellen Leinwand} \\ \text{1 Rock} \\ \text{10 Pfund Tee} \\ \text{40 Pfund Kaffee} \\ \text{1 Quarter Weizen} \\ \text{½ Tonne Eisen} \\ \text{x Ware A} \end{array}\right\} \text{2 Unzen Gold}$$

Warum tauschen sich alle diese Waren untereinander zum selben Preise aus? M a r x will das G e m e i n s a m e suchen, welches sich im Tauschverhältnisse der Waren darstellt und dies Gemeinsame nennt er den W e r t. Dies G e m e i n s a m e, meint er, kann keine Eigenschaft der Waren sein, denn gerade wenn man auf die Brauchbarkeit der Waren sieht, entdeckt man lauter Verschiedenheiten. Der Gebrauchswert kann also nicht dies Gemeinsame sein. Sieht man aber vom Gebrauchswert ab, dann bleibt nur noch eine Eigenschaft übrig, welche sie a l l e gemeinsam haben, nämlich, daß sie A r b e i t s p r o d u k t e sind, und zwar sind sie nicht Produkte von Tischlerarbeit oder Spinnerarbeit usw., sondern Produkte menschlicher Arbeit überhaupt und als solche sind sie W e r t e. Eine Ware hat also W e r t, weil menschliche Arbeit in ihr vergegenständlicht ist.

Wie läßt sich die Größe des Wertes messen? Durch die Menge an Arbeit, welche in den Waren enthalten ist. Nun sind die einzelnen Arbeiten durchaus verschieden, aber alle einzelnen Arbeiten meint M a r x auf eine a l l g e m e i n m e n s c h l i c h e D u r c h s c h n i t t s a r b e i t reduzieren zu können und zwar beruhe alle Arbeit auf produktiver Verausgabung von menschlichem Hirn, Muskeln, Nerven usw.

Kompliziertere oder schwierigere Arbeit ist nichts als ein Multiplum einfacher Durchschnittsarbeit. Eine Ware möge also das Produkt der kompliziertesten Arbeit sein, ihr W e r t setzt sie den Produkten einfacher Arbeit gleich und sie stellt daher selbst nur ein bestimmtes Quantum einfacher Arbeit dar.

Gegenüber dem Einwand, daß der A u f w a n d an Arbeit bei den einzelnen Produzenten für dieselbe Ware sehr verschieden sein kann, je nach dem Grade der Technik, den sie anwenden, erwidert M a r x, der Wert soll nur maßgebend sein für die gesellschaftlich notwendige Durchschnittsarbeit, d. h. diejenige Arbeitszeit, die nötig ist, um irgendeinen Gebrauchswert mit den vorhandenen g e s e l l s c h a f t l i c h n o r m a l e n Produktionsbedingungen und dem gesellschaftlichen D u r c h s c h n i t t s g r a d von Geschick und Intensität der Arbeit darzustellen.

Für M a r x hat also der Wertbegriff in vieler Hinsicht einen anderen Charakter als bei R i c a r d o.

Wie wir oben gesehen haben, hatte der Wert bei R i c a r d o einen „relativen" Charakter, d. h. R i c a r d o kannte außer dem Gebrauchswert nur den T a u s c h w e r t, den er auch schlechthin W e r t nannte: Tauschwert war für ihn das V e r h ä l t n i s, in

welchem zwei Waren zueinander standen; für dieses Verhältnis war
maßgebend die Menge der in beiden Waren enthaltenen Arbeit,
deren Qualität aber wiederum verschieden war. Für M a r x war
der Tauschwert — wie wir gesehen haben — auch etwas relatives:
aber er ging um einen bedeutenden Schritt weiter als R i c a r d o ,
indem er einen neuen, gänzlich vom Tauschwert losgelösten Begriff
„Wert" aufstellte und damit wollte er erst das „Gemeinsame" feststellen, was sich im „Tauschwert" darstellt. Und dieser „Wert" ist
für M a r x etwas objektives, konkretes, bestimmtes: es ist gegenüber den q u a l i t a t i v verschiedenen A r b e i t e n die qualitäts-
lose D u r c h s c h n i t t s a r b e i t , von der sich in j e d e r Ware
ein bestimmtes Q u a n t u m vorfinden soll und auf diese quantitativ
bestimmbare „Arbeit" reduziert M a r x den Wert aller Waren.
Eine solche Reduktion auf „einfache Arbeit" nahm R i c a r d o
nicht vor und er konnte vom Standpunkt seiner Werttheorie aus
sie gar nicht vornehmen — denn er ging von der These aus: die
verschiedenen Arbeiten sind ihrem Werte nach verschieden, aber
diese Wertschätzung bleibt Zeitalter hindurch gleich: wenn also der
Wert der W a r e n sich ändert, so hat sich nur die Quantität einer
der in den verglichenen Waren enthaltenen Arbeiten verändert.

M a r x konnte auf diese Weise auch den „Wert" einer e i n -
z e l n e n Ware für sich bestimmen; er ist gleich der in dieser Ware
vorhandenen Menge an „gesellschaftlich notwendiger Durchschnittsarbeit". — R i c a r d o konnte den Wert einer einzelnen Ware überhaupt nicht bestimmen, weil er eine einheitliche Wertgröße gar nicht
hatte, er wollte es aber auch auf Grund seiner Werttheorie gar nicht,
da er nur wissen wollte, wie eine Ware A sich zur Ware B v e r -
h i e l t , nicht aber, wie der Wert von A a n s i c h war.

Die „wertbildende Substanz" ist bei M a r x also Arbeit
schlechthin, oder gleiche menschliche Arbeit, d. h. bei M a r x :
„Verausgabung derselben menschlichen Arbeitskraft." Als Werte —
konnte daher M a r x sagen — sind alle Waren nur bestimmte Maße
festgeronnener Arbeitszeit[1]).

M a r x hat zuerst, und dadurch unterscheidet sich seine Lehre
von allen vorausgegangenen Werttheorien diesen Doppelcharakter
der Arbeit unterschieden: einmal die Arbeit, die einen bestimmten
G e b r a u c h s w e r t hervorbringt — also eine Qualitätsarbeit,
z. B. Schneiderarbeit — und anderseits die Arbeit überhaupt; insofern
bildet sie den „W e r t". „Alle Arbeit ist einseitige Verausgabung
menschlicher Arbeitskraft im physiologischen Sinne und in dieser
Eigenschaft gleicher menschlicher oder abstrakter menschlicher Arbeit
bildet sie den Warenwert. Alle Arbeit ist anderseits Verausgabung
menschlicher Arbeitskraft in besonderer zweckbestimmter Form und
in dieser Eigenschaft konkreter nützlicher Arbeit produziert sie Gebrauchswerte[2])."

3. I m G e g e n s a t z z u R i c a r d o h a t M a r x a u f
s e i n e r W e r t t h e o r i e e i n e M e h r w e r t t h e o r i e a u f -
g e b a u t .

Sobald innerhalb der kapitalistischen Produktionsweise sich
eine Scheidung herausbildet zwischen dem Arbeitgeber, der die Pro-

---

[1]) Kapital, I, S. 6.
[2]) I, S. 13.

duktionsmittel besitzt und dem Arbeitnehmer, der gar kein Vermögen
besitzt außer seiner Arbeitskraft, wird die Arbeitskraft selbst eine
Ware, wie jede andere auch. Auf dem Arbeitsmarkt wird die Ware
Arbeitskraft verkauft und gekauft. Wie hoch ist der Wert der Arbeitskraft? Der Wert der Arbeitskraft wird geradeso bestimmt wie der
aller Waren, nämlich nach der Arbeitszeit, die notwendig ist um
die Arbeitskraft herzustellen. Zwar die Arbeitskraft selbst kann
nicht produziert werden, denn sie ist mit dem Träger der Arbeitskraft, mit dem Arbeiter, unlöslich verbunden. Was aber hergestellt
werden kann, ist die Summe von Lebensmitteln, die notwendig ist,
um die Arbeitskraft des Arbeiters zu erhalten und immer wieder
zu erneuern. Die Summe von Lebensmitteln, die eine Arbeiterfamilie
täglich gebraucht, würde also den Wert einer täglichen Arbeitskraft
bedeuten.

Nehmen wir an, der Kapitalist kaufe eine Arbeitskraft
für einen Tag; nehmen wir ferner an, daß die zur Erhaltung des
Arbeiters notwendigen Lebensmittel in 6 Stunden gesellschaftlich
notwendiger Arbeitszeit erzeugt würden, und daß ebensoviel und
ebensolche Arbeitszeit in 3 Mark verkörpert sei. Dann kann der
Kapitalist diese Arbeitskraft zu ihrem Wert, das heißt für 3 Mark
kaufen: Daß aber bereits in 6 Stunden Arbeitszeit der Wert der
Arbeitskraft erzeugt wird, hindert den Kapitalisten keineswegs, den
Arbeiter längere Zeit arbeiten zu lassen. Beträgt der tatsächliche
Arbeitstag etwa 12 Stunden, so würden 6 Arbeitsstunden gleich dem
Wert der Arbeit sein, und die 6 weiteren Stunden gleich dem M e h r -
w e r t. Da der Kapitalist das ganze von dem Arbeiter in den 12
Stunden geschaffene Produkt f ü r   s i c h   v e r w e r t e t, so
steckt er in diesem Falle das Produkt von 6 Stunden Arbeit
in seine Tasche, ohne dem Arbeiter ein Äquivalent dafür bezahlt
zu haben.

Nach dieser Auffasssung beruht der Unternehmergewinn des
Kapitalisten auf nichts anderem als darauf, daß dem Arbeiter
n u r   e i n   T e i l   d e r   v o n   i h m   g e l e i s t e t e n   A r b e i t
b e z a h l t   w i r d.

M a r x hat konsequent eine Arbeitswertlehre ausgebildet: für
ihn war daher die Unterscheidung in den Kapitalteil, der auf die
allein wertschaffende Arbeit zurückgeht, das sog. variable Kapital,
und in den Kapitalteil, der das tote, d. h. in Produktionsmitteln
bestehende Kapital darstellt, die logische Konsequenz seiner Wertlehre. R i c a r d o war ebenso ein inkonsequenter als M a r x ein
konsequenter Arbeitswerttheoretiker. Schritt für Schritt weicht er von
seinem anfänglich eingenommenen Standpunkt zurück und M a r x
mißversteht R i c a r d o, wenn er ihn für einen Begründer der
Mehrwerttheorie hält.

§ 18. Kritik der objektivistischen Werttheorie von K a r l M a r x.

Da M a r x, ebenso wie R i c a r d o eine objektivistische
Werttheorie vertreten hat, gelten meine kritischen Einwände gegenüber R i c a r d o, soweit sie gegen die objektivistische Werttheorie
im allgemeinen gerichtet sind, auch gegenüber M a r x. An dieser
Stelle soll auf die M a r x sche Wertlehre nur insoweit kritisch eingegangen werden, als sie von der R i c a r d o schen Lehre abweicht.

a) D i e „A r b e i t" k a n n n i c h t W e r t m a ß s e i n.

Ich hatte schon im zweiten Bande (Lehre von der Produktion) die Unmöglichkeit nachgewiesen, die Arbeit als Wertmaß zu konstituieren. Zur Ergänzung des dort bereits Gesagten sei folgendes hinzugefügt:

Muß zugegeben werden, daß M a r x insofern über R i c a r d o hinausgegangen ist, daß er die verschiedenen Arbeiten auf eine „einfache" Arbeit reduziert hat und somit zu einem letzten Wertmaß gekommen ist, so liegt doch nur ein Versuch mit untauglichen Mitteln vor. Es mag sogar selten vorkommen, daß ein Schriftsteller einen Begriff, der in gewisser Hinsicht im Mittelpunkte seines Systems steht, so mangelhaft erläutert, wie M a r x den Begriff der „einfachen Arbeit". — Die „einfache Arbeit" ist nach M a r x ein bestimmtes Quantum produktiver Verausgabung von menschlichem Hirn, Muskel, Nerven usw.; da es qualitativ verschiedene produktive Tätigkeiten gibt, so sind diese alle als verschiedene Quantitäten solcher einfacher Arbeit anzusehen: komplizierte Arbeit gilt M a r x n u r a l s p o t e n z i e r t e oder vielmehr m u l t i p l i - z i e r t e einfache Arbeit, so daß ein kleineres Quantum komplizierter Arbeit gleich einem größeren Quantum einfacher Arbeit sei. — Wer entscheidet aber darüber, daß eine Arbeit „einfacher" oder „komplizierter" sei? Da müßte doch M a r x seiner Theorie entsprechend irgendein o b j e k t i v e s K r i t e r i u m angeben, wonach die Messung vorgenommen werden soll. Will M a r x wirklich, wie es seine Theorie verlangt, für die Wertgröße einen M a ß s t a b haben, so muß dies doch eine mathematisch irgendwie bestimmbare Größe sein — dann hätte M a r x auch eine bestimmte einfache Normalarbeit aufweisen und deren Verausgabung an Hirn, Nerv, Muskel usw. irgendwie klarlegen müssen. Dies ist aber unmöglich, da sich überhaupt menschliche Arbeit nicht auf solche physiologische Momente restlos reduzieren läßt, da immer psychologische Faktoren mitspielen.

Da ein objektives Kriterium, woran „einfache" Arbeit zu erkennen sei, fehlt, geht M a r x auf die Erscheinungen des Marktes zurück; die Arbeiten, die höher b e z a h l t werden, sind ihm „komplizierte" Arbeiten und er nennt in willkürlicher Terminologie solche „komplizierte" Arbeiten „Multipla" sogenannter einfacher Arbeit, ohne auch nur im geringsten das Wesen solcher „einfacher" Arbeit näher zu erörtern. Diese „komplizierten" Arbeiten sind auf dem Markt höher „bewertet" — folglich, sagt M a r x, muß ein größeres Arbeitsquantum darin stecken — aber irgendeinen B e w e i s dafür hat M a r x nicht geliefert. So muß auch M a r x eingestehen, daß eine verschiedene Klassifizi eung menschlicher Arbeiten stattfindet; statt aber diese auf die letzten Gründe, die verschiedenen subjektiven Schätzungen der Arbeit zurückzuführen, will er hierin nur Q u a n t i t ä t s u n t e r s c h i e d e sehen — dann hätte er aber eine klarere Darlegung dieser allen Arbeiten zugrunde liegenden Normalarbeit geben müssen. Wir werden zum Beweise, daß dies so ist, einfach auf die „Vorgänge des Marktes" verwiesen[1]): „Daß diese Reduktion (sc. von komplizierter auf einfache Arbeit) beständig vorgeht, zeigt die Erfahrung. Eine Ware mag das

---

[1]) I, S. 11.

Produkt der kompliziertesten Arbeit sein, ihr W e r t setzt sie
dem Produkt einfacher Arbeit gleich und stellt daher selbst nur
ein bestimmtes Quantum einfacher Arbeit dar. Die verschiedenen Proportionen, worin verschiedene Arbeitsarten auf einfache
Arbeit als ihre Maßeinheit reduziert sind, werden durch einen gesellschaftlichen Prozeß hinter dem Rücken der Produzenten festgesetzt und scheinen ihm daher durch das Herkommen gegeben." —
Warum soll z. B. Juwelierarbeit so und so viel mehr wert sein
als Spinnarbeit? Weil mehr „einfache" Arbeit darin steckt —
sagt M a r x ; richtig aber muß es lauten: weil erfahrungsgemäß die erstere Tätigkeit höher bewertet wird. Warum dies
der Fall, gibt M a r x nicht an: er stellt nur eine B e h a u p -
t u n g auf, nämlich es sei ein Vielfaches einer „Durchschnittsarbeit" — eine Behauptung, die man akzeptieren, aber auch zurückweisen kann.

Hier ist nochmals festzustellen, daß wir für eine richtige
Wertdifferenzierung, nämlich für die Wertunterschiede verschiedener
Arbeitsqualitäten auf nichts anderes, .als auf gewisse E r g e b -
n i s s e d e s M a r k t e s verwiesen werden. Denn warum gerade
manche Arbeiten ein Vielfaches von der einfachen Arbeitskraft,
die „im Durchschnitt jeder gewöhnliche Mensch ohne besondere
Entwicklung in seinem Leibe besitzt", darstellen sollen, ist unerfindlich.

Die Theorie von der „einfachen Durchschnittsarbeit" wurde
neuerdings dadurch plausibler zu machen gesucht, daß man erklärte:
die „komplizierte" Arbeit enthielte infolge der höheren Ausbildungskosten, die sie verursache, eine größere Menge „einfacher Arbeit"
aufgespeichert — es summierte sich quasi infolge der längeren Ausbildung mehr „einfache" Arbeit auf, als bei niederen Arbeiten[1]).
„Einfache Durchschnittsarbeit ist Verausgabung einer einfachen
Arbeitskraft, qualifizierte oder komplizierte Arbeit aber Verausgabung
qualifizierter Arbeitskraft. Jedoch um diese komplizierte Arbeitskraft herzustellen, war eine Reihe einfacher Arbeiten notwendig.
Diese sind in der Person des qualifizierten Arbeiters aufgespeichert;
erst wenn er zu arbeiten anfängt, werden diese Ausbildungsarbeiten
f ü r d i e G e s e l l s c h a f t flüssig. Die Arbeit der Ausbilder
überträgt also nicht nur W e r t (da ein höherer Lohn in Erscheinung
tritt), sondern auch ihre eigene w e r t s c h a f f e n d e K r a f t.
Die Ausbildungsarbeiten sind also f ü r d i e G e s e l l s c h a f t
l a t e n t und treten für sie erst in Erscheinung, wenn die komplizierte Arbeitskraft zu arbeiten anfängt. Ihre Verausgabung bedeutet
daher die Verausgabung all der verschiedenen einfachen Arbeiten,
die in ihr gleichsam kondensiert erscheinen . . . Die Gesellschaft
zahlt dann in dem, was sie für das Produkt der qualifizierten Arbeit
geben muß, ein Äquivalent für den Wert, den die einfachen Arbeiten
erzeugt hätten, wenn sie direkt von der Gesellschaft konsumiert
worden wären. In je höherem Maße komplizierte Arbeit einfache Arbeit
enthält, in desto höherem Maße schafft sie nun selbst höheren Wert,
denn es sind in der Tat viele einfache Arbeiten, die gleichzeitig zur
Herstellung desselben Produktes verwendet werden; komplizierte

---

[1]) R u d o l f H i l f e r d i n g „Böhm-Bawerks Marx-Kritik" in den „Marx-
Studien", Bd. I. Wien 1904. S. 21 ff.

Arbeit also wirklich: multiplizierte einfache Arbeit . . . So gibt uns also die M a r x sche Werttheorie das Mittel, die Prinzipien zu erkennen, nach welchen der gesellschaftliche Prozeß der Reduktion komplizierter auf einfache Arbeit stattfindet. Sie macht daher die Werthöhe zu einer t h e o r e t i s c h   m e ß b a r e n   G r ö ß e." Die hier vorgetragene Auffassung, wonach infolge der größeren Ausbildungskosten mehr „einfache Arbeit" in die qualifizierte Arbeit eingeht, scheint eine Stütze in der folgenden Stelle bei M a r x zu finden[1]): „Es wurde früher bemerkt, daß es für den Verwertungsprozeß durchaus gleichgültig sei, ob die vom Kapitalisten angeeignete Arbeit einfache, gesellschaftliche Durchschnittsarbeit oder kompliziertere Arbeit, Arbeit von höherem spezifischen Gewicht ist. Die Arbeit, die als höhere, kompliziertere Arbeit gegenüber der gesellschaftlichen Durchschnittsarbeit gilt, ist die Äußerung einer Arbeitskraft, worin h ö h e r e   B i l d u n g s k o s t e n   eingehen, deren Produktion mehr Arbeitskraft kostet, und die d a h e r einen höheren Wert hat als die einfache Arbeitskraft. Ist der Wert dieser Kraft höher, so äußert sie sich daher auch in höherer Arbeit und vergegenständlicht sich daher, in denselben Zeiträumen, in verhältnismäßig höheren Werten." Aber alle Erfahrung widerspricht dieser Auffassung. Denn, wer wollte leugnen, daß die „höhere" Arbeit im M a r x schen Sinne durchaus nicht allein in höheren Bildungskosten oder in größerer Verausgabung an Hirn oder Muskel usw. ihre Ursache hat — kurz irgendwie in solchen o b j e k t i v e n   Feststellungen, sondern daß die „höhere" Arbeit oft diejenige ist, welche in höherer Schätzung bei dem Arbeitgeber bzw. Konsumenten steht, ohne daß diese objektiven Faktoren in Betracht kommen, lediglich, weil die betreffenden Arbeiten in höherem Maße den Wünschen und Begehrungen der Käufer entsprechen, als andere. Man sieht, es will nicht gelingen, ohne solche „subjektive" Faktoren zu einer Lösung des Problems zu kommen. Daß übrigens M a r x selbst die Einwirkung anderer Momente außer den Bildungskosten, für die in Frage kommende Unterscheidung anerkennt, geht aus folgender Stelle hervor[2]): „Der Unterschied zwischen höherer und einfacher Arbeit „skilled" und „unskilled" labor, beruht zum Teil auf bloßen I l l u s i o n e n , oder wenigstens Unterschieden, die längst aufgehört haben, reell zu sein und nur noch in traditioneller Konvention fortleben; zum Teil auf der hilflosen Lage gewisser Schichten der Arbeiterklasse, die ihnen minder, als anderen erlaubt, den Wert ihrer Arbeitskraft zu ertrotzen. Zufällige Umstände spielen dabei eine so große Rolle, daß dieselben Arbeitsarten den Platz wechseln. Wo z. B. die physische Substanz der Arbeiterklasse abgeschwächt und relativ erschöpft ist, wie in allen Ländern entwickelter kapitalistischer Produktion, verkehren sich im allgemeinen brutale Arbeiten, die viel Muskelkraft erfordern, in höhere gegenüber viel feineren Arbeiten, die auf die Stufe einfacher Arbeit herabsinken, wie z. B. die Arbeit eines bricklayer (Maurer) in England eine viel höhere Stufe einnimmt, als die eines Damastwirkers. Auf der anderen Seite figuriert die Arbeit eines fustian cutter (Baumwollsamtscheerers), obgleich sie viel körperliche Anstrengung kostet und obendrein sehr ungesund ist, als „einfache" Arbeit."

---

[1]) I, S. 160.
[2]) I, ebendort.

b) Selbst wenn die „Arbeit" als Generalnenner der technischen Aufwendungen aufgefaßt werden könnte, wäre sie nicht für die Höhe von Wert und Preis entscheidend.

Auch wenn es gelänge, die Arbeit als Generalnenner für alle zur Herstellung der Güter nötigen technischen Aufwendungen zu konstituieren, wäre doch die Arbeitswerttheorie falsch, weil, wie ich bereits in meiner Kritik der Ricardoschen Wertlehre gezeigt habe, nicht der Kostenaufwand für den Wert der Güter entscheidend ist, sondern die Stärke der Nachfrage nach den Gütern. Demnach könnte die „Arbeit" überhaupt nur insoweit als wertbildend angesehen werden, soweit es sich um „nützlich" aufgewendete Arbeit handelt, d. h. um das Arbeitsquantum und die Arbeitsqualität, die den gesellschaftlichen Bedürfnissen entspricht. Dieser Einwand gegen Marx wäre dann nicht stichhaltig, wenn der Begriff der „gesellschaftlichen Durchschnittsarbeit" nicht, wie ich oben dargelegt habe, im technischen Sinne aufzufassen wäre, sondern im Sinn von gesellschaftlich notwendiger Durchschnittsarbeit, d. h. also die Arbeitsmenge, die den Bedürfnissen des Marktes entspricht.

Tatsächlich findet sich bei einzelnen Marx-Interpreten diese Auslegung des Begriffs der gesellschaftlichen Durchschnittsarbeit. So sagt z. B. Landé[1]): „Liegt Überproduktion vor, so ist eben keine gesellschaftlich notwendige Arbeitszeit aufgewandt worden, so erzeugt die zu viel aufgewandte Arbeitszeit überhaupt keinen Wert, so enthalten die Gesamtprodukte nur so viel Wert, als bei regulärer Produktion die geringere Produktionsmasse enthalten hätte, d. h. die Preise entsprechen zwar nicht der in dem Produkt kristallisierten tatsächlich aufgewandten, wohl aber der in ihnen kristallisierten gesellschaftlich notwendigen Arbeitszeit, sie entsprechen durchaus dem Werte der Produkte nach dem Wertgesetz, von einer Divergenz zwischen Preis und Wert kann hier überhaupt keine Rede sein." Riekes sagt ähnlich[2]): „Der Gebrauchswert bildet die Grundlage, der Wert den Maßstab für die Höhe des Tauschwertes. Erweitert oder verengt sich die Grundlage des Tauschwertes, so wird dadurch auch die in einer bestimmten Menge von Warenkörpern gegebene Größe des Tauschwertes in Mitleidenschaft gezogen. Daß Marx tatsächlich die Abhängigkeit der Tauschwertgröße vom Gebrauchswerte in dieser Form verstanden hat, folgt auch daraus, daß nach Marx die zur Deckung des gesellschaftlichen Bedarfs an einem Gebrauchswert notwendige Arbeitszeit den Tauschwert des Produktes bestimmt." Dieselbe Auffassung finden wir bei M. Weber[3]): „Marx war freilich nicht etwa das Problem von Angebot und Nachfrage innerhalb einer unregulierten Austauschgemeinschaft unbekannt, auf S. 70—71 des ‚Kapital' wird vielmehr angedeutet, daß die Arbeitszeit nur dann ‚gesellschaftlich notwendig' verwendet worden ist, wenn die in ihr produzierten Güter vom ‚Marktmagen' absorbiert werden, daß also für alle Waren, nach denen im Momente ihres Auftretens auf dem Markte keine Nachfrage besteht, unnötige Arbeitszeit verausgabt worden ist."

---

[1]) Mehrwert und Profit. Neue Zeit, 11. Jahrg., Bd. I, S. 590.
[2]) Wert und Tauschwert. Zur Kritik der Marxschen Wertlehre. Berlin 1902. S. 33.
[3]) Fichtes Sozialismus und sein Verhältnis zur Marxschen Doktrin. Tübingen 1900. S. 79.

Es soll nicht geleugnet werden, daß tatsächlich bei M a r x und E n g e l s sich einzelne Stellen finden, die dieser Auffassung recht zu geben scheinen. — So sagt z. B. E n g e l s in dem Vorwort zu M a r x: „Elend der Philosophie[1])" gegenüber R o d b e r - t u s: „Hätte er untersucht, wodurch und wie die Arbeit Wert schafft, und daher auch bestimmt und mißt, so kam er auf die gesellschaftlich notwendige Arbeit, notwendig für das einzelne Produkt sowohl gegenüber anderen Produkten derselben Art, wie auch gegenüber dem g e s e l l s c h a f t l i c h e n G e s a m t b e d a r f." Und die von W e b e r angezogene Stelle bei M a r x lautet[2]): „Vermag der Marktmagen das Gesamtquantum Leinwand zum Normalpreis von 2 sh per Elle nicht zu absorbieren, so beweist das, daß ein zu großer Teil der gesellschaftlichen Gesamtarbeitszeit in der Form der Leinweberei verausgabt wird. Die Wirkung ist dieselbe, als hätte jeder einzelne Leinweber mehr als die gesellschaftlich notwendige Arbeitszeit auf sein individuelles Produkt verwandt." —

Trotz alledem ist meines Erachtens daran festzuhalten, daß M a r x bei der Bestimmung seiner „gesellschaftlich notwendigen Arbeitszeit" nur an die t e c h n i s c h e [3]) Bedingung der P r o d u k t i o n gedacht hat. Es entspricht dies allein dem streng objektiven Charakter der M a r x schen Wertlehre; der G e b r a u c h s w e r t einer Ware war zwar einfache Voraussetzung dafür, daß sie überhaupt W e r t hatte, aber die zufälligen Bedarfs- und Nachfrageverhältnisse nach einer Ware sollten nicht für den „Wert", sondern nur für den „Preis" von Einfluß sein. Der „Wert" sollte die „normale" Richtung der Preisbildung anzeigen: die dahin tendiere, die in den Waren enthaltene, und zwar t e c h n o l o g i s c h notwendige Arbeitszeit zu realisieren: die vielen „Abweichungen" vom Werte, hervorgerufen durch die fehlerhafte Berechnung der Produzenten usw. sollten nur für die nach oben und unten sich ergebenden Differenzen der „Werte" in Frage kommen. Nur die aus der „Produktionssphäre" und nicht die aus der „Zirkulationssphäre" stammenden Elemente sollten für den „Wert" herangezogen werden. Daher stimmt die weite Auffassung des Begriffs „gesellschaftlich notwendige Arbeitszeit" nicht mit der ausdrücklichen Erklärung von M a r x im 1. Buch überein. Dort ist n i e und n i r g e n d s, wo der „Wert" g r u n d l e g e n d erklärt wird, von etwas anderem als von den t e c h n i s c h e n Bedingungen die Rede. Der Bedarf ist nicht hineinbezogen, und nur wo die P r e i s b i l d u n g berührt wird, wird darauf hingewiesen, daß durch gewisse Gestaltungen des Bedarfs eine A b - w e i c h u n g des Preises von der „gesellschaftlich notwendigen" Arbeit im technischen Sinn erfolgen könne. Daß die „gesellschaftliche notwendige Arbeitszeit", wie sie im 1. Buch als Grundlage des Wertes entwickelt wird, einen total anderen Sinn enthält, wenn neben der technischen Seite auch der gesellschaftliche Bedarf herangezogen wird, gibt M a r x selbst zu[4]): „z. B. es sei proportionell zu viel Baumwollgewebe produziert, ob-

---

[1]) II. Auflage. Stuttgart 1892. S. XIX.
[2]) Kapital, I, S. 71.
[3]) Übereinstimmend mit dieser Auffassung B e r n s t e i n, Arbeitswert oder Nutzwert? Neue Zeit. 17. Jahrg., II. Bd. Stuttgart 1895. S. 550.
[4]) III, 2, S. 176.

gleich in diesem Gesamtprodukt an Gewebe nur die unter den gegebenen Bedingungen dafür notwendige Arbeitszeit realisiert. Aber
es ist überhaupt zuviel gesellschaftliche Arbeit in diesem besonderen
Zweige verausgabt, d. h. ein Teil des Produktes ist nutzlos. Das
Ganze verkauft sich daher nur, als ob es in der notwendigen Proportion produziert wäre. Diese quantitative Schranke der auf die
verschiedenen Produktionssphären verwendbaren Quoten der gesellschaftlichen Arbeitszeit ist nur ein weiter entwickelter Ausdruck
des Wertgesetzes überhaupt, o b g l e i c h   d i e   n o t w e n d i g e
A r b e i t s z e i t   h i e r   e i n e n   a n d e r e n   S i n n   e n t h ä l t.
Es ist so und so viel davon notwendig zur Befriedigung des gesellschaftlichen Bedürfnisses; die Beschränkung tritt hier ein durch den
G e b r a u c h s w e r t.''
     In der Tat wäre die ganze M a r x sche Wertlehre, wie er sie
im 1. Bande des ,,Kapital" entwickelt, sinnlos, wenn in dieser Weise
der Begriff ,,gesellschaftliche Durchschnittsarbeit" interpretiert
würde, denn dann käme es bei der Wert- und Preisbildung auf
die Bedürfnisse der Konsumenten und nicht auf den objektiven
Arbeitsaufwand an. Das stände im vollen Widerspruch zu der
immer bei M a r x wiederkehrenden Behauptung, daß bei der Wertbildung unabhängig von Angebot und Nachfrage mit naturgesetz-
licher Gewalt die auf die Güter verwendete Arbeitszeit sich durchsetze.

c) D a h e r   i s t   a u c h   d i e   E r k l ä r u n g   d e s   M e h r -
     w e r t e s   a l s   u n b e z a h l t e   A r b e i t   f a l s c h.
     Wenn die Grundlage des M a r x schen Wertgesetzes auf
Irrtum beruht, so muß auch die darauf aufgebaute Mehrwerttheorie falsch sein. Schon die Einreihung der ,,Arbeit" in den
Warenkatalog ist eine gekünstelte, denn die Arbeit selbst ist
mit dem Menschen verbunden, kann nicht wie eine Ware geschaffen werden. M a r x macht daher den salto mortale, daß er
an Stelle der Arbeitskraft die für die Reproduktion der Arbeitskraft notwendigen Lebensmittel setzt. Selbst aber wenn es gelungen
wäre, alle diese Schwierigkeiten zu überwinden, so wäre auch dann
immer wieder zu betonen, was ich schon gegenüber R i c a r d o
gesagt habe, daß die Arbeit niemals Wert schaffen kann, sondern
nur eine technische Mitwirkung bei der Produktion der Güter
leistet. Weder in 6 Stunden noch in 8 oder 12 Stunden kann
Wert oder Mehrwert geschaffen werden. Erst die Marktlage entscheidet, ob der Preis der Waren die Produktionskosten ersetzt
oder über die Produktionskosten hinausgeht, oder hinter den Produktionskosten zurückbleibt. Im letzteren Falle müßte man sagen —
um im M a r x schen Jargon zu sprechen —, daß die Arbeiter einen
Lohn bekommen hätten für den Minderwert, den die Unternehmer
zu erleiden haben.

d) M a r x   h a t   i n   s e i n e r   P r e i s l e h r e   e r h e b l i c h e   M o d i -
     f i k a t i o n e n   g e g e n ü b e r   s e i n e r   W e r t l e h r e   v o r g e n o m m e n.
     Es ist bezeichnend für die M a r x sche Wertlehre, daß sie so
offenbar mit den faktischen Vorgängen des Wirtschaftslebens in
Widerspruch steht, daß, sobald M a r x sich mit dem Preisproblem
beschäftigt, er selbst zugeben muß, daß die Wertlehre, welche die
theoretische Grundlage für die Preiserscheinung abgeben soll, nur

mit erheblichen Modifikationen zur Erklärung der Preiserscheinungen herangezogen werden kann. Wir sahen oben, daß M a r x das Gebiet der Waren, für die sein Wertgesetz gelten soll, bedeutend eingeschränkt hat. Wenn aber M a r x das Gebiet so weit abgegrenzt und festgestellt hat, daß das Wertgesetz nur in letzter Instanz die Preise bestimmen soll, ist von M a r x der Beweis zu verlangen, wie die tatsächliche Preisbildung mit dem Wertgesetze in Einklang zu bringen ist. Es versteht sich von selbst, daß einzelne individuelle Preissätze nicht in Betracht kommen, aber für die Durchschnittsmarktpreise muß das Wertgesetz sich bewahrheiten, wenn es überhaupt Sinn und Bedeutung haben soll.

Wir wollen jetzt untersuchen, wie M a r x den Zusammenhang zwischen Wert und Preis herzustellen sucht, womit wir zugleich eine Kritik verbinden, die zeigen soll, daß dieser Nachweis M a r x nicht gelungen ist, daß er vielmehr Schritt für Schritt seine Werttheorie zu diesem Behufe einengen, verklausulieren, gelegentlich sogar aufgeben muß.

Dreierlei Preise sind bei M a r x zu unterscheiden:

1. Der Kostpreis.

Bevor M a r x den endgültigen Preis untersucht, d. h. den Preis der Ware, wie er als Verkaufspreis auf dem Markte dem Käufer gegenüber festgesetzt wird, betrachtet er den sog. K o s t p r e i s. Der Kostpreis bezeichnet dasjenige, was die Ware den Kapitalisten selbst kostet. Er bietet dem Kapitalisten nur Ersatz seiner Ausgaben; noch keinerlei Mehrwert oder Profit ist darin enthalten.

Wenn der Wert jeder kapitalistisch produzierten Ware W sich in der Formel darstellt $W = c$ (konstantes Kapital) $+ v$ (variables Kapital) $+ M$ (Mehrwert), so ist die Formel für den Kostpreis $c + v$ . . .

Der Kostpreis hat für uns ein spezielles Interesse, weil er nach M a r x die Minimalgrenze des Verkaufspreises bilden soll. „Die Minimalgrenze des Verkaufspreises der Ware ist gegeben durch ihren K o s t p r e i s" (III, 1, S. 12). Wird die Ware aber zu ihrem Kostpreise verkauft, so wird sie u n t e r ihrem Werte verkauft.

Hier haben wir bereits eine Preisbildung vor uns, die von der Grundlage des M a r x schen Wertgesetzes abweicht.

Nach dem M a r x schen Wertgesetze sollte der Warenwert sein $= k + m$ (Kostpreis + Mehrwert); da das Wertgesetz die Preise „in letzter Instanz" regeln soll, müßte hier angenommen werden, daß der Mehrwert $= 0$ ist. Das ist aber ein Fall, sagt M a r x wörtlich (III, 1, S. 11), „der auf Grundlage der kapitalistischen Produktion n i e m a l s eintritt". Allerdings fährt M a r x fort: „obgleich u n t e r b e s o n d e r e n M a r k t k o n j u n k t u r e n der Verkaufspreis der Waren a u f oder selbst u n t e r ihren Marktpreis sinken mag". Hier gibt M a r x zu, daß der Verkaufspreis a u f, sogar u n t e r den Kostpreis sinken kann; und an späterer Stelle sagt er (III, 1, S. 158): „Es kann passieren, daß die unter den schlechtesten Bedingungen produzierten Waren vielleicht nicht einmal ihre Kostpreise realisieren." — M a r x spielt hier auf die Fälle an, wo die Verkaufsbedingungen so ungünstige sind, daß der Kapitalist nicht einmal den Ersatz seiner Auslagen erhält, sondern noch Verlust erleidet. — Hier ist jedenfalls M a r x' eigenes Zugeständnis zu konstatieren, daß trotz der Divergenz der Kostpreise

von den Werten die Preisbildung so verlaufen kann, daß die
Preise dem Kostpreise und nicht dem Werte entsprechend ausfallen.

2. Der Produktionspreis.

Verschieden vom K o s t p r e i s ist der P r o d u k t i o n s -
p r e i s.
Bei dem bisher betrachteten Kostpreise wurde die Ware aus
e i n e r Produktionssphäre betrachtet und dabei angenommen, daß
der Mehrwert, der aus der bei dieser Produktion verwandten Arbeitskraft entspringt, sich in einem Profit ausdrückt, der diesem Mehr-
werte mehr oder weniger gleichkommt. Diese ganze Darstellung ist
jedoch nur zur Einführung in das wirkliche Preisproblem bestimmt;
die Verkaufspreise der Waren richten sich bei entwickelter kapitalistischer Produktionsweise nach dem sog. P r o d u k t i o n s -
p r e i s. Der Produktionspreis einer Ware ist gleich ihrem Kostpreis + dem, entsprechend der allgemeinen Profitrate prozentig ihm
zugesetzten Profit, oder gleich ihrem Kostpreis + dem Durchschnittsprofit.

Betrachten wir nun den regelmäßigen und wichtigsten F a l l,
wo zu dem Kostpreis noch der Mehrwert hinzukommt, also der
Produktionspreis maßgebend ist. Hier muß sich M a r x mit dem
„Rätsel" der Durchschnittsprofitrate auseinandersetzen. M a r x
meint, R i c a r d o hätte dieses „Rätsel" nicht lösen können, weil
er seine Arbeitswerttheorie nicht konsequent durchgeführt hätte;
bei konsequenter Durchführung dieser Theorie sei das „Rätsel"
leicht zu lösen.

Beim „Rätsel der Durchschnittsprofitrate" handelt es sich um
folgendes: Da der Mehrwert, nach M a r x , nur von dem v a r i a b -
l e n , d. h. dem in Arbeitslohn bestehenden Kapitalteile geliefert
wird, und da der Profit nur eine andere Form ist, den Mehrwert
auszudrücken, so müßten in den verschiedenen Industriezweigen entsprechend der verschiedenen organischen Zusammensetzung des Kapitals ungleiche Profitraten bestehen; nur für Kapitalien von g l e i -
c h e r organischer Zusammensetzung könnte sich bei gleicher Mehr-
wertrate eine gleiche Profitrate ergeben. Die Tatsachen des Lebens
zeigen etwas durchaus Verschiedenes, ja gerade das Gegenteil:
nämlich, wie auch M a r x zugibt, daß — von Ausnahmen abgesehen — eine solche Verschiedenheit der Profitraten in den verschiedenen Industriezweigen gar nicht existiert, sondern daß,
unabhängig von der Zusammensetzung der Kapitalien, sich eine
gleiche Durchschnittsprofitrate für das gesamte Kapital in den
verschiedenen Industriezweigen herausstellt. Damit s c h e i n t also,
wie M a r x sagt, die „Werttheorie unvereinbar mit der wirklichen
Bewegung, unvereinbar mit den tatsächlichen Erscheinungen der
Produktion[1]". Doch dies soll nur s c h e i n b a r sein; M a r x
selbst gibt die Lösung, wie dieser Widerspruch zu erklären sei; indem er aber diese Lösung gibt, muß er die tatsächliche Divergenz
von Wert und Preis zugestehen; ja, die Abweichung von Wert und
Preis bietet die einzige Möglichkeit dar, die Bildung der Durchschnittsprofitrate und des Produktionspreises zu erklären[2]).

---

[1] III, 1, S. 132.
[2] Vgl. D i e h l , Über das Verhältnis von Wert und Preis im ökonomischen
System von K a r l M a r x. Jena 1988. S. 14.

M a r x zeigt an einem Beispiel von fünf verschiedenen Produktionssphären, wie dort infolge der verschiedenen organischen Zusammensetzung des Kapitals sich verschiedene Profitraten bilden
müßten, und zwar von 5—40 %, je nachdem mehr oder weniger
variables Kapital beteiligt ist.

Um zu einer Durchschnittsprofitrate zu gelangen, geht
M a r x von der G e s a m t s u m m e der in den 5 Sphären angelegten Kapitalien aus. Er betrachtet dann die Gesamtsumme als
einziges Kapital, von dem I—V nur verschiedene Teile bilden;
dann berechnet er eine Durchschnittszusammensetzung dieses Ge-
samtkapitals und hierauf einen Durchschnittsprofit von 22 %.
Wie ist die Durchschnittsprofitrate zustande gekommen? Dadurch, daß M a r x erklärte, die Waren verkauften sich n i c h t
zu ihren Werten, sondern teils über, teils u n t e r ihren Werten.
Würden die Preise sich ihren Werten entsprechend gestalten, so
müßten v e r s c h i e d e n e Profitraten resultieren; indem M a r x
die Preise sich abweichend von den Werten bilden läßt, kommt er
zu einer mittleren Profitrate von 22 %. M a r x sagt[1]: „In demselben Verhältnisse, worin ein Teil der Waren ü b e r , wird ein
anderer u n t e r seinem Werte verkauft." Und nur ihr Verkauf
zu solchem Preise ermöglicht, daß die Profitrate für I—V gleichmäßig ist, ohne Rücksicht auf die verschiedene organische Kompo-
sition des Kapitals I—V. Tatsächlich fällt also der Produktionspreis
nur in Ausnahmefällen mit dem W e r t e zusammen (III, 2, S. 291)
und in den am meisten entwickelten Industrien soll der Wert regelmäßig unter den Preisen stehen (III, 2, S. 292). Fragen wir
nach der Triebkraft, welche diesen Ausgleich hervorbringt, so werden wir von M a r x auf dieselbe Kraft hingewiesen, welche
auch die Marktpreise auf der Höhe des „natürlichen Wertes" erhält,
nämlich die Konkurrenz. In auffallendem Einverständnis mit ähnlichen Ausführungen R i c a r d o s erklärt M a r x in seinem
„Elend der Philosophie"[2]: „Es ist nicht der Verkauf irgendeines
Produktes zu seinem Kostenpreise, der das ‚Proportionalitätsver-
hältnis' von Angebot und Nachfrage, d. h. die verhältnismäßige
Quote dieses Produktes gegenüber der Gesamtheit der Produktion
konstituiert, es sind vielmehr die S c h w a n k u n g e n v o n A n -
g e b o t und N a c h f r a g e , die den Produzenten die Menge angeben, in welcher eine gegebene Ware produziert werden muß, um
im Austausch wenigstens die Produktionskosten erstattet zu erhalten,
und da diese Schwankungen beständig stattfinden, so herrscht auch
eine beständige Bewegung in Anlegung und Zurückziehung von
Kapitalien in den verschiedenen Zweigen der Industrie." So erklärt er in seinem III. Bande des „Kapital"[3]: „diese verschiedenen Profitraten werden durch die Konkurrenz zu einer allgemeinen Profitrate ausgeglichen, welche der Durchschnitt aller dieser
verschiedenen Profitraten ist . . . die verschiedenen Kapitalisten
verhalten sich hier, soweit der Profit in Betracht kommt, als bloße
Aktionäre einer Aktiengesellschaft, worin die Anteile am Profit
gleichmäßig pro 100 verteilt werden, und daher für die verschiedenen
Kapitalisten sich nur unterscheiden nach der Größe des von jedem

---

[1] III, 1, S. 135.
[2] S. 38.
[3] III, 1, S. 136.

in das Gesamtunternehmen gesteckten Kapitals, nach seiner ver-
hältnismäßigen Beteiligung am Gesamtunternehmen, nach der Zahl
seiner Aktionäre." — Und an späterer Stelle[1]): „Das Kapital entzieht sich einer Sphäre mit niedriger Profitrate und wirft sich auf
die andere, die höheren Profit abwirft. Durch diese beständige Aus-
und Einwanderung, mit einem Worte, durch seine Verteilung zwischen den verschiedenen Sphären, je nachdem dort die Profitrate
sinkt, hier steigt, bewirkt es solches Verhältnis der Zufuhr zur Nachfrage, daß der Durchschnittsprofit in den verschiedenen Produktionssphären derselbe wird und daher die Werte sich in Produktionspreise
verwandeln."

Man ist wohl zu dem Urteile berechtigt, daß in dem ganzen
dreibändigen Werke von M a r x' Kapital diese letzten Ausführungen
die schwächsten und unbefriedigendsten sind: hier, wo es darauf
ankam, das Rätsel der Durchschnittsprofitrate zu lösen, umgeht M a r x die Schwierigkeit, statt sie zu lösen. Es sollte erklärt werden, wie es komme — was schon nach der R i c a r d o -
schen Wertlehre unlöslich schien —, daß gleich große Kapitalien
gleiche Profite abwerfen, obwohl sie lebendige Arbeit in verschiedener
Menge anwenden; da nur letztere mehrwertbildend sein soll, würde
gleicher Profit eine Verletzung des Wertgesetzes bedeuten: um
diesen Widerspruch zu lösen, erklärt M a r x , daß die P r e i s e
n i c h t   d u r c h   d a s   W e r t g e s e t z   r e g u l i e r t   w ü r -
d e n , sondern durch die Konkurrenz; die Konkurrenz bewirke
eine Ausgleichung der Profitraten, und die gleiche Profitrate
gehe in die Preisbildung ein. Ja, der ganze B e g r i f f des Produktionspreises und der allgemeinen Profitrate beruht darauf, daß
die einzelnen Waren n i c h t zu ihrem Werte verkauft werden.
Darin liegt nicht nur das Zugeständnis, daß das Wertgesetz
n i c h t die Preise beherrscht, sondern auch das weitere, das in
schroffem Widerspruch zu M a r x' Lehre steht —, daß die P r o -
d u k t i o n s k o s t e n und nicht die Arbeitsmenge in letzter Instanz die Preise regulieren. Folgerichtigerweise hätte M a r x zu
einer Produktionskostentheorie kommen müssen; denn da er selbst
zugibt, daß ein Teil des Warenwertes, nämlich der Profit, sich nach
dem gesamten vorgeschossenen Kapital und nicht nach dem variablen
Kapital allein berechnet, so hätte er auch zugestehen müssen, daß
für Wert und Wertmaß nicht die lebendige Arbeit allein maßgebend
ist. — Danach wäre für M a r x nur zweierlei möglich gewesen:
entweder zu erklären, daß der Wert als ökonomische Kategorie
verschiedene Dienste leisten könne, aber keinesfalls den, zur Erkenntnis des Preisproblems zu dienen, oder: daß die Werttheorie
falsch ist. Da ihm beides nicht genehm war, er vielmehr die Grundlage seiner Werttheorie beibehalten wollte, kam er zu derartigen Erklärungen, wie z. B.: „Nur in solch vergröberter und begriffsloser
Form s c h e i n t jetzt noch die Tatsache durch, daß der Wert
der Waren durch die in ihnen enthaltene Arbeit bestimmt ist" (III,
1, S. 151). Oder an anderer Stelle: „Es ist überhaupt bei der ganzen
kapitalistischen Produktion immer nur in einer sehr verwickelten
und annähernden Weise, als nie festzustellender Durchschnitt ewiger
Schwankungen, daß sich das allgemeine Gesetz als die beherrschende
Tendenz durchsetzt."

---

[1]) III, 1, S. 175.

Nur in drei Fällen soll der Preis wirklich durch das Wertgesetz reguliert sein:

1. Wenn in einer Produktionssphäre das Kapital genau die Zusammensetzung des gesellschaftlichen Durchschnittskapitals aufweist; da M a r x selbst diese Eventualität als eine ganz zufällige ansieht, kann sie hier außer Betracht bleiben.

2. Bei Preisänderungen in kurzen Zeiträumen. In kürzeren Zeitperioden seien Änderungen in den Produktionspreisen prima facie stets aus einem Wertwechsel der Waren zu erklären, d. h. aus einem Wechsel in der Gesamtsumme der zu ihrer Produktion nötigen Arbeitszeit; denn Änderungen in der allgemeinen Profitrate seien das sehr späte Werk einer Reihe über sehr lange Zeiträume sich erstreckender Schwingungen, d. h. von Schwingungen, die viel Zeit brauchen, bis sie sich zu einer Änderung der allgemeinen Profitrate konsolidieren und ausgleichen. — Auch dies kann nicht zugegeben werden; bei der außerordentlichen Beweglichkeit der Kapitalien in der hochentwickelten kapitalistischen Wirtschaftsordnung, bei der leichten Möglichkeit, Kapitalien und Anlagen herauszuziehen und wieder hereinzunehmen, ist auch bei kurzen Perioden ein Preiswechsel sehr leicht aus Änderungen in den Verhältnissen des Kapitalmarktes und nicht aus der veränderten Menge der aufgewendeten Arbeitszeit zu erklären.

3. In primitiven wirtschaftlichen Zuständen, wo noch keine entwickelte kapitalistische Produktionsweise mit ihrer durch die Konkurrenz hervorgerufenen Profitrate existiert, wo die Produktionsmittel dem Arbeiter selbst gehören, in Zuständen, wie sie sich in der alten wie in der modernen Welt bei selbstarbeitenden grundbesitzenden Bauern wie bei Handwerkern vorfinden —, hier zeige sich, daß die Werte der Waren nicht nur theoretisch, sondern auch historisch als das Primus der Produktionspreise zu betrachten seien.

3. Der Marktpreis.

Sind schon bei Bildung des sog. Produktionspreises mannigfache Abweichungen des Preises vom Werte zu konstatieren gewesen, so kommen neue hinzu durch die Gestaltung des Marktwertes und Marktpreises. Der bisher betrachtete vom Werte abweichende Produktionspreis kann durch die Verteilung des gesellschaftlichen Profits nach Maßgabe der Profitrate unter die in den verschiedenen Produktionssphären angelegten Kapitalien zustande. Es wurde dabei stillschweigend vorausgesetzt, daß die Waren i n d e n e i n z e l n e n P r o d u k t i o n s s p h ä r e n z u i h r e n W e r t e n verkauft werden.

Ziehen wir jetzt die e i n z e l n e n P r o d u k t i o n s sphären selbst in Betracht, so wird sich zeigen, daß hier die Konkurrenz einen ähnlichen Ausgleich vollzieht wie die Konkurrenz der Kapitalien in den verschiedenen Produktionssphären untereinander. Die Konkurrenz bewirkt zunächst in einer Produktionssphäre die Bildung eines gleichen M a r k t w e r t e s und M a r k t p r e i s e s aus den verschiedenen individuellen Werten der Ware. Die einzelnen Produzenten arbeiten unter verschiedenen individuellen Bedingungen; der individuelle Wert, der sich nach den individuellen Produktionsbedingungen richtet, gleicht sich zu einem Marktwert aus, der sonach der Durchschnittswert der in einer Sphäre produ-

zierten Waren ist. — Der individuelle Wert einiger Waren wird
u n t e r dem Marktwerte stehen, wenn nämlich weniger als die
durchschnittliche Arbeitszeit von dem betreffenden Produzenten gebraucht wird, oder d a r ü b e r , wenn mehr als die durchschnittliche Arbeitszeit erforderlich war.

Es ist von Wichtigkeit, zu bemerken, daß die Waren derselben
Produktionssphäre erst dann zu ihren W e r t e n — im M a r x -
schen Sinne — verkauft werden können, wenn sich ein derartiger
M a r k t w e r t gebildet hat und der Hinweis auf den Marktwert
und Marktpreis ist deshalb von besonderem Interesse, weil hierbei
auch der sonst von M a r x vernachlässigte Faktor des gesellschaftlichen Bedarfs in aller Schärfe hervortritt.

Folgende zwei Voraussetzungen hält M a r x für notwendig,
damit Waren d e r s e l b e n Produktionssphäre, derselben Art und
annähernd derselben Qualität zu ihren Werten verkauft werden.

1. Es muß eine genügende Konkurrenz der Verkäufer der betreffenden Waren vorhanden sein.

III, 1, S. 159: „Erstens müssen die verschiedenen individuellen
Werte zu e i n e m gesellschaftlichen Werte, dem oben dargestellten
Marktwerte, ausgeglichen sein, und dazu ist eine Konkurrenz unter
den Produzenten derselben Art Waren erforderlich, ebenso wie das
Vorhandensein eines Marktes, auf dem sie gemeinsam ihre Waren
anbieten."

2. Damit aber der Markt p r e i s dem Markt w e r t e entspreche, muß der Druck, den die Verkäufer aufeinander ausüben,
groß genug sein, um die Masse Waren auf den Markt zu werfen,
die dem gesellschaftlichen Bedürfnis entspricht. Also die unter
verschiedenen Bedingungen produzierten Waren erhalten durch die
Konkurrenz einen Marktwert; damit der Marktwert in der Preisbildung zum Vorschein komme, muß diejenige Q u a n t i t ä t
Waren auf dem Markte vorhanden sein, wofür die Gesellschaft fähig
ist, den Marktwert zu zahlen. Sind die Waren nicht in genügender
Menge vorhanden, so wird die Ware ü b e r dem Marktwerte verkauft; sind zu viele Waren vorhanden, so werden sie unter dem
Marktwerte losgeschlagen werden.

Somit sind wir jetzt endlich bei dem definitiven Preise angelangt, d. h. bei dem Preise, den eine Ware unter dem Drucke der
Konkurrenz auf dem Markte erlangt. Und was sehen wir als maßgebend? N i c h t die gesellschaftlich notwendige Arbeitszeit: in
so vielfacher Weise ist dieses angebliche Grundprinzip der Preisbildung durchbrochen, daß man nicht mehr von einer modifizierten
oder eingeschränkten Geltung des Wertgesetzes reden kann, sondern
direkt sagen muß: durch den „Wert" im M a r x schen Sinne wird
der „Preis" n i c h t bestimmt, sondern durch eine ganze Reihe
verschiedener Faktoren, unter denen die gesellschaftlich notwendige
Arbeitsmenge nur einer ist.

3. Kapitel.
Die subjektivistische Werttheorie.

Zur Genesis der subjektivistischen Werttheorie.

§ 19. Die Fortbildung der Lehre der klassischen Ökonomie nach der subjektiven Seite.

Die Wertlehre der englischen klassischen Nationalökonomie fand in der ersten Hälfte des 19. Jahrhunderts wie die übrigen Lehren dieser Schule in den meisten Ländern Eingang. Auch in Deutschland wurden die Lehren von S m i t h und R i c a r d o beifällig und teilweise völlig kritiklos aufgenommen. Daneben traten in der genannten Zeit deutsche Autoren auf, die bei aller Zustimmung zu den Hauptlehren doch in einzelnen Punkten Kritik übten und eine abweichende Auffassung vertraten. Vor allem wurde der in der klassischen Ökonomie stark vernachlässigte Gebrauchswert und überhaupt die subjektive Seite des Wertproblems mehr betont.

Von großem Einfluß auf diese Ausgestaltung der Wertlehre war die deutsche idealistische Philosophie. Unter Hinweis auf die Stelle in K a n t s metaphysischen Anfangsgründen der Rechtslehre (Frankfurt a. M. u. Leipzig 1790. S. 126): ,,Denn Preis (pretium) ist das ö f f e n t l i c h e U r t e i l über den Wert (valor) einer Sache, im Verhältnis auf die proportionierte Menge desjenigen, was das allgemeine stellvertretende Mittel der gegenseitigen Vertauschung des Fleißes (des Umlaufes) ist", wurde betont, daß es sich beim Wert niemals um etwas Objektives handeln könne, sondern um ein U r t e i l oder eine S c h ä t z u n g , die gegenüber den Gütern vorgenommen wird. Daher sei auch ein o b - j e k t i v e s Maß für den Wert unmöglich. Der bei S m i t h vernachlässigte Gebrauchswert wird eingehend untersucht. Bei aller Hervorhebung des subjektiven Charakters des Wertes wird jedoch in dieser Epoche noch nicht versucht, auf dieser subjektiven Wertlehre eine subjektive Preistheorie aufzubauen. Vielmehr wird in der Preistheorie entweder noch an den objektiven Bestimmungsgründen festgehalten, oder es wird überhaupt das ganze Problem der Preisbildung noch nicht einheitlich systematisch erforscht.

So bringt F u l d a in seiner Schrift: ,,Über Nationaleinkommen, einen Beitrag zu den neuesten Untersuchungen über Staatswissenschaft. Stuttgart 1805" einige Einwände gegen die objektivistische Werttheorie vor. Er meint: ,,Bedürfnis und Arbeit sind es, auf welche gegenseitig der Grund aller Erwerbung und alles Reichtums gebaut

werden muß" (S. 9). Bei der Frage nach der Wertbildung müsse
aber unbedingt dem B e d ü r f n i s der Vorrang vor der A r b e i t
gegeben werden. Er sagt daher: „Bedürfnis ist der wahre Grund
des Preises, sowie der wahre Maßstab des Wertes jeder Sache"
(S. 11).

„Das Bedürfnis liegt unstreitig tiefer als die Arbeit, denn jenes
veranlaßt erst diese. Wenn daher gleich alles, was das bloße Leben
sowie das Wohlleben erfordert, nur durch Arbeit erhalten werden
kann, so sind wir doch nicht berechtigt, die Arbeit als den ersten
Preis, der für alle Dinge bezahlt wird, und hiermit als den wahren
Maßstab des Tauschwertes aller Güter zu betrachten, sondern das
Leben und Wohlleben selbst ist es, das uns zur Schätzung dieser
Werte bestimmt" (S. 11).

J u l i u s   v o n   S o d e n nimmt in seinem Werke: „Die
Nationalökonomie, ein philosophischer Versuch über die Quellen des
Nationalreichtums." Leipzig 1805, schon einige allgemeine leitende
Gesichtspunkte späterer Werttheorien vorweg, wenn er den Wert
definiert als „die Bezeichnung des Grades der bald allgemeinen,
bald individuellen Genußbefriedigung, die viele oder einzelne in dem
Genuß eines bestimmten Gutes finden: also die Bezeichnung des
Platzes und Ranges dieses einzelnen Gutes auf der allgemeinen
Stufenleiter aller Güter".

v. S o d e n hat das Verdienst, zuerst in Deutschland die subjektiven Faktoren, vor allem die Momente des Gebrauchswertes in
der Preislehre in den Vordergrund gestellt zu haben. Es fehlt aber
bei ihm eine ausgebildete systematische Wert- und Preistheorie;
seine schwerverständliche Sprache hat es teilweise verschuldet, daß
seine Lehre nicht in weite Kreise drang.

Ebenfalls vom subjektiven Standpunkte aus charakterisiert
G e o r g   S a r t o r i u s in seinen „Abhandlungen, die Elemente
des Nationalreichtums und der Staatswirtschaft betreffend", Göt-
tingen 1806, die S m i t h sche Wertlehre. Die erste und letzte
seiner Abhandlungen über die Elemente des Nationalreichtums sind
gegen diese Theorie und namentlich gegen S m i t h s Aufstellung
eines unabänderlichen Wertmaßes gerichtet. Er nennt die S m i t h -
sche Lehre in dieser Hinsicht „teils dunkel, teils mangelhaft".

Gleich zu Beginn seines Werkes weist er auf die subjektivistische
Grundlage aller Wertbestimmungen hin: Der „Wert einer Sache
wird zuvörderst geschätzt nach dem Gebrauch, den man davon
machen kann, dem Bedürfnis, welches durch sie befriedigt wird,
dem Genuß, den sie gewährt" (S. 1).

Wir wenden uns jetzt zu einem Schriftsteller, dessen Aus-
führungen im besonderen Maße für die spätere Entwicklung der
Wert- und Preistheorie von Wichtigkeit geworden sind, zu L o t z :
„Revision der Grundbegriffe der Nationalwirtschaftslehre 1811."
L o t z betont scharf die Unzulänglichkeit der S m i t h schen Wert-
und Preislehre und vertritt, ähnlich wie H u f e l a n d und v o n
S o d e n , auf die er sich öfters beruft, eine subjektive Werttheorie.
Er definiert den Gebrauchswert als Tauglichkeit eines Gutes, als
Mittel für einen oder mehrere bestimmte Zwecke eines bestimmten
Individuums, welches jenes Gut entweder besitzt oder doch wenig-
stens zu besitzen wünscht (begehrt). Tauschwert sei dagegen die
Tauglichkeit eines Gutes, sich für dieses Gut auf dem Wege des

Tausches irgendein anderes Gut zu verschaffen. Vor allem hebt er hervor, daß aller Wert nur auf Urteil beruhe, niemals eine Eigenschaft der Güter sein könne. Der Wert einer Sache ist das Produkt des Urteils irgendeines menschlichen Wesens über ihre Tauglichkeit als Mittel für menschliche Zwecke. Für die Bestimmung des Wertes der Güter gäbe es keinen kategorischen Imperativ, wie für die Bestimmung dessen, was recht und sittlich ist. Auch müsse scharf unterschieden werden zwischen Wert und Preis. Die ganze Feststellung eines natürlichen Preises scheint ihm irrig (I, S. 79). Der Begehrende kümmert sich nicht um diesen (natürlichen) Preis, sondern er bietet und gibt bald mehr, bald weniger, je nachdem die Umstände seinem Vorteil mehr oder weniger zusagen.

Gegen die Produktionskostentheorie bemerkt er (I, S. 83): „Dadurch, daß man das, was S c h a f f u n g s k o s t e n genannt werden muß, Preis nennt, — dadurch hat man sich die richtige Ansicht vom Wesen des wirklichen Preises und den Bedingungen, worauf dieser beruht, unendlich erschwert. Der e i g e n t l i c h e u n d w i r k l i c h e P r e i s ist nur der Tauschpreis, die Summe von Gütern, welche der Begehrer eines Gutes seinem Besitzer für dieselben beim wirklichen Tausch überläßt, oder wenigstens zu überlassen geneigt ist; und auf diesen Tauschpreis paßt nur das, was man sich im gemeinen Leben denkt, wenn man vom Preise eines Gutes spricht. Solange ein von der Natur oder vom menschlichen Geiste geschaffenes Ding, das dieser unter die Kategorie der Güter erhoben hat, noch nicht in den Tausch gekommen, oder doch wenigstens dazu bestimmt ist, und in dieser Hinsicht als schon wirklich dahin gekommen gedacht wird, so lange kann nur von seinem Wert die Rede sein, aber nie von seinem Preis."

Nach ausführlicher Polemik gegen die S m i t h sche Werttheorie erklärt er: „Am allerwenigsten richtet sich der Preis einer Sache nach dem Maße der Aufopferungen an Ruhe, Freiheit und Glück, welche ihr Besitzer machen mußte, um sie zu gewinnen oder hervorzubringen. Sie können den Besitzer zwar bestimmen, vom Begehrer einen Preis zu verlangen, sie können selbst auf die Höhe oder Niedrigkeit des von ihm verlangten Preises Einfluß haben, aber eine ganz andere Frage ist es, ob sie den Begehrer veranlassen werden, dem Besitzer gerade den Preis zu bewilligen, welchen er fordert."

Der deutsche Nationalökonom, dessen Lehrbuch in der ersten Hälfte des vorigen Jahrhunderts die weiteste Verbreitung hatte — R a u (Grundsätze der Volkswirtschaftslehre. Heidelberg 1826), vertritt im wesentlichen die objektivistische Richtung. Meist sollen sich die Preise nach dem Kostenaufwande richten.

R a u hat auch in den späteren Auflagen seines Buches an den Grundzügen dieser Wert- und Preistheorie festgehalten. Es finden sich nur einige Zusätze. So hat er z. B. in späteren Auflagen die Unterscheidung vom a b s t r a k t e n und k o n k r e t e n Wert (8. Aufl. 1868. S. 94) neu hinzugefügt. Unter a b s t r a k t e m Wert oder Gattungswert versteht R a u den Gebrauchswert einer gewissen Gattung oder Art von Gütern, z. B. des Weizens, Kupfers, Leders usw.; unter k o n k r e t e m Wert versteht er den Gebrauchswert eines bestimmten Gutes für eine bestimmte Person in einem bestimmten Zeitpunkt.

Von weit größerer Bedeutung für die Fortbildung der Wert-
und Preistheorie als die bisher erwähnten Autoren war H e r m a n n
mit seinen „Staatswirtschaftlichen Untersuchungen" (München 1832).

Speziell der Lehre vom Preise wird in diesem Werke eine gründliche Untersuchung zuteil. Seinen Vorgängern ist H e r m a n n
dadurch überlegen, daß er die einzelnen für die Höhe des Preises
entscheidenden Faktoren genau prüft. Das, was von den früheren
Autoren unter dem Schlagwort „Angebot und Nachfrage" zusammengefaßt wurde, wird von ihm zergliedert und eingehend
analysiert. Dem Gebrauchswert wird eine wichtige Rolle für die
Preisbildung zuerkannt, aber in letzter Linie hält H e r m a n n
an den entscheidenden Stellen an der Produktionskostentheorie
in vorsichtiger Formulierung fest.

Auf die H e r m a n n sche Wert- und Preislehre werde ich
später noch ausführlich zurückkommen.

B r u n o H i l d e b r a n d (Die Nationalökonomie der Gegenwart und Zukunft, Frankfurt a. M. 1848) hat sich besonders
darum bemüht, die Antinomie zwischen Gebrauchswert und
Tauschwert aufzulösen, d. h. den scheinbaren Widerspruch, der
darin liegen soll, daß Güter von hohem Gebrauchswert oft geringen
Tauschwert haben und umgekehrt. H i l d e b r a n d erklärt, daß
Wert an sich nichts anderes sei als die Beziehung der Sache, welche
geschätzt wird, zu dem Subjekt, welches schätzt, möge nun das
Subjekt ein einzelnes Individuum oder die ganze Gesellschaft sein.
Der Wert sei daher so vielfach, als es Gattungen und Ursachen der
Schätzung gebe. Nutzwert und Tauschwert seien nur zwei von
den verschiedenen Unterarten, welche die allgemeine Gattung Wert
umfasse. Liege der Schätzungsgrund in den Wirkungen des geschätzten Gegenstandes, also in seiner Nutzungsfähigkeit, so bezeichne man seinen Wert als Nutzwert. Sei der Schätzungsgrund
dagegen die Schätzung anderer Individuen, welche den Gegenstand
ebenfalls zu besitzen wünschen, so nenne man ihn Tauschwert. Der
scheinbare Widerspruch zwischen Nutz- und Tauschwert löst sich
leicht nach H i l d e b r a n d , wenn man beachte, daß jede Sache das
Maß ihres Nutzwertes an der Summe und Rangordnung der menschlichen Bedürfnisse, welche sie befriedige, habe. Daraus ergibt sich:
„je mehr Quantität eines nutzbaren Gegenstandes vermehrt wird,
desto mehr fällt bei unverändertem Bedürfnis der Nutzwert jedes
einzelnen Stückes" (S. 318): „Die Summe des Nutzwertes, welche
jede Gütergattung besitzt, bleibt daher, sobald sich nicht die Bedürfnisse der menschlichen Gesellschaft ändern, unveränderlich und
verteilt sich auf die einzelnen Stücke der Gattung je nach der
Quantität derselben. Je mehr sich die Summe der Stücke vergrößert,
desto geringer wird der Anteil, welcher jedem Stück von dem Nutzwert der Gattung zufällt und umgekehrt, je geringer die Masse
wird, desto größer wird der Anteil jedes Stückes an dem Nutzwert
der Gattung."

Auch K a r l K n i e s sucht, wenn auch auf anderem Wege,
eine Harmonie vom Gebrauchswert und Tauschwert herzustellen.
Er definiert in seiner Abhandlung: Die nationalökonomische Lehre
vom Wert (Zeitschrift für die gesamte Staatswissenschaft, 1855,
S. 428): „Wert ist der Grad jener Brauchlichkeit, welche ein Gegen-

stand als Befriedigungsmittel menschlicher Bedürfnisse hat. Der Gebrauchswert kann und soll mit dem Tauschwert zunächst nur die beiden Arten von Brauchlichkeit der Güter kennzeichnen."

Auch bei der Darstellung der Wertlehre in seinem Werke: „Das Geld", Berlin 1885, stellt K n i e s den Gebrauchswert voran und sucht alle Werterscheinungen auf den Gebrauchswert zurückzuführen. In seiner Wertdefinition hat er allerdings eine Veränderung vorgenommen. Während er in dem eben genannten Aufsatz der Tübinger Zeitschrift das Verhältnis zwischen dem wirtschaftlichen Gut und dem Wert desselben durch die Kennzeichen der Brauchlichkeit und eines Grades der Brauchlichkeit festzustellen sucht, zieht er jetzt den Ausdruck „Maß der Nutzwirkung und Nutzleistung" der wirtschaftlichen Güter vor. Er erklärt jetzt: „der Wert der Güter ist das quantitativ festgestellte, tatsächliche und anerkannte Maß ihrer Nutzwirkung oder Nutzleistung, wenn sie von den Menschen in Gebrauch genommen werden, bzw. eine Vorstellung bezüglich dieses Maßes im individuellen und sozialen Urteil" (S. 168). Wenn tatsächlich im Tauschverkehr viele verschiedenartige Gebrauchswerte untereinander gleichgesetzt würden, so könne dies nur erklärt werden durch eine Reduktion aller Gebrauchswerte auf ein gemeinsames Gebrauchswertiges. Alle verschiedenartigen Gebrauchsgüter hätten eine gemeinsame Einheit als Gebrauchsgüter, daher sei auch ein Gegensatz von Gebrauchswert und Tauschwert nicht vorhanden.

„Während die unterschiedlichen Gütergattungen die unterschiedlichen Bedürfnisgattungen befriedigen, befriedigen sie zugleich insgesamt, die einen mit den anderen, den summarischen Bestand des fraglichen Kreises menschlicher Bedürfnisse. Eben deshalb enthalten die verschiedenen Spezies der Güter einen G e b r a u c h s - w e r t in genere. Wie jeder einzelne für die Gesamtheit der von ihm gebrauchten Güter neben dem Unterschied zugleich diesen generischen Charakter anerkennt, so wird der letztere auch von der Gesellschaft als für ihre Mitglieder vorhanden anerkannt. Wie jegliches Arbeitsquantum nicht als solches, sondern nur insofern zu gesellschaftlicher Anerkennung gelangt, als es G e b r a u c h s - w e r t für andere schafft, so werden auch z w e i gleich große Arbeitszeiten, welche verschiedenartigen Gebrauchswert schaffen, nur dann gleich gewertet, wenn sie gleich hoch geschätzte Gebrauchswerte produziert haben."

Die gesellschaftliche Anerkennung des Generischen in dem Gebrauchswert verschiedener Gütergattungen komme in dem Tauschverkehr bei arbeitsteiliger Produktion als Anerkennung eines v e r - t r e t b a r e n, f u n g i b l e n Gebrauchswertes, dessen gleichgeartete Träger die gesamten unseren wirtschaftlichen Bedarf befriedigenden Gegenstände seien, zur tatsächlichen Geltung.

Der Ausdruck „Der Preis ist ein Wertäquivalent", hat daher für K n i e s nur den Sinn, daß, wo immer bestimmte Quantitäten verschiedenartiger Güter im Verkehr gegeneinander umgesetzt werden, diese ein gleiches Maß gesellschaftlich anerkannten Wertes zur Geltung bringen (S. 171).

§ 20. Die Vorläufer der streng subjektivistischen Richtung der Wertlehre (der Lehre vom Grenznutzen).

Wenn auch die bisher behandelten Autoren die s u b j e k t i v e Bedeutung des Wertes bereits hervorgehoben hatten, so hatte doch keiner von ihnen eine einheitliche Wert- und Preistheorie auf s u b - j e k t i v e r   B a s i s entwickelt.

Was die Wertlehre anlangt, so wurde zwar allgemein auf die Bedeutung der subjektiven Momente, die Schätzung der Menschen usw. hingewiesen, aber eine psychologische Detailanalyse dieser Wertschätzung fehlte, und was die Preise anlangt, so wurden sie entweder in einen direkten Gegensatz zum Wert gebracht und in mehr oder weniger großem Maße objektivistisch erklärt oder es wurde auf eine gründliche Untersuchung des Preises vom subjektiven Standpunkt aus überhaupt verzichtet. Jedenfalls war nirgends die Preisbildung direkt auf der Grundlage einer subjektiven Werttheorie erklärt. Es ist das Eigentümliche der streng subjektivistischen Richtung, daß sie Wert und Preis aus einem Prinzip und zwar dem subjektiven Grundprinzip heraus erklären, indem sie die Wert- und Preisbildung auf Wertschätzungen seitens der wirtschaftlichen Parteien zurückführen. Durch eingehende psychologische Analyse der Begehrungen, mit welchen die Menschen der Güterwelt gegenüberstehen, suchte man zu einem exakten Maßstabe von Wert und Preis zu gelangen.

Die Erkenntnis, daß der Wert der Güter vom „Nutzen" abhänge, war nichts Neues. Von deutschen Nationalökonomen war immer wieder auf die Bedeutung des „Nutzens" der Güter für den Wert hingewiesen worden. Aber hierbei handelte es sich stets um den „Nutzen" im a l l g e m e i n e n. Die neue subjektive Wertlehre will aber einen k o n k r e t e n, b e s t i m m t e n Nutzen, der in bestimmter Wirtschaftslage von einem Gute abhängt, zur Grundlage der Theorie machen. Zu diesem Zwecke mußten die verschiedenen Möglichkeiten des Nutzens, die ein Gut je nach dem Verwendungszwecke, je nach der Vermögenslage des begehrenden Individuums usw. bieten kann, unterschieden werden.

In der sogenannten Grenznutzentheorie wurde diese Auffassung systematisch vertreten. Bevor ich jedoch zur Darstellung der Hauptvertreter dieser Lehre übergehe, will ich zwei Vorläufer dieser Richtung besprechen: T h o m a s und G o s s e n. Vorläufer nicht nur in dem Sinne, daß ihre Lehren so gut wie gänzlich unbekannt und einflußlos geblieben waren, sondern auch in dem Sinne, daß sie wohl das streng subjektive Prinzip in der Wert- und Preistheorie zum Mittelpunkt ihrer Lehren gemacht hatten, aber es doch nicht in der systematischen Vollendung und Einheitlichkeit durchzuführen verstanden haben, wie die österreichischen Autoren.

T h o m a s führt in seinem Werke „Theorie des Verkehrs", 1841, alle Wert- und Preisbildungen auf Schätzungen der Menschen zurück. „Es sei nicht möglich", meint T h o m a s, „den Begriff der Schätzung zu denken, ohne zu gleicher Zeit an ein Subjekt zu denken, welches schätzt, und an ein Objekt, welches geschätzt wird." Diese beiden Punkte bilden demnach die notwendigen Voraussetzungen dieses Begriffes. Die Schätzung beweise, daß sie von den Eigenschaften der Dinge gar nicht abhänge, sondern allein in dem

Zustande der Seele ihre Bedingungen und mit ihnen ihre Regeln und Normen finde T h o m a s bezeichnet daher diese nur von der inneren Gemütslage des schätzenden Subjekts abhängende Substanz eines Gegenstandes mit dem Namen „Wert" (S. 16).

Die Schätzung einer Sache in Gemäßheit der ·Schätzung, welche eine andere Person auf eine andere Sache wendet, nennt er Preis. Ganz im Sinne der später viel feiner ausgebildeten subjektivistischen Werttheorie ist für ihn der Wert eines Gutes abhängig von der Stärke des Begehrens nach diesem Gute: „Der Wert eines Gegenstandes besteht in der Wichtigkeit desselben, welche ihm in Gemäßheit des Druckes eines auf denselben gerichteten Begehrens erteilt wird" (S. 25).

Was den Grad des auf solche Weise für die Gegenstände sich ergebenden Wertes anbetrifft, so meint T h o m a s , daß er ganz nach denselben Gesetzen sich verändere und nach seiner Größe von denselben Bedingungen abhängen müsse als das Begehren. „Dies hängt im allgemeinen nun ab von dem Umfange der Vorstellungsmassen, welche mit in das Ziel des Begehrens hineingezogen werden können und von der Zeit seiner Dauer. Während hier nur als die eine Grenze des Wertes die Größe Null mit Entschiedenheit hervortritt, muß die andere Grenze als eine unbestimmbare Grenze betrachtet, es muß der Wert eines jeden Gegenstandes als kontinuierlich zwischen den Grenzen Null und Unendlich angesehen werden. Eine allgemeine Regel für die Veränderung des Wertes einer Sache wird schwerlich aufgestellt werden können, weil hier alles von einer Masse von Bedingungen abhängt, die auch nicht für zwei Fälle als identisch betrachtet werden dürfen; indes hat die Staatswirtschaftslehre kein Bedürfnis nach einer solchen Regel, da dieser es genügt, den Wert einer Sache als etwas betrachten zu können, was überall einer Vermehrung und Verminderung zugänglich ist, um zu wissen, daß diese Veränderungen von nichts anderem abhängen, als eben von der Stärke des Begehrens" (S. 66).

Daher lehnt T h o m a s es ausdrücklich ab, eine Klassifikation oder Skala der menschlichen Bedürfnisse, Begehrungen oder Schätzungen vorzunehmen, wie dies bei der späteren Ausbildung der subjektiven Wertlehre geschieht. Eine Anordnung der Dinge nach den verschiedenen Graden des Wertes, welcher ihnen erteilt werde, könne ebensowenig Festigkeit haben, als der Schätzung nach dem Wert in bezug auf einen einzelnen Gegenstand zukomme. Wenn die Schätzungen der Gegenstände schon bei dem einzelnen Menschen so wechselten, daß gar nicht daran zu denken sei, sie diesem gegenüber in eine Ordnung zu bringen, die mehr als nur augenblickliche Geltung hätte, so verschwände die Möglichkeit einer solchen Anordnung noch mehr, je mehr Personen und je längere Zeiträume der Erwägung dabei unterworfen würden. Daher fehlt auch bei ihm eine exakte Preistheorie. Er meint vielmehr, daß in der Preisbildung eine Schätzung nach einem allgemeinen Maßstab der Güte vorgenommen werde. „Bei einer jeden Art der Schätzung zeigt sich ein mehrfaches Bestreben nach einer gradweisen Anordnung der durch sie zu Gütern erhobenen Gegenstände. Wiewohl nun die Wissenschaft nicht imstande ist, diesen Tendenzen überall zu folgen und in manchen Fällen sich geradezu vor allen Folgerungen verwahren muß, welche aus einer solchen Anordnung abgeleitet werden

könnten, als wenn sie wissenschaftliche Bedeutung hätte, so ist
doch eine Vergleichung der geschätzten Gegenstände untereinander
zu tief in den Verschiedenheiten der sie treffenden Schätzungen
begründet, als daß sie nicht häufig sollte ausgeführt werden. Bei
dieser Vergleichung ordnen sich die dadurch betroffenen Dinge
unwillkürlich nach dem Grade der ihnen beiwohnenden Güte und
brauchen dann nur alle einem und demselben Gute gegenübergestellt
zu werden, um eine ebenso unwillkürliche Bezeichnung des Grades
der Güte durch Vielfache jenes Gutes herbeizuführen" (S. 97).

T h o m a s unterscheidet die ä u ß e r e n und die i n n e r e n
Bedingungen des Preises. Die ä u ß e r e n Bedingungen sind diejenigen, die von den Eigentümlichkeiten des Verkehrs abhängig sind.
Die Bedingungen des Verkehrs knüpfen sich an die Gestaltung und
Gliederung der menschlichen Gesellschaft, an die Rechtsordnung
usw. Erst unter der Herrschaft des ausschließlichen Eigentums,
durch welche die ungleiche Verteilung der Güter sanktioniert werde,
könne von einem Verkehr die Rede sein, in welchem die Güter einer
Preisbestimmung zugänglich werden.

Verwickelter als die äußeren Bedingungen des Preises seien die
i n n e r e n , welche an die verschiedenen Arten der Schätzungen
anknüpfen, die dabei in Tätigkeit gesetzt werden können: „Denn
jeder der beiden dabei zum mindesten in Betracht kommenden
Gegenstände wird nicht nur nach denjenigen Schätzungen beurteilt
werden müssen, welche die Inhaber derselben auf sie richten, son--
dern auch nach denjenigen, welche die als Begehrer derselben Gegen-
überstehende ihnen erteilen" (S. 108).

Über die Beziehungen zwischen Wert und Preis macht dann
T h o m a s noch folgende Bemerkungen: F ü r d i e S c h ä t z u n g
n a c h d e m P r e i s e mußten alle durch dieselben getroffenen
Gegenstände sich als begehrte Gegenstände darstellen — deswegen
werde Schätzung derselben nach dem Wert, d. h. nach der ihnen in
Gemäßheit des auf sie gerichteten Begehrens beigelegten Gewichtig-
keit für die Bestimmung des Preises den letzten Schlußstein bilden,
alle übrigen Schätzungen aber fürs erste nur als einen entfernteren
Grund des Begehrens selbst betrachtet werden dürfen, der sich in
der Bestimmung ihrer Güte nach einem gemeinschaftlichen Maßstabe der Schätzung, so allgemein ausdrücke, daß jede besondere
Art der Schätzung darin verschwinde und allein nur noch der Grad
des auf sie gerichteten Begehrens, ihr Wert, sich mit einiger, wenn
auch unvollkommener Klarheit darin ausspreche. Abschließend erklärt T h o m a s : „Der Preis ist nur die Bestimmung derjenigen
Stellen auf einer Skala der Güter, welche einen Gegenstand in Gemäßheit einer Schätzung, die ein anderer auf ein anderes Gut wendet,
erteilt wird und nichts weiter."

Viel mehr noch T h o m a s nähert sich G o s s e n (Entwicklung der Gesetze des menschlichen Verkehrs und der daraus
fließenden Regeln für menschliches Handeln, Braunschweig 1854)
der modernen subjektiven Werttheorie. Er meint, daß eine Psychologie des Genusses der Ausgangspunkt der Wert- und Preislehre sein
müsse.

T h o m a s hatte die psychologische Detailanalyse für überflüssig erklärt: „Schwieriger wird es sein", sagt T h o m a s , a. a. O.
S. 47, „die Beziehungen der Schätzungsbegriffe N ü t z l i c h k e i t ,

K o s t e n und P r e i s in ihrer Abhängigkeit von ‚Wert' und ‚Würde' psychologisch durch alle ihre vielfachen Modifikationen zu verfolgen und es kann als ein Glück für die Untersuchungen im Gebiete der Güterlehre betrachtet werden, daß sie ein solches psychologisches Wissen weder als ihre Grundlage zu betrachten hat, noch aus irgendeiner Ursache bedarf."

Dagegen betrachtete G o s s e n die psychologische Untersuchung für die notwendigste Vorarbeit der Werttheorie.

Von seiner eigenen Leistung hatte G o s s e n eine sehr hohe Meinung; er sagt in der Vorrede seines Werkes: „Was einem K o p e r n i k u s zur Erklärung des Zusammenseins der Welten im Raume zu leisten gelang, das glaube ich für die Erklärung des Zusammenseins der Menschen auf der Erdoberfläche zu leisten." Bei der näheren Betrachtung, wie das Genießen vor sich geht, findet G o s s e n folgende gemeinsame Merkmale:

1. Die Größe eines und desselben Genusses nimmt, wenn wir mit Bereitung des Genusses ununterbrochen fortfahren, fortwährend ab, bis schließlich Sättigung eintritt.

2. Eine ähnliche Abnahme der Größe des Genusses tritt ein, wenn wir den früher bereiteten Genuß wiederholen und nicht bloß, daß bei wiederholter Bereitung die ähnliche Abnahme eintritt, auch die Größe des Genusses bei seinem Beginn ist geringer und die Dauer, während welcher etwas als Genuß empfunden wird, verkürzt sich bei der Wiederholung; es tritt früher Sättigung ein und beides, anfängliche Größe sowohl wie Dauer, vermindern sich um so mehr, je rascher die Wiederholung erfolgt."

Den Zustand der Außenwelt, der sie befähigt, uns zur Erreichung unseres Lebenszweckes behilflich zu sein, bezeichnet G o s s e n mit dem Ausdruck: „Die Außenwelt hat für uns Wert." Er meint, daß der Wert der Außenwelt für unseren Genuß in demselben Maße steige und sinke, wie die Hilfe, die sie uns zur Erreichung unseres Lebenszweckes gewähre, daß also die Größe ihres Wertes genau gemessen werden könne durch die Größe des Lebensgenusses, den sie uns verschaffe. G o s s e n stellt das Gesetz des abnehmenden Wertes auf: „Mit Vermehrung der Menge der Atome eines Genußmittels muß der Wert jedes neu hinzukommenden Atoms fortwährend eine Abnahme erleiden bis dahin, daß derselbe auf Null herabgegangen ist" (S. 31).

G o s s e n erläutert, in welchem Zusammenhang die Phänomene des Tausches, der Arbeitsteilung und des Preises mit diesen Wertgesetzen stünden. Bei weitem in den meisten Fällen könne durch einfachen Tausch bestimmter Sachen, wenn diese auch durch den Tausch durchaus keine Veränderung erlitten, eine außerordentliche Wertvermehrung bewirkt werden. Die durch den Tausch bewirkte Wertvermehrung, verbunden mit dem Streben jedes Menschen, seinen Lebensgenuß aufs höchste zu steigern, bewirke, daß es fast ohne Ausnahme leicht werde, jeden Menschen zu einem Tausch der in seinem Besitz befindlichen Gegenstände gegen ein um so kleineres Opfer zu vermögen, je größer der ihm nach dem Tausche noch bleibende Rest sich herausstelle; gerade dieser mache dann die Einrichtungen möglich, wodurch den Anforderungen zur Erfüllung der Bedingungen genügt werden könne, um seinen Lebenszweck zum höchsten zu steigern. Durch diese Gewißheit, nämlich seinen Neben-

menschen zu einem solchen Tausch geneigt zu machen, werde es
möglich, daß im Zusammenleben die einzelnen Menschen sich auf die
Anfertigung irgendeiner beliebigen Zahl bestimmter Gegenstände
beschränken. Er könne dann gegen den im Verhältnis zu seinem
Bedarf produzierten Überfluß die anderen Gegenstände, die er gebraucht, um die Bedingung, die teilweise Bereitung aller Genüsse
genügend zu leisten, eintauschen (Arbeitsteilung).

Die Art, wie G o s s e n weiter auf Grund seiner subjektiven
Wertlehre die Preisbildung entwickelt, kann nicht als klar und
systematisch aufgebaut bezeichnet werden. Es fehlt die exakte Ableitung der Preise aus subjektiven Wertschätzungen, wie sie den
späteren Theorien gelang. Die Möglichkeit der Arbeitsteilung setzt
nach G o s s e n voraus, daß sich ein bestimmtes Verhältnis festgestellt hat, in welchem alles zur Genußbereitung Dienende gegeneinander vertauscht werden könne. Denn der einzelne könne sich
nur dazu entschließen, seine Tätigkeit auf die Darstellung eines
einzelnen oder doch nur weniger Gegenstände zu beschränken, die
er dann in weit größerem Maße darstellt, als für ihn selbst Wert
hätte, wenn er wisse, daß und in welchem Maße er sie gegen andere
für ihn wertvolle Gegenstände vertauschen könne. Dann fährt
G o s s e n fort: ,,Wie diese Feststellung möglich ist, wissen wir aus
der Erfahrung. Sie geschieht in der Weise, daß ein bestimmter
Gegenstand, dem nach den vorhandenen Verhältnissen ein bestimmtes Maß von Wert innewohnt, als Maßstab für alle übrigen genommen wird, daß dieser Gegenstand als Tauschmittel, als Geld dient,
und sich ein Preis festsetzt, in welchem alles übrige gegen diesen
Gegenstand einzutauschen ist" (S. 92). G o s s e n meint, daß diese
ganze Entwicklung einer besonderen Erklärung nicht bedürfe: ,,Wie
leicht dies geht, sehen wir bei Kindern. Kinder wählen Steinkugeln
zu Tauschmitteln und erlangen ihren Preis in diesen Tauschmitteln."
Wie sich dies von selbst zufolge der Gesetze des Genießens machen
müsse, bedürfe keiner weiteren Erklärung (S. 92). Wie aber erklärt G o s s e n , daß die Höhe der Preise dem Werte adäquat
ist? Hier gibt G o s s e n überhaupt keine Erklärung, sondern er
hilft sich damit, daß er sagt: Im praktischen Verkehr bilde sich
eine Approximationsmethode aus, durch welche Wert und Preis
ins richtige Verhältnis gesetzt würden. Zunächst sei der Preis etwas
ganz Willkürliches und Äußerliches und allmählich werde er dann
durch Herauf- und Heruntersetzen in das richtige Verhältnis zum
Wert gesetzt.

An anderer Stelle findet sich ein Versuch, die Beziehung
zwischen Preis und Gebrauchswert herzustellen: ,,Der Verkehr
wendet nämlich beim Lösen dieser Aufgabe eine Methode an,
ähnlich der Approximationsmethode der Mathematiker, wenn
ihnen die direkte Lösung ihrer Aufgabe nicht gelingen will. Es wird
der Gesamtheit irgendeine bestimmte Masse irgendeines Gegenstandes
übergeben, und ihr überlassen, den Preis festzustellen, zu welchem
diese Masse verkauft werden wird. Ist dann das Resultat kein solches,
wie es gewünscht wird, so bedingt dieses, wenn der Preis zu niedrig
gefunden wird, eine Verminderung der Masse und nach Verhältnis
der Arbeiter; ganz und gar ähnlich wie die Mathematiker bei der
Approximationsmethode für die Unbekannte, hier die Masse, in die
bestimmte Formel einen durch Schätzung gefundenen Wert sub-

stituieren, und aus den mit Hilfe dieses Wertes erhaltenen Resultaten darauf zurückschließen, ob sie den substituierten Wert zu groß oder zu klein genommen haben. Der zuerst fast unvermeidliche Fehler bei dieser Art, wie dem Verkehr einzig und allein die Lösung der Aufgabe gelingt, muß sich dann im allgemeinen um so größer herausstellen, je weniger Erfahrungen die Produzenten bereits gemacht haben. Darum sehen wir bei neu aufkommenden Industriezweigen, die anfangs den Produzenten unverhältnismäßig hohen Gewinn abwerfen, den Markt um so schneller und stärker derart überfüllt, daß der ursprüngliche Gewinn in um so größeren Verlust übergeht, je unverhältnismäßiger der erste Gewinn war, und infolgedessen auch um so mehr Arbeiter in jene unangenehme Lage geraten" (S. 151).

Gossen meint, das produzierte Quantum irgendeines Artikels stimme nur höchst zufällig mit dem Quantum überein, welches zu dem festgestellten Preise zum Eintausch begehrt werde; vielmehr könne das produzierte Quantum sowohl zu groß als zu klein sein. Sei es zu groß, so sei die unmittelbare Folge davon, daß ein Teil der produzierten Masse in den Händen der Produzenten uneingetauscht zurückbleibe, aber die Produzenten dieses Teiles, der für sie selbst keinen Wert hat, würden sich um den ganzen Verdienst ihrerseits gebracht haben, wenn es ihnen nicht gelänge, ihre Nebenmenschen zum Eintausch dieser Masse zu vermögen. Auf welche Weise können sie das? Nur dadurch, meint Gossen, daß für die Einkaufenden die Größe des Genusses vermehrt wird. Die Produzenten könnten aber den Genuß des Käufers beim Einkauf dadurch vermehren, daß sie den vom Käufer aufzuwendenden Preis, d. h. die zur Bereitung des Genusses erforderliche Kraftanstrengung vermindern. Das Umgekehrte finde statt, wenn die produzierte Masse kleiner sei als die zum Eintausch begehrte. Durch Steigerung des Preises könnten dann die Produzenten das Begehrte immer mehr vermindern und dadurch bewirken, daß sich auch dann der Preis in der Höhe feststellt, daß die ganze produzierte Masse eingetauscht wird.

§ 21. Die streng subjektivistische Wertlehre (die Lehre vom Grenznutzen).

Die Theorie vom Grenznutzen wurde zuerst ziemlich gleichzeitig durch den Engländer J e v o n s (Theory of Political Economy, 1871), den Österreicher Carl M e n g e r (Grundsätze der Volkswirtschaftslehre, 1871) und den Schweizer W a l r a s (Economie politique pure, 1874) vertreten.

In Österreich hat zuerst C a r l M e n g e r eine Theorie des Preises entwickelt, die in folgerichtiger Weise auf eine subjektive Werttheorie aufgebaut war. Für C a r l M e n g e r ist der Wert die Bedeutung, „welche konkrete Güter oder Güterquantitäten für uns dadurch erlangen, daß wir in der Befriedigung unserer Bedürfnisse von der Verfügung über dieselben abhängig zu sein uns bewußt sind" (S. 78). Der Wert der Güter soll ganz unabhängig von der menschlichen Wirtschaft in ihrer sozialen Erscheinung, unabhängig auch von der Rechtsordnung, ja vom Bestand der Gesellschaft sein. Auch in der isolierten Wirtschaft sei er zu finden.

Dieser oben dargelegte Wertbegriff ist der allgemeine, ihm sind subordiniert die beiden koordinierten Begriffe: Gebrauchswert und Tauschwert.

Der Güterwert ist nach M e n g e r nichts Willkürliches, sondern er ist überall die notwendige Folge der Erkenntnis des Menschen, daß von der Verfügung über ein Gut oder eine Güterquantität die Aufrechterhaltung seines Lebens, seiner Wohlfahrt oder doch eines Teiles der Wohlfahrt abhängig ist. Wegen des streng subjektiven Charakters, welchen M e n g e r dem Werte beilegt, hält er auch jede Objektivierung des Wertes, etwa in dem Sinne, daß man von Wert, als von selbständigen realen Dingen reden könne, für unmöglich. Die Frage nach dem ursprünglichen Maße des Güterwertes beantwortet M e n g e r dahin, daß er die Verschiedenheit der Größe des Wertes der einzelnen Güter begründet findet in der Verschiedenheit der Größe der Bedeutung, welche jene Bedürfnisbefriedigung für uns hat, in Rücksicht auf welche wir von der Verfügung dieser Güter abhängig sind.

„Der Wert eines konkreten Gutes oder einer bestimmten Teilquantität der einem wirtschaftenden Subjekte verfügbaren Gesamtquantität eines Gutes ist für dasselbe gleich der Bedeutung, welche die wenigst wichtigen von den durch die verfügbare Gesamtquantität noch gesicherten und mit einer solchen Teilquantität herbeizuführenden Bedürfnisbefriedigungen für das obige Subjekt haben. Diese Bedürfnisbefriedigungen sind es nämlich, rücksichtlich welcher das in Rede stehende wirtschaftende Subjekt von der Verfügung über das betreffende konkrete Gut bzw. die betreffende Güterquantität abhängt" (S. 108).

Der Wert ist demnach nicht nur seinem Wesen, sondern auch seinem Maße nach subjektiver Natur. Die Güter haben stets f ü r bestimmte wirtschaftende Subjekte, aber auch nur für solche einen b e s t i m m t e n Wert.

Der Preis der Güter ist nach M e n g e r Folge ihres Wertes für die wirtschaftenden Menschen. Die Größe des Preises hat daher in der Größe des Wertes ihr maßgebendes Prinzip. Dabei soll aber die Preistheorie nicht etwa die Aufgabe haben, eine „Wertgleichheit" zwischen zwei Güterquantitäten zu erklären. Damit würde der subjektive Charakter des Wertes und die Natur des Tausches völlig verkannt werden. Vielmehr müßte die Preistheorie darauf gerichtet sein, zu zeigen, wie die wirtschaftenden Menschen bei ihrem auf die möglichst vollständige Befriedigung gerichteten Streben dazu geführt werden, Güter, und zwar bestimmte Quantitäten derselben, gegeneinander hinzugeben.

M e n g e r erklärt zunächst die Preisbildung bei isoliertem Tausche. Er nimmt den Fall an, es hätten für A 100 Maß seines Getreides einen ebenso großen Wert als 40 Maß Wein. So ist zunächst sicher, daß A unter keinen Umständen mehr als 100 Maß Getreide für jene Quantität Wein im Austausch hinzugeben bereit sein wird, da nach einem solchen Tausch für seine Bedürfnisse schlechter vorgesorgt sein würde als vor demselben. Findet A ein zweites wirtschaftendes Subjekt B, für welches z. B. schon 80 Maß Getreide einen ebenso hohen Wert haben als 40 Maß Wein, so ist für A und B die Voraussetzung eines ökonomischen Tausches vorhanden, damit aber zugleich eine zweite Grenze für die Preisbildung gegeben. Es folgt nämlich aus der ökonomischen Lage des B, daß ihm für seine 40 Maß Wein eine größere Quantität Getreide als 80 geboten werden muß. Wie immer sich der Preis von 40 Maß Wein bei einem ökonomischen Tausch zwischen A und B gestalten wird, so viel ist sicher, daß er sich zwischen den Grenzen von 80 und 100 Maß Getreide, und zwar jedenfalls über 80 und unter 100 Maß Getreide wird bilden müssen. Diese Preisbildung soll nach M e n g e r ganz allgemein vor sich gehen: „Überall, wo die Grundlagen eines ökonomischen Austausches zwischen zwei wirtschaftenden Subjekten rücksichtlich zweier Güter vorhanden sind, sind durch die Natur des Verhältnisses selbst bestimmte Grenzen gegeben, innerhalb welcher die Preisbildung erfolgen muß, wofern der Austausch der Güter überhaupt einen ökonomischen Charakter haben soll. Diese Grenzen sind durch die verschiedenen Quantitäten der Tauschgüter gegeben, welche für die beiden Kontrahenten Ä q u i v a l e n t e sind (Äquivalent im subjektiven Sinne) (in unserem Beispiel sind z. B. 100 Maß Getreide das Äquivalent von 40 Maß Wein für A, 80 Maß Getreide das Äquivalent derselben Quantität Weines für B)."

M e n g e r untersucht in analoger Weise die Preisbildung im Monopolhandel und im Konkurrenzhandel und legt dar, wie die eben genannten Grenzen, innerhalb deren sich alle Preisbildung vollzöge, immer engere werden, je mehr sich die Konkurrenz ausbildet.

Auf den Grundlagen der M e n g e r schen Theorie hat Friedrich v o n W i e s e r (Über den Ursprung und die Hauptgesetze des wirtschaftlichen Wertes, Wien 1884) weitergebaut und sie nach der psychologischen Seite vertieft und durch originelle Betrachtungen bereichert. Wie für M e n g e r ist auch für W i e s e r der Wert eine allgemeine wirtschaftliche Erscheinung und durchaus nicht etwa an die privatwirtschaftliche Produktionsweise gebunden. Auch in einer sozialistischen Gesellschaftsordnung würden dieselben Grundsätze in Geltung stehen. W i e s e r nennt geradezu die Wertdoktrin angewandte Psychologie, weil sie die Gesetze zu entwickeln habe, nach welchen sich das menschliche Interesse unter dem erfahrungsmäßigen Tatbestand der Wirtschaft den Gütern zuwende. Das Interesse am Güternutzen oder das Gefühl des vom Gute abhängigen Bedürfnisses macht nach W i e s e r den Inhalt des Wertes aus und er formuliert das allgemeine Gesetz der Wertbildung folgendermaßen: „Wenn Dinge nützlicher Wirkungen fähig sind, — neben gleichgültigen und etwa auch schädlichen —, wenn ihre Menge zu den an sie gewiesenen Verwendungen nicht ausreicht, wenn sie ferner wirtschaftliche, ihre Nutzwirkung mehrende, und unwirtschaftliche, dieselbe mindernde Eingriffe der Menschen zulassen, und wenn endlich alle subjektiven Voraussetzungen zutreffen, die diese objektiven ergänzen, wenn also das Vorhandensein des Gutes, seine Nützlichkeit sowie die übrigen äußeren Umstände erkannt sind, wenn das Bedürfnis nicht bloß unterschieden, sondern auch seine Befriedigung begehrt wird, und wenn der Wille, die wirtschaftlichen Handlungen, die sich ausführbar zeigen, vorzunehmen und die Versuchung zu den sich darbietenden unwirtschaftlichen Handlungen zurückzuweisen entschlossen ist, dann wird das Interesse von dem in Aussicht stehenden wirtschaftlichen Nutzen auf die Güter übergeleitet und das übergeleitete Interesse der Vorstellung der Güter assoziiert, d. h. dann erhalten die Güter wirtschaftlichen Wert."

W i e s e r betrachtet dann die Wertschätzung im einzelnen, und zwar zunächst die Wertschätzung ohne Rücksicht auf die Produktion, d. h. so daß ein gegebener Gütervorrat vorhanden ist, der den Bedarf nicht deckt, wobei aber weitere Produktion ausgeschlossen ist. Die Untersuchung ergibt, daß die Größe des Wertes von der geringsten wirtschaftlich zulässigen Nutzverwendung abhängig ist: „Der untere Endpunkt der Linie des Nutzen ist der Ansatzpunkt des Wertes" (S. 129). Oder: „Der Wert eines einzelnen Gutes aus einem Vorrat wird durch das Interesse an derjenigen Nutzleistung bestimmt, welche unter den durch den ganzen Vorrat gedeckten wichtigsten Nutzleistungen die mindest wichtige ist", oder noch kürzer gesagt: „Der Wert der Gütereinheit wird durch die geringste unter den wirtschaftlich zulässigen Nutzleistungen der Einheit bestimmt." W i e s e r nennt im Anschluß an den Ausdruck von J e v o n s : „final degree of utility" diesen für den Wert entscheidenden Nutzen „Grenznutzen". Man kann daher auch kurz das Wertgesetz so formulieren: „Die Größe des Wertes wird bestimmt durch den Grenznutzen." Die subjektive Wertlehre hat daher den Namen Grenznutzentheorie erhalten.

Auch bei der Wertschätzung mit Rücksicht auf die Produktion, d. h. wenn noch weitere Produktion der betreffenden Güter möglich ist, gilt dasselbe Wertgesetz. Was den Wert der erwarteten Gebrauchsgüter anlangt, so hängt dieser von dem mindesten Nutzen ab, welchen ein einzelnes Gebrauchsgut bei ergiebigster und sparsamster Einrichtung der Produktion und des Gebrauches mit Rücksicht auf die zu gewärtigende Menge der Erzeugnisse wirtschaftlicher Weise noch geben könne. Auch der Wert der Produktivgütereinheit wird von demselben Nutzen abhängen: „Gesetzt, daß man einen Vorrat von 100 Gütern besitze, die man produktiv verwenden will, und gesetzt, daß man von denselben bei der besten und sparsamsten Einrichtung der Produktion hundert Produkte erwarten dürfe, deren unterster wirtschaftlicher Grenznutzen bei der besten und sparsamsten Einrichtung des Gebrauches ein Interesse verdient, dessen Größe mit Eins anzusetzen wäre, so wird man dieses Interesse, welches die Grundlage für den Wert der Gebrauchsgütereinheit wird, auch zur Grundlage des Wertes der Produktionsgütereinheit nehmen und denselben mit der Größe Eins bemessen."

W i e s e r betont, daß dieses letzte Wertgesetz inhaltlich identisch sei mit dem Produktionskostengesetz, nur sei das Kostengesetz kein besonderes Prinzip des Wertes, sondern nur ein bequemer Ausdruck für einen leichter verständlichen Bestandteil des schwierigen Prozesses der Wertbildung in der Produktion überhaupt. Das Kostengesetz sei nur das allgemeine Wertgesetz in einer besonderen Richtung. Die viel verbreitete Meinung, daß die Wertschätzung, soweit sie auf den Nutzen der Güter sich gründet, ein bloßes Werk der Laune und subjektiven Willkür sei und daß nur insoweit, als es sich auf die Kosten gründe, sich in ihr eine objektive, allen Menschen gemeinsame Regel äußere, sei unrichtig, denn was verpflichte den Menschen dazu, den Wert auf Grundlage des geringst bekannten Kostenaufwandes zu schätzen, fragt W i e s e r , und er antwortet: „Einzig ihr Interesse." Ihr Interesse weist sie auf die möglichste Wahrung des Güternutzens und damit auch der Kosten, in denen sie den Nutzen wahren. So hat W i e s e r das sog. Kostengesetz als partielles Wertgesetz in seine allgemeine Grenznutzentheorie eingefügt. W i e s e r betont aber wiederholt, daß dieses ganze Kostengesetz nur in sehr engen Grenzen Geltung habe. Ferner ist der Unterschied gegenüber der klassischen Theorie zu beachten, daß der Wert nicht auf „Arbeit" und „Kosten" begründet wird, sondern daß es sich auch in dieser begrenzten Anwendung nur um den aufzuopfernden Grenznutzen der Kostengüter handelt.

2. Abschnitt.
Darlegung der subjektivistischen Werttheorie.
§ 22. B ö h m B a w e r k s Lehre vom Grenznutzen.

B ö h m B a w e r k unterscheidet Wert im s u b j e k t i v e n und Wert im o b j e k t i v e n Sinne.

„W e r t i m s u b j e k t i v e n S i n n i s t d i e B e d e u t u n g , d i e e i n G u t o d e r e i n G ü t e r k o m p l e x f ü r d i e W o h l f a h r t s z w e c k e e i n e s S u b j e k t e s b e s i t z t. W e r t i m o b j e k t i v e n S i n n e h e i ß t d a g e g e n d i e K r a f t o d e r T ü c h t i g k e i t e i n e s G u t e s z u r H e r b e i f ü h r u n g i r g e n d e i n e s o b j e k t i v e n E r f o l g e s"[1]). Wert im objektiven Sinne ist z. B. Nährwert der Speisen, Heizwert der Kohlen usw. Eine Art des Wertes ist für die Nationalökonomie von besonderem Interesse: d e r o b j e k t i v e T a u s c h w e r t d e r G ü t e r. „Hierunter ist zu verstehen d i e o b j e k t i v e G e l t u n g d e r G ü t e r i m T a u s c h , oder mit anderen W o r t e n , d i e M ö g l i c h k e i t f ü r s i e i m A u s t a u s c h e i n e Q u a n t i t ä t a n d e r e r w i r t s c h a f t l i c h e r G ü t e r z u e r l a n g e n , d i e s e M ö g l i c h k e i t a l s e i n e K r a f t o d e r E i g e n s c h a f t d e r e r s t e r e n G ü t e r g e d a c h t." (S. 5.) Z. B.: Ein Haus ist 100 000 fl. wert, d. h. für das Haus sind 100 000 fl. zu erlangen.

I. T h e o r i e d e s s u b j e k t i v e n W e r t e s.

Da der subjektive Wert, wie eben dargelegt, die Bedeutung ist, welche ein Gut oder Güterkomplex für die Wohlfahrtszwecke eines Subjektes besitzt, löst sich die Frage nach der Größe dieses Wertes in zwei Teilfragen auf: 1. w e l c h e s u n t e r m e h r e r e n o d e r v i e l e n B e d ü r f n i s s e n h ä n g t v o n e i n e m G u t e a b ? und 2. w i e g r o ß i s t d i e W i c h t i g k e i t d e s a b h ä n g e n d e n B e d ü r f n i s s e s , beziehungsweise s e i n e r B e f r i e d i g u n g ? (S. 21.) Den Grad der Wichtigkeit der Bedürfnisse pflegen die Menschen an der Schwere der nachteiligen Folgen zu ermessen, die die Nichtbefriedigung für unsere Wohlfahrt nach sich zieht.

So kommt B ö h m B a w e r k zu einer Wichtigkeitsskale der Bedürfnisse: „Wir messen demnach die höchste Wichtigkeit jenen Bedürfnissen bei, deren Nichtbefriedigung unsern Tod zur Folge hätte; ihnen zunächst stellen wir jene, aus deren Nichtbefriedigung ein schwerer dauernder Nachteil für unsere Gesundheit, unsere Ehre, unser Lebensglück hervorgehen würde; weiter abwärts

---

[1]) E. v. B ö h m B a w e r k , Grundzüge der Theorie des wirtschaftlichen Güterwertes. Conrads Jahrb., Neue Folge, 13. Bd. Jena 1886. S. 4.

folgen jene, bei denen mehr vorübergehende Leiden, Schmerzen oder Entbehrungen in Frage kommen; endlich werden wir ganz zu unterst jene Bedürfnisse stellen, deren Nichtbefriedigung uns nur eine ganz leise Unbehaglichkeit oder den Verzicht auf eine ganz gering geachtete Freude kostet. Nach diesen Merkmalen läßt sich eine Rangleiter oder Wichtigkeitsskala der Bedürfnisse aufbauen." (S. 21.)

Jeder praktische Wirt, meint B ö h m - B a w e r k , hat die Skala der Bedürfnisse mehr oder minder deutlich im Kopfe. Neben dieser Rangordnung der Bedürfnis g a t t u n g gibt es noch eine Rangordnung der konkreten Bedürfnisse. „Innerhalb einer und derselben Bedürfnisgattung ist nämlich das Bedürfnis durchaus nicht immer gleich stark gespannt. Nicht jede Hungersregung ist gleich intensiv, und nicht jede Befriedigung einer solchen gleich wichtig." (S. 22.)

B ö h m - B a w e r k hebt dann die Erfahrungstatsache hervor, daß derselbe Genußakt immer wiederholt von einem gewissen Punkte an uns eine immer abnehmende Lust bereitet, bis diese endlich sogar in ihr Gegenteil, in Unlust und Ekel umschlägt. Die sukzessiven Teilbefriedigungen, die sich durch gleiche Gütermengen gewinnen lassen, sind untereinander von ungleicher und zwar stufenweise bis zum Nullpunkt abnehmender Bedeutung.

B ö h m - B a w e r k stellt ein Schema über die Gliederung unserer Bedürfnisse auf:

I	II	III	IV	V	VI	VII	VIII	IX	X
10	·	·	·	·	·	·	·	·	·
9	9	·	·	·	·	·	·	·	·
8	8	8	·	·	·	·	·	·	·
7	7	7	7	·	·	·	·	·	·
6	6	6	·	6	·	·	·	·	·
5	5	5	·	5	5	·	·	·	·
4	4	4	4	4	4	4	·	·	·
3	3	3	·	3	3	·	3	·	·
2	2	2	·	2	2	·	2	2	·
1	1	1	1	1	1	·	1	1	1
0	0	0	0	0	0	0	0	0	0

In diesem Schema bezeichnen die römischen Ziffern I bis X die verschiedenen Bedürfnisgattungen und ihren Rang in absteigender Reihe; I stellt die wichtigste Bedürfnisgattung, z. B. das Nahrungsbedürfnis, V eine Gattung von mittlerer Wichtigkeit, z. B. das Bedürfnis nach geistigen Getränken, X die denkbar unwichtigste Bedürfnisgattung vor. Mit den arabischen Ziffern 10—1 werden sodann die in den verschiedenen Gattungen vorkommenden konkreten Bedürfnisse und Teilbedürfnisse sowie deren Rang in der Weise angezeigt, daß die Rangziffer 10 den denkbar wichtigsten, die Rangziffern 9 u. s. f. jedesmal den nächstwichtigen, endlich die Rangziffer 1 den geringfügigsten überhaupt noch vorkommenden konkreten Bedürfnissen zugewiesen wird." (S. 25.)

B ö h m - B a w e r k wirft nun die Frage auf, „w e l c h e s u n t e r m e h r e r e n o d e r v i e l e n B e d ü r f n i s s e n h ä n g t v o n e i n e m G u t e w i r k l i c h a b ?" und er antwortet darauf: „Welches unter mehreren Bedürfnissen von einem Gute abhängt, erprobt sich nämlich am einfachsten daran, daß man zusieht, welches Bedürfnis um seine Befriedigung käme, wenn man das zu schätzende Gut nicht hätte: dieses Bedürfnis ist offenbar das abhängige. Und

da läßt sich nun leicht zeigen, daß dieses Schicksal keineswegs dasjenige Bedürfnis trifft, zu dessen Befriedigung das zu schätzende
Güterexemplar durch die willkürliche Laune des Besitzers zufällig
ausersehen war, sondern jedesmal d a s   m i n d e s t   w i c h t i g e
u n t e r   a l l e n   i n   F r a g e   k o m m e n d e n   B e d ü r f n i s s e n:
unter allen denjenigen nämlich, die durch den Gesamtvorrat an
Gütern solcher Art, einschließlich des zu schätzenden Exemplars
selbst, sonst bedeckt gewesen wären." (S. 26 u. 27.)

So kommt B ö h m - B a w e r k zu seiner Hauptregel, die er
den Angelpunkt der Wertlehre nennt: „D i e   G r ö ß e   d e s   W e r t e s
e i n e s   G u t e s   b e m i ß t   s i c h   n a c h   d e r   W i c h t i g k e i t
d e s j e n i g e n   k o n k r e t e n   B e d ü r f n i s s e s   o d e r   T e i l -
b e d ü r f n i s s e s ,   w e l c h e s   u n t e r   d e m   d u r c h   d e n
v e r f ü g b a r e n   G e s a m t v o r r a t   a n   G ü t e r n   s o l.c h e r
b e d e c k t e n   B e d ü r f n i s s e n   d a s   m i n d e s t   w i c h t i g e
i s t. Nicht der größte Nutzen also, den das Gut stiften könnte, ist
für seinen Wert maßgebend, auch nicht der Durchschnittsnutzen,
den ein Gut seiner Art stiften kann, sondern der kleinste Nutzen,
zu dessen Herbeiführung es oder seinesgleichen in der konkreten
wirtschaftlichen Sachlage rationellerweise noch verwendet werden
durfte. Nennen wir, um uns in Zukunft die langatmige Beschreibung
zu ersparen — die, um ganz korrekt zu sein, sogar noch etwas lang-
atmiger sein müßte — diesen an der Grenze des ökonomisch zulässigen stehenden kleinsten Nutzen nach dem Vorgange W i e s e r s
kurz den wirtschaftlichen G r e n z n u t z e n des Gutes, so drückt
sich das Gesetz der Größe des Güterwerts in folgender einfachster
Formel aus: d e r   W e r t   e i n e s   G u t e s   b e s t i m m t   s i c h
n a c h   d e r   G r ö ß e   s e i n e s   G r e n z n u t z e n s." (S. 28, 29.)

B ö h m - B a w e r k gibt dann das bekannte Beispiel des
Kolonisten mit den Getreidesäcken, das ich hier absichtlich vollständig wiedergebe, weil es in der Diskussion der Grenznutzentheorie immer
eine große Rolle gespielt hat: „Ein Kolonist, dessen Blockhütte abseits von allen Verkehrsstraßen einsam im Urwalde steht, hat soeben
fünf Säcke Korn geerntet. Mit ihnen muß er sich bis zur nächsten
Ernte behelfen. Als ordnungsliebender Mann trifft er seine Disposition
über die beabsichtigte Verwendung. Einen Sack braucht er unumgänglich notwendig, um sein Leben bis zur nächsten Ernte zu fristen.
Einen zweiten, um seine Mahlzeiten soweit zu vervollständigen, daß
er gesund und bei Kräften bleiben kann. Noch mehr Korn in der
Gestalt von Brot und Mehlspeisen zu genießen, hat er keinen Wunsch.
Dagegen wäre es ihm recht erwünscht, zur Brotnahrung etwas Fleischnahrung hinzuzufügen: er bestimmt daher einen dritten Sack zur
Mästung von Geflügel. Einen vierten Sack widmet er zur Erzeugung
von Kornbranntwein. Für den letzten Sack endlich weiß er, nachdem
seine bescheidenen persönlichen Bedürfnisse durch die vorausgehenden
Dispositionen völlig gedeckt sind, keine bessere Verwendung mehr
als damit eine Anzahl Papageien zu füttern, an deren Possen er sich
ergötzt. Natürlich stehen ihm die genannten Verwendungen an
Wichtigkeit nicht gleich. Bedienen wir uns, um zu einem kurzen
ziffernmäßigen Ausdruck dafür zu gelangen, einer Skala von 10
Wichtigkeitsgraden, so wird unser Kolonist der Fristung seines Lebens
natürlich den höchsten Grad 10 zuerkennen, der Erhaltung seiner
Gesundheit etwa den Grad 8, dann absteigend der Verbesserung

seiner Kost durch eine Zutat von Fleisch den Grad 6, dem Genuß von Branntwein den Grad 4 und endlich der Haltung von Papageien den denkbar niedrigsten Grad 1. Und nun versetzen wir uns im Geist in die Lage des Kolonisten und fragen wir: welche Bedeutung wird unter diesen Umständen e i n Sack Getreide für seine Wohlfahrt besitzen?

Dies erprobt sich, wie wir wissen, am einfachsten daran, wieviel er an Nutzen einbüßen würde, falls ihm ein Sack verloren ginge. Führen wir die Probe durch. Offenbar müßte unser Mann nicht recht klug sein, wenn er den verlorenen Sack sich am Munde abdarben, dadurch Leben und Gesundheit preisgeben, dabei aber Branntwein brennen und Hühner und Papageien füttern wollte wie zuvor. Bei gesunder Überlegung ist vielmehr ein einziger Ausgang denkbar: der Kolonist wird mit den übrig gebliebenen vier Säcken die vier wichtigsten Bedürfnisgruppen decken und nur auf die Gewinnung des unbedeutendsten letzten, des „Grenznutzens" verzichten. Das ist in diesem Fall die Haltung der Papageien. Ob er also den fünften Sack Korn hat oder nicht hat, macht für seine Wohlfahrt keinen größeren Unterschied, als daß er in dem einen Fall sich noch das Vergnügen gönnen kann, Papageien zu halten, im andern Fall nicht; und nach diesem unbedeutenden Nutzen wird er daher auch vernunftgemäß einen einzelnen Sack seines Kornvorrats schätzen. Und zwar j e d e n einzelnen Sack; denn wenn die Säcke untereinander gleich sind, wird es auch unserem Kolonisten ganz gleich gelten, ob er den Sack A oder den Sack B verliert — falls nur hinter dem verlorenen überhaupt noch vier andere Säcke zur Deckung der wichtigsten Bedürfnisse stehen.

Variieren wir das Beispiel. Nehmen wir an, unser Kolonist besitze bei ganz gleichem Stande der Bedürfnisse nur drei Säcke Getreide. Wie groß ist jetzt der Wert eines Sackes für ihn? Die Probe ist wieder ganz leicht. Hat unser Kolonist drei Säcke, so kann und wird er damit die drei wichtigsten Bedürfnisgruppen bedecken. Hat er nur zwei Säcke, so wird er sich auf die Befriedigung der zwei wichtigsten Gruppen beschränken, dagegen die des dritten Bedürfnisses — nach Fleischnahrung — aufgeben müssen. Der Besitz des dritten Sackes — und als „dritter" Sack erscheint nicht bloß ein individuell bestimmter, sondern jeder der drei Säcke, solange noch zwei andere hinter ihm stehen — bedeutet für ihn also gerade die Befriedigung des drittwichtigsten, das ist des letzten unter den durch den Gesamtvorrat von drei Säcken bedeckten Bedürfnissen. Jede andere Schätzung als die nach dem Grenznutzen wäre wieder offenbar den tatsächlichen Verhältnissen zuwiderlaufend, falsch."(S. 30, 31.)

Die sehr naheliegende Frage: was haben die Überlegungen eines einsamen Kolonisten mit den Marktvorgängen des Wirtschaftslebens zu tun, beantwortet B ö h m - B a w e r k dahin, daß genau dieselben Erwägungen auch dem hochentwickelten Wirtschaftsleben zugrunde liegen. Der bekannte Satz der Preislehre, wonach der Preis der Güter im umgekehrten Verhältnis zur Menge der Güter steht, sei nichts anderes als die Konsequenz der Grenznutzenlehre. Für die Höhe des Grenznutzens ist maßgebend das Verhältnis von Bedarf und Deckung. Man hat das auch so ausgedrückt, daß man die Nützlichkeit und Seltenheit als die letzten Bestimmungsgründe des Wertes der Güter bezeichnet hat. Der Wert der Produktivgüter (z. B.

Maschinen und Rohstoffe) richtet sich nach dem Wert ihrer Produkte. Wie verhält sich die subjektivistische Grenznutzenlehre zu der objektivistischen Kostenlehre? B ö h m - B a w e r k leugnet nicht die große Bedeutung der Kosten für den Wert, aber die Kosten seien nur ein integrierendes Glied in der Grenznutzentheorie.

a) Das Kostengesetz ist nur ein partikulares Gesetz, d. h. die Kosten regieren nur dann den Wert, wenn nach Belieben regelmäßig Substitutionsexemplare durch Produktion zu beschaffen sind, oder m. a. W. das Kostengesetz gilt nur für die sogenannten beliebig reproduzierbaren Güter;

b) auch dort, wo das Kostengesetz gilt, sind die Kosten nicht die endgültige, sondern immer nur eine Zwischenursache des Güterwertes. Das Prinzip des Wertes liegt nicht in den Kosten, sondern außer ihnen im Grenznutzen der Produkte.

2. T h e o r i e   d e s   o b j e k t i v e n   T a u s c h w e r t e s
(P r e i s t h e o r i e).

Was wir von der Grenznutzentheorie bisher kennen gelernt haben, war eine Theorie, die uns zeigt, wie A, B, C, jeder von seinem individualwirtschaftlichen und subjektiven Standpunkt aus bei der Wertschätzung der Güter vorgeht. Was gehen aber diese höchst persönlichen Werturteile die Volkswirtschaftslehre an? Uns interessieren die Marktvorgänge, die sozialwirtschaftlichen Erscheinungen. Wir wollen wissen, wie die Preisbildung auf dem Markte sich vollzieht. In seiner Preislehre sucht B ö h m - B a w e r k zu zeigen, daß auch in der hochentwickelten Verkehrswirtschaft dieselben Grenznutzenschätzungen aller Preisbildung zugrunde liegen, wie in der isolierten Wirtschaft.

B ö h m - B a w e r k entwickelt sein Grundgesetz der Preisbildung unter der Hypothese, daß die Menschen ausschließlich vom Streben nach unmittelbarem Tauschvorteil beherrscht sind. Ein Tausch soll nur möglich sein, wenn Käufer und Verkäufer die Ware und das Preisgut verschieden hoch einschätzen: der Kauflustige muß die Waren höher, der Verkäufer niedriger schätzen als das Preisgut.

Wie sich die Preisbildung bei beiderseitigem Wettbewerb gestaltet, hat B ö h m - B a w e r k an einem Schema illustriert, das ich hier wiedergebe:

K a u f l u s t i g e :				V e r k a u f s l u s t i g e :			
A^1 schätzt ein Pferd			300 fl.	B^1 schätzt sein Pferd			100 fl.
A^2	,,	,,	,,	280 ,,	B^2	,,	,,	,,	110 ,,
A^3	,,	,,	,,	260 ,,	B^3	,,	,,	,,	150 ,,
A^4	,,	,,	,,	240 ,,	B^4	,,	,,	,,	170 ,,
A^5	,,	,,	,,	220 ,,	B^5	,,	,,	,,	200 ,,
A^6	,,	,,	,,	210 ,,	B^6	,,	,,	,,	215 ,,
A^7	,,	,,	,,	200 ,,	B^7	,,	,,	,,	250 ,,
A^8	,,	,,	,,	180 ,,	B^8	,,	,,	,,	260 ,,
A^9	,,	,,	,,	170 ,,				
A^{10}	,,	,,	,,	150 ,,				

Zur notwendigen Ergänzung des Situationsbildes ist noch hinzuzufügen, daß alle Mitbewerbenden gleichzeitig auf demselben Markte erscheinen, daß alle angebotenen Pferde von gleicher Güte sind, und daß endlich die erscheinenden Tauschlustigen auch in keinem derartigen Irrtum über die wirkliche Marktlage sich befinden, der

sie von der wirksamen Verfolgung ihrer egoistischen Interessen ab-
halten könnte. — Fragen wir wieder, was wird in dieser Situation
geschehen? (S. 495, 496.)

Die Frage, w e l c h e v o n d e n T a u s c h b e w e r b e r n
g e l a n g e n w i r k l i c h z u m T a u s c h , wird dahin beantwortet: „V o n b e i d e n S e i t e n d i e t a u s c h f ä h i g s t e n
B e w e r b e r ; nämlich die Käufer, die die Ware am höchsten
(A_1—A_5) und die Verkäufer, die sie am niedrigsten schätzen (B_1—B_5)."

Die zweite Frage, w i e v i e l e B e w e r b e r k o m m e n
v o n j e d e r S e i t e z u m T a u s c h , wird dahin beantwortet:
„Es tauschen fünf Paare. Sehen wir genauer zu, so finden wir, daß
es dieselben Paare sind, innerhalb deren, einzeln betrachtet, die ökonomischen Bedingungen des Tausches gegeben sind, d. h. innerhalb
deren jeder Kontrahent das zu Empfangende höher schätzt als das
dafür Hinzugebende." (S. 499.)

Und die dritte Frage: w i e h o c h s t e l l t s i c h d e r
ü b e r e i n s t i m m e n d e P r e i s , wird so beantwortet: alle fünf
Paare tauschen zu einem Preise, der zwischen 210 und 215 fl. steht.

Das allgemeine Ergebnis, zu dem B ö h m - B a w e r k kommt,
ist: die Höhe des Marktpreises wird begrenzt und bestimmt durch
die Höhe der subjektiven Wertschätzungen der beiden Grenzpaare
(S. 501). Der Preis ist von Anfang bis zum Ende das Produkt von
subjektiven Wertschätzungen.

§ 23. Kritik der subjektivistischen Werttheorie im allgemeinen.

Wird man vor die Frage gestellt, ob man sich zugunsten der
objektivistischen oder der subjektivistischen Werttheorie entscheiden
soll, so kann die Antwort nur zugunsten der subjektivistischen Werttheorie ausfallen. Der Vorzug dieser Theorie besteht vor allem darin,
daß sie eine a l l g e m e i n e und nicht eine p a r t i e l l e Werttheorie ist.

Die objektivistische Werttheorie kann, wie wir sehen, für einige
der wichtigsten Wert- und Preiserscheinungen überhaupt keine Erklärung abgeben, nämlich für alle diejenigen Güter, die nicht durch
menschliche Arbeit hergestellt sind. Dazu gehört vor allem der Grund
und Boden. Wenn man bedenkt, welche Bedeutung die Höhe der Preise
der ländlichen und städtischen Grundstücke für die Volkswirtschaft
hat, so muß jede Werttheorie, welche diese ganze Gütergattung
nicht in ihre Betrachtung aufnehmen kann, abgelehnt werden.

Zu diesem Vorzug der subjektivistischen Werttheorie, daß sie
für a l l e Preiserscheinungen die Erklärung abgibt, kommt der zweite
große Vorzug, daß sie bei dieser Erklärung die wirklich letztlich entscheidende Ursache abgibt, nämlich die subjektiven Begehrungen
und Wünsche der Käufer der Güter. Gerade vom Standpunkt der
sozialrechtlichen Richtung aus, die eine sog. reine Theorie, die für
alle Zeiten, Völker und Wirtschaftsformen gelten soll, ablehnt, und
daher auch eine Werttheorie nur für bestimmte Wirtschaftsperioden
aufstellen kann, muß für die Periode der individualistischen Verkehrswirtschaft die Seite der N a c h f r a g e letztlich entscheidend sein.
Wenn die Güter nach der Willkür der Produzenten produziert werden
und nach der Willkür der Konsumenten gekauft werden, kann nicht
der technische Aufwand der Produzenten für die Preishöhe maßgebend sein, sondern der Kaufwille und die Kaufkraft der Konsumenten.

Diese Seite der Nachfrage war bei der objektiven Werttheorie völlig vernachlässigt: unabhängig vom Wünschen und Wollen der Käufer sollten sich die Preise zwangsläufig durch die Wirkung der freien Konkurrenz auf die Höhe stellen, welche durch die Durchschnittskosten und den Durchschnittsgewinn bestimmt ist. Die subjektivistische Werttheorie hat das Verdienst, aufgezeigt zu haben, daß das objektive Kostenmoment gegenüber dem subjektiven Moment zurücktritt: daß nach dem Grade der Intensität der Nachfrage nach den Gütern, dem Verhältnis von Begehr nach und Vorrat an den Gütern, nach der Knappheit und Seltenheit der Güter, im Verhältnis zu den Bedürfnissen der Konsumenten die Wertbildung sich vollzieht. Dieses Verdienst ist um so höher anzuschlagen, als dadurch weitverbreitete Vorurteile richtiggestellt werden. Wie oft wird gerade bei den Gütern, bei denen diese subjektiven Momente besonders stark hervortreten, die Preisbildung auf gänzlich andere Ursachen zurückgeführt. Es ist bekannt, daß bei den außerordentlichen Preissteigerungen des städtischen Bodens, der Häuser und Mieten immer wieder auf wucherische Machenschaften der Boden- und Terrainspekulanten hingewiesen wird, und doch gibt die subjektive Werttheorie hier die richtige Kausalerklärung: bei der Begrenztheit des städtischen Bodens, bei der Wichtigkeit des Wohnungsbedürfnisses und der starken Nachfrage nach dem Boden, besonders in schnell anwachsenden Städten, muß der Preis der Bodenstücke entsprechend in die Höhe gehen. Statt die Terraingesellschaften anzuklagen, daß sie durch ihre Spekulation die Preise der Grundstücke künstlich in die Höhe treiben, sollte man einsehen, daß gerade dadurch, daß diese Gesellschaften oft schon Jahrzehnte, bevor ein erhöhter Bedarf an Wohngelände auftritt, die geeigneten Plätze aufgekauft und zu Wohnzwecken bereitgestellt haben, die Preise, wenn der Bedarf eintritt, niedriger sind als ohne diese Tätigkeit. Man hat hierfür auch empirische Tatsachenbeweise: wenn unerwarteterweise Städte der Sitz einer Regierungsbehörde oder eines Regiments wurden, so waren die Preise für den erhöhten Wohnungsbedarf dort, wo keine Terraingesellschaften bestanden, erheblich höher gestiegen als in den Städten, wo schon lange vor Eintritt dieses erhöhten Bedarfs durch die Terraingesellschaften eine gewisse Vorsorge für diesen Fall geschaffen war. Durch die subjektive Werttheorie lassen sich auch die großen Preiserhöhungen erklären, die bei allen Gegenständen dringendsten Bedarfs oft plötzlich eintreten. Die K i n g - sche Regel, daß bei einem bestimmten Mindererträgnis der Getreideernte der Getreidepreis viel höher steigt, als diesem Ausfall ziffernmäßig entsprechen würde, läßt sich einfach aus der subjektiven Werttheorie erklären. Das Bedürfnis nach Brotnahrung ist so wichtig, daß die Konsumenten schon aus Besorgnis, daß das Angebot an Getreide geringer ausfallen würde, höhere Preise zu bewilligen bereit sind, als dem objektiven Vorrat an Getreide entspricht.

Die Produktionskostentheorie, die allenfalls zur Erklärung der Preisbildung in den Wirtschaftsepochen, wo die Preise in weitgehendem Maße obrigkeitlich festgestellt wurden, zutreffend sein konnte, versagt vollkommen in einer Wirtschaftsperiode, wo die Preisfeststellung dem freien Willen der Kontrahenten überlassen ist.

So weitgehend auch meine Zustimmung zu den Grundgedanken der subjektiven Werttheorie ist, so sehr stehe ich der speziellen Ausführung, welche diese Lehre in der Grenznutzentheorie erfahren hat, ablehnend gegenüber.

§ 24. Kritik der Grenznutzentheorie im besonderen.

Meine Ablehnung der Grenznutzentheorie beruht vor allem auf methodologischen Erwägungen. Diese Kritik habe ich bereits im ersten Bande, der vorwiegend solchen Erörterungen gewidmet ist, geliefert. Ich verweise den Leser auf meine Ausführungen zur Kritik der Methode der österreichischen Schule, Bd. I, S. 275—304. Ich will an dieser Stelle nur eine knappe Zusammenfassung meiner methodologischen Bedenken geben und sie durch eine Zurückweisung eines Einwandes ergänzen, der gegenüber dieser Kritik erhoben wurde. Ich füge noch einige kritische Bemerkungen über die Anwendung des Grenznutzenprinzips in der Wert- und Preislehre und Ausführungen über die Fort- und Umbildung der Grenznutzenlehre in der ausländischen Literatur hinzu. Ich lehne die Grenznutzentheorie ab.

1. Weil sie die Allgemeingültigkeit gewisser Lehrsätze einer „exakten" Theorie behauptet: indem sie ihren Ausgangspunkt von „Menschen" nimmt mit Bedürfnissen und diesen Menschen bestimmten Gütervorräten gegenüberstellt und die Wirtschaftsorganisation und die damit zusammenhängenden Machtfaktoren ganz ausschaltet, kommt sie zu einer wirklichkeits- und lebensfremden Konstruktion, die ebenso für die R o b i n s o n wirtschaft wie für die kapitalistische Wirtschaft wie für den sozialistischen Staat Geltung haben sollte.

2. Die nationalökonomische Wissenschaft hat die Marktvorgänge zu erforschen und zu erklären, nicht aber das Seelenleben der Menschen und die seelischen Motivationen, aus denen heraus die Menschen Wertschätzungen vornehmen.

3. Die „psychologische" Fundamentierung, welche die Grenznutzentheoretiker immer wieder hervorheben, ist keine streng psychologische. Die Gesetze der Grenznutzentheorie beruhen nicht auf exakter psychologischer Forschung, sondern auf einer Pseudopsychologie. Die Grenznutzentheorie geht von einem besonders für ihren Zweck konstruierten „Normalmenschen" aus, der nach den Regeln eines sorgsamen, rationell wirtschaftenden Hausvaters seine Bedürfnisse nach dem Range ihrer Wichtigkeit befriedigt. Damit geht diese Theorie von einer ebenso abstrakten Voraussetzung aus wie die objektivistische Werttheorie mit ihrem Ausgangspunkt von einem homo oeconomicus aus der Sphäre der Produktion. Darum trifft ihre Theorie auch für die Periode der freien Konkurrenzwirtschaft nicht zu.

4. Die Gefühlsgrößen, mit denen die Menschen den Gütern gegenüberstehen, sind nicht in der Weise exakt meßbar, wie es die Grenznutzentheorie voraussetzt, so daß die faktischen Preise das genaue Spiegelbild bestimmter Gefühlsgrößen darstellen könnten[1]).

5. Das G o s s e n sche Sättigungsgesetz, auf welches sich die Grenznutzler immer wieder als ihre wichtigste theoretische Grund-

---

[1]) Es ist bemerkenswert, daß selbst Anhänger der Grenznutzentheorie diese Möglichkeit der Meßbarkeit von Gefühlsgrößen verneinen, z. B. C u h e l , Zur Lehre von den Bedürfnissen. Innsbruck 1907.

lage berufen (so erklärt z. B. B ö h m , daß die wichtigsten Grundgedanken der modernen Werttheorie bereits durch Gossen ausgesprochen seien), ist ein psychophysisches Gesetz. Es trifft für gewisse Güter, namentlich Nahrungsmittel, zu, hat aber keineswegs
Allgemeingültigkeit. Wichtige Güterkategorien unterliegen nicht dem
Gesetz des abnehmenden Genusses.

6. Vielfach¹ wird von den Vertretern der österreichischen
Schule Wirtschaftstheorie und Wirtschaftspolitik miteinander ver-
quickt, indem sie die Voraussetzung, von der sie bei ihrer Theorie
ausgehen, nämlich die freie Willkür in der Bedürfnisbefriedigung
auch als die objektiv allein berechtigte Grundlage jeder rationellen
Wirtschaftsorganisation betrachteten. B ö h m ist allerdings von
diesem Vorwurf freizusprechen; er hat ausführliche Betrachtungen über die nachteiligen Wirkungen des freien Wettbewerbs
seiner Werttheorie einverleibt. Sie finden sich schon in dem ersten
Aufsatz in C o n r a d s Jahrbüchern über die Grundzüge der Theorie
des wirtschaftlichen Güterwertes, und in dem neuen Abdruck in
den gesammelten Schriften sind sie unter der Titelüberschrift
,,Nachteilige Wirkungen des freien Wettbewerbes" nochmals
zum Abdruck gelangt¹). Aber W i e s e r sagt z. B.: ,,Wo die
allgemeinen Verhältnisse als gesellschaftlich gut befunden und
sittlich und rechtlich gebilligt werden, wird der allgemeine Preis
auch als gerechter Preis empfunden. Keiner setzt den andern ins
Unrecht, wenn er den gemeinen, gerechten Preis fordert, bei ihm
kann jeder bestehen, und das allgemeine Interesse ist am besten
dadurch gewahrt, daß jeder sich an ihn hält. Der einzelne, der diesen
Preis auf dem Markte dadurch bilden hilft, daß er sein persönliches
Interesse wahrt, wahrt zugleich das gesellschaftliche Interesse, er
erfüllt eine persönliche und gesellschaftliche Pflicht, er trägt seinen
Teil zur Ordnung der Marktreihen bei; die notwendig ist, um die
wirtschaftlichen Grenzen bei der Güterverteilung einzuhalten, welche
auf dem Markt zu vollziehen ist²)."

Gegen meine Kritik der Grenznutzentheorie ist in einem
wichtigen Punkte von M i s e s in einer Kritik meines ersten Bandes
ein Einwand erhoben worden³). M i s e s knüpft an meine Darstellung
der Grenznutzentheorie an, wie ich das Beispiel des Kolonisten mit
den fünf Säcken Getreide gegeben und betont habe, daß die Wertschätzungen des Kolonisten richtig seien für den Fall, daß dem
Kolonisten wirklich das — bei rationeller Erwägung betrachtet —
unwichtigste Bedürfnis, auch nach seinem subjektiven Ermessen als
das erscheinen würde, welches er am ehesten entbehren würde.
M i s e s sagt hierzu: ,,D i e h l übersieht hier vollkommen, daß es nicht
darauf ankommt, daß der Kolonist die Bedürfnisse nach rationellen
Erwägungen, die einer objektiven Kritik standhalten, ordnet. Ob
und warum der Kolonist die Haltung von Papageien dem Fleischgenuß vorzieht, ob er seiner Gesundheit besser nützte, wenn er anders
handelte, ist vollkommen gleichgültig. Von Bedeutung ist allein,

---

¹) Gesammelte Schriften von B ö h m - B a w e r k , herausgegeben von Franz
X. W e i ß. Wien u. Leipzig 1924. S. 475 ff.
²) F r. v. W i e s e r , Theorie der gesellschaftlichen Wirtschaft. In Grundriß
der Sozialökonomik. I. Buch, S. 257.
³) Archiv für die Geschichte des Sozialismus und der Arbeiterbewegung, herausgegeben von C. G r ü n b e r g. Bd. X, Heft 3, S. 90 ff.

daß er die Bedürfnisse verschieden wertet und danach sein Handeln einrichtet. Wenn er die Haltung von Papageien der Fleischnahrung vorzieht, dann meint er eben, daß der Nutzen der Fleischnahrung geringer ist, als die Haltung von Papageien. Dann schätzt er das Vergnügen am Halten von Papageien höher ein, als die Befriedigung des Hungers durch Fleischgenuß, dann ist ihm unter den in Frage kommenden Bedürfnissen das nach Fleischnahrung das mindest wichtige. Stets ist es von der modernen Schule gelehrt worden, daß die Rangordnung der Bedürfnisregelung von subjektiven Wertschätzungen der Individuen abhängig sei und daß der objektive Gebrauchswert nur indirekt durch das Medium der subjektiven Wertschätzung hindurch auf den Preis wirksam zu werden vermöge. Der Grenznutzen richtet sich nicht nach der objektiv, sondern nach der subjektiv mindest wichtigen Verwendung. Wer das verkennt, hat sich wirklich nicht viel Mühe gegeben, in das Lehrgebäude der modernen Schule einzudringen." (S. 93/94.)

Ich muß diesen Einwand von M i s e s als unberechtigt zurückweisen. Ich kann nur zugeben, daß in der Literatur der Grenznutzenlehre in diesem Punkte sich gewisse Widersprüche und Zweideutigkeiten finden und daß auch einzelne Stellen bei B ö h m selbst zugunsten der M i s e s schen Auffassung herangezogen werden könnten. Vor allem kommen folgende Ausführungen von B ö h m in Betracht[1]): „Daß, wie D i e t z e l klagt, bei der Abwägung des Grenznutzens wenig objektive ziffernmäßige Exaktheit und viel Laune im Spiel ist, ist niemandem besser bekannt als den Grenzwerttheoretikern selbst. Aber der Theoretiker kann die Praxis nicht besser machen, als sie eben ist. Er kann weder leugnen, noch verhindern, daß die Menschen in letzter Linie eben doch das zum Leitstern ihrer wirtschaftlichen Handlungen machen, was sie für ‚ihr Wohl' halten und er kann ebensowenig hindern oder leugnen, daß die Leute je nach Neigung und Laune oft recht sonderbare Dinge für ‚ihr Wohl' halten. Solche launenhaften Abirrungen der Leidenschaft, der blinden Genußsucht, der Unbedachtsamkeit, der Willensschwäche sind ja die Quelle, aus der tausende und abertausende törichter und unwirtschaftlicher Handlungen fließen, welche jedesmal eingeleitet werden durch ebenso törichte und verfehlte Wertschätzungen über Mittel und Zwecke. Wenn aber, wie absolut nicht zu leugnen ist, die Macht der subjektiven Eindrücke und oft der Launen ein Element der wirtschaftlichen Praxis ist, so muß sie auch ein Element einer wahrhaft naturgetreuen Theorie sein. Wie ich bei einer anderen Gelegenheit einmal auseinandergesetzt habe: „Eine richtige Berechnung eines Wohlfahrtsgewinnes führt eben zu einer richtigen, eine ungenaue zu einer ungenauen, eine falsche zu einer falschen Wertschätzung, wie ja deren im Wirtschaftsleben unzählige vorkommen. Die falsche Berechnung dient aber dabei ebenso zur richtigen Erklärung der falschen, wie die richtigen Berechnungen zur richtigen Erklärung der richtigen Wertschätzungen." — Und W i e s e r erklärt zu diesem Punkte[2]): „Jeder Gütervorrat ist auf die Bedürfnisse des Zeitraums, für den er ausreichen soll, möglichst so zu verteilen, daß ohne Rücksicht auf das frühere oder spätere Eintreten die sämtlichen wichtigsten Regungen befriedigt und nur

---

[1]) Wert, Kosten, Grenznutzen. S. 349.
[2]) Nat. Wert. S. 17.

die minder wichtigen ausgeschlossen werden sollen, für die der Vorrat nicht mehr reichen will. Die Abweichungen von der Regel sind so wenig zahlreich, daß eine theoretische Untersuchung, die die Regel als feststehend annimmt und deren weitere Wirkungen untersucht, nicht bloß die Wirtschaft, wie sie gefordert ist, sondern auch die Wirtschaft, wie sie tatsächlich ist, erklären hilft."

Hiernach unterscheiden die Grenznutzentheoretiker eine „regelmäßige" und eine „unregelmäßige" Wertbildung und meinen, daß die Abweichungen von der Regel das Gesetz nicht umstoßen, sondern daß die Ausnahmen die Regel bestätigen — doch läßt dies alles unbefriedigt: entweder man erklärt den Wert in der exakten Weise der Grenznutzentheorie, so daß man eine auf rationellen Grundsätzen aufgestellte Bedürfnisskala zugrunde legt und auf Grund ihrer die Wertbildung sich vollziehen läßt. Dann ist zwar eine Basis von einer gewissen Richtigkeit gegeben, aber das wirkliche Leben mit seinen tausendfachen Varietäten wird nicht erklärt; oder die Grenznutzentheorie zieht alle die launenhaften Wünsche, Begehrungen usw. in den Rahmen ihrer Betrachtung, dann ist irgendein festes Schema, irgendein fester Untergrund, auf dem gebaut werden könnte, nicht vorhanden und der Wert kann nicht mehr durch den „Grenznutzen" in dem fest umschriebenen Sinne, wie ihn die Theorie erklärt, bestimmt werden.

Der M i s e s sche Einwand wird nicht nur dadurch entkräftet, daß bei der von ihm beliebten Interpretation die Grenznutzentheorie allen Sinn verlöre, denn dann wäre der Wert von der subjektiven Laune jedes Einzelnen bestimmt und der ganze gewaltige Grenznutzenapparat mit allen seinen Wertskalen wäre überflüssig. Vor allem sind auch gegen M i s e s die ausdrücklichen Erklärungen B ö h m s an den entscheidenden Stellen seiner Theorie anzuführen, in denen B ö h m immer wieder betont, daß es auf die „rationelle" Erwägung ankomme. Ich verweise vor allem auf die Erklärung B ö h m s: „Der wahre Grenznutzen eines Gutes ist identisch mit dem kleinsten Nutzen, zu dessen Erzielung es w i r t s c h a f t l i c h e r w e i s e n o c h v e r w e n d e t w e r d e n d u r f t e" (vgl. Grundzüge der Theorie des wirtschaftlichen Güterwertes a. a. O., S. 52).

Ferner auf folgenden Satz: „Die Theorie des Grenznutzens ist die legitime Frucht der isolierenden Verfolgung der typischen Wirkungen des erleuchteten Egoismus: der ‚abstrakte Egoist' schätzt die Güter eben nach dem Grenznutzen" (Die klassische Nationalökonomie in gesammelten Schriften von B. B., S. 150)[1].

Ich möchte ferner darauf hinweisen, daß selbst Anhänger der Grenznutzentheorie auf diesen Mangel der Lehre hinweisen, daß nämlich die Bedürfnisse der Konsumenten viel zu schematisch aufgefaßt sind. Dies ist besonders von dem amerikanischen Vertreter der Grenznutzentheorie P a t t e n geschehen[2].

---

[1]) Diese Auffassung wird auch in der ausländischen Literatur vertreten. So sagt N i c h o l s o n in einer Darlegung der Grundgedanken der österreichischen Werttheorie: „In reality, hovewer, all that has been established is, that any individual, w h o i s g u i d e d b y e n l i g h t e n e d economic interest, o u g h t so to adjust his expenditure, that the marginal utilities of all the commodities acquired are equal to one another." (Principles of Political Economy. Vol. I, II ed. London 1902. S. 55.)

[2]) S i m o n N. P a t t e n , Die Bedeutung der Lehre vom Grenznutzen, Conrads Jahrb., 3. Folge, II. Bd. Jena 1891. S. 481 ff.

Patten erklärt, daß er die Theorie vom Grenznutzen für die allein zukunftsreiche halte und daß sie die Ausgestaltung einer vollendeten Wissenschaft möglich mache; gleichzeitig aber erklärt er auch, daß sie auf einer viel sorgfältigeren Theorie der Konsumtion aufgebaut werden müsse. Von diesem Standpunkt kritisiert er die Grenznutzenlehre und wirft dem Vertreter dieser Theorie, J e v o n s , vor, daß er seine volkswirtschaftlichen Erörterungen auf einer sehr rohen Theorie der Konsumtion aufgebaut habe (S. 505). Man müsse die ganz verschiedene Bedeutung des Wortes „Nutzen" beachten. Patten unterscheidet absoluten Nutzen, positive und negative Nützlichkeiten: „Absoluter Nutzen bedeutet die Beschaffung des notwendigen Lebensunterhaltes. Positive Nützlichkeiten beziehen sich nicht auf das bloße Leben, sondern auf die Zufriedenheit mit demselben. Sie stellen die Summe derjenigen Genüsse dar, welche über das zur bloßen Lebensfristung Erforderliche hinausgehen. Negative Nützlichkeiten sind die Beschwerden, welche den Lebensgenuß beeinträchtigen. Es kann jemand über die absoluten Nützlichkeiten des Lebens verfügen, aber dennoch die größten Beschwerden zu erdulden haben und am Rande des Selbstmordes stehen. Jeder Lebensunterhalt setzt sich zusammen aus dem absoluten Nutzen desselben plus gewissen positiven Nützlichkeiten oder Genüssen minus gewissen negativen Nützlichkeiten oder Beschwerden" (S. 506). — Er sagt zur Kritik der herrschenden Grenznutzentheorie: „Die· Lehre, nach welcher der Wert eines Gutes von seinem Grenznutzen abhängt, beruht auf den beiden Voraussetzungen, daß wir unsere dringendsten Bedürfnisse zunächst befriedigen und daß jede weitere Vermehrung eines Gutes dem Konsumenten weniger Genuß verschafft, als die ersten Zuwachsteile desselben ihm gewährt haben. Diese Prämissen sind aber nur dann vollkommen zutreffend, wenn die Konsumtion eine statische ist. Tritt in den die Gesellschaft umgebenden Verhältnissen eine Wandlung ein oder wird die Produktion seitens ihrer einzelnen Glieder eine intensivere, so können solche Gegenstände der Konsumtion zugeführt werden, welche dringendere Wünsche als diejenigen befriedigen, denen der erste soziale Zustand gerecht zu werden vermochte.

Man ist zu oft ohne genügende Prüfung von der Annahme ausgegangen, d a ß w i r s t e t s u n s e r e d r i n g e n d s t e n B e d ü r f n i s s e z u n ä c h s t b e f r i e d i g e n und die gesteigerte Produktionskraft uns mit mehr Gütern gleicher Art oder anderen geringeren Genuß gewährenden Gütern versorgt. Hieraus würde folgen, daß alle weiteren Quantitäten der Verbrauchsartikel einen geringeren Genuß repräsentieren als die ersten Bestandteile derselben und daher der Grenznutzen eines Gutes mit jeder weiteren, durch die Produktionssteigerung hervorgerufenen quantitativen Vermehrung allmählich sinkt. Dieser einfach sich ergebende Schluß wird wegen Verwechslung von absolutem und positivem Nutzen hinfällig. Hat man sich zwischen diesen beiden zu entscheiden, so wird die Wahl auf den ersteren fallen und Menschen, welche außer Zusammenhang mit der Gesellschaft stehen, werden oft gerade diese Wahl zu treffen haben. Es ist aber unzulässig, die Handlungen von Personen in isoliertem Zustande als maßgegebend anzusehen für die Beurteilung ihres Vorgehens unter normalen sozialen Verhältnissen" (S. 510). . . . „Es läßt sich nicht behaupten, daß die Steigerung

des gesamten, für die einzelnen Konsumenten bestimmten Gütervorrates den Grenzwert derselben erniedrigt, da möglicherweise eine
Steigerung der Konsumtionsmannigfaltigkeit stattgefunden hat.
Ebensowenig darf man sagen, daß die zunehmende Menge irgendeines Gutes ihren Grenzwert vermindert, da eine Veränderung in
der Quantität anderer Güter den Grenzwert derselben zu steigern
vermag. Wohl aber wird der Grenzwert eines Gutes in dem Falle
sinken, daß objektive Ursachen die Menge einer Ware über ihren
normalen Betrag hinaus vermehrt haben" (S. 517).

§ 25. Die Verbreitung der Grenznutzentheorie im Inlande und Auslande.

Wenn die Vertreter der Grenznutzentheorie öfters unter der Bezeichnung „österreichische Schule" zusammengefaßt werden, so ist
dies irreführend, weil damit der Anschein erweckt werden könnte,
als ob diese Lehre nur von österreichischen Nationalökonomen vertreten würde. Ich habe oben schon darauf hingewiesen, daß die
Grenznutzentheorie etwa zur selben Zeit in drei verschiedenen Sprach-
gebieten begründet wurde, nämlich von M e n g e r , J e v o n s und
W a l r a s . In allen Kulturländern hat die Grenznutzenlehre Anhänger gefunden. Nur insofern ist die Bezeichnung „österreichische
Schule" gerechtfertigt, als in keinem anderen Lande diese Theorie
so scharfsinnige und gründliche Durcharbeitung und auch so
weitgehende Zustimmung gefunden hat, wie in Österreich. Neben
den bereits erwähnten österreichischen Autoren: M e n g e r , B ö h m -
B a w e r k und v. W i e s e r nenne ich als weitere Vertreter dieser
Theorie noch S a x , M a t a j a , Z u c k e r k a n d l ; auch S c h u m -
p e t e r ist zu nennen trotz vielfacher Abweichungen seiner Theorie
von der M e n g e r schen Lehre.

Die Ausbreitung der Grenznutzentheorie in den übrigen Ländern ist eine sehr verschiedene. Die mathematische Formulierung,
welche diese Lehre bei J e v o n s und W a l r a s , dann auch bei
P a n t a l e o n i , W i c k s t e d t und C o u r n o t erhalten hat,
war der Aufnahme dieser Lehre nicht günstig. So finden wir auch in
Frankreich, Italien und England verhältnismäßig wenig Anhänger
dieser Lehre. In England ist M a r s h a l l von überwiegendem Einflusse als ökonomischer Theoretiker. Er hat in seiner Wertlehre
eine Verschmelzung der Grenznutzenlehre mit der Kostentheorie
vorgenommen, wie ich noch zeigen werde, und diese Lehre ist
die durchaus herrschende geworden. Auch andere bekannte englische Theoretiker wie E d g e w o r t h und N i c h o l s o n haben
sich der Grenznutzentheorie gegenüber ablehnend verhalten; f ü r
die Grenznutzentheorie ist besonders S m a r t eingetreten. Auch
in Frankreich trat C o r n e l i s s e n (Théorie de la Valeur.
Paris 1903) für eine Verbindung der Grenznutzentheorie mit
der objektivistischen Theorie ein und ähnlich T r u c h y (Cours
d'Economie Politique. 1. Bd. Paris 1919). Im übrigen hat die
Grenznutzentheorie in Frankreich nie festen Fuß gefaßt; die ökonomische Theorie hält dort mit einer gewissen Hartnäckigkeit an den
Lehren der älteren Zeit fest. In dem neusten großen Werke, das der
Wertlehre gewidmet ist (T u r g o n : La Valeur. Paris 1921), wird
die österreichische Schule nur ganz beiläufig erwähnt, die Grenznutzenlehre in der Fassung von J e v o n s dargestellt und abgelehnt.

In Deutschland hat die Grenznutzenlehre nur wenige Anhänger gefunden. Manche deutsche Theoretiker haben aber Gedanken der Grenznutzenlehre in ihre Werttheorie verflochten.
Gerade in Deutschland hat diese Lehre wohl die schärfste und nachhaltigste Kritik erfahren. Am meisten Anhängerschaft hat die Grenznutzentheorie in der österreichischen Fassung in Holland, in den
skandinavischen Ländern und in Amerika gefunden. In Holland
haben besonders P i e r s o n und V e r r y n S t u a r t in scharfsinniger Weise die Grenznutzentheorie weitergeführt.

Wenn ich eben bemerkte, daß die Grenznutzenlehre besonders
in Amerika große Verbreitung gefunden hat, so möchte ich dieses
Urteil nur mit Einschränkung gelten lassen, nämlich nur insoweit,
als verglichen mit anderen Ländern, Amerika dieser Lehre ganz besonderes Interesse entgegengebracht hat. Von den führenden amerikanischen Theoretikern ist die Grenznutzentheorie nicht angenommen
worden. Auf die Abweichungen P a t t e n s von B ö h m - B a -
w e r k habe ich bereits hingewiesen. Neben einzelnen Anhängern
der Grenznutzentheorie wie C a r v e r , T a u s s i g und C o m m o n s
finden wir auch energische Gegner wie M a c C l e a n e und F e t t e r,
der sogar absichtlich den Ausdruck Grenznutzen vermeidet. Vor
allem ist aber von Bedeutung, daß d e r Theoretiker, der in Amerika
ungefähr dieselbe ausschlaggebende Rolle spielt wie M a r s h a l l in
England: C l a r k , der Grenznutzentheorie mit großem Bedenken
gegenübersteht[1]). Die C l a r k sche Auffassung hat auf viele andere
amerikanische Theoretiker großen Einfluß ausgeübt. Ich will
etwas näher auf die C l a r k sche Lehre eingehen, weil sie auch
für die Kritik der Grenznutzentheorie Bedeutung hat. Was für
C l a r k gilt, trifft auch für zahlreiche andere englische und
amerikanische Nationalökonomen zu. Sie vertreten nicht die Grenz-
n u t z e n theorie, sondern wollen den Grenzgedanken für die wichtigsten ökonomischen Probleme fruchtbar machen; damit knüpfen
sie an Ideen von T h ü n e n , aber nicht von B ö h m - B a w e r k
an. — C l a r k hat diesen Grenzgedanken schon in seiner im Juli
1881 erschienenen Abhandlung ,,Philosophie of Value" in The New
Englander vertreten, d. h. zu einer Zeit, als er die Werke von J e -
v o n s und M e n g e r noch gar nicht kannte.

Die Stellung C l a r k s zur Grenznutzentheorie ist durch
zweierlei Momente charakteristisch:

1. Der Grenznutzen wird nur als Spezialfall eines allgemeinen
Gesetzes vom abnehmenden Ertrage aufgefaßt. Ich habe bereits
im zweiten Bande (Zur Lehre von der Produktion) S. 104 ff. gezeigt,
wie im einzelnen C l a r k nachzuweisen sucht, daß die Werttheorie
vom Grenznutzen auf denselben Prinzipien beruhe wie das Gesetz vom abnehmenden Ertrage, und daß dieses Prinzip ein noch
weites Gebiet neuer Anwendung habe.

2. Die Anwendung des Grenznutzengedankens auf die Wertlehre in der Art der österreichischen Schule wird von C l a r k abgelehnt; C l a r k geht soweit zu sagen, daß, wenn man in dieser
Weise die Werttheorie auffasse, man besser täte, bei der Lehre von

---

[1]) Es ist übertrieben, wenn B ö h m - B a w e r k bemerkt, daß der Amerikaner
C l a r k ein entschiedener Anhänger der Theorie des Grenznutzens sei (cf. Gesammelte
Schriften von E. v. B ö h m - B a w e r k , Leipzig 1924, S. 411).

J. St. M i l l zu bleiben[1]). Nur wenn diese Grenznutzenlehre grundlegend umgestaltet würde, könnte sie überhaupt zur Erklärung des Wertes dienen. — Die Änderungen, die C l a r k für notwendig hält, beziehen sich namentlich auf folgende Punkte: C l a r k meint, daß in dem gewöhnlich zitierten Falle irgendein Gut genommen werde, das in wachsenden Mengen einem Konsumenten zur Verfügung gestellt werde. Die aufeinanderfolgenden Einheiten des Gutes ergeben dann abnehmende Nützlichkeit für den Konsumenten, z. B. Brot, das jemanden in einer Aufeinanderfolge von Stücken gegeben wird, ernährt und erfreut ihn, zuletzt aber übersättigt es ihn. Röcke von einer Sorte, die jemand gleichzeitig zur Verfügung stehen, gewähren ihm immer kleineren Vorteil, ein vierter Rock wird für ihn so gut wie wertlos sein. Ganz anders aber lägen die Dinge, wenn sie, wie es der modernen Verkehrswirtschaft entspricht, unter dem Gesichtspunkte der Veränderlichkeit dargeboten werden (C l a r k spricht daher von einem Variationsgesetz). Ist die Farbe und der Schnitt der Röcke ein verschiedener, so wird der Konsument auch für mehr als vier Röcke gute Verwendung haben. Ebenso ist es bei Büchern etc. der Fall; durch die Änderung der Qualität der Güter könnte man den verschiedensten Bedürfnissen gerecht werden, und solange der Mensch noch Bedürfnisse habe, die unbefriedigt sind, wird er immer solche Güter schätzen. Damit kommt C l a r k zu der Unterscheidung von allgemeinen Gütern und Gütern ein und derselben Art, z. B. Kleidung ist ein allgemeines Gut, ein Rock von bestimmter Farbe ein besonderes Gut. Nahrung ist ein allgemeines Gut, Brot ein besonderes Gut. Kleidung im allgemeinen, die nicht auf Röcke bestimmter Art beschränkt ist, zeigt eine Nützlichkeitskurve, die nicht allmählich abnimmt, sondern allmählich aufsteigt, und Nahrung im allgemeinen nimmt in bezug auf ihre Nützlichkeit viel langsamer ab, als z. B. Brot für sich. Also auf Bedürfnisgattungen, nicht auf die einzelnen Bedürfnisgegenstände müsse der Grenzwert bezogen werden. — Dies ist nicht die einzige Korrektur, die C l a r k vornimmt. Die Grenznutzentheorie müsse weiterhin noch eine Korrektur dahin erfahren, daß das Gesetz nicht auf einzelne Bedürfnisgattungen, die der Konsument braucht, bezogen wird, sondern auf sein ganzes Vermögen (The Law of the diminishing utility, as applied to general consumers wealth). Nicht eine Reihe von Gütern, die alle gleich sind, sondern eine Aufeinanderfolge von Teilen des Vermögens selbst, ohne Rücksicht auf die Art des Vermögens, wird immer weniger nützlich pro Einheit. Gibt man jemanden nicht Röcke, sondern „Dollars" einen nach dem andern, so wird die Nützlichkeit des letzten Dollars kleiner sein, als die von jedem vorhergehenden (S. 212).

Die Anwendung des Gesetzes vom abnehmenden Ertrag auf die wichtigste Art von Gütern, nämlich vom Reichtum überhaupt, nennt C l a r k einen Schritt vorwärts in der Wissenschaft. Über je mehr Vermögen jemand zu seinem persönlichen Gebrauch verfügt, um so geringer sei der Wert pro Einheit für ihn. So kommt C l a r k zu der von B ö h m - B a w e r k ganz abweichenden Regel für die Bildung der Marktpreise: „Die Marktpreise werden durch die Nützlichkeit der letzten Zusätze zum Vermögen des Konsumenten bestimmt und nicht durch die Nützlichkeit der Güter." Ohne diese

---

[1]) The Distribution of Wealth. New York u. London 1920. S. 229.

grundlegende Änderung des Grenznutzenprinzips käme man zu einer falschen Auffassung über die Bildung der Marktpreise. Nach dem Schema der österreichischen Werttheorie müßte man für einen Überzieher 500 Dollars zahlen, statt 50, die er in Wirklichkeit kostet: „Die Grenznutzentheorie ergibt Resultate, die in grotesker Weise mit den tatsächlichen Marktpreisen im Widerspruch stehen. . . . Ich gebe zu, daß die sog. österreichische Werttheorie auf einem sehr richtigen Prinzip beruht, nämlich dem Grenznutzenprinzip, aber die Anwendung dieses Prinzips muß völlig geändert werden: „It is final increments of wealth in commodities, and not, as a rule, commodities in their entirety, that furnish those test measures of utility to which market values conform[1]."

Die entscheidendsten Sätze gegen die Grenznutzentheorie sind aber die, in denen C l a r k das Gewicht darauf legt, daß der Wert eine „soziale Erscheinung" ist und daher niemals aus den Empfindungen eines einzelnen Menschen gegenüber einem einzelnen Gut erklärt werden kann: „Wir müssen das größte Gewicht auf die Tatsache legen, daß der Wert ein soziales Phänomen ist[2]." Allerdings würden Güter gemäß ihrem Grenznutzen verkauft, aber es sei der Grenznutzen für die G e s e l l s c h a f t. Im gesellschaftlichen Körper als Ganzem ist jede Nützlichkeit eines Artikels in gewisser Hinsicht in der Stellung eines Grenznutzens: „Wenn es zehn Qualitäten von Uhren gibt und daher zehn Klassen von Käufern, um den Wert einer Uhr der höchsten Qualität festzustellen, so kann jede dieser Klassen als die gesellschaftlichen Schätzer des besonderen Wertelements betrachtet werden, das für den Bedarf ihrer Glieder der Grenznutzen ist. Bei allen Artikeln, die verschiedene Nutzelemente in sich schließen und die der Gesellschaft, dem großen zusammengesetzten Konsumenten, dargeboten werden, hat jedes Nutzelement im sozialen Organismus die Wirkung, einen Teil des gesamten Wertes festzustellen. Für kein Individuum sind alle seine Nutzelemente Grenznützlichkeiten[3]." Vermehrung des Reichtums der Konsumenten bedeutet nach C l a r k immer Verbesserung der Qualität des Verbrauchs, denn dann kommen immer bessere Qualitäten zu den Dingen hinzu, die bereits vorhanden sind. „Es entsteht eine gesellschaftliche Vermehrung von Nützlichkeiten, eine große Verbesserung in den Qualitäten der Dinge, die auf jedem Schritt in dem vermehrten Reichtum der Welt hervortritt. Das sind die strategischen Elemente, die den Markt regeln; das Maß dieser Elemente bestimmt die Werte. Die Menschen, die den Wert schätzen, sind die Agenten der Gesellschaft, die ihren Anteil des ganzen Marktes am Reichtum der Konsumenten kontrollieren."

Die C l a r k sche Lehre hat große Anhängerschaft besonders in Amerika gefunden, so spricht z. B. S e l i g m a n n im Anschluß an C l a r k von dem sozialen Grenznutzen.

Wir haben festgestellt, daß selbst in dem Lande, in dem die Grenznutzentheorie am meisten diskutiert und beachtet wurde, sie an Anhängerschaft verloren hat, und es läßt sich wohl allgemein sagen, daß in fast allen Ländern in neuerer und neuster Zeit eine gewisse Abkehr von dieser Lehre zu beobachten ist. Die stark abstrahierende,

---

[1] a. a. O., S. 219/220.
[2] a. a. O., S. 243.
[3] a. a. O., S. 244.

auf die seelischen Motivationen der Individuen zurückgehende Art, das Wertproblem zu behandeln, macht immer mehr einer mehr realistischen, die konkreten Marktvorgänge berücksichtigenden Art der Untersuchung Platz. Gewiß haben auch eifrige Anhänger der Grenznutzenlehre zu dieser Wandlung selbst beigetragen. Es artet doch in wissenschaftliche Spielerei aus, wenn z. B. der junge J e - v o n s , der Sohn eines der Begründer der Grenznutzentheorie, in seinem Buche ,,Essais on Economics" (London (1905) in mathematischen Formeln die Lust- und Unlustgefühle demonstriert, die ein Knabe beim Verzehren von Schokoladeplätzchen hat, und ein anderer beim Anhören von Konzertmusik.

Bemerkenswert ist auch, daß die Weiterbildung der subjektiven Wertlehre, soweit sie auf ernster psychologischer Forschung basiert, von Fachpsychologen übernommen wurde und dies gerade im Heimatlande der österreichischen Theorie. Hervorzuheben sind die Schriften von M e i n o n g : Psychologisch-ethische Untersuchungen zur Werttheorie (Graz 1899) und von E h r e n f e l s : Werttheorie und Ethik (Jahresschrift für wissenschaftliche Philosophie 1893 und 1894) und System der Werttheorie, I. (Leipzig 1897); D ü r r : Zur Frage der Wertbestimmung (Archiv f. d. ges. Psychologie, 1905).

E n g l ä n d e r sucht die Psychologie der Grenznutzenlehre zu verbessern; er leugnet auf Grund der Psychologie Franz Brentanos die Möglichkeit einer Quantifizierung der Werte und kommt somit zur Ablehnung einer Proportionalität von Grenznutzen und Preis. Er erkennt vielmehr nur eine Rangordnung der Bedürfnisse als ,,primärer Werte" an und leitet aus ihr Höchstgebote für Güter erster Ordnung ab. E n g l ä n d e r gibt also das Grundgesetz zugunsten einer besseren Psychologie auf und macht damit die wesentlichen Leistungen der Grenznutzenschule illusorisch[1].

---

[1] A. P r e d ö h l , Zur Preislehre Oscar Engländers. In Jahrbücher für Nationalökonomie und Statistik, Bd. 121 (3. Folge, Bd. 66), Heft 4. S. 346.

4. Kapitel.

Die dualistischen Werttheorien.

Einzelne Autoren haben versucht, die beiden genannten Theorien, die subjektivistische und die objektivistische Werttheorie, in einer Synthese zu verknüpfen; sie wollen beide Theorien in ihrem Kern aufnehmen und miteinander versöhnen (S c h ä f f l e, D i e t z e l, M a r s h a l l).

§ 26. Darlegung der dualistischen Werttheorie.

1. S c h ä f f l e.

S c h ä f f l e s Wert- und Preislehre ist besonders dadurch charakteristisch, daß sie die beiden Momente, die als ausschlaggebende Faktoren für die Wert- und Preisbildung hingestellt werden, nämlich einerseits die Kosten, anderseits den Nutzen der Güter, in eigenartiger Weise miteinander zu verschmelzen sucht. In dem Aufsatz in der Tübinger Zeitschrift 1872, „Die ethische Seite der nationalökonomischen Lehre vom Werte" (Gesammelte Aufsätze, 1. Band, Tübingen 1885, S. 186), definiert S c h ä f f l e: Wert ist die B e d e u t u n g, welche das Gut vermöge seiner Brauchbarkeit für das ökonomische Zweckbewußtsein der wirtschaftlichen Persönlichkeit hat. In seiner Abhandlung: „Über den Gebrauchswert˙ und die Wirtschaft nach den Begriffsbestimmungen H e r m a n n s" (ebenda, 1870) polemisiert er gegen die H e r m a n n - sche Fassung des Wertbegriffs. Was den Tauschwert anbelangt, so sei es falsch, den Tauschwert als Fähigkeit des Gutes, Tauschgüter zu erwerben, zu bestimmen. Dadurch werde der Tauschwert Repräsentant von Arbeit und Vermögensquanten. Aber aller Tauschwert habe zwei ökonomische Bestimmungsgründe: Die Rücksicht auf die Quantität p e r s ö n l i c h e r O p f e r, die das Gut repräsentiert (Kostenwert), aber ebenso die Rücksicht auf die k o n - k r e t e B e f r i e d i g u n g, die es nach Grad und Umfang der obwaltenden Bedürfnisse hervorrufen kann (Gebrauchswert). Ebenso sei der H e r m a n n sche Begriff des Gebrauchswertes verfehlt. Wenn H e r m a n n den Gebrauchswert als unmittelbare Verwendbarkeit für den eigenen Nutzen definiere, so fasse er ihn damit als eine Eigenschaft der Güter auf. Hierbei wäre der subjektive Charakter des Gebrauchswertes zu wenig beachtet. Gebrauchswert sei vielmehr der Wert einer Sache mit Rücksicht auf die Stärke und den Umfang des Begehrens. Der Gebrauchswert sei Brauchlichkeit des Gutes, quantitativ anerkannt durch das Begehren für die Bedürfnisbefriedigung. Beim Gebrauchswert komme es auf die Stellung der Gebrauchsbedeutung in der den wirtschaftlichen Prozeß begleitenden

Wertreflexion des Subjektes an. S c h ä f f l e definiert daher in seinem Werke „Das gesellschaftliche System der menschlichen Wirtschaft" (3. Aufl., Tübingen 1873) den Wert als eine aus K o s t e n - u n d N u t z w e r t z u s a m m e n g e s e t z t e B i l a n z g r ö ß e. Die Geltung, die einer bestimmten Brauchlichkeitsmasse mit Rücksicht auf ihre Mindestkosten zukomme, sei der Kostenwert, die derselben als dem Mittel für ein Maximum der Befriedigung zukommende Stellung sei ihr Gebrauchswert. Richtig sei an den verschiedenen Kostenwert-Theorien, daß die Tauschäquivalenzbestimmung von den gesellschaftlich notwendigen Kosten auszugehen habe. Nicht richtig sei aber, daß nur der gesellschaftlich notwendige Kostenaufwand Bestimmungsgrund der Tauschäquivalenz der Produkte sei; die gegeneinander auszuwechselnden Quanten von zwei Gütern müßten nämlich nicht nur nach der Größe der gesellschaftlich normalen Opfer an sozialer Substanz, die sie gekostet haben, sondern auch nach der gesellschaftlich möglichen Größe des Nutzens, den sie stiften werden, den man von ihnen erwarte, erwogen werden. Auf diese Art erkläre sich auch die Preisbildung der Güter. Der kapitalistische Tauschwert, wie er als Marktpreis sich äußere, erkläre weder den Kostenwert des Angebotes, noch den Gebrauchswert der gefragten Mengen:

„Im Wege der Marktstatik drückt die Konkurrenz der vielen Anbietenden und der vielen Nachfragenden solange gegeneinander, bis ein bestimmter individueller Wertsatz beider Skalen zum gesellschaftlichen Äquivalenzverhältnis erhoben ist. Alle individuellen Kosten- und alle individuellen Gebrauchswerte haben realen Einfluß geübt auf die Feststellung des P r e i s e s , aber dieser ist nicht „der" Kostenwert, sondern er ist durch einen k o l l e k t i v unbewußten Prozeß p r i v a t e r Tauschbegegnungen als eine Größe festgestellt, u n t e r welcher wirtschaftlicher Gebrauch, und ü b e r welcher wirtschaftliche Produktion g e s e l l s c h a f t l i c h unmöglich ist und als gesellschaftlich unmöglich kundgegeben wird. Der so festgestellte Marktpreis ist eben in seinem Schwanken von den Kosten- u n d von den Gebrauchswertveränderungen abhängig."

2. D i e t z e l.

Die Meinung D i e t z e l s geht dahin: Es kommt alles auf die richtige A u f f a s s u n g an; wird die R i c a r d o sche Lehre richtig aufgefaßt, so steht sie keineswegs im Widerspruch mit der Nutzentheorie. Die letztere braucht nur kleine Konzessionen an die klassische Theorie zu machen, dann sind beide Standpunkte leicht zu vereinigen; wenn in beiden Theorien gewisse Punkte aufgeklärt und richtig gedeutet werden, wenn einzelne Teile, die auf beiden Seiten zu „oberflächlich" abgemacht werden, gründlicher untersucht werden, dann ist die Harmonie vorhanden[1]). „Post tot discrimina rerum," so schließt D i e t z e l die betreffenden Ausführungen, „nach so viel Lärm und Streit bleibt die Doppelformel

---

[1]) Auch C a s s e l meint: „Allein, daß die Grenznutzentheoretiker ... irgendwie in einen prinzipiellen Gegensatz zur Lehre R i c a r d o s getreten sind — wie sie meistens selbst glauben, zuweilen auch mit großer Schärfe hervorheben, das vermag ich nicht einzusehen." — (Die Produktionskostentheorie R i c a r d o s und die Aufgabe der theoretischen Volkswirtschaftslehre — Tübinger Zeitschrift für ges. Staatswissenschaft, 1901, S. 81.)

R i c a r d o s — hier Kosten, dort Nutzen — voll aufrecht. Die Theorie vom Grenznutzen hat den alten Bau nicht zerstört, sondern erweitert[1])." Die Lehre, daß nur diejenigen Güter Wert erlangen, welchen das souveräne Urteil konkreter Subjekte Nützlichkeit und Begrenztheit zuspricht, ist den Alten durchaus bekannt gewesen; sie wird von ihnen „nur mit ein wenig anderen Worten" vorgetragen. Das Bild, welches die Neuen von der klassischen Werttheorie entwerfen, bedarf notwendig der Berichtigung.

D i e t z e l berichtigt das Bild der klassischen Werttheorie in vier Punkten und zwar: 1. „Die klassische Werttheorie lehrt, daß alle Werte, Gebrauchswert wie Tauschwert, auf der N ü t z l i c h - k e i t beruhen. Sie hat keineswegs, wie von ihr behauptet wird, „den Gebrauchswert ganz und voll aus dem Nutzen, den normalen Tauschwert der beliebig vermehrbaren Güter ebenso ganz und voll aus den Kosten erklärt." — Vielmehr sagt R i c a r d o so klar wie möglich, daß „die N ü t z l i c h k e i t für den Tauschwert u n - b e d i n g t w e s e n t l i c h ist. Wenn ein Gut auf keine Weise nutzbar wäre, mit anderen Worten, wenn es auf keine Weise zu unserer Wohlfahrt beitragen könnte, so würde es allen Tauschwertes bar und ledig sein" . . . R i c a r d o wie T h o m p s o n , M a r x wie R o d b e r t u s betonen ausdrücklich, daß die N ü t z l i c h - k e i t die Eine Wertquelle bildet — genau wie die Neuen."

2. R i c a r d o hat — nach D i e t z e l — für alle Güter S e l t e n h e i t und A r b e i t s a u f w a n d als wertbestimmend angegeben. Dies erläutert D i e t z e l so:

„Die klassische Werttheorie[2]) hat keineswegs übersehen, daß N ü t z l i c h k e i t u n d B e g r e n z t h e i t zusammenwirken müssen, damit Wert entstehe. Nicht nur bei G a l i a n i und T u r g o t — welche als Vorläufer der neuen „subjektiven" Wertlehre gern zitiert werden — findet sich die Erkenntnis, sondern ebenso bei R i c a r d o." D i e t z e l zitiert darauf die bekannte Stelle aus R i c a r d o s „Principles", worin die beiden Güterarten unterschieden werden, die eine, wie z. B. seltene Münzen, deren Tauschwert durch S e l t e n h e i t bestimmt wird und daher vom Wohlstand und der Neigung der Käufer abhängig ist, und die andere, das Hauptkontingent, die durch A r b e i t vermehrt werden können. Im Anschluß an dieses Zitat bemerkt D i e t z e l:

„Aus dieser Erörterung, welche den Kern der klassischen Werttheorie enthält, haben nun die Neuen die Anklage geschmiedet, R i c a r d o gäbe eine zweischlächtige „dualistische" Werttheorie, keine Lehre „aus einem Guß". Die Anklage ist irrig. R i c a r d o ist nur soweit schuldig, als er, statt den allgemeinsten Satz vorauszuschicken, den die Neuen unter Protest an die Spitze stellen — den Satz: Nützlichkeit und Begrenztheit sind die beiden Wertquellen — in seiner stürmischen Manier sofort in dessen weitere Ausführung hineingerät, indem er gleich d i e b e i d e n F ä l l e der Begrenztheit unterscheidet. Die Güter, deren Wert „durch ihre Seltenheit bestimmt wird", stehen ja im Verhältnis der a b s o l u t begrenzten Quantität: die Güter, deren Wert durch den Arbeitsaufwand bestimmt wird, im Verhältnis der r e l a t i v begrenzten Quantität. Wie so oft, hat R i c a r d o hier eine Unterlassungssünde begangen

---

[1]) Theoretische Sozialökonomik. S. 296.
[2]) a. a. O., S. 228.

und leider manche Nachfolger gefunden. Nicht aber hat er zwei disparate Formeln bezüglich der Wertquellen, zwei „Entstehungsarten" des Wertes gelehrt.

Gewiß ist seine heftige Vortragsweise einer grundlegenden Lehre zu tadeln, aber weit schärfer doch die hastige Kritik, welche behauptet, die These, daß gewisse Güter ihren Wert aus Nützlichkeit und S e l t e n h e i t ableiten, widerspreche der These, daß die Hauptmasse der Güter ihren Wert aus Nützlichkeit und A r b e i t s - aufwand ableiten ... Gewisse Güter sind s e l t e n , weil Arbeit sie n i c h t vermehren kann; dies ist die „eine Güterart" R i - c a r d o s. Hier gibt er die Ursache der Seltenheit an. Die Ursache der Seltenheit dieser „anderen Güterart" R i c a r d o s ist, daß Arbeit ein seltenes, b e g r e n z t verfügbares Mittel ist. Alle Güter, welche A r b e i t kosten, sind s e l t e n."

3. M a r s h a l l.

In ähnlicher Weise wie D i e t z e l sucht der englische Nationalökonom M a r s h a l l eine Verschmelzung der R i c a r d o schen Theorie mit der Grenznutzenlehre herbeizuführen — nur daß bei ihm nicht B ö h m - B a w e r k , sondern der Engländer J e v o n s als maßgebender Vertreter der Theorie der final utility herangezogen wird. Die M a r s h a l l schen Ausführungen haben um so mehr Interesse, als der dort vertretene Standpunkt in gewisser Hinsicht für die in der englischen Wissenschaft zur Zeit verbreitetste angesehen werden kann: M a r s h a l l s principles sind das standard work der modernen englischen Nationalökonomie. Es vertritt einen im besten Sinne des Wortes eklektischen Standpunkt: bei aller Berücksichtigung neuer kritischer Gesichtspunkte gegenüber der klassischen englischen Theorie bewahrt es für diese in England noch immer so hochgeschätzte Lehre große Anhänglichkeit. Von diesem vermittelnden Geiste ist auch der Versuch durchdrungen, R i c a r d o und J e v o n s zu „versöhnen". — Ähnlich wie D i e t z e l behauptet auch M a r s h a l l, daß R i c a r d o s Lehre und zwar infolge der unklaren Schreibweise des Verfassers meist m i ß v e r - s t a n d e n werde; in richtiger Auslegung stelle sie keinen Gegensatz zur modernen Grenznutzentheorie dar[1]): „wir könnten ebenso darüber streiten, ob es die untere oder obere Hälfte der Schere ist, welche das Papier durchschneidet. Es ist klar, daß, wenn die eine Hälfte festgehalten wird, und der Schnitt durch die Bewegung der anderen ausgeführt wird, wir ruhig kurz sagen können, daß der Schnitt durch die zweite Hälfte ausgeführt wurde; aber diese Feststellung ist nicht genau richtig, und kann nur entschuldigt werden, so lange man nur einen populären und nicht einen streng wissenschaftlichen Ausdruck für das haben will, was tatsächlich vorgeht."

Ebenso sei es auch mit der Werttheorie: sie habe ein doppeltes Antlitz: je nach der Art der Güter — namentlich der Zeitdauer, welche es koste, sie wiederherzustellen — könne einmal mehr der „Kosten"-, das andere Mal mehr der „Nutzen"standpunkt im Vordergrund stehen: „Ebenso werden die P r e i s e , welche die Leute für eine Ware zahlen wollen, wenn eine bereits angefertigte Sache verkauft werden soll, reguliert durch ihren Wunsch, die Sache zu erwerben, zusammen mit dem Geldbetrag, den sie dafür anlegen

---

[1]) Principles of Economics. Vol. I. London 1895. S. 427.

können. Ihr Wunsch, sie zu haben, hängt teilweise von der Möglichkeit ab, ein anderes ebensolches Exemplar zu einem ebenso niedrigen Preise zu erhalten: dies hängt wieder mit den Ursachen zusammen, welche den Vorrat davon regeln und dieses wieder mit den Produktionskosten. Aber es kann vorkommen, daß der zu verkaufende Vorrat praktisch begrenzt ist. Dies ist z. B. der Fall auf einem Fischmarkt, wo der Wert eines Fisches an einem Tage fast ausschließlich von der Menge von Fischen, verglichen mit der Nachfrage danach, abhängt. Und wenn jemand voraussetzt, daß der Vorrat begrenzt ist, und sagt, der Preis sei durch die Nachfrage beherrscht, so mag wohl diese Kürze entschuldbar sein, so lange nicht strenge Genauigkeit verlangt wird. Ebenso kann es verzeihlich sein, aber es ist nicht streng richtig, zu sagen, daß die veränderlichen Preise, welche dasselbe seltene Buch hat, wenn es gekauft und wieder verkauft wird auf Christies Auktion, lediglich von der Nachfrage abhängen.

Nehmen wir den Fall des anderen Extrems, so finden wir einige Waren, die ziemlich genau sich nach dem Gesetz des ,constant return‘ richten; d. h. ihre durchschnittlichen Produktionskosten werden ziemlich genau dieselben sein, ob sie in großen oder kleinen Mengen produziert werden. In einem solchen Falle wird die normale Höhe, um welche sich der Marktpreis herumbewegt, der Betrag der Geldproduktionskosten sein. Ist die Nachfrage groß, so wird der Marktpreis eine Zeitlang über dieser Höhe stehen; aber demzufolge wird die Produktion vermehrt werden und der Marktpreis fallen; und umgekehrt wird es sein, wenn die Nachfrage eine Zeitlang unter dem gewöhnlichen Durchschnitt steht.

Wenn jemand in einem solchen Fall die Schwankungen des Marktes vernachlässigt und voraussetzt, daß die Nachfrage gerade so groß ist, daß die Waren zu ihrem Produktionskostenpreise Käufer finden, dann kann er entschuldigt werden, wenn er den Einfluß der Nachfrage vernachlässigt, und die normalen Preise als allein durch die Produktionskosten beherrscht ansieht, — vorausgesetzt nur, daß er nicht wissenschaftliche Genauigkeit für den Wortlaut seiner Lehre beansprucht und den Einfluß der Nachfrage an richtiger Stelle bespricht. —

So können wir als eine a l l g e m e i n e R e g e l aufstellen, daß, je kürzer die Periode ist, welche wir in Betracht ziehen, um so größer muß der Anteil unserer Aufmerksamkeit sein, welcher dem Einfluß der Nachfrage auf den Wert geschenkt wird: und je länger die Periode ist, um so wichtiger wird der Einfluß der Produktionskosten auf den Wert sein.“

In einer sehr eingehenden „Note über die R i c a r d o sche Werttheorie“ geht dann M a r s h a l l näher auf die Theorie von R i c a r d o und J e v o n s ein; nachdem er die R i c a r d o sche Werttheorie dargelegt hat, bemerkt er über J e v o n s [1]): „Es gibt wenige Schriftsteller aus neuerer Zeit, welche der glänzenden Originalität R i c a r d o s so nahegekommen sind, wie J e v o n s. Aber er scheint R i c a r d o und M i l l zu scharf beurteilt zu haben und ihnen Ansichten zugeschrieben zu haben, die eine engere und weniger wissenschaftliche Auffassung bekunden, als die, welche sie

---

[1]) a. a. O., S. 561.

wirklich vertraten. Sein Wunsch, eine Ansicht vom Werte zu vertreten, welche sie nicht genügend hervorgehoben hatten, ist wahrscheinlich in gewissem Maße schuld an seinem Ausspruch: „Wieder-
holtes Nachdenken und Untersuchen hat mich zu der einigermaßen
neuen Meinung gebracht, daß d e r W e r t g ä n z l i c h v o n
d e r N ü t z l i c h k e i t a b h ä n g t." Diese Erklärung scheint
nicht minder einseitig und fragmentarisch, und viel irreführender
als die, in welche R i c a r d o oft mit sorgloser Kürze verfiel, daß
der Wert von den Produktionskosten abhänge; welche Erklärung
er aber immer nur als Teil einer ausführlicheren Lehre betrachtete,
deren übrige Teile er zu erläutern versucht hatte.

J e v o n s fährt fort: „Wir haben nun die natürlichen Gesetze
der Veränderungen der vom Besitze einer Ware abhängigen Nützlichkeit zu entwickeln, um zu einer befriedigenden Theorie des Tausches
zu gelangen, von der die gewöhnlichen Gesetze von Angebot und
Nachfrage eine notwendige Folge sind . . . Oft wird man finden, daß
Arbeit den Wert bestimmt, aber nur auf indirekte Weise, indem der
Grad der Nützlichkeit der Ware durch Vermehrung oder Verminderung
des Vorrates geändert wird." — Wie wir gleich sehen werden, ist die
letztere der beiden Erklärungen schon vorher in fast derselben vagen
und unbestimmten Form von R i c a r d o und M i l l abgegeben
worden; aber diese würden die erste Erklärung nicht angenommen
haben. Denn weil sie die natürlichen Gesetze der Veränderung der
Nützlichkeit für zu einfach hielten, um eine Erklärung im einzelnen
zu erfordern, und da sie meinten, daß die Produktionskosten keine
Wirkung auf den Tauschwert haben könnten, wenn sie auch nicht
zugleich von Einfluß auf die Zufuhr seien, welche die Produzenten
auf den Markt brächten — so bedeutet ihre Lehre, daß, was vom
Angebot wahr ist, mutatis mutandis auch von der Nachfrage wahr
sei, und daß die Nützlichkeit einer Ware keinen Einfluß auf ihren
Tauschwert haben könnte, wenn sie keinen hätte auf die Menge, welche
die Käufer aus dem Markte entnähmen."

M a r s h a l l stellt dann die „Central Position" von J e v o n s
der von R i c a r d o gegenüber.

Die J e v o n s sche „Central Position" findet M a r s h a l l
in folgenden Sätzen:

„Die Produktionskosten bestimmen das Angebot."

„Das Angebot bestimmt den Grenznutzen."

„Der Grenznutzen bestimmt den W e r t."

M a r s h a l l meint, daß die Kette ebensogut so aufgestellt
werden könnte:

„Die Nützlichkeit bestimmt die Menge, welche angeboten
werden muß."

„Die Menge, welche angeboten werden muß, bestimmt die
Produktionskosten."

„Die Produktionskosten bestimmen den W e r t."

Zu dieser Formulierung könnte also R i c a r d o seine Zustimmung geben, der stets zwar die Produktionskosten in den Vordergrund gestellt habe, aber den Einfluß von Nachfrage und Angebot
auch in Rücksicht gezogen habe. Und so kommt M a r s h a l l
nochmals auf das oben zitierte Bild zurück: „Das Kostenprinzip
und das Grenznutzenprinzip sind unzweifelhaft zusammenhängende

Teile von einer alles beherrschenden Regel von Nachfrage und Angebot; jeder Teil kann wie die eine Hälfte einer Schere betrachtet werden[1])."

§ 27. Kritik der dualistischen Werttheorie.

Ich will mich in meiner Kritik auf die D i e t z e l sche Lehre beschränken, weil das, was ich zur Kritik dieser Verschmelzung der beiden Theorien sage, auch für S c h ä f f l e und M a r - s h a l l gilt.

Ich habe die Lehre R i c a r d o s als schroffsten „Objektivismus" gekennzeichnet, die Grenznutzentheorie ist schroffster „Subjektivismus" — wie will D i e t z e l diese Kluft überbrücken? Ganz einfach, indem er R i c a r d o s u b j e k t i v deutet, indem er erklärt, R i c a r d o habe selbst eine s u b j e k t i v e Denkrichtung.

Wenn D i e t z e l sagt: R i c a r d o habe auch die Nützlichkeit als eine Wertquelle bezeichnet, so ist diese Interpretation irrig; die angeführte Stelle, wo R i c a r d o die „Nützlichkeit" erwähnt, dient dazu, das Gebiet für seine Wertuntersuchung abzugrenzen; er will „nutzlose" Dinge aus der Untersuchung fortlassen und betonen, daß nur nützlichen Dingen Wert beigelegt wird. Mit anderen Worten „Nützlichkeit" ist die V o r a u s - s e t z u n g dafür, daß überhaupt „Wert" und „Werturteile" in Frage kommen; aber das heißt nicht, daß Tauschwert auf Nützlichkeit „beruhe". R i c a r d o hätte sich diese ganze Ausführung sparen können, denn er will den „Güterwert" untersuchen; Güter sind aber stets „nützliche" Dinge; sonach diente seine Erklärung nur dazu, dem Mißverständnis abzuwehren, als ob auch „unnütze Dinge" Objekte von Wert sein könnten. Auf den Grad der Nützlichkeit kommt es aber den Grenznutzlern an, nicht auf „Nutzen" überhaupt; daß der Wert n i c h t nach „Nützlichkeit", sondern nach etwas anderem, nämlich nach einem bestimmten Kostenaufwand zu messen sei, war der Kerngedanke R i c a r d o s. — Irgendeine Konzession an die Nutzentheorie läßt sich aus der bloßen Konstatierung R i c a r d o s, daß Voraussetzung für die Wertbetrachtung die Nützlichkeit des Gegenstandes sei, nicht entnehmen.

Dieser Versuch D i e t z e l s, die R i c a r d o sche Wertlehre zu einer Seltenheitslehre umzugestalten, läuft auf eine gewaltsame Interpretierung der R i c a r d o schen Lehre hinaus. R i c a r d o sagt klar und deutlich: für eine gewisse Gruppe von Gütern ist die Seltenheit wertbestimmend, für eine andere die Arbeit; hierzu erklärt D i e t z e l: die Arbeit ist doch auch selten, folglich ist Seltenheit in allen Fällen das wertbestimmende Moment. Nicht „stürmische Manier" und nicht „hastige Vortragsweise" R i c a r d o s ist schuld, daß bisher diesen Zusammenhang niemand eingesehen hat, sondern umgekehrt: nur dadurch, daß fremde Ideengänge in die R i c a r d o sche Lehre hineingetragen werden, konnte die „Klärung" so erfolgen, wie sie D i e t z e l gegeben hat. Gewiß ist „Arbeit" ebenfalls „selten" und nur „begrenzt" vorhanden: dies ist ein zur Kritik R i c a r d o s zu verwendender Gesichtspunkt. Aber R i - c a r d o selbst hat gerade diesem Umstand nicht genügend Rechnung

---

[1]) S. 564.

getragen und alle die Ausführungen D i e t z e l s über die begrenzte Natur der Arbeit passen in den Gedankenkreis R i c a r d o s nicht hinein. Vielmehr sagt dieser ausdrücklich von der Hauptgütergruppe, daß sie sich vervielfältigen lassen „fast o h n e b e s t i m m b a r e G r e n z e f ü r i h r e M e n g e, wenn wir nur geneigt sind, die zu ihrer Erlangung erforderliche A r b e i t anzuwenden." Damit stellt R i c a r d o also in deutlichen Gegensatz die Güter, die, weil sie n i c h t durch Arbeit reproduzierbar sind, durch die Seltenheit in ihrem Wert bestimmt werden, zu den Gütern, die das Seltenheitsmoment n i c h t haben.

Daher auch sein Ausdruck „beliebig reproduzierbare Güter". Er geht davon aus, daß in fast grenzenloser Weise, d. h. jedenfalls für die theoretische Betrachtung grenzenloser Weise die Arbeit eine Ausdehnung erfahren kann, wenn von seiten der Käufer bzw. durch die Marktgestaltung Anreiz dazu gegeben wird. Ich habe oben ausführlich meine Bedenken gegen diese Kategorie „beliebig reproduzierbarer Güter" geäußert: aber es liegt kein Anlaß vor, hier R i c a r d o anders zu „interpretieren", da doch seine eigenen Worte klar genug sprechen. Neigung und Wohlstand der Käufer, also subjektive Momente, entscheiden nur bei der ersten Gruppe, wobei die Seltenheit eine ökonomisch relevante Rolle spielt. Diese Gruppe von Gütern hält R i c a r d o für so unbedeutend, daß er mit wenigen Worten über sie hinweggeht, um zu der Gruppe der Güter zu kommen, die die „Hauptmasse" ausmacht; diese sind gerade Güter, bei denen die Seltenheit k e i n e Rolle spielen soll, denn während bei der ersten Gruppe Neigung der Käufer entscheidet, kommt diese bei der zweiten höchstens vorübergehend in Betracht; entsteht durch die Launen der Käufer einmal ein Preisstand der reproduzierbaren Güter, der dem „W e r t"stand, d. h. dem Kostenaufwand nicht adäquat ist, so wird aus dem „schier unerschöpflichen" Arbeitsvorrat geschöpft und neue Gütermassen werden produziert: in fast unbegrenzter Weise ist diese Vervielfältigung möglich, aber warum? Gerade, weil nach R i c a r d o die Arbeit nichts „seltenes" ist. —

3. D i e t z e l behauptet, die „klassische Werttheorie habe die S u b j e k t i v i t ä t der Werturteile keineswegs verkannt". Zum Beweise führt er den Satz R i c a r d o s an: „Jedermann hat in seinem Gemüte einen Maßstab, nach dem er den Wert seiner Genüsse schätzt." — Er erwähnt eine ähnliche Stelle bei T h o m p s o n und fährt fort: „In der Sprechweise von heute ausgedrückt lautet die Quintessenz jener Sätze R i c a r d o s und T h o m p s o n s : aller Wert ist subjektiv. Wegen des Nutzens, den sie stiften, wird Arbeit, werden Kosten für die Dinge aufgewandt. „Der Nutzen bestimmt die Kosten."

Die angeführten Zitate beweisen nichts für die Subjektivität der klassischen Werttheorie; denn es handelt sich in der betreffenden Stelle bei R i c a r d o — wie ich oben schon ausführte — um Luxusartikel, um Pferde und Weine, also gewiß um „nicht beliebig reproduzierbare" Güter; für diese hatte die klassische Schule die Subjektivität niemals geleugnet. Im übrigen soll der selbstverständliche Satz, daß die Arbeit nur um eines N u t z e n s willen geleistet wird, nicht bestritten werden; aber dies ist gerade das Eigentümliche des vergeblichen Bemühens der Objektivisten, trotz

der tatsächlichen Beziehungen zwischen „Nutzen" und „Wert" diese
Nutzenbeziehung zugunsten des Kostenaufwands zu eliminieren.

D i e t z e l fährt fort[1]): „Die Kostentheoretiker haben ferner
oft darauf hingewiesen, daß das Maß der Kosten, welches für ein Gut
aufgewandt wird, und das Maß des Preises, welches ein Gut auf dem
Markte erzielt, sich erklärte aus dem Maß des Nutzens, welches der
Begehrende dem Gute beilegt — daß die Nutzwertschätzung des
Konsumenten bestimmt, wie hoch in m a x i m o sich die Kosten
und die Preise belaufen dürfen." Dies stimmt alles — aber nur,
wenn es auf den Marktpreis der Güter bezogen wird. Für den Marktpreis hat R i c a r d o nie die Einflüsse von Angebot und Nachfrage
geleugnet; für den sog. „natürlichen" oder „Durchschnittspreis", d. h.
gerade für den Preis, der für die Werttheorie allein in Betracht kommt,
hat er immer von diesen Momenten abstrahieren zu können geglaubt.

4. Schließlich behauptet D i e t z e l nochmals direkt, daß die
Klassiker gelehrt hätten, daß auch der Wert der beliebig reproduzierbaren Güter auf „Nützlichkeit und Arbeitsaufwand." beruhe;
S m i t h habe allerdings nicht richtig erkannt, warum der Arbeit
Wert beigelegt wird, indem er auf „the toil and trouble" hinweist,
welche dem Subjekt durch die Güter erspart wird. Vielmehr müsse
der Wert der Arbeit gefolgert werden aus der Eigenart der Arbeit
als des a l l g e m e i n n ü t z l i c h e n und a l l g e m e i n be-
g r e n z t verfügbaren Mittels der Wirtschaft. „Was das konkrete
Subjekt bei der Arbeit empfindet, ob es gern oder ungern arbeitet,
ist ganz gleichgültig. In jedem Falle bedeutet für jedes Subjekt
ein Aufwand von Arbeit behufs Reproduktion einen Verlust von
wirtschaftlicher Energie, und bedeutet das Dasein eines Arbeitsprodukts einen Zuwachs an wirtschaftlicher Energie, welcher in den
Dienst des Reichtumszweckes gestellt werden kann." Und so kommt
er zu dem Schlusse: „Wird der Wert der durch Arbeit reproduzierbaren Produkte darauf begründet, daß der Aufwand jeder Teilmenge
von Arbeit deshalb k o s t e, weil Arbeit „nützlich" und „begrenzt"
ist, so ist die Arbeitstheorie für die Nutzentheoretiker „Fleisch vom
eigenen Fleisch". Bezüglich des Wertes der irreproduziblen Güter
hat eine Differenz ja niemals bestanden."

Indem so D i e t z e l einfach Arbeit identifiziert mit Nutzeneinbuße, kommt er zu dem Schluß: „Value depends entirely upon
utility," sagt J e v o n s. Da aber Kosten gleich Nutzeneinbuße
oder negative utility ist, so steht sein Satz keineswegs in Widerspruch
mit dem Satze, daß der Wert von den K o s t e n abhängt. Wenn
behauptet wird, daß die Wertgröße der Güter abhänge von der Größe
der N u t z e n e i n b u ß e, welche ihre Reproduktion nach sich
ziehen würde, so wird damit durchaus nicht geleugnet, daß sie „von
der Nützlichkeit abhängt".

Auch diese letzte Argumentation zugunsten einer „subjektiven"
Auffassung der Arbeitswerttheorie halte ich nicht für stichhaltig;
denn was hier D i e t z e l vorträgt, ist eine subjektive „psychologische" Variante der Kostentheorie, die aber toto coelo von der
R i c a r d o schen Auffassung verschieden ist. Auch die S m i t h sche
Arbeitstheorie ist eine subjektive Variante der Kostentheorie und dadurch grundsätzlich von R i c a r d o s Lehre verschieden; für R i -
c a r d o ist der Arbeitsaufwand etwas schlechthin „objektives" —

---
[1]) S. 231.

es werden gewisse Aufwendungen gemacht, und die Preise sollen diesen „Aufwendungen" adäquat sein; ob aber solche Aufwendungen mit Lust oder Unlust, mit oder ohne Nutzeneinbuße gemacht werden, das sind Erwägungen und Gedanken, die R i c a r d o und seinen Anhängern ganz fern lagen. Selbst angenommen, aber nicht zugegeben, R i c a r d o hätte bei der Arbeit als Wertmaß an ihren „Nutzen" gedacht, so ist es doch ein bedeutender Unterschied, ob man, wie die Grenznutzentheoretiker, den Wert der Güter abhängig macht von dem Nutzen, den d i e s e s e l b s t für uns haben, oder, wie R i c a r d o in D i e t z e l scher Fassung, von dem Nutzen bzw. der Nutzeneinbuße, die mit den Mitteln verknüpft sind, die zur Herstellung der Güter dienen.

Wenn D i e t z e l meint[1]): „Fast alle Hauptvertreter der Arbeitstheorie haben betont, es sei zu berücksichtigen, daß g l e i c h e M e n g e n Arbeitszeit durchaus v e r s c h i e d e n e n W e r t haben können. Allerdings streifen sie dies Thema nur flüchtig und beispielsweise" — so ist hierauf zu erwidern, daß dies auf R i c a r d o nicht zutrifft. Er berücksichtigt den verschiedenen Wert der Arbeit nicht nur nicht, sondern gibt sogar an, warum er, wie ich oben näher darlegte, den verschiedenen Wert ignorieren kann. Da er nur den relativen Wert der Waren ermitteln will und die Wertänderung in der A r b e i t s m e n g e erblickt, andererseits aber annimmt, daß sich im gegenseitigen Wertverhältnis der Arbeitsarten nichts ändert — kann er von der „Arbeit" schlechthin als wertbestimmendem Faktor reden.

Die objektive, aller Psychologie bare Werttheorie der Klassiker ist nicht, wie D i e t z e l meint, ein „Phantom"[2]), sondern Wirklichkeit; eine Verständigung dieser Theorie mit der Grenznutzentheorie, welche in der Psychologie wurzelt, ist unmöglich.

Demnach müssen wir D i e t z e l s Versöhnungsmission als gescheitert betrachten. Es ist ihm nicht gelungen, zu zeigen, daß hier kein unversöhnbarer Gegensatz bestehe: der Gegensatz ist vorhanden und kann nicht durch gekünstelte Deutungen und Interpretationen verschleiert werden. Aber es läge auch gar nicht im Interesse der Wissenschaft, solche Versuche der Verschmelzung so heterogener theoretischer Gesichtspunkte vorzunehmen. Dies könnte nur zur Verschwommenheit und Unklarheit führen. Beide Richtungen, sowohl die Kostentheoretiker wie die Nutzentheoretiker, haben ein Prinzip, aus dem sie die Preisbildung letzlich erklären: die einen weisen auf ein objektives, die andern auf ein subjektives Merkmal hin, — welche von beiden Richtungen auf die Dauer siegreich bleibt, ist zweifelhaft; ich glaube, die zweite. Denn bei der immer vielgestaltiger sich ausbildenden Volkswirtschaft muß man in immer erhöhtem Maße den Tatsachen Gewalt antun, wenn die Preise durch die Kosten oder sonst ein objektives Merkmal bestimmt werden sollen. Aber die eine oder die andere Richtung wird schließlich den Sieg davontragen: ein Kompromiß, eine Verschmelzung beider ist ausgeschlossen. Betrachtet man D i e t z e l s Ausführungen näher, namentlich die, wo er das Thema, wie die beiden Richtungen zu verstehen seien, verläßt und seinerseits angibt, wie der Wert der Güter bemessen werden soll, so sieht man, daß er im Grunde genommen doch trotz all seiner „subjektiven" Einkleidungen zu-

---

[1]) S. 259. — [2]) S. 216.

gunsten der Versöhnung ein Anhänger der objektivistischen Richtung ist. Seine letzten Ausführungen über die Arbeit oder das Wertmaß sind wenigstens teilweise im Geiste R i c a r d o s gehalten, gehen sogar in der „Abstraktion" noch weiter, als die klassische National-ökonomie. Eine kurze Darlegung der D i e t z e l schen Arbeitswert-theorie ist sehr lehrreich: sie zeigt, daß heute noch manche der Irr-tümer der englischen Volkswirtschaftslehre, auf die ich oben hinwies, ihre volle Lebenskraft haben.

D i e t z e l hält die Reproduktionskosten — nicht wie R i -c a r d o die Kosten der Güter — wenigstens für die Gruppe der sog. reproduziblen Güter, welche Kategorie er trotz aller Schwierigkeit dieser Unterscheidung akzeptiert — für das richtige Wertmaß. Diese Reproduktionskosten glaubt er allein auf Arbeitsaufwand zurück-führen zu können.

Was die Wertgröße solcher Güter anlangt, für deren Repro-duktion nur Arbeit und zwar Arbeit g l e i c h e r A r t aufzuwenden ist, so faßt er die Realkosten als Summen gleichartiger Einheiten auf[1]). „Arbeitskrafteinheit wie Arbeitszeiteinheit können zum General-nenner dieser Kostengrößen genommen werden." — Wie aber, wenn nicht Arbeit g l e i c h e r A r t, sondern Arbeit v e r s c h i e d e n e r A r t zur Herstellung der Güter nötig ist; dann soll nach D i e t z e l eine „Normalarbeit" konstruiert werden.

Diese Reduktion der verschiedenen Arbeiten auf Normalarbeit bewerkstelligt D i e t z e l so: die verschiedenen Differenzen müssen ausgeglichen werden und zwar handelt es sich um folgende Ver-schiedenheiten:

A. Die m a t e r i e l l e n K o s t e n der verschiedenen Arbeits-einheiten sind verschiedene:

1. Der Kraftersatz der verschiedenen Arbeiten ist verschieden groß.

2. Der Erziehungsaufwand ist verschieden.

B. Die p e r s ö n l i c h e n K o s t e n sind verschieden, d. h. die Lust- und Unlustgefühle bei den einzelnen Arbeiten. Um all diese Differenzen zu einer „Normalarbeit" auszugleichen, muß D i e t z e l folgendes schwierige Verfahren einschlagen: „Weil das Maß der materiellen, wie der persönlichen Kosten je nach der Arbeits-art differiert, so kann die Zeiteinheit der Arbeit α einen weit höheren, bezüglich weit geringeren Wert haben, als die Zeiteinheit der Arbeit β. Die Werte der Produkte von Arbeit α und Arbeit β sind daher nicht einfach aus den Zeitmengen, die sie kosten, zu bestimmen. Zuvor müssen die Werte der Zeiteinheiten der betreffenden Arbeitsarten verglichen und auf einen Generalnenner gebracht worden sein. Dies geschieht dadurch, daß die Stunde höherwertiger Arbeit als Viel-faches einer Stunde normalwertiger Arbeit oder Normalarbeit, die Stunde minderwertiger als Bruchteil einer solchen ausgedrückt wird. Die Stunde N o r m a l a r b e i t, d. h. solcher Arbeit, die nach dem Ergebnis hierüber angestellter Untersuchung, das durchschnitt-liche Maß materieller wie persönlicher Kosten verursacht — bildet den Generalnenner für die Werte der Zeiteinheiten der verschiedenen Arbeitsarten und ihrer Produkte." — D i e t z e l gesteht selbst zu, daß diese Wertbemessung der Arbeitsprodukte in praxi recht „große Schwierigkeiten" machen könnte[2]). Ich glaube, daß dies nicht nur

---

[1]) S. 245. — [2]) S. 251.

sehr große Schwierigkeiten machen wird, sondern unmöglich ist. Ich halte die Konstruktion einer Normalarbeit in praxi und theoretisch für ein unlösbares Problem und verweise auf meine früheren Bemerkungen darüber[1]).

Wenn zur Herstellung der Güter außer Arbeit noch Kapital erforderlich ist, was also der Normalfall sein dürfte, so löst sich auch diese Schwierigkeit nach D i e t z e l einfach: die Kapitalkosten werden auf A r b e i t s k o s t e n reduziert[2]): „Die Größe des Wertes eines reproduziblen Kapitals hängt ab von der A r b e i t s menge, die seine Reproduktion kosten würde." — Hier geht D i e t z e l noch weiter als R i c a r d o ; er erklärt: „Daß die Differenz des K a p i t a l aufwands die Wertgröße beeinflusse, haben die Vertreter der Arbeitstheorie niemals geleugnet. — Da aber der Kapitalaufwand in Arbeitsaufwand umzurechnen ist, so wird hierdurch die Arbeitstheorie keineswegs erschüttert[3])." — R i c a r d o hat keineswegs den Kapitalaufwand einfach in Arbeitsaufwand umgerechnet, sondern hat nur in den Fällen, wo bei einer Produktion neben der Arbeit die Kapitalien von derselben Beschaffenheit und derselben Zeitdauer waren, deren Arbeitsaufwand allein als maßgebend erklärt, dagegen überall da, wo die Dauer und die Art der Kapitalverwendung zur Produktion v e r s c h i e d e n war, dem Kapital eine s e l b - s t ä n d i g e Stelle bei der Wertbildung zugeschrieben. — Schließlich reduziert D i e t z e l auch die Naturkosten auf Arbeitskosten — doch würde es zu weit führen, auch diese Reduktion hier noch zu verfolgen.

Ebensowenig ist M a r s h a l l s Versöhnungsversuch geglückt. Auch M a r s h a l l läßt zu sehr die g r u n d s ä t z l i c h e Verschiedenheit der beiden entgegengesetzten Theorien außer acht: sonst könnte er nicht koordinieren, was schlechterdings nicht zu vereinigen ist. Entweder man geht — wie die Objektivisten — von dem Gedanken aus, daß der „Wert" beherrscht wird durch bestimmte objektive Aufwendungen bei der Produktion — dann kann man den subjektiven, auf seiten der Käufer vorhandenen Momenten nur eine sekundäre Bedeutung beilegen, und die „Kosten" sind und bleiben der Zentralpunkt oder: man erblickt in den Begehrungen und Schätzungen der Konsumenten das Ausschlaggebende, dann werden wir den „Kosten"ziffern die indirekte Bedeutung beimessen, daß sie die Werturteile beeinflussen — aber diese beiden verschiedenen theoretischen Ausgangspunkte miteinander verschmelzen zu wollen, führt höchstens zu einem Eklektizismus oder vielmehr zur Preisgabe eines einheitlich wissenschaftlichen Gesichtspunkts überhaupt.

---

[1]) Bd. II, S. 132. — [2]) S. 103 ff. — [3]) S. 262.

5. Kapitel.

Abschließende Betrachtung über die Stellung der Werttheorie im System der theoretischen Ökonomie.

§ 28. Die Werttheorie als allgemein theoretische Grundlage der Preistheorie.

Der bekannte holländische Nationalökonom V e r r i j n S t u a r t macht in einer ausführlichen Besprechung des zweiten Bandes des vorliegenden Werkes[1]) gegen meine Systematik besonders folgende Punkte geltend: „D i e h l bringt die Wert- und Preislehre nicht in dem allgemeinen grundlegenden Teil seines Werkes, sondern in der Theorie der Güterzirkulation unter. Meiner Meinung nach muß die ganze theoretische Nationalökonomie organisch aufgebaut werden und von der primären Tatsache ausgehen, daß dem Menschen Bedürfnisse bewußt werden, und zwar mehr, als er je befriedigen kann, daß er demzufolge gezwungen ist, zu wirtschaften und dasjenige, was ihm zur Deckung seiner Bedürfnisse in beschränktem Maße zur Verfügung steht, zu werten; und daß er sich bei allen Offenbarungen seines Wohlfahrtsstrebens durch seine Werturteile leiten läßt. Ich würde in der Tat nicht eine einzige wirtschaftliche Erscheinung nennen können, bei deren kausaler Erklärung man nicht auf wirtschaftliche Werturteile von Menschen (bzw. von Menschengruppen) zurückgehen muß. Die Wertlehre soll ihrem Wesen nach im allgemeinen Teil der Wirtschaftstheorie vorgetragen werden, und von der Preislehre, die die direkteste und allgemeinste Anwendung der Wertlehre darstellt, gilt dasselbe. Werturteile weisen der Produktion die Richtung, in der sie gehen soll; sie bilden prinzipiell die Grundlage der Verteilung des in gemeinsamer Arbeit Produzierten sowie den unentbehrlichen Ausgangspunkt für eine richtige Einsicht in die Erscheinungen, die in der Sphäre der Zirkulation Erklärung fordern (Handel, Geld, Kredit); und sie dienen endlich dem Wirtschaftssubjekt bei der Regelung des Verbrauchs und bei der relativen Versorgung von Gegenwart und Zukunft. Wenn man es unterläßt, im allgemeinen Teil der Wirtschaftstheorie der Wertlehre die ihr gebührende Behandlung zuteil werden zu lassen, muß man, wenn man ein System der Nationalökonomie schreibt, entweder immer wieder auf störende Wiederholungen verfallen oder sonst an äußerst wichtigen Teilen des behandelten Stoffes achtlos vorbeigehen. Namentlich jetzt, wo die deutsche Wissenschaft im

---

[1]) Weltwirtschaftliches Archiv, Bd. XXI (1925), H. 2, S. 123.

Begriff ist, sich von dem theoretisch-sterilen und einseitigen Historismus der letzten Jahrzehnte zu befreien, ist es dringend nötig, daß sie zu den genannten wichtigen Grundproblemen Stellung nimmt. Es wird sich dabei ergeben, daß es im Wirtschaftsleben, anders als D i e h l meint, Gesetze gibt, die nicht an Ort und Zeit gebunden sind, und die durch willkürliches Eingreifen auch der stärksten öffentlichen Gewalt nicht beiseite geschoben werden können."

Indem ich zusammenfassend meine eigene Stellungnahme zur Werttheorie präzisiere, wird sich daraus von selbst ergeben, daß ich mit bewußter Absicht die von S t u a r t bemängelte Systematik gewählt habe.

I. Das Gebiet der Wertlehre darf nicht zu weit gefaßt werden; die Werttheorie kann nicht die Grundlage und der Ausgangspunkt für alle Probleme der ökonomischen Theorie sein. Sie muß sich damit bescheiden, die allgemeine Grundlage für die Erklärung der Preiserscheinungen zu geben, also für die Phänomene der Zirkulation und damit indirekt auch für gewisse Probleme der Distribution. Die von S t u a r t vertretene Auffassung, die der Wertlehre eine allbeherrschende Stellung in der Theorie einräumt, ist weit verbreitet, schon von den klassischen Nationalökonomen und dann wiederum von der Grenznutzentheorie vertreten worden. M a c C u l l o c h hatte bereits die Nationalökonomie geradezu als die Wissenschaft vom Werte bezeichnet, indem er behauptet: ,,Pohtical Economy might, indeed, be called the s c i e n c e o f v a l u e s; for, nothing destitute of exchangeable value, or which will not be received as an equivalent for something else which it has taken some labour to produce or obtain, can ever properly be brought within the scope of its inquiries[1])." B ö h m - B a w e r k erklärt: ,,Die Idee des Grenznutzens ist gleichsam ein Zauberschlüssel, mit dem der Kundige die verwickeltsten Erscheinungen des wirtschaftlichen Lebens und die schwierigsten Probleme der Wissenschaft erschließen kann[2])." Geht man so weit, so bedeutet das nichts anderes, als daß der ,,Wert" unserer Wissenschaft ihre Aufgabe zu stellen und ihr Gebiet abzugrenzen hätte. Hierauf spielt offenbar auch S t u a r t ab, indem er die Sphäre der Produktion als diejenige bezeichnet, die allein durch die Wertbetrachtung erforscht werden könnte. Er führt dieses auch des näheren aus, indem er mir gegenüber die Frage aufwirft, ,,wodurch wird die Richtung bestimmt, in der die in abstracto für eine unendliche Anzahl von Bestimmungen zu gebrauchende produktive Energie angewendet werden wird? An dieser Frage geht aber D i e h l in seinem Buche ganz vorbei, und er mußte dies wohl tun, weil ihn ihre Beantwortung direkt mit der Wert- und Preislehre in Berührung gebracht und ihn gezwungen haben würde, auf das Gossensche Gesetz der Grenzproduktivität Bezug zu nehmen." Und er bemerkt ferner: ,,Warum dann nicht ein noch viel größerer Teil des Einkommens für die Vermehrung der ,produzierten Produktionsmittel' verwendet wird? Die Antwort auf diese Frage kann aber man nicht geben, ohne auf die Wertdifferenz von bonum praesens und bonum futurum einzugehen, und dadurch ist man wieder mitten in die Wertlehre gelangt." Ich bin an diesen Fragen nicht vorbei-

---

[1]) Principles of Political Economy, 4. Ed., S. 3.
[2]) Die österreichische Schule (1891). In: Gesammelte Schriften von Eugen von Böhm-Bawerk. Herausgeg. von Franz H. Weiß. Wien u. Leipzig 1925. S. 209.

gegangen, sondern habe sie ausführlich in meiner Lehre von der Produktion behandelt, allerdings ohne jeden Bezug auf Wert und Preis, weil ich glaube, daß es auch systematisch viel richtiger ist, die Phänomene der Produktion zunächst ohne Heranziehung des Wertproblems zu behandeln. Gewiß soll die Produktion nicht vom technischen, sondern vom wirtschaftlichen Standpunkt aus betrachtet werden, d. h. in Rücksicht auf die wirtschaftliche Ertragsfähigkeit und die wirtschaftlichen Erträge, aber nicht im Hinblick auf den Tauschwert der Güter. Schon L i s t und B e r n h a r d i hatten sehr klar auf die Verirrungen hingewiesen, die nicht nur in der Theorie der Nationalökonomie, sondern auch in der praktischen Wirtschaftspolitik dadurch verursacht wurden, daß immer der „Tauschwert" in den Vordergrund der Betrachtung gestellt worden ist.

Um die Frage von S t u a r t konkret zu beantworten: die Richtung, die in der produktiven Energie angewandt wird, wird nicht durch die Wert- und Preislehre angezeigt, sondern vor allem durch die objektiven Möglichkeiten, die durch die in einem Lande vorhandenen produktiven Kräfte gegeben sind, und die Frage, warum nicht mehr Einkommen auf die Vermehrung der produzierten Produktionsmittel angewandt wird, läßt sich wiederum nicht aus einer Bilanz der Lust- und Unlustgefühle beantworten, sondern durch den Hinweis auf gewisse objektiv gegebene Notwendigkeiten, die sich durch die Knappheit wichtiger Rohstoffe, durch das Gesetz des abnehmenden Bodenertrags und die natürlichen Standortsbedingungen ergeben. Gerade deshalb schien es mir richtiger, in der Lehre von der Produktion erst diese objektiven Produktionsverhältnisse klarzulegen, denn ohne diese ist eine Wert- und Preislehre gar nicht möglich. Mit anderen Worten: Jede Werttheorie, die nicht auf diese Produktionsbedingungen Rücksicht nimmt, kann die Preiserscheinungen überhaupt nicht erklären. Und wenn S t u a r t sogar für die Verteilung der Güter prinzipiell die „Werturteile" verantwortlich macht, so ist darauf zu erwidern, daß für die Verteilung der Güter nicht die Werturteile, sondern in erster Linie die Machtverhältnisse entscheidend sind, die durch eine bestimmte Organisationsform der Wirtschaft, d. h. vor allem durch die Rechtsordnung und durch die Verteilung der Macht auf die einzelnen Gruppen und Verbände sich herausbilden.

II. Gerade diese notwendige Rücksicht auf die Machtverhältnisse macht es unmöglich, von einem „Wertgesetz" zu sprechen in dem Sinne, daß unabhängig von der Regelung der Wirtschaftsordnung es eine allgemeine Gesetzmäßigkeit gebe, die aller Preisbildung zugrunde liege. Dies führt mich zu einer Auseinandersetzung mit dem Problem, das B ö h m - B a w e r k in seiner bekannten Abhandlung ausführlich erörtert hat[1]). B ö h m wirft dort die wichtige theoretische Frage auf, ob der Einfluß der Macht sich innerhalb oder gegen die ökonomischen Preisgesetze sich geltend mache, ob er dort, wo er auftritt, die Formeln der theoretischen Preisgesetze durchkreuzt und stört oder aber sie erfüllt. Er beantwortet die Frage dahin, daß das von ihm aufgestellte Wertgesetz in

---

[1]) Macht oder ökonomisches Gesetz (1914). Zeitschrift für Volkswirtschaft, Sozialpolitik und Verwaltung, Bd. XXIII, S. 205—271. (Wieder abgedruckt in den „Gesammelten Werken" von Eugen von Böhm-Bawerk, S. 230 ff.)

keiner Weise durch die Machtverhältnisse irgendwelcher Art berührt
werde, daß vielmehr die Machtverhältnisse sich nicht außerhalb
oder gegen, sondern innerhalb und durch die Erfüllung der ökonomischen Preisgesetze auswirken[1]). Ich bin der entgegengesetzten
Ansicht und behaupte, daß die Aufstellung eines „Wertgesetzes",
und zwar ganz gleichgültig, ob das Gesetz die Gestehungskosten oder den Grenznutzen als maßgebend für die Preisbildung
annimmt, unmöglich ist; und zwar gerade wegen der „Machtverhältnisse". Bei der Betrachtung der sog. Machtverhältnisse müssen
zwei verschiedene Arten von Machtverhältnissen unterschieden
werden, die in der Diskussion dieser Frage oft nicht auseinandergehalten werden. Das Machtverhältnis kann

1. die allgemein rechtliche Macht sein, die durch die jedem
Wirtschaftsleben zugrunde liegende Rechtsordnung statuiert ist, z. B.
je nachdem entweder eine durch Privateigentum und freie Konkurrenz bestimmte, also freie Preisbildung statthat, oder weitgehend staatlich autoritäre, d. h. gebundene, Preisbildung in der
betreffenden Wirtschaftsordnung Platz greift.

2. kann es sich um die ökonomischen Machtverhältnisse handeln,
d. h. auch bei grundsätzlich freier Konkurrenz und freier Preisbildung kann durch wirtschaftliche Machtverhältnisse aller Art, z. B.
die Monopolstellung einzelner Unternehmer, ferner durch Kartelle,
Syndikate, Tarifverträge usw. die Preisstellung keine freie, sondern
eine vielfach gebundene sein.

B ö h m nimmt zu diesen beiden Arten von Machtverhältnissen
Stellung und behauptet

1. daß die Macht, soweit sie durch die Rechtsordnung gegeben sei,
von ihm selbst immer vorausgesetzt wäre: „Irgendein Einschlag
sozialer Einflüsse muß, wie unten noch genauer besprochen werden
soll, immer vorhanden sein, weil ja doch immer irgendeine, wie
immer beschaffene Rechtsordnung existieren muß[2]). . . . Irgendein ‚historisch-rechtlicher' oder ‚sozialer' Einschlag ist in jedem
sozialwirtschaftlichen Phänomene so allgegenwärtig, daß für eine
entgegengesetzte ‚reine' Kategorie einfach gar nichts übrig bleibt.
Es gibt buchstäblich k e i n e n Preis und k e i n e Verteilung —
außer durch Straßenraub u. dgl. — ohne historisch-rechtlichen Einschlag. Es muß ja doch in jeder zivilisierten Gesellschaft irgendeine
Rechtsordnung geben, die in Anwendung tritt, wo zwei Gesell-
schaftsglieder zueinander in Beziehung treten, und die darum auch,
wie immer sie beschaffen sein mag, Inhalt und Form jener Berührung
irgendwie beeinflußt[3])." Er will damit also sagen, daß selbstverständlich sein Wertgesetz nur im Rahmen einer bestimmten Rechtsordnung
zu verstehen sei.

2. Was aber den Einschlag sozialer Machtmittel anbelangt, die
in unserer modernsten Wirtschaftsverfassung in immer stärkerer Zunahme begriffen seien: „Trusts, Kartelle, Pools, Monopole aller Art
drängen sich von der einen, Arbeiterorganisationen mit den Macht-
mitteln der Streiks und Boykotts von der anderen Seite überall in
die Preisbildung und Verteilung ein[4])," so könnten auch diese Macht-

---

[1]) a. a. O., S. 241.
[2]) a. a. O., S. 234.
[3]) a. a. O., S. 249.
[4]) a. a. O., S. 235.

mittel nie anders als in Erfüllung des Wertgesetzes sich auswirken. —
Ich bemerke kritisch hierzu folgendes:

ad 1. B ö h m - B a w e r k macht hier ein sehr bemerkens-
wertes Zugeständnis, da sonst die Vertreter der „Wertgesetze", sowohl die der objektiven wie die der subjektiven Richtung, immer
wieder betonen, daß ihr Wertgesetz allgemein alles Wirtschaftsleben
beherrscht. Im Sinne der „reinen" oder „natürlichen" Ökonomie
wählen sie ihre Beispiele aus den Tauschakten des Urfischers oder
Urjägers, oder sie gehen von einem Robinson oder sonst einer isolierten Wirtschaft aus und behaupten, daß in diesen Fällen genau
dieselben Wertschätzungen vorkommen, wie in der modernen kapitalistischen Wirtschaft. Dieses Zugeständnis steht in einem gewissen
Widerspruch zu ausdrücklichen Sätzen vieler Vertreter gerade der
österreichischen Schule. So wenn z. B. M e n g e r sagt: „Der Wert
der Güter ist, gleichwie der ökonomische Charakter derselben, u n -
a b h ä n g i g von der menschlichen Wirtschaft in ihrer sozialen Erscheinung, unabhängig auch von der R e c h t s o r d n u n g , ja von dem
Bestande der G e s e l l s c h a f t"[1]), oder wenn W i e s e r von einem
„natürlichen Wert" spricht und damit den Wert meint, wie er aus
dem Verhältnis von Gütermenge einerseits und Nutzen anderseits
hervorgeht. Doch nehmen wir das Zugeständnis B ö h m - B a -
w e r k s an, daß also die Rechtsordnung gegeben sein muß, so würde
das bedeuten, daß das Wertgesetz nicht als allgemeines ökonomisches
Gesetz gelten kann, sondern nur für eine bestimmte historisch-rechtliche Periode. Aber B ö h m macht wohl nicht Ernst mit dieser
Anerkennung der Rechtsordnung, denn er hat tatsächlich seinem
Wertgesetz nicht eine bestimmte Ordnung, z. B. die kapitalistische
Wirtschaftsordnung zugrunde gelegt, sondern eine rein hypothetische
Ordnung. Er macht die Voraussetzung, daß sich völlig gleiche und
freie Wirtschaftssubjekte, die nur von ihrem ökonomischen Interesse
geleitet sind und bei ihrer Bedarfsbefriedigung völlig rational vorgehen, gegenüberstehen. In keiner historischen Rechtsordnung hat
es solche freie Konkurrenz gegeben, in jeder Rechtsordnung, auch in
der sog. individualistischen Wirtschaftsordnung, gibt es zahlreich
gebundene Preise, obrigkeitlich und behördlich fixierte Preise, z. B.
die Preise in den gemeinwirtschaftlichen Betrieben. Das Wertgesetz
selbst, wenn es nur historisch bedingt sein sollte, ist also nur auf
Grund wesentlichster Abweichungen von den tatsächlich durch die
Rechtsordnung gegebenen Machtverhältnissen gewonnen.

ad 2. Was die Behauptung B ö h m - B a w e r k s anbelangt,
daß auch die ökonomischen und sozialen Machtverhältnisse keine
Änderung in der durch das Preisgesetz bestimmten Preislage hervorrufen könnten, so will ich zunächst ein paar von B ö h m gegebene
Beispiele anführen. B ö h m weist einmal auf den Monopolpreis hin,
worunter er einen Preis versteht, der für einen monopolisierten Artikel vom Inhaber eines Monopols festgesetzt wird: „Der Mono-
polist kann den Preis doch nie höher stellen, als äußersten Falles
bis knapp an die Wertschätzung der obersten intensivsten Nach-
frageschicht, und, was noch wichtiger ist, er muß immer die mit der
gewählten Preishöhe verknüpfte Eingrenzung der absetzbaren Menge
in den Kauf nehmen. Er kann sich mit anderen Worten doch nie
dem ökonomischen Gesetz entziehen, daß der Preis an dem Schnitt-

[1]) Grundsätze, S. 80.

punkt von Angebot und Nachfrage, dort, wo gleiche Quantitäten angeboten und nachgefragt sind, sich feststellt[1])." — Ein zweites Beispiel gibt er aus der Lohnpolitik: die Höhe des Arbeitslohnes soll, auch wenn er von einer Arbeiter- oder Unternehmerkoalition erkämpft wird, in der durch sein Lohngesetz bestimmten Höhe ausfallen. Die Arbeiter wären gar nicht in der Lage, ihre Lohnansprüche höher zu schrauben, als mit den wirtschaftlichen Rentabilitätsverhältnissen der Unternehmer vereinbar sei, und die Unternehmerkoalitionen könnten auf die Dauer nicht unter einen Lohnsatz heruntergehen, welcher der Grenzproduktivität der Arbeit entspräche. So kommt B ö h m - B a w e r k zu dem allgemeinen Satz: „Der Druck der ökonomischen Macht aber führt kein Moment in die Preisbestimmung ein, welches nicht der Art und auch der Größe nach schon in der abstrakt-theoretischen Preisformel seinen Platz gehabt hätte[2])." Ganz anders läge die Sache — meint B ö h m —, wenn die Preise durch außerwirtschaftliche Momente bestimmt würden, z. B. Großmut, Humanität, Klassen- oder Rassenhaß, nationale Zu- oder Abneigung, Eitelkeit, Ehrsucht u. dgl., aber hierbei seien ja die Preise ausdrücklich nicht ökonomisch motiviert; in allen übrigen Fällen aber, wo wirtschaftliche Preisfestsetzungen vorlägen, seien sie durch das Wertgesetz bestimmt. — Ich bestreite dies durchaus: Genau so wie die sog. außerwirtschaftlichen Momente, so ergeben auch die ökonomischen sozialen Machtverhältnisse Preisbildungen, die gänzlich von den Preisgesetzen der Kostentheorie und der Grenznutzentheorie abweichen. Gewiß ist zuzugeben, daß auch die Kartelle oder irgendwelche Monopole nicht willkürlich nach ihren Preisdiktaten verfahren können, daß ihnen vor allem durch die Kaufkraft und Kauflust der betreffenden Konsumentenschichten Schranken bei ihren Preisforderungen gegeben werden, ebenso, daß Streikbewegungen und Tarifverträge nicht Löhne erzwingen können, die außerhalb der ökonomischen Möglichkeiten der betreffenden Unternehmungen liegen. Aber wer wollte leugnen, daß die Abweichungen dieser Art von Preisnormierungen von denen der freien Konkurrenzwirtschaft ganz offensichtlich sind? Man beachte die Preisentwicklung irgendeines Artikels aus der Zeit vor der Kartellära und nachher. Der Unterschied ist evident. Vor allem der viel ruhigere und stetigere Preisvorgang in der Kartellperiode, verglichen mit der Zeit vorher. In dieser Zeit passen sich die Preise viel mehr den Schwankungen der Konjunkturen an, und ebenso ist es beim Preise der Arbeit. Wie klar treten die Unterschiede zwischen den Lohnsätzen der organisierten und der nichtorganisierten Arbeitergruppen hervor. — Da aber Machtverhältnisse der verschiedensten Art in immer wachsendem Maße im modernen Wirtschaftsleben eine sehr bedeutende Rolle spielen, so folgt daraus für die Werttheorie, daß eine auf der Voraussetzung der völlig freien Konkurrenz aufgebaute Theorie sich immer weiter von der Wirklichkeit entfernen muß. Wenn diese sog. Wertgesetze in den einfachen Wirtschaftszuständen früherer Zeiten noch eine gewisse Berechtigung haben konnten, so heute jedenfalls nicht mehr[3]).

---

[1]) a. a. O., S. 242.
[2]) a. a. O., S. 243.
[3]) Vgl. über die Machtverhältnisse S t o l z m a n n , Der Zweck in der Volkswirtschaft. Berlin 1909.

III. Aus allem bisher Gesagten ergibt sich als Schluß für die Stellung der Werttheorie in der ökonomischen Systematik: Die Werttheorie muß gegenüber der Preistheorie in den Hintergrund treten. Das soll heißen: man soll nicht mit einem sog. Wertgesetz das angebliche Grundgesetz der Preisbildung geben und dann sozusagen als Annex gewisse Besonderheiten der Preisbildung bei einzelnen Produkten, z. B. bei sog. Seltenheitsgütern oder bei staatlichen Monopolgütern erörtern, sondern vielmehr in der Preislehre selbst die Preise aus den Markterscheinungen heraus erforschen und die Tendenzen der Preisbildung für die verschiedenen Warengruppen feststellen. Der Werttheorie bleibt dann nur die Aufgabe einer ersten allgemeinen Orientierung über die Problemstellung. Die Werttheorie hat ferner einige wichtige grundlegende Begriffe über Wert, Preis und Wertarten festzustellen, alle übrige theoretische Arbeit muß der Preislehre überlassen bleiben. Aber hat dann die Werttheorie überhaupt noch Sinn und Bedeutung? Könnte man dann nicht mit der Preislehre auskommen und die Wertlehre und den ganzen Begriff „Wert" fallen lassen? Mit diesem Problem wollen wir uns jetzt beschäftigen.

§ 29. Von der sterbenden Werttheorie.

Solange es eine nationalökonomische Wissenschaft gibt, gibt es auch eine Werttheorie; solange es eine Werttheorie gibt, fehlt es auch nicht an Autoren, welche die Werttheorie für mehr oder minder überflüssig halten. In neuerer Zeit sind diese Angriffe besonders zahlreich und heftig erfolgt, so z. B. von C a s s e l , L i e f - m a n n , D i e t z e l. Als Hauptstreiter in diesem Kampf ist G o t t l mit seinem Werke „Die wirtschaftliche Dimension" hervorgetreten, nachdem er früher schon in seinen Werken: „Der Wertgedanke, ein verhülltes Dogma der Nationalökonomie" (Kritische Studien zur Selbstbesinnung des Forschers im Bereiche der sog. Wertlehre, Jena 1897) und „Die Herrschaft des Wortes" (Untersuchungen zur Kritik des nationalökonomischen Denkens, Jena 1901) diesen Kampf aufgenommen hat.

1. G o t t l.

Man würde G o t t l s Kritik der herrschenden Wertlehren mißverstehen, wenn man sie nur als eine Stellungnahme speziell gegenüber der Werttheorie ansehen wollte. Wenn G o t t l die Werttheorie ablehnt, so nicht um deswillen, weil er etwa gerade die theoretische Behandlung dieses einzelnen Problems für verkehrt ansieht, sondern die Werttheorie ist ihm nur ein typischer Fall auf dem Gebiete der theoretischen Nationalökonomie überhaupt. Die übliche Art, wie seit der Zeit der klassischen Ökonomie bis zur Gegenwart Theorie getrieben wird, ist ihm zu sehr „wortgebunden", hat den Kontakt mit dem wirklichen Wirtschaftsleben, mit den Tatbeständen des menschlichen Zusammenlebens zu sehr verloren. Besonders in seiner neuerdings erschienenen Arbeit „Freiheit vom Worte" (Über das Verhältnis einer Allwirtschaftslehre zur Soziologie, 1923) hat er diese allgemeine Frontstellung gekennzeichnet. G o t t l will keine „Revision der Grundbegriffe" vornehmen, sondern eine „Revision des Grundbegreifens"; die theoretische Nationalökonomie erscheint ihm ganz befangen in „Güterseligkeit", d. h. in

Betrachtungen über die einzelnen Güter und die Stellung der Wirtschaftssubjekte zu den Gütern. Ganz einseitig sei die Theorie auf die „Erwerbswirtschaft" und das „Erwerbswirtschaftliche" cingestellt. In Anknüpfung an die klassische Ökonomie werde das Wirtschaftsleben dargestellt als eine Börse mit freiem Zutritt für Jedermann: wo der eine mit Geld, der Zweite mit Land, der Dritte mit Arbeitskraft handelt. Nach dem Schema „F" der Naturwissenschaften habe sich die Nationalökonomie zu einer Lehre von den „Gesetzen der Volkswirtschaft entwickelt", und schnell fertig sei die nationalökonomische Theorie mit allerhand „Lösungen", statt „Probleme" zu sehen.

Von diesem Standpunkte aus wendet sich G o t t l sowohl gegen die subjektivistische wie gegen die objektivistische Werttheorie. Gegen die Grenznutzenlehre bemerkt er: „Die Grenznutzenlehre mit all ihren Spielarten ist geradezu nichts als eine verfeinerte Argumentation, wie durch „Seltenheit" im gegebenen Fall ' der „Nutzen" den Auftrieb zum „Wert" erfährt, als die „höhere Wohlfahrtsbeziehung". Dabei ergibt sich der „Wert" gleich in einer bestimmten Größe, allerdings nur, sofern man schon vorher bestimmte Größen des „Nutzens" unterstellt, im Wege der frischweg angesetzten „Skalen". Von diesen Größen so sicher wissen zu wollen, ist um so bemerkenswerter, als man vom „Nutzen" selber auch nicht wesentlich mehr weiß, als jedermann davon zu wissen glaubt, der dieses Wort ausspricht. Immerhin, in der Absicht zur „Erklärung" des Größenspiels beim Tausch etwas zu sagen, wird man daraufhin um einige Worte und Redewendungen reicher" (S. 113).

Ebensowenig selbstverständlich als Grenznutzen unter Wert zu verstehen, sei die marxistische Wertbehauptung. Unter „Wert", dessen Gleichheit dann auch die Gleichung rechtfertigen würde, soll man „Arbeit im Ausmaß der gesellschaftlich notwendigen Arbeitszeit" verstehen. M a r x wählt hier die bloße F o r m einer Schlußfolge aus der Gleichung, um als „W e r t   s e i n e   b e s o n d e r e   S o r t e   H y p o t h e s e   v o m   ‚A l l p r e i s g r u n d'   v o r z u - f ü h r e n! Statt nämlich den entscheidenden Tatbestand der wirtschaftlichen Dimension zunächst richtig als solchen zu sehen, so daß man ihn daraufhin auch a l s   P r o b l e m   richtig sieht, das will sagen, jene schier beängstigenden Fälle der Probleme aufzurollen weiß, die nun alle von der Empirie des Größenspiels beim Tausch ihre Lösung erhoffen, statt dessen ist die L ö s u n g   i m   v o r a u s   d a,   a l s   H y p o t h e s e   g l e i c h s a m   a u s   d e r   P i s t o l e   d e s   W o r t e s   ‚W e r t'   g e s c h o s s e n!" (S. 234).

Statt dieser Manier, den einzelnen Gütern aus dem Zusammenhang des Wirtschaftslebens herausgerissen „Wert" beizulegen und das Maß dieses Wertes in einem technischen Aufwand oder in bestimmten Größen der Lust- und Unlustgefühle zu finden, will G. den Blick auf das Ganze des Wirtschaftslebens richten. Nicht den Inhalt der Wertlehre will er kritisieren, sondern ihre logische Haltung. Aus der Metaphysik der Welt eines autonomen Objekts, aus der Güterseligkeit der Theorie will G. den Weg zurückfinden in die Erfassung der Wirklichkeit selbst, der Blick soll auf das Ganze des Wirtschaftslebens gerichtet werden. Kein einziger Tausch vollzieht sich ohne nicht gleich den ganzen Zusammenhang innerhalb des beteiligten Gebildes aufzuführen, darum kann allmählich nur mit dem Blick

auf das Ganze der Wirtschaft immer aus der Erwägung des Zusammenhanges zum Ganzen heraus die Entscheidung fallen, ob und wie
getauscht wird. Der Wirtschafter denkt nicht in „Gütern", sondern
in Gestaltung, und dann entscheidet er sich in allen Dingen aus
dem Zusammenhang zum Ganzen heraus. Seine Entscheidung richtet
sich immer auf das „lebensförderlichste Zusammenspiel aller Erscheinungen im Gebilde" aus. Die „Wertschätzung" seiner Objekte ist
für das Subjekt nur der nachträgliche Reflex seines Handelns als
Wirtschafter, nicht umgekehrt sein Handeln bloß eine Reaktion
seiner „Wertschätzungen". Über den Entschluß zum Tausch und
Preis entscheidet allemal der Plan zur Wirtschaft. Von der einheitlichen Aufteilung des Verfügbaren auf den Bedarf, soweit dieser im
Tauschweg zu decken ist, weil es auf das Zusammenspiel der Erfüllung ankommt, fehlt jede Möglichkeit, diese mit vereinzelten
Objekten in Zusammenhang zu bringen.

An die Stelle der Werttheorie setzt G o t t l die Theorie von
der wirtschaftlichen Dimension.

Alle Objekte wirtschaftlichen Handelns, man nenne sie Güter
oder sonstwie, weisen auf eine besondere wirtschaftliche Dimension
hin. An alle diese Objekte haftet sich gemäß ihrem Verhältnis zur
Wirtschaft eine charakteristische Zahl im Sinne einer geltenden Größe.
„Die W. D. bezieht sich auf die Objekte, bald als Individuen —
Rittergut Tegel — bald als Exemplare einer Gattung — vierjähriger
Ackergaul — bald als Mengeneinheit — Tonne Eisen, Meter Tuch."
(S. 17.)

Diese W. D. will aber G. nicht Wert oder Preis nennen, um
nicht wieder die Verwirrung hervorzurufen, die sich in der ökonomischen Wert- und Preislehre findet: „Man würde aus der Wirrnis nicht
wieder herausfinden, darum das Neuwort" (S. 18). Es sind zwei
Tatbestände zu unterscheiden, die man mit den früher üblichen Ausdrücken Wert und Preis benennen könnte. Die W. D., d. h. die
charakteristische Zahl des Objekts könnte mit dem Namen Wert
bezeichnet werden; daneben gibt es noch einen zweiten Tatbestand.
Im Bereich der Wirtschaft kommt es in mehrfacher Weise dazu,
daß ein Vorgang, indem er sich selbst in größenhafter Bestimmtheit
vollzieht, zu einer fallweisen Verkettung von bestimmten Mengen
artverschiedener Dinge führt. Aus der fallweisen Verkettung von
Mengen wird eine fallweise Paarung. Der Name Preis würde dem
Fallweisen der tauschgepaarten Mengen bzw. ihrem Verhältnis zufallen. Es besteht also gar kein Zweifel: für den Tatbestand der
wirtschaftlichen Dimension wäre eigentlich „Wert" der sprachrichtige
Name. Nur wegen der Kritik, die an der herrschenden Wertlehre
notwendig sei, will G. diesen Gewaltakt vornehmen, die Bezeichnung
Wert ganz auszumerzen. Bei „Preis" sei dagegen an das Verhältnis
der fallweise gepaarten Mengen zu denken, wie es den wirklich voll-
zogenen Tauschvorgängen zur Seite geht; also die „wirklich gezahlten Preise" kommen in Betracht. Wenn dagegen das gewöhnliche Leben und auch die Theorie vom üblichen „Preis" oder vom
„Steigen" und „Fallen" des Preises spricht, also vom Preis in seiner
allgemeinen Erscheinung, dann läge bereits der Tatbestand der
wirtschaftlichen Dimension bzw. der Wert vor. Wodurch unterscheidet
sich also die wirtschaftliche Dimension vom Preise? Der Preis ist
etwas verwirklichtes in Vergangenheit, die wirtschaftliche Dimension

zeigt einen Beharrungszustand, ist etwas Geltendes als charakteristische Zahl eines Objekts: die wirtschaftliche Dimension führt auf Preise zurück und ist bestimmend für spätere Tauschvorgänge. Der Preis ist etwas Persönliches, er hängt an der Tat und diese an der Person im Sinne des Entschlusses zum Tausch, der den Entschluß zum Preise notwendig in sich faßt. Die W. D. hebt sich über die Person hinaus, ist etwas Unpersönliches, bezieht sich nicht auf das Gewesene, sondern auf das Geltende. Die W. D. wirkt als Richtschnur alles Veranschlagens und liefert für alles Rechnen in der Wirtschaft die Ansätze. Sie deutet auf die begründete Erwartung der Preise, ist Preishoffnung, sie ist die bestimmende Norm der eintretenden Preisfälle, sie deckt sich gleichsam mit der Forderung nach dem marktrichtigen Preis, was aber gar nichts mit einem irgendwie „gerechten Preis" zu tun hat, sondern lediglich aus dem Tauschverkehr selbst hervorgeht. Die W. D. besagt die gegenständlich gewordene Tradition der Preise, den üblichen Preisstand. Sie kommt also im Anhalt an vergangene Preise zustande und zugleich gibt sie wieder einen Anhalt für künftige Preise. Sie ist die Brücke, die von der Vergangenheit der Preise in die Zukunft der Preise hinüberführt. Sie nimmt ihren Ursprung „im Markt". Aller Markt wird zu dem, was er ist, überhaupt erst als der Schöpfer von W. D. Durch Preise bestimmt und zugleich für Preise bestimmend zu sein, ist der Sinn der W. D.

2. Cassel.

Auch C a s s e l lehnt die Werttheorie ab. „Statt irgendeines arithmetisch präzisierten Ausdrucks der Schätzung setzte man dann den sehr unbestimmten und dehnbaren Begriff des „W e r t e s". Der Wert sollte etwa die relative wirtschaftliche Bedeutung der Güter bezeichnen, aber eben weil es an jedem arithmetischen Maß dieser Bedeutung fehlte, mußte der Begriff des Wertes unklar bleiben, konnte niemals die Schärfe des arithmetisch ausgedrückten Größenbegriffs erreichen. Jeder Versuch, eine Wertlehre ohne einen gemeinsamen Nenner für die Werturteile zu begründen, muß auf große Schwierigkeiten stoßen. Sobald wieder ein solcher gemeinsamer Nenner eingeführt wird, hat man im wesentlichen das Geld postuliert. Die Werte werden dann durch Preise, die Wertschätzungen durch Schätzungen in Geld ersetzt, und man hat eine Preislehre anstatt einer Wertlehre. Man muß aus dieser Sachlage die Konsequenz ziehen, d. h., die ganze sog. Wertlehre vollständig aus der ökonomischen Wissenschaft ausmustern. Die theoretische Darstellung der Tauschwirtschaft muß von Anfang an das Geld in Betracht ziehen und somit im wesentlichen eine Lehre der Preisbildung werden. Es wird sich zeigen, daß dieser Weg eine ganz erhebliche Vereinfachung bedeutet. Wir werden einer großen Masse von Streitfragen, auf welche jetzt viel unnütze Mühe verschwendet wird, ganz und gar entgehen. Wir werden damit in die Lage kommen, die Wissenschaft von Aufgaben zu befreien, welche gegenwärtig dieselbe nur zu oft zu Scholastik schlimmster Art herabziehen. Eine solche gründliche Reinigung ist absolut notwendig, wenn wir die wissenschaftliche Arbeit möglichst direkt auf die wirklichen und ohne Zweifel sehr wichtigen Aufgaben der ökonomischen Theorie lenken wollen . . . (S. 41). Eine „objektive" oder „subjektive" Wertlehre im Sinne einer Theorie, die die Preise auf objektive oder subjektive Bestimmungsgründe allein zurückführen will, ist deshalb Unsinn, und der ganze Streit zwischen diesen Wertlehren, der in der Literatur einen so unverhältnismäßig großen Platz eingenommen hat, ist nur verlorene Mühe" (S. 122).

Sehen wir zu, wie C a s s e l mit den Problemen, welche die Werttheorie zu lösen hat, fertig wird ohne eine Wertlehre. Zunächst so, daß C. statt einer Werttheorie eine Preistheorie gibt: „Durch den stetigen und organisierten Austausch von Diensten und Produkten wird im allgemeinen eine gewisse, wenn auch mehr oder weniger knappe Bedürfnisbefriedigung sämtlichen Mitgliedern der Gesellschaft ermöglicht. Die Gesamtwirtschaft kann von diesem Gesichtspunkt aus als eine gesellschaftliche Wirtschaft bezeichnet werden, oder auch, wenn man die grundlegende Bedeutung des Tausches hervorheben will, als eine T a u s c h w i r t s c h a f t. Die Wirtschaft der modernen Völker ist wesentlich eine solche auf dem Prinzip des Tausches fußende gesellschaftliche Wirtschaft, also eine Tauschwirtschaft. Wenn man eine solche Wirtschaft eines Volkes besonders als eine Einheit hervorheben will, nennt man sie auch eine „V o l k s w i r t s c h a f t" (S. 37) . . . Sobald man tauscht, entsteht das Bedürfnis, zu beurteilen, wieviel von den beiden zu tauschenden Gütern im Tausche gegeben werden darf. Es muß mit anderen Worten eine Schätzung der beiden Güter vorgenommen werden. Diese Schätzung wird offenbar sehr vereinfacht, wenn man sich gewöhnt, alle Güter in einem und demselben Gute zu schätzen. Man findet auch, daß diese Gewohnheit sich im großen ganzen gleichzeitig mit der Gewohnheit des Tausches selbst ausbildet. Sobald der Tausch so große allgemeine Bedeutung gewonnen hat, daß man überhaupt von einer Tauschwirtschaft sprechen kann, ist auch die Sitte vorherrschend, alle Güter in einem gemeinsamen Gute zu schätzen" (S. 39).

C a s s e l will die „Tauschwirtschaft" überhaupt nur als Geldwirtschaft betrachten. Für die ökonomische Wissenschaft sei die Vorstellung, es sei der Geldwirtschaft eine reine Tauschwirtschaft als frühere und einfachere Wirtschaftsform vorausgegangen, verhängnisvoll geworden. Es ließe sich kaum bezweifeln, daß diese Vorstellung mit daran Schuld trage, daß die ökonomische Theorie sich verpflichtet gefühlt habe, die Vorgänge einer gedachten Tauschwirtschaft ohne Geld zu behandeln, und diese Untersuchung sogar zur Grundlage des ganzen theoretischen Lehrgebäudes zu machen. Dieses Streben habe die theoretische Ökonomie in unermeßliche Schwierigkeiten verwickelt. Da man es für notwendig gehalten hätte, die Faktoren, die den Güteraustausch regeln, unter Absehung vom Geld zu untersuchen, hätte man nicht Preise oder in Geld ausgedrückte Schätzungen der Güter seitens der verschiedenen wirtschaftlichen Personen zum Gegenstand der Untersuchungen machen können, hätte also jeden arithmetisch präzisierten Ausdruck der Schätzung der Güter entbehrt. Aus dem Gesagten folgert C., daß eine besondere Wertlehre unnötig sei. Wie kann aber C. gerade dann, wenn er das Geld als notwendige Begleiterscheinung der Tauschwirtschaft auffaßt, der Schwierigkeit Herr werden, die ich oben aufgezeigt habe, daß neben dem Wert der Ware auch der Wert des Geldes von Bedeutung ist: Einfach dadurch, daß er das Geld, also das Preisgut im Werte als unveränderlich annimmt. Auf diese Weise kann er eine reine Preislehre aufstellen, wobei nur der Preis der W a r e n bzw. die Wertänderungen der W a r e n in Frage kommen. Er fragt immer nur nach dem Preise der Waren, nicht aber nach den Bestimmungsgründen des Geldwertes. C. führt zunächst das Geld nur als Rechnungsskala ein, nach welcher alle Schätzungen vorgenommen werden. Die Geldrechnung ist dann lediglich eine Buchführung, die Zahlungen in Geld stellen Umschreibungen in Büchern dar. Wie die Preise ihrer absoluten Höhe nach festgestellt werden, soll der speziellen Theorie des Geldes vorbehalten bleiben. Wenn C. dann dazu übergeht, die Preistheorie für die Güter ohne Rücksicht auf den Geldwert zu entwickeln, zeigt sich, daß er dieser Preistheorie noch viel weitere Aufgaben stellt, als dies die meisten früheren Werttheoretiker getan haben. Die Preisbildung ist für C. nicht nur eine notwendige Bedingung des Wirtschaftslebens, sondern auch das Mittel, durch welches die wirtschaftlichste Anwendung der zur Verfügung stehenden Güter garantiert wird, und ihre Prinzipien sollen für jede Tauschwirtschaft unabhängig von der Rechtsordnung gelten und auch in der sozialistischen Gesellschaft Geltung haben. Die ganze Wirtschaft ist nach C. vom Prinzip der Knappheit beherrscht. Dieses Prinzip der Knappheit besteht für die Tauschwirtschaft in der Notwendigkeit, die Konsumtion durch den Druck der Preisbildung in Übereinstimmung mit einer knappen Güterversorgung zu bringen. Nach dem Prinzip der Knappheit ist es die Aufgabe der Preisbildung, die Nachfrage nach jedem einzelnen Gut genau so weit zu beschränken, daß das Angebot für die Versorgung der Nachfrage hinreicht. Der Umfang der Nachfrage bei einer gegebenen Preislage sei eine greifbare Tatsache, die in quantitativer rein arithmetischer Form vorliege, und in dieser Form unmittelbar von der Wirtschaftslehre als Baustein benutzt werden könnte. Die psychologischen Vorgänge aber, die hinter dieser Tatsache lägen, hätten für die theoretische Ökonomie nur insoweit Interesse, insofern eine Kenntnis derselben zu einer richtigen Beurteilung der Einwirkung der Preise auf die Nachfrage beitrage. C. wendet sich scharf gegen die Grenznutzentheorie, die er für die Wirtschaftslehre für unnötig hält. Es sei ein untauglicher Versuch, die Psychologie der Nachfrage in eine abstrakte mathematische Form hineinzuzwingen. Der „Nutzen" einer Bedürfnisbefriedigung werde dabei als arithmetisch schätzbar bezeichnet: „Diese rein formelle Theorie, die in keiner Weise unsere Kenntnis der realen Vorgänge erweitert, ist für die Theorie der Preisbildung jedenfalls überflüssig. Sodann ist zu bemerken, daß diese deduktive Herleitung der Gestaltung der Nachfrage aus einem einzigen Prinzip, an der man sich so kindlich erfreut hat, nur durch gekünstelte Konstruktionen und unter einer ziemlich starken Vergewaltigung der Wirklichkeit möglich war" (S. 69).

C a s s e l selbst erkennt zwei Bestimmungsgründe an: die Knappheit der Produktionsmittel und die Beschaffenheit der Nachfrage.

Nachdem C. so die Preistheorie lediglich in bezug auf Waren und Dienstleistungen ohne Rücksicht auf das Geld entwickelt hat, kommt er später auf den Geldwert selbst zu sprechen. . Hier kommt C. zu einer Werttheorie, aber nur in Rücksicht auf den Geldwert. Der Wertbegriff selbst, meint C., hätte durch den neubestimmten Begriff des Preises ersetzt werden können, sofern Waren und Dienste in Frage stehen. Dieser Weg zur Fixierung des Wertbegriffes sei bezüglich des Geldwertes verschlossen, denn da die Preise an der Geldeinheit gemessen würden, so sei der Preis der Geldeinheit immer gleich eins, und also der Geldwert formal konstant: „Der Begriff des Geldwertes ist, wie im allgemeinen der Begriff des Wertes, schwebend. Der Wertbegriff konnte aber, sofern Waren und Dienste in Frage stehen, durch den genau bestimmten Begriff des Preises ersetzt werden. Dieser Weg zur Fixierung des Wertbegriffs ist bezüglich des Geldwertes verschlossen, denn da die Preise in der Geldeinheit gemessen werden, ist der Preis der Geldeinheit immer gleich eins, und also der Geldwert formell immer konstant. Eine Vorstellung vom Geldwert eines Landes kann man nur gewinnen, wenn man denselben in einer anderen Währung mißt. Der Wert des Geldes des ersten Landes bestimmt sich offenbar nach der Menge von Waren oder Diensten, die für dieses Geld beschafft werden kann. Die Geldeinheit repräsentiert eine größere oder kleinere Menge von Nützlichkeiten, je nachdem die Preise niedrig oder hoch stehen. — Diese Überlegung zeigt den Weg, den man einschlagen muß, um in der geschlossenen Volkswirtschaft zur Feststellung eines klaren Begriffs des Geldwertes zu gelangen.

3. L i e f m a n n.

L i e f m a n n spricht von dem „unglückseligen Wertbegriff"[1]). Er will keine neue Werttheorie aufstellen, vielmehr den Wertbegriff der so unendlich viel Unheil in der ökonomischen Theorie verschuldet habe, ganz aus ihr hinauswerfen[2]). Mit dem Wertbegriff, erklärt L., könne man die wirtschaftlichen Vorgänge nicht erklären (a. a. O., I. Bd., S. 656). L. stellt einerseits eine Preistheorie auf, wobei er von den psychologischen Erwägungen des einzelnen Wirtschafters ausgeht, die von den früheren Theorien völlig vernachlässigt worden seien. Der Wertbegriff sei vollkommen überflüssig; nicht irgendein Wert der Güter, sondern der Ertrag bestimme alles wirtschaftliche Handeln. Wenn es Aufgabe der Wirtschaftstheorie im allgemeinen sei, darzulegen, wie in der Tauschwirtschaft die Entwicklung des individuellen Bedarfs sich vollzöge, wie also der ganze tauschwirtschaftliche Prozeß organisiert sei, so sei die Erklärung der Preisbildung das Zentralproblem der Wirtschaftstheorie. — Im Gegensatz zu den üblichen Preistheorien erklärt L., daß der Preis kein Güterquantum sei, er sei ein Maßbegriff, und Messen sei vergleichen. L. will alle tauschwirtschaftlichen Erscheinungen, und damit auch die Preisbildung, nur mit den beiden Fundamentalbegriffen Nutzen und Kosten bzw. ihrer Differenz, dem Ertrag, erklären. Die Aufgabe der ökonomischen Theorie sei, darzulegen, wie aus subjektiven Bedarfsempfindungen ein objektiver Preis entstünde. Die Höhe des Preises werde bestimmt durch das Gesetz des Ausgleichs der Grenzerträge. Der tauschwirtschaftliche Grenzertrag bestimme in jedem Erwerbszweige die höchsten aufzuwendenden Kosten und damit den Preis. Werde dieser Preis nicht mehr erzielt, so wendeten sich

---

[1]) „Grundsätze der Volkswirtschaftslehre." I. Bd. Stuttgart u. Berlin 1917. S. 74.

[2]) „Geld und Gold." Stuttgart u. Berlin 1916. S. 129.

Kapitalien und Arbeitskräfte anderen Erwerbszweigen zu. Das Gesetz des Ausgleichs der Grenzerträge bestimme also die Verteilung der Kosten und damit den Preis. Diese Preistheorie, die für den Konkurrenzpreis gilt, bedeutet für L. nicht nur eine Kausalerklärung der Preiserscheinungen, sondern hat auch finale Bedeutung. Die Tendenz des Ausgleichs der Grenzerträge, die er für die nationalökonomische Theorie aufgestellt habe, zeige nicht nur, in welcher Weise der einzelne Mensch die Verteilung seiner Arbeitskraft und seiner Produktions- und Erwerbsmittel auf die Befriedigung seiner Bedürfnisse am besten einrichte, sondern auch, wie die in der ganzen Volkswirtschaft vorhandenen Kapitalien und Arbeitskräfte verteilt sein müßten, um der Gesamtheit die g r ö ß t e W o h l s t a n d s - f ö r d e r u n g   z u   e r m ö g l i c h e n[1]). An anderer Stelle erklärt er den Konkurrenzpreis als diejenige Art der Preisbildung, bei welcher das für alle Güter geltende Ideal möglichst vollkommener Bedarfsversorgung (größter Produktivität der Volkswirtschaft) am meisten gewährt sei[2]).

Wie stellt sich L., der nur eine Preistheorie, aber keine Wertlehre aufstellt, zur Frage des Geldwertes? Er lehnt einen besonderen Geldwert überhaupt ab. L. faßt das Geld als abstrakte Rechnungseinheit auf. Es sei kein selbständiger Faktor im tauschwirtschaftlichen Prozeß, es gäbe ebensowenig eine objektive allgemeine Kaufkraft des Geldes, wie einen objektiven allgemeinen Wert desselben: „Man kann den ganzen Mechanismus des Tauschverkehrs nur erkennen, wenn man in jedem Augenblick daran denkt, daß Geld und Preise subjektiv, nämlich als Einkommensquoten, geschätzt werden. Diese Tatsache, die festzuhalten von der allergrößten Wichtigkeit ist, muß dazu zwingen, die Ausdrücke Wert und Kaufkraft des Geldes unter allen Umständen zu vermeiden und immer nur von S c h ä t z u n g des Geldes zu sprechen, weil dieser Ausdruck immer subjektiv gefaßt ist und daher kaum mißverstanden werden kann. Wenn man das einmal erkannt hat, wird man in Zukunft allen theoretischen Erörterungen, die von Wert und Kaufkraft des Geldes sprechen, mit allergrößtem Mißtrauen entgegentreten, und die Autoren, denen es wirklich auf Klarheit und wissenschaftliche Erkenntnisse ankommt, werden gut tun, jene Ausdrücke ganz zu vermeiden" (Geld und Gold, S. 131).

Geld ist für L. nicht Wertmaßstab, sondern „G e n e r a l - n e n n e r   d e r   N u t z e n -   u n d   K o s t e n v e r g l e i c h u n g. Dann erkennt man, daß sich das Geld überhaupt nicht sachlich definieren läßt, sondern daß es eine abstrakte Rechnungseinheit ist, die jedermann verschieden als K o s t e n schätzt, und zwar n a c h s e i n e m   i n d i v i d u e l l e n   E i n k o m m e n" (S. 107).

4. D i e t z e l.

Ich hatte oben gezeigt, daß D i e t z e l eine Synthese zwischen der objektivistischen und subjektivistischen Werttheorie vorgenommen hatte. In späteren Publikationen geht D i e t z e l weiter und lehnt überhaupt die Notwendigkeit einer Werttheorie ab.

In seiner 1921 erschienenen Abhandlung „vom Lehrwert der Wertlehre und vom Grundfehler der   M a r x schen Verteilungs-

---

[1]) Vgl. Conrads Jahrb. 1912, S. 311.
[2]) Vgl. Archiv 1912, S. 43.

lehre" (Zeitschrift für Sozialwissenschaft, Neue Folge, XII. Jahrg.,
Leipzig 1921) erklärt er, daß er mit seinen früheren Erörterungen
über die Wertlehre keine neue Werttheorie begründen, sondern
zeigen wollte, daß das Wertproblem vollständig ausgeschaltet
werden könnte. Seine Lehre von den „Kosten- und Nutzen-
bilanzen", die an das Kapitel vom „Sparprinzip" oder vom
„Wirtschaftlichen Prinzip" sich anzureihen hätten, gäbe die nötige
Grundlage zur Erhellung der Elementarphänomene und damit auch
der Sozialphänomene der Wirtschaft. In dieser Abhandlung weist
D i e t z e l auf seine Übereinstimmung mit C a s s e l hin und will
nachweisen, daß alle wirtschaftlichen Grundphänomene auch ohne
Wertlehre erledigt werden könnten. Wie ohne die objektive Wertlehre Klassiker und Sozialisten, könne die Wirtschaftswissenschaft
auch ohne die subjektive Wertlehre auskommen: „Fehlte die Wertlehre bei S m i t h und R i c a r d o , so verschlüge dies Manko
für ihre Verteilungslehre nichts (I.). Für M a r x gilt gleiches: zwar
entnimmt dieser die, seine Lehre von der Mehrwertbildung beherrschende These — „der Wert der Ware Arbeitskraft wird, wie der
jeder anderen Ware, bestimmt durch deren Reproduktionskosten" —
kurzer Hand der Wertlehre; aber solche Verkoppelung der Verteilungslehre mit der Wertlehre geht schlechterdings nicht an; so
hergeleitet, schwebt dieser Magistralsatz völlig in der Luft — um
ihn zu fundieren, bedarf es der Theorie von der „Reservearmee",
d. h. einer völlig „wertfreien" Kausalformel (II.) (S. 110).

Auch die R i c a r d o sche Wertlehre sei im Grunde genommen
eine Preislehre. Zwar redete R i c a r d o mehrfach vom Wert, aber
sein Maximalkostengesetz, sein Grundgesetz der Preisbildung sei
wertfrei. „Es bleibt auch dann wertfrei, wenn weiter gefragt wird,
worin denn die Kosten bestehen; und geantwortet — eine Antwort,
die sich ergibt, „ohne den Umweg über die Wertlehre"—, daß sie
letztlich sich auflösen in Arbeitsmengen, bzw. Mengen von Arbeitszeit; teils gegenwärtiger, teils „vorgetaner" Arbeit, d. h. solcher,
die draufging für Bereitstellung des für die Produktion erforderlichen
sie irgendwie fördernden, arbeitsparenden Sachkapitals. Aus diesem
wertfreien Grundgesetz der Preisbildung ergibt sich unmittelbar das
Gesetz der B o d e n r e n t e : mit ihm ist die Brücke zur Lehre
von der E i n k o m m e n s bildung geschlagen" (S. 115/116).

Also ohne daß das Wort „Wert" fällt, komme man zum Preis und
zur Bodenrenten- und Lohntheorie. „Und ebenso ist die Bildung des
Marktpreises — um deren Erklärung es sich doch für die S o z i a l -
ökonomik handelt — ursächlich zu erklären „unter Umgehung des
Wertbegriffs". Man braucht diesen Begriff weder, wie oben, (S. 116)
bereits betont, behufs Formulierung des Maximalkostengesetzes, noch
des Gesetzes von Angebot und Nachfrage, durch deren Verschiebung
der Preis im Moment bald über dem Maximalkostengesetz gehoben,
bald unter ihn gedrückt wird. Wohl wächst auch der Marktpreis
heraus aus einem Gegeneinander von Nutzenurteilen der einzelnen,
welche die Marktparteien bilden. Doch diese s u b j e k t i v e n
„Schätzungen" müssen sich, wohl oder übel, anpassen der o b -
j e k t i v e n , jeweils gegebenen Marktlage" (S. 141). So gelangt
D i e t z e l zu seinem Urteil der Wertlosigkeit der Wertlehre: die
Wertlehre sei überflüssig.

§ 30. Kritik der Autoren, welche die Werttheorie für überflüssig erklären.

So sehr ich den Ausführungen der genannten Autoren zustimme, soweit sie Kritik an den herrschenden oder überlieferten Werttheorien üben, so kann ich doch in keiner Weise zugeben, daß sie den Beweis geführt hätten, daß die Werttheorie selbst überflüssig sei.

Mit Recht lehnt G o t t l es ab, wirtschaftliche Objekte als solche „größenhaft" schätzen zu wollen und erklärt, daß dies vielmehr nur im Zusammenhang der ganzen wirtschaftlichen Verkettungen möglich ist. Darum ist auch seine Zergliederung der W. D. wertvoll, weil sie zeigt, wie zerklüftet dieser Tatbestand ist, wie weitab entfernt von der angeblichen Eindeutigkeit im „Tauschwert", „objektiven Wert", „natürlichen Wert" usw. Richtig sind auch seine kritischen Bemerkungen zu einzelnen „Irrungen" in der Wertlehre, z. B. daß man sogar den „Wert" objektivistisch gebraucht hat und vom Wert als Objekt, von wertschaffenden Ständen usw. spricht. Unbedingt schlagend ist sein Nachweis, daß der Wert im „objektiven Sinn", bei B ö h m - B a w e r k gerade auch im System dieses Autors ein Widerspruch in sich ist; ferner was er zur Kritik der Behauptung sagt, daß das Geld ein Wertmaß darstellt. Erst recht gilt dies gegenüber denen, welche die Wertlehre „ethisch" auffassen, so daß sie nicht nur zur Kausalerklärung der Preiserscheinung, sondern auch zur Schaffung einer gerechten Wirtschaftsordnung dienen soll, daß man mit Hilfe der Neukonstituierung des „Wertes" die soziale Frage lösen wollte, oder unter der Etikette „Wert" alle Probleme der Wirtschaftswissenschaft meistern zu können glaubte. Auch was er zur Kritik einzelner Autoren sagt, die selbst die überlieferte Werttheorie bekämpfen, aber doch einem neuen Dogmatismus verfallen, — wie z. B. L i e f m a n n —, den er als Vertreter der „Arbeitsscheuwährung" bezeichnet, trifft meist den Nagel auf den Kopf. Auch die scharfe Kritik an F. J. N e u m a n n ist nicht ungerechtfertigt. Bei aller Anerkennung der Verdienste N e u m a n n s bezeichnet er doch seine Art, Werttheorie zu treiben, als Wertphilologie. Man lese heute noch einmal die Abhandlung N e u m a n n s in „Schönbergs Handbuch der politischen Ökonomie" über Wert (I. Bd., 4. Aufl., Tübingen 1896, S. 150—170). Wie viele Arten des Wertes werden da unterschieden, wie viele Schachtelbegriffe aufgestellt! N e u m a n n war damals der anerkannteste Vertreter der theoretischen Nationalökonomie in Deutschland, und was ist von allem heute geblieben? Wer hat noch Interesse für die vielen N e u m a n n schen Begriffe, die doch alle auf isolierender Abstraktion aufgebaut sind! Oder man betrachte die Art, wie M a r x im 3. Bande seines „K a p i t a l" die tatsächliche Preisbildung mit seinem Wertgesetz in Einklang zu bringen sucht, oder vielmehr zeigt, wie die faktische Preisbildung auf Schritt und Tritt von seinem Wertgesetz abweicht. Nicht nur soll das Wertgesetz für viele Warengattungen überhaupt nicht gelten, auch bei denen, für die es gelten soll, ist es mit so vielen Ausnahmen durchsetzt, daß von dem ursprünglichen Wertgesetz so gut wie nichts mehr übrig bleibt. Wenn dieser „Dogmenseligkeit" gegenüber G o t t l die Preislehre mehr mit dem wirklichen Wirtschaftsleben in Zusammenhang bringen will, so scheint mir auch nach dieser positiven

Richtung hin G. durchaus im Rechte zu sein. Wenn man die W. D.
als „Marktpreislage" auffaßt, so ist es durchaus richtig, bei der Erklärung der Preiserscheinungen den Marktpreis in den Vordergrund
zu stellen. Gerade dieser Marktpreis wird aber von der älteren Theorie
nebensächlich behandelt gegenüber dem sog. „Warenwert" oder dem
„natürlichen Wert" oder irgendeiner Hypothese eines Allpreisgrundes.
Man kann die W. D. auch als Konjunkturenlage bezeichnen, und so
müssen die Preise aus den Konjunkturen des Wirtschaftslebens erklärt und verstanden werden, nicht aber als Reflexerscheinungen
der einzelnen Objekte gegenüber einzelnen Subjekten. Wenn auf
diese Weise G. eine mehr realistisch-empirische Behandlung des
Preisproblems anstreben will, so kann er der Zustimmung weitester
Kreise der Fachgenossen sicher sein, die dem Dogmatismus, der
sich gerade in der Wert- und Preislehre breitmacht, schon längst
abgeneigt sind.

So sehr ich mit dem Grundgedanken des Werkes übereinstimme, muß ich doch gewisse Einwände und Bedenken zum Ausdruck bringen. Zunächst: warum soll die Wertlehre „sterben"?
Die Lehre von der W. D. ist doch selbst nichts anderes als eine neue
Wertlehre, und G. betont selbst, daß die W. D. in ihren verschiedenen
Spielarten die Probleme darböte, die jetzt als Wert- und Preisproblem bezeichnet werden. In der Tat kann die Werttheorie nicht
sterben, weil die Probleme, um die es sich dabei handelt, immer zu
den wichtigsten der theoretischen Ökonomie gehören, nämlich die
Preisprobleme. Nichts anderes aber als eine Erklärung der Preise
will die Werttheorie geben. Dabei wäre es an sich nebensächlich,
ob man von einer Werttheorie oder von einer Preistheorie spricht,
doch entscheidet ein Umstand unbedingt dafür, bei der Werttheorie
zu bleiben; bei jeder Preisbildung nämlich, deren Erklärung doch
die Werttheorie vermitteln soll, ist immer zu fragen, ob die Ursache
der Preisgestaltung und Preisänderung auf seiten der betreffenden
Ware oder des betreffenden Preisgutes, in der Regel also in der
modernen kapitalistischen Wirtschaft des Geldes liegt. Nun hat aber
das Geld — wenigstens im hauptsächlichsten Fall der Goldwährung
und überhaupt der Metallwährung — einen festen P r e i s , nämlich
den, der im Münzgesetz fixiert ist, aber einen veränderlichen W e r t ,
da dieser wechselt je nach den Produktionskosten des Metalls, der
Nachfrage nach dem Metall usw. Aus diesem Grunde ist es zweckmäßig, von Werttheorie und nicht von Preistheorie zu sprechen.
Wie unentbehrlich der Name und Begriff „Wert" ist, zeigt G.
selbst, indem er das Wort Wert sehr häufig anwendet, woran
auch nichts geändert wird dadurch, daß er dieses Wort meist in
Gänsefüßchen setzt. So sagt er z. B.: „Immer steht also die Tatsache voran, daß sich mit dem gezahlten Gelde, als der Gegengabe
beim Tausche ausdrücklich das einstellt, was das Vertauschte
schlechthin „gilt", so daß sich darin förmlich sein „Wert" verkörpert,
s e i n e   W i r t s c h a f t l i c h e   D i m e n s i o n   d a r i n   u n -
m i t t e l b a r   s i n n f ä l l i g   w i r d (S. 91). . . . Diese aber ist
als Wirtschaftliche Dimension selber nichts als der zu einer Geldmenge vereinheitlichte Ausdruck aller Tauschgeschicke der Objekt-
gattung, ihrer Verflochtenheit in die tauschgepaarten Mengen
(S. 144). . . . Zur rationalen Technik kommt es wahrhaft dann erst,
sobald sich alle technischen Aufwände auf etwas w i r t s c h a f t -

l i c h Sinnvolles einheitlich umrechnen lassen. Dies trifft bei der Umrechnung mit Hilfe der W i r t s c h a f t l i c h e n D i m e n - s i o n zu, bei der Möglichkeit, die technischen Aufwände in „Preissummen", in den „Werten" der verwendeten Objekte und Objektmengen zu veranschlagen" (S. 150).

Deshalb aber, weil G. die bisherige Art und Weise, Werttheorie zu treiben, ablehnt, braucht der Name und die Bezeichnung nicht über Bord geworfen zu werden. Wohin sollte es führen, wenn jeder Nationalökonom, der mit irgendeiner Theorie nicht einverstanden ist, gleich einen neuen Namen und Begriff aufstellen wollte? Um so auffallender ist es, daß gerade G., der Seite auf Seite in seinen Werken gegen die „Wortgebundenheit" ankämpft, glaubt, durch ein neues Wort irgend etwas zu zweckmäßigerer Behandlung des Problems selbst beitragen zu können, denn der ganze Dogmatismus und die Formelsucht, die G. bekämpft, können schließlich ebensogut auftreten, wenn man statt Werttheorie Theorie von der Wirtschaftlichen Dimension sagt. G. selbst ist allerdings anderer Meinung: „Die neue Nennung ist die unumgängliche äußere Sicherung dafür, daß sich der Tatbestand selber eindeutig von dem Wust der Theoreme abhebt, die alle auf ihn Bezug nehmen, bald so, bald anders. Wirklich hat die Untersuchung erwiesen, daß sich um d i e s e n T a t - b e s t a n d h e r u m d i e g a n z e W e r t l e h r e ü b e r s i c h t - l i c h u n d k l a r a u s b r e i t e n l ä ß t. Natürlich auch die ganze „P r e i s l e h r e" (S. 285). Dann fährt er aber selbst fort: der Tatbestand der Wirtschaftlichen Dimension würde für sich kaum eine neue Lehre begründen. Gerade aber auf den Tatbestand und nicht auf das Wort mußte es aber doch dem Bekämpfer der Wortgebundenheit ankommen. Statt von einer sterbenden Werttheorie sollte G. lieber von einer lebenden Werttheorie sprechen, gerade im Sinne seines großen neuen Sammelwerkes „Wirtschaft als Leben" (Jena 1925) und in dem Sinne, daß die Werttheorie mehr in dem Zusammenhang der Tatbestände des wirklichen Lebens gebracht werden soll.

C a s s e l kommt zu einer Ablehnung der Werttheorie und will sie durch eine Preistheorie ersetzen.

Wie man sieht, kann C. nur zu einer Ablehnung der Wertlehre kommen, indem er sie durch eine Preislehre ersetzt, oder vielmehr durch eine Preislehre für die Güter und eine Wertlehre für das Geld. Nur durch eine große Anzahl von Abstraktionen und durch weitgehende Einengungen des Gebietes der Wirtschaftstheorie kann C. zu dieser Lösung gelangen. Wie sehr wird die ganze Wirtschaftstheorie eingeengt, wenn sie nur für die geldwirtschaftliche Epoche der Verkehrswirtschaft aufgestellt werden soll; und C. lehnt zwar die Werttheorie ab, stellt aber eine Preistheorie auf, die doch wesentlich in Gedankengängen verläuft, die teils in der objektiven, teils in der subjektiven Werttheorie vorkommen, und indem er ausdrücklich eine Wertlehre für das Geld für notwendig hält, kann er die Werttheorie schlechthin nicht für überflüssig erklären. Jedenfalls kommt C. nicht zu einer Negation der Wertlehre, sondern er hat eine neue dogmatische Preislehre aufgestellt, die sogar eine mathematische Formulierung erfährt, und obendrein eine Wertlehre für das Geld, also jedenfalls eine Theorie, die in den Rahmen der Lehren fällt, denen G o t t l das Todesurteil gesprochen hat.

Die Art und Weise der Ablehnung der Wertlehre von seiten L i e f m a n n s ist gänzlich verschieden von der G o t t l s. Während G o t t l die Werttheorie wegen ihres Dogmatismus negiert, weil sie den Vorgang der Preisbildung auf eine gesetzmäßige Formel bringen will, ist L i e f m a n n selbst Dogmatiker und stellt ein Preisgesetz auf. Nur dadurch weicht er von den früheren Werttheoretikern ab, daß er statt der Werttheorie eine Preistheorie aufstellt und in einzelnen Punkten die Grenznutzenlehre verbessern will. Aber beide Theorien, die von L. und die Grenznutzentheorie, haben denselben Ausgangspunkt, das bekannte physiologische Gesetz Gossens. Gerade wegen seiner individualwirtschaftlichen Betrachtungsweise, wegen seines Ausgehens vom wirtschaftlichen Prinzip und von einem homo oeconomicus fällt L. selbst unter d i e Theoretiker, die G o t t l ablehnt.

Auch D i e t z e l will wie G o t t l die Wertlehre durch eine Preislehre ersetzen. Seine Ablehnung der Wertlehre ist jedoch ganz anderer Art als die G o t t l s, denn seine Preistheorie fußt auf einer Verschmelzung der objektiven und subjektiven Wertlehre. Gerade diese Lehren aber bekämpft G o t t l. Dadurch, daß sie beide verschmolzen werden, wird ihr dogmatischer Charakter und das Bestreben, die Preisbildung auf eine allgemeine Formel zu bringen, nicht geändert.

Mein Überblick über die verschiedenen „Ablehnungen" der Wertlehre hat gezeigt, daß die Gegnerschaft einen grundverschiedenen Charakter trägt. Gemeinsam ist allen Kritikern, daß sie unbefriedigt über die herrschenden Wertlehren die Wertlehre selbst über Bord werfen und durch eine Preislehre ersetzen wollen. Im übrigen ist aber die Stellung G o t t l s eine gänzlich verschiedene von der der drei anderen genannten Autoren. Während C a s s e l, L i e f m a n n und D i e t z e l die alten Wertgesetze durch ein neues Preisgesetz ersetzen wollen, richtet sich G o t t l gegen die Aufstellung eines Preisgesetzes überhaupt. Nicht die besondere Art der Formulierung oder der sachliche Inhalt der alten Werttheorien dünken ihn fehlerhaft, sondern die ganze Manier, die wirkliche Preiserscheinung auf eine einfache glatte Formel bringen zu wollen. Gerade das erstreben wiederum C a s s e l und D i e t z e l mit ihrer auf dem Kostenund Nutzenprinzip aufgebauten Preistheorie und L i e f m a n n mit seinem psychisch fundamentierten Gesetz vom Ausgleich der Grenzerträge. Was G o t t l anstrebt, ist offenbar eine realistisch-empirische Forschungsmethode, welche die Preiserscheinungen als Resultante der vielen im wirklichen Leben vorhandenen Komponenten, als Folge einer bestimmten Markt- und Konjunkturlage auffaßt. Ich hatte schon in meinen 1905 erschienenen „Sozialwissenschaftlichen Erläuterungen zu R i c a r d o" auf das Unbefriedigende der Versuche, einheitliche Wert- und Preisgesetze aufzustellen, hingewiesen, und im ersten Bande meiner „Theoretischen Nationalökonomie" dies näher so formuliert: Um auf den Fall der Preistheorie zu exemplifizieren, statt die allgemeine Preistheorie aufzubauen, gilt es, die spezielle Preistheorie zu fördern. Statt von einem hypothetischen Zustand völlig freier Konkurrenz und unter der Annahme rationell denkender Wirtschafter eine ideale Preistheorie aufzustellen, wie die Preise sich herausstellen müßten, wenn die ganze Bedarfsversorgung so ideal organisiert wäre, scheint es mir wichtiger, die wirklichen

Preiserscheinungen zu erforschen. Die allgemeine Preistheorie hat die wichtige Aufgabe, die allgemeinen Zusammenhänge aufzuzeigen. Bei der Erklärung der kapitalistischen Preisbildung wird sie gewiß — darin stimme ich L i e f m a n n zu — den subjektiven Charakter der Preisbildung, die Unmöglichkeit der Zurückführung der Preise auf die Produktionskosten usw. hervorheben müssen. Aber die ganze weitere detaillierte Ausführung eines Idealzustandes, wie sich die Lust- und Unlustgefühle in normaler Weise zu bestimmten Grenzerträgen und damit zu bestimmten Preisen ausgestalten müßten, scheint mir verfehlt. Gerade der subjektive Charakter der Preisbildung deutet darauf hin, daß hier eine gewisse Willkür stattfindet, daß man aufhören soll, nach sog. exakten Preisgesetzen zu suchen. Wichtiger scheint mir, die Tendenzen für die Preisbildung bestimmter Warengruppen aufzuzeigen, also z. B. für die Bodenprodukte und die Grundstücke, die Fabrikate, dann wieder zu unterscheiden die Konkurrenzpreise und die gebundenen Preise, kurz, eine mehr auf das Konkrete gerichtete realistisch-empirische Betrachtung statt der kühnen Gedankengebäude, die auf mehr oder minder schwankendem Boden errichtet sind.

B ö h m - B a w e r k hat an meiner Abneigung, ein Preisgesetz aufstellen zu wollen, Anstoß genommen und bemerkt, dies sei um so auffallender, als ich doch gegenüber der nationalökonomischen Theorie viel Interesse gezeigt habe. Als ob es notwendig sei, Gesetze aufzustellen, wenn man nationalökonomische Theorie treibt!

Wenn G o t t l mit seinen Werken nichts anderes erreicht hätte, als erfolgreich gegen diese Auffassung Front gemacht zu haben, so hätte er sich damit allein schon ein großes Verdienst um unsere Wissenschaft erworben.

Zweiter Teil:

Die Preislehre.

6. Kapitel.
Einleitung in die Preislehre.

§ 31. Der Zusammenhang zwischen Wert- und Preislehre.

Aus meinen Darlegungen über die Werttheorie geht bereits hervor, wie eng der Zusammenhang zwischen Wert- und Preislehre ist. Da der Preis, wie ich gezeigt habe, in der individualistischen Wirtschaftsordnung die Resultante und der Reflex der subjektiven Wertschätzungen seitens der auf dem Markt erscheinenden Käufer und Verkäufer ist, muß auch die Stellung zum Wertproblem für die Erklärung der Preiserscheinungen entscheidend sein. Diejenigen nationalökonomischen Theoretiker, die behaupten, daß alle Wertschätzungen bei der großen Hauptmasse der Waren sich zu einem festen, exakt festzustellenden Mittelmaß ausgleichen, können in ihrer Preislehre auf dieses Wertgesetz verweisen und haben dann nur noch die Aufgabe zu erfüllen, die Preisbildung für diejenigen Güter zu erklären, die nicht unter ihr Wertgesetz fallen, oder die Abweichungen aufzuzeigen, die bei der Marktpreisbildung sich vom „Grundgesetz der Preisbildung" ergeben. Dies gilt für die beiden Haupttheorien der Wertlehre, sowohl für die subjektivistische oder Grenznutzentheorie. Der objektivistischen Werttheorie entspricht die Kostenpreistheorie, der subjektivistischen Werttheorie die Nutzenpreistheorie.

1. Die Kostenpreistheorie.

Nehmen wir irgendein Werk der klassischen Nationalökonomie zur Hand, deren Vertreter fast ausschließlich auf dem Boden der Kostenwerttheorie stehen, so fällt auf, einen wie weiten Raum die Wertlehre einnimmt, verglichen mit den knappen Ausführungen über den Preis. Dies erklärt sich durch die Eigenart der objektivistischen Wertlehre. Sie geht davon aus, daß alle Preise durch Nachfrage und Angebot bestimmt werden, daß aber für die große Mehrzahl der wirtschaftlich wichtigen Güter, für die sog. beliebig herstellbaren Güter Nachfrage und Angebot sich zu einem „natürlichen" oder „Durchschnittspreis" ausgleichen, um den die Marktpreise oszillieren, und daß dieser natürliche Preis durch die Gestehungskosten der Güter bestimmt werde. So bleibt nur die Erklärung der Preise der sog. Seltenheitsgüter übrig, und für diese nach ihrer Meinung unwichtige Gruppe sollte der Preis durch die Wohlhabenheit und die subjektive Wertschätzung der kleinen Schicht von Menschen bestimmt sein, die zum Ankauf solcher Güter überhaupt in Betracht kommen. — Somit ist für die Anhänger der objektivistischen Werttheorie die Wertlehre zugleich die Theorie für die

Normalfälle der Preisbildung, und die Preislehre ist die Theorie für die Ausnahmefälle der Preisbildung.

J. St. Mill erklärt mit bezug auf den Wert der Seltenheits-güter: „Der Wert, welcher sich für einen Artikel an irgendeinem Markte ergeben wird, ist kein anderer, als gerade derjenige Wert, welcher an jenem Markte eine hinreichende Nachfrage hervorruft, um das vorhandene oder zu erwartende Angebot in Anspruch zu nehmen. Dies ist also das Gesetz des Wertes in bezug auf alle Waren, welche ihrer Natur nach es nicht gestatten, nach Belieben verviel-fältigt zu werden. Artikel, bei denen dies der Fall ist, bilden Aus-nahmen. Für die viel größere Klasse von Dingen, die eine begrenzte Vervielfältigung zulassen, gibt es ein anderes Gesetz[1]." Dieses andere Gesetz ist das Produktionskostengesetz: „Die Produktions-kosten samt dem gewöhnlichen Kapitalgewinn kann man daher bezeichnen als den notwendigen Preis oder Wert aller Dinge, welche durch Arbeit und Kapital entstehen[2]."

Die Kostentheoretiker erblicken die Hauptaufgabe der Wert- und Preislehre in einer genauen Zergliederung der Produktionskosten; damit glauben sie die Preisbildung am Markte in der Hauptsache erklärt zu haben.

2. Die Nutzenpreistheorie.

Für die Grenznutzenschule mußte in noch viel größerem Um-fange das Untersuchungsgebiet der Wert- und Preislehre sich decken, denn sie haben ihre Werttheorie nicht nur für die beliebig herstell-baren Güter, sondern auch für die Seltenheitsgüter aufgestellt. Da der Wert aller wirtschaftlichen Güter auf dem Grenznutzen beruhen soll, erklärt ihr Grundgesetz der Preisbildung sämtliche Preise. Wieser führt aus[3]): „Wenn Ricardo von solchen Preisen, d. h. Liebhaberpreisen, gesagt hat, daß sie überhaupt keinem Gesetze un-terworfen seien, so ist dies aber doch nicht richtig, auch sie sind im Grunde demselben Gesetz unterworfen, das für die Waren über-haupt gilt, auch für sie entscheidet die Aufnahmefähigkeit des Mark-tes, wie sie durch die Ordnung der Nachfragereihen umschrieben ist. ... Für die Masse der Güter kann man das Preisgesetz einfach dahin fassen, daß der Preis dem Grenzgebote der wirksamen Nachfrage folgt, d. h. dem niedrigsten Gebote, das noch zugelassen werden muß, da-mit das ganze Angebot ohne Rest abgesetzt werden könne." Für die Vertreter der Grenznutzentheorie ist also das Verhältnis von An-gebot und Nachfrage nur eine Formel für die Wertschätzung nach dem Grenznutzen. Böhm-Bawerk sagt in seiner Kritik des „Gesetzes von Angebot und Nachfrage" — „Das Neben- und Durch-einander der alten, bunt zusammengewürfelten Bestimmgründe erhält einen inneren Zusammenhang und eine logische Ordnung, und in der Formel nach „Wertschätzung der Grenzpaare" erhalten wir endlich einen „bestimmten und vorwurfsfreien Ausdruck für die Höhe des Preises, der aus allen jenen einzelnen Momenten resul-tieren muß". — (Vgl. Grundzüge der Theorie des wirtschaftlichen Güterwerts, S. 534.)

---

[1]) Grundsätze der Politischen Ökonomie, S. 114.
[2]) Ebenda, S. 117.
[3]) Grundriß der Sozialökonomik, 1. Bd., S. 256.

§ 32. Kritik der Kostenpreistheorie.

Wenn trotz des Einflusses, den die Grenznutzenlehre in einzelnen Ländern ausübt, in der Preislehre die Kostentheorie herrschend wurde und bis zur Gegenwart noch vielfach herrschend ist, so hat dies zwei Gründe: E r s t e n s : zu den eigentlichen Vertretern der Kostentheorie treten noch die Theoretiker hinzu, die in der Hauptsache die Kostentheorie vertreten, aber noch einige Gedanken der Grenznutzentheorie als Ornament hinzugefügt haben. Vor allem werden die Grenznutzler selbst nicht müde, immer wieder zu betonen, daß das Kostengesetz keineswegs im Widerspruch zur Grenznutzentheorie stünde. Sie wollen den Kostenwert unter den allgemeinen Gesichtspunkt des Grenznutzens stellen und als Spezialfall der Grenznutzentheorie betrachten. So sagt B ö h m - B a w e r k [1]: „Die Marktpreise der beliebig reproduzierbaren Güter zeigen die Tendenz, sich auf die Dauer den Erzeugungskosten gleichzustellen." Und an anderer Stelle: „Jenes empirische Gesetz, d. h. das Kostengesetz, läßt sich in dem Sinne verifizieren, daß die Marktpreise der Produkte auf die Dauer sich mit dem Werte der zu ihrer Erzeugung aufzuopfernden Produktivgüter zusammenstimmen. Verfolgt man aber die Bestimmgründe des Wertes dieser Produktiv- oder Kostengüter weiter, so gelangt man in letzter Linie auch hier auf irgendeinen Nutzen oder Grenznutzen[2]." W i e s e r meint, daß die Produzenten die Größe des Angebots, das sie auf den Markt bringen, durch einen Kalkül feststellen, dessen Grundlage die Kosten sind[3]). Und noch ausdrücklicher: „Für die Kostenprodukte nimmt das Gesetz des Preises die besondere Gestalt des Preiskostengesetzes an[4]."

Z w e i t e n s : Die Preistheorie soll zugleich die Grundlage bilden für die Preispolitik in dem Sinne, daß die Frage, ob ein Preis gerecht oder angemessen sei, danach entschieden wird, ob die Preisbildung den Grundbedingungen der wirtschaftlichen Preisbildung entspricht. Diese Frage kann z. B. den R i c h t e r beschäftigen bei der Entscheidung, ob ein Preis wucherartig ist oder ob das Preisdiktat eines Kartells über die volkswirtschaftlich angemessene Höhe hinausgeht. Der Richter oder Verwaltungsbeamte kann unmöglich prüfen, ob die Preisfestsetzungen mit den Grenznutzschätzungen übereinstimmen, wohl aber hat er in den Gestehungskosten eine scheinbar sehr einfache und kalkulatorisch leicht anwendbare Grundlage. Aus diesen beiden Gründen hat die Kostenpreistheorie sowohl in der Wirtschaftswissenschaft wie in der Rechtswissenschaft eine große Bedeutung gewonnen. Ich muß daher in Ergänzung meiner früheren Kritik der obektivistischen Werttheorie noch einiges zur Kritik der speziellen Anwendung der Kostentheorie auf die Preislehre sagen.

1. V e r k a u f   u n t e r   d e n   G e s t e h u n g s k o s t e n .

Der enge Zusammenhang zwischen den Gestehungskosten und dem Preise der Waren, wie ihn die Kostenpreistheorie behauptet,

---

[1]) „Grundzüge der Theorie des wirtschaftlichen Güterwesens" in Conrads Jahrbücher 1888, S. 134.
[2]) „Kostenwert und Nutzwert". In gesammelten Schriften von E u g e n v. B ö h m - B a w e r k , S. 387.
[3]) a. a. O., S. 267.
[4]) a. a. O., S. 271.

K. D i e h l , Nationalökonomie III.   9

hatte eine gewisse Berechtigung in den mittelalterlichen Wirtschaftsverhältnissen und in der Zeit des Beginns der industriellen
Entwicklung. Unter modernen Wirtschaftsverhältnissen besteht
dieser enge Zusammenhang nicht mehr. Ich wies schon oben (S.
69) auf die Bedeutung der fixen Kapitalien hin und zeigte, daß es unter
Umständen für Unternehmungen im Interesse ihrer dauernden
Ertragsfähigkeit und Rentabilität gelegen sein muß, auch längere
Zeit hindurch u n t e r den Gestehungskosten die Waren zu verkaufen. Ich will dies noch durch einige Hinweise ergänzen. Alle
industriellen Unternehmungen müssen suchen, die teueren und kostspieligen festen Kapitalien möglichst ständig in Betrieb zu halten,
weil sonst die Verluste zu bedeutend sind. Dieses zwingt unter
Umständen Betriebe, ihre Waren auch zu Preisen abzusetzen, die
zeitweilig u n t e r   d e n   P r o d u k t i o n s k o s t e n liegen, weil es
unter Umständen vorteilhafter sein kann, die Waren zu diesen
Preisen abzusetzen, als sie gar nicht zu verkaufen und den Betrieb
längere Zeit stillstehen zu lassen. Bei Betrieben, die nach dem
Inland und Ausland absetzen, wird öfters dadurch ein Ausgleich
bewirkt, daß die Auslandspreise niedriger angesetzt werden, wenn
es die Konjunkturen des Weltmarktes verlangen, weil die hohen
Inlandspreise plus den billigeren Auslandspreisen zusammen noch
eine rentable Fortführung des Gesamtunternehmens gestatten.
Natürlich kommt auch das umgekehrte Verhältnis vor. Auf die
Dauer kann diese Preispolitik auch für den inländischen Konsum
vorteilhaft wirken, weil eine stete Fortführung des Gesamtunternehmens schließlich die Produkte billiger gestaltet, als eine Betriebs-
weise, die öfter ganz oder teilweise in Stillstand gerät.

Dieser hier besprochene Punkt ist in der neueren englischen
zollpolitischen Literatur mehrfach mit Recht hervorgehoben worden.
Es ist ein bekannter Einwand gegen die Schutzzollpolitik, daß unter
ihrer Herrschaft die Preise eine künstliche Richtung annähmen,
während sie unter der Herrschaft des Freihandels die natürliche
Richtung nach den Produktionskosten hätten. Diese künstliche
Gestaltung der Preise führe dann dazu, daß die Preise im Inland
erhöht und die Auslandspreise erniedrigt würden.

Von schutzzöllnerischer Seite in England ist neuerdings mit
Recht darauf hingewiesen worden, daß diese Differentialpreise mit
den allgemeinen Verhältnissen des Weltmarktes zusammenhingen
und nicht ohne weiteres dem Schutzzollsystem zur Last zu legen
seien. Besonders erwähnenswert ist in dieser Hinsicht das Buch
von W. I. A s h l e y , „The Tariff Problem"[1]. A s h l e y gibt
dort längere Auszüge aus H a d l e y , „Railroad transporta-
tion"[2]. Dort wird der bekannte Einwand gegen den Schutzzoll
besprochen, daß häufig unter der Herrschaft des Schutzzolls Waren,
die im Inland produziert sind, nach dem Ausland zu teureren Preisen
verkauft werden, als an das Inland. Wenn im Zusammenhang damit
behauptet wird, daß dies gegen die ökonomischen Fundamental-
gesetze verstoße, daß nämlich die Preise der Waren den Produktionskosten entsprechen müssen, weil häufig die für das Ausland festgesetzten Preise unter den Produktionskosten stünden, so wird von

---

[1] Second Edition. London 1904, P. S. King & Son.
[2] 1888.

H a d l e y dagegen bemerkt, daß dies „Gesetz" tatsächlich gar nicht existiere, daß mit und ohne Schutzzoll die Industrie oft unter den Produktionskosten zu verkaufen gezwungen sei: der Grund liege in der enorm angewachsenen Menge fixer Kapitalien, die zu verzinsen seien. Es heißt in der zitierten Schrift H a d l e y s[1]): Wir nehmen fast ohne Einschränkung die R i c a r d o sche Theorie an, daß bei freiem Wettbewerb am offenen Markt der Wert der verschiedenen Waren danach strebt, sich den Produktionskosten anzupassen. Gemäß dieser Idee wird, wenn der Vorrat einer bestimmten Ware knapp ist und der Preis daher stark über die Produktionskosten hinausgeht, fremdes Kapital in das Geschäft gezogen, bis der Vorrat wieder stark vergrößert ist, um den Bedürfnissen des Marktes zu genügen. Aber sobald dieser Punkt überschritten ist und der Preis unter die Produktionskosten hinunterzugehen beginnt, werden die Leute sich weigern, mit Verlust zu produzieren; der Vorrat wird verringert und die Preise werden wieder zu normaler Höhe steigen.

Dies war annähernd wahr, als R i c a r d o schrieb: „Aber im Geschäft von heute fehlt ein Glied in der Kette der Schlußfolgerung und damit fällt das Ganze zusammen: Es ist nicht wahr, daß, wenn die Preise unter die Produktionskosten fallen, die Leute es immer in ihrem Interesse gelegen finden, es abzulehnen, mit einem Nachteil zu produzieren. Es schließt sehr häufig weniger Verlust ein, die Produktion fortzusetzen, als unter den Herstellungspreisen zu produzieren."

Aus der Fülle von Beispielen solcher Preispolitik seien nur zwei kurz hier hervorgehoben: zunächst ein von H a d l e y angeführter Fall aus der amerikanischen Roheisenindustrie.

„Im Jahre 1870 war der Philadelphiapreis von Roheisen Nr. I im Durchschnitt 33,25 Doll. pro Tonne, was wahrscheinlich gerade die Produktionskosten einschließlich eines angemessenen Gewinns für das Kapital repräsentierte. Die amerikanische Produktion für dieses Jahr und das nächste betrug ungefähr 1 9000 000 Tonnen für jedes Jahr; aber während des Jahres 1871 und des größten Teils von 1872 stiegen die Preise; der Durchschnitt für Dezember 1872 betrug 53,87 Doll. Große Gewinne wie diese zogen Kapital in das Geschäft. Die Produktion für 1872 betrug 2 855 000 Tonnen und für 1873 2 868 000 Tonnen. So weit bewährte sich R i c a r d o s Theorie gut, dann fielen die Preise schneller, als sie gestiegen waren. Im Dezember 1873 betrugen sie 32,50 Doll. die Tonne; Dezember 1874 24,00 Doll. Für das Jahr 1876 standen sie auf einem Durchschnitt von 17,62 Doll. Aber die Eisenfabrikanten konnten ihre Produktion nicht so schnell einschränken, wie sie sie vorher vergrößert hatten. Ihre Schmelzöfen außer Betrieb zu setzen, hieß ihre Geschäfte zugrunde gehen lassen; so fuhren sie fort mit großen Verlusten zu produzieren, und immer verzweifelter zu kämpfen, je größer der Verlust war. Einige Geschäfte gingen zugrunde, andere arbeiteten sich durch, bis sie glücklichere Zeiten sahen. Aber während einer Periode von 6 Jahren wurden Millionen von Tonnen Eisen produziert und unter dem Kostenpreis verkauft und die Eigentümer waren dankbar, wenn der gezahlte Preis das Rohmaterial und die Löhne deckte, ohne irgendwelche Rücksicht auf Gewinn. Ganz

---

[1]) Zitiert bei A s h l e y , S. 88.

dasselbe gilt wahrscheinlich von dem heutigen Stahlschienen-
geschäft (1888)."

Ferner sei hingewiesen auf die Aussage Mr. G a t e s , des
Präsidenten der amerikanischen Stahl- und Drahtcompanie, vor der
United States Industrial Commission:

Fr. Wie verhält sich der Exportpreis zu dem Preise der amerikanischen Konsumenten?

A. Wir verkaufen auf dem Weltmarkt zu einem geringeren Preise
als daheim.

Fr. Wollen Sie mir die geschäftlichen Gründe hierfür erklären?

A. Der geschäftliche Grund dafür ist, daß, indem wir ein auswär-
tiges Geschäft machen, wir auch unsere Werke völliger ausnützen
und unsere Waren billiger herstellen können und wenn die
Zeit kommt, wo die einheimischen Preise heruntergehen, so wird
dies nicht notwendigerweise den Preis auswärts berühren. Es
gibt Zeiten, wo die Exportpreise höher sind als die einheimischen
Preise. In der gegenwärtigen Zeit sind die heimischen Preise,
glaube ich, wahrscheinlich um 50, 60 oder 70 % höher als unsere
Exportpreise. Ich weiß den Unterschied nicht ganz genau,
aber ich weiß, daß heute ein Unterschied zugunsten des Exportes vorhanden ist. Zu anderen Zeiten ist es umgekehrt.
Aber indem wir, sagen wir, 200 000 Tonnen Draht jährlich
zum Export für alle Teile der Welt produzieren, haben wir
die Gesamtkosten der Produktion erheblich billiger. Indem
wir dies tun, können wir dem heimischen Konsum auf die
Dauer einen niedrigeren Preis geben und vielleicht 50 oder
30 % mehr Arbeiter einstellen, so daß in der langen Zeit, in der
wir dies tun, es sich ausgleichen wird. Unsere heimischen
Preise und unsere auswärtigen Preise sind notwendigerweise
niemals ganz gleich; der eine kann höher, der andere niedriger
sein, es hängt gänzlich von den Umständen ab."

Diese Auffassung über die Preisbildung findet sich auch bei
den meisten Vertretern der Privatwirtschaftslehre. So weist z. B.
W a l b auf die Unterscheidung der Betriebskosten in die p r o -
. p o r t i o n a l e n und f i x e n Kosten hin: „Die proportionalen
Kosten sind solche, die mit den hervorgebrachten Betriebsleistungen
parallel gehen. Die fixen Kosten sind solche, die unter allen Umständen gegeben sind, einerlei, ob der Betrieb beschäftigt ist oder
nicht. Die erstere Gruppe von Kosten, die in der Hauptsache aus
Produktionsmaterial und produktiven Löhnen besteht, muß das
Unternehmen sich unbedingt ersetzen lassen, weil es sonst Geld
zulegt, und es dann besser täte, seinen Betrieb zu schließen[1]). W a l b
nennt die fixen Kosten das elastische Glied in der Preisbemessung
und sagt: „Der Betrieb muß sie als Verluste a priori ansehen und daran
festhalten, daß alles, was er über die proportionalen Kosten im
Preise ersetzt erhält, einen Beitrag zu dieser Verlustdeckung bedeutet. D. h. der Betrieb nimmt Aufträge unter den üblichen Selbstkosten, bis zur Mindestgrenze der proportionalen Kosten herein und
betrachtet solche Aufträge als „relativ" gewinnbringend.[2]) S c h m a -

---

[1]) E. W a l b , Absatzstockung und Preispolitik.   „Betriebswirtschaftliche
Rundschau" (Monatsschrift, herausgeg. im Auftrag der Gesellschaft für wirtschaftliche Ausbildung. Frankfurt a. M.), 1. Jahrg., 2. Heft, 1924, S. 26.
[2]) Ebenda.

l e n b a c h erklärt: „Die gute Mechanik der freien Preisbildung setzt das Überwiegen proportionaler Kosten voraus. Progressionen und Degressionen der Kosten bringen Preisbilder hervor, die die Mechanik stören und schließlich unbrauchbar machen, und die Zeit muß kommen, in der die Volkswirtschaft neuer Wertmechanismen bedarf[1]." Und über die Wertbemessung für Unternehmungen sagt er: „Der Grundsatz, daß ihr Wert auf die Reproduktionskosten sich stellen müsse, gilt nur mit großer Beschränkung. Ehe die eine Tendenz sich voll auszuwirken Zeit hatte, ist schon wieder ein neuer Konjunkturstoß wirksam geworden, und so bleibt der Reproduktionswert vom wirklichen Wert fast stets im Abstand. Heute in der Zeit fortgesetzt erneuter Wirtschaftsunruhen tritt diese Erscheinung besonders zutage[2]."

Es wäre volkswirtschaftlich ganz verfehlt, in dieser Weise die „Gestehungskosten" für die Entscheidung des angemessenen Preises in den Mittelpunkt zu stellen, weil damit implicite ausgesprochen ist, daß der Unternehmer im Preise die Wiedererstattung seiner Kosten zu beanspruchen hätte. Tatsächlich sind die vom Unternehmer gezahlten Kosten vielfach zu hoch, und so liegt in der Preisgestaltung unter den Kosten das beste Anzeichen für ihn, zu einer Rationalisierung seines Betriebes zu schreiten und die Kosten auf die volkswirtschaftlich angemessene Höhe herabzusetzen. Sehr richtig bemerkt H o h[3]: „Die Preise sind das Resultat der jeweiligen Marktlage. Liegen die Preise unter den Gestehungskosten, dann ist es Aufgabe der Unternehmung, ihre Kosten zu reduzieren. Der Marktpreis spricht das Urteil, ob eine Unternehmung im Sinne der Gemeinwirtschaft „wirtschaftlich" ist oder nicht. Die Kalkulation ist nur eine Gewissenserforschung, sie ist kein Berechtigungsschein für die Preise."

2. D i f f e r e n t i e l l e   K o s t e n.

Das sog. „Grundgesetz der Preisbildung", wonach die Höhe der Preise durch die Produktionskosten bestimmt werden, stößt auf neue Schwierigkeiten dadurch, daß die Gestehungskosten in den einzelnen Betrieben oft sehr verschieden hoch sind. Dies tritt in besonderem Maße in der landwirtschaftlichen Produktion hervor. Die Schwierigkeiten der landwirtschaftlichen Produktionskostenberechnung hat H o w a r d in seiner Schrift: Die Produktionskosten unserer wichtigsten Feldfrüchte (3. Aufl., Berlin 1908) dargelegt. „Der Landwirt", so sagt er, „ist in dieser Hinsicht in sehr schlechter Lage, selbst der Inhaber einfachster Wirtschaften, weil er nicht nur sehr viel Dinge gleichzeitig produziert, weil er nicht in der Hand hat, zu bestimmen, wieviel er produzieren will (er kann nur seine vorbereitenden Aufwendungen treffen — Güte und Menge des Produktes bestimmen Boden und Wetter —) und weil er nicht nur Produzent, sondern gleichzeitig Konsument seiner Produkte, vielfach auch noch Fabrikant ist, indem er seine Produkte selbst weiter verarbeiten muß, um sie verkaufsfähig zu machen. Fast jedes seiner Produkte bedarf verschiedener Zeitmengen, ein

---

[1] a. a. O., S. 6.
[2] Ebenda, S. 58.
[3] „Kostenwert und Preisniveau". Betriebswirtschaftliche Rundschau. Oktober 1925. S. 137.

halbes bis ein ganzes Jahr (Feldfrüchte), ja selbst mehrere Jahre (Samenbau, Viehzucht), mit einem Worte: selbst die einfachste Wirtschaft gestaltet sich zu einer Vielheit verschiedenster Betriebe — in derselben Hand." — Sind die Schwierigkeiten schon groß für die Berechnung der Produktionskosten, so vermehren sich diese Schwierigkeiten bei der Berechnung der Produktionskosten für eine bestimmte Frucht. H o w a r d hat sich bemüht, mit größter Sorgfalt solche Berechnungen aufzustellen und hat mehr als 2½ Tausend Jahresberechnungen verschiedener Wirtschaften verarbeitet, bemerkt aber selbst über die Bedeutung seiner Berechnungen: „Alle auf dem beschriebenen Weg gewonnenen Zahlen haben zunächst ausschließliche Bedeutung für die betreffenden Wirtschaften, aus deren rechnerischen Unterlagen sie aufgebaut worden sind. Sie passen vielleicht schon nicht mehr auf die Wirtschaftsverhältnisse des nächsten Nachbars. Es kann aus ihnen kein Rückschluß auf die betreffende Gegend oder gar Provinz gezogen werden, und wenn man eine große Anzahl solcher Zahlen addiert, um eine Durchschnittsziffer zu gewinnen, so wird deren Höhe lediglich abhängig sein von der Menge und dem Zufallscharakter der herangezogenen Einzelergebnisse."

Bedeutsam sind die H o w a r d schen Berechnungen insofern, als sie ergeben, wie a u ß e r o r d e n t l i c h   v e r s c h i e d e n die Produktionskosten sind. Die Berechnungen H o w a r d s erstrecken sich auf 140 Wirtschaften. Er hat z. B. die Produktionskosten von 1 Zentner Weizen in diesen 140 Wirtschaften berechnet, und zwar nach fünfjährigem Durchschnitt, in Ausnahmefällen nach dreijährigem Durchschnitt, und zwar sind die Berechnungen angestellt für die Jahre 1895/96 bis 1899/1900, teilweise für die Jahre 1893/94 bis 1897/98. H o w a r d fand Produktionskosten pro Zentner Weizen von 3,87 bis zu 11,69 Mk.: „Fast keine Zahl wiederholt sich, nicht einmal Gruppen ähnlicher Wirtschaften lassen sich konstruieren, selbst wenn alle Früchte und ihre Erträge nebeneinander gestellt würden. Die niedrigste und höchste Zahl liegen um 300 % auseinander. Es dürfte unzulässig sein, einen Durchschnitt aus diesen Zahlen zu ziehen, weil diese Zahlen ja nur dadurch nebeneinander stehen, daß die Inhaber der Wirtschaften mir ihr Rechnungswesen übergeben haben (S. 14)."

Welche Kosten sollen unter solchen Umständen für die Preisbildung die maßgebenden sein? Die Produktionskostentheorie löst diese Schwierigkeit dadurch, daß sie das Produktionskostengesetz so formuliert: „Der Tauschwert aller Güter, mögen sie gewerbliche Produkte sein oder Erzeugnisse der Minen oder des Grund und Bodens, wird immer nicht durch die geringere Menge der Arbeit geregelt, welche für ihre Herstellung unter besonders günstigen Umständen genügen mag, und nur von solchen, die besondere Erleichterungen in der Produktion haben, geleistet wird, sondern durch die g r ö ß e r e   A r b e i t s m e n g e, die notwendigerweise auf die Produktion von denen verwandt wird, die solche Erleichterungen nicht haben; von solchen, die sie unter den ungünstigsten Bedingungen herstellen; d. h. unter den ungünstigsten Umständen solche verstanden, unter denen der notwendige Bedarf an Produkten es gebietet, die Hervorbringungsarbeiten fortzusetzen (R i c a r d o)."

Der Hinweis auf die differentiellen Kosten ist wichtig und wir werden in der Preislehre noch wiederholt darauf zurückkommen. Wenn Produkte der gleichen Qualität von verschiedenen Produzenten mit verschiedenem Kostenaufwand hergestellt werden, so ergeben sich daraus — weil der Preis für die gleichen Produkte auf dem Markt der gleiche ist — für die unter günstigeren Bedingungen arbeitenden Produzenten Differentialrenten oder Ertragsgewinne. Aber dies bedeutet doch nicht, daß wir ein „Grundgesetz der Preisbildung" in der Form aufstellen können, daß die Preise durch die Kosten d e r Produzenten bestimmt werden, die unter den ungünstigsten Bedingungen produzieren; wenn, wie wir nachgewiesen haben, die Kosten überhaupt für die Preisbildung nicht ausschlaggebend sind, sind es auch die höchsten Kosten nicht. Diese Tatsache kann vielmehr nur bedeuten, daß, s o w e i t d i e K o s t e n a l s M o m e n t d e r P r e i s b i l d u n g i n F r a g e k o m m e n , dieses Kostenmoment von verschiedener Bedeutung ist, je nachdem es sich um Produkte handelt, die mit den gleichen oder mit ungleichen Kosten produziert werden. Aber auch ein einheitliches Kostengesetz derart, daß, soweit die Kosten als preisbildendes Moment eine Rolle spielen, die Kosten der am teuersten produzierenden Betriebe für die Preise maßgebend seien, kann nicht aufgestellt werden, sondern diese differentiellen Kosten haben grundverschiedene Bedeutung, je nachdem es sich um die Urproduktion oder um die weiterverarbeitende Indsturie handelt.

a) In der Urproduktion:

Hier ist die Ergiebigkeit der einzelnen Grundstücke und Bergwerke je nach Fruchtbarkeit bzw. Erzreichtum eine verschiedene. Für die Preise der Produkte in der Urproduktion sind, soweit das Kostenmoment in Frage kommt, die Kosten der weniger ergiebigen Bodenstücke und Fundstätten maßgebend. — Wir kommen hierauf bei der Betrachtung der Getreidepreise und der Preise der Bergwerksprodukte zurück.

b) In der weiterverarbeitenden Industrie:

Hier sind es nicht Naturvorteile, sondern die Vorteile größerer Kapitalmacht und besserer Organisation, welche zu differentiellen Kosten führen. Die mit den besten Maschinen und anderen technischen Hilfsmitteln ausgestatteten Betriebe arbeiten mit geringeren Kosten, als die mit rückständigen Methoden arbeitenden Betriebe. Hier sind es aber nicht wie in der Urproduktion die am ungünstigsten arbeitenden Betriebe, sondern gerade umgekehrt meist die am günstigsten arbeitenden, die für den Preis den Ausschlag geben, soweit die Kosten in Frage kommen.

3. D i e B e d e u t u n g d e r K o s t e n f ü r d i e P r e i s l e h r e .

Aus dem bisher Gesagten folgt, daß die Kosten zwar eine sehr wichtige, aber keineswegs die ausschlaggebende Rolle für die Preisbildung spielen. Der Irrtum dieser Produktionskostentheorie mußte aber besonders verhängnisvoll wirken, sobald aus dieser Preistheorie Schlußfolgerungen für die Preispolitik gezogen wurden. Dies geschah namentlich durch die Lehre vom justum pretium oder vom angemessenen Preis. Nach dieser Lehre wurde die Rechtmäßigkeit der Preise danach beurteilt, ob die Preise mit den Gestehungskosten ubereinstimmten oder darüber hinausgingen. Die Lehre vom „angemessenen Preis" soll daher einer besonderen Untersuchung unterzogen werden.

§ 33. Die nationalökonomische Preiskostentheorie und die Lehre vom angemessenen Preise (justum pretium).

Am 5. Oktober 1799 sandte Friedrich Wilhelm III. folgenden Erlaß an das Generaldirektorium der Steuern[1]):

„Se. Majestät haben aus den öffentlichen Blättern ersehen, daß die Zuckerpreise im Auslande um 60 % gefallen sind, und gleichwohl müssen sie erfahren, daß die hiesigen Zuckerfabrikanten die Preise nur um einen Groschen für den feinsten Zucker heruntergesetzt haben, und dies damit beschönigen, daß sie den Rohrzucker noch zu teuren Preisen eingekauft haben. Dieser Vorwand verdient aber um so weniger die geringste Rücksicht, als eben diese Fabrikanten zu den Zeiten, wo die Zuckerpreise im Auslande stiegen, ihren Zucker ebenfalls verteuerten, ungeachtet sie ihn wohlfeil eingekauft hatten. Wollte man denselben demohngeachtet stattfinden lassen, so würde das bloß zum allgemeinen Besten gegebene Verbot der Einfuhr der fremden raffinierten Zucker das ganze Land denen Zuckerfabrikanten zinsbar gemacht werden, welches Se. Majestät schlechterdings nicht gestatten können. Allerhöchstdieselben befehlen daher dem Generaldirectorio, sämtliche Unternehmer von Zuckersiedereien sofort anzuhalten, die Zuckerpreise verhältnismäßig herunterzusetzen, und wie solches geschehen, binnen 8 Tagen anzuzeigen, oder darauf anzutragen, daß die im Auslande fabrizierten Zucker, ebenfalls gegen eine doppelte Akzise, eingelassen werden." Die „Berlinische Zuckersiederei-Compagnie" richtete gegen diesen Erlaß eine „Vorstellung" an den König, in der sie wesentlich auf das Vorübergehende der Konjunktur hinwies; der König nahm indes diese „Vorstellung" höchst ungnädig auf, riet der Kompanie, falls sie demnächst so sicher wieder hohe Preise erwarte, lieber sogleich billigen Rohzucker einzukaufen und sich dadurch für die Zukunft einen Gewinn zu sichern, schlug die Gewährung ihrer Ansuchen „mit Rücksicht auf das Interesse der gesamten Bevölkerung" rundweg ab, und schloß seinen Erlaß mit den Worten: „Übrigens wird das Fabriken-Departement bei der verlangten Preisermäßigung die gehörige Rücksicht darauf nehmen, daß die Zuckersiedereien bei einer vernünftigen Disposition bestehen können, so wie auch Se. Majestät hoffen, daß die Fabriken es nicht dahin werden kommen lassen, daß der fremde Zucker eingelassen werden müsse. Sollte dies aber wider Vermuten dennoch der Fall werden, so werden Se. Majestät dennoch die inländischen Raffinierien so begünstigen, daß es nur ihre eigene Schuld sein würde, wenn sie dabei nicht bestehen können[2])."

Wir sehen, wie in diesem Erlasse aus Rücksicht „auf das Interesse der gesamten Bevölkerung" eine Regulierung des Preises auf die „angemessene Höhe" stattgefunden hat. Solche Maßregeln waren

---

[1]) Geschichte des Zuckers, seiner Darstellung und Verwendung seit den ältesten Zeiten bis zum Beginn der Rübenzuckerfabrikation. Ein Beitrag zur Kulturgeschichte, S. 334. Leipzig 1890, Max Hesses Verlag.
[2]) S t a d e l m a n n , „Preußens Könige in ihrer Tätigkeit für die Landeskultur", Leipzig 1887, S. 239 ff.

in jener Zeit leicht möglich, denn es handelte sich um eine selbstverständliche und geläufige Anwendung des Prinzips der merkantilistischen Periode. Das ganze Wirtschaftsleben stand unter obrigkeitlicher Kontrolle und Regelung; Eingriffe oft der schroffsten Art in die freie Wirtschaftsgestaltung waren nichts ungewöhnliches. Wie kann aber eine rechtliche Normierung des „angemessenen Preises" innerhalb einer Wirtschaftsordnung stattfinden, die grundsätzlich die Vertragsfreiheit bei wirtschaftlichen Verträgen festsetzt; wie vertragen sich solche Preisfeststellungen mit einer individualistischen Wirtschaftsordnung? Zwei Fragen sind hierbei zu beantworten. Einmal: ob überhaupt mit einer auf freier Konkurrenz begründeten Rechtsordnung solche Festsetzungen vereinbar sind und zweitens: wenn eine solche Festsetzung möglich sein sollte, nach welchen Kriterien soll der angemessene Preis festgesetzt werden? Wir wollen einige kurze Bemerkungen zur Entstehung des Begriffes „justum pretium" voranschicken.

a) Zur Genesis des Begriffes „justum pretium".

Der Gedanke des justum pretium hat im Laufe der Zeit, entsprechend der Entwicklung des Rechts- und Wirtschaftslebens, eine sehr verschiedene Ausdeutung erfahren.

Dem römischen Recht mußte der Gedanke der Feststellung eines angemessenen Preises fernliegen, da der Grundsatz unbedingter Freiheit des Kaufvertrages galt. „Angemessen" war der Preis, den die vertragsschließenden Parteien miteinander vereinbart hatten. Der Preis sollte „certum" sein, d. h. die Parteien sollten über die Höhe des Preises eine bestimmte Abrede treffen. Er sollte auch „verum" sein, d. h. ernstlich dem Werte der verkauften Sache entsprechend sein[1]).

Auch der Ausdruck „justum pretium" hatte zunächst nicht die Bedeutung eines angemessenen Preises im Sinne eines Preises, der der Billigkeit oder der Gerechtigkeit oder dem Volksempfinden entspräche, sondern es war nur ein anderer Ausdruck für verum pretium. Wenn z. B. eine Ware die vereinbarte Qualität nicht hatte, oder wenn eine Täuschung eines Kontrahenten vorlag, sollte der Richter ein justum pretium bestimmen. Dieses justum pretium sollte einen Gegensatz zum Affektionswert bilden.

Über die Bemessung desselben sagt Paulus im Anschluß an Sextus Pedius: „Sextus quoque Pedius ait, pretia rerum non ex affectione, nec utilitate singulorum, sed communiter fungi." Es wird also der Affektionspreis zurückgewiesen und verlangt, daß der Richter einen normalen, für alle gleichen Wert seiner Entscheidung zugrunde lege. Es wird aber nicht davon gesprochen, daß dieser etwa im ganzen Wirtschaftsleben durchgeführt werden solle[2]).

Die Ausdrücke verum oder justum pretium sollten einen dem normalen Tauschwert entsprechenden Preis bedeuten. Im Rechte der späteren Kaiserzeit erhält der Begriff des justum pretium eine veränderte Bedeutung. „Das erste dieser Gesetze betrifft die Einführung des Anfechtungsrechts wegen sog. laesio enormis.

---

[1]) Manfred Lehmann, Der Begriff des angemessenen Preises. Marburg 1921. S. 8.
[2]) Edmund Schreiber, Die volkswirtschaftlichen Anschauungen der Scholastik seit Thomas v. Aquin. Jena 1913. S. 15.

Die constitutio ist von Diocletian und Maximian im Jahre 285 n. Chr.
erlassen und lautet: „Rem majoris pretii si tu vel pater tuus minoris
pretii distraxerit, humanum est, ut vel, pretium te restituente emtori-
bus, fundum venditum recipias, auctoritate judicis intercedente,
vel, si emtor elegerit, quod deest justo pretio recipias. Minus autem
pretium esse videtur, si nec dimidia pars veri pretii soluta sit."
Der Verkäufer hat also, falls er weniger als die Hälfte des justum
(verum) pretium für seine Sache empfangen hat, ein Rücktritts-
recht, so daß er gegen Rückgabe des Kaufpreises seine Sache wieder
erhält; es sei denn, daß der Käufer eine Nachzahlung bis zum Betrag des wahren Wertes leistet.

Das zweite der hier in Betracht kommenden diokletianischen
Gesetze ist das edictum de pretiis rerum venalium vom Jahre 301,
in welchem eine für sämtliche im ganzen Römischen Reich vorkommenden Kaufgeschäfte gültige Tarifierung aller möglicher Waren
und Dienstleistungen, unter Androhung der Todesstrafe für Über-
forderungen, unternommen wurde[1].

Diese beiden diokletianischen Gesetze gehen also weit über
die frühere Einschränkung der Vertragsfreiheit hinaus; während bei
der vorher erwähnten Einschränkung nur an Stelle des von den
Parteien vereinbarten Preises ein wertgemäßerer Preis zu setzen war,
weil das Werturteil des Klägers irgendwie durch eine Täuschung
getrübt war, soll hier der „gerechte Wert" schlechthin erzwungen
werden, auch wenn die Kontrahenten über alle bei der Preisverein-
barung maßgebenden Momente vollkommen im klaren waren. Bei
der Feststellung der Preise des Ediktes, die teils durch die Direktoren
der Kaiserlichen Fabriken oder die Verwalter der Kaiserlichen Pro-
vinzialmagazine, teils durch die Collegia der Handwerker und Klein-
händler festgesetzt wurden, sollten die üblichen Produktionskosten
nebst einem hinreichenden Gewinn berücksichtigt werden, alle
handelsmäßigen Spekulationsgewinne ausgeschaltet werden[2].

Ihre eigentliche Ausbildung und tiefere Begründung erfuhr die
Lehre vom justum pretium erst im Mittelalter durch die kanoni-
stische Wucherlehre. Der Begriff des „Wuchers" ging weit über das
Zinsnehmen hinaus. Als Wucher erschien der kanonistischen Lehre
alles, was im Wirtschaftsleben irgendwie als „übermäßiger Gewinn"
angesehen werden konnte. Die Kirche, die in jener Zeit das ganze
Wirtschaftsleben zu kontrollieren und beaufsichtigen suchte, bekämpfte vor allem den „unberechtigten Handelsgewinn" und „un-
berechtigter Handelsgewinn" sollte vorliegen, wenn die Waren nicht
nach dem justum pretium verkauft wurden. Das justum pretium
war keineswegs mit dem Marktpreis identisch, sondern wurde nach
einem bestimmten Maßstab der Billigkeit und Gerechtigkeit festgestellt. Es lag dieser Auffassung die schon von mir dargelegte
objektivistische Werttheorie zugrunde, die namentlich von A l -
b e r t u s M a g n u s und T h o m a s v. A q u i n o , die ihrerseits wieder auf aristotelische Gedanken zurückgingen, ausgebildet
wurde. Nach thomistischer Auffassung gehörte die Frage des justum
pretium zu den inhaltlich naturrechtlichen Forderungen des jus

---

[1] R u d o l f K a u l l a , Der Wertbegriff im romischen Recht. In Zeitschrift für die gesamte Staatswissenschaft, a. a. O., 58. Jahrg., 1. Heft. Tübingen
1902. S. 417/418.

[2] K a u l l a , a. a. O., S. 425.

gentium[1]). Nach dieser Lehre sollte im Tausche Gleichheit von Leistung und Gegenleistung herrschen. Darin äußert sich das Wesen der justitia commutativa. Die Produkte sollten in ihrem Wertverhältnis durch das Verhältnis der zur Produktion nötigen Aufwendung bestimmt sein. In bezug hierauf wird Gleichheit von Leistung und Gegenleistung gefordert.

Durch das Mittel behördlicher Preisfixierung suchte die Kirche diesem Grundsatz des justum pretium Geltung zu verschaffen. Doch auch abseiten der Kirche wurde im Mittelalter und in der darauf folgenden Zeit bis zum 18. Jahrhundert durch Preistaxen, Preismaxima und obrigkeitliche Preisfestsetzungen die Preisbildung zu beeinflussen gesucht, und ebenso war durch das Zunftrecht und die ganze merkantilistische Wirtschaftspolitik in weitem Umfang die Preisbildung keine freie, sondern eine gesetzlich gebundene.

Erst um die Wende des 18. zum 19. Jahrhundert trat der Umschwung von der gebundenen zur freien Preisbildung ein. Die der liberalen Wirtschaftsdoktrin entsprechende Rechtsordnung beseitigte die früheren Fesseln des freien Marktes. Die Hauptvorkämpfer dieser liberalen Wirtschaftsauffassung waren der Meinung, daß durch die freie Konkurrenz das Ziel erreicht würde, das alle obrigkeitlichen Preisfestsetzungen vergeblich zu erreichen suchten, nämlich zu einem angemessenen Preise zu gelangen. Nach der Lehre der klassischen Nationalökonomie sollte für die große Masse der Waren, nämlich für die sog. beliebig herstellbaren, auf die Dauer infolge der Wirkung der freien Konkurrenz sich ein durchschnittlicher Marktpreis herausbilden, der die Kosten inklusive eines Durchschnittsgewinnes, der zum Ansporn der Unternehmertätigkeit notwendig sei, ersetze und daß dieser Preis der „gerechte" sei, während bei den früheren staatlichen Einmischungen in die Preisregulierung öfters Privilegien und Bevorzugungen verschiedenster Art sich herausgebildet hätten.

Die Erfahrungen des freien Konkurrenzsystems haben gezeigt, daß diese Lehre auf einem Irrtum beruht. In den immer wiederkehrenden Krisen kamen Preise vor, die tief unter den Produktionskosten standen, und in den Zeiten der Hochkonjunktur ergaben sich wiederum ungewöhnlich hohe Preise. Aus den Kreisen der Unternehmer selbst heraus wurde eine Abwehr gegen Preise gesucht, die die Rentabilität der Unternehmungen in Frage stellten, und auf diese Weise kam es in der zweiten Hälfte des 19. Jahrhunderts zu den Unternehmerverbänden, den Ringen, Syndikaten, Kartellen mit vertragsmäßiger Fixierung von Mindestpreisen oder Richtpreisen. Durch die Kartelle war wiederum — wenigstens in ihrem Marktbereich — die freie Preisbildung ausgeschaltet, und so riefen sie eine Opposition auf den Plan, welche die Gefahr monopolistischer Preisbildung durch die Kartelle bekämpfen wollte. In den zahlreichen gesetzgeberischen Vorschlägen zur Beseitigung der Kartellmißbräuche trat von neuem der Gedanke des justum pretium hervor. Man wollte durch die Kartellgesetzgebung die Kartelle zwingen, bei ihren Preisvereinbarungen nicht über den „angemessenen Preis" hinauszugehen.

Eine Wiederbelebung erfuhr der Gedanke des justum pretium durch den Weltkrieg. Da durch die Kriegsereignisse eine freie Markt-

---

[1] S c h r e i b e r , a. a. O., S. 65.

preisbildung vielfach ausgeschlossen war wegen der beschränkten Zufuhr der Waren und auch wegen der Zerrüttung des Geldwesens, und da öfters eine ganz chaotische Preisbildung die Folge war, suchte man durch die vielen Verordnungen über Höchstpreise und durch die Preisprüfungsstellen die Preise auf einer angemessenen Höhe zu halten. Ich will an dieser Stelle nicht auf die vielen Kontroversen eingehen, die sich in der Kriegszeit an das Problem des angemessenen Preises angeschlossen haben; es handelte sich um eine Zeit des Notstandes und um Notstandsaktionen, und wenn man auch so oft und mit Recht darauf hingewiesen hat, daß die Höchstpreispolitik verfehlt war[1]), so muß man sich doch daran erinnern, daß Kriegszeiten niemals ohne solche Maßnahmen verlaufen sind. Schon aus psychologischen Gründen und zur Beruhigung weiter Volkskreise sind solche gesetzlichen Maßnahmen unentbehrlich: genug des Erfolgs, wenn es dem Geschick der Verwaltungsorgane gelingt, einzelne der gröbsten Auswüchse des Spekulantentums zu unterbinden. Irgendeine juristische oder ökonomische Doktrin lag diesen Maßnahmen nicht zugrunde, weil es sich um ganz anormale Zeiten handelt. Ich werde daher aus den Kontroversen der Kriegszeit nur diejenigen Argumente und Erörterungen heranziehen, die auch als maßgebend für die regulären Zeiten des Wirtschaftslebens betrachtet wurden. Denn auch nach Beendigung des Krieges und bis zur Gegenwart herein sind verschiedene Methoden der staatlichen Beaufsichtigung der Preise durchgeführt worden, und hierbei ist wiederum vielfach der Grundsatz des angemessenen Preises zur Geltung zu bringen versucht worden.

b) Der angemessene Preis in der neueren Gesetzgebung.

Es handelt sich namentlich um zwei gesetzgeberische Maßnahmen:

1. die Preistreibereiverordnung vom 13. Juli 1923[2]),
2. die Kartellverordnung vom 2. November 1923 (Verordnung gegen den Mißbrauch wirtschaftlicher Machtstellung.

Über die Kartellverordnung werde ich später berichten, hier soll nur die Preistreibereiverordnung behandelt werden. Für die Frage des „angemessenen Preises ist maßgebend § 3 über Preiswucher: „Wegen Preiswuchers wird bestraft, wer vorsätzlich für einen Gegenstand des täglichen Bedarfs einen Preis fordert, der unter Berücksichtigung der gesamten Verhältnisse einen übermäßigen Gewinn enthält, oder einen solchen Preis sich oder einem anderen gewähren oder versprechen läßt. Zu den Verhältnissen, die nach Satz 1 zu berücksichtigen sind, gehört insbesondere die Verschlechterung oder Besserung der Kaufkraft des Geldes in der Zeit zwischen dem Einkauf oder der Herstellung der Ware und ihrer Veräußerung.

---

[1]) Vgl. besonders zu dieser Frage die interessanten Gutachten — namentlich von W a l b — im Prozeß Schöndorff. Der Prozeß Schöndorff. Verlagsinstitut G. m. b. H., Berlin.

[2]) Durch Gesetz vom 24. Juli 1926 sind die Preistreiberei-Verordnung und der größte Teil der übrigen im Art. 1 der Verordnung vom 13. Juli 1923 genannten Verordnungen aufgehoben. Die theoretischen und prinzipiellen Ausführungen des folgenden Abschnitts werden dadurch nicht berührt.

Für gleichartige Gegenstände, deren Gestehungskosten verschieden hoch sind, darf ein Durchschnittspreis gefordert werden, wenn er nachweislich auf den verschiedenen Gestehungskosten und den verschiedenen Mengen der in ihn einbezogenen Gegenstände beruht und unter Berücksichtigung der durchschnittlichen Gestehungskosten keinen übermäßigen Gewinn enthält.

Ein Vergehen gegen die Vorschrift des Abs. 1 liegt nicht vor, wenn der Höchstpreis oder der von einer zuständigen Behörde festgesetzte oder genehmigte Preis eingehalten wird. Das gleiche gilt, wenn der Preis, der für die Verteilungsstufe des Veräußerers geltenden Marktlage, insbesondere dem unter amtlicher Mitwirkung bekanntgemachten Börsen- oder Marktpreise entspricht, sofern nicht durch Warenmangel oder durch erhebliche Schwierigkeiten, Ware an den Markt zu bringen, oder durch unlautere Machenschaften eine Notmarktlage geschaffen ist."

Diese neue Preistreibereiverordnung weist gegenüber der vorangegangenen Preistreibereiverordnung vom 8. Mai 1919 eine wesentliche Abänderung auf, denn in der älteren Verordnung lautet der Absatz in § 1 folgendermaßen: „Wegen übermäßiger Preissteigerung wird mit Gefängnis und mit Geldstrafe bis zu 200 000 Mk. oder mit einer dieser Strafen bestraft: 1. wer vorsätzlich für Gegenstände des täglichen Bedarfs oder des Kriegsbedarfs Preise fordert, die unter Berücksichtigung der gesamten Verhältnisse einen übermäßigen Gewinn enthalten oder solche Preise sich oder einem anderen gewähren oder versprechen läßt." Hiernach war also ganz generell für alle Gegenstände des täglichen Bedarfes bestimmt, daß die Preise keinen übermäßigen Gewinn enthalten dürfen.

Nach der späteren Preistreibereiverordnung sind dagegen zu unterscheiden:

1. Waren, die einen Höchstpreis haben. Für diese ist der angemessene Preis der Höchstpreis.

2. Waren, die einen Marktpreis haben. Für sie ist der Marktpreis bzw. der aus der Marktlage sich ergebende Preis der angemessene Preis.

3. Waren, die keinen Marktpreis haben und solche Waren, deren Gestehungskosten verschieden hoch sind. Für sie ist dann der Preis angemessen, wenn er keinen „übermäßigen Gewinn" enthält.

Wann liegt übermäßiger Gewinn vor? Der Ausdruck „unter Berücksichtigung der gesamten Verhältnisse" läßt hier einen gewissen Spielraum, aber irgendein objektives Kriterium muß doch angegeben werden, und dieses findet man im Abs. 2, wo von den G e s t e h u n g s k o s t e n die Rede ist; denn wenn von gleichartigen Gegenständen gesprochen wird, deren G e s t e h u n g s k o s t e n verschieden hoch sind, wobei ein Durchschnittspreis gefordert werden darf, muß bei den Gegenständen, bei denen die Gestehungskosten gleich hoch sind, auf diese Gestehungskosten als allgemeine Richtschnur abgezielt werden. Damit knüpft diese Vorschrift an gewisse Gedanken des Kriegswucherstrafrechts an. Dort haben ebenfalls bei Beurteilung des übermäßigen Gewinnes die Gestehungskosten die wichtigste Rolle gespielt.

Für die Rechtsprechung während des Krieges war besonders die Auffassung von L o b e über den übermäßigen Gewinn maß-

gebend. Nach L o b e ist der Reingewinn der Überschuß, den der
Verkaufspreis über die Summe sämtlicher Gestehungskosten bringt[1]).
Eine etwas abweichende Auffassung vertrat L o b e in seiner voran-
gegangenen Schrift[2]). Zu diesen Gestehungskosten gehören:

1. der Ankaufspreis oder die Erzeugungskosten;
2. die besonderen Betriebsunkosten;
3. die anteiligen allgemeinen Betriebsunkosten;
4. der Anteil an Kapitalzins;
5. Risikoprämie;
6. Unternehmerlohn.

Erst nach Abzug dieser Kosten ergibt sich der Reingewinn
des Unternehmers und wenn dieser über die f r i e d e n s m ä ß i g e
H ö h e hinausging, sollte er als übermäßiger Gewinn angesehen
werden. „Für die Frage, ob der Gewinn übermäßig hoch ist, kommt
nur in Betracht, ob und inwieweit er den im Frieden bezogenen
Reingewinn übersteigt." (Urteil des Reichsgerichts vom 7. Juli
1916.)

L o b e hält besonders die Unterscheidung zwischen Unternehmerlohn und Unternehmer-Reingewinn für wichtig. Unternehmerlohn ist dem Unternehmer für seine geleistete persönliche
Arbeit zuzubilligen[3]). An anderer Stelle sagt er: „Wenn ein billiger
Ankauf oder besonders billige Erzeugungs- oder Geschäftsunkosten
auf besonderer Geschicklichkeit und Rührigkeit des Unternehmers
beruhen, so hat das Reichsgericht diesem hierfür auch entsprechend
erhöhten Unternehmerlohn für das besondere Geschäft zugestanden[4])."
Das Reichsgericht hat sich der Lobeschen Auffassung angeschlossen.

A l s b e r g erwähnt die eben genannten 6 Faktoren, die unter
die Gestehungskosten zu rechnen sind, als die, welche nach der
Rechtsprechung des Reichsgerichts und der ihr folgenden Begründung
zu der Verordnung gegen Preistreiberei vom 8. Mai 1918 zu berücksichtigen seien und fährt dann fort: „Von dem gesamten Verkaufs-
erlös sollen nach der jetzt von L o b e und dem Reichsgericht vertretenen Auffassung die ersten 6 bezeichneten Preisbildungsfaktoren,
die man zusammenfassend als Gesamtkosten der Verkaufsbereit-
stellung bezeichnen kann, abgezogen werden, um den auf die An-
gemessenheit seiner Höhe nachzuprüfenden Reingewinn festzustellen[5])."

Ich halte diese ganze Auffassung, wonach die „Gestehungskosten" das Kriterium der Beurteilung des angemessenen Preises
bilden sollen und ferner die Erklärung des Unternehmerreingewinnes
sowohl juristisch wie nationalökonomisch für verfehlt. L o b e
meint, daß der Unternehmergewinn sich erst nach Abzug eines
Unternehmerlohnes für die Arbeit des Unternehmers und einer Risikoprämie ergäbe; nun ist aber der Unternehmergewinn seiner Natur
nach gar nichts anderes als ein Lohn für die Unternehmertätigkeit

---

[1]) Dr. A. L o b e , Reichsgerichtsrat: Preissteigerung, Handel und Reichsgericht. Offener Brief an die Ältesten der Kaufmannschaft von Berlin. Leipzig 1917.
[2]) L o b e , Übermäßiger Gewinn im Sinne von § 5, Nr. 1 der Bundesratsverordnung vom 23.Juli 1915 bis 23. März 1916. Leipzig 1916.
[3]) Vgl. dessen Schrift, Preissteigerung usw., S. 22.
[4]) Ebenda, S. 31.
[5]) Dr. M a x A l s b e r g , Preistreibereistrafrecht (früher Kriegswucher-
strafrecht). Berlin 1920. S. 22.

und Prämie für das Risiko des Unternehmers. Es ist daher unmöglich, den Unternehmergewinn so zu bestimmen, daß man die beiden Faktoren abzieht, die das Wesen des Unternehmergewinnes ausmachen. Gerade das von L o b e angeführte Beispiel des Unternehmers, der durch billigen Einkauf und besondere Geschicklichkeit und Rührigkeit sich auszeichnet, zeigt das Wesen des Unternehmergewinnes ganz gut, denn für solche Qualitäten des Unternehmers gebührt ihm sein Unternehmergewinn, ebenso wie er den Verlust tragen muß, wenn er diese Eigenschaften nicht besitzt. Und wenn L o b e für die Höhe des sog. Unternehmerlohnes angibt, sie bemesse sich danach, wie sich der Lohn der angestellten leitenden Persönlichkeiten bei den in Betracht kommenden Unternehmungen und Geschäften üblicherweise stellt, also etwa nach dem Lohn von Direktoren, Prokuristen u. dgl.[1]), so scheint hierbei L o b e an die Gehälter und Tantiemen der Direktoren von Aktiengesellschaften u. dgl. zu denken. In diesen Bezügen aber erhalten diese Direktoren einen Teil des Unternehmergewinnes der Aktiengesellschaft. Da die eigentlichen Unternehmer, die Aktionäre selbst, keine Unternehmertätigkeit leisten können, wird diese Art von Tätigkeit an die Direktoren delegiert, während die Aktionäre in der Dividende den anderen Teil des Unternehmergewinns, die Risikoprämie, beziehen. Der Unternehmergewinn kann also nur als Arbeitslohn für die vom Unternehmer geleistete dispositive Tätigkeit und als Risikoprämie aufgefaßt werden. Es gibt auch die Kategorie des Unternehmerlohnes; diese ist aber gänzlich anders zu charakterisieren und hat mit dem von L o b e als Unternehmerlohn bezeichneten Preisfaktor nichts zu tun. Es kommen Fälle vor, wo Unternehmer neben ihrer eigentlichen Unternehmertätigkeit auch eine bestimmte Arbeit übernehmen, die sonst üblicherweise angestellte Personen leisten, z. B. ein Fabrikant besorgt die Buchhaltung des Betriebes oder der Besitzer einer kleinen Gärtnerei ist noch mehrere Stunden am Tage als Gärtnereiarbeiter tätig. Das Äquivalent für diese Art von Tätigkeit wird als Unternehmerlohn aufgefaßt und kann auch leicht gemäß den entsprechenden Lohnsätzen objektiv festgesetzt werden.

Doch selbst angenommen, die Gestehungskosten wären nach dem von L o b e aufgestellten Schema zu berechnen, so wären sie immer noch nicht, und zwar gleichgültig ob einschließlich oder ausschließlich eines sog. Durchschnittsgewinnes, für die Höhe des angemessenen Kostenpreises oder Gewinnes maßgebend. Denn in der kapitalistischen Wirtschaft kann man überhaupt nicht die Höhe der Preise nach den sog. Gestehungs- oder Produktionskosten bemessen. Die sog. Kostentheorie, wonach der Preis der Güter sich nach den aufgewendeten Kosten richte, ist mit Recht in der neueren Nationalökonomie so gut wie allgemein aufgegeben werden. Es liegt in dieser Betrachtungsweise ein Rückfall in die alte Auffassung des justum pretium vor, die ich in meiner geschichtlichen Darstellung angegeben habe.

§ 34. Die Preislehre von Friedr. Ben. Wilh. Hermann[2]).

Gegenüber der einseitigen Preistheorie der klassischen National-

---

[1]) Vgl. dessen Schrift: Preissteigerung usw., S. 22.
[2]) Staatswirtschaftliche Untersuchungen über Vermögen, Wirtschaft, Produk-

ökonomie, die, wie wir gesehen haben, auch in der Gegenwart in
Theorie und Praxis viele Anhänger hat, bedeutete die Preislehre
H e r m a n n s einen großen Fortschritt. Speziell der Lehre vom
Preise wird in diesem Werke eine gründliche Untersuchung zuteil.
Seinen Vorgängern ist H e r m a n n dadurch überlegen, daß er die
einzelnen für die Höhe des Preises entscheidenden Faktoren genau
prüft. Das, was von den früheren Autoren unter dem Schlagwort „Angebot und Nachfrage" zusammengefaßt wurde, wird von
ihm zergliedert und eingehend analysiert. Dem Gebrauchswert
wird eine wichtige Rolle für die Preisbildung zuerkannt, aber in
letzter Linie hält H e r m a n n doch an den entscheidenden Stellen
an der Produktionskostentheorie in vorsichtiger Formulierung fest.

H e r m a n n definiert folgendermaßen: „Wert ist die Brauchbarkeit eines Gutes überhaupt, Gebrauchswert die unmittelbare
Verwendbarkeit für den eigenen Nutzen des Besitzers, Tauschwert ist
die Fähigkeit, gegen Vergeltung in anderen Gütern vertauscht zu
werden. Der Preis ist die Menge von Tauschgütern, welche man für
ein gewisses Gut wirklich erhält."

Erst aus der Zusammenstellung einer großen Anzahl von wirklichen Preisbestimmungen eines Gutes in einem und demselben anderen Gute ergibt sich der Preis an sich, der durchschnittliche Preis
oder Marktpreis. Da man die Möglichkeit der Vertauschung eines
Gutes dessen Tauschwert nennt, so läßt sich dieser auch gleichbedeutend nehmen mit dem Durchschnittsbetrage seiner wirklichen Preise.
Der Marktpreis geht nach H e r m a n n hervor aus dem Kampfe
zweier Parteien von entgegengesetzten Interessen unter dem Einflusse beiderseitigen Wettbewerbs.

H e r m a n n erklärt die wichtigsten Umstände, die auf beiden
Seiten für die Preisbestimmung von Einfluß sind. Auf Seiten der
Begehrer kommen in Betracht der Gebrauchswert des begehrten
Gutes, die Zahlungsfähigkeit der Begehrer und die anderweitigen
Anschaffungskosten. Im Vordergrund steht hier der Gebrauchs-
wert. Der Gebrauchswert wird von ihm eine Wurzel des Tausch-
wertes genannt. Wo Tauschwert ist, muß auch Gebrauchswert sein;
aber wie auf der einen Seite Gebrauchswert und Zahlungsfähigkeit
der Käufer die subjektive Grenze des Preises bilden, so sind die
Kosten der anderweitigen Anschaffung die objektive Grenze des
Preises.

Im Verkehr bestimmt sich der Preis durch Angebot und Nachfrage unter dem Einfluß beiderseitigen Wettbewerbs. Auf seiten der
Käufer sind die preisbestimmenden Momente:

a) der Gebrauchswert des begehrten Gutes,
b) die Zahlungsfähigkeit der Begehrer,
c) die anderweitigen Anschaffungskosten des begehrten Gutes.

Auf seiten der Verkäufer sind die preisbestimmenden Momente:

a) die Erzeugungskosten des Gutes,
b) der anderweitige Verkaufswert desselben und
c) der Tauschwert der Güter, in denen man den Preis aus-
　spricht.

---

tivität der Arbeiten, Kapital, Preis, Gewinn, Einkommen und Verbrauch von Dr.
F r i e d r. B e n. W i l h. H e r m a n n. 3. Aufl., Leipzig 1924.

Unter diesen Momenten stehen aber die Produktionskosten weitaus voran. H e r m a n n erklärt: „Können Güter in beliebiger Menge zum Markte gebracht werden, so sind die Kosten der nachhaltigste und im Durchschnitt auch der überwiegendste Bestimmungsgrund der Preise." Und zwar versteht H e r m a n n unter Kosten — und hierin nähert er sich R i c a r d o — „die Kosten der mindestgünstigen Produktionsanlage" (S. 88): „Der Punkt, unter und über welchem die Preise nicht lange stehen können, sind die Kosten des Teils der Gesamtmasse eines Produktes, der mit den wenigst ergiebigen Produktionsmitteln und unter den ungünstigsten Umständen hergestellt wird, deren Benutzung zur Deckung des Bedarfs noch notwendig ist. In diesem engeren Sinne muß man die Kosten nehmen, so oft sie als Faktoren des Preises genannt werden."

Ähnlich wie die klassische Nationalökonomie lehrt H e r - m a n n , daß durch das Aus- und Einströmen der Kapitalien aus den günstigen bzw. ungünstigen Anlagen die Erhaltung der Preise auf diesem Niveau garantiert werde. H e r m a n n faßt die Kosten nicht in derselben weitgehenden Weise wie die klassische Nationalökonomie als Preisregulator auf. Selbst wenn man die große Zahl von Preisbestimmungen ganz übergehen wollte, wo gar kein Bezug auf Produktionskosten denkbar sei, sei klar, daß auch von den regelmäßig und in beliebiger Menge zum Markt kommenden Gütern der Preis keineswegs durch die Kosten allein bestimmt würde, wie R i c a r d o und seine Schüler lehrten. Er erklärt in aller Bestimmtheit: „Der erste und wichtigste Faktor der Preise ist vielmehr in allen Fällen die N a c h f r a g e , deren Hauptwurzeln der Gebrauchswert des Gutes und die Zahlungsfähigkeit der Käufer sind. Aus der Nachfrage und dem, was die Begehrer für das Gut bieten, ergibt sich, auf welchem Betrag von Gütern sie um des Verlangten willen zu verzichten gedenken, und hieraus, wie hoch die Kosten der wenigst ergiebigen Produktion sich belaufen würden, die zur Beschaffung des Bedarfes noch zur Anwendung kommen kann" (S. 95).

H e r m a n n weist darauf hin, daß die ganze Bewegung in der Preisbildung häufig von seiten des Begehrs und nicht von der Seite der Produktionskosten ausginge: „Steigt der Begehr, und kann er bei den bisherigen Preisen nicht befriedigt werden, so müssen die Preise sich erst unbestimmt heben, und damit auch die Produktionskosten Spielraum der Vermehrung erhalten. Reicht dieser hin, um so viel Güter zum Markt zu bringen, als nötig ist, so werden nun allerdings die Kosten das Sinken des Preises hindern und insofern den Preis bestimmen, aber die ganze Bewegung ging offenbar nicht von ihnen aus. Sobald vielmehr der Begehr sänke, würde man die bisherigen Preise nicht mehr erhalten, es würde weniger Ware zum Markt kommen, es würden insbesondere die kostspieligsten nicht weiter ausgeboten werden, also die Kosten sinken. Könnte man hier sagen, die Kosten hätten den Preis geregelt" (S. 96)?

§ 35. Die Erklärung der Preisbildung durch das „Gesetz" von Angebot und Nachfrage.

Die H e r m a n n sche Preislehre bedeutet einen Fortschritt gegenüber der älteren Theorie, weil sie statt der einseitigen

Erklärung der Preise aus einem Wertgesetz auf die mancherlei komplexen Faktoren hinweist, aus denen der Marktpreis hervorgeht. Nur die starke Hinneigung H e r m a n n s zur englischen klassischen Wertlehre hinderte ihn, seine Preislehre auf realistisch-empirischer Grundlage weiter auszubauen. Zu sehr war er im Banne der in der nationalökonomischen Wissenschaft festgewurzelten Formeln. Seine Lehre wurde für die Weiterentwicklung der Preislehre grundlegend, indem fast alle Nationalökonomen in ihrer Preislehre an H e r m a n n anknüpften. Das Gesetz von Angebot und Nachfrage wurde zu einem Inventarstück fast jeden nationalökonomischen Systems und Lehrbuches, wobei je nach dem Standpunkt des Autors mehr die subjektiven oder die objektiven Momente in der Preisbildung in den Vordergrund traten. Ich will auf die zahlreichen und sehr verschiedenartigen Darstellungen dieser Lehre im einzelnen hier nicht eingehen, möchte nur am Beispiel der neuesten Bearbeitungen der Preislehre von E u l e n b u r g und A m o n n die große Bedeutung nachweisen, die heute noch dieser Lehre beigelegt wird[1]). E u l e n - b u r g spricht von einem Preisgesetz und dieses soll lauten: ,,Der Preis richtet sich mit Notwendigkeit nach Angebot und Nachfrage, nach den höchsten Forderungen der Verkäufer und dem niedrigsten Angebot der Käufer.'' Dieses Preisgesetz scheine eine Selbstverständlichkeit zu enthalten, solange freier Wettbewerb und freie Konsumtion vorausgesetzt seien. Das Gesetz ließe sich in Form von Kurven ausdrücken, weil es sich um meßbare Größen handle. Angebot- nnd Nachfragekurve müßten sich dabei in einem Punkte schneiden. Das Gesetz aber, meint E u l e n b u r g , gewinne erst seinen Inhalt, wenn man beide Seiten analysiere und auf ihre Bestimmungsgründe zurückführe, also versuche, den Mechanismus, der auf dem Markte sich durchsetze, zu erklären.

Bei seiner Analyse der beiden Seiten zählt E u l e n b u r g auf seiten des A n g e b o t s folgende 3 Faktoren auf:

1. Die Menge der angebotenen Waren. Es komme auf die Grenzmenge entscheidend an, die das Ganze der Preise in Bewegung zu setzen vermöge. Das letzte Stück bestimme hier den Preis. Darum genüge oft eine kleine Änderung des Angebots, um eine erhebliche Preisänderung hervorzurufen, nämlich jene Menge, die eine noch nicht befriedigte Nachfrage auslöse. Das sei die ,,Grenzmenge''.

2. Die Kosten. Die niedrigsten Preise, welche die Verkäufer verlangen dürften, bauten sich notwendig auf einer Größe auf, die erreicht werden müsse, wenn das Unternehmen Bestand haben solle. Über sie könnten jene wohl gehen, aber nicht darunter: ,,Es sind die Kosten, die die Untergrenze des Preises ein für allemal bestimmen''; und zwar sollen es die Grenzkosten sein, d. h. die höchsten Aufwendungen, die für die Deckung des Bedarfs noch gemacht werden müssen: ,,Die Nachfrage bestimmt sonach, welche Kosten noch aufgewendet werden müssen. Es richtet sich der Mindestpreis des Angebots nach den höchsten Grenzkosten des Wiederbeschaffungs- preises.''

Hiernach sollen also die Maximalkosten des Grenzbetriebes den niedrigsten Angebotspreis bilden, unter dem die Versorgung des

---

[1]) E u l e n b u r g : Die Preisbildung in der modernen Wirtschaft. In ,,Grund- riß der Sozialökonomik''.

Marktes möglich sei. Tiefer könne der Preis auf die Dauer nicht herabgehen, als bis diese Grenzkosten nicht gedeckt seien.

3. Zahl der Verkäufer.

Ebenso zählt E u l e n b u r g 3 Faktoren auf seiten der N a c h - f r a g e auf:

1. Der Kaufwille. Dieser sei durch das Bedürfnis des Käufers und den Nutzen der Güter bestimmt: „Die Dringlichkeit des Be- dürfnisses und damit der Nutzen des Gutes beeinflußt die Größe der gesamten Nachfrage: es besteht auf dem Markte Proportio- nalität zwischen beiden."

2. Die Kauffähigkeit. Sie soll gänzlich von der Verfügung über Kaufmittel in Form des Geldes abhängen, bei dem Konsumenten also von der Höhe seines Einkommens: „Änderungen der Einkommens- höhe und damit der Kauffähigkeit beeinflussen die Nachfrage, aber sie tun es nicht gleichzeitig und nicht proportional jener Änderung, vielmehr werden die Güter der höheren (und selteneren) Bedürfnisse mehr davon betroffen, als die lebenswichtigeren und allgemeineren" (S. 299).

3. Zahl der Käufer.

Zuletzt bringt E u l e n b u r g sein durch Angebot und Nach- frage bestimmtes Preisgesetz auf eine Formel: „Der Preis der Ware stellt sich in jedem Augenblicke so hoch, daß sich die Menge der angebotenen und die der nachgefragten Güter im Gleichgewicht befindet. Die beiderseitigen Mengen sind das Entscheidende; nach unten sind die Preise durch die Grenzkosten des letzten Verkäufers, nach oben durch die Kauffähigkeit des Grenzkäufers bestimmt. Diese Menge ihrerseits hängt, abgesehen von technischen Momen- ten, wiederum in einem komplizierteren Mechanismus von den Preisen selbst ab. Es ist das statische Gesetz der Preise. Anderseits b e w e g e n sich die Preise parallel zur Nachfrage und konträr zum Angebot. Dabei reduzieren sich die Bestimmungsgründe in der Bewegung schließlich auf die Verschiebung in den Mengenverhält- nissen der angebotenen und nachgefragten Waren. Alles dies, soweit allein die Warenseite in Betracht kommt und auf sie Kaufende und Verkaufende Einfluß gewinnen, also ein freier Markt vorliegt" (S. 304).

A m o n n stellt drei preisbestimmende Faktoren auf: „die „Nachfrage" als funktionelle Beziehung zwischen bestimmten zu kaufen gesuchten Mengen und dem Preis, zu welchem gekauft werden soll, oder als die Menge, welche bei einem bestimmten Preis zu kaufen gesucht wird; dann das „Angebot", entweder wieder als funktionelle Beziehung zwischen bestimmten zu verkaufen begehrten Mengen und dem Preis bzw. als die Menge, welche bei einem bestimmten Preis zu verkaufen begehrt wird oder schlechthin als die auf den Markt gebrachten Mengen; schließlich die Mengen anderer Güter, die aufgewendet werden müssen, um die unmittelbar nachgefragten zu Markte bringen zu können. Wenn einer dieser drei Faktoren der Preisbildung sich ändert, so müssen ceteris paribus die Preise sich ändern. Die Veränderung eines dieser drei Faktoren kann also die Ursache einer Veränderung der Preise bilden. Natürlich kann aber die Wirkung, die die Veränderung einer dieser drei Faktoren auf die Preise hat, unter Umständen aufgehoben oder überboten werden durch eine Gegenwirkung, die eine Veränderung eines anderen Faktors ausüben kann[1])."

Auch dieser Autor spricht von einem Gesetz von Angebot und Nachfrage. Er faßt das Gesetz von Angebot und Nachfrage als „statisches Gleichgewichtsgesetz" auf: „Man nennt dies das G l e i c h - g e w i c h t   z w i s c h e n   P r o d u k t i o n   u n d   K o n s u m - t i o n , das nichts anderes als das Gleichgewicht zwischen Angebot und Nachfrage vom Standpunkt der wirtschaftlichen Zweckbestimmung darstellt[2])."

§ 36. Kritik des Preisgesetzes von Angebot und Nachfrage.

Bei meiner Kritik des „Gesetzes" von Angebot und Nachfrage knüpfe ich an E u l e n b u r g s Darstellung an, weil sie zweifellos gegenüber den älteren Fassungen dieses „Gesetzes" viel vorsichtiger abwägend ist und den realen Verhältnissen des Wirtschaftslebens dadurch näher kommt. Mit Recht hat E u l e n b u r g zwei Punkte in seiner Lehre preisgegeben, die früher zum Bestand dieser Theorie gehörten. Einmal leugnet er gegenüber den Klassikern und H e r m a n n die Elastizität des Angebots, d h. er geht nicht von der Annahme aus, daß ein Preisausgleich dadurch zustandekomme, daß bei einer Preishöhe, die besonders große Gewinne bringe, ein Zuströmen von Kapitalien in die begünstigten Erwerbszweige stattfände und umgekehrt. Ferner hat er auch das Moment der Kosten in ihrer Bedeutung für die Preisbildung noch über H e r m a n n hinausgehend weiter abgeschwächt. Er sagt: „Das Kostengesetz in der alten Form, wonach die Summe der Kostenelemente evtl. mit Zuschlag eines Durchschnittsprofites die Untergrenze des Preises bestimmte, um die er stets schwanken müsse, enthält eine Tautologie. Jene Kostenelemente sind selbst nur wieder als Preise zu fassen, die einer Erklärung bedürfen" (S. 286).

Gerade wenn man wie E u l e n b u r g nur mit allen möglichen Verklausulierungen, Modifikationen und Einengungen das „Gesetz" aufrecht erhalten kann, sollte man endlich auch das Gesetz von Angebot und Nachfrage ebenso wie das Kostenpreisgesetz und das Nutzenpreisgesetz aus den Systemen und Lehrbüchern der Nationalökonomie entfernen und durch eine realistischere Betrachtung der Preiserscheinungen ersetzen.

Im einzelnen habe ich gegen das Gesetz von Angebot und Nachfrage folgende Einwendungen zu erheben, die nicht nur gegen E u - l e n b u r g , sondern mutatis mutandis auch gegen die übrigen Anhänger dieser Lehre gelten.

1. E u l e n b u r g sagt einmal, daß das Preisgesetz von Angebot und Nachfrage eine „Selbstverständlichkeit" sei. Damit übt er selbst die schärfste Kritik, denn, wie ich oben bereits bemerkte, ist dieses sog. „Gesetz" tatsächlich ein Gemeinplatz, wenn es sich nur um die aus den Alltagsvorgängen des Marktes bekannte Tatsache handelt, daß steigender Begehr den Preis in die Höhe treibt und umgekehrt. So sagt auch O p p e n h e i m e r in seiner Betrachtung des Marktpreises[3]): „Bei überwiegendem Angebot überwiegt die Kon-

---

[1]) A l f r e d   A m o n n : Grundzüge der Volkswohlstandslehre. Erster Teil. Jena 1926. S. 167.

[2]) Ebenda, S. 283.

[3]) Grundriß der theoretischen Ökonomie. Jena 1926. S. 68.

kurrenz der Verkäufer und drückt die Preise, und umgekehrt bei
überwiegender Nachfrage die Konkurrenz der Käufer und treibt den
Preis." Soll aber in diesem Satz nicht nur eine bekannte Erfahrungstatsache ausgedrückt sein, sondern in generalisierender Weise ein
nationalökonomisches P r e i s g e s e t z aufgestellt werden, so ist
es einfach falsch, weil es mit der Wirklichkeit im Widerspruch
steht. Darum hat auch E u l e n b u r g wie alle Vertreter dieses
Preisgesetzes von vornherein erklärt, daß diese „Selbstverständlichkeit" nur zutreffe, solange freier Wettbewerb und freie Konkurrenz
bestehen. N i c h t n u r d e r f r e i e W e t t b e w e r b w i r d
v o r a u s g e s e t z t , s o n d e r n a u c h e i n e g e w i s s e B e -
w e g l i c h k e i t u n d F u n g i b i l i t ä t d e r W a r e n , d i e
i m w i r k l i c h e n L e b e n g a r n i c h t v o r h a n d e n i s t.
Deshalb handelt es sich nur um ein „Gedankenexperiment",
wie E u l e n b u r g selbst sich ausdrückt; und bei diesem Verfahren
der isolierenden Abstraktion und unter dem Walten des wirtschaftlichen Prinzips (S. 282) läßt sich allerdings ein „Gesetz" aufstellen
und auch in Form von Kurven zum Ausdruck bringen; aber diese
Voraussetzung entspricht vollends in der Gegenwart keineswegs der
Wirklichkeit. Durch die verschiedensten Verabredungen, Koali-
tionen, Tarifverträge, Kartelle und andere Preisbindungen kann der
sog. freie Markt nicht mehr als maßgebend für die Preisbildung
angesehen werden. Bekanntlich sind in der Gegenwart doch selbst
in den Handwerkerkreisen z. B. durch die Innungen die Preise vielfach in bindender Weise festgelegt. Sehr charakteristisch ist für die
Anhänger des Gesetzes von Angebot und Nachfrage, daß sie ihre
Lehrsätze immer mit der Einschränkung ceteris paribus aufstellen.
Tatsächlich ist aber das „übrige" durchaus nicht „immer gleich" —
sondern sehr verschieden, und es ist für die Preislehre wichtiger,
die starken Differenzierungen in der Preisbildung hervorzuheben,
statt alles auf eine Formel bringen zu wollen.

2. Aber ganz abgesehen von solchen Preisbindungen der verschiedensten Art trifft das „Gesetz" nicht einmal dann zu, wenn
freier Wettbewerb vorhanden ist. Auch dann richtet sich der Preis
keineswegs unbedingt nach den höchsten Forderungen der Verkäufer
und dem niedrigsten Angebot der Käufer. Auch hierbei spielen die
ökonomischen M a c h t v e r h ä l t n i s s e eine Rolle, weil durch die
Macht von einzelnen Käufern oder Käufergruppen und durch die
Macht einzelner Verkäufer und Verkäufergruppen unter Umständen
der Preis durch diese allein bestimmt werden kann. Mit dem Hinweis auf Angebot und Nachfrage können bestenfalls allgemeine Richtlinien für die Preisbildung gekennzeichnet, aber es kann keine feste
Gesetzmäßigkeit der Preisbildung statuiert werden. V o r a l l e m
aber: die Verhältnisse auf den einzelnen Teilmärkten, d. h. für
wichtige Gruppen von Waren liegen so grundverschieden, daß die
allgemeinen Sätze der Lehre von Angebot und Nachfrage für die
eigentliche Preiserklärung nichts bieten. Ob es sich um Grundstücke
oder bewegliche Waren, ob es sich um Agrar- oder Industrieprodukte
handelt, ob die Waren im lokalen Handel oder Welthandel Absatz
finden, das alles bringt die größten Verschiedenheiten in den Tendenzen der Preisbildung hervor. — Die Erfahrung zeigt sehr oft,
daß bei vermehrtem Angebot, z. B. wenn in einer Stadt neue Verkaufs-
geschäfte in einer Branche zu den alten hinzukommen, die Preise

keineswegs heruntergehen, sondern in der alten Höhe. bestehen
bleiben, auch dann, wenn die Nachfrage dieselbe bleibt. Was immer
wieder ignoriert wird, wenn ein gesetzmäßiges Walten von Angebot
und Nachfrage behauptet wird, ist die große Beharrungstendenz der
einmal vorhandenen Preise, das Trägheitsgesetz der Preise, wie es
Z w i e d i n e c k nennt[1]). Besonders bei den Detailpreisen tritt
diese Beharrungstendenz in Erscheinung. Nur bei sehr großen Änderungen des Verhältnisses von Angebot und Nachfrage treten die entsprechenden Preisänderungen hervor. In seinem Buche über die
Bildung der Roggenpreise bemerkt G r o h n e r t mit Recht: „Es
ist vor allem notwendig, den Umfang und die Dringlichkeit der auftretenden Gesamtnachfrage beurteilen und diese zu den Angebots-
mengen in ein Verhältnis bringen zu können, welches dem künftigen
Preise möglichst entspricht. Aus einer plötzlichen Steigerung der
Zufuhr oder einer Vermehrung der Angebotsmenge kann jedenfalls
nicht unbedingt auf eine entsprechende Preissenkung geschlossen
werden, da hierbei als wesentlicher Faktor der Marktgestaltung noch
die Dringlichkeit und die Kaufkraft (d. h. die Konstellation auf dem
Geld- und Kapitalmarkte) der nach Deckung heischenden Nachfrage
in Rechnung zu stellen ist[2])."

Auf die große Bedeutung des Herkommens, die sog. Beharrungstendenz der Preise hat bereits J. St. M i l l hingewiesen. Ausdrücklich bezeichnet er als Hindernis für die Ausgleichung der Preise
durch das Konkurrenzprinzip das H e r k o m m e n: „Wenn das
Herkommen in einem so beträchtlichen Umfange sich gegen die
Concurrenz selbst da behauptet, wo wegen der Anzahl der Concurrenten und des Trachtens nach Gewinn der Sinn für Concurrenz
am regsten ist, so können wir gewiß sein, daß solches noch weit mehr
der Fall ist, wo die Leute mit kleinerem Gewinn zufrieden sind und
ihren pecuniären Vortheil im Vergleich mit ihrer Bequemlichkeit
nicht so hoch anschlagen. Im continentalen Europa wird es, wie ich
glaube, oft zutreffen, daß Preise und gewisse Kosten, überhaupt
oder für einige Sachen, an einigen Orten viel höher sind als an anderen, nicht weit entfernten, ohne daß es möglich wäre, eine andere
Ursache dafür anzugeben, als daß es immer so gewesen; die Kunden
sind daran gewöhnt und beruhigen sich dabei. Ein unternehmender
Concurrent mit hinlänglichem Capital könnte die Kosten herabdrücken und während seines Geschäftsbetriebes sein Glück machen,
aber es finden sich keine solche unternehmenden Concurrenten.
Wer Capital hat, zieht es vor, dasselbe dort zu lassen, wo es einmal
ist, und weniger Gewinn zu ziehen, um nur keine weitere Mühe davon
zu haben. — Diese Betrachtungen sind als eine allgemeine Berichtigung anzusehen, welche, gleichviel ob ausdrücklich erwähnt oder
nicht, bei den in den folgenden Abschnitten dieses Werkes enthaltenen Schlußfolgerungen zu berücksichtigen ist[3])."

　　3. Auch der Geldwert wird als konstant angenommen und

---

[1]) Ich verweise wiederholt auf die sehr aufschlußreichen und zutreffenden
Ausführungen Z w i e d i n e c k s zu diesem Problem in seinen Aufsätzen zur Preislehre in der Zeitschrift für die gesamten Staatswissenschaften, Bd. 64 u. 65.

[2]) C u r t G r o h n e r t : Die Bildung der Roggenpreise bei freier und gebundener Wirtschaft. Jena 1926. S. 101/2. (Königsberger sozialwissenschaftliche
Forschungen, 2. Bd.)

[3]) J o h n S t u a r t M i l l : Grundsätze der politischen Ökonomie. Dritte
deutsche Ausgabe, I. Bd. Leipzig 1869. Buch II, Kapitel IV, § 3, S. 257/58.

damit außer dem Walten der freien Konkurrenz eine neue Voraussetzung gemacht, durch welche die wirkliche Erklärung der Preiserscheinungen verdunkelt wird. Denn sowohl auf Seite des Angebots
wie auf Seite der Nachfrage spielt die Frage des Geldwertes eine so
entscheidende Rolle, daß der Geldwert berücksichtigt werden muß,
wenn man ein richtiges Bild der Preisgestaltung gewinnen will.
Trotz der angenommenen „Konstanz" des Geldwertes wird dieser
aber implicite dennoch in Rücksicht gezogen, denn das, was E u l e n -
b u r g als zweites Moment auf Seite der Nachfrage anführt, die
Kauffähigkeit der Käufer, ist nichts anderes als die Schätzung des
Geldwerts je nach der Höhe des Einkommens bzw. Vermögens,
und gerade so ist es bei dem zweiten Moment H e r m a n n s der
„Zahlungsfähigkeit der Begehrer". Mit seinen Bemerkungen über
die „Knappheit der Geldmittel" und über die Verfügung über
„Kaufmittel in Form des Geldes", weist E u l e n b u r g deutlich auf
die Einflüsse des Geldwertes hin. Darum hätte er bei der Betrachtung von Angebot und Nachfrage von vornherein auch die
Tendenzen der Preisbildung, soweit sie von der Geldseite ausgehen,
mit aufnehmen müssen, nicht aber durfte der Geldwert gänzlich
ausgeschaltet werden. Was bedeutet denn das Verhältnis von Angebot und Nachfrage für die Preiserklärung? Nichts anderes als
daß unter diesem Schlagwort alle die subjektiven Wertschätzungen
zusammengefaßt werden, die letztlich aller Preisbildung zugrundeliegen. Zu diesen subjektiven Wertschätzungen gehören die des
Geldes ebenso wie die der Ware.

4. Nichtssagend ist die Formel von Angebot und Nachfrage deshalb, weil diese beiden Faktoren selbst wieder von der Höhe der
Preise abhängen. Die Formel kann nur besagen, daß bei gegebener
Nachfrage und bei gegebenem Angebot ein bestimmter Preis zustande
kommt. Viel wichtiger ist aber die Frage, warum kommt gerade das
Angebot und die Nachfrage in dieser Höhe zustande? Hierüber
geben erst gewisse Markttendenzen, die eine bestimmte Preisgestaltung bewirken, Aufschluß. —

5. Sehr richtig bemerkt H e r m a n n einmal: „Angebot und
Nachfrage sind keineswegs einfache Vorgänge, sondern relevante
Massenerscheinungen, Resultate komplexer Motive, die nicht alle
in gleicher Richtung, sondern teilweise einander entgegenwirken.
Angebot und Nachfrage, in ihrem Interessenkampf lediglich quantitativ aufgefaßt, mußten zu der Meinung führen, als ob eben der
Preis zufällig unbestimmt hoch steigen und tief fallen könne[1])."
— Daraus sollte man den richtigen Schluß ziehen und diese komplexen Motive aufzudecken suchen, statt die Preisbildung durch ein
paar einfache Formeln erklären zu wollen. Die neuere Konjunkturenforschung läßt die Vielgestaltigkeit des Konjunkturenverlaufs
deutlich erkennen. Die Konjunkturen des Wirtschaftslebens sind
von großer Bedeutung für die Preisbildung, und zwar wirken die
Konjunkturen auf die Preise wie umgekehrt die Preise auf die Konjunkturen wirken. Nur eine realistische Betrachtung der Marktvorgänge wird im Zusammenhang mit den Konjunkturvorgängen
die Tendenzen der Preisbildung erkennen lassen. Statt einer konstruierten „Gleichgewichtslage" zwischen Angebot und Nachfrage

---

[1]) H e r m a n n : Staatswirtschaftliche Untersuchungen, S. 394.

muß man die fortwährenden Änderungen und Verschiebungen auf
beiden Seiten beachten.

G r o h n e r t weist in dem angeführten Werke treffend auf
diese „komplexe Motive" hin[1]): „So ergibt sich, daß nicht allein
die Gleichgewichtslage zwischen Angebot und Nachfrage in der Tages-
preisnotierung ihren Ausdruck findet, sondern daß die Momente, die
einen Ausgleich zwischen Angebot und Nachfrage herbeiführen, für
die Meinung der späteren Tendenzentwicklung weiterhin mitbestim-
mend bleiben und ein Überwiegen des Tageskurses nach der einen
oder anderen Seite verursachen."

Die Ergebnisse der neueren Konjunkturenforschung sind nicht
ermutigend für die, welche noch an feste Preisgesetze glauben. In
der ersten Veröffentlichung des deutschen Institutes für Konjunkturforschung wird im IV. Teil: Konjunkturstatistische Unterlagen zur
Beurteilung der deutschen Wirtschaft bemerkt, daß es Aufgabe der
modernen Konjunkturwissenschaft sei, das Tatsachenmaterial auf
gewisse gesetzmäßige Zusammenhänge hin näher zu untersuchen
(S. 195). Dann heißt es speziell über die Wertbewegung: „Im Gegensatz zu dieser klaren Entwicklungslinie der Mengenbewegung der
Wirtschaft bietet die Wertbewegung ein außerordentlich verworrenes
Bild. Der wirtschaftlichen Vernunft, dem ökonomischen Prinzip
aufs schärfste zuwiderlaufende Spannungen und Verschiebungen
sind im ganzen Bereich der Wertbildung zu beobachten. Sowohl
Zins und Preis, Lohn wie Miete weisen in sich sowie im Verhältnis
zueinander die merkwürdigsten Widersprüche auf. . . . Wie auf
dem Geld- und Kapitalmarkt der funktionelle Zusammenhang der
Zinsbildung verlorengegangen ist, so ist auch auf dem Warenmarkte
das alte Preisgefüge zerstört. In der Vorkriegszeit hatten sich in
jahrzehntelanger Entwicklung bestimmte Preisrelationen herausgebildet, die zwar gewissen Schwankungen unterworfen waren (in
derartigen Schwankungen liegt ja das Wesen der Konjunktur), die
aber doch in der Hauptsache durch die Produktionskosten, letzten
Endes durch Arbeit und Nutzen, so eindeutig bestimmt waren, daß
Abweichungen von der Gleichgewichtslage leicht ihre Korrektur fanden. Dieses feste Preisgefüge wurde durch die Kriegswirtschaft aufs
heftigste erschüttert und durch die Inflation vollends zertrümmert.
Nur langsam wird die Wirtschaft ein neues Preisgefüge aufbauen
können, das den veränderten Produktionsbedingungen und Absatz-
verhältnissen entspricht. Selbst wenn wir von den Relationen der
einzelnen Preise zueinander ganz absehen und nur die Preisindices
betrachten, die an sich schon eine starke Zusammenfassung und
Ausgleichung größerer Schwankungen darstellen, zeigt die Preisbewegung der letzten beiden Jahre ein geradezu chaotisches Bild"[2]).
— Diese Beurteilung scheint mir zutreffend bis auf den einen Punkt,
daß es sich hier um Erscheinungen der Nachkriegszeit handele, die
in einen gewissen Gegensatz zu den Preiserscheinungen der Vorkriegszeit gestellt werden. Auch in der Vorkriegszeit war keineswegs das Preisgefüge so fest und klar, wie hier angenommen wird.
Auch damals schon waren die Preise nicht durch die Produktionskosten eindeutig bestimmt. Voraussichtlich wird die neuere

---

[1]) a. a. O., S. 97.
[2]) Die weltwirtschaftliche Lage Ende 1925. Herausgegeben vom Statistischen
Reichsamt und vom Institut für Konjunkturenforschung. Berlin 1925. S. 197.

Konjunkturenforschung auch die Preislehre beeinflussen, indem dann mehr auf die komplexen Motive bei der Preisgestaltung geachtet wird.

6. Aus allem Angeführten ergibt sich, daß die alten Formeln von Angebot und Nachfrage für die Erklärung der Preiserscheinungen nicht mehr als ausreichend erachtet werden können und daß sie durch eine F e s t s t e l l u n g v o n T e n d e n z e n d e r M a r k t p r e i s b i l d u n g ersetzt werden müssen. Diese Tendenzen sind aber viel zu vielgestaltige, als daß sie auf einige gesetzmäßige Formulierungen gebracht werden können. Die Preistendenzen sind grundverschieden, je nachdem es sich um Konsumgüter oder Produktivgüter, ob es sich um Groß- oder Kleinhandelspreise, ob es sich um Agrar- oder Industrieprodukte handelt. Jede Preislehre, welche die wirtschaftlichen Verhältnisse tatsächlich erklären will, muß diese Verschiedenheiten beachten, wenn sie nicht Gemeinplätze oder direkt Falsches ergeben soll.

Ich will versuchen, in einer allgemeinen Preislehre zunächst einige der wichtigsten Preistendenzen zu untersuchen, die bei der Bildung von Marktpreisen überhaupt hervortreten, dann in der speziellen Preislehre die besonderen Tendenzen der Preisbildung für einzelne Märkte.

7. Kapitel.
Allgemeine Preislehre.

§ 37. Einleitende Vorbemerkung zur allgemeinen Preislehre.

Die allgemeine Preislehre hat nicht die Aufgabe, ein Preisgesetz oder einige Preisgesetze aufzustellen; aus methodologischen Gründen sollte dieses Ziel endlich aufgegeben werden. Es kann sich in der allgemeinen Preislehre nur darum handeln, gewisse volkswirtschaftlich besonders wichtige T e n d e n z e n , die bei der Bildung der Marktpreise hervortreten, festzustellen und zu erläutern. Auch soll es sich nicht um eine Erklärung der Güterpreise im allgemeinen handeln, sondern um die Erklärung von Preiserscheinungen einer bestimmten Wirtschaftsepoche, und zwar der individualistischen Marktwirtschaft. Darunter ist die Wirtschaftsepoche verstanden, bei der die Verfügung über die Produktionsmittel einzelnen Privatpersonen zusteht, welche Waren produzieren, die auf dem Markt gekauft und verkauft werden. In dieser privatkapitalistischen Wirtschaftsordnung ist die Preisbildung eine f r e i e , d. h. die Preise werden in der Regel durch freie Vereinbarung zwischen den Kontrahenten auf dem Markte festgestellt. Deshalb ist die Marktlage entscheidend für die Höhe der Preise. Wenn ich hier von „Markt" spreche, so ist nicht an Märkte im engeren Sinne zu denken, etwa an Wochenmärkte, Jahrmärkte, Messen oder Börsen. Der Ausdruck soll nur bedeuten, daß Gruppen von Käufern Gruppen von Verkäufern gegenüberstehen. Auch die Preise von Handwerksprodukten fallen darunter, denn auch hier sind die Marktverhältnisse aller Art entscheidend, so die verschiedenen Märkte für die dem Handwerker notwendigen Rohstoffe. Auch der Umstand, daß die Preise in der Regel schon von den Produzenten festgesetzt werden, bevor die Waren auf den Markt gelangen, ändert nichts an der Tatsache der Preisbildung durch die Marktlage, denn die Preise werden unter Berücksichtigung der Marktverhältnisse festgestellt. — Auf dem Markte treten sich Verkäufer und Käufer gegenüber und aus dem Kampf der Interessen beider Gruppen geht der Marktpreis hervor. Die Grundtendenz der Marktpreisbildung läßt sich dahin feststellen, daß sich der Marktpreis auf Grund der subjektiven Wertschätzungen seitens der Käufer und Verkäufer bildet.

Als Fazit unserer werttheoretischen Betrachtungen muß nochmals festgestellt werden, daß in der individualistischen Wirtschaftsordnung letztlich die subjektive Wertschätzung der Wirtschaftssubjekte für die Preisbildung entscheidend ist. Die subjektive Wertschätzung beider Gruppen geht immer nach zwei Richtungen: erstens auf die Schätzung der Ware selbst, zweitens auf die Schätzung des Preisgutes, d. h. des Geldes. — So muß jede Untersuchung der Tendenzen der Preisbildung von vornherein in zwei getrennte Teile zerfallen, nämlich die Tendenzen auf der Warenseite und die Tendenzen auf der Geldseite. Die theoretische Preisuntersuchung hat nicht den Zweck, die ursprüngliche Preisentstehung zu erklären; es ist Sache der Wirtschaftsgeschichte und der Statistik, die nötigen Daten über die ältesten und ursprünglichen Preise und über die allmähliche Entwicklung der Preise zu liefern. Die Preistheorie soll vielmehr die Änderungen und Verschiebungen des Preisniveaus erklären, soll zeigen, aus welchen Ursachen Preiserhöhungen bzw. Preiserniedrigungen zu erklären sind; und zwar hat die theoretische Untersuchung hier wieder eine doppelte Aufgabe: einmal die Änderungen des allgemeinen Preisniveaus und zweitens die Preistendenzen für bestimmte Gruppen von Waren bzw. für besondere Marktgebiete zu erklären.

Wenn ich vorher die subjektiven Wertschätzungen der beiden Marktparteien als letzten Bestimmungsgrund für die Preisänderungen bezeichnet habe, so soll damit nicht gesagt sein, daß die Preise sich lediglich nach der subjektiven Willkür der Käufer und Verkäufer bilden. Es gibt vielmehr eine Reihe von objektiven Faktoren, die der subjektiven Willkür bei der Preisfestsetzung Schranken aufrichten:

1. Wie alle Wirtschaftserscheinungen, so sind auch die Preisbildungsvorgänge an natürliche und technische Faktoren gebunden. Mag die persönliche individuelle Wertschätzung sein wie sie wolle, das kann nichts daran ändern, daß z. B. durch die Erschöpfung und Ermüdung des Bodens allmählich höhere Aufwendungen zur Ertragserzielung notwendig werden und dadurch eine zwangsläufige Tendenz zur Erhöhung der Preise ausgelöst wird. Säkulare Preisverschiebungen wie etwa die großen Preiserhöhungen im 16. und 17. Jahrhundert infolge der großen Vermehrung der Edelmetalle sind ebenso unabhängig von der subjektiven Meinung der beteiligten Marktparteien.

2. Da alle Preisbildung immer wieder an vergangene Preise anknüpft, ist die von Z w i e d i n e c k so scharf betonte Beharrungstendenz der Preise zu beachten. Aus diesem Grunde ist häufig eine gewisse Konstanz der Preise auch dann vorhanden, wenn die subjektiven Wertschätzungen der Konsumenten sich geändert haben.

3. Vielfach werden die subjektiven Wertschätzungen der Verkäufer und Käufer einfach ausgeschaltet, indem durch Kartelle, Syndikate usw. feste Preisnormen für die am Kartell Beteiligten aufgestellt werden. Wenn auch diese kartellmäßigen Preise in Rücksicht auf die subjektiven Wertschätzungen der Konsumenten normiert werden, so gilt doch diese Norm meist für längere Zeit, oft für Jahre hinaus. Für diesen ganzen Zeitraum können dann Änderungen der subjektiven Wertschätzungen nicht in Änderungen der Preise hervortreten.

4. Auch durch ökonomische Machtpositionen aller Art, unabhängig von derartigen Verbänden, können Preise zustande kommen, die in gewisser einseitiger Weise, sei es von seiten des Anbieters, sei es von seiten des Begehrers, normiert werden. Wiederum ist es Sache der Preistheorie, den Einfluß derartiger Machtpositionen bei bestimmten Gruppen von Waren aufzudecken.

1. Abschnitt.

Die von der Geldseite ausgehenden Tendenzen der Preisbildung.

Vorbemerkung.

Die mit der Geldseite zusammenhängenden Preiserscheinungen können nur auf Grund einer bestimmten Theorie des Geldes und des Geldwertes verstanden werden. Erst im folgenden Buche, das vom Geld handelt, entwickle ich die Theorie des Geldwertes, die für die Preiserscheinungen von großer Bedeutung ist. Ich muß daher den Leser auf die späteren Ausführungen in der Lehre vom Geld verweisen und beschränke mich hier auf einige kurze Bemerkungen, soweit sie zum Verständnis der Preistheorie unumgänglich nötig sind.

§ 38. Der Einfluß der Änderungen des Nominalwertes des Geldes auf die Preise.

Das Geld ist im Werte nicht konstant, sondern veränderlich, d. h. der Geldbetrag, worin der Preis einer Ware ausgedrückt wird, ist immer nur ein Nominalwert; der tatsächliche Wert ändert sich mit dem inneren Geldwert. Dieser innere Geldwert hängt beim Metallgeld teils von den Gewinnungskosten bzw. den Vorräten an Edelmetall, teils von dem Bedarf nach Edelmetall für Währungszwecke ab. Beim Papiergeld ist der innere Geldwert von der Menge des ausgegebenen Papiergeldes und dem Vertrauen, welches das Papiergeld genießt, abhängig. Ein und derselbe Nominalbetrag an Geld kann eine sehr verschiedene Kaufkraft bedeuten, daher treten große Veränderungen des Geldwertes auch in den Warenpreisen hervor. Es ist eine der wichtigsten Aufgaben jeder wissenschaftlichen Kausalerklärung von Preisverschiebungen, die von der Geldseite herrührenden Änderungen von denen zu trennen, die auf der Warenseite liegen. Große Preisrevolutionen, wie z. B. die Preissteigerungen im 16. und 17. Jahrhundert, ebenso die Preiserhöhungen um die Mitte des 19. Jahrhunderts sind wesentlich aus den Verhältnissen des Edelmetallmarktes zu erklären. Während diese von der Geldseite ausgehenden Änderungen in gleicher Weise Käufer wie Verkäufer berühren, da es sich um objektive Vorgänge auf dem Markte handelt, sind ferner noch die verschiedenen subjektiven Schätzungen des Geldes, sowohl auf Seite der Käufer wie der Verkäufer je nach der Höhe ihres Einkommens bzw. Vermögens und Kapitals zu beachten.

§ 39. Der Einfluß der Höhe des Geldeinkommens bzw. des Geldvermögens und Geldkapitals auf die Preisbildung.

Eine sehr große und oft nicht genügend beachtete Rolle bei der Preisbildung spielt die subjektive Wertschätzung des Geldes seitens der Käufer und Verkäufer. Was die Verkäufer anlangt, so sind diese leicht geneigt bzw. auch gezwungen, ihre Waren zu einem niedrigeren Preise loszuschlagen nur deshalb, weil sie in Ermangelung von Sparguthaben und von Kredit gezwungen sind, sobald als möglich in den Besitz barer Geldmittel zu gelangen. Umgekehrt liegt es bei denjenigen Verkäufern, die durch größeres Geldeinkommen bzw. Geldvermögen in der Lage sind, günstige Wirtschaftskonjunkturen abzuwarten, um dann ihre Vorräte zu höheren Preisen absetzen zu können. Der niedrige Preis mancher Agrarprodukte hat häufig in der hohen Geldschätzung der Bauern ihren Grund. Schon H e r - m a n n hat auf dieses zur Erklärung vieler Preiserscheinungen wichtige Moment hingewiesen. Er zeigt es am Beispiel der Preise der Agrarprodukte und Grundstücke[1]): „Sehr wichtig ist hierbei der V e r - m ö g e n s s t a n d des Verkäufers, da weiterer Transport oder längere Aufbewahrung Kapitalbesitz voraussetzt, den man der laufenden Anwendung zu entziehen vermag. Wo daher die Mehrzahl der Landwirthe unvermögend ist und keine Vorräthe aus reicheren Jahren für spätere Zeiten aufbewahrt werden können, sinken die Kornpreise in fruchtbaren Jahren tiefer als in Ländern mit reicheren Landwirthen. Von großem Einfluß auf die Preise ist das Vermögen bei allen Verkäufen von Nutzkapitalen und fixen Erwerbskapitalen. Bei ihnen muß der Verkäufer am häufigsten zu Nothpreisen abgeben. Dies ist z. B. in dem letzten Jahrzehnd in einem großen Theil von Süddeutschland mit den Bauerngütern der Fall gewesen."

Infolge der neueren Entwicklung des Kreditwesens, besonders der Kornhausgenossenschaften, die auf Getreidevorräte Darlehen gewähren, ist diese Notlage der Landwirte bedeutend gemildert. Sie spielt aber auch in der Gegenwart noch eine große Rolle, und die Kreditschwierigkeiten der Nachkriegszeit haben diese Dringlichkeit zum Losschlagen der Produkte noch weiterhin verschärft. So lautet ein Bericht aus neuester Zeit (Januar 1926): „Infolge der Steuer- und Darlehensraten, die die kurzfristig verschuldete Landwirtschaft abzutragen hat, drängt die große Ernte auf den Markt, ohne daß ein kapitalkräftiger Zwischenhandel vorhanden wäre, der das Überangebot absorbieren und für eine schlechter versorgte Zukunft als Reserve stellen könnte, wie dies vor dem Kriege der Fall war[2])."

Allgemein läßt sich sagen: überall, wo die Verkäufer einer sozialen Schicht angehören, die nur über geringes Geldeinkommen verfügt, müssen sie sich mit ihren Preisen den momentanen Konjunkturen des Marktes anpassen, während die Verkäufer mit größerem Einkommen höhere Preise erlangen können, weil sie günstigere Konjunkturen abwarten können. — Noch größere Bedeutung für die Preisbildung haben die verschiedenen subjektiven Geldschätzungen seitens der Käufer. Wenn die Käufer einer sozialen Schicht angehören, die durch ihre Einkommenslage gezwungen ist, mit jedem Pfennig zu rechnen, so werden die Preise ganz anders gestaltet sein, als wenn für sie infolge der Höhe ihres Einkommens die Geldeinheit einen viel geringeren Wert besitzt. Manche Preisänderungen sind nur so zu erklären, daß reiche oder wohlhabende Käuferschichten auf einem Markt erscheinen und nur durch ihre geringere Geldwertschätzung eine Preiserhöhung herbeiführen, ohne daß die Marktverhältnisse sich geändert haben. Es ist eine bekannte Tatsache, daß in manchen schön gelegenen Gebirgsorten die Preise für Lebensmittel stark in die Höhe gehen, wenn dieser Ort sich zu einem Kur- und Badeort entwickelt. Nicht durch vermehrte Nachfrage oder verringertes Angebot ist die Preiserhöhung für Lebensmittel zu erklären — denn die Vorräte sind leicht zu ergänzen — wohl aber daraus, daß eine Käuferschicht für die Preisbildung maß-

---

[1]) a. a. O. (3. Aufl., Leipzig 1924), S. 89/90.
[2]) cf. „Bank". Januar 1926.

geblich hinzukommt, die infolge ihrer Vermögensverhältnisse eine ganz andere Wertschätzung hat als die Käuferklasse, die früher die maßgebende war. Die außerordentlich große Preissteigerung von Häusern und Grundstücken in vielen sog. Rentnerstädten in der Vorkriegszeit ist teilweise daraus zu erklären, daß die betreffenden Käufer infolge ihrer geringeren Geldwertschätzung zu hohen Preisgeboten in der Lage waren. — Wie stark die Einkommenshöhe auf die Preisbildung einwirkt, ergibt sich besonders auch aus den Wirkungen einer plötzlichen Verbesserung der Geldeinkommen gewisser Berufsklassen. Wie oft wird ein großer Teil der zusätzlichen Kaufkraft, welche Beamten durch die Erhöhung ihres Gehaltes zufiel, ihnen wieder durch Steigerung der Miete oder anderer Bedarfsgegenstände entzogen.

2. Abschnitt.

Die Tendenzen der Preisbildung auf der Warenseite.

§ 40. Die Preisbildung der Konsumgüter und der Produktivgüter.

Wenn die Preise, wie wir gesehen haben, die Resultante der subjektiven Wertschätzungen der Güter seitens der Marktparteien sind, so ist die Wertschätzung auf Seiten der Käufer und der Verkäufer zu unterscheiden. Auf Seite der Käufer liegt eine Schätzung des Gebrauchswertes der Güter vor. Die Käufer zahlen den Preis, der ihrer Schätzung des Gutes nach seiner Nützlichkeit für sie entspricht. Die Intensität ihres Begehrens und die verfügbare Menge der Güter sind entscheidend. Auf Seite der Verkäufer dagegen liegt keine Gebrauchswertschätzung vor, denn sie wollen die Güter nicht selbst gebrauchen, sondern auf dem Markte gegen das Preisgut, d. h. gegen Geld vertauschen. Für die Verkäufer ist allein der Tauschwert entscheidend; bei der Schätzung des Tauschwertes ihrer zum Verkauf angebotenen Waren steht keineswegs der Kostenwert der Güter im Mittelpunkt ihres Interesses. Wir haben wiederholt gezeigt, daß das Interesse des Verkäufers nicht dahin geht, im Verkaufspreise den Ersatz der aufgewandten Kosten einschließlich des üblichen Durchschnittsgewinnes zu erzielen. Einen sog. üblichen Durchschnittsgewinn gibt es überhaupt nicht, er ist eine rein theoretische Fiktion, und die Kosten bilden nicht, wie die älteren Theorien annahmen, das Gravitationszentrum der Preise. Bei der Schätzung des Tauschwertes der Ware seitens der Verkäufer ist ihr Interesse lediglich darauf gerichtet, beim Verkauf der Ware e i n e n   m ö g l i c h s t   h o h e n   G e w i n n   z u   e r z i e l e n, d. h. ein möglichst großes Plus über die von ihnen aufgewandten Kosten. Wenn diese Kosten auch für sie eine Mindestgrenze bilden, die sie im Interesse der Rentabilität ihres Betriebes einzuhalten suchen, so sind sie doch aus den verschiedenen Gründen, die ich in der Wertlehre näher nachgewiesen habe, in vielen Fällen bereit oder gezwungen, unter diese Grenze herunterzugehen.

Die angegebenen Tendenzen der Preisbildung gelten sowohl für die Konsumgüter, d. h. die zum sofortigen Genuß fertiggestellten Waren, wie für die Produktivgüter, d. h. für diejenigen Güter, die zur Produktion der Fertiggüter notwendig sind, wie z. B. Maschinen, Rohstoffe usw. Die Frage, ob der Wert der Fertiggüter sich nach dem Wert der Produktionsmittel richte oder ob umgekehrt der Wert der Fertiggüter für den Wert der Produktivgüter maßgebend sei, ist in der nationalökonomischen Literatur umstritten. Die klassische Ökonomie ging von den Produktivgütern aus: die Menge an Kosten, die auf Herstellung aller Produktionsmittel verwandt wurde, zusammen mit der auf Herstellung der Fertiggüter selbst gerichteten Arbeit sollte den Durchschnittswert ergeben. Richtiger hat die subjektive Werttheorie erkannt, daß der Wert der Fertigprodukte der entscheidende ist. Die Produktivgüter werden geschätzt wegen des Wertes der Fertiggüter, die mit ihrer Hilfe hergestellt werden. Mit der Steigerung des Begehrs nach Fertiggütern steigt auch der Begehr nach den zu ihrer Herstellung erforderlichen Produktivgütern und umgekehrt. Insoweit ist es richtig, zu sagen, daß Wert und Preis der Produktivgüter von Wert und Preis der Fertiggüter abhängen. Wenn somit der Wert der Fertiggüter auch für den Wert der Produktivgüter entscheidend ist, so dürfen doch gewisse Unterschiede in den Tendenzen der Preisbildung der Fertiggüter und der Produktivgüter nicht übersehen werden. Bei den Käufern von fertigen Waren, z. B. von Fahrrädern, liegt eine subjektive Wertschätzung dieser Ware auf Seite der Käufer von Fahrrädern vor; dagegen bei den Käufern von Produktivgütern, z. B. von Eisen, Stahl, Maschinen usw. können nur Begehrungen in Frage kommen, die in der Zukunft liegen, denn es bedarf in der Regel zeitraubender Produktionsumwege bis zur Fertigstellung der Ware. Da diese Produktivgüter meist zur Herstellung sehr verschiedener Waren dienen können, ist von seiten der Käufer oft nicht einmal die Art der Waren im voraus bestimmt, zu deren Herstellung sie dienen sollen. Mit anderen Worten: auf dem Markt von genußreifen Produkten ist auch eine direkte Nachfrage nach diesen vorhanden, auf dem Markt der Produktionsmittel ist die Nachfrage auf lange Sicht berechnet. Wegen des oft sehr langen Zeitraumes, zu dem überhaupt die mit Hilfe der Produktivgüter hergestellten Waren auf Absatz rechnen können, spielen hier alle Momente bei der Preisbildung mit, die mit diesem Zeitintervall zusammenhängen; und in viel höherem Maße als bei den Fertiggütern tritt das spekulative Moment in die Erscheinung. Die Käufer von Produktivgütern lassen sich bei der Beurteilung der Preise, die sie zu zahlen bereit sind, wesentlich von ihrer Schätzung der künftigen Entwicklung des Wirtschaftslebens leiten, und darum ist die Konjunkturenlage des Wirtschaftslebens für die Preisbildung der Produktivgüter von besonderer Bedeutung. — So läßt sich die bekannte Tatsache erklären, daß in Zeiten aufsteigender Konjunkturen die Preise von Kohlen, Eisen, Maschinen usw. viel mehr steigen und in Zeiten sinkender Konjunkturen viel mehr heruntergehen als die Preise der Fertigwaren. Die Veränderungen der Konjunktur kommen viel weniger in den Preisen der Fertigprodukte zur Erscheinung als in der Vergrößerung bzw. Verminderung des Absatzes der Produkte. Die größere Abhängigkeit der Preisbildung von den Konjunkturen bei den Produktivgütern sowohl als bei den Konsumgütern hängt noch mit einem weiteren Umstande zusammen. Die Kauffähigkeit der Konsumenten von Fertigwaren ist in der Regel begrenzt durch die Höhe ihres Einkommens bzw. ihrer Ersparnisse; dagegen ist die Kauffähigkeit der Käufer von Produktivgütern viel

elastischer, denn zu dem eigenen Anlage- und Betriebskapital kommt
noch die Möglichkeit hinzu, auf dem Wege des Kredits zusätzliche
Kaufkraft zu erlangen. Dadurch kommt in Zeiten steigender Konjunktur noch ein neues, die Nachfrage steigerndes Moment hinzu.
Umgekehrt erfährt diese Nachfrage bei sinkender Konjunktur infolge der Einschränkung des Kredits bzw. Erhöhung der Diskontsätze eine starke Minderung. Wenn nach Zeiten der Depression eine
Aufschwungsperiode folgt, so findet ein Anziehen der Preise zunächst schneller und stärker bei den Rohstoffen und Halbfabrikaten
statt als bei den Fertigprodukten. In der **Wirtschaftskurve** der
Frankfurter Zeitung, Heft III, 1926 wird dargestellt, wie sich diese
typische Folgeerscheinung der Depression im Verhältnis zwischen
den Preisen für **H ä u t e** und **L e d e r**, dem Rohstoff und **H a l b -
f a b r i k a t**, und dem Endprodukt, **S c h u h e**, zeigt. Während
noch im Juni 1926 alle 3 Preise fast gleichzeitig nachgaben, beginnen
Häute und Leder Anfang Juli mit einem entschiedenen Preisauf-
schlag, der bereits auf Eindeckung der Lederindustrie und ihrer
Hilfsgewerbe schließen läßt. Der Schuhpreis dagegen bleibt bis
Oktober unverändert.

§ 41. Die Preisbildung bei zunehmendem und bei abnehmendem Produktionsertrag.

Ich habe im zweiten Bande, der „Lehre von der Produktion"
in den §§ 10—15 ausführlich die natürlich-technischen Ursachen
nachgewiesen, aus denen sich die verschiedene Ertragsfähigkeit bei
der Gewinnung von Rohstoffen und bei der Verarbeitung von Rohstoffen erklärt. Um kurz zu rekapitulieren: Für die Urproduktion
gilt das Gesetz des abnehmenden Ertrages, für die Fertigfabrikate
die Tendenz des zunehmenden Ertrages. In der Landwirtschaft und
der Montanindustrie ist die Gewinnung von Mehrerträgen auf demselben Bodenstück bzw. in demselben Bergwerk von einem bestimmten Punkte ab mit höheren Kosten verknüpft, weil eine Erschöpfung
des Bodens bzw. der Lagerstätten eintritt. Dagegen sind in der
Fertigwaren-Industrie bei der Weiterverarbeitung der Rohstoffe
regelmäßig bei Mehraufwendungen von Arbeit und Betriebsmitteln
auch entsprechende Mehrerträge an Produkten zu erwarten. Diese
Mehrerträge wachsen noch mehr als proportional bei den Großbetrieben, weil durch Arbeitsteilung, rationellere Betriebsmethoden
und mancherlei andere Ersparnisse eine Zunahme des Produktions-
ertrages erzielt werden kann. An dieser Stelle müssen wir das Fazit
aus diesen produktionstechnischen Tatsachen für die Preisbildung
ziehen. Es handelt sich bei den genannten Tendenzen immer nur
um den Rohertrag der Betriebe, nicht um den Reinertrag. Dem
wirtschaftlichen Unternehmer kommt es aber auf den Reinertrag an,
und für den Reinertrag sind die **P r o d u k t e n p r e i s e** entscheidend
bzw. die Frage, inwieweit die erzielten Preise einen Überschuß über
die aufgewandten Kosten ergeben. — In der Landwirtschaft und der
Montanindustrie muß sich daher aus dem Gesetz des abnehmenden
Ertrages die Notwendigkeit ergeben, durch allmähliche Erhöhung
der Produktenpreise denselben Reinertrag wie früher zu erzielen,
wenn die Rentabilität der Betriebe nicht gemindert werden soll.
In der Fertigwaren-Industrie dagegen können auch bei gleichbleiben-
den, ja sogar bei sinkenden Produktenpreisen dieselben Reinerträge

wie vorher, ja sogar noch höhere erzielt werden, und die Rentabilität dieser industriellen Betriebe kann auch bei sinkenden Preisen gewährleistet werden. Denn wenn auch in der Fertigindustrie die Anschaffung der Rohstoffe höhere Kosten verursacht, so kann dies dadurch mehr als kompensiert werden, daß in dem eigentlichen Betätigungsgebiet dieser Industrie bei der Verarbeitung der Rohstoffe aus den verschiedensten Ursachen eine Verbilligung der Produktion erzielt werden kann. So ist es zu erklären, daß die Preise der industriellen Fertigerzeugnisse im Laufe des 19. Jahrhunderts im allgemeinen eine sinkende Preistendenz aufweisen, ohne daß die Rentabilität in Frage gestellt wurde. Ich verweise auf meine Ausführungen im zweiten Bande, wo ich diese Zusammenhänge näher nachgewiesen und gezeigt habe, wie namentlich die Einführung der arbeitssparenden Maschinen in den industriellen Unternehmungen preissenkend gewirkt hat. Ganz anders in der Urproduktion. Hier, wo die Hauptbetätigung in der G e w i n n u n g von Rohstoffen beruht, muß der Unternehmer immer wieder mit der natürlichen Knappheit seines wichtigsten Produktionsmittels, nämlich der Bodenkräfte und der Bodenschätze, rechnen, und daher kann bei Rückgang der Roherträge nur durch Preiserhöhung der Produkte ein Ausgleich erzielt werden. Wohl gemerkt: dies alles gilt bei der Urproduktion nur als allgemeine Tendenz und nur unter der Voraussetzung, unter der das Gesetz vom abnehmenden Ertrag aufgestellt ist, daß es sich um dieselbe Bodenfläche und um den gleichen Stand der Technik handelt. Durch technische Fortschritte und Verbesserungen, durch rationellere Betriebsführung usw. können auch in der Urproduktion bedeutende Mehrerträge erzielt werden, durch welche oft das Gesetz vom abnehmenden Ertrag kompensiert wird; und durch Hinzunahme neuer Böden und neuer Lagerstätten kann ebenfalls eine Ertragssteigerung erzielt werden, wodurch wiederum eine Gegentendenz ausgelöst wird. Diese Gegentendenzen sind besonders in der Landwirtschaft von Bedeutung. Die großen Bodenflächen in der Welt, die noch gar nicht oder wenig angebaut sind, bei denen daher das Gesetz vom abnehmenden Ertrag noch nicht in Wirksamkeit ist, machen es möglich, im Wege des internationalen Handelsverkehrs noch weite Bodenstrecken zur Ernährung der Bevölkerung der dicht besiedelten Gebiete heranzuziehen, und ebenso haben in der Landwirtschaft die großen Fortschritte in der Agrikulturchemie, Pflanzenzucht usw. ertragssteigernd gewirkt. In der Montanindustrie sind diese Gegentendenzen insofern von Bedeutung, als durch technische Fortschritte und Betriebsrationalisierung Kostenersparnisse erzielt werden können. Aber diese Gegentendenzen sind dort nicht in dem Maße vorhanden wie in der Landwirtschaft, denn die Lagerstätten von Mineralien usw. sind nur in begrenztem Maße vorhanden, und in allen Ländern stößt die Gewinnung von Bergwerksprodukten auf dieselben Schwierigkeiten. Auch ist der Transport der Bergwerksprodukte mit viel höheren Kosten verknüpft als der der Agrarprodukte.

Ich möchte durch ein paar Angaben aus der Preisstatistik der neueren Zeit nachweisen, daß tatsächlich diese preisbestimmenden Momente in Wirksamkeit gewesen sind.

In der Zeit von 1900 bis zum Weltkriege hat sich in allen Ländern der Welt eine große Preiserhöhung gezeigt. Man nimmt im großen und ganzen an, daß diese Preiserhöhung im Durchschnitt 20 bis 25 % betragen hat. Die folgende Tabelle über die allgemeine Preisbewegung in England, Deutschland und Amerika (1901—1911) gibt hierüber Auskunft[1]):

	England Ökonomist[2])	Deutschland Schmitz[3])	Ver. Staaten Arbeitsamt[4])
1901/05	102,0	108,7	112,8
1906/10	115,0	123,0	126,6
1911.	122,6	127,9	—

Gegenüber dieser durchschnittlichen Preiserhöhung der Waren überhaupt um 20—25 % ist in allen Ländern bei den Rohstoffen, Metallen usw. eine viel größere Preissteigerung festzustellen. Hier hat die Preissteigerung im allgemeinen 35—40 % betragen:

		Textil-rohstoffe	Metalle
Schmitz für Deutschland	1890—1899.	100,0	100,0
	1901—1905.	113,2	114,0
	1906—1910.	134,0	136,3
	1911.	131,7	144,5
Sauerbeck für England	1890—1899.	100,0	100,0
	1901—1905.	95,7	120,3
	1906—1910.	103,9	134,9
	1911.	135,7	131,0
Vereinigte Staaten	1890—1899	—	100,0
	1901—1905.	—	115,8
	1906—1910.	—	131,5
	1911.	—	—

(Zusammengestellt von E u l e n b u r g , a. a. O.)

Betrachten wir demgegenüber die Preisentwicklung eines für die Volkswirtschaft wichtigen Fertigproduktes, der landwirtschaftlichen Maschinen. Hier zeigt sich, daß selbst in der Periode, in der sonst allgemein eine große Preiserhöhung festgestellt wurde, die betreffenden Waren im Preise heruntergingen, bzw. gleichblieben[5]).

Jahr	Karrenpflug einscharig, 2—3spännig, 6—10scharig, Tiefgang, ganz aus Eisen und Stahl kostete bei Sack absolut Mk.	Schwere Egge eisern, 3 Felder Stahlzinken kostete bei Eckert, Berlin absolut Mk.
1858	150	120
1876	90	95
1906	50	77

[1]) Die Durchschnittspreise von 1890—1899 = 100 gesetzt. — Sämtliche Index-ziffern sind nach amerikanischem Vorbild von E u l e n b u r g auf die Jahre 1890/99 reduziert. F. Eulenburg, Die Preissteigerung des letzten Jahrzehnts. Leipzig 1912.
[2]) Für 22 Waren berechnet.
[3]) S c h m i t z , Die Bewegung der Warenpreise in Deutschland von 1851—1902. Berlin 1903. Die weiteren Ziffern auf Grund persönlicher Angabe von Schmitz mitgeteilt von E u l e n b u r g , a. a. O.
[4]) Für 257 Artikel berechnet.
[5]) Nach Angaben von F r i e d r i c h A e r e b o e (E s s l e n , Die Fleisch-versorgung des Deutschen Reiches, Stuttgart 1912).

§ 42. Tendenzen der Preisbildung im Groß- und Kleinhandel.

Zwei Probleme sind es, die hier von Interesse sind: Erstens: bewegen sich die Preise des Detailhandels parallel zu den Preisen des Großhandels bzw. den Produzentenpreisen? Zweitens: wie hoch ist der Zuschlag, den der Detailhandel zu den Preisen des Großhandels bzw. zu den Produzentenpreisen rechnet?

ad 1): Man hört vielfach die Behauptung, daß die Preise im Kleinhandel besondere Tendenzen aufwiesen und in gewisser Hinsicht unabhängig von der Preisbildung im Großhandel seien, d. h., daß, einerlei, wie die Bewegung der Produktenpreise an den Börsen und großen Handelsmärkten sich vollzöge, die Detailpreise eine große Stetigkeit bzw. höchstens nur ein Steigen nach oben aufwiesen. Auch bei den wirtschaftspolitischen Diskussionen in den Parlamenten usw. wird häufig damit argumentiert, daß die Bewegung der Großhandelspreise sich kaum bei den Kleinhandelspreisen bemerkbar mache. Gelegentlich wurde auch die Unschädlichkeit des Getreidezolles für die Interessen der Konsumenten damit begründet, daß die Erhöhung des Getreidepreises durch einen Zoll auf den Brotpreis überhaupt keinen Einfluß habe. So sagte Fürst Bismarck in der berühmten Rede im Reichstag vom 21. Mai 1879, als die Frage der Getreidezölle zur Debatte stand, über diese Frage folgendes: „. . . Wenn ich nun schon zugebe — vielmehr behaupte, daß dieser Zoll auf den Kornpreis keine Einwirkung haben wird, so bestreite ich auf das allerbestimmteste, daß die Kornpreise und die Brotpreise in irgendeinem nachweisbaren Zusammenhange stehen, und behaupte, wenn nicht Hungersnot zwingend einwirkt, daß durch den Überfluß und Wohlfeilheit des Korns kein Wachsen des Brotgewichts und kein merkliches Sinken der Brotpreise eintritt. Die Brotpreise sind heute bei diesen niedrigen Kornpreisen dieselben, das heißt das Gewicht des Brotes ist dasselbe, wie es in den Jahren war, wo das Korn noch einmal so teuer war als heut, das heißt, im Laufe der 50er und 60er Jahre. . . .[1]"

Diese Behauptung wird scheinbar durch mancherlei Erfahrungen des täglichen Lebens bestätigt. Jeder Blick in ein Haushaltungsbuch kann uns davon überzeugen, daß ein direkter Zusammenhang zwischen den Preisen für Mehl, Reis, Petroleum usw., die in den Ladengeschäften gezahlt werden, mit den Großhandelspreisen nicht besteht und die Schwankungen nicht aufweisen, welche diese Preise für dieselben Produkte an den Großhandelsplätzen und Börsen zeigen. Ist darum, weil es dem oberflächlichen Blick so erscheint, wirklich die Tatsache richtig und hat die nationalökonomische Lehre der Hausfrauen Berechtigung, daß die Kleinhandelspreise zwar in die Höhe gingen, wenn die Großhandelspreise steigen, aber niemals sänken, wenn die Großhandelspreise zurückgehen? In Wirklichkeit ist folgender Sachverhalt festzustellen:

a) Im Gegensatz zu den sprunghaft wechselnden, oft von Tag zu Tag, ja von Stunde zu Stunde variablen Preisen im Großhandel weist der Preis des Detailhandels eine außerordentliche Stetigkeit und eine gewisse Beharrung auf. Er bleibt oft Jahre hindurch derselbe, während in diesem Zeitraum der Engrospreis

---

[1] Fürst Bismarcks Reden. Herausgegeben von P h i l i p p   S t e i n, 7. Bd.: (1878—1880) Sozialistengesetz und Wirtschaftsreform. Leipzig, Reclam, S. 234.

zahlreiche Schwankungen durchmacht. Der Detaillist setzt die Preise nicht sofort herab, wenn ein Sinken des Großhandelspreises eintritt, ebenso aber setzt er den Preis nicht sofort in die Höhe, wenn ein Steigen des Großhandelspreises bemerkbar wird. Oft ist das Gleichbleiben des Detailpreises nur ein scheinbares, weil der Verkäufer andere Qualitäten zum alten Preise liefert, ohne daß der Käufer dieses bemerkt oder beachtet. Dem Kunden liegt meist mehr daran, nur einen bestimmten Preis für einen bestimmten Artikel zu zahlen und nimmt kleine Qualitätsverschiebungen mit in den Kauf. Schon wegen der minimalen Beträge, um die es sich hier handelt, kann der Detailpreis den Schwankungen des Großhandelspreises nicht folgen. Eine Preisänderung um 1 Mk. pro Zentner im Großhandel würde im Detailhandel eine solche von einem halben Pfennig für ein halbes Pfund bedeuten. Die Rücksicht auf leichtere Rechnung und bequemere Zahlung spielt bei der Preisbildung im Detailhandel eine Rolle.

b) Trotz dieser Indifferenz der Detailpreise gegenüber den Schwankungen der Großhandelspreise ist eine Parallelbewegung beider Preise in dem Sinne vorhanden, daß einschneidendere, für längere Dauer anhaltende Preisänderungen — und zwar sowohl Preiserhöhungen wie Preisherabsetzungen — der Großhandelspreise auch in den Detailpreisen hervortritt. Eine große Fülle empirischen Materials über dieses Problem haben die Untersuchungen des Vereins für Sozialpolitik über den Einfluß der distributiven Gewerbe auf die Preise gebracht[1]). Aus den Untersuchungen des Vereins für Sozialpolitik bringe ich eine statistische Übersicht zum Abdruck, die für unser Problem charakteristisch ist. Es ist die Entwicklung des Engros- und Detailpreises für Weizenstärke in Magdeburg:

		Engrospreis in Magdeburg per 50 kg Mk.	Detailpreis in Magdeburg für ½ kg Pfg.
1872	Dezember	27,50	47
1873	Januar	27,50	47
	Dezember	32,—	50
1882	Januar	23,—	35
	April	22,50	35
	Juli	22,50	30
	Oktober	22,50	30
	Dezember	20,—	30
1883	Januar	19,50	30
	April	19,25	30
	Juli	20,25	30
	Oktober	19,75	30
	Dezember	19,25	30

---

[1]) Untersuchungen über den Einfluß der distributiven Gewerbe auf die Preise. 1. Heft. R. v. d. B o r g h t : Der Einfluß des Zwischenhandels auf die Preise auf Grund der Preisentwicklung im Aachener Kleinhandel. Leipzig 1888, und 2. Heft: Berichte und Gutachten (Leipzig 1888) und daran anschließend Verhandlungen der am 28. und 29. September 1888 in Frankfurt a./M. abgehaltenen Generalversammlung des Vereins für Sozialpolitik über den ländlichen Wucher, die Mittel zu seiner Abhilfe, insbesondere die Organisation des bäuerlichen Kredits und über Einfluß des Detailhandels auf die Preise und etwaige Mittel gegen eine ungesunde Preisbildung. Leipzig 1889.

	Engrospreise in Magdeburg per 50 kg Mk.	Detailpreis in Magdeburg für $^1/_2$ kg Pfg.
1884 Januar	18,62	30
April	18,40	25
Juli	18,40	25
Oktober	16,87	25
Dezember	16,40	25
1885 Januar	16,25	25
April	17,75	25
Juli	18,25	25
Oktober	16,75	25
Dezember	16,25	25
1886 Januar	16,25	25
April	16,25	25
Juli	16,50	25
Oktober	16,75	25
Dezember	16,75	25

Die Tabelle zeigt, wie die große Preiserhöhung des Engrospreises von 27,50 auf 32,— Mk. sich auch in der Erhöhung des Detailpreises von 47 auf 50 Pfg. bemerkbar macht; ebenso auch der Preisrückgang auf 23 Mk. im Engrospreis auf 35 Pfg. im Detailpreis und
das weitere Sinken des Engrospreises auf 22,50 auf 30 Pfg. im Detailpreis. Dieser Preis von 30 Pfg. blieb dann vom Juli 1882 in stetiger
Höhe bis Januar 1884 trotz der verschiedenen Schwankungen, die
der Engrospreis durchmachte. Der starke Rückgang im Januar
und April 1884 auf 18,40 Mk. führte wiederum zu einer Herabsetzung des Detailpreises auf 25 Pfg., der in dieser Höhe bis Ende
des Jahres 1886 trotz verschiedener Schwankungen des Engrospreises
in dieser Zeit blieb.

Die weitverbreitete Meinung, daß das Brot immer nur teurer
werde, niemals billiger, auch wenn der Großhandelspreis für Getreide noch so sehr herabgehe, wird dadurch leicht hervorgerufen,
daß vielfach der Brotpreis in der Weise angegeben wird, daß ein bestimmtes Brotmaß, z. B. ein Laib Brot, immer für denselben Preis verkauft wird, daß aber das Brot selbst bald ein größeres, bald ein
kleineres Gewicht hat. In den verschiedenen Gewichtsmengen drückt
sich der Preisunterschied aus, der schwer erkennbar ist. In der folgenden Tabelle über Brot- und Mehlpreise in Berlin von 1896 bis 1906 sind
diese Gewichtsunterschiede berücksichtigt, und es ergibt sich auch
hier wiederum, daß der Detailpreis, wenn auch in gewissen Ab-
ständen, dem Engrospreis folgt.

Jahr	Roggenmehl 1 kg in Pfg.	Roggenbrot 1 kg in Pfg.	Jahr	Roggenmehl 1 kg in Pfg.	Roggenbrot 1 kg in Pfg.
1896	16,30	20,93	1902	19,61	24,21
1897	17,44	22,30	1903	17,97	23,85
1898	20,12	25,15	1904	17,55	23,5
1899	19,37	24,21	1905	19,07	24,3
1900	19,31	23,96	1906	21,—	27,06[2]
1901	18,86	24,23			

[1] Untersuchungen über den Einfluß der distributiven Gewerbe auf die Preise.
2. Heft. Berichte und Gutachten. Leipzig 1888, S. 113.
[2] Auf Grund der Angaben des Statistischen Amts der Stadt Berlin, mitgeteilt
von G. Brutzer, „Die Verteuerung der Lebensmittel in Berlin im Laufe der
letzten 30 Jahre". München und Leipzig 1912.

ad 2): Was die Höhe des Zuschlages anlangt, den der Detaillist auf die Preise des Großhandels bzw. auf die Produzentenpreise nimmt, so sind auch hierüber übertriebene Anschauungen verbreitet. Es wurde sogar die Behauptung aufgestellt, daß der Tribut, den der Zwischenhandel vom. Konsumenten fordere, zu einer Ausbeutung des Publikums führe. So hat z. B. E r n s t B u s c h in einer Schrift, betitelt „Der Irrtum von K a r l M a r x"[1]), erklärt, der Irrtum von K a r l M a r x bestünde darin, daß er behaupte, der sog. Mehrwert werde in der Produktion durch die unbezahlte Arbeit des Arbeiters erzeugt. Tatsächlich werde der Mehrwert in der Zirkulationssphäre durch den übermäßigen Aufschlag, den der Detaillist auf den Großhandelspreis nehme, hervorgerufen. Die Schädigung des Arbeiters erfolge nicht durch einen Abzug vom Lohn, sondern durch Z u s c h l ä g e a u f d i e B e d ü r f n i s s e : „Wenn man die wirklichen Herstellungskosten, die nackten Arbeitslöhne der gangbarsten und unentbehrlichsten Massenartikel, die sich also am leichtesten auf ihre Qualität beurteilen und deshalb am wenigsten verteuern lassen, wie Brot, Fleisch, baumwollene Kleider, billige Hausgeräte, Kohlen usw., mit dem letzten Verkaufswerte vergleicht, dann findet man durchweg Differenzen, also Preiszuschläge für die Tätigkeit der Vermittlung, von 400—600 %. Diese Differenzen werden immer größer, je mehr es sich um weniger gangbare und schwerer auf ihre Qualität zu beurteilende Luxus- und Modeartikel handelt, so daß man beim Schaumwein und Seidenstoffen bereits mit Preiszuschlägen von 1500—3000 % zu rechnen hat." Auch hier müssen die Tatsachen untersucht werden, um die maßlose Übertreibung solcher Behauptungen festzustellen. Die Untersuchungen des Vereins für Sozialpolitik bieten auch für dieses Problem reiches Material. Es geht hieraus hervor, daß von einem festen prozentualen Zuschlag des Detaillisten auf den Großhandelspreis nicht die Rede sein kann, sondern daß diese Zuschläge außerordentlich verschieden sind, je nach der Art des betreffenden Artikels, ob es sich um Artikel des Massenkonsums oder Luxusartikel handelt, je nach den Orten, in denen das Detailgeschäft sich befindet, ob es sich um Groß-, Mittel- oder Kleinstädte handelt und ferner auch innerhalb der einzelnen Gemeinde je nach der Straße, der Ausstattung des Ladens usw. In einem großen Durchschnitt genommen läßt sich ein Zuschlag von 15—30 % als der häufigste feststellen. Zur Veranschaulichung diene die folgende Tabelle.

Bei 46 Artikeln des Hamburger Groß- und Kleinhandels, und zwar bei Waren, die dem täglichen Konsum dienen, wurde folgender Aufschlag für den Durchschnitt der Jahre 1878—1886 festgestellt:

	bis zu	10 %	bei	3	Artikeln
über	10 bis	15 %	„	3	„
„	15 „	20 %	„	8	„
„	20 „	25 %	„	9	„
„	25 „	30 %	„	9	„
„	30 „	40 %	„	7	„
„	40 „	50 %	„	4	„

[1]) Aus E r n s t B u s c h s Nachlaß, herausgegeben von Dr. Arthur Mühlberger, Basel 1894. S. 58.

über 50 bis 60% bei 1 Artikel
„   100 „ 150% „ 1   „
„   150 „ 200% „ 1   „ [1])

Es ist ferner von Interesse, wie groß der Aufschlag ist, den der
Handel überhaupt — also Großhandel und Kleinhandel zusammen — auf die Produzentenpreise erhebt. Folgende Tabelle diene
zur Illustration. Die Gesamtaufschläge, die auf dem Wege durch den Handel
(ohne alle Transportspesen) entstehen, betrugen z. B. vom Verkaufspreis des Produzenten aus berechnet:

bei Kaffee (Köln 1912).	23— 25%,	davon im Großhandel 8—10%
„ Zucker (Magdeburg 1912)		
Mehlis	10— 17% „ „ „	} etwa 4%
Würfelraffinade	22— 26% „ „ „	
„ Zigarren (Deutschl. 1912) . .	50— 60% „ „ „	5—10%
„ Zigaretten (Deutschl. 1912) .	80—100% „ „ „	15—20%
„ Schuhwaren (Deutschl. 1913)	70—100% „ „ „	25% u. mehr
„ Gebrauchsporzellan		
(Deutschland 1910)	40— 85% „ „ „	7—10%
„ Seidenwaren (Deutschl. 1908)		
Stapelwaren	56—100% „ „ „	10—20%
Modeartikel	100—135% „ „ „	20—33½% [2])

Diese Zuschläge scheinen auf den ersten Blick ungewöhnlich
hoch zu sein und denen recht zu geben, die behaupten, daß auf
dem Wege vom Produzenten bzw. Großhändler zum Verbraucher
durch den Zwischenhandel eine volkswirtschaftlich unbegrün-
dete Verteuerung der Produkte eintrete; doch ist gegenüber den
oben mitgeteilten übertriebenen Behauptungen von B u s c h zu
beachten, daß der Zuschlag von 15—30% durchschnittlich keineswegs einen Reingewinn auf das Kapital des Detailhändlers darstellt,
sondern zum weitaus größten Teile Bezahlung der Unkosten des
Handelsbetriebes, der Mühe und Arbeit des Händlers, Ladenmiete,
Gehilfenlöhne usw. einschließt. Also nur zum kleinsten Teile ist
der Zuschlag Gewinn für den Händler. Der durchschnittliche Gewinn
des Detailhändlers liegt sogar sicherlich weit unter dem Gewinn
in den übrigen meisten Zweigen des Wirtschaftslebens. Wenn trotzdem absolut der prozentuale Zuschlag zu den Großhandelspreisen
ein so hoher ist, so liegt das zum größten Teile in der Überfüllung
des Zwischenhandelsgewerbes, m. a. W.: wenn die Leistung des
Zwischenhändlers auf eine geringere Anzahl von Detaillisten beschränkt wäre, so könnte der prozentuale Zuschlag geringer sein und
der tatsächliche Gewinn des einzelnen Detaillisten doch derselbe
bleiben bzw. höher sein. — Zu der Überfüllung im Detaillistenberufe
bemerkt schon im Jahre 1888 A. B a y e r d ö r f f e r [3]): „Die Ein-
wohnerzahl Magdeburgs beträgt etwas über 170 000; nach dem
Adreßbuche sind außer zahlreichen Viktualienhandlungen 378 Ma-
terial-, Kolonial- und Buttergeschäfte vorhanden, außerdem 21 Verkaufsstellen der beiden Konsumvereine; es kommen also im Durchschnitt 425 Einwohner oder rund 100 Haushaltungen auf einen
Materialwarenladen; die großen Detailgeschäfte verkaufen viel mehr,
als der Bedarf von 100 Haushaltungen ausmacht, die kleinen also

---

[1]) Untersuchungen usw. 2. Heft, S. 252.
[2]) J. H i r s c h : Organisation und Formen des Handels. Grundriß der
Sozialökonomik, Abteilung V. I. III. Buch. S. 68.
[3]) Untersuchungen usw. 2. Heft. Leipzig 1888. S. 26.

weniger; aber es ist nicht anzunehmen, daß der Reingewinn an einem
Quantum Ware, welches weniger als 100 Familien verbrauchen, noch
hinreichen wird, um ein solches Geschäft nur einigermaßen lohnend
zu machen; es ist hier also offenbar eine Überfüllung vorhanden."
Die große Vermehrung der Betriebe des Warenhandels zeigt
folgende Tabelle[1]):

	Betriebe insgesamt	darunter Hauptbetriebe	gewerbstätige Personen	also Zunahme in % der Betriebe	Personen
1882	537 580	452 725	720 857	—	—
1907	987 115	846 433	1 815 779	83,6	15,9

Durch gut organisierte Konsumvereine kann es gelingen, diesen
Tribut des Zwischenhandels bedeutend zu verkleinern. Die Konsumvereine können dadurch verbilligend wirken, daß sie einen sehr
großen Konsumentenkreis auf verhältnismäßig wenige Verkaufsstellen
mit billigen Ladenmieten verteilen. Die Produktenpreise pflegen
in den Konsumvereinen meist ebenso hoch zu sein wie in den Detail-
geschäften, die Verbilligung für den Konsumenten besteht darin,
daß die Konsumvereine alljährlich einen bestimmten Gewinn an die
Mitglieder zur Verteilung bringen. Welche günstigen Wirkungen
ein gut organisierter Konsumverein haben kann, hat L e x i s in
seinem Bericht über den Breslauer Konsumverein nachgewiesen[2]).
Der Breslauer Konsumverein zahlte am Schlusse des Jahres 1887
Dividenden an 26 577 Teilnehmer, die mit ihren Familien eine Bevölkerung von mehr als 100 000 Seelen, also ein volles Drittel der
gesamten Einwohnerschaft ausmachten. Dieser Konsumverein mit
seinen 41 Verkaufsstellen hat auch zweifellos einen großen Einfluß
auf die Verbilligung der betreffenden Zwischenhandelsleistung gehabt, der Reingewinn des Vereins betrug für 1887 641 088 Mk., von
welcher Summe 585 305 Mk. als Dividende (10½ % vom Wert des
Warenbezuges) an die Mitglieder gezahlt wurden.
Auch durch die Rationalisierung des Handelsbetriebes, besonders durch Ausschaltung der oft zu zahlreichen Zwischenglieder,
kann eine Ermäßigung der Preisaufschläge herbeigeführt werden.
Daß diese Aufschläge in einzelnen Fällen außergewöhnlich hoch sind,
kann nicht bestritten werden. So hat z. B. die Untersuchung des
Joint Committee of Agriculture Inquiry in den Vereinigten Staaten
festgestellt, daß im Durchschnitt von jedem seitens der Konsumenten
verausgabten Dollar 49 Cents auf die Kosten von Umsatz und Betrieb entfallen, daß der einzelne Vermittler nicht besonders hohe
Aufschläge macht, aber der ganze Apparat eine große Verschwendung
darstellt[3]).
Die Enquete des Reichswirtschaftsrates über die Schuhpreise
hatte folgendes Ergebnis: ,,Wenn für 1000 Mk. Felle verarbeitet
werden, kosten sie am Ende 4760 Mk. Von der Verteuerung von
3760 Mk. entfielen auf die Verarbeitung einschließlich Zutaten und
Transportkosten noch nicht 1600 Mk., auf die damals hohe Umsatzsteuer 460 Mk. und auf den Handel, der sich in sechs Gliedern da-
zwischen schaltete, nicht weniger als 1700 Mk. Bei manchen Marken-

---

[1]) J. H i r s c h: a. a. O., S. 61.
[2]) Untersuchungen des Vereins für Sozialpolitik. Leipzig 1888.
[3]) cf. S e r i n g, Die internationale Agrarkrisis. Berichte über Landwirtschaft. Neue Folge, Bd. 2, Heft 2. Berlin 1924. S. 271.

artikeln zeigt sich ebenfalls eine bedeutsame Erhöhung des Handelsaufschlags; trotz gestiegener Grundpreise z. T. noch eine Steigerung des Aufschlages um 50 % über Vorkriegsniveau; beim Kohlenhandel scheinen ähnliche Verhältnisse zu herrschen und im Zündholzabsatz wird die große Steuerermäßigung von 90 Mk. restlos durch die teueren Absatzkosten aufgesogen, so daß die Kiste wie vor dem Kriege 300 Mk. kostet[1])."

§ 43. Die Tendenzen der lokalen, nationalen und internationalen Preisbildung. (Das Problem des sog. Weltmarktpreises.)

Die Tendenzen der Preisbildung sind sehr verschiedene, je nachdem, ob es sich um einen lokalen, nationalen oder internationalen Markt handelt. Ist der Markt ein lokaler, so wie dies z. B. in der Periode der Stadtwirtschaft der Fall war, wo der Markt das Gebiet der Stadt nebst ihrer ländlichen Umgebung umfaßte, oder wenn es sich um die lokalen städtischen Wochenmärkte in der Gegenwart handelt, so sind die Preise in Abhängigkeit vom Verhältnis von Angebot und Nachfrage in diesem engeren Bezirk. Auch heute noch schwanken die Preise auf den städtischen Märkten nach den lokalen Verhältnissen, und daher finden sich oft Preisunterschiede zwischen den Preisen in Städten und Gemeinden, die eng benachbart sind. Es handelt sich dabei hauptsächlich um die Preise von täglichen Bedarfsgegenständen und Lebensmitteln für die städtische Bevölkerung, häufig auch um leicht verderbliche und daher schwer transportable Waren.

Mit der Entwicklung der Stadtwirtschaft zur Volkswirtschaft, mit der Ausdehnung des Wirtschaftslebens von dem engen Stadtbezirk zum Gebiet des ganzen Landes beginnt die nationalwirtschaftliche Preisbildung. Die Preise werden nach dem Verhältnis von Angebot und Nachfrage innerhalb eines ganzen Volkes und Staates bestimmt. Die nationalwirtschaftliche Preisbildung ergibt sich aus den Preisfestsetzungen der Handels- bzw. Börsenplätze, in denen der Handel für die betreffenden Produkte seinen Mittelpunkt findet. So z. B. ist für die deutschen Getreidepreise die Notierung der Berliner Börse, für Textilprodukte der Leipziger, für Zucker der Magdeburger, für Leder der Frankfurter, für Metalle der Essener Börse maßgebend. Bei den Produkten, die kartelliert sind, gilt der von den maßgebenden Kartellen festgesetzte Preis, z. B. für Kohle in erster Linie die Preisfestsetzung des Rheinisch-Westfälischen Kohlensyndikats.

Erstreckt sich der Handel über die Grenzen des einzelnen Landes hinaus auf die ganze Welt, entwickelt sich ein Weltwirtschaftsverkehr, so bildet sich für die betreffenden Welthandelsartikel ein internationaler Preis, die Preise werden nicht mehr bestimmt durch die Angebots- und Nachfrageverhältnisse innerhalb eines Landes, sondern aller am Weltverkehr beteiligten Länder.

Nur gewisse Gruppen von Waren sind Welthandelsartikel; besonders eignen sich dazu die Massen-Rohstoffe und andere Artikel, die in annähernd gleichen Qualitäten und daher in bestimmten Typen an verschiedenen Plätzen der Welt gehandelt werden können, so namentlich

---

[1]) H i r s c h vor dem Enqueteausschuß betr. Die Kosten im Handel. Frankf. Ztg. v. 16. 10. 1926. 1. Morgenblatt.

Getreide, Baumwolle, Wolle, Zucker, Metalle usw. Die Weltmarktspreise sind aus den Notierungen derjenigen Weltmärkte ·und Weltbörsen zu erkennen, ·die für die betreffenden Artikel die maßgebenden sind, z. B. für Getreide: Liverpool und Chicago, für Baumwolle: New York und Liverpool, für Wolle: London, für Kaffee: Hamburg usw.

Die Verschiedenheit in der Preisbildung auf lokaler, nationaler und internationaler Basis läßt sich im allgemeinen dahin charakterisieren, daß die Preise stetiger und ausgeglichener sind, je größer der Markt ist, so daß also bei lokaler Preisbildung sich weit mehr Preisverschiedenheiten herausbilden, als bei nationaler Preisbildung und bei der Weltmarktpreisbildung wieder ein größerer Ausgleich stattfindet als bei nationaler Preisbildung. Der Grund ist der: je umfangreicher das Gebiet ist, aus dem die angebotenen und nachgefragten Warenmengen stammen, um so größer kann die Anpassung des Angebots an die Nachfrage sein. Von großer Bedeutung hierfür sind die Ernteergebnisse. Auf dem Weltmarkt, wo die Erzeugnisse aller Erdteile zusammenkommen, können die Mißernten· eines Landes durch die reichen Ernten eines anderen Landes ausgeglichen werden. Ist dagegen, wie es bei der nationalwirtschaftlichen Preisbildung der Fall ist, nur die Ernte eines Landes maßgebend, so ergeben sich auch größere Preisschwankungen, je nach den Ernteergebnissen der einzelnen Jahre.

Dieser Tendenz zu größerer Ausgleichung der Preise mit Ausdehnung des Marktes steht aber die Tendenz zu größeren Preisschwankungen mit Ausdehnung des Marktes gegenüber; denn je größer der Markt, um so stärker ist auch das Betätigungsgebiet für die Spekulation, um so größere Kapitalien können im Spekulativhandel in den Dienst spekulativer Beeinflussung der Preise gestellt werden. Über die Bedeutung der Spekulation in der Preisbildung sollen im nächsten Paragraphen noch 'eingehendere Betrachtungen folgen.

Neben der Nivellierungstendenz des sog. Weltmarktpreises ist auch seine Regulierungstendenz zu konstatieren. Einseitige Preistendenzen nach unten oder oben in einem einzelnen Lande können durch die Bildung des Weltmarktpreises eingedämmt werden. Ist z. B. in einem Lande infolge sehr geringen Angebots einer Ware der . Preis stark in die Höhe gestiegen, so kann dadurch, daß vom Weltmarkt her neues Angebot auf dem Weltmarkt erscheint, der Preis herabgedrückt werden. Ist umgekehrt der Preis durch übergroßes Angebot der Ware gedrückt, so kann durch Absatz der Ware auf dem Weltmarkt der Preis erhöht werden. Auch dort, wo die Preise in einem Lande durch Schutzzölle oder Kartelle in ihrer Höhe beeinflußt werden, ist dennoch ein Einfluß des Weltmarktpreises möglich, sobald der Weltmarktpreis niedrig genug ist, um selbst mit den durch Zoll- und Kartellrenten erhöhten Preisen konkurrenzfähig zu sein.

Wenn ich im bisherigen vom sogenannten Weltmarktpreis sprach, so geschah dies in bewußter Absicht, weil über das Wesen und die Bedeutung des Weltmarktpreises oft falsche Vorstellungen verbreitet sind. Der sogenannte Weltmarktpreis ist nur eine Fiktion. Ein eindeutig bestimmter, konkreter Preis liegt beim sog. Weltmarktpreis nicht vor; diese konkrete feste Preisbestimmung findet sich nur bei lokaler und nationaler Preisbildung. Man kann genau angeben, wie hoch der Preis für ein Pfund Butter auf dem Offenburger Markt ist, kann auch genau den Preis für den deutschen Zucker bestimmter Qualität auf Grund der Notierungen der Magdeburger Börse angeben, kann aber nicht in diesem Sinn von einem Weltmarktspreise für Butter oder Kohle sprechen. Der Ausdruck Weltmarktpreis ist daher irreführend, weil er eine Exaktheit oder Genauigkeit des Preises vortäuscht, die in Wirklichkeit gar nicht vorhanden ist. Streng genommen gibt es einen Weltmarktpreis ebensowenig, wie es eine Weltwirtschaft oder eine Weltware gibt. Ebenso wie die Weltwirtschaft nur der Name für die verkehrswirtschaftlichen Beziehungen zwischen einzelnen nationalen Volkswirtschaften ist, so ist auch der Weltmarktpreis nur der Name für eine bestimmte Preisbildung einzelner nationaler Produkte. Auch dort, wo es zur Bildung von Weltmarktpreisen kommt, verleugnen die auf den Weltmärkten gehandelten Waren ihren nationalen Ursprung keineswegs, sind immer noch die sehr verschiedenen Qualitäten der Waren je nach dem Lande, aus dem sie stammen, sind die besonderen nationalen Absatzbedingungen der einzelnen Waren je nach ihrer nationalen Provenienz von Bedeutung. Der Unterschied ist gegenüber den nationalwirtschaftlich bedingten Preisen nur der, daß der Handel mit Welthandelswaren auf eine viel breitere Basis gestellt wird, daß weit größere Angebots- und Nachfragemengen für die Preisbildung entscheidend werden. Diese begrifflichen Erörterungen waren notwendig, um die Idee der Bildung von sog. internationalen Werten oder internationalen Preisen auf ihr richtiges Maß zurückzuführen.

Das Problem der internationalen Werte spielt in der klassischen Ökonomie eine große Rolle, wird aber von einzelnen Autoren in sehr verschiedener Weise aufgefaßt. R i c a r d o warf die Frage auf, wie der internationale Handel auf die Güterpreise einwirke. Bei Beantwortung dieser Frage ging R i c a r d o von einer Kritik der Lehre von A d a m S m i t h aus, der behauptet hatte, daß durch den auswärtigen Handel die Preise gesteigert würden. S m i t h hatte behauptet, daß die großen Profite, welche einzelne Kaufleute im auswärtigen Handel bisweilen erzielen, die allgemein übliche Profitrate des Landes zu heben, und daß die Abwendung des Kapitals von anderen Anlagen zwecks Teilnahme an dem neuen und einträglicheren fremden Handel die Preise im allgemeinen zu steigern und dadurch die Profite zu erhöhen pflegten. Falls bei gleichbleibender Nachfrage weniger Kapital zum Anbau von Getreide und zur Fabrikation von Kleidern, Hüten, Schuhen usw. verwendet zu werden braucht, werde sich der Preis dieser Waren so sehr erhöhen, daß der Landwirt, der Hut-, Kleider- und Schuhmacher ebenso einen Profitzuwachs wie der Importeur haben werde.

Im Gegensatz zu S m i t h hält R i c a r d o eine Erhöhung des allgemeinen Kapitalgewinnsatzes für ausgeschlossen und damit die Gefahr einer Preissteigerung für Waren für nicht vorhanden. Die einzige mögliche Erhöhung des Kapitalgewinns infolge des auswärtigen Handels betrachtet R i c a r d o als wohltätig: wenn nämlich der auswärtige Handel zu billigerem Getreide verhilft, so kann infolge des durch den billigeren Getreidepreis bewirkten Sinkens des Arbeitslohns ein Steigen des Gewinns erfolgen.

Wohl aber hat nach R i c a r d o ein ausgedehnter auswärtiger Handel eine andere Folge: er kann infolge der verbesserten Arbeitsteilung zur Vermehrung der Güter des Landes beitragen. Von diesem Gesichtspunkt der internationalen Arbeitsteilung aus betrachtet R i c a r d o besonders die Vorteile des auswärtigen Handels: gerade wie die nationale Arbeitsteilung zu verbesserter und verbilligter Güterherstellung dadurch führt, daß die individuellen Kräfte und Talente am besten ausgenutzt werden, so soll durch die internationale Arbeitsteilung eine große Vermehrung der Produktion entstehen infolge der Verteilung der einzelnen Produktionszweige auf die Länder, die ihrer Natur, ihrer Lage, ihrem Volkscharakter usw. entsprechend für den betreffenden Erwerbszweig die geeignetsten sind.

In folgenden Worten preist er die segensreichen Folgen eines freien auswärtigen Handelsverkehrs[1]): „Unter einem System vollkommener Handelsfreiheit widmet jedes Land sein Kapital und seine Arbeit denjenigen Erwerbszweigen, welche für dasselbe am vorteilhaftesten sind. Diese Verfolgung des eigenen Vorteils ist wunderbar verknüpft mit dem allgemeinen Wohle der Gesamtheit. Durch Aufmunterung der Gewerb- und Betriebsamkeit, durch Belohnung des Talents, und durch wirksamste Ausnutzung der eigentümlichen Kräfte, welche die Natur darbietet, verteilt sie die Arbeit am wirksamsten und wirtschaftlichsten; während sie durch Vermehrung der Gütermenge den allgemeinen Wohlstand erhöht und durch ein gemeinsames Band des Interesses und des Verkehrs die universelle Gemeinschaft aller Völker innerhalb der ganzen zivilisierten Welt umschließt.

Dieses Grundgesetz ist es, welches bestimmt, daß in Frankreich und Portugal Wein bereitet, in Amerika und Polen Getreide gebaut und in England Eisen und Stahlwaren und andere Güter verfertigt werden."

In diesem Zusammenhang behandelt R i c a r d o das Wertgesetz im internationalen Güteraustausch und erklärt: „Das Gesetz, welches für die Wertbildung der Güter im Inland gilt, gilt n i c h t für die Güter, die man im Auslande eintauscht." Das Produktionskostengesetz, das R i c a r d o für die nationale Preisbildung aufgestellt hat, soll im internationalen Verkehr nicht gelten, sondern für die internationale Preisbildung soll das Gesetz der k o m p a r a t i v e n K o s t e n maßgebend sein[2]). Dieses Gesetz hatte vor R i c a r d o schon T o r r e n s in seiner 1808 erschienenen Schrift „The Economist, refuted" ähnlich formuliert.

Während nach R i c a r d o das Erzeugnis der Arbeit von 100 Engländern stets nur für ein anderes Erzeugnis der Arbeit von 100 Engländern ausgetauscht werden kann, sei es leicht möglich, daß das Erzeugnis der Arbeit von 80 Engländern z. B. gegen das Erzeugnis der Arbeit von 100 Portugiesen ausgetauscht werden könnte. Dies rühre daher, daß die einzelnen Nationen gewisse Tätigkeiten und Erwerbszweige haben, in denen sie, sei es durch natürliche Verhältnisse oder durch die Ausbildung ihrer nationalen Eigenart be-

---

[1]) Princ. 75.
[2]) cf. hierzu H. W e i g m a n n : Kritischer Beitrag zur Theorie des internationalen Handels. Jena 1926. E u g e n B o e h l e r : Der klassische Begriff der Weltwirtschaft. Weltwirtschaftliches Archiv, 22. Bd. 1925. K o t s c h i n g : Weltwirtschaft und Universalökonomie, Weltwirtsch. Archiv, 22. Bd. 1925.

sondere Vorzüge besitzen; auch sei dieser Unterschied nicht dadurch ausgeglichen, daß Kapital aus dem Lande mit geringerer Leistungsfähigkeit in die Länder mit größerer Leistungsfähigkeit ströme. Denn so leicht es für die Kapitalien sei, im Inlande aus einer Gegend in die andere, und aus einem Gewerbe in das andere zu strömen, so schwierig sei das beliebige Abströmen der Kapitalien in das Ausland. Dazu kommt — nach R i c a r d o — daß d i e s e Übersiedlung von Kapitalien häufig mit der Übersiedlung der Kapitalbesitzer in die fremden Länder verbunden sein müßte; die natürliche Abneigung der Menschen, sich fremden Sitten und Gesetzen unterzuordnen, sei aber sehr groß, und R i c a r d o wünschte nicht, daß dieses Gefühl eine Abnahme erführe.

Die Ursache, warum im internationalen Verkehr kein Preisausgleich im Sinne des Kostengesetzes stattfinden könne, findet R i c a r d o also in der ungenügenden Beweglichkeit der Kapitalien von einem Land zum anderen Land. Weil die K a p i t a l i e n nur schwer einen Ortswechsel vornehmen könnten, müßten wenigstens durch das unbehinderte Hin- und Herwandern der vermittelst der Kapitalien erzeugten W a r e n für alle am internationalen Handelsverkehr beteiligten Länder möglichst große Wirksamkeit herbeigeführt werden, und darum trat er für die Freihandelspolitik ein. R i c a r d o erläutert seine Theorie von den komparativen Kosten an dem Beispiel gewisser Handelsbeziehungen zwischen Portugal und England.

England brauche zur Herstellung einer gewissen Menge Tuch 100 Arbeitseinheiten während eines Jahres — für Herstellung einer gewissen Menge Weines 120 Arbeitseinheiten.

Portugal dagegen brauche zur Gewinnung des Weins nur 80 Arbeitseinheiten und für die Verfertigung des Tuchs 90 Arbeitseinheiten.

In diesem Falle wäre es für E n g l a n d vorteilhaft, Tuch nach Portugal zu exportieren und von P o r t u g a l Wein zu importieren.

Umgekehrt wäre es für Portugal vorteilhaft, Wein nach England zu senden und dafür Tuch aus England zu beziehen.

Dieser Handel wäre für Portugal vorteilhaft, obwohl das aus England eingeführte Tuch in England das Produkt von 100 Arbeitseinheiten, in Portugal dagegen nur das Produkt von 90 Arbeitseinheiten ist; und zwar deshalb, weil es für Portugal vorteilhafter wäre, sein Kapital auf die Weinproduktion zu verwenden, worin es England mehr überlegen ist, als in der Tuchproduktion.

Auch J. St. M i l l geht von R i c a r d o s Theorie der komparativen Kosten aus, ergänzt aber diese Lehre noch durch seine eigene T h e o r i e d e r i n t e r n a t i o n a l e n N a c h f r a g e. Auch M i l l erklärt die Tatsache, daß bei der internationalen Preisbildung das Kostengesetz nicht gelte, aus der mangelhaften Beweglichkeit des Kapitals. Zwar werde das Kapital immer mehr kosmopolitisch, aber „es gibt noch ganz außerordentliche Verschiedenheiten sowohl hinsichtlich des Arbeitslohnes als des Kapitalgewinnes zwischen den verschiedenen Teilen der Welt. Es bedarf nur eines geringfügigen Beweggrundes, um Capital und selbst Personen von Warwickshire nach Yorkshire zu versetzen, aber ein viel stärkerer ist erforderlich, um sie dahin zu bringen, nach Indien, nach den Colonien oder auch nur nach Irland überzusiedeln[1])".

---

[1]) a. a. O., Buch III, Kap. XVII, S. 252.

Im Kapitel 18 „Vom internationalen Wert" führt M i l l das Gesetz der komparativen Kosten noch des näheren aus, geht aber dann über R i c a r d o hinaus, indem er auch auf das Moment des B e - d a r f s hinweist, welches ebenfalls einer Nivellierung der Preise nach den Kosten entgegenstehe. „Die Erzeugnisse eines Landes lassen sich gegen die Erzeugnisse anderer Länder zu solchem Werthver- hältniss austauschen, daß die Gesammtheit seiner Einfuhr durch die Gesammtheit seiner Ausfuhr genau bezahlt wird. Dieses Gesetz der internationalen Werthe ist nur eine Ausdehnung des allgemeinen Gesetzes des Werthes, welches wir die Gleichung des Angebots und der Nachfrage nannten[1])."

Auf die erst in einer späteren Auflage seines Werkes hinzu- gekommene Änderung seines Standpunktes, die eine gewisse Kon- zession an die Kostentheorie darstellt, brauche ich nicht des näheren einzugehen. Ich habe R i c a r d o s und M i l l s Ansichten über die internationale Wertbildung ausführlicher wiedergegeben, um zu zeigen, daß selbst die Vertreter der klassischen Ökonomie, die im Gegensatz zu den Merkantilisten die Vorteile des internatio- nalen Handelsverkehrs sehr hoch einschätzen und für Freihandel eintraten, doch keineswegs an eine Nivellierung der nationalwirt- schaftlichen Preise zu einem internationalen Einheitspreis glaubten. Zu den von den Klassikern bereits hervorgehobenen Hemmungen dieser Ausgleichung kommen noch weitere Momente hinzu, vor allem die Verschiedenheit des Geldwertes in den einzelnen Ländern, von der die Klassiker abstrahiert hatten, ferner die verschiedenen Produktionsbedingungen in den einzelnen Ländern, die rechtlichen und sozialen Unterschiede, die verschiedenen Steuerbelastungen und zahllose andere Momente. So kommen gerade im internationalen Wirtschaftsverkehr Hemmungen einer einheitlichen Preisgestaltung verschiedener Art und besondere Faktoren der Preisbildung hinzu, die bei der nationalwirtschaftlichen Preisbildung nicht vorhanden sind. Keinesfalls kann also der Weltmarkt als preisausgleichender Apparat in dem Sinne angesehen werden, daß ein Einheitspreis für die Welthandelsartikel erzielt würde. Ein solcher Einheitspreis ist nur in den Ausnahmefällen möglich, wo es Erzeuger- oder Verkäufer- kartelle verstehen, durch gemeinsame Verständigung über die Grenzen des eigenen Landes hinaus bestimmte Preisfestsetzungen zu er- reichen[2]).

Soweit eine Nivellierung der Preise auf dem Weltmarkt sich durchsetzt, findet sie sich nur bei den Durchschnittspreisen für längere Perioden. Bei kurzfristigen Preisdurchschnitten ist diese Nivellierung nicht festzustellen. Darauf weist G r o h n e r t[3]) hin: „Hier ist nur noch ein Gesichtspunkt hervorzuheben: Die Mög- lichkeit der Übereinstimmung in der täglichen Preisbildung an den einzelnen Börsenplätzen des Welthandels. Bei Betrachtung der ein- zelnen Preisbewegung zeigt sich eine weit häufigere Differenzierung zwischen den Tagesnotierungen der einzelnen Börsenplätze des In-

---

[1]) a. a. O., Kap. XVIII. S. 271.
[2]) cf. J u l i u s H i r s c h : Der moderne Handel. In „Grundriß der Sozial- ökonomik". 5. Abt., II. Teil, 2. Aufl. Tübingen 1925. S. 40.
[3]) C u r t G r o h n e r t : Die Bildung der Roggenpreise bei freier und ge- bundener Wirtschaft. (Königsberger Sozialwissenschaftliche Forschungen, 2. Bd.) Jena 1926. S. 106/107.

und Auslandes als bei den wöchentlichen oder monatlichen Preisdurchschnitten. Daraus folgt, daß die gegenwärtigen Preisschwankungen und Unregelmäßigkeiten desto zahlreicher erscheinen, je kurzfristigere Preisdurchschnitte zum Vergleich gestellt werden. Hieraus ergibt sich, daß eine allseitige gleichmäßige Beeinflussung der Preisbewegung an den einzelnen Börsenplätzen von seiten der Weltmarktpreisbildung während des Verlaufs eines Börsentages nicht stattfindet, sondern daß die Reflexbewegungen an allen europäischen Börsen gegenüber den Preisbildungserscheinungen etwa an den amerikanischen Börsen erst nach der zur Nachrichtenübermittlung erforderlichen Zeit eintreten. Daher wird sich bei kurzfristiger Preisgestaltung nur in den seltensten Fällen eine unmittelbare Übereinstimmung an allen Börsenplätzen ergeben. So zeigt sich bei Beobachtung der täglichen Preisbildung, daß überall zufällige und zeitweilige Ursachen, die auf der subjektiven Meinungsäußerung der Organe des Angebots und der Nachfrage beruhen, den täglichen Preis bestimmen. Eine mit gesetzlichen Regeln in ursächlichem Zusammenhang stehende Preisnormierung ist bei der Tagessituation nirgends zu beobachten. Ein von den Produktions- oder Gestehungskosten regulierter und klar erkennbarer Preisbildungsverlauf kann deshalb bei der Tagespreisgestaltung auch nicht nachgewiesen werden.''

Jedenfalls besteht die von den Klassikern bereits hervorgehobene Disparität in der Preisbildung auf dem nationalen und internationalen Markt auch heute noch in vollem Maße. Wenn die an den Weltmarktbörsen notierten Preise für Waren von annähernd der gleichen Qualität aus verschiedenen Ländern eine gleiche Höhe aufweisen, so liegt das meistens daran, daß die internationalen Verschiedenheiten in der Preisbildung sich kompensiert haben. Das kommt in einzelnen Fällen vor, in zahlreichen Fällen aber weisen die notierten Weltmarktpreise für die Waren verschiedener Provenienz auch große Unterschiede auf.

Auch B e c k m a n n , der die weltwirtschaftlichen Beziehungen der deutschen Landwirtschaft zum Gegenstand einer umfassenden Monographie gemacht hat, stellt fest, daß der Getreideweltmarkt sehr starke Preisunterschiede von Land zu Land hat. Er meint, daß man von einem einheitlichen Weltmarktpreis auch 1924 noch nicht sprechen könnte, weil die Tendenz des Ausgleichs fehlte. Er stellt dann den Weltmarkt von 1924 der früheren Weltmarktpreisbildung vor dem Kriege gegenüber, spricht aber auch für diese Zeit nur von einer Ausgleichstendenz, nicht aber von einer wirklichen Ausgleichsmöglichkeit: ,,Zwar muß man sich den ehemaligen Weltmarkt nun nicht als eine automatische und absolut sichere Nivellierungseinrichtung, deren Wirksamkeit über die ganze Welt hin fühlbar war, vorstellen. Auch früher wirkte der Weltmarkt nur ruckweise. Die Teuerung nahm gern ihren Ausgang von einem einzelnen Lande und verbreitete sich länderweise, je nach der Dichte des Verkehrs rascher oder langsamer. Auch artikelweise überzog eine Teuerung, an einer Stelle des Gütervorrats anfangend, langsam die anderen Warengruppen. Aber eine starke Ausgleichstendenz war vorhanden[1]).''

---

[1]) F. B e c k m a n n : Die weltwirtschaftlichen Beziehungen der deutschen Landwirtschaft und ihre Wirtschaftslage 1919—1924. ,,Bonner Staatswissenschaftliche Untersuchungen", Heft 10. 1924. S. 23.

Die Eigentümlichkeiten der Weltmarktpreisbildung lassen sich besser als durch allgemeine theoretische Erörterungen am Beispiel einzelner wichtiger Waren nachweisen. Wir werden daher auf diese Frage bei der Betrachtung der Bildung der Getreidepreise zurückkommen und dort auch den Einfluß des Ernteausfalls auf die Preise behandeln.

§ 44. Der Einfluß der Spekulation auf die Preisbildung.

V o r b e m e r k u n g: An dieser Stelle soll nur die Spekulation im W a r e n h a n d e l, d. h. der Einfluß der Spekulation auf die Gestaltung der Warenpreise betrachtet werden. Die Erörterung soll nur allgemeiner Art sein, auf Einzelheiten wird noch in den folgenden Betrachtungen über die Getreidepreise und die Grundstückspreise eingegangen werden.

Unter S p e k u l a t i o n kann dreierlei verstanden werden: 1. im allgemeinsten Sinne dieses Wortes und Begriffs bedeutet Spekulieren nichts anderes als Handeln unter Voraussicht künftiger eintretender Umstände. In diesem Sinne ist die Spekulation mit „Wirtschaften" eng verbunden oder: Spekulation ist gleichbedeutend mit Wirtschaften überhaupt. Jeder Fabrikant produziert seine Waren mit der Erwägung, daß auch die Preise sich so gestalten werden, daß er rentabel wirtschaften kann. Jeder Landwirt disponiert über seine Betriebsmittel so, daß das Ergebnis seiner Wirtschaft ein möglichst günstiges wird. In diesem allgemeinen Sinne wird in der Regel das Wort Spekulation nicht verstanden, sondern in einem engeren Sinne.

2. Im engeren Sinne spricht man von Spekulation als einem besonderen Zweige der Handelstätigkeit, nämlich dem sog. Spekulationshandel. Überall dort, wo in besonderem Maße unsichere Zukunftsmomente in bezug auf Vorrat an Waren oder Verwertungsmöglichkeit der Waren eine Rolle spielen, ist das Hauptgebiet des spekulativen Handels; vor allem bei den Waren, deren Angebot von künftigen Ernteergebnissen bedingt ist, wie z. B. Getreide, Baumwolle, Kaffee, ferner bei solchen Waren, deren Vorkommen auf wenige Fundstätten beschränkt ist und wobei die jährlichen Erzeugungsmengen sich in engen Grenzen halten, wie z. B. Kupfer, Zinn usw. Hier setzt der spekulative Handel ein, indem er in Erwartung reicher oder geringer Ernten, aufsteigender oder absteigender Konjunktur des Wirtschaftslebens Vorräte der betreffenden Ware aufkauft und vom Verkaufe zurückhält, oder solche Vorräte abstößt.

3. Eine dritte Bedeutung hat die Spekulation im Sinne von Börsenspekulation. Im Gegensatz zu der vom spekulativen Handel im reellen Lieferungsgeschäft betätigten Spekulation geht diese Spekulation an der Börse auch vielfach so vor sich, daß nicht nur der berufsmäßige Handelsstand, sondern auch Außenstehende, die direkt am Wirtschaftsleben gar nicht beteiligt sind, sich am Spekulationshandel durch Kauf und Verkauf von Waren beteiligen können. In diesem Falle kauft oder verkauft häufig der Spekulant Waren auf Zeit, also zur Abnahme oder Lieferung in der Zukunft mit der Absicht, vor dem Verfalltermin sich durch die umgekehrte Operation zu decken und dabei aus der erwarteten Preisdifferenz einen Gewinn zu erzielen.

Eine weitverbreitete vulgäre Auffassung geht dahin, daß durch den spekulativen Handel in Verbindung mit der Börsenspekulation die Gestaltung der Preise in andere Bahnen gelenkt werde, als sie den wirklichen Marktverhältnissen entspräche. Die Preise, und zwar oft der lebenswichtigsten Waren, wie Getreide, Baumwolle usw. seien nicht das Resultat der wirtschaftlichen Faktoren, wie Vorrat der Waren einerseits und Begehr der Käufer anderseits, sondern das Resultat von Spiel- und Wettgeschäften um die Preise. Mächtige Großspekulanten, die nicht dem Produzenten- oder Handelsstande angehörten, könnten vermittels ihrer Kapitalmacht und ihres Kredits die Preise so lenken, wie es ihren spekulativen Absichten entspräche, indem sie die Waren zurückhielten oder zum Verkauf brächten, wie es ihren spekulativen Absichten gemäß sei. Dadurch erhielte die Preisentwicklung in diesen Waren einen unsteten, sprunghaften und aleatorischen Charakter.

Dieses populäre Urteil über die Bedeutung der Spekulation ist falsch. Die Spekulation bewirkt eine ruhigere und stetigere Entwicklung der Preise und eine Preisgestaltung, die den wirklichen Marktverhältnissen angepaßt ist. Wenn die Preise der Waren, bei denen der spekulative Handel besonders stark beteiligt ist, sehr heftige Schwankungen aufweisen, so liegt es daran, daß bei diesen Waren viele ungewisse und nicht vorherzusehende Faktoren eine Rolle spielen, nicht aber am Einfluß der Spekulation. Dies wird klar, wenn man sich den Sinn und die Absicht der Spekulationsvorgänge an einzelnen Beispielen verdeutlicht: Ein Getreidehändler erhält Nachricht, daß in einem sehr wichtigen Getreideexportland eine schlechte Getreideernte zu erwarten ist. Im Hinblick auf die zu erwartende Preissteigerung kauft er größere Getreidemengen auf, die er zurückhält, bis der Mangel an Getreide hervortritt. Durch diese Zurückhaltung der Getreidevorräte vom Verkauf wird zunächst der Getreidepreis anziehen, er wird aber, wenn die Wirkung der schlechten Ernte hervortritt, nicht so hoch steigen, wie es der Fall wäre, wenn der Spekulant nicht rechtzeitig für einen größeren Getreidevorrat gesorgt hätte. Auch kann die Zurückhaltung des Getreides vom Markte eine wirtschaftlich unzweckmäßige oder verschwenderische Verwendung des Getreides verhindern. — Ein Kupferspekulant kauft in Erwartung einer künftigen Aufwärtsbewegung der Industrie größere Kupfermengen und hält sie vom Verkauf zurück, bis die Haussebewegung eintritt. Dadurch bewirkt er, daß bei eintretender Hochkonjunktur die Kupferpreise nicht so stark in die Höhe gehen wie ohne sein Vorgehen. — Der Eishandel in einem Lande, wo ein warmer Winter in Erwartung steht, macht große Bestellungen auf Eis aus nordischen Ländern oder aus Kunsteisfabriken. Der Preis des Eises wird dann, wenn infolge der warmen Witterung großer Mangel an Eis hervortritt, niedriger sein als ohne das Vorgehen des spekulativen Handels. — Eine Terraingesellschaft, die ein großes wirtschaftliches Aufblühen einer Stadt voraussieht, kauft große Gelände in der Umgebung der Stadt und gestaltet sie baureif. Wenn später große Nachfrage nach Häusern und Wohnungen auftritt, werden die Haus- und Mietpreise niedriger sein als ohne das spekulative Vorgehen der Terraingesellschaft.

Alle die aufgeführten Beispiele sollen die Eigentümlichkeit der

Spekulation illustrieren, daß sie Vorratswirtschaft treibt, indem sie Warenvorräte zurückhält oder abstößt, wie es den Marktverhältnissen am besten angepaßt ist. Hierdurch bewirkt sie die möglichst große Ausgleichung der Preise in der Zeit. Die Spekulanten selbst ziehen privatwirtschaftlich einen Gewinn durch ihre Voraussicht kommender Preisbewegungen, vollziehen aber dabei eine wichtige volkswirtschaftliche Funktion, da durch ihre Tätigkeit die Preisbewegung weniger sprunghaft und weniger scharf nach oben und unten verläuft, als es sonst der Fall wäre. Durch die dem Wesen der Spekulation eigentümliche Vorratswirtschaft kann unter Umständen eine Krisis vermieden werden, wie Julius Faucher in einem Aufsatz (im ersten Bande der Vierteljahresschrift für Volkswirtschaft und Kulturgeschichte, 1863) über die Baumwollkrisis nachweist, daß die einzig mögliche Versicherung gegen Kalamitäten, wie sie sich in der Baumwollkrisis darstellten, in der Speicherung ausreichender Vorräte beruht. Die Speicherung kann aber nur stattfinden, wenn sie bezahlt wird, und der Spekulationshandel zahlt einen sehr wesentlichen Beitrag zu den Kosten dieser Speicherung[1]). Die Spekulation bewirkt durch ihre Vorratswirtschaft, daß der Marktpreis von zufälligen und plötzlichen Schwankungen bewahrt bleibt. Auch durch die Mitwirkung des spekulierenden Publikums an der Börse wird diese Wirkung der Spekulation nicht verändert, vielmehr verstärkt das spekulierende Publikum durch sein Kapital die betreffende Tätigkeit des spekulierenden Handels. Es können für kurze Zeit Preisbewegungen nach oben oder unten verschärft werden, aber die Preisgestaltung wird endgültig durch die wirklichen Marktverhältnisse beherrscht. Gerade im Hinblick auf die börsenmäßigen Einflüsse ist nicht zu vergessen, daß regelmäßig der Haussepartei eine Baissepartei gegenübersteht. Noch heute trifft für das Wesen der Spekulation zu, was Michaelis vor mehr als 60 Jahren in der erwähnten Abhandlung gesagt hat[2]): „Der Spekulationshandel bildet gewissermaßen das Schwungrad der Marktbewegung, welches die kleinen Impulse, welche täglich zufällig kommen, ausgleichend, die Preisschwankungen verhindert und den Handel zum stets bereiten Helfer macht für die Zwecke der Erzeugung, des Verbrauchs und des Kapitalumsatzes[3])."

Wenn der Marktpreis den Zweck haben soll, eine Versorgung des Marktes für die Konsumenten zu garantieren, die den wirtschaftlichen Verhältnissen möglichst angepaßt ist, so muß dieser Preis sich nicht nur nach den gegenwärtigen, gerade am Tage der Preisfestsetzung bestehenden Faktoren richten, sondern auch die künftig eintretenden Momente in Betracht ziehen, wenn nicht plötzlich eine Stockung im Konsum oder ein Überfluß an Vorräten eintreten soll. Gerade diese Voraussicht künftiger Faktoren macht das Wesen der Spekulation aus.

Wir haben bisher die Einwirkung der Spekulation auf die Preise in ihrem hauptsächlichen und normalen Verlaufe aufgezeigt;

---

[1]) cf. Michaelis, O.: Die wirtschaftliche Rolle des Spekulationshandels. In volkswirtschaftlichen Studien, 2. Bd. Berlin 1873. S. 3 ff.

[2]) Die Abhandlung ist geschrieben im August 1865, die Veröffentlichung in dem genannten Sammelbande erfolgte 1873.

[3]) Ebenda, S. 35.

auf der anderen Seite muß betont werden, daß die Spekulation unter Umständen auch die Preise ungünstig beeinflussen kann, daß sie die Preise in eine Richtung drängen kann, die mit den wirklichen Marktverhältnissen nicht im Einklang steht. Dies ist namentlich dann der Fall, wenn einzelne große Spekulanten oder Spekulantengruppen durch ihr Kapital und ihren Kredit eine solche Macht repräsentieren, daß sie die Preise einseitig in einer ihnen erwünschten Richtung nach oben oder unten lenken können. Alle Erfahrungen zeigen, daß diese von der Spekulation ausgehende Beeinflussung der Preise immer nur eine kurze Zeit andauert. Einige Beispiele mögen das Gesagte erläutern: In einem Bericht über den Getreidemarkt[1]) heißt es: ,,Der Chicagoer Markt ist eben völlig in der Hand der Spieler. Die in Canada zweifellos noch verfügbaren großen Mengen vermag der Pool vom Markte zurückzuhalten." — So bildete sich 1879 in den Vereinigten Staaten, namentlich in Chicago, ein sog. ,Corner' zur Emportreibung der Getreidepreise, der sich eine Zeitlang behauptete, schließlich es aber dahin brachte, daß die Preise des amerikanischen Weizens in Antwerpen billiger waren als in New York. Auch im Jahre 1888 brachte in Chicago ein Corner eine bedeutende Erhöhung des Weizenpreises zustande. G r o h n e r t weist in seinem Buch über die Bildung der Roggenpreise (Jena 1926) darauf hin, daß bei Terminhandel spekulative Kräfte am Werke sind, die oftmals gar nicht die wirkliche künftige Marktlage ,,signalisieren" wollen, sondern zu ihrem Vorteil das Bild der Preislage künstlich zu verzerren bemüht sind (S. 115). — Im Jahre 1881 trieb ein ,Baumwoll-Corner' in Liverpool die Baumwolle 15—20% über den angemessenen Preis empor, was im September eine Gegencoalition und einen Streik von zwei Dritteln der Spinner von Manchester hervorrief. In Hamburg fand infolge der Organisation eines Corners 1888 eine außerordentliche Preissteigerung der allein lieferungsfähigen Kaffeesorten statt[2]) . . . die kapitalkräftigen Spekulanten konnten den Preis des Santos-Kaffees in weniger als drei Wochen auf das Drei- und Vierfache emportreiben, indem sie den am Platze vorhandenen Kaffee einsperrten und die lieferungspflichtigen Blankoverkäufer aufs äußerste ins Gedränge brachten. Es konnte nur eine bestimmte Sorte Santos-Kaffee geliefert werden und von dieser konnten eben nicht rasch genug die nötigen Mengen zur Stelle geschafft werden[3])."

Bei den erwähnten Waren handelte es sich, namentlich beim Getreide, um solche, die ein großes, in der ganzen Welt verbreitetes Produktionsgebiet haben. Viel wirkungsvoller kann die Spekulation bei Waren werden, deren Vorkommen nur selten ist und wobei das Angebot leichter konzentriert werden kann, wie z. B. bei einzelnen Metallen. Hier kann weit eher von einer Gruppe von Spekulanten durch Zurückhaltung der Ware vom Markt ein bedeutender Einfluß auf die Preisbildung ausgeübt werden. ,,Der Kupfermarkt wurde in Amerika eine Reihe von Jahren durch die Hekla and Calumet Co. an der Spitze einer Coalition der Kupfer-

---

[1]) Magazin der Wirtschaft, Nr. 7 vom 18. Februar 1926.
[2]) L e x i s in Schönbergs Handbuch der Politischen Ökonomie. 4. Aufl. 2. Bd. Tübingen 1898. S. 259.
[3]) L e x i s : Allgemeine Volkswirtschaftslehre. 2. verbesserte Auflage. Leipzig 1913. S. 92.

minen des oberen Sees beherrscht. Durch die seit 1883 immer größer
werdende Konkurrenz der Bergwerke von Arizona und Montana
entstanden jedoch Schwierigkeiten und 1884 brach offener Zwist
in jenem ‚copper pool' aus. Der Kupferpreis sank infolgedessen fast
auf die Hälfte des früheren Durchschnittsstandes. Im Herbst 1887
aber fing ein französisches Konsortium an, in größtem Maßstabe
das Kupfer aufzukaufen, wodurch der Preis von 39 £ bis 85 £ für
die Tonne emporgetrieben wurde. Erst im März 1889 brach diese
riesenhafte Spekulation zusammen, wobei eine der bedeutendsten
französischen Banken, das Comptoir d'Escompte, zugrunde ging[1]). . . .
In den Jahren 1887—1907 hat sich der Preis des Kupfers z. B. fortwährend in einem Zickzack mit riesigen Ausschlägen zwischen 39
und mehr als 100 Pfd. Sterl. für die Tonne und allein im Laufe des
Jahres 1907 zwischen 109 und 57 Pfd. bewegt[2]).“
     Weit leichter als der Kupfermarkt kann der Zinnhandel durch
großkapitalistische Spekulation beherrscht werden, weil die gesamte Jahresproduktion dieses Metalls kaum 100 000 Tonnen beträgt und die Erzgewinnung auf verhältnismäßig wenige Fundstätten beschränkt ist. „Daher finden wir fortwährend gewaltige
Preisschwankungen, die wesentlich spekulativen Ursprungs sind.
So war der Durchschnittspreis des Banka-Zinns 1884 in Hamburg
185 Mk. für 100 Kilo, 1888: 265 Mk., 1896: 129 Mk., 1906: 383 Mk.,
1909: 285 Mk. Auch innerhalb der einzelnen Jahre zeigen sich große
Schwankungen, so z. B. 1899 in London zwischen 87 und 151 Pfd.
Sterling für die englische Tonne[3]).“
     B a y e r d ö r f f e r berichtet über eine Spekulation in Rüböl
folgendes[4]: „In der zweiten Hälfte des Jahres 1882 waren große
Quantitäten Rüböl von Paris aus in Berlin zur Lieferung April-Mai
gekauft worden. Diese zu Hausseoperationen gemachten Ankäufe
setzten sich auch im Januar 1883 fort, so daß der Preis zwischen
dem 15. und 18. Januar von 65½ auf 68 Mk. pro 100 kg stieg. Die
Haussepartei dehnte das Feld ihrer Einkäufe dann auch auf die
Hamburger Börse aus, und da alle geforderten Preise bewilligt wurden, gingen diese rapid in die Höhe; am 7. Februar kostete Rüböl
bereits 80 Mk., Anfang März 83 Mk. pro 100 kg. Einen Nutzen
konnte das Haussekonsortium daraus jedoch nicht ziehen, weil mit
einem Angebot der Ware sofort der Rückgang der Preise eingetreten wäre, und die Hoffnung, daß der Konsum große Quantitäten
verlangen werde, ging nicht in Erfüllung, weil die Konsumenten
infolge der hohen Rübölpreise Surrogate verwendeten; das war
dann wieder der Grund, daß sich große Quantitäten Rüböl an-
sammelten. Der Zweck der Hausseoperation war hiernach vereitelt,
der Leiter der Pariser Spekulation nahm sich das Leben, und nun
erfolgte der Zusammenbruch so plötzlich, daß der Preis in Berlin
während zweier Tage, am 17. und 18. April, von 80½ auf 65 Mk. fiel.
Diese Ereignisse hatten große Verwirrungen in der Rübölproduktion
und im Handel hervorgebracht, und erst in der zweiten Hälfte des
Jahres 1883 lenkte das Geschäft wieder in solide Bahnen ein.“

[1]) L e x i s , in Schönb. Handbuch. S. 259/260.
[2]) D e r s e l b e , Allgemeine Volkswirtschaftslehre. S. 20.
[3]) L e x i s : Allgemeine Volkswirtschaftslehre. S. 93.
[4]) A. B a y e r d ö r f f e r : Der Einfluß des Detailhandels auf die Preise.
In Schriften des Vereins für Sozialpolitik. XXXVII. 2. Heft: Untersuchungen über
den Einfluß der distributiven Gewerbe auf die Preise. Leipzig 1888. S. 106.

§ 45. Freie und gebundene Preisbildung.

Die nationalökonomische Betrachtung der Tendenzen der Preisbildung geht meist von dem normalen Fall aus, daß, wie es dem Wesen der individualistischen Wirtschaftsordnung entspricht, freie Konkurrenz zwischen Käufern und Verkäufern besteht. Die Preise sind dann das Resultat des freien Wettbewerbs zwischen Käufern und Verkäufern. In diesem normalen Fall spricht man von „freier" Preisbildung, weil die Preise durch freie Vereinbarung zwischen den Kontrahenten auf dem Markte zustandekommen. Daneben gibt es eine gebundene Preisbildung. Diese liegt dann vor, wenn die freie Konkurrenz unter den Käufern oder den Verkäufern ausgeschlossen ist und die Preise irgendwie einseitig fixiert werden. Diese „Bindung der Preise" kann wiederum zweierlei Art sein: entweder findet die Bindung innerhalb der freien Wirtschaft statt oder sie geschieht durch staatliche bzw. obrigkeitliche Anordnung. Wenn die Preise innerhalb der freien Wirtschaft gebunden sind, so kann diese Bindung entweder aus der wirtschaftlichen Monopolmacht eines Verkäufers oder Käufers entspringen. Dann handelt es sich um Monopolpreise des freien Verkehrs, oder um die von Kartellen, Verbänden, Syndikaten usw. fixierten Preise. Dann liegen Verbandspreise vor. Bei der obrigkeitlichen Preisfestsetzung handelt es sich entweder um staatliche Monopolpreise oder um Tax- oder Höchstpreise.

§ 46. Die Monopolpreise im freien Wirtschaftsverkehr.

Es ist eine irrige Auffassung, daß die sog. Monopolpreise nur vorkämen, wenn sie durch Verbände wie Trusts, Kartelle, Syndikate, Konzerne usw. in einseitiger Weise festgesetzt werden. Monopolpreise können auch vorkommen, wenn einzelne private Unternehmungen oder Händler durch das Monopol, das sie infolge ihrer wirtschaftlichen Machtstellung besitzen, die Preise einseitig normieren und den Abnehmern diktieren können. Überall dann, wenn ein Unternehmer oder Händler den Markt ausschließlich so beherrscht, daß jede Konkurrenz ausgeschaltet ist, ist die Möglichkeit zu monopolistischer Preisbildung gegeben. Die Durchsetzung eines Monopolpreises ist sogar in diesem Fall wirksamer und erfolgreicher, als bei den von den Verbänden vorgeschriebenen Preisen, weil bei den Verbänden leicht durch die Rivalitäten und Streitigkeiten der Mitglieder das Monopol gesprengt werden kann, während ein monopolistischer Unternehmer solchen Gefahren nicht ausgesetzt ist. Ein solches privates Monopol mit Monopolpreis kommt nur in seltenen Ausnahmefällen vor, nämlich entweder, wenn jemand über eine besondere technische oder künstlerische Fertigkeit verfügt, so daß er konkurrenzlos dasteht oder wenn er die Verfügungsgewalt über ein nur in begrenztem Umfang vorhandenes Naturprodukt besitzt. Auch in diesem Fall des privaten oder persönlichen Monopols ist aber die Preisbildung keineswegs völlig den ökonomischen Tendenzen der freien Preisbildung entzogen. Gewisse ökonomische Faktoren der Preisbildung sind auch hier wirksam, selbst dann, wenn scheinbar ein einzelner die Preise diktieren kann. Denn auch hier müssen sich die Preise nach der ökonomischen Kaufkraft und der Kauflust derjenigen Konsumentenschichten richten, die für das betreffende

Monopolprodukt in Frage kommen. Wird das Monopol einseitig zuungunsten der Konsumenten ausgenutzt, so müßte das private Monopol einem staatlichen Monopol weichen.

Als Beispiel eines solchen privaten Verkaufsmonopols ist das frühere Bernsteinmonopol der Firma Stantien und Becker in Königsberg zu erwähnen. Diese private Monopolstellung war dadurch ermöglicht, daß der Bernstein ausschließlich an der Nordostecke des ostpreußischen Samlandes gewonnen wird. Dieser Ostseebernstein wird daher im gewöhnlichen Sprachgebrauch mit Bernstein überhaupt identifiziert. Der Bernstein war seit langer Zeit Gegenstand eines Regals, das sich auf jahrhundertelanges Recht gründete; wiederholt wurde aber die Ausnützung dieses Regals verpachtet, zuletzt 1867 an die genannte Königsberger Firma. Dadurch erhielt diese Firma ein Produktions- und Handelsmonopol für Bernstein in Deutschland und eine beherrschende Stellung auf dem ganzen Bernsteinmarkt. Im Jahr 1899 hat der preußische Staat die gesamten Betriebsanlagen und Handelseinrichtungen der Firma abgekauft und ist seitdem im Besitz des Bernsteinmonopols.

Ein weiteres Beispiel ist das Quecksilber, das bis zur Mitte des vorigen Jahrhunderts als wirklich monopolisiertes Metall betrachtet werden kann. „Almaden und Idria waren die einzigen wesentlich in Betracht kommenden Produktionsstätten und der Verkauf des Erzeugnisses dieser Bergwerke war vertragsmäßig dem Hause Rothschild in London übertragen. Der Preis konnte so hoch gehalten werden, daß Spanien für den Verlust des Silberquinto aus seinen ehemaligen amerikanischen Besitzungen — für deren Silberproduktion das Quecksilber unentbehrlich war — schadlos gehalten wurde. Am Ende der vierziger Jahre wurden neue Quecksilberminen in Kalifornien aufgeschlossen, doch blieb dieser Mitbewerb anfangs auch noch einheitlich organisiert. Erst in den siebziger Jahren setzte sich die völlig freie Konkurrenz durch, mit der sich ein gewaltiger Rückgang des Preises verband. Am Anfang des Jahres 1875 stand er noch auf 24 Pfund Sterling für die Flasche (damals 76½ Pfund Troy, seit 1904 75 Pfund), im Jahre 1876 aber war er schon auf $7^3/_4$—$8^1/_4$ Pfund Sterling gesunken, und in der Nähe dieser Sätze hat er sich seitdem gehalten[1]."

§ 47. Die Kartellpreise im freien Wirtschaftsverkehr.

Die von den Kartellen und ähnlichen Unternehmerverbänden festgesetzten Preise werden häufig als Monopolpreise bezeichnet; jedoch mit Unrecht, denn es gibt kein Kartell, das ein wirkliches Monopol für die kartellierte Ware darstellt. Die Kartelle können Monopolcharakter haben und zu monopolistischer Preisbildung führen, wenn die kartellierten Waren natürliche Rohstoffe oder andere nur begrenzt vorhandene Bodenschätze sind, und wenn alle Unternehmer dieses Zweiges in straffer Weise im Kartell konzentriert sind. Diese monopolistische Stellung eines Kartells ist in der Regel ausgeschlossen, weil fast immer die Möglichkeit besteht, daß Outsiders außerhalb des Kartells vorhanden sind, und ferner, weil die Kartelle in der Regel mit dem Wettbewerb ausländischer Unternehmungen rechnen müssen. Nur wenn ein

---

[1] L e x i s : Allgemeine Volkswirtschaftslehre, 2. Aufl. Leipzig 1913. S. 93/94.

Kartell auf internationaler Basis zustande kommt und wenn keine Außenseiter vorhanden sind, könnte von einem faktischen Monopol die Rede sein. Es ist daher falsch, die Preispolitik der Kartelle als eine monopolistische in dem Sinne aufzufassen, daß sie ihre Monopolmacht zuungunsten der Konsumenten ausnützen und eine diktatorische Preispolitik betreiben könnten. Die Preispolitik der Kartelle ist im einzelnen sehr verschieden und kann nur auf Grund des tatsächlichen Vorgehens des einzelnen Kartells beurteilt werden. Auf Grund des großen Tatsachenmaterials, das über die Preispolitik der Kartelle vorliegt, ist man zu dem allgemeinen Urteil berechtigt, daß die Preispolitik der Kartelle im wesentlichen darauf abzielt, die Preise der kartellierten Produkte auf einem Niveau zu erhalten, welches die Rentabilität der im Kartell vereinigten Betriebe gewährleistet. Vor allem bewirkt die Kartellpolitik, daß die Preise s t e t i g e r sind als bei der freien Konkurrenzwirtschaft, daß exzessive Schwankungen der Preise nach oben und unten vermieden werden.

In einzelnen Fällen haben die Kartelle ihre mehr oder minder monopolistische Stellung zu ungunsten ihrer Abnehmer ausgenutzt, aber immer handelt es sich doch nur um einzelne Fälle, die teilweise auch der ersten noch unvollkommenen Organisation der Kartelle zugeschrieben werden müssen, teilweise in fortschreitendem Maße durch Abwehrmaßregeln der beteiligten Kreise selbst vermindert werden konnten. In den meisten Fällen war die Preisbildung der betreffenden Produkte vor der Bildung der Kartelle eine viel sprunghaftere und auch für die Konsumenten unvorteilhaftere als nach der Kartellbildung. Dafür einige Beispiele: Zunächst sei auf das Kartell hingewiesen, das für die deutsche Wirtschaft die größte Bedeutung hat, das Rheinisch-Westfälische Kohlensyndikat. Die durch den Aufschwung der deutschen Industrie Ende der neunziger Jahre hervorgerufene Nachfrage nach Kohlen hat das Syndikat nicht durch Fixierung abnorm hoher Preise ausgenutzt, so daß man mit Recht bemerkt hat, daß infolge der Tätigkeit des Kohlensyndikats nur Kohlenknappheit, aber keine eigentliche Kohlennot eingetreten war. Jedenfalls waren die Preise außerhalb des Syndikats in Deutschland und im Auslande höher als die Kartellpreise.

Bei der großen deutschen Kartellenquete erklärte der Kohlengroßhändler F u l d a - Frankfurt a. M.[1]): „Ich möchte dagegen feststellen und mit Nachdruck betonen, daß tatsächlich in der ganzen Welt im Jahre 1900 die Preise des Rheinisch-Westfälischen Kohlensyndikats weitaus die niedrigsten waren; daß sowohl an der Ruhr von Nichtsyndikatzechen als auch an der Saar, wie wir vorhin gehört haben, und ebenso in Schlesien, sowie in Belgien als auch in England bedeutend höhere Preise gefordert wurden."

Es wurde weiter in diesen Verhandlungen festgestellt[2]), daß im Jahre 1898 die belgischen Staatsbahnen für ihre Kohlen 11,50 Fr., im Jahre 1900 22,50 Fr. gezahlt haben. In Cardiff standen im September 1898 die Kohlen auf 16 Sh. und stiegen zu Ende 1900 auf

---

[1]) Kontradiktorische Verhandlungen über deutsche Kartelle I. S. 96. Berlin 1903. F r a n z S i e m e n r o t h (künftig zitiert: K. V.).
[2]) K. V., I, S. 96.

30—35 Sh. Zu derselben Zeit erhöhten sich die Kohlenpreise in Rheinland-Westfalen um $2^1/_2$—3 Mk.

Nach den Mitteilungen des Referenten, Regierungsrat Dr. V ö l c k e r , betrugen die Richtpreise für die F e t t f ö r d e r k o h l e n im Geschäftsjahr:

1893/1894	7,— Mark
1894/1895	7,50 „
1896/1897	8,30 „
1899/1900	9,10 „
1901/1902	10,10 „

Daß vor der Errichtung des Syndikats viel größere Preissteigerungen stattgefunden hatten, bestätigte der erwähnte Kohlengroßhändler F u l d a durch die Mitteilung, daß während des freien Wettbewerbs der einzelnen Zechen von 1889 auf 1890 eine Preissteigerung stattgefunden hatte, die bei einzelnen Kohlensorten 100 %, bei Koks fast 200 % betragen hatten, ebenso rasch seien die Preise wieder gesunken. Erst das Kohlensyndikat habe stabilere Preise herbeigeführt[1].

Kommerzienrat G o e c k e - Montwy bei Inowrazlaw berichtete ähnliches. Er sagte: „Damals in den siebziger Jahren war das Vorgehen ein überstürztes, einfach verrücktes; die Preise stiegen von 5 Talern zu 5 Talern. Ich habe Kohlen angekauft zu 20 Talern, 8 Tage später wurden sie mit 25 Talern bewertet und kaum hatte man einen Brief geschrieben, standen sie schon auf 30 Talern[2]."

Die folgende Tabelle über die Entwicklung der Kohlenpreise seit 1896, d. h. seit Bestehen des Syndikats, zeigt deutlich, daß die Erhöhung des Kohlenpreises 1900—1901 nicht auf Rechnung des Kartells zu setzen ist. Es bestand damals eine Hochkonjunktur mit außerordentlich verstärkter Nachfrage nach Kohle, die aber für die englische Kohle eine viel höhere Preissteigerung hervorrief, als sie etwa im Essener Börsenpreis hervorgetreten ist.

D i e   E n t w i c k l u n g   d e r   K o h l e n p r e i s e   s e i t   1896[3].

Jahr	Essener Börsenpreis	Verkaufserlös der Zeche Rhein-Elbe der G. B.-G.	Mannheimer Marktpreis für Ruhr-Kohlen	Hamburger Marktpreis für engl. Kohlen	Durchschnittspreis für Hochofenkoks
1896	8,25	7,43	16,90	12,70	12,25
1897	8,85	8,01	17,90	13,10	13,00
1898	9,08	8,51	17,40	14,60	14,00
1899	9,37	8,89	18,00	15,90	14,50
1900	10,25	10,39	24,50	22,40	20,90
1901	10,25	10,85	21,20	17,40	22,00
1902	9,60	10,04	18,00	16,70	15,00
1903	9,38	9,61	23,00	16,00	15,00
1904	9,38	9,95	23,90	15,20	15,00
1905	9,49	10,05	25,00	15,00	15,00
1906	10,27	10,59	25,15	15,50	15,60
1907	11,12	11,83	26,85	18,80	17,25
1908	11,25	12,17	27,55	16,90	17,50
1909	10,87	12,12	27,40	15,20	15,10
1910	10,75	11,91	26,90	15,10	14,40
1911	10,75	11,53	26,00	—	15,50

[1] K. V., I, S. 218.
[2] K. V., I, S. 364.
[3] Auf Grund offizieller Angaben, mitgeteilt von W i e d e n f e l d , Das Rheinisch-westfälische Kohlensyndikat. Bonn 1912.

Auch über die Preisbildung des Koks läßt sich Ähnliches sagen. Regierungsrat Dr. V ö l c k e r berichtete über das Westfälische Kokssyndikat[1]):

„In den letzten 10 Jahren vor Gründung des Syndikats waren die Preise für Hochofenkoks außerordentlich großen Schwankungen unterworfen. Der höchste Preis betrug im Jahre 1890, und zwar zu Anfang des Jahres 26 Mk. und der geringste Preis Ende des Jahres 1886 5,60 Mk. Im Jahre 1880 stand der Kokspreis zu Anfang des Jahres auf 9,60 Mk. Im Jahre 1883 waren Schwankungen von 8,20—12,50 Mk. zu verzeichnen."

Wenn die Syndikate die guten Konjunkturen nicht bis zur äußersten Möglichkeit ausnutzen, so gehen sie anderseits auch nicht dem Rückgang der Konjunktur entsprechend mit den Preisen herunter und dies hat bei zahlreichen Abnehmern, besonders wenn sie durch langfristige Verträge an diese Preise gebunden waren, sehr viel Unwillen erregt.

Kommerzienrat S t a h l - Bredow[2]) teilt über seine Erfahrungen, die er mit der oberschlesischen Kohlenkonvention gemacht hat, folgendes mit:

„Zugegeben ist, daß bei der Kohlenkonvention bezüglich der Preise eine große Mäßigung obgewaltet hat während der ganzen Hausseperiode, und zwar bis zu dem Zeitpunkte, wo der Rückschlag in unseren Verhältnissen eintrat. Mit Bezug hierauf haben verschiedene Vorredner bereits betont, daß es seitens der Kohlenkonvention nicht richtig war, noch mit einer Preiserhöhung für Kohlen vorzugehen, nachdem die rückläufige Bewegung in unserer Industrie bereits in vollem Gange war. Ich muß es auch als eine unglückliche Entschließung bezeichnen, daß sich die Kohlenkonvention noch im Jahre 1901 veranlaßt gesehen hat, die Preise um die bekannten 7 Pfennige weiter zu erhöhen (erst um 5 Pfg. und dann noch um 2 Pfg.), während schon eine starke allgemeine Depression eingetreten war. Das war eine Entschließung, die nicht zu rechtfertigen war."

Eine ähnliche Klage über das Rheinisch-Westfälische Kohlensyndikat führt Kommerzienrat K l a u s - Berlin[3]). Er bemerkt:

„Nicht nur wurden die Preise nicht ermäßigt gegenüber der Abschlußperiode vom 1. April 1900 bis zum 1. April 1901, sondern am 1. April 1901 wurde trotz des Darniederliegens der Exportindustrie der Preis für einige Kohlenmarken noch weiter erhöht. Dies hat weite Kreise der Verfeinerungsindustrie erbittert, und wenn vielfach erklärt worden ist, daß das Syndikat sich in Abnehmerkreisen weitgehender Zustimmung erfreut, so muß das doch für die Verfeinerungs- und Exportindustrie eingeschränkt werden."

Trotz dieser Klagen über das Festhalten an den hohen Preisen, auch lange Zeit, nachdem ein rückläufige Konjunktur eingetreten war, lauteten im übrigen die Urteile fast aller Abnehmerkreise über allgemeine Preispolitik des Rheinisch-Westfälischen Kohlensyndikats günstig, z. B. der Vertreter der Rohseidenindustrie, der Walzwerke, der Kleinindustrie, der Maschinenindustrie, der Reedereien, der städtischen Verwaltungen usw. Übereinstimmend waren sie in

---

[1]) K. V., III, S. 635.
[2]) K. V., II, S. 471.
[3]) K. V., II, S. 458, 459.

ihrem Urteil, daß ihnen der jetzige Zustand angenehmer sei, als die
Zeit vor dem Kartell. In dem Sinne sprach sich auch der Vertreter
von kleinen Konsumentenvereinigungen aus, Dr. S t e i n - Frankfurt a. M. In der Gegend von Frankfurt, in Hessen-Nassau und im
Großherzogtum Hessen gab es eine große Anzahl von kleineren
Kohlenkassen und Konsumvereinen, die Kohlen für ihre Mitglieder
beziehen. Diese Kassen hatten sich im Jahre 1900 zu einer Kohlen-
einkaufsgesellschaft zusammengeschlossen, als deren Vertreter Dr.
S t e i n bei den Verhandlungen berichtet:

„Vom Standpunkte des Nationalökonomen, aber auch vom Standpunkt unserer Gesellschaft und der einzelnen Kassen halte ich die
Wirkung des Kohlensyndikats auf dem Kohlenmarkt für g ü n s t i g ,
soweit es die wilde Spekulation, wenn auch nicht beseitigt, so doch
eingeschränkt hat. Bei vollständig ungeregelten und unübersicht-
lichen Marktverhältnissen konnten die Kohlenkassen den Wettbewerb
mit den sich rücksichtslos befehdenden Händlern nicht aufnehmen.
Die Kassen dürfen und können nicht spekulieren, für ihr Gedeihen
ist deshalb das Bestehen einer gewissen Untergrenze des Preises, die
in dem Syndikatspreise gegeben wird, und die während der Dauer
des Abschlusses keiner Wandlung unterliegt, günstig, ja notwendig[1]).

Auch bei den deutschen Eisenpreisen läßt sich diese Verschiedenheit der Preisbildung in der Kartellperiode und in der Zeit vorher
feststellen. „In der V o r k r i e g s z e i t liefen zeitweilig verschiedene Eisenpreislinien durcheinander. So kreuzte der Trägerpreis des
öfteren den Stabeisen- und seltener den Großblechpreis; der Walz-
drahtpreis hielt sich vorübergehend über dem Feinblechpreis. Hierbei zeigt sich deutlich der Unterschied zwischen Syndikatspreis-
bildung und freien Marktpreisen. Die 1904 unter den sog. A-Pro-
dukten des Stahlwerksverbandes syndizierten Knüppel haben in den
Jahren 1900 und 1901 Schwankungen von zusammen 35 Mk. auf-
gewiesen, aber in den folgenden Jahren bis zum Krieg wurden die
Preise innerhalb fünf Kalenderjahren völlig stabil gehalten, in weiteren 5 Jahren betrugen die Preisschwankungen nur 5 Mk. und in
2 Jahren 10 Mk., also im Höchstfalle etwa 10 %. Die gleichfalls im
Stahlwerksverband syndizierten Träger, die von 1900 und 1901
Schwankungen bis zu 30 Mk. ausgesetzt waren, wurden 8 Kalender-
jahre lang völlig stabil gehalten; nur 1906 ist der Trägerpreis einmal
um 20 Mk. verändert worden. Ähnlich ruhig vollzog sich die Preisbewegung des syndizierten Walzdrahts in der Vorkriegszeit; die
Schwankungen blieben meist unter 10 %. Bei Grob- und Feinblechen
kam es dagegen vor dem Krieg zu keinem festen Syndikat, sondern
nur zu vorübergehenden Preisverständigungen; infolgedessen beobachtete man hier Preisschwankungen, die über 10, ja über 20 und
30 Mk. hinausgingen, also schon 20 % des Jahresdurchschnittpreises
erreichten[2])."

Wie sehr Outsiders es verstehen, überall da, wo die Kartelle
nicht durch eine natürliche Monopolisierung eine monopolistische
Beherrschung des Preises auszuüben vermögen, die Preisnormierung
der Kartelle nach oben hin zu begrenzen, ist ebenfalls bei den Verhandlungen wiederholt zur Sprache gekommen.

---

[1]) K. V., II, S. 212.
[2]) cf. J. W. R e i c h e r t , Deutsche Eisenpreise in den letzten 25 Jahren. In
„Internationale Bergwirtschaft". I. Jahrg. 1925/26. Heft 1/3, Oktober-Dezember, S. 45.

Dieser Einfluß trat besonders stark im Druckpapiersyndikat hervor, in welchem allerdings nur 70 % der gesamten Produktion vereinigt sind. Der Fabrikbesitzer L e o n h a r d t - Crossen a. M. bemerkt darüber: „Eine Kammgarnspinnerei kann nicht ohne weiteres Baumwolle spinnen, aber eine Feinpapierfabrik kann sofort zur Druckpapierfabrikation übergehen, wenn die Preise für Druckpapier entsprechend hohe sind. Mithin können wir mit einer vollständigen Aufsaugung der Außenseite überhaupt nicht rechnen."

Der Druck, der von den Outsiders ausgeht, wird auch von den Abnehmern des Druckpapiersyndikats bestätigt, die sich durch das Syndikat geschädigt fühlen; so äußert Dr. J a e n e c k e - Hannover[1]):

„Da wir hier eine Verhandlung über das Syndikat und über die Wirkungen der Kartelle haben, so glaube ich, daß man bei der Gelegenheit auch darauf hinweisen muß, damit es nicht so aussieht, als wenn die Kartelle gar nicht die Absicht hätten, die Preise zu erhöhen, daß das Syndikat allerdings vorläufig deshalb nicht dazu in der Lage ist, weil es eben noch eine ganze Menge Outsiderfabriken gibt. Meine Herren, das ist eine rein äußerliche Unmöglichkeit, welche das Syndikat heute verhindert, eine Preiserhöhung durchzudrücken; es ist nicht etwa eine beabsichtigte Preispolitik, um die Preise zu erniedrigen, sondern die absolut bare Unmöglichkeit durch den Umstand des Vorhandenseins noch nicht syndizierter Fabriken, die es bis jetzt verhindert hat, daß die Preise in die Höhe gesetzt werden."

Man muß sich also den Kartellen gegenüber von dem populären Vorurteil freihalten, als ob die Preispolitik der Kartelle eine wucherische Ausbeutung der Konsumenten infolge ihrer Monopolmacht bedinge. Ob und inwieweit solche Auswüchse bei den Kartellen vorkommen, ist immer quaestio facti. Von der Erkenntnis, daß die Preispolitik der Kartelle in der Hauptsache auf stetige Preise, nicht aber auf wucherische Preiserhöhung, gerichtet ist, sollte auch die Stellung der Rechtsordnung und der Gesetzgebung gegenüber den Kartellen beherrscht sein. Vielfach wird von Juristen ein Recht des Staates zu weitgehenden Eingriffen in die Preisfestsetzungen der Kartelle gefordert. So hatte der frühere österreichische Justizminister K l e i n wiederholt auf Juristentagen gesetzliche Mittel zur Abhilfe der Kartellmißbräuche gefordert. Da K l e i n von der Anschauung ausgeht, daß der Hauptfehler der Kartelle in ihrer rücksichtslosen Preisbildung beruhe, will er quasi ein staatliches Sicherheitsventil gegen derartige Preissteigerungen schaffen: „Es ist ein Nutzen für die Kartelle, wenn sie in ihrer Politik nicht zu frei sind. Das Streben nach möglichstem Gewinn, das bald in jedem Kartell einen oder den anderen Vertreter findet, hat es dann zu leicht, die Führung mit sich zu reißen und das Kartell in eine falsche Richtung zu treiben, was ihm desto eher gelingen wird, als man in Europa über die eigentliche Quelle des Kartellgewinns meist ziemlich primitiv und bequem denkt. Statt ihn, wie in Amerika, vor allem in der technischen und kommerziellen Verbesserung des Betriebes, in Ersparungen an den Produktionskosten zu suchen, wird auf dem Kontinent lieber der Preis der Produkte emporgehoben, also mühelose Besteuerungspolitik, statt Schaffung oder Erhöhung von Werten mittels geistiger Arbeit."

---

[1]) K. V., IV, S. 43.

Im einzelnen will K l e i n dieses Preisrichteramt etwa so ausgestattet wissen: Eine staatliche Kommission soll unter Zuziehung von Sachverständigen auf Anrufen einer gemeinsamen Vertretung eines großen Produzenten- oder Händlerverbandes usw. zusammentreten und über die gegen die Preissätze des Kartells vorgebrachten Beschwerden gründlichst kontradiktorisch verhandeln. Die Staatsverwaltung soll das für die Entscheidung nötige Material beschaffen und kann zu diesem Zweck auch besondere Auskünfte von Kartellen und deren Mitgliedern verlangen. Die Kommission hat über die Berechnung der Kartellpreise endgültig zu entscheiden. Die Entscheidung soll aber nicht etwa dahin führen, die betreffenden Preise zu verbieten, sondern sie soll nur eine Ermahnung erlassen, die Preise entsprechend herabzusetzen. Folgt das Kartell dieser Mahnung nicht, sondern hält es an dem von der Kommission gemißbilligten Preise fest, so sollen die Leiter des Kartells in ihren Ehrenrechten beschränkt werden, es soll eine öffentliche Disqualifikation eintreten.

Noch bedeutend weiter ging der ungarische Kartellgesetzentwurf vom Jahre 1904. Danach sollten alle Kartelle in ein Stammbuch eingetragen und zu diesem Zweck dem Handelsminister unterbreitet werden. Bis zur Eintragung in das Stammbuch und Publizierung des Kartellvertrages sollten alle von den Kartellmitgliedern etwa geschlossenen Verträge dritten Personen gegenüber wirkungslos sein. Der Kartellvertrag kann aber angefochten werden, und zwar auch nach seiner Publizierung. Und zwar soll der Kartellvertrag angefochten werden vor allem dann, wenn die Kartellparteien die Verkehrspreise in einer zur Ausbeutung des Publikums geeigneten Weise — in Ermangelung sonstiger, auf die Preisgestaltung einwirkender außerordentlicher Verhältnisse — selbst regulieren oder in solchem Maße beeinflussen, daß die Differenz zwischen Produktionskostenpreis und Verkehrspreis den allgemeinen u s u e l l e n N u t z e n in auffallend unverhältnismäßigem Maße übersteigt.

Jedes Kartellgesetz, welches irgendwie einer staatlichen Aufsichtsinstanz einen direkten Eingriff in die Preispolitik der Kartelle gestattet, ist volkswirtschaftlich bedenklich. Es würde dadurch den staatlichen Organen eine geradezu unmögliche Aufgabe zugemutet. Der Gedanke wäre nur ausführbar, wenn wir irgendeinen o b j e k - t i v e n Maßstab angeben könnten, wonach dieses staatliche Preismaximum, das den Kartellen einzuräumen wäre, festzustellen wäre. Ein solches Kriterium fehlt im modernen Wirtschaftsleben vollkommen.

Die Befürworter der erwähnten gesetzlichen Reform glauben dieses Kriterium in den P r o d u k t i o n s k o s t e n gefunden zu haben. K l e i n sagt darüber: ,,Nicht über Moral und Sittlichkeit, sondern nur über ein etwaiges Mißverhältnis zwischen dem Kartellpreis und dem nach G e s t e h u n g s k o s t e n und Marktverhältnissen angemessenen Preise, also über die Höhe des jeweiligen Kartellaufschlages soll entschieden werden." — In den Motiven des ungarischen Gesetzentwurfes heißt es: ,,Die staatliche Aufsicht über Kartellverträge müsse verhindern, daß infolge der Kartellverträge die Preise über das Niveau der v o l k s w i r t s c h a f t l i c h e n Z u l ä s s i g k e i t hinaus erhöht würden." Als Kriterium der unzulässigen Preiserhöhung wird angegeben, daß die Preise den allgemeinen u s u e l l e n Nutzen nicht übersteigen sollen.

Alle diese Bestimmungen gehen von einer irrtümlichen Auffassung des Wesens der Preise aus, nämlich von der Annahme, daß in den P r o d u k t i o n s k o s t e n ein fester unverrückbarer Mittelpunkt gegeben sei, um den die Preise gravitieren. Ich möchte hierzu auf das verweisen, was ich oben in meiner Kritik der nationalökonomischen Kostenwerttheorie gesagt habe. Die neue deutsche Kartellverordnung von 1923 hat diesen Fehler, die Berechtigung der Preisfestsetzung nach der Übereinstimmung der Preise mit den Produktionskosten zu beurteilen, vermieden; sie enthält keine Bestimmung, daß die Steigerung der Preise über das volkswirtschaftlich berechtigte Maß dann eintrete, wenn die Gestehungskosten über ein bestimmtes Maß hinaus überschritten werde. Vielmehr soll das Kartellgericht nur dann einschreiten, wenn durch die Kartellpolitik die ,,Gesamtwirtschaft'' oder das ,,Gemeinwohl'' gefährdet werden, und das soll dann der Fall sein, wenn in volkswirtschaftlich nicht gerechtfertigter Weise die Erzeugung oder der Absatz eingeschränkt, die Preise gesteigert oder hochgehalten oder im Fall wertbeständiger Preisstellung Zuschläge für Wagnisse (Risiken) eingerechnet werden, oder wenn die wirtschaftliche Freiheit durch Sperren im Einkauf oder Verkauf oder durch Festsetzung unterschiedlicher Preise oder Bedingungen unbillig beeinträchtigt werden.

Allerdings findet sich in der amtlichen Mitteilung an die Presse bei Bekanntgabe der neuen deutschen Kartellverordnung ein Hinweis auf die Gestehungskosten. Es heißt dort: ,,Bei der kritischen Zuspitzung, die die wirtschaftliche Konjunktur seit dem Sommer des Jahres erfahren hat, und durch welche der Preis einzelner deutscher Produkte über den Weltmarktstand hinausgetrieben worden ist, besteht allgemeines Interesse daran, durch Wiederherstellung wirklicher Marktfreiheit eine künstliche Einschränkung der Erzeugung übermäßige Risikozuschläge und Preisstellungen, die durch die t a t - s ä c h l i c h e n P r o d u k t i o n s k o s t e n nicht begründet sind, nachdrücklichst zu bekämpfen und die Kreise der Produktion und des Handels wieder zu dem vielfach verloren gegangenen Verantwortungsbewußtsein gegenüber dem Gemeinwohl zurückzuzwingen.'' Der ganze Sinn dieser Auslegung ist doch der, daß man durch die neue Kartellverordnung die Konsumenten vor monopolistischer Preispolitik der Kartelle bewahren will. Daß dies der Zweck der Verordnung ist, geht deutlich aus dem Schreiben des Reichswirtschaftsministers an Reichstag und Reichsrat vom 30. November 1921 hervor, wo gesagt wird: ,,Die vorgenannten von mir unternommenen Bemühungen berechtigen mich zur Zeit zu der Annahme, daß der Weg, den ich eingeschlagen habe, um die Wirkungen der Kartelle unter den derzeitigen Verhältnissen richtig beurteilen zu können, sowie um Schädigungen der Volkswirtschaft, die aus Mißbrauch von M o n o p o l s t e l l u n g e n erwachsen können, abzuwehren, zur Zeit der gangbare ist. . . . Sollte es sich allerdings im weiteren Verlaufe ergeben, daß auf diesem Wege der Schutz gefährdeter Interessen nicht sichergestellt werden kann, dann würde ich nicht unterlassen, Vorschläge zu einer weitergehenden M o n o p o l a b w e h r den gesetzgebenden Körperschaften vorzulegen.'' Man sieht aus diesen

Erlauterungen, daß die Absicht ist, Monopolgefahren, die aus der Kartellpolitik erwachsen könnten, abzuwehren. Sobald aber monopolistische Preispolitik in dem hier gemeinten Sinne vorliegt, fällt diese Preispolitik unter den Begriff Wucher, und so ist auch diese Kartellverordnung im wesentlichen gegen eine wucherartige Preispolitik gerichtet. In dem Komentar zur Kartellverordnung[1]) wird mit Recht gesagt, daß es sich besonders um unzulässige Preissteigerungen sowie um die Berechnung von Risikozuschlägen bei wertbeständiger Preisstellung handelt: ,,Sie verstoßen gegen die Wirtschaftsordnung, wenn sie die W u c h e r v o r s c h r i f t e n verletzen und anderseits gefährden sie das Gleichgewicht zwischen Lieferant und Abnehmer[2]).

Dementsprechend hat auch das Kartellgericht (E. Nr. 17 vom 10. April 1924, Nr. 26 vom 17. Mai 1924) ,,für die Preispolitik des Verbandes nur die Grenze gezogen, daß die Preise einerseits nicht ,,sittenwidrig hoch" seien, anderseits nicht die wirtschaftliche Existenz des Mitglieds in Frage stellen dürfen. Innerhalb dieser Grenzen hat die Mehrheitsentscheidung des Kartells freien Spielraum[3]).

Da es sich also um Eingriffe in die Kartellpolitik wegen der Ausnutzung einer Monopolstellung zu wucherischer Preisfestsetzung handelt, gilt gegenüber der Kartellverordnung, soweit sie sich auf Eingriffe in die Preispolitik bezieht, dasselbe, was ich oben über die Preistreibereiverordnung gesagt habe, daß nämlich die betreffenden Bestimmungen des Bürgerlichen Gesetzbuches und des Strafgesetzbuches über Wucher hinreichend sind, um gegen solche Wucherpreise der Kartelle vorzugehen.

Man wird nach allen Erfahrungen, die bis jetzt über das Gebahren der Kartelle vorliegen, sich hüten müssen, bei Kartellverträgen nur deshalb, weil sie von Kartellen beschlossen sind, einen besonders strengen Maßstab anzulegen oder ihnen mit der Präsumtion gegenüberzutreten, daß sie wucherischer Art sein können. Vielmehr wird der Richter im Einzelfalle genau zu prüfen haben, ob wirklich die Kriterien des Wuchers oder des Verstoßes gegen die guten Sitten vorliegen, in derselben Weise, wie man diese Prüfung auch bei Verträgen von Einzelunternehmungen vornimmt. Der Zusammenschluß zu einem Kartell braucht in keiner Weise auf die Absicht hinzudeuten, monopolistische Preise zu erlangen oder eine Ausbeutung des Publikums möglich zu machen. Vielmehr sind es meist wichtige volkswirtschaftliche Interessen, die in letzter Linie auch dem Konsumentenpublikum zugute kommen, die zur Bildung von Kartellen führen. Auch die Einschränkung der persönlichen Freiheit, die zweifellos in den Bedingungen liegt, welche die Kartelle ihren Mitgliedern und Abnehmern auferlegen, darf nicht dazu Anlaß geben, die Kartellverträge als Mißbräuche oder als gegen die guten Sitten verstoßend aufzufassen.

Mit Recht hat sich die bekannte Entscheidung des Reichsgerichts vom 4. Februar 1897 auf den Standpunkt gestellt, ,,daß

---

[1]) Kartellverordnung. Verordnung gegen Mißbrauch wirtschaftlicher Machtstellungen von R. I s a y und S. T s c h i e r s c h k y. Verlag J. Bensheimer, Mannheim-Berlin-Leipzig 1925.
[2]) Ebenda, S. 164.
[3]) a. a. O., S. 243.

Kartelle vom Standpunkt des durch die Gewerbefreiheit geschützten Allgemeininteresses nur dann beanstandet werden könnten, wenn sich im einzelnen Falle aus besonderen Umständen Bedenken ergeben, namentlich wenn es ersichtlich auf die Herbeiführung eines tatsächlichen Monopols und der w u c h e r i s c h e n A u s b e u - t u n g der Konsumenten abgesehen ist oder diese Folgen doch durch die getroffenen Vereinbarungen und Einrichtungen tatsächlich herbeigeführt werden." Dieser Standpunkt ist auch gegenüber der Anwendbarkeit des § 138 notwendig. Es muß monopolistische Ausbeutung vorliegen. Es genügt nicht, daß ein Kartell tatsächlich ein Monopol hat. Es kann ein Kartell einen ganzen Betriebszweig in sich monopolisiert haben und doch braucht von Ausbeutung nicht die Rede zu sein, wenn die Preispolitik des Kartells eine maßvolle ist. Nur dann würde Ausbeutung vorliegen und nur dann das Kartell gegen die „guten Sitten" verstoßen, wenn das Kartell seine Monopolmacht dazu ausnutzt, wucherische Preise zu erlangen.

Ist der § 138 BGB. mehr als ein Warnungsmittel gegenüber den Kartellen aufzufassen, so daß sie hierdurch genötigt werden, sich in ihrer ganzen geschäftlichen Gebarung gewisse Schranken aufzuerlegen, während nicht anzunehmen ist, daß von diesem Paragraphen praktisch oft Gebrauch gemacht werden wird, so sind dagegen die §§ 823—826, die von der Schadenersatzpflicht handeln, wohl geeignet, gegen gewisse Kartellmißbräuche auch praktisch in weitgehendstem Maße angewendet zu werden. Hier handelt es sich nicht darum, daß Kartellverträge als solche als ungültig erklärt werden, sondern das einzelne K a m p f m i t t e l , welche das Kartell anwendet, eine Schadenersatzpflicht begründen. Tatsächlich hat man auch mit Recht den § 826 gegen Kartellmißbräuche wiederholt angewandt. —

Nach dem Wortlaut der Kartellverordnung kann das Kartellgericht nicht nur eingreifen, wenn es sich um wucherische Preise handelt, sondern auch dann, wenn ein Kartellvertrag die „Gesamtwirtschaft" oder das „Gemeinwohl" gefährdet, und diese Gefährdung kann auch dadurch eintreten, daß die Preise gesteigert oder hoch gehalten werden, und damit kommt man zu einer prinzipiellen Frage: Sollen die Kartellrichter auch ein Urteil fällen, das im Sinne einer bestimmten w i r t s c h a f t s p o l i t i s c h e n Z i e l s e t z u n g liegt? Augenblicklich ist die wirtschaftspolitische Zielsetzung der Regierung vor allem auf möglichste Rationalisierung des Betriebes, Hebung der Produktivität und zugleich Senkung der Preise gerichtet. Angewandt auf die Kartellpolitik müßte dementsprechend die Preispolitik mancher Kartelle, in denen kapitalstarke und kapitalschwache Betriebe vereinigt sind, und die daher bei der Preisfestsetzung auf die kapitalschwachen Betriebe Rücksicht nehmen, abgelehnt werden. Man muß sich klar machen, zu welchen Konsequenzen ein solches Verfahren führt. Es liegt im Wesen der Kartelle, daß sie die Preise in einer Höhe festsetzen, die allen Mitgliedern des Kartells eine gewisse Rentabilität verspricht. Dadurch hatten die Kartelle vielfach eine gewisse Suprematie der Großbetriebe zugunsten der mittleren und kleineren Betriebe einzudämmen verstanden. Es geht aus der großen deutschen Kartellenquete hervor, daß gerade dieser Kampf zwischen den Interessen der kleinen und der großen Betriebe in der Praxis der Kartelle immer zu den größten Schwierigkeiten geführt hat.

Soll eine außerhalb der Kartelle stehende neutrale Instanz diese Entscheidung in Zukunft auf sich nehmen, dann müßte sie auch das Odium einer mittelstandsfeindlichen Politik ertragen. Und wie sollte es sein, wenn eine andere wirtschaftspolitische Strömung vom Staate begünstigt wird, die mittelstandsfreundlicher Natur ist und daher eine Kartellpraxis begünstigt, welche bei der Preisfestsetzung auch auf die Verhältnisse der kleineren und mittleren Betriebe Rücksicht nimmt? Mir scheint, daß es große Bedenken hat, eine richterliche Instanz in den Kampf dieser wirtschaftspolitischen Strömungen hereinzuziehen. Bisher sind diese Interessenkämpfe den Kartellen selbst überlassen geblieben; sie haben meist zu Kompromissen oder Konzessionen geführt, vielfach auch dazu, daß die starken Betriebe ihren Austritt aus dem Kartell erklärt haben. Mit diesen Kämpfen ist ein sehr wichtiger und bedeutsamer Vorgang in der neueren Kartellbewegung verbunden; gerade weil die Rücksichtnahme auf die kleineren und mittleren Betriebe oft die Konzentration der Produktion in den leistungsfähigen Betrieben gehindert hat, ist ein Umschwung dahin erfolgt, daß sich jetzt vielfach an Stelle der früheren Kartelle Fusionen, Trusts, Interessengemeinschaften und andere derartige Zusammenschlüsse gebildet haben, die eine viel straffere Konzentration im Sinne des technischen Fortschritts möglich machen. Was sich auf dem Wege der freien Vereinbarung oder der allmählichen Umgestaltung der Unternehmervereinigungen vollzieht, könnte gestört werden, wenn durch eine sozusagen offizielle oder staatliche Regulierung der Prozeß sich vollziehen müßte. Auch bei den handels- und kreditpolitischen Verhandlungen mit dem Ausland könnte es Schwierigkeiten hervorrufen, wenn die Preise wichtiger Waren nicht durch freien Verkehr oder freie Entschließung der Verbände, sondern durch obrigkeitliche Anordnung festgesetzt würden.

§ 48. Die durch obrigkeitliche Regelung gebundenen Preise.

1. Die staatlichen Monopolpreise.

Die bisher betrachteten Monopolpreise verdanken ihren Ursprung der wirtschaftlichen Macht einzelner Unternehmer bzw. Unternehmerverbände.

Die jetzt zu betrachtenden Monopolpreise beruhen auf rechtlichen Monopolen, d. h. der Staat hat gesetzlich das Recht, einen bestimmten Gewerbszweig oder eine Verkehrseinrichtung allein und mit Ausschluß jeder Konkurrenz zu betreiben. Dadurch erhalten die vom Staat festgesetzten Preise den Charakter von Monopolpreisen. Ihrer wirtschaftlichen Absicht nach können diese Monopolpreise nach sehr verschiedenen Grundsätzen festgesetzt werden:

a) Nach dem Grundsatz der Besteuerung.

Das staatliche Monopol wird als Mittel einer Verbrauchssteuer benutzt. Daher werden die Monopolpreise so bemessen, daß ein großer finanzieller Erfolg für den Fiskus zu erwarten ist. Beispiel: das österreichische Tabakmonopol. Einfuhr und Fabrikation des Tabaks und der Tabakhandel sind dem Staate ausschließlich vorbehalten. Das Tabakmonopol ergab für 1913 einen Überschuß von 225 Millionen Kronen.

b) Nach dem Rentabilitätsprinzip.

Die Monopolpreise werden so festgestezt, daß der Staat einen Reingewinn zu erzielen sucht, ähnlich wie ein privatwirtschaftlicher Unternehmer. Beispiel: das oben genannte Bernsteinmonopol des preußischen Staates mit einem Reingewinn von 1 ½ Millionen Mark im Jahre 1901.

c) Nach dem Gebührenprinzip.

Die Monopolpreise sollen die Kosten decken, aber ein Reingewinn nicht erzielt werden. Beispiel: das deutsche Post- und Fernsprechmonopol. Wenn fast alljährlich ein rechnungsmäßiger Überschuß erzielt wurde, so ist dieser Überschuß doch nur ein nomineller, weil die Post durch ihr Privileg gegenüber den Eisenbahnen eine bedeutende finanzielle Erleichterung erfährt.

2. Die Festsetzung durch Valorisationen [1].

Bei den sog. Valorisationen handelt es sich um weitgehende Eingriffe des Staates zugunsten der Preisregulierung. Beispiel: die brasilianischen K a f f e e v a l o r i s a t i o n e n. „Von der Welterzeugung an Kaffee liefert Brasilien durchweg 70—80 %; von der Gesamtausfuhr des Landes stellt der Kaffee an Wert die Hälfte dar, drei Staaten, welche die Hauptmasse liefern; Sao Paulo, Rio und Minas Geraes, sind von dieser ihrer ‚Monokultur' ganz abhängig. Diese sahen ihre Jahresernte, die 1880—1890 jährlich durchschnittlich noch nicht 2 Mill. Sack (zu 60 kg) betragen hatte, im Jahrfünft 1902 bis 1907 auf den Jahresdurchschnitt von 8,9 Mill. Sack steigen. Die Hauptursachen waren neben Neuanpflanzungen mehrere besonders gute Ernten. Infolgedessen sank der Preis, der in Le Hâvre 1890 bis 1895 durchschnittlich für den Sack (60 kg) auf 95 Fr. gestanden hatte, bis auf durchschnittlich 39,50 Fr. im Jahrfünft 1900—1905, zeitweilig unter 35 Fr. und damit weit unter die bei etwa 50 Fr. liegende Rentabilitätsgrenze. Dazu drohte 1907 eine ganz besonders reiche Ernte (40 Mill. Sack), die bei freiem Abfluß auf Jahre hindurch auf dem Markte lasten und für die drei Kaffeestaaten den wirtschaftlichen Ruin bedeuten mußte. Dabei stieg der Welt-Jahresverbrauch durchweg um 500 000 bis 600 000 Sack jährlich, und minder reicher Ernteertrag stand sicher zu erwarten.

Deshalb beschlossen die drei Kaffeestaaten, die Übererzeugung solange aufzukaufen und einzulagern, bis der Druck auf den Markt gemildert und ein erträglicher Preis gesichert sein würde; die Mittel sollten durch Staatsanleihe aufgebracht werden, durch Lombardierung der Kaffeebestände möglichst wieder freigemacht und zu neuen „Valorisationen" verwendet werden. Die 1907 begonnene Unternehmung mußte schließlich 1908 durch Sao Paulo, zusammen mit größten Kaffee-Aus- und Einfuhrhändlern Europas und Nordamerikas — deren enge Interessen und selbst Betriebsverschmelzungen sich dabei zeigte — durchgeführt werden; sie wurde alsbald durch amerikanische, hernach auch durch europäische Großbanken mit Geldvorschuß gestützt. Als Garantie diente ein Ausfuhrzoll von 3 Fr.,

---

[1] cf. J. H i r s c h , Der moderne Handel, seine Organisation und Formen und die staatliche Binnenhandelspolitik. Zweite neubearbeitete Auflage im Grundriß der Sozialökonomik, V. Abteilung, II. Teil (Tübingen 1925).

später 5 Fr. pro Sack, der von einer Ausfuhr von 9 Mill. Sack ab sich automatisch erhöhte.

Das Unternehmen hielt zeitweilig 8—10 Millionen Sack vom Markte fern und erreichte Preishöhen, die den Jahresdurchschnitt von 1890—1895 nicht mehr wesentlich unterschritten[1])."

3. S t a a t l i c h e T a x p r e i s e. (Höchst- und Mindestpreise.)

Taxen sind Höchst- oder Mindestpreise, die von der Obrigkeit für bestimmte Waren oder Waarengruppen festgesetzt werden. Taxpreise kamen namentlich in der Zeit vor der Ausbildung der modernen kapitalistischen Marktwirtschaft und des freien Konkurrenzsystems vor, also namentlich im Altertum und Mittelalter, aber auch noch im 17. und 18. Jahrhundert. Solange der Preis durch einen ausgebildeten Marktverkehr noch keine Regelung erfuhr, wollte der Staat durch behördliche Festsetzung der Preise die Käufer bzw. Verkäufer vor Übervorteilung schützen. Auch wenn aus irgendwelchen Gründen eine Teuerung entstand, suchte man durch die Taxpreise exzessive Preissteigerungen zu verhindern. Die älteste Taxpreisordnung ist im Edikt des Kaisers Diokletian vom Jahre 301 enthalten. In der Zunftperiode und der Zeit der merkantilistischen Wirtschaftspolitik gab es Preistaxen in den verschiedensten Formen und Ausmaßen. Durch die Höchstpreise sollten die Konsumenten vor monopolistischer Preispolitik der privilegierten Zünfte geschützt werden, durch Mindestpreise den Produzenten ein auskömmlicher Preis garantiert werden. Besonders häufig finden sich Brot- und Fleischtaxen. Die älteste war die Taxe für die Berliner Bäcker vom Jahre 1272. — Auch als durch die vielfachen Münzverschlechterungen in den früheren Jahrhunderten der Geldwert ins Schwanken geriet, suchte man durch Taxpreise Abhilfe zu schaffen. Mit dem Aufkommen der freiheitlichen Wirtschaftspolitik und der Beseitigung der Zunftschranken kamen die Preistaxen in Wegfall. — In Preußen bereitete das Edikt vom 7. August 1811 über die polizeilichen Verhältnisse der Gewerbe den früheren Taxvorschriften ein Ende. Die deutsche Reichs-Gewerbe-Ordnung bestimmt § 72, daß alle polizeilichen Taxen künftig wegfallen sollten, nur für gewisse Gewerbe, wie z. B. Lohnfuhrwerke, sind Taxen noch zulässig. Ferner sind für gewisse Gewerbe, wie Bäcker u. a., Selbsttaxen vorgeschrieben, d. h. die Bäcker müssen die Preise und das Gewicht ihrer verschiedenen Backwaren für gewisse Zeiträume durch Anschlag im Verkaufslokal zur Kenntnis des Publikums bringen. Durch die Festsetzung und Veröffentlichung entsteht also nur die Verpflichtung, die festgesetzten Preise nicht zu überschreiten. Eine Ermäßigung der Preise ist jederzeit gestattet. Die in dem Aushang aufgenommenen Preise sind also Maximalpreise.

Höchstpreise sind auch in neuerer und neuster Zeit dann festgesetzt worden, wenn irgendwie die freie Marktwirtschaft gestört oder em marktloser Wirtschaftsverkehr entstanden war, d. h. besonders m Zeiten von Kriegen und Revolutionen. So gab es Höchstpreise in Frankreich zur Zeit der großen Revolution und zuletzt wieder in vielen Ländern im Weltkriege. Die Absicht dieser Höchstpreise ist, die minder bemittelten Volksklassen vor solchen Preissteigerungen zu schüt-

---

[1]) H i r s c h , Der moderne Handel usw., a. a. O., S. 143.

zen, daß sie die betreffenden lebenswichtigen Waren nicht mehr kaufen können. Die Gefahr solcher Preissteigerungen ist immer vorhanden, wenn die Zufuhr gewisser Waren ganz oder teilweise unterbunden ist. Die Höchstpreispolitik hat sich als unwirksam erwiesen und das beabsichtigte Ziel ist nie erreicht worden und zwar aus folgendem Grunde. Durch die Festsetzung der Höchstpreise kann zwar erreicht werden, daß für gewisse Waren der Verkaufspreis nicht überschritten wird, wenn dieses Ziel nicht durch Schleichhandel verhindert wird. Es kann aber nicht erreicht werden, daß wirklich den minderbemittelten Volksklassen der Kauf der betreffenden Waren ermöglicht wird, denn nur das Angebot, nicht aber die Nachfrage wird reguliert. Da aber die Nachfrage nach den mit Höchstpreisen versehenen Waren dann am stärksten auf Seiten der kaufkräftigen Konsumenten, d. h. der wohlhabenden Schichten hervortritt, kommen die Waren vorzugsweise in die Hand dieser Käuferschichten. Die Absicht der Höchstpreispolitik konnte daher immer nur dann erreicht werden, wenn zugleich eine Rationierung des Verbrauchs durchgeführt wurde.

§ 49. Die Indexziffern als Methode der Preisvergleichung.

Die sog. Indexziffern sind Preisberechnungen, durch die es erleichtert wird, die Veränderungen des Preisniveaus in bestimmten Zeitabschnitten anschaulich darzustellen. Die Methode besteht darin, daß man den Preis einer Ware in einem bestimmten Zeitpunkt oder Zeitraum = 100 setzt und auf Grund dieser Zahl die Preise des verglichenen Zeitpunktes oder Zeitraumes in Prozentsätzen berechnet. Faßt man eine größere Anzahl von Waren oder Warengattungen zusammen und verfährt nach derselben Methode, so spricht man von einer Totalindexziffer (total index number). Die Indexzifferberechnung hat den großen Vorteil, daß die Preisveränderungen übersichtlicher hervortreten, als wenn man die Preisziffern der einzelnen Perioden nach ihrer tatsächlichen Höhe gegenüberstellt.

Die Indexziffermethode ist schon seit über 100 Jahren bekannt. Die neueren Indexziffern knüpfen meistens an die Arbeiten des englischen Statistikers N e w m a r c h an, der im Jahre 1859 eine Anzahl von Jahrespreisen den Durchschnittspreisen der Periode von 1845 bis 1850 gegenüberstellte. Zuerst betrafen die Zusammenstellungen 19 Waren, zu denen noch 3 hinzukamen, so daß die Zahl 22 erreicht wurde. Die von N e w m a r c h ausgearbeitete Tabelle wurde vom englischen „Economist" im Jahre 1864 übernommen und bis auf den heutigen Tag fortgeführt. Viel umfassender als die des „Economist" sind die Preistabellen S o e t b e e r s. Er gibt in seinen „Materialien zur Erläuterung und Beurteilung der wirtschaftlichen Edelmetallverhältnisse und der Währungsfrage" auf Grund der im Hamburger handelsstatistischen Bureau ausgearbeiteten tabellarischen Übersichten und der Jahresabrechnungen einzelner Hamburger Verwaltungen, die Jahresdurchschnittspreise von 100 Handelsartikeln in Hamburg für die Zeit seit 1851, verglichen mit den Durchschnittspreisen der Jahre 1847 bis 1850 sowie die zugehörigen Indexziffern[1]).

---

[1]) cf. Handwörterbuch der Staatswissenschaft. III. Aufl. 6. Bd. S. 1155.

Die Bedeutung der Indexziffern für die Theorie der Preise und für die Beurteilung der Preisbewegung darf nicht überschätzt werden, namentlich ist es falsch, anzunehmen, daß die Indexziffern irgend etwas über den sog. Geldwert aussagen könnten. Die Indexziffer kann nur für einzelne Waren oder gewisse Warengattungen zeigen, wie sich die Preise prozentual in einem bestimmten Zeitraum verändert haben; dagegen kann die Indexziffer nichts aussagen über die Ursachen der Preisveränderung, namentlich nicht darüber, ob die Preisänderung auf der Warenseite oder auf der Geldseite verursacht ist. Da die Indexziffern namentlich von Interesse sind, wenn sie für längere Zeiträume aufgestellt werden, und da innerhalb dieser Zeiträume große Änderungen auf den Edelmetallmärkten oder in den Währungssystemen der betreffenden Länder möglich sind, wodurch die Preisänderung ganz oder teilweise zu erklären ist, so muß es immer der besonderen theoretischen Forschung überlassen bleiben, die Ursachen der Preisänderung festzustellen. Nur wenn die Indexziffern für ganz kurze Zeitabschnitte aufgestellt werden, in denen in den Geld- und Währungsverhältnissen keine erhebliche Veränderung zu verzeichnen ist, können die Ziffern ergeben, daß die Waren selbst in dem betreffenden Zeitabschnitt um einen gewissen Prozentsatz im Tausch-Wert gefallen oder gestiegen sind. Umgekehrt: in Zeiten starker Papiergeldinflation kann man ebenfalls, wenn es sich um kurze Zeiträume handelt, aus den Indexziffern die Entwertung des Geldes erkennen, weil in solchen Zeiten erfahrungsgemäß die Inflation von so tiefgehendem Einfluß auf die Preisbildung ist, daß die Änderungen des Warenwertes dagegen zurücktreten. Wenn somit die Bedeutung der Indexziffern nur darin beruht, festzustellen, wie sich das Preisniveau in gewissen Zeitabständen verändert hat, so ist auch für die Beurteilung der Wohlstandesverhältnisse hieraus noch nichts Abschließendes zu entnehmen. Es ist ganz ungenau, etwa zu sagen, die Indexziffer zeigt an, daß das „Leben" so und soviel „teurer" oder „billiger" geworden ist. Auch als Wohlstands- oder Teuerungsindex ist diese Methode nur mit großer Vorsicht anzuwenden, denn:

1. die Wichtigkeit der einzelnen im Index aufgeführten Waren für das Budget der Haushaltungen ist gänzlich verschieden, wenn man bedenkt, daß darunter z. B. auf der einen Seite sich Getreide und Fleisch, auf der andern Seite Indigo und Kautschuk befinden;

2. auch die sog. „gewogenen" Indexziffern können diesem Mangel nicht abhelfen; bei diesen wird je nach der Wichtigkeit des betr. Artikels eine besondere Ziffer eingesetzt, denn

3. gerade solche wichtigen, für das Budget besonders bedeutsamen Posten wie die Wohnungsausgabe, pflegen in den meisten Indexziffern überhaupt nicht vorzukommen; und schließlich

4. die Indexziffern sind fast ausschließlich berechnet auf Grund der Ziffern des Großhandels, nur selten gibt es auch Kleinhandelsindexziffern; und doch sind gerade die Ziffern des Kleinhandels für die Haushaltswirtschaft besonders bedeutsam. Soweit aber Kleinhandelsindexziffern vorkommen, können sie wiederum für die Frage des „Wohlstandes" und der „Teuerung" in einem Lande nicht so kennzeichnend sein, weil diese immer nur für Gemeinden bzw. kleine lokale Bezirke aufgestellt werden.

8. Kapitel.
Besondere Preislehre.

§ 50. Die Preisbildung des städtischen Bodens und der Häuser.

Nirgends ist ein so starkes Steigen der Preise zu beobachten, als bei den städtischen Grundstücken, Häusern und Mieten. Dafür zunächst einige statistische Angaben:

In Freiburg stiegen die nicht umgebauten Häuser im Durchschnitt[1]):

$$
\begin{aligned}
\text{von } 1755\text{—}1764 &= 100 \\
\text{,, } 1810\text{—}1819 &= 412 \\
\text{,; } 1840\text{—}1849 &= 837 \\
\text{,, } 1850\text{—}1859 &= 739 \\
\text{,, } 1860\text{—}1870 &= 1310 \\
\text{,, } 1870\text{—}1874 &= 1724
\end{aligned}
$$

Entwicklung der Preise in Charlottenburg pro Quadratmeter in der Berliner Straße:

$$
\begin{aligned}
1860/1861 &= 2\text{—}3 \text{ Mk.} \\
1868 &= 15 \text{ ,,} \\
1871 &= 21 \text{ ,,} \\
1879 &= 24 \text{ ,,} \\
1887 &= 60 \text{ ,,} \\
1898 &= 64 \text{ ,,}
\end{aligned}
$$

Mietpreis einer typischen Arbeiterwohnung in Berlin[2]):

$$
\begin{aligned}
1880 &= 216 \text{ Mk.} \\
1890 &= 227 \text{ ,,} \\
1900\text{—}1903 &= 232\text{—}290 \text{ Mk.} \\
1910 &= 300\text{—}400 \text{ ,,}
\end{aligned}
$$

Bodenpreise in Mark pro Quadratmeter in Berlin[3]):

	1881	1898	1910
Geschäftsstraßen:			
Linden, Südseite	480	1800	2500
Leipziger Straße	340	800	2250
Friedrichstraße, Nähe Bahnhof Friedrichstraße	240	480	2250
Potsdamer Straße zwisch. Leipziger Platz und Brücke	240	650	2220

[1]) M. Conrad: Die Häuserpreise in Freiburg während der letzten 100 Jahre. Jena 1881.

[2]) G. Brutzer: Die Verteuerung der Lebensmittel in Berlin im Laufe der letzten 30 Jahre und ihre Bedeutung für den Berliner Arbeiterhaushalt. München und Leipzig 1912.

[3]) Tabelle, aufgestellt vom Reichsschatzamt für die Reichstagsverhandlungen von 1910 über die Wertzuwachssteuer.

	1881	1898	1910
Friedrichstraße am Belleallianceplatz .	110	480	1270
Potsdamer Straße zwischen Alvensleben- und Göbenstraße	60	300	1080
Königstraße zwischen Spree u. Rathaus	340	550	1270
Wohnstraßen:			
Hansaplatz, Gegend Moabit	30	120	278
Bülowstraße	60—110	170	450—620
Kleiststraße-Tauentzienstraße	30	120	400—450
Yorkstraße	30—60	170	356—400
Invalidenstraße in der Nähe des Stettiner Bahnhofes	60	140	450—620
Gegend des Humboldthains	12—30	55—58	108—154
Gegend des Görlitzer Bahnhofes . . .	30—60	100—242	315
Viktoriastraße	160—240	380	620
Tiergartenstraße, Rauchstr., in der Nähe der Friedrich-Wilhelm-Straße . . .	60	200—260	356—400
Tiergartenstraße, Nähe Bellevuestraße .	250	380	810

Das auffallende Steigen der Boden-, Häuser- und Mietpreise ist auf folgende Ursache zurückzuführen: Der Preis des städtischen Bodens hängt vom Ertrage des Bodens ab. Da dieser Ertrag durch die Ausnützung des Bodens zu Wohnzwecken erzielt wird, kommt es auf die Frage an: wodurch ist die Steigerung dieses Ertrags verursacht, oder warum steigt der Wert der Häuser oder Bauplätze in so rapidem Maße, wenn man längere Zeiträume ins Auge faßt? Die Steigerung der Häuserpreise kann entweder durch die Steigerung des Hauswertes oder des Bodenwertes verursacht sein. Diejenigen, welche die Steigerung der Häuserpreise und Mietpreise hauptsächlich auf die Steigerung der B a u k o s t e n (Materialpreise und Löhne) zurückführen, haben insofern recht, als ein Teil der Preiserhöhung zweifellos mit dieser Tatsache zusammenhängt, aber doch nur zum Teil; die Hauptursache der Steigerung liegt in der Steigerung des Bodenwertes. Der großen Nachfrage nach Wohnungen und Häusern, besonders auch im Hinblick auf die Benutzung zu geschäftlichen und gewerblichen Zwecken in beliebteren Stadtteilen, steht nur ein räumlich eng begrenztes Angebot gegenüber. Bei der großen Dringlichkeit und Wichtigkeit des Bedarfs an Wohnungen, Läden, Geschäftslokalen usw. muß also eine sehr hohe subjektive Wertschätzung des Wohnbodens eintreten. — Entsprechend dieser starken Intensität des Begehrens haben die Preise der Wohnungen und Häuser eine steigende Tendenz, und daraus ergibt sich wiederum eine steigende Rente des städtischen Bodens. — In diesem Zusammenhange müssen aber noch drei Fragen erörtert werden:

1. Ist diese Tendenz der Preissteigerung und damit der Rentensteigerung eine dauernde und allgemeine?

2. Kann man von einer Monopolrente des städtischen Bodenbesitzes sprechen?

3. Läßt sich die große Steigerung der Häuser- und Wohnpreise durch Machenschaften der Boden- und Terrainspekulation erklären?

ad 1. Häufig findet man in den Motiven zu Gesetzentwürfen über die städtische Wertzuwachssteuer die Begründung, daß diese Steuer wegen der s t e t i g e n u n d d a u e r n d e n Tendenz zur Steigerung der städtischen Haus- und Mietpreise gerechtfertigt sei. Diese Begründung läßt sich nicht aufrechterhalten. Wenn wir selbst auch auf die Tendenz zur Preissteigerung des städtischen Bodens hingewiesen haben, so ist diese doch keine stetige, allgemeine und dauernde. Es treten Gegentendenzen auf; Risikozuschläge und Auf- und Abwärtsbewegungen bei den Preisen sind auch hier zu konstatieren. Diese Auf- und Abwärtsbewegung der Haus- und Mietpreise hängt einerseits mit dem Gang der wirtschaftlichen Konjunktur zusammen und andererseits mit der wechselnden Vorliebe für Wohnungen in bestimmten Stadtgegenden. In einzelnen Städten haben sich allerdings große Bodensteigerungen vollzogen. Aber auch diese Bodenwertsteigerungen haben nur l o k a l e n Charakter und sind durchaus nicht a l l g e m e i n wahrzunehmen. Man darf nicht, wie dies so vielfach in der bodenreformerischen Literatur geschieht, die Verhältnisse einiger großer Städte, wie Berlin, Hamburg, Köln, auf die Verhältnisse aller übrigen städtischen Gemeinden übertragen. Solchen aufblühenden Gemeinwesen stehen viele andere gegenüber, die im Gegenteil einen Rückgang oder eine Stagnation zu verzeichnen haben; ja, man kann sogar sagen, daß gerade die politische Entwicklung des Deutschen Reiches dahin geführt hat, die Wertsteigerung einzelnen Kommunen besonders zugute kommen zu lassen, während andere in ihren lokalen Verhältnissen darunter gelitten haben. Die enorme Entwicklung von Berlin als der Hauptstadt des Deutschen Reiches hat z. B. dahin geführt, daß dort sich fast das ganze Bankgewerbe konzentriert hat, während früher Frankfurt a. M. der Hauptbankplatz war. Diese Entwicklung hat Frankfurt a. M. viele der kräftigsten Steuerzahler entzogen. Ebenso sind manche andere Gewerbezweige in steigendem Maße in Berlin konzentriert. Die außerordentliche Entwicklung der rheinisch-westfälischen Großindustrie hat dahin geführt, daß gewisse Städte, wie Düsseldorf, Essen, Dortmund, Bochum, besonders begünstigt worden sind, während zahlreiche kleinere westfälische und rheinische Industriestädte durch die mit dieser Entwicklung verknüpfte Konzentration gelitten haben, weil infolge des Eingehens vieler kleiner und schwacher Betriebe diese Gemeinden zurückgegangen sind. Oder man denke an manche Bezirke in den Ostprovinzen des Deutschen Reiches, wo infolge der starken Industrialisierung des Deutschen Reiches sich eine große Abwanderung in die Industriegebiete vollzogen hat.

Die Untersuchung von P e t e r [1]) über die Entwicklung der Grundstückspreise in Mannheim zeigt, wie sehr auch diese Spekulation von schwankender Konjunktur beeinflußt wird. P e t e r weist nach, wie je nach den wechselnden wirtschaftlichen Konjunkturen die Preisentwicklung eine sehr verschiedene war und daß auch in den verschiedenen Teilen der Stadt unter dem Einfluß der wechselnden Vorliebe der Bevölkerung für gewisse Stadtteile sehr verschiedene Preistendenzen zu beobachten sind. Auf Grund seiner eingehenden statistischen Untersuchungen kommt P e t e r zu einigen wertvollen Ergebnissen, die, wenn sie auch nur aus dem Mannheimer Material entnommen sind, doch auf viele Kommunen Anwendung finden können.

Über den Einfluß der Wohnmode auf die Preisbildung sagt

---

[1]) Wert und Preis unbebauter Liegenschaften in der modernen Großstadt. Dargestellt auf Grund der Verkäufe unbebauter Liegenschaften in Mannheim 1895 bis 1906. Karlsruhe 1910.

P e t e r [1]): „Da sich jedoch die Wohnmode mit verschwindenden
Ausnahmen nur nach neuen Vierteln wendet, so wird der Fall, daß
nach der Vollendung der Stadtviertel noch ein weiteres Steigen
stattfindet und daß in einem alten Viertel die Bodenpreise in die
Höhe gehen, selten sein, so daß wir als Regel für Wohnboden annehmen können: S t e i g e n d e r P r e i s e b i s z u r V o l l -
e n d u n g d e s V i e r t e l s , d a n n K o n s t a n z d e r P r e i s e
u n d s c h l i e ß l i c h S i n k e n d e r P r e i s e , w e l c h e s i n -
f o l g e d e r V e r ä n d e r u n g d e r W o h n m o d e u n d d e r
d a m i t v e r b u n d e n e n A b w a n d e r u n g d e r v o r n e h -
m e n E l e m e n t e e i n t r i t t . Ein sehr gutes Beispiel dafür
haben wir in unserer Oberstadt. Die Bodenpreise gingen nach der
Erschließung der Baumschulgärten in der Oberstadt allgemein in
die Höhe. Galt doch damals das ‚Millionenviertel‘ als das vornehmste
Wohnquartier Mannheims. Wer es also nur irgendwie ermöglichen
konnte, zog nach der Oberstadt, um dadurch zu dokumentieren,
daß er zur besseren Gesellschaft gehöre. So lange stiegen die Mieten
und Bodenpreise in den Baumschulgärten. Als jedoch in den 90 er
Jahren die Erbauung der Oststadt begann, wandte sich erst zaghaft,
dann aber mit einem Schlage die Mode nach der Oststadt. Das
‚Millionenviertel‘ hatte seinen Ruf verloren. Seine Wohnungen sind
nicht mehr so stark gesucht und sinken im Preis. Dazu kommt
noch, daß die Wohnungen der Oberstadt nicht mehr neu und auch
vielfach nicht mit dem Luxus gebaut sind, wie in der Oststadt. Die
Bodenpreise waren anfangs stillstehend und gehen nunmehr langsam
aber sicher zurück. Die Abwärtsbewegung der Bodenpreise wird dadurch fixiert, daß der s c h l e c h t e r e M i e t e r d e n b e s s e -
r e n v e r d r ä n g t , eine Erscheinung, die in jedem Stadtteil zu
beobachten ist.“ — Die zahlreichen Tabellen, die der Verfasser
über die Verkaufspreise der unbebauten Liegenschaften aufstellt,
zeigen deutlich, wie sprunghaft die Preisentwicklung ist. — Aus
semen zusammenfassenden Ergebnissen über die Entwicklung der
Bodenpreise ist folgendes von Interesse: Solange in Mannheim
kleinstädtische Verhältnisse vorherrschten, solange die Bevölkerung
konstant blieb oder nur sehr mäßig zunahm, blieben die Bodenpreise niedrig. Erst in dem Augenblick, als die Stadt die Periode
der Kleinstadt hinter sich ließ, als die außergewöhnlich rasche
Entwicklung Mannheims einsetzte, gingen die Preise in die Höhe.
Die erste große Hausse kam aber rasch zu Ende. Infolge des
großen Gründerkrachs blieben die Straßenpläne Projekte und an
Stelle der wagemutigen Unternehmungslust trat lähmende Mutlosig-
keit. Die Preise sanken auf den Stand vor 1870 zurück. Dieser
Zustand hielt fast bis in die 90 er Jahre an. Jetzt folgte wieder eine
Periode steigender Preise. Man bekommt bis zu 60 Mk. pro Quadrat-
meter, wo vor 10 Jahren kaum der zehnte Teil bezahlt wurde. Kein
Fleckchen Erde bleibt von dieser Preissteigerung verschont. Wie nun
aber alles sein Ende hat, so kommt auch dieses rasche Emporschnellen
zum Schluß. Um die Jahrhundertwende tritt der Krach ein. Die
Zuwanderung wuchs nicht in dem Maße, wie man erwartete, ja sie
verwandelte sich sogar in eine Abwanderung. Die Berechnungen, auf
Grund deren die hohen Preise bezahlt wurden, traten nicht ein; die
Preise sinken wieder um so stärker, je rascher vorher das Steigen

[1]) a. a. O., S. 32.

erfolgte. Erst ganz allmählich mit der sich wieder hebenden Konjunktur faßt man erneutes Zutrauen. Der Bodenpreis steigt wieder langsam, hat aber bei weitem noch nicht die alte Höhe erreicht. Über eine ähnliche Entwicklung der Bodenpreise in Magdeburg berichtet S i l b e r g l e i t in seinem Aufsatz: Zur Bodenentwicklung Magdeburgs[1]). In der Zeit von 1871 bis 1888 ist bei dem Verkauf von Bauplätzen der südwestlichen Stadterweiterung folgende Preisentwicklung festzustellen: In den ersten 10 Jahren der Erschließung des Südwestens vollzieht sich die Entwicklung in durchaus ruhigen Bahnen. Der Durchschnittspreis geht nicht unter 41 Mk. pro Quadratmeter herab, steigt aber anderseits auch nicht über 62 M.; erst mit dem Jahre 1881 beginnt eine Haussetendenz sich geltend zu machen, 1882 stellt sich der Duschschnittspreis schon auf rund 75 M., um im folgenden Jahre auf 117, später 153 und 184 Mk. im Jahre 1886 anzusteigen. Hierauf beginnt wieder ein Rückschlag. Im folgenden Jahre beträgt der Durchschnittspreis 168 Mk. und 1888 174 Mk.

Auch die schweren Grundstückskrisen, die zeitweise in Deutschland eintraten, beweisen, wie falsch die Meinung derer war, die mit dauernden und stetigen Preissteigerungen des städtischen Bodens gerechnet hatten. So war z. B. Dresden im Jahre 1900/01 von einer schweren Grundstückskrisis betroffen. Die Zahl der Zwangsversteigerungen bebauter Grundstücke war von 41 (im Jahre 1895) auf 285 (im Jahre 1891) gestiegen[2]).

ad 2. Wenn also von einer stetigen und andauernden Steigerung der städtischen Bodenpreise nicht die Rede sein kann, so könnte man doch die hohen Boden- und Mietpreise im allgemeinen auf den Monopolcharakter des städtischen Bodens zurückführen. So entsteht die Frage: Ist die Rente des städtischen Bodens eine Differentialrente wie die des landwirtschaftlichen Bodens, oder liegt hier eine absolute Monopolrente vor? Mit anderen Worten, sind die städitschen Grundstückspreise Monopolpreise? Um einen Monopolpreis oder eine Monopolrente handelt es sich beim städtischen Boden nicht. Auch für die Bildung der städtischen Boden-, Haus- und Mietpreise sind dieselben grundsätzlichen Faktoren maßgebend wie bei der ländlichen Grundrente. Es handelt sich um eine Differentialrente, nicht um eine Monopolrente.

Zwar bestehen gewise quantitative Unterschiede zwischen städtischer und ländlicher Rente, und beide Rentenarten weisen gewisse Eigentümlichkeiten auf. Aber diese Eigentümlichkeiten sind nicht derart, daß sie einen qualitativen Unterschied zwischen den beiden Arten von Rente bedingen.

Zwar ist die internationale Preisausgleichung im Getreidehandel ein Faktor, welcher der Rentenbildung eine gewisse Schranke entgegenstellt. Getreide kann in alle Weltteile versandt werden, Häuser nicht; aber dies bedeutet nur, daß die Rentenbildung sich schärfer a u s p r ä g t bei der städtischen als bei der ländlichen Rente. Die „Priorität" der besser gelegenen Grundstücke macht

---

[1]) In den Schriften des Vereins für Sozialpolitik. Siebenter Band: Die Störungen im deutschen Wirtschaftsleben während der Jahre 1900 ff. Leipzig 1903. S. 171 ff.

[2]) Vgl. H e c h t , F e l i x , Dresden und die Grundstückskrisis. In den Schriften d. V. f. S. P., 7. Bd.: Die Störungen usw., S. 229 ff.

sich stärker in der Stadt als bei dem landwirtschaftlichen Boden geltend, aber deshalb hat der städtische Boden kein „Monopol". Wenn die Bodenpreise in der City so sehr steigen, so ist dies nicht einer monopolistischen Preisbildung im Detailhandel zuzuschreiben. Sondern die Tatsache, daß dort viele Menschen sich zusammendrängen, macht die Geschäfte lukrativ; infolgedessen steigt der Wert der Grundstücke, aber dieser Vorzug ist derselbe wie bei den ländlichen Grundstücken. Auch die Grundstücke, welche in der Nähe einer Eisenbahn, eines Kanals usw. liegen, sind wertvoller, geben eine hohe Rente, obwohl es sich nur um eine Differentialrente handelt. Von einer Monopolrente könnte man bei der städtischen Rente nur sprechen, wenn ein a b s o l u t e r Z w a n g vorläge, in bestimmten Gegenden zu wohnen. Dies ist aber keineswegs der Fall, sondern es ist immer noch Wohn- und Geschäftsboden vorhanden; wenn die betreffenden Geschäftsleute eine bestimmte Gegend bevorzugen, so doch nur, weil sie ihnen geschäftlich erwünscht ist, also handelt es sich um „Priorität", nicht um „Monopol".

Nicht „Ausschluß der Konkurrenz" liegt vor, nicht ein echtes „Monopol", sondern nur der Fall, daß andere Konkurrenten unter weniger günstigen Bedingungen arbeiten als die Cityleute; es sind dieselben Unterschiede wie im landwirtschaftlichen Gewerbe. Deshalb weist auch die Rente des hochbezahlten Bodens im Zentrum einer Großstadt alle Züge einer Differentialrente auf.

Mit anderen Worten: Der schlechtest gelegene Boden gibt keine Rente, sondern die besser gelegenen Böden weisen eine Differentialrente auf. Von einem städtischen Bodenmonopol kann schon deshalb nicht gesprochen werden, weil immer die Möglichkeit besteht, das landwirtschaftliche Gelände im Umkreis der Stadt bei wachsendem Bedarf zu Bebauungszwecken heranzuziehen.

Wie die T h ü n e n schen Ringe in immer weiterer Entfernung um den Mittelpunkt des Verkehrs sich legen, so legen sich um den Mittelpunkt der Stadt immer mehr und weitere Bebauungsringe[1]. Das Wachstum der Bevölkerung zwingt zu größerer Ausdehnung, aber schon lange, bevor die äußersten Ringe in den weiteren Entfernungen der Stadt, die erst für eine spätere Zukunft in Frage kommen, bebaut sind, erlangen die näher um die Stadt liegenden einen höheren Wert, da mit der künftigen Wertsteigerung gerechnet wird. Indessen liegt hier keine Monopolrente, sondern eine Differentialrente vor; die Grundstücke im Umkreise der Stadt tragen

---

[1]) Natürlich soll hier nur der typische Entwicklungsgang geschildert sein. — Tatsächlich bilden sich diese Ringe nicht konzentrisch, sondern je nach der Eigenart der Stadt liegen die Verhältnisse höchst verschieden. In vielen Städten besitzen gerade Außengelände infolge ihrer günstigen und gesunden Lage einen besonders hohen Wert. Aus den von F r e u d e n b e r g (Grundrente, Grundkredit und die Entwicklung der Grundstückspreise in Karlsruhe im Vergleich mit den entsprechenden Verhältnissen in Mannheim. Karlsruhe 1907) mitgeteilten Tabellen über die Karlsruher Preise ist das Sinken der Bodenpreise mit wachsender Entfernung gut zu ersehen. Während in unmittelbarer Nähe von Mühlburg zuletzt 5—6 Mk. pro Quadratmeter bezahlt wurden, besteht in der abgelegenen Gemarkung noch der landwirtschaftliche Bodenpreis von 30 und 40 Pfg. F r e u d e n b e r g kommt zum Schlusse: „Die Bodenwerte der Stadt Karlsruhe folgen unbedingt dem Gesetz: Je weiter die Lage vom Verkehrsmittelpunkt sich entfernt, desto niederer rechnen sich die Bodenpreise der Hausgrundstücke." Die Schrift ist auch lehrreich insofern, als sie durch den Vergleich der Karlsruher und Mannheimer Verhältnisse zeigt, wie verschieden die Bodenspekulation und die ganze Preisbildung sich gestalten, je nach den Terrainverhältnissen.

zwar eine höhere Rente als ihrem landwirtschaftlichen Nutzungs-
werte entspricht, dies ist aber keine besondere „Hausplatzrente",
sondern eine Differentialrente, nämlich verglichen mit den nur landwirtschaftliche Rente tragenden Grundstücken in noch erheblicherer
Entfernung von der Stadt.

Daß in einzelnen Fällen, z. B. in Festungstädten, und unter
besonderen orographischen Verhältnissen eine „Monopolrente" sich
herausbilden kann, soll nicht geleugnet werden; dann liegen aber
Ausnahmefälle vor.

Zuzugeben ist, daß die Konkurrenzmöglichkeit bei den Haus-
unternehmungen nicht so groß ist als bei anderen wirtschaftlichen
Unternehmungen. Dies ist aber überall der Fall, wo das fixe Kapital
im Verhältnis zum umlaufenden eine große Rolle spielt. Daraus folgt
nicht das Bestehen eines „Monopols" solcher Unternehmungen, sondern
nur, daß der Unternehmergewinn unter Umständen ein besonders hoher sein kann, weil bei größerer Nachfrage die Konkurrenz nicht
so schnell den Vorrat ergänzen kann. Aber andererseits können auch
die Unternehmerverluste sehr bedeutend sein, weil bei ungenügender Nachfrage großes investiertes Kapital nicht so leicht aus einer
Unternehmung herausgezogen werden kann, wie dies bei umlaufendem
Kapital der Fall ist. Es ist dies ein besonderer Fall von Unternehmergewinn, der aber keineswegs als „Rente" bezeichnet werden kann, denn
eine derartige Vorzugsstellung, daß von einem monopolartigen Privileg der Hausbesitzer geredet werden könnte, liegt keineswegs vor.

ad 3. Sehr häufig wird auch die Boden- und Häuserspekulation
als Ursache der hohen Haus- und Mietpreise bezeichnet. Liest man
doch auch in offiziellen Denkschriften Urteile über die Spekulation,
die volkswirtschaftlich unhaltbar sind, z. B. heißt es in der sächsischen Denkschrift zum Gemeindesteuergesetz[1]): „Es ist klar, daß,
wie überhaupt Spekulation die Preise erhöht,
sie insbesondere durch unsolide Spekulation leicht in eine schwindel-
hafte Höhe getrieben werden." Hier wird also einfach als Axiom der
Satz behandelt, daß durch Spekulation die Preise erhöht würden!
So lautet es auch in einem Erlaß der preußischen Minister des Innern,
des Handels und des Kultus vom 15. März 1903[2]): „Die heute herrschenden Mißstände haben ihre Hauptquelle in der ungesunden
Bodenspekulation." In der Begründung der Kölner Wertzuwachs-
steuerverordnung wird gesagt[3]): „Die Wertzuwachssteuer ist unter
sozialen Gesichtspunkten zu betrachten und soll mit dazu dienen, die
Grundstückspekulation einzuschränken, die für die Gesamtheit von so schädigender Wirkung ist." Brunhuber erklärt[4]):
„Jede Erschwerung der Grundstückspekulation wirkt aber preis-
mindernd. Diese Wirkung tritt um so kräftiger ein, je höher
der Prozentsatz und damit die betreffende Abgabe normiert ist.
Die Wertzuwachssteuer ist das spezifische Spekulationserschwerungs-
mittel." Es wird dabei argumentiert, als ob eine sichere Tendenz
zu stetiger Preissteigerung des Bodens vorhanden sei. Beim Wachsen
der städtischen Bevölkerung sei eine künftige Steigerung der Mieten

---

[1]) Zit. bei Brunhuber, Die Wertzuwachssteuer. Jena 1906. S. 62.
[2]) Zit. bei Ad. Weber, Bodenrente und Bodenspekulation in der modernen
Stadt. Leipzig 1904. S. 75.
[3]) Zit. bei Brunhuber, a. a. O., S. 47.
[4]) a. a. O., S. 62.

mit Sicherheit zu erwarten. Dieser Prozeß vollziehe sich zwar auch ohne Einwirkung der Bodenspekulation, aber die Boden- und Häuserspekulation nehme diese künftige Bewegung hier vorweg. Darin liege — und noch mehr beim Wohn- als beim Geschäftsboden — ein Anreiz für diese Spekulation, in der Bemessung der Mieten bei ihrer Vorausberechnung bei noch zu bebauendem Boden über die Höhe hinauszugehen, die durch das tatsächliche Verhältnis von Angebot und Nachfrage gegeben sei.

Ferner erwähnt F u c h s das Zurückhalten von Bauland, dem er eine große Rolle zuschreibt; er erklärt[1]): „Die B o d e n - s p e k u l a t i o n hat also in der Tat unter bestimmten Umständen die Macht, die Bodenpreise und die Mieten, mindestens verfrüht, zu steigern." Also, die Bodenspekulation steigere künstlich den Bodenpreis, und so sei durch spekulative Vorgänge die natürliche Preisbildung gänzlich verändert.

Mir scheint umgekehrt hier eine sehr natürliche Preisbildung vorzuliegen, die durch die Knappheit des Bodens und die Differentialrente zu erklären ist. Was die Spekulation anlangt, so wird ihr Einfluß auf die Preisbildung, wie so häufig, auch hier weit überschätzt. Gerade die Boden- und Terrainspekulation bewirkt in der Regel nicht eine Erhöhung, sondern eine Erniedrigung der Haus- und Mietpreise. Es handelt sich um einen Spezialfall der preismindernden Einwirkung der Spekulation, auf den ich oben bereits hingewiesen hatte. Als Beispiel sei folgendes angeführt: Im Anfang dieses Jahrhunderts wurde in einer preußischen Provinz ein neuer Regierungsbezirk geschaffen. Als infolgedessen plötzlich mehrere Hundert Beamtenwohnungen in der Stadt, die Sitz des neuen Regierungsbezirks wurde, notwendig wurden, zogen die Mietpreise stark an, und Wohnungen waren nur zu sehr gesteigerten Preisen zu erlangen. Hätte zehn bis zwanzig Jahre vor Begründung des neuen Regierungsbezirkes eine weitausschauende Terraingesellschaft Baugelände aufgekauft und dadurch für etwa künftig eintretenden Wohnungsbedarf Vorsorge getroffen, so wäre das Angebot an Wohnungen größer gewesen, und die Preise hätten weniger angezogen als ohne diese spekulative Tätigkeit. Die hauptsächliche Funktion der Spekulation, im Hinblick auf künftigen Bedarf Vorsorge zu treffen, trifft also auch für die Terrainspekulation zu. Liest man die betreffenden Teile des E b e r s t a d t schen Werkes[2]), worin er das Wesen der Bodenspekulation schildert, so gewinnt man den Eindruck, als ob dieser Spekulation eine geheime Macht innewohne, die Preise selbstherrlich zu beeinflussen. E b e r s t a d t schreibt diese Macht dem Umstande zu, daß im Gegensatz zu anderen Spekulationen hier eine Gegenkraft fehle, welche der Preissteigerungstendenz entgegenwirke. Richtig ist in diesen Ausführungen nur, daß allerdings im Gegensatz zu gewissen Börsentermingeschäften in der Bauspekulation eine Hausse- und Baissepartei nicht existiert. Bedeutet dies aber auch, daß alle an einem niedrigen Bodenpreise Interessierten ganz machtlos dem Bodenspekulantentum preisgegeben sind? Die Bauunternehmer hätten, meint E b e r - s t a d t , kein Interesse am billigen Bodenpreise, weil sie diesen

---

[1]) F u c h s , Über städtische Bodenrente und Bodenspekulation.   Archiv für Sozialwissenschaft und Sozialpolitik, Bd. 22, S. 744.
[2]) Die Spekulation im neuzeitlichen Städtebau (Jena 1907).

durch höhere Mieten wieder einbringen könnten. Aber die Höhe der Mietpreise hat auch wieder ihre Schranken in der Zahlungskraft der Bevölkerung, und es fällt keinem einzigen Bauunternehmer ein, mehr für das Grundstück zu bezahlen, als seinem wirklichen w i r t - s c h a f t l i c h e n Werte entspricht. Im einzelnen Falle mögen Terrainspekulanten b a u r e i f e s Land absichtlich vom Verkauf zurückhalten, um an dem künftigen Mehrwert des Bodens zu profitieren. Hier würde also die natürliche Knappheit des Bodens durch die Spekulation noch gesteigert. Die Regel bildet es nicht. In der Mehrzahl der Fälle suchen die Spekulanten sobald wie möglich ihre Parzellen zu verkaufen, und zweifellos würden die Haus- und Mietpreise ohne die Terrainspekulation eine noch viel erheblichere Steigerung aufweisen, wenn nämlich der stärker werdenden Nachfrage nach Häusern und Wohnungen, eben infolge des Fehlens dieser Spekulation, nur ein geringes Angebot gegenüberstände. Es darf bei der ganzen Beurteilung der Bauspekulation nicht vergessen werden, daß der sog. unverdiente „Wertzuwachs", auf den die Bodenreformer immer hinweisen, in vielfach stärkerem Maße den U r b e s i t z e r n zufließt, die ohne jedes Zutun ihrerseits, nur durch Wachstum der Bevölkerung, eine Werterhöhung ihres Besitztums erfahren, als den eigentlichen B a u s p e k u l a n t e n, die mit großem Einsatz von Kapital ein sehr risikoreiches Unternehmen betreiben.

Der Satz von E b e r s t a d t: „Die sichere Stellung der Bodenspekulanten beruht auf der Höhe des Spekulationsgewinns, wie ihn die gedrängte Bauweise und insbesondere die Mietskaserne v e r - b ü r g t", ist unhaltbar. Von sicheren und verbürgten Gewinnen ist hier ebensowenig wie bei irgendeiner anderen Geschäftsart die Rede.

Auf Grund sorgfältiger Untersuchungen über die Entwicklung der Bodenwerte in Freiburg kommt auch M e v e s[1]) zu einer Zurückweisung der E b e r s t a d t schen Auffassung. Er sagt dort[2]): „Soweit sich eine Bodenspekulation auf die Ausnützung des normalen Wertzuwachses beschränkt, die — wie gezeigt — mit den natürlichen Wirtschaftsgesetzen durchaus im Einklang steht, muß sie als wirtschaftlich berechtigt gelten.

Aus dem Bericht des Vorstandes der H e i l m a n n schen Immobiliengesellschaft, die seit 1897 in München besteht, für das Jahr 1902 sei folgendes angeführt: „Je mehr Terrain in die Hand meist kapitalkräftiger Gesellschaften aus Privathänden übergegangen ist, um so leichter kann eine Krisis überwunden werden, welche bei ausschließlicher Beteiligung privater Kreise viel größere Dimensionen und einen verschärften Charakter annehmen kann. Erst eine spätere Zeit wird wohl dem Verdienst gerecht werden, welches die Münchener Immobiliengesellschaften durch Sicherung großer geschlossener Terrains vor unzweckmäßiger Zersplitterung, durch Arrondierung zersplitterter und durch Aufschließung bisher anscheinden nicht bauwürdiger Terrains um die großzügige und ungehinderte Entwicklung der Stadt sich erworben haben ... Alsdann wird man wohl erkennen, wie groß der Anteil ist, den der geschlossene Besitz der Terrain-

---

[1]) Bodenwerte, Bau- und Bodenpolitik in Freiburg i. B. während der letzten 40 Jahre (1863—1902). Karlsruhe 1904.
[2]) S. 67/68.

gesellschaften durch unentgeltliche Abtretung des Raumes für öffentliche Plätze und Anlagen zur Verschönerung und Assanierung der
Stadt und ihrer Umgebung beigetragen hat, Leistungen, welche
aus zersplittertem Privatbesitz entweder überhaupt nicht oder nur
unter Aufwendung gewaltiger öffentlicher Mittel zu beschaffen sein
würden.

Aber heute schon sollte die Einsicht in die wirtschaftliche
Stellung der Immobiliengesellschaften wenigstens in maßgebenden
Kreisen soweit vorgeschritten sein, daß man endlich aufhört, von
der verderblichen Einwirkung der Immobiliengesellschaften auf die
Boden- und Wohnungsfrage zu sprechen. Gerade sie haben durch
ihren Wettbewerb Angebot und Nachfrage in wirtschaftlicher gesunder Weise geregelt und insbesondere die Phantasie- und unkon-
trollierbaren Tauschpreise, welche ein Kennzeichen des früher aus-
schließend in Privathänden sich abspielenden Geschäftes waren, sind
allenthalben klaren und normalen, durch die gegenseitige Konkurrenz geregelten Preisen gewichen[1].‘‘

Daß daneben auch Immobiliengesellschaften und Terrainspeku-
lationen vorkommen, die eine verderbliche Einwirkung auf die Preisbildung ausüben, soll in keiner Weise verkannt werden. A d. W e b e r
hat das Verdienst, auf Grund theoretischer Erwägungen und reichen
empirischen Materials die irrige Auffassung über den Einfluß der
Spekulation auf die Mietpreise zurückgewiesen zu haben[2]. W e b e r
ist keineswegs blind für gewisse Auswüchse der Terrainspekulation,
urteilt aber dennoch zusammenfassend über diese Frage folgendermaßen: ,,Richtig ist allerdings, daß der Bauboden zum Spielball
der Spekulation werden kann. Durch falsche Schätzungen und
durch vielleicht künstlich begünstigte irrige Hoffnungen ist es möglich, daß eine Gruppe von Spekulanten reich wird auf Kosten einer
anderen Gruppe. Aber dadurch, daß sich so die Spekulanten gegenseitig Gewinne aus der Tasche nehmen, wird ein d i r e k t e r Einfluß auf den Wohnungspreis jedenfalls nicht auf die Dauer ausgeübt.
Die Möglichkeit einer i n d i r e k t e n Wirkung läßt sich allerdings
nicht leugnen. Der aleatorische Charakter, der durch die Spekulation dem Wohnungsunternehmen aufgedrückt wird, übt unzweifelhaft einen Anreiz aus auf diejenigen Unternehmer, die wagen wollen,
während diejenigen, die sicherzugehen wünschen, lieber anderen
Erwerbsarten ihren Unternehmungsgeist zuwenden, so daß eine
ü b e r t r i e b e n e Spekulationssucht schließlich das Risiko der
Bodenunternehmung nicht herabdrückt, sondern sogar zu steigern
geeignet ist. Da aber in den privatwirtschaftlichen Schäden der
Übertreibung bereits das Heilmittel gegen das Übel enthalten ist,
werden derartige Ausartungen der Spekulation immer nur für verhältnismäßig kurze Zeit ernsten volkswirtschaftlichen Schaden an-
richten können[3].‘‘

Wenn wir sonach die Ursache der hohen Haus- und Mietpreise
in der Knappheit des Bodens erkannt haben, so folgt auch daraus

[1]) cf. F e l i x H e c h t , Die Immobiliengesellschaften in München. In Schr.
d. V. f. S. P., 7. Bd. (Leipzig 1903), S. 276.
[2]) cf. seine Schrift: Boden und Wohnung, 1908.
[3]) A d o l f W e b e r , Die Wohnungsproduktion. Grundriß der Sozialökonomik. VI. Abteilung (Tübingen 1914), S. 359/60.

der Schluß für die Frage, wie dieser Übelstand der hohen Miet-
und Hauspreise überwunden werden kann. Weder durch noch so
fein ausgeklügelte Wertzuwachssteuern, noch durch Bekämpfung der
Terrainspekulation läßt sich das Ziel erreichen, sondern nur dadurch, daß mehr Boden für Wohnzwecke verfügbar wird. Das beste
Mittel wird immer die V e r k e h r s p o l i t i k sein, welche es ermöglicht, durch billige und bequeme Verkehrsmöglichkeiten auch in den
im weiteren Umfang außerhalb der Stadt gelegenen Bezirken Woh-
nungsgelegenheiten zu schaffen. Selbst der weitestgehende Reform-
vorschlag von A d o l p h W a g n e r und B ü c h e r , den städtischen Wohnungsboden und Hausbesitz zu kommunalisieren, würde die
Miet- und Hauspreise nicht herabzudrücken vermögen. Auch wenn
die Gemeinde im Besitz aller Häuser und aller Wohnungen sich befindet, wird dennoch der, der in einer besonders bevorzugten Gegend
wohnt, einen höheren Preis zahlen müssen als der, der in einer schlech-
teren Gegend wohnt. Der Unterschied wäre nur der, daß die
steigende Grundrente in die städtische Kasse und nicht in die Taschen
einzelner Privatpersonen fließt. Aber wie teuer würde dies erkauft
sein! Wenn die Gemeinde bzw. der Staat den gesamten Wohnboden
erwirbt, die Häuser errichtet und verwertet, so kommt ihr der ganze
Gewinn, aber auch die ganze Verantwortung und das Risiko zu.
Eine derartige einseitige Sozialisierung des Hauseigentums ist undurchführbar in einer individualistischen Wirtschaftsordnung und
könnte nur der Schritt zu einer vollkommen sozialistischen Gesellschaft sein. Denn wenn man die gewerblichen und Handelsunter-
nehmungen auf privatwirtschaftlicher Basis weiter bestehen läßt,
muß man auch die Initiative zur Erbauung von Wohnungen und
Gebäuden usw. dem Unternehmertum überlassen. Man kann den
Gemeinden nicht zumuten, sozialistische Wohnungspolitik zu treiben,
und ihnen damit das ganze Risiko der Belastung mit dem gesamten
Haus- und Grundbesitz zumuten, und dabei gleichzeitig Handel und
Gewerbe usw. in kapitalistischer Betriebsform bestehen lassen.

§ 51. Die Preisbildung landwirtschaftlicher Grundstücke.

1. D i e   a l l g e m e i n e   T e n d e n z   d e r   P r e i s b i l d u n g
l a n d w i r t s c h a f t l i c h e r   G r u n d s t ü c k e .

Die Preise der landwirtschaftlichen Grundstücke werden in
erster Linie durch die E r t r ä g e dieser Grundstücke, d. h. die Agrarprodukte, bestimmt. Da die Erträge wesentlich von den P r e i s e n
der Agrarprodukte abhängen, kann man allgemein den Satz aufstellen: die Preise der landwirtschaftlichen Grundstücke sind in erster
Linie von den Preisen der Agrarprodukte bedingt, d. h. sie steigen,
wenn die Preise der Agrarprodukte steigen und umgekehrt. Für
die in Deutschland wichtigste Kategorie des landwirtschaftlichen
Bodens, nämlich für die dem Getreidebau gewidmeten Grundstücke
hängen also die Preise dieser landwirtschaftlichen Grundstücke von
der Gestaltung der Getreidepreise ab. Die Erörterungen des folgenden
Paragraphen, der von den Getreidepreisen handelt, sind daher von
maßgebender Bedeutung auch zugleich für die Frage der Grundstückspreise. Indem ich für alle weiteren Einzelheiten auf die
Ausführungen des folgenden Paragraphen verweise, beschränke ich
mich an dieser Stelle auf einige allgemeine Bemerkungen.

Wenn ich eben die Parallelbewegung von Grundstückspreisen und Getreidepreisen erwähnt habe, so ist das nicht in dem Sinne zu verstehen, als ob sich die jährlichen oder gar monatlichen Schwankungen der Getreidepreise auch in den Grundstückspreisen bemerkbar machten; nur die in längeren Zeiträumen sich vollziehenden Preisänderungen der Getreidepreise treten in den Grundstückspreisen hervor. Ferner sind nicht nur maßgebend die Getreidepreise, die gerade zur Zeit des Grundstückskaufes und vor dieser Zeit im Durchschnitt bestanden haben, sondern es kommen auch die Getreidepreise in Betracht, welche man in künftigen Zeiträumen erwartet. Diese Einschätzung künftiger Preisentwicklung ist häufig eine sehr optimistische, und führt leicht zur Überbezahlung landwirtschaftlicher Grundstücke. Immer, wenn der Landwirt Grund zur Annahme hat, daß die Konjunkturen günstiger werden, pflegt er diese günstigen Konjunkturen zu überschätzen und aus dieser Überschätzung resultieren übermäßig hohe Kaufpreise.

Die Preise der landwirtschaftlichen Grundstücke weisen nicht annähernd in demselben Maße die Tendenz zur Steigerung auf, wie wir dies bei den städtischen Grundstücken festgestellt haben. Der Grund liegt darin, daß die Knappheit des städtischen Bodens in viel größerem Maße als die des landwirtschaftlichen Bodens für die Preisbildung entscheidend ist. Der Bedarf nach Häusern und Wohnungen kann nicht durch Einfuhr aus fremden Ländern befriedigt werden, während der Bedarf beim Getreide außer aus den einheimischen Böden aus den Böden der entferntesten Länder befriedigt werden kann. Die folgende Tabelle, in welcher die Domänenpachtpreise den Getreidepreisen gegenübergestellt werden, gibt ein Bild dieser allgemeinen Tendenz der Preisbildung. Die Pachtpreise sind um deswillen besonders wichtig für die Höhe des Bodenpreises, weil der Pachtzins das Äquivalent des reinen Bodenwertes darstellt. Während der Pächter aus dem Ertrag des Bodens den Lohn für die darauf verwendete Arbeit und die Verzinsung des Betriebskapitals für sich erhält, zahlt er im Pachtzins den Preis für die Überlassung des reinen Bodens. Man hat daher den Pachtzins oft mit der Grundrente identifiziert, das ist insofern unkorrekt, weil oft auch im Pachtzins eine Verzinsung der früheren Meliorationen des Bodens usw. enthalten ist; aber jedenfalls stellt der Pachtzins in der Hauptsache das Äquivalent für die Nutzung des reinen Bodens dar.

Entwicklung der Pachtzinse[1]).

Die Pacht der altpreußischen Domänen belief sich im Durchschnitt:

Jahre	Höhe der Pacht auf Mk. per ha nutzbare Fläche	Jahre	Weizenpreise per t	Roggenpreise per t
1849	13,90 = 100	1841—50	167,8 = 100	123,0 = 100
1864	20,23 = 145	1851—60	221,4 = 126	165,4 = 134,5
1869	26,41 = 190	1861—70	204,6 = 123,93	154,6 = 126
1879	35,53 = 256	1871—80	223,2 = 133	172,8 = 140,5
1889/90	39,10 = 281	1881—90	181,4 = 108,1	151,5 = 123
1899	36,48 = 262	1891—99	166,6 = 99,28	134,8 = 109,5
1906	32,88 = 244	1900—05	162,3 = 96,71	141,0 = 114,6

[1]) C o n r a d , Grundriß zum Studium der politischen Ökonomie. Jena 1910.

Aus der Tabelle ist folgendes ersichtlich: mit dem Steigen der Weizen-
und Roggenpreise in der Zeit von 1849—1879 von 100 auf 133 bzw.
140,5 geht eine Steigerung des Pachtpreises bzw. des Bodenwertes
parallel, und zwar von 100 auf 256. Die Steigerung des Pachtzinses
hält noch in der ersten Zeit des Rückganges der Getreidepreise
an, bis in den 90er Jahren beim fortdauernden Fallen der Getreidepreise ein Rückgang des Bodenwertes bis auf 244 eintritt. Auch die
folgende Tabelle zeigt, wie mit dem Rückgang der Getreidepreise
ein Sinken des Bodenwertes parallel geht.

Nach der Zeitschrift des Sächsischen Statistischen Bureaus
1893 betrugen die Verkaufspreise behausten Landes der in den
Jahren 1885—1892 an Fremde veräußerten Rittergüter im Königreich Sachsen:

	Freiberg 1 ha Mk.	Plauen 1 ha Mk.
1885	2766	1082
1892	1653	1021

2. Die Bedeutung des Affektionswertes für die Gestaltung der landwirtschaftlichen Grundstückspreise.

Neben den Erträgen, die aus dem landwirtschaftlichen Boden
zu erzielen sind, spielt der Affektionswert des Grundbesitzes für
die Bildung der Grundstückspreise eine besondere Rolle. Der Bodenpreis, der sich ergibt, wenn man die Geldrente, die er abwirft, nach
dem herrschenden Zinsfuß kapitalisiert, ist häufig nur ein Minimal-
preis, der durch den Affektionswert erhöht wird. Die besondere
Vorliebe für den Besitz einer eigenen Scholle bewirkt, daß die Preise
landwirtschaftlicher Grundstücke oft unwirtschaftlich hoch sind. Diese
Überschätzung und Überbezahlung findet sich in viel größerem Maße
bei den mittleren und kleineren Bauernstellen, als beim Großgrundbesitz. In allen landwirtschaftlichen Enqueteberichten über die Lage
der bäuerlichen Wirtschaften wird immer über die allzuhohen Preise
geklagt, die für die kleinsten bäuerlichen Güter bezahlt werden und
ebenso über die hohen Pachtpreise kleinster Pachtgüter. Die Pachtpreise werden infolge dieser Überzahlung oft so hoch getrieben,
daß der bäuerliche Pächter in seinem Ertrag kaum den notdürftigen
Arbeitslohn hat. „Die oft unglaublich hohen Bodenpreise", sagt
A u h a g e n [1]), „besonders in den reicheren Gegenden, z. B. in der
Bayerischen und Badischen Rheinpfalz finden ihre Erklärung darin,
daß der Käufer des Grundstückes von diesem weniger eine besonders
hohe Rente als Verzinsung seines Kaufpreises, sondern nur eine
sichere Arbeitsgelegenheit als eigener Herr auf eigener Scholle erwartet." Diese allgemeine Tendenz zur Überzahlung landwirtschaftlicher Grundstücke erfährt durch die Zollgesetzgebung noch eine
Verstärkung.

Auch B u c h e n b e r g e r [2]) weist auf diese Tatsache wiederholt hin, so besonders an folgender Stelle: „Nach den neuerlichen
landwirtschaftlichen Erhebungen sind die Pachtpreise für einzelne
Bodenparzellen durchweg sehr viel h ö h e r e als die für eigentliche
Pachtgüter; sie bewegten sich beispielsweise für den Morgen (36 ar)

---

[1]) „Über große und kleine Betriebe in der Landwirtschaft." (Landwirtschaftliche Jahrbücher 1896. S. 33.)
[2]) Agrarwesen und Agrarpolitik. 1. Bd. Leipzig 1892. S. 183/184.

in den badischen Erhebungsgemeinden der 1883er Enquete zwischen 20 und 110 M. bei Acker-, zwischen 30 und 130 M. bei Wiesland, und angestellte Berechnungen stellten fest, daß in zahlreichen Fällen auf diesen Pachtparzellen der Pächter noch nicht einmal die Hälfte des ortsüblichen Tagelohns erwirtschaftet. Diese in allen Gebieten der Parzellenpacht von einwandfreien Beobachtern bestätigte Erscheinung erklärt sich nur zum Teil aus einer falschen ökonomischen Kalkulation der Pächter über den Wert des Pachtobjekts, zum erheblichen Teil beruht sie auf der k ü n s t l i c h e n S t e i g e r u n g der Landnachfrage, die das Ausbieten kleinster Bodenparzellen notwendigerweise im Gefolge hat. Wenn in solchen Fällen die Grundrente mehr als den ihr zukommenden Teil des Wirtschaftsreinertrages verschlingt, indem sie auch Quoten des Unternehmergewinns selber für sich in Anspruch nimmt, so ist die absolute Höhe der Pachtpreise höchstens für den oberflächlichen Beobachter das Symptom eines blühenden Landwirtschaftsbetriebes, in Wirklichkeit aber nichts anderes als der Ausdruck des Grades der ökonomischen Machtstellung der Besitzer des Grund und Bodens gegenüber dem Nichtbesitzenden, denen der unter regelmäßigen Verhältnissen zu erwartende Preis ihrer auf die Pachtgrundstücke verwendeten landwirtschaftlichen Arbeit vorenthalten bleibt."

Die folgenden Tabellen zeigen die Differenzierungen der Preise des größeren Grundbesitzes und der Bauerngüter.

P r e i s e v o n R i t t e r g ü t e r n u n d L a n d g ü t e r n i n d e r P r o v i n z S a c h s e n.

Der Kaufpreis von 42 im Saal- und Merseburger Kreise verkauften Ritter- und Landgüter betrug[1]):

Rittergüter pro ha		Landgüter pro ha	
Jahr	Mark	Jahr	Mark
1741—1760	468,12	bis 1800	201,93
1761—1780	567,35	1801—1820	488,07
1871—1800	611,13	1821—1840	602,09
1801—1820	736,51	1841—1860	1151,44
1821—1840	839,79	1861—1880	2199,73
1841—1860	1216,55	1881—1898	3467,32
1861—1880	2134,71		
1881—1895	2944,78		

E n t w i c k l u n g d e r P r e i s e d e r A n s i e d l u n g s g ü t e r v o n 1886—1908[2]).

Jahr	Bei Ankauf von Gütern pro ha Mk.	v. Bauernwirtschaften pro ha Mk.	Jahr	Bei Ankauf von Gütern pro ha Mk.	v. Bauernwirtschaften pro ha Mk.
1886	568	802	1903	996	1150
1898	760	1365	1904	1010	1205
1899	818	1149	1905	1149	1428
1900	809	999	1906	1383	1643
1901	801,1	1377	1907	1471	1860
1902	842	1035			

[1]) Nach S t e i n b r ü c k, Die Entwicklung der Preise des städtischen und ländlichen Immobiliarbesitzes zu Halle und im Saalkreise. Halle 1896.

[2]) Nach der Denkschrift betreffend die Beförderung deutscher Ansiedlungen für das Jahr 1908.

3. **Die Preissteigerung der landwirtschaftlichen Grundstücke seit Beginn des 20. Jahrhunderts bis zum Weltkriege im Zusammenhang mit der Getreidezollpolitik.**

Die Steigerung der landwirtschaftlichen Grundstückspreise seit Beginn des 20. Jahrhunderts wird häufig auf die deutschen Getreideschutzzölle zurückgeführt. Ein Zusammenhang zwischen den Getreidezöllen und den Grundstückspreisen ist zweifellos vorhanden. Da die von den Getreidezöllen erhoffte Wirkung ist, die Getreidepreise zu steigern, muß dies auch zu einer Steigerung der Grundstückspreise führen. Es ist aber eine große Einseitigkeit und direkt irreführend, die Preissteigerung der Grundstücke, die etwa um die Wende des 19. und 20. Jahrhunderts eintrat, ausschließlich auf die Zollpolitik zurückzuführen. Vor allem ist auch die Zeit vor dem sog. Bülowtarif, der eine Erhöhung der Zölle brachte, und die Zeit vorher zu unterscheiden. Rothkegel hat in zwei Schriften[1]) viel schätzbares Material, das er namentlich den Kaufpreissammlungen der Preußischen Katasterverwaltungen entnommen hat, bearbeitet. Interessant sind namentlich seine Tabellen über die Veränderungen der Preise der ländlichen Grundstücke in Preußen seit der Zeit der Grundsteuerveranlagung 1861. Auf der einen Seite finden sich die Kaufwerte per 1 Taler Reinertrag aus der Zeit vor 1861; sie beruhen auf den Ertragsschätzungen, wie sie bei der Grundsteuerveranlagung angenommen wurden. Auf der anderen Seite die durchschnittlichen Kaufwerte für die Zeit von 1895—1906 (für die Zeit von 1895 ab liegen die amtlichen Kaufpreissammlungen vor). Wenn es auch mißlich sein mag, Preise, die auf Ertragsschätzungen beruhen, mit wirklich gezahlten Preisen zu vergleichen, so ist doch immerhin der Vergleich der beiden Zahlenreihen sehr instruktiv, z. B. ergab sich für die Stufe I des durchschnittlichen Grundsteuerreinertrages für 1 ha (unter 2 Taler) im Regierungsbezirk Potsdam folgende Steigerung: Der Kaufwert für 1 Taler Reinertrag stieg von 72 Mk. (vor 1861) auf 590 Mk. (von 1895—1906); dagegen in Stufe IV von 10—20 Taler Grundsteuerreinertrag pro ha stieg der Kaufwert für 1 Taler Reinertrag von 72 Mk. (vor 1861) auf 155 Mk. (von 1895—1906), d. h. im ersten Fall eine Wertsteigerung von 819%, im zweiten von 215%. Diese Erscheinung wiederholt sich in fast sämtlichen preußischen Regierungsbezirken. Überall ist die Steigerung bei weitem größer in den Stufen der niedrigen Reinerträge, als bei den höheren. Rothkegel selbst bemerkt hierzu: „Bei weitem am meisten an Wert gewonnen haben die zur untersten Stufe des durchschnittlichen Grundsteuerreinertrages eingeschätzten Liegenschaften und von diesen wiederum sind es die Sandböden in den Regierungsbezirken Stettin, Potsdam, Bromberg und Oppeln und die Heideflächen in den Bezirken Magdeburg, Hannover, Münster und Minden, sowie die Moorböden im Regierungsbezirk Aurich, welche durch eine besonders starke Wertsteigerung auffallen. Der Grund für diese Erscheinung ist darin zu suchen, daß die Fortschritte

---

[1]) 1. Die Kaufpreise für ländliche Besitzungen im Königreich Preußen. Leipzig 1910 und

2. Die Bewegung der Kaufpreise für ländliche Besitzungen und die Entwicklung der Getreidepreise im Königreich Preußen von 1895—1909. Schmollers Jahrb. Leipzig 1910.

der landwirtschaftlichen Technik in besonders hohem Maße den geringen Bodenarten zugute gekommen sind (S. 51/53) ... Die großen Beträge für Meliorationen und künstliche Düngungsmittel, bessere Ackergeräte und dgl. kommen in den Zahlen der Spalten 3 besser zum Vorschein (Spalte 3 enthält die Wertsteigerung). Die Steigerung der Grundpreise dürfen wir somit nur zum Teil auf die gestiegen Grundrente zurückführen, in erheblichem Maße wird sie als Ergebnis des verbesserten landwirtschaftlichen Betriebes überhaupt aufzufassen sein." (S. 56.)

Was die Bewegung der Preise in der Periode von 1895—1906 anlangt, für welche Periode authentisches Material vorlag und in welcher Zeit auch die Gerteidezölle besonders wirksam waren, so ist nach R o t h k e g e l s Untersuchungen eine Aufwärtsbewegung der Grundstückspreise in ganz Preußen zu bemerken. Diese Bewegung ist aber keineswegs eine gleichmäßige. R o t h k e g e l bemerkt darüber (S. 57): „Eine ausschlaggebende Rolle spielt vor allem die Bodenbeschaffenheit. Es tritt hier wiederum die außerordentlich charakteristische Erscheinung hervor, daß für die sog. leichten (geringeren) Bodenarten stets erheblich wachsende Preise gezahlt worden sind, während sich der Wert der besten und ergiebigsten Böden mit nur wenigen Ausnahmen verhältnismäßig wenig verändert hat." — Auch in der Provinz Ostpreußen hat R. eine sehr starke Aufwärtsbewegung der Preise festgestellt. Er sagt darüber (S. 59): „Aber auch in der Provinz Ostpreußen ist eine sehr starke Aufwärtsbewegung der Preise festzustellen, vor allem im Regierungsbezirk Gumbinnen. Hier hat sich z. B. bei rund 3800 Kaufpreisen für kleinere und mittlere Bauernwirtschaften mit gering eingeschätztem Boden (weniger als 2 Taler im Durchschnitt vom Hektar) eine Steigerung um 70—75% ergeben. Auch bei den übrigen Größenklassen ist das Ansteigen ein recht ansehnliches, nämlich etwa 30—50%."

Die Ursache dieser Wertsteigerung seit 1895 ist nach R. teilweise die günstige Preisentwicklung der landwirtschaftlichen Produkte gewesen: „Die Getreidepreise sind in den 12 Jahren von 1895 bis 1906 nicht unerheblich gestiegen; sodann sind die Viehpreise um 20—30% in die Höhe gegangen."

„Daß aber die Preise für die gering eingeschätzten Grundstücke so bedeutend gestiegen sind, hat denselben Grund, welcher auch bei Betrachtung der seit der Grundsteuerveranlagung eingetretenen Wertverschiebung als maßgebend für die gleiche Erscheinung bezeichnet worden ist: daß nämlich die Fortschritte der landwirtschaftlichen Technik in besonders hohem Maße den g e r i n g e n Bodenarten zugute gekommen sind" (S. 62/63).

Somit ergibt sich aus diesen Untersuchungen von R o t h - k e g e l , daß gerade dort die größten Preissteigerungen eintraten, wo große Mehraufwendungen von Arbeit und Kapital zu verzeichnen waren. Unter dem Einfluß der Zölle hat eine bessere Preisgestaltung, eine kräftigere Intensivierung des Bodenbaues stattgefunden, ohne daß aber bis etwa 1906 eine allgemeine unwirtschaftliche Preissteigerung des Bodens erfolgt wäre. Auch R o t h k e g e l meint, daß, wenn nur Konjunkturen die Ursache der Wertsteigerungen gewesen seien, die guten Bodenarten in gleicher Weise an der Aufwärtsbewegung hätten teilnehmen müssen, wie die geringeren. Tatsächlich seien aber in überwiegendem Maße nur die geringen, sowohl seit der Zeit der Grundsteuerveranlagung als auch in den Jahren 1895 bis 1906 im Werte gestiegen. Die Ursache der Wertsteigerung sei daher vorwiegend im Fortschritt des landwirtschaftlichen Betriebes zu suchen. Die Wertsteigerung, die auch bei den besten und ergiebigsten Bodenarten stattgefunden hat, also einen Rückschluß auf den Einfluß am ehesten gestatten, schätzt R. im Durchschnitt für den ganzen Staat für die Zeit von 1895—1906 auf nicht mehr als 6—12 %: „Die viel stärkere Wertsteigerung bei den leichteren Bodenarten ist daher zu einem sehr großen Teil als Ergebnis der verbesserten Bodenkultur und der auf den Boden gemachten Aufwendungen aufzufassen" (S. 70).

Ganz anders war die Entwicklung seit 1905 bzw. seit 1902, zu der wir uns jetzt wenden wollen. Vom 25. Dezember 1902 datiert das neue Zolltarifgesetz, das 1906 in Kraft trat und wodurch der Weizenzoll auf 55 Mk., der Roggen- und Haferzoll auf 50 Mk. erhöht wurde. Die großen Preissteigerungen seit 1905 sind zweifellos teilweise auf diese Zollerhöhungen zurückzuführen.

In noch stärkerem Maße als die Getreidepreise gingen in dieser Zeit die Grundstückspreise in die Höhe. Auch hierfür sind die Untersuchungen von R o t h k e g e l von großer Bedeutung, denn sie erstrecken sich auf die Kaufpreise in der ganzen Monarchie und geben daher ein Gesamtbild. Die exorbitanten Preissteigerungen, die B r e n - t a n o aus einzelnen Zeitungsnotizen mitteilt, können natürlich nicht als typisch angesehen werden. Solche Einzelfälle können immer nur als Ausnahmen betrachtet werden. Wenn also auch nicht annähernd in dem Maße, wie es nach derartigen Einzelverkäufen den Anschein haben könnte, hat doch eine recht bedeutende Preissteigerung in dieser Periode eingesetzt, und es unterscheidet sich die Zeit von 1902—1910 sehr wesentlich von der Periode von 1879 bis zu Beginn des Jahrhunderts. R o t h k e g e l , der auch den Zusammenhang zwischen den Getreidezöllen und Güterpreisen in seinen Arbeiten untersucht, weist darauf hin, daß die damalige Steigerung der Getreidepreise nicht so sehr auf die Zollpolitik als auf die Weltmarktkonjunktur zurückzuführen ist: „Die auffallende Preissteigerung beim Getreide in den Jahren 1907 und 1908 ist ohne Zweifel auf diese Weltmarktkonjunktur zurückzuführen, denn zur selben Zeit hat ein ganz ähnliches Aufsteigen der Preise auch auf außerdeutschen Marktplätzen stattgefunden. Aber freilich war die Preissteigerung in Deutschland rascher, als in den Freihandelsländern." Im übrigen sind auch in dieser Periode im wesentlichen dieselben Grundtendenzen in der Entwicklung bemerkbar wie in der ersten Periode. Im großen und ganzen haben sich die Güterpreise in den Jahren 1907—1909 in ähnlicher Weise weiterentwickelt, wie in dem Zeitraum von 1895 bis 1906: „In allen Bezirken", sagt R o t h k e g e l [1]), „ist der Wert der ländlichen Besitzungen weiter gestiegen und zwar wiederum bei solchen mit geringen Bodenarten in sehr erheblich stärkerem Maße als bei denjenigen mit gutem und bestem Boden." Aber das Neue war, daß diese Preissteigerung eine außerordentlich viel größere war, als in der vergangenen Periode. Die von R o t h k e g e l mitgeteilten Ziffern lassen auf den ersten Blick erkennen, daß die Preissteigerung nach der Periode 1901—1903 sehr viel stärker gewesen ist,

---

[1]) Die Bewegung der Kaufpreise für ländliche Besitzungen und die Entwicklung der Getreidepreise im Königreich Preußen von 1895—1909. Schmollers Jahrb. 1910. S. 223.

als das Ansteigen von 1895—1897 bis zu dieser Periode. Besonders
deutlich tritt dieser Unterschied in den Übersichten hervor, in denen
für jede Reinertragsstufe unter Zusammenfassung aller Größenklassen
die prozentische Steigerung zwischen den Perioden 1895—1897 und
1901—1903 und ferner zwischen den Perioden 1901—1903 und
1907—1909 berechnet ist: „Wir ersehen daraus, daß im Durchschnitt für den Staat die Wertsteigerung in den letzten 6 Jahren des
besprochenen Zeitraums doppelt so groß gewesen ist, als zuerst von
1893—1895 bis 1901—1903 und daß an dieser verstärkten Steigerung aller Bodenarten die besten sowohl wie die geringsten ziemlich
gleichmäßig beteiligt waren[1]."

Auch R o t h k e g e l bringt die starke Grundstückpreissteigerung dieser Periode mit dem durch die Zollerhöhung beeinflußten
Steigen der Getreidepreise in Zusammenhang (S. 25): „Auch die besonders starke Steigerung der Grundstückspreise in Preußen in der
Zeit nach der Periode 1901—1903, welche, wie wir gesehen haben,
doppelt so groß war, als die Steigerung von 1895—1897 bis 1901—1903,
wird man, wenn auch noch die anderen dort erörterten Faktoren mitgewirkt haben, zu einem großen Teil auf dieses starke Ansteigen
der Getreidepreise in den letzten Jahren zurückführen müssen.
Allerdings sind die Getreidepreise erst vom Jahr 1907 ab besonders
stark in die Höhe gegangen, während das starke Ansteigen bei den
Grundstückspreisen in vielen Bezirken schon mehrere Jahre früher
eingesetzt hat. Diese Erscheinung wird man darauf zurückführen
können, daß die am 1. März 1906 in Kraft getretenen erhöhten Zoll-
sätze schon durch den Zolltarif vom 25. Dezember 1902 festgelegt und
bekanntgegeben waren. Die Vermutung liegt sehr nahe, daß die
Landwirte von dieser Zeit an mit einer Steigerung der Getreidepreise
etwa um das Maß der Zollerhöhung rechneten und im Hinblick auf
den infolgedessen zu erwartenden Reinertrag auch schon vor 1907
höhere Preise für den Grund und Boden forderten und erhielten."

Nicht nur die absolute Steigerung der Grundstückspreise ist
in dieser Periode größer; auch die Tatsache tritt deutlich hervor,
daß die kleinen Grundstücke nicht so sehr steigen wie die großen,
im Gegensatz zu der früheren Periode. R o t h k e g e l sagt hierüber: „Hiernach ist die vermehrte Steigerung bei den kleinen Besitzungen mit weniger als 20 ha Fläche nicht sehr bedeutend, sie beträgt im Durchschnitt 11—13%, bei den Großgütern aber mit mehr
als 100 ha Fläche dreimal so viel, rund 34—36%, während die Besitzungen von 20—100 ha mit 23% Mehrsteigerung die Mitte halten."

Es ist nach all dem Gesagten einleuchtend, daß unter Umständen die Getreidezölle die ungünstige Nebenwirkung einer ungesunden Grundstückpreissteigerung aufweisen. Da die Steigerung
weit über die Steigerung der wirklichen Rentabilität hinausgeht,
also den wirtschaftlichen Verhältnissen nicht entspricht, muß sie zu
privatwirtschaftlichen Schädigungen der betreffenden Besitzer, die
zu hohe Preise bezahlt haben, führen.

§ 52. Allgemeine Tendenzen der Bildung der Getreidepreise.

Bei der Bildung der Getreidepreise treten gewisse Eigentümlichkeiten und Besonderheiten hervor, durch welche sich diese Preisbildung wie die aller Agrarprodukte von der der industriellen Produkte

[1] a. a. O., S. 225.

wesentlich unterscheidet. Soweit die Produktionskosten als preisbestimmendes Moment in Frage kommen, ist folgendes zu beachten:

1. Die Kosten der Versorgung des Marktes mit Getreide sind für die einzelnen Getreideproduzenten sehr verschieden, je nach der Bonität und der Marktnähe des Bodens. Für die Preisbildung sind die Kosten derjenigen Getreideproduzenten maßgebend, welche die höchsten Produktionskosten haben, deren Erzeugung aber noch zur Versorgung des Marktes herangezogen werden muß. Bei dieser Einwirkung des Kostenmomentes auf die Preisbildung ist aber zu unterscheiden, ob das betreffende Land für die Versorgung mit Getreide auf sich selbst angewiesen ist, sei es, daß durch hohe Zölle oder durch hohe Frachtspesen eine Zufuhr aus dem Auslande unmöglich ist, oder ob das Land durch den internationalen Handelsverkehr aus dem Auslande Getreide beziehen kann. Im ersten Fall werden die Getreidepreise von denjenigen Produzenten des eigenen Landes bestimmt, welche die höchsten Kosten aufwenden müssen, deren Erzeugungsmenge aber noch zur Bedarfsversorgung des Landes notwendig ist. Im zweiten Falle hängen die Preise wesentlich von den Produktionskosten in der ganzen Welt ab. Sind diese Kosten im eigenen Lande höher als die Kosten der Getreideproduzenten anderer Länder, einschließlich der Frachtkosten, so kommen für die Preisbildung des inländischen Getreides die ausländischen Produzenten in Betracht, die mit den höchsten Kosten produzieren, soweit sie noch unter den einheimischen Kosten liegen und noch zur Befriedigung des einheimischen Bedarfs herangezogen werden.

2. Die Produktionskosten des Getreides haben, wie die aller Produkte der Urproduktion, die Tendenz zu steigen, infolge der Wirksamkeit des Gesetzes vom abnehmenden Bodenertrag. Bei wachsender Bevölkerung in einem Lande und immer größerer Inanspruchnahme des einheimischen Bodens müssen daher die Preise des Getreides steigen, wenn die Betriebskosten gedeckt werden sollen und, soweit nicht die oben (§ 41) geschilderten Gegentendenzen wirksam sind. Auch hier ist wieder zu unterscheiden, ob das Land auf Selbstversorgung aus eigenem Boden angewiesen ist, oder ob die Heranziehung auswärtigen Getreides möglich ist. Im letzteren Fall kann durch den Bezug von Getreide aus entfernten, noch wenig kultivierten Gebieten, diese Tendenz eine große Abschwächung erfahren.

3. Die Herstellungskosten des Getreides sind viel unterschiedlicher in den einzelnen Landwirtschaftsbetrieben als dies bei den industriellen Produkten der Fall ist. Dies kommt nicht nur von der bereits erwähnten verschiedenen Fruchtbarkeit und Lage des Bodens, sondern auch von der Art der Betriebsführung selbst, die im landwirtschaftlichen Gewerbe die allergrößten Verschiedenheiten, je nach der Persönlichkeit des Besitzers und der Organisation des Betriebes, wie ich bereits oben nachgewiesen habe, aufweist. Dazu kommt, daß überhaupt die Kostenfeststellung für das Getreide wie für alle Agrarprodukte um deswillen erschwert ist, weil die meisten Landwirtschaftsbetriebe sog. Mischbetriebe sind, d. h. vielerlei Produkte zugleich herstellen und daher die auf die einzelnen Produktionsarten entfallenden Produktionskosten oft schwer zu errechnen sind.

4. Wie bei allen Waren, so sind beim Getreide die Kosten aber keineswegs das allein maßgebende und auch nicht das aus-

schlaggebende Moment bei der Preisbildung. Eine Menge anderer Faktoren spielen dabei noch mit, so vor allem der Ernteausfall. Hier sind die Wirkungen auf den Preis wiederum sehr verschieden, je nachdem es sich um einen vom Auslande abgeschlossenen Agrarstaat handelt oder um ein Land, das mit der Weltwirtschaft verkettet ist. Der Einfluß des Ernteausfalls auf die Preisbildung ist viel größer, wenn die Preise lokal- und nationalwirtschaftlich als wenn sie weltwirtschaftlich bestimmt sind. Was die Wirkungen des Ernteausfalls in einem vom Auslandsverkehr abgeschlossenen Lande anlangt, so hat eine reiche Ernte die Wirkung, die Preise zu senken, eine schlechte Ernte die Wirkung, die Preise zu heben. Die Senkung der Preise bei einem schlechten Ernteausfall geht sogar in der Regel weit über das Maß dessen hinaus, was wirtschaftlich durch den Ernteausfall bedingt ist. Dies hängt mit der Dringlichkeit des Getreidebedarfs zusammen. Die Nachfrage nach dem Getreide als dem wichtigsten Nahrungsmittel ist eine besonders dringliche. Tritt eine schlechte Ernte oder gar eine Mißernte ein, so ist der Konsument gewillt, auch die höchsten Preise zu zahlen, um nur den dringenden Nahrungsbedarf decken zu können. Das Getreide ist die Ware mit dem höchsten Grenznutzen. Diese Tatsache ist schon lange in der ökonomischen Wissenschaft bekannt durch die berühmte Kingsche Regel. Danach soll ein

Ernteminus von	10%	den Kornpreis erhöhen um	30%
,, ,,	20%	,, ,, ,,	,, 80%
,, ,,	30%	,, ,, ,,	,, 160%
,, ,,	40%	,, ,, ,,	,, 280%
,, ,,	50%	,, ,, ,,	,, 450%[1])

Natürlich läßt sich über diese Preissteigerungen eine derartige mathematische Formel nicht aufstellen, aber trotzdem enthält die Kingsche Regel einen richtigen Kern.

Die enormen Schwankungen im Getreidepreis in früheren Jahrhunderten und die vielfachen Brotteuerungen in jener Zeit hatten ihren Grund darin, daß bei der nationalen Abschließung der einzelnen Länder jede Mißernte zu den größten Schwierigkeiten in der Ernährung der Bevölkerung führen konnten: ,,Es schwankten in England die Preise des Getreides im 13. Jahrhundert um das 56 fache, im 14. Jahrhundert um das 40 fache, im 15. Jahrhundert um das 30 fache, im 16. Jahrhundert um das 8 fache, im 17. Jahrhundert um das 3½ fache, im 18. Jahrhundert um das 4½ fache[2])."

Bei der Marktpreisbildung in der älteren Zeit, d. h. etwa bis zur Mitte des vorigen Jahrhunderts, waren die meisten europäischen Länder für die Versorgung mit Getreide auf den eigenen Markt angewiesen. Ein lebhafter internationaler Getreidehandelsverkehr war noch nicht ausgebildet und kam für die Versorgung mit Getreide meist nur da in Frage, wo ein billiger Wasserweg zur Verfügung stand. Die Preisbildung des Getreides war daher in größtem Maßstab vom Ausfall der Ernten abhängig. Mehrere aufeinanderfolgende sehr reiche Ernten konnten zu so starken Preissenkungen führen, daß die Rentabilität vieler Landwirtschaftsbetriebe in Frage gestellt wurde. Bei der deutschen Agrarkrisis in den 20 er Jahren des vorigen

---

[1]) Vgl. Wilhelm Roscher, Grundlagen der Nationalökonomie, 16. Aufl. Stuttgart 1882. S. 249.
[2]) Vgl. Buchenberger, Agrarwesen und Agrarpolitik, 2. Bd. Leipzig 1893. S. 545.

Jahrhunderts sprach man von einer Preisrevolution. Die Ursache war eine Reihe fast ausnahmslos guter bis sehr guter Ernten, die zu einem Überangebot von Getreide führten, welches bei dem stockenden und damals noch wenig ausgebildeten Ausfuhrhandel auch im Ausland nicht untergebracht werden konnte. Die geschilderten Wirkungen des Ernteausfalls auf die Preise treten jedoch regelmäßig nur dann ein, wenn es sich um ein großes Ernteplus und mehrere gute Erntejahre handelt. Bei einem einmaligen Ernteplus kann der Getreideproduzent bei den sinkenden Preisen infolge der Steigerung des Konsums einen Ausgleich finden, ebenso umgekehrt bei einem einmaligen Rückgang der Ernte kann der Getreideproduzent durch steigende Getreidepreise eine Kompensation finden.

Die Wirkungen des Ernteausfalls auf die Getreidepreise sind wesentlich andere geworden, seit ein durch billige Frachtkosten ermöglichter großer Weltgetreideverkehr sich entwickelt hat. Seitdem kommt für die Preisbildung des Getreides nicht mehr die nationale Ernte, sondern die Welternte in Betracht. Zu den Ländern mit schlechten Ernten treten Länder mit guten Ernten hinzu, so daß das Weltangebot ein viel stetigeres und ausgeglicheneres sein kann als das nationale Angebot. So kommt es in der Gegenwart vor, was früher gänzlich ausgeschlossen war, daß Getreideproduzenten in Ländern mit reicher Ernte hohe Preise und in Ländern mit schlechten Ernten niedrige Preise erzielen. Trotzdem wäre es aber falsch, anzunehmen, daß durch die Ausbildung des Weltmarktes die Landwirte vom Risiko der Ernteschwankungen befreit seien; wenn es sich z. B. um sehr reiche Ernte in der ganzen Welt handelt, wird das Mehrangebot auch dann preisdrückend wirken und erst bei Eintritt ungünstigerer Ernten wieder· ein Ausgleich stattfinden. Auch in der neuesten Zeit noch haben schlechte Ernten öfter dem amerikanischen Farmer über Absatzkrisen, die durch vorhergegangene reiche Ernten gedroht haben, hinweggeholfen[1]).

Über die Einwirkung des Ernteausfalls auf die Gestaltung der Roggenpreise hat G r o h n e r t ausführlich berichtet: „Trotz der Eigenschaft des Terminhandels, als Sicherheitsventil einen Ausgleich in der Preisbewegung auszuüben, hat es sich indessen gezeigt, daß der Witterungsverlauf und der jeweilige Ausfall der inländischen Roggenernte nach wie vor für die Berliner Preisentwicklung von entscheidender Bedeutung sind und weder die einseitige Tendenz des Effektivhandels noch der Terminhandel in seinem Bestreben, die schwebende Gleichgewichtslage des Preises aufrechtzuerhalten, diesen Hauptfaktor der natürlichen Preisbildung gänzlich auszuschalten vermögen. . . . Der Ernteausfall wirkte als Hauptfaktor in die Gestaltung der Jahrespreise entscheidend ein. Mit der Ausbildung des Handels tritt die Bedeutung des inländischen Ernteausfalls vor der Tendenz des internationalen Preisausgleichs etwas zurück, doch hat speziell die deutsche Roggenernte auch in der Gegenwart noch ihren autoritativen Einfluß nicht verloren, zumal die russische Ware seit Ausbruch des Weltkrieges fortgeblieben ist. . . . Bei einem Vergleich der Roggenpreise in Erntejahresdurch-

---

[1]) A x e l S c h i n d l e r , Die Agrarkrise in den Vereinigten Staaten und der europäische Markt. Berichte über Landwirtschaft, herausgeg. vom Reichsministerium für Ernährung und Landwirtschaft. Neue Folge. Bd. II. Heft 2. Berlin 1924. S. 353·

schnitten mit den inländischen Roggenerntemengen fällt allgemein eine prägnante Übereinstimmung auf. Die Preisentwicklung verläuft umgekehrt proportional zu den geernteten Mengen: niedrige Ernteerträge, hohe Roggenpreise. Naturgemäß steht diese Erscheinung in engem Kausalzusammenhang mit den Erträgen der Weltproduktion von Roggen. Denn erstens ist Deutschland neben Rußland das größte Erzeugerland — die Berliner Börse ist tonangebend für den internationalen Roggenhandel —, und zweitens ist der Witterungsverlauf gleichmäßig entscheidend für den Ausfall aller europäischen Ernten. Es ist dies auch ein Beweis dafür, daß wohl eine interlokale Preisnivellierung eintreten kann, keineswegs aber wird auch der komplizierteste Nachrichtenapparat jemals einen ebenmäßig zeitlichen Preisausgleich, der ja immer von dem Ernteausfall abhängig bleibt, ermöglichen können[1]."

Von großer Bedeutung für die Wirkung des Ernteausfalls auf die Preise ist auch der Umstand, ob das Getreide in einem Lande sofort nach der Ernte auf den Markt kommt, oder ob die Landwirte die Möglichkeit haben, durch Lagerung des Getreides und Beleihungsmöglichkeit des Getreides auf bessere Preise warten zu können.

Für diese Beleihungsmöglichkeit der Agrarprodukte ist eine Standardisierung der Produkte, wie sie in Amerika durchgeführt ist, wünschenswert. R i t t e r [2]) bemerkt hierzu: „Im Jahre 1917 hatte die nordamerikanische Union eine glänzende Kartoffelernte. Noch rechtzeitig — Januar 1918 — wurde die Beleihung für entsprechende Sorten, verpackte, gelagerte Kartoffeln eingeführt und dadurch dem Farmer die Möglichkeit gegeben, trotz der guten Ernte ausreichende Preise zu bekommen." — In kapitalschwachen Ländern dagegen, wie z. B. in Rußland, kann eine große Ernte besonders verhängnisvoll sein, weil es an Kapital mangelt, um die Ernte wirtschaftlich zu verwerten. Aber auch in Deutschland hängt die häufig beobachtete Preissenkung des Getreides unmittelbar nach der Ernte damit zusammen, daß die Landwirtschaft aus Mangel an Kredit plötzlich mit einem starken Angebot an den Markt kommt.

5. Zu den Wirkungen des tatsächlichen Ernteausfalls einzelner Länder treten noch die Einflüsse hinzu, die von der Erwartung künftiger Ernten ausgehen. Hierbei ist die Spekulation und die spekulative Beeinflussung der Preise von besonderer Wichtigkeit. Wenn ich auch oben gezeigt habe, daß die Getreidespekulation wie jede andere Spekulation auf die Dauer die Preisgestaltung nicht beeinflussen kann, so kann doch längere Zeit hindurch eine einseitige Preisgestaltungstendenz durch spekulative Vorgänge bewirkt werden; und gerade die Getreidespekulation ist bei der Wichtigkeit des künftigen Ernteausfalls für die Preisbildung hier besonders einflußreich und um so wirksamer, da es sich bei der Ausbildung des Weltmarktverkehrs um sehr große und weite Gebiete handelt, auf welche die Spekulation ausgedehnt werden kann. Die Spekulanten suchen oft durch künstliche Verknappung und Fernhaltung der zur Lieferung verfügbaren Mengen Preissteigerungen zu erzielen: „Das kann kurz vor und an den Börsentagen des Monatsschlusses zu gewaltigen Preissteigerungen führen, die im Falle des Gelingens große Beträge in die Tasche des Führers solcher Schwänze fließen lassen. . . . Die

---

[1]) G r o h n e r t , a. a. O., S. 111/112, 113/114, 115.
[2]) Absatz und Standardisierung der Produkte. Berlin 1926. S. 23.

in der letzten Zeit zu hoher politischer Bedeutung gelangten Landwirte der Union sind aber trotz dieser dem Beobachter sich besonders aufdrängenden Neigung zu unberechtigten Preissteigerungen der Meinung, daß die Börsen des Landes sie im Preise zu drücken versuchten und haben bereits mehrfach von Bundes wegen die Bildung von Untersuchungsausschüssen durchgesetzt[1])."

Die große Preissteigerung des Getreides zu Beginn des Jahres 1925 ist zu einem großen Teil auf spekulative Machenschaften der Chikagoer Börse zurückzuführen. Darüber wird im „Wirtschaftsdienst" folgendes berichtet[2]): „Die Hausse vom Januar 1925 wurde in der Öffentlichkeit außerordentlich lebhaft erörtert. Vorangegangen war die überaus reiche Ernte des Jahres 1923 (Welternte mit 932,6 Mill. dz), auf die bereits im Frühjahr 1924, infolge ungünstiger Saatenstandsmeldungen, ein Anziehen der Preise gefolgt war — vorangegangen waren ferner volle sechs Monate andauernden Ansteigens der Preise, infolge des schlechten Ausfalls der Ernteergebnisse (826,7 Mill. dz). So waren die psychologischen Vorbedingungen gegeben, die Haussebewegung auf einer allgemeinen Spekulationswelle aufzubauen, deren sachliche Vorbedingungen in der Fülle verfüglicher Mittel in den Vereinigten Staaten lagen. . . . Während die Konsumkraft der Großverbraucher, weltwirtschaftlich gesehen, sicherlich das interessanteste Moment der Entwicklung darstellt, sind, von einem mehr allgemeineren Standpunkt aus gesehen, die Vorgänge, die sich in bezug auf die argentinischen Erntemeldungen abgespielt haben, jedenfalls das „dramatischste" Geschehen auf dem Spekulationsmarkt, das sich seit geraumer Zeit ereignet hat.

Eine Mitteilung des argentinischen Konsulats besagt hierüber, daß falsche Nachrichten über die argentinischen Ernteergebnisse, besonders an Weizen, verbreitet worden seien. Diese Nachrichten, wonach „fast die ganze Produktion" durch Witterungseinflüsse und Insektenschäden vernichtet sei, seien unter anderem wahrscheinlich auf die diesbezüglichen Bekanntgaben des Vizepräsidenten (der nordamerikanischen Großhandelsgesellschaft) Armour Grain Company zurückzuführen, welche Bekanntgaben allerdings inzwischen schon widerrufen werden mußten! 'Allerdings sei, durch die genannten Ursachen, eine erhebliche Verringerung der Produktion in Santa Fé und Cordoba (also in den Nordstaaten) eingetreten, die jedoch durch sehr gute Ergebnisse in Bahia Blanca usw. zum großen Teil ausgeglichen werde.

Soweit die Mitteilung des Konsulates. Wie man hierzu weiter erfahren kann, gehen die Alarmnachrichten über die Erntevernichtung in den argentinischen Nordstaaten auf „bestellte Arbeit" nordamerikanischer Agenten zurück, die — im Auftrag der Armour Grain Co. — Argentinien bereist haben. Der Vizepräsident letzterer Gesellschaft hat, gestützt auf diese Agentenberichte, die offiziellen argentinischen Ernteschätzungen zunächst kurzerhand als „tendenziöse Falschmeldungen" abgetan — bis er dann doch durch die Macht der Tatsachen zu einem Widerruf gezwungen wurde."

6. Die Getreideproduktion weist gegenüber der industriellen

---

[1]) A r t u r   N o r d e n , Welthandelswaren, Leipzig 1923. S. 38 in Handelshochschulbibliothek Berlin, Bd. 7.

[2]) E r w i n   T o p f (Berlin), Der Weltgetreidemarkt 1925. In „Wirtschaftsdienst", Heft 2 vom 15. Januar 1926. S. 48/49.

Produktion eine viel geringere Elastizität auf, weil die Landwirte sich nicht so schnell und leicht mit Art und Umfang ihres Betriebes den Konjunkturen anpassen können. Diese Verschiedenart in der Produktion tritt auch in der Preisgestaltung hervor. S e r i n g [1]) sagt darüber: „Die Industrie paßt den Umfang ihrer Produktion steigenden und sinkenden Preisen außerordentlich schnell an. Für den Landwirt ist der Umfang seiner Gesamtproduktion durch die Größe seines Betriebes und der Umfang der einzelnen Produktionszweige durch das natürliche und wirtschaftlich bedingte Betriebssystem bestimmt. Die rasche Ausdehnung des Brotgetreidebaues in Nordamerika während des Krieges erfolgte teilweise auf Kosten eines wohlausgeglichenen Fruchtwechsels und anderer Prinzipien gesunden Landbaues. Infolge starker Einschränkungen der Produktion erlebte die Industrie nach dem Kriege von Zeit zu Zeit immer wieder Perioden anziehender Preise, die allerdings jedesmal sehr rasch abflauen, während auf der Landwirtschaft eine andauernde Preisdepression lastet." Elastischer ist aber nicht nur die Produktion, sondern auch der Verbrauch industrieller Erzeugnisse: „Die Senkung der kaufkräftigen Nachfrage Mitteleuropas konnte für die Industrie durch Ausdehnung des Bedarfs der Kriegsgewinner, besonders der Vereinigten Staaten, bis zu einem erheblichen Grade ausgeglichen werden — man denke z. B. an den vermehrten Wohnungsbau und die ungemeine Ausdehnung des Absatzes von Automobilen, die Herstellung betonierter Automobilstraßen. Solcher Ausgleich hat für Brot und Fleisch keineswegs stattgefunden[2])."

7. Ein weiterer Unterschied gegenüber der industriellen Produktion liegt darin, daß in der Landwirtschaft der Zusammenschluß zu Verbänden, Syndikaten, Kartellen usw. unmöglich oder jedenfalls nur in ganz geringem Grade möglich ist. Jedenfalls ist eine kartellmäßige Feststellung der Getreidepreise sowohl auf nationaler wie auf internationaler Basis ausgeschlossen.

§ 53. Die deutschen Getreidepreise bis zum Weltkriege.

Die deutschen Getreidepreise weisen bis zur Mitte der 70 er Jahre des vorigen Jahrhunderts eine steigende Tendenz auf. Deutschland war bis zu dieser Zeit in der Hauptsache für seine Versorgung mit Getreide auf die eigene Produktion angewiesen. Die Konkurrenz des auswärtigen Getreides spielte wegen der hohen Frachtspesen damals eine untergeordnete Rolle. Die Steigerung der Getreidepreise ergibt sich aus folgender Übersicht über die Entwicklung der Preise von Weizen und Roggen in Preußen von 1820 bis 1875.

Der Preis betrug pro Tonne in Mk.:

	Für Weizen	Für Roggen		Für Weizen	Für Roggen
1816—20	121,4	126,8	1851—60	211,4	165,4
1831—40	138,4	100,6	1861—70	204,6	154,6
1841—50	167,8	123,0	1871—75	235,2	179,2[3])

---

[1]) M. S e r i n g , Die internationale Agrarkrisis. In „Berichte über Landwirtschaft". Neue Folge. Bd. II. Heft 2. S. 274.

[2]) Ebenda, S. 287.

[3]) C o n r a d , Artikel Getreidepreise im Hdwb. d. Staatsw., IV. Bd., S. 803.

Diese Preisentwicklung entspricht den von mir oben dargelegten preistheoretischen Tendenzen der Getreidepreisbildung in einem Lande mit wachsender Bevölkerung, solange die Preise nationalwirtschaftlich bedingt sind. Ein Umschwung erfolgte in den 70er Jahren, in welcher Zeit eine Senkung des Preisniveaus einzutreten begann, wie sich aus folgender Tabelle ergibt:

Die entsprechenden Preise betrugen in Mk.:

	Für Weizen	Für Roggen		Für Weizen	Für Roggen
1876—80	211,2	166,4	1886—90	173,9	143,0
1881—85	189,0	160,0			

also ein Preisrückgang 1875—1890 bei Weizen von 235 auf 173 Mk., bei Roggen von 179 auf 143 Mk.

Der Rückgang der Getreidepreise hatte seine Ursache nicht in einer Ertragssteigerung der Landwirtschaft oder in einer Verminderung der Herstellungskosten des Getreides, sondern in einem Umschwung der Marktverhältnisse. Einzelne transozeanische Gebiete, in denen die agrare Produktion große Fortschritte gemacht hatte, kamen in wachsendem Maße als Überschußgebiete für die Konkurrenz auf dem Weltmarkt in Betracht: Zuerst die Vereinigten Staaten von Amerika, dann Argentinien, Australien, Kanada. Das frühere Hemmnis der transozeanischen Konkurrenz, die hohen Frachtkosten, fiel infolge der außerordentlichen Verbilligung der Frachtsätze, die gerade in jener Zeit eintrat, fort. Nach dem Bericht des Board of Trade, British and foreign trade and industry, London 1903, betrug der Frachtsatz für die Versendung eines Quarters Weizen von Chicago nach New York

	Zu Wasser und per Eisenbahn	Nur per Eisenbahn
1872	8 s 3^1/$_2$ d	9 s 11 d
1876	3 s 6^1/$_2$ d	4 s 11 d

Es hatte also eine Verbilligung um mehr als das Doppelte stattgefunden. Die Folge war eine außerordentliche Zunahme der transozeanischen Getreideausfuhr. Wie bei den Verhandlungen des deutschen Reichstags 1879[1]) auf Grund von Mitteilungen der ständigen Deputationen der Berliner Produktenbörse mitgeteilt wurde, hatte die Ausfuhr aus Amerika betragen im Fiskaljahr 1868/69: 14 Millionen Bushel Weizen, dagegen 1877/78: 72 Millionen Bushel Weizen, im Jahre 1868/69: 7 Millionen Bushel Mais und 1877/78: 85 Millionen Bushel Mais.

Die Preissenkung der agrarischen Produkte führte zu einer schweren Notlage weiter Kreise der landwirtschaftlichen Besitzer. Man braucht nur auf die große Zahl von Zwangsvollstreckungen landwirtschaftlicher Grundstücke hinzuweisen, wofür ich ebenfalls aus dem bei B r e n t a n o angedruckten Zahlenmaterial einige Angaben wiedergebe. In Bayern betrug die Zahl der Zwangsvollstreckung landwirtschaftlicher Anwesen:

1880: 3739   1881: 2739   1882: 2071

---

[1]) Stenographische Berichte über die Verhandlungen des Deutschen Reichstages, Berlin 1879, S. 1351.

In Preußen im Jahre

  1886: 2979 mit einer Gesamtfläche von 110 063 ha,
  1887: 2355 „   „   „   „ 81 681 ha,
  1888: 2446 „   „   „   „ 81 280 ha.

Die Ursache der damaligen Agrarkrisis war eine von der der Krisis der 20er Jahre ganz verschiedene. Nicht ein Überangebot einheimischer Ernten führte den Preissturz herbei, sondern das große Angebot ausländischen Getreides, das mit niedrigeren Kosten als das deutsche produziert werden konnte. Die äußersten Thünenschen Ringe, die für die Getreidepreisbildung maßgebend sind, wurden aus Deutschland in jene entfernten Gebiete verlegt. Die Möglichkeit der billigeren Produktion in den transozeanischen Gebieten, namentlich in den Vereinigten Staaten, war in erster Linie in den Bodenverhältnissen begründet. Einmal war der Bodenpreis in jenen Gebieten sehr niedrig und ferner der Boden selbst noch wenig angebaut, so daß das Gesetz vom abnehmenden Bodenertrag noch nicht in Wirksamkeit trat. Vielen deutschen Landwirten war es unmöglich, mit diesen billigen Produktionsbedingungen zu konkurrieren. Schon F r i e d r i c h E n g e l s hat in seiner Ausgabe des dritten Bandes von M a r x' „Kapital" darauf hingewiesen, daß gegen diese Konkurrenz — des jungfräulichen Steppenbodens, wie des unter der Steuerschraube erliegenden russischen und indischen Bauern — der europäische Pächter und Bauer bei den alten Renten nicht aufkommen konnte.

Die Getreidepreise waren so gedrückt, daß bei vielen Landwirtschaftsbetrieben, sowohl bäuerlichen wie Großbetrieben, nicht einmal die Produktionskosten im engeren Sinne gedeckt werden konnten und daß vielfach keine reine Grundrente übrigblieb.

Die Preissenkung des Getreides in den 80er und 90er Jahren wäre noch größer gewesen, wenn sie nicht durch den Getreidezoll etwas abgemildert worden wäre.

Hier ergibt sich die Frage: kann überhaupt ein Schutzzoll preissteigernd wirken oder wird der Schutzzoll auf das exportierende Ausland abgewälzt? Dieses Problem soll hier nur vom preistheoretischen Standpunkt aus betrachtet, nicht etwa zur Verteidigung oder Bekämpfung der schutzzöllnerischen Handelspolitik verwertet werden. Diese handelspolitische Frage soll hier ebenso ausgeschaltet werden, wie bei der anderen Frage, die hiermit zusammenhängt, ob der Zoll auf Getreide um deswillen nicht auf den Brotpreis einwirke, weil der Brotpreis sich unabhängig vom Getreidepreis entwickle. Ich habe oben bereits (S. 165) auf das Irrige dieser Behauptung hingewiesen und brauche daher nicht mehr darauf einzugehen, wohl aber muß die Frage der Ü b e r w ä l z b a r k e i t d e s Z o l l e s auf das Ausland wegen ihrer preistheoretischen Bedeutung einer Erörterung unterzogen werden. —

Eine Prüfung dieser Frage hat allerdings besondere Schwierigkeiten, ähnliche Schwierigkeiten wie viele Fragen der Steuerüberwälzung: Die Wirkung des Zolles auf die Preisbildung hängt von sehr vielen Faktoren ab, und es ist im einzelnen Fall schwierig, nachzuweisen, welchen Einfluß darauf gerade der Zoll gehabt hat. Was mit Sicherheit feststeht, ist nur die Tatsache, daß für das ausländische Getreide ins zollgeschützte Inland ein Zoll entrichtet werden muß. Ob das Getreide im zollgeschützten Land um den vollen Betrag im Preis erhöht wird, oder ob das Ausland den Zoll ganz oder zum Teil auf sich nimmt, hängt von den Konjunkturen ab. Es kommt alles darauf an, welchen Druck auf den Preis das Land ausüben kann, welches als Käufer auftritt. Sehr verschieden liegen die Verhältnisse, je nachdem ob das betreffende Getreide einen Weltmarkt und einen Weltmarktpreis hat, so daß das zollgeschützte Land einer großen Zahl von Verkäufern gegenübersteht, die eine große Zahl von Ländern zur Verfügung haben, um das Getreide abzusetzen, oder ob das zollgeschützte Land das einzige Absatzgebiet für das Ausfuhrland ist. Im ersten Fall, wo ein Weltmarkt und ein Weltmarktpreis vorhanden ist, besteht eine größere Wahrscheinlichkeit, daß das zollgeschützte Land den Zoll selbst tragen muß, weil das Ausland bei seinem Preisangebot nicht auf die besonderen Schranken Rücksicht zu nehmen braucht, die ein Land gegen die Einfuhr erhebt. Allerdings kann der Weltmarktpreis selbst infolge des Zolles gedrückt werden und insofern kann man sagen, daß unter Umständen ein Teil des Zolles vom Ausland getragen werden muß. Wenn der Zoll z. B. die Wirkung hat, daß das zollgeschützte Land selbst Getreide in größeren Massen anbaut, so wird die Nachfrage in Getreide im ganzen gemindert und dadurch der Preis gedrückt werden.

. Anders im zweiten Fall, wenn ein Land nur e i n e m anderen Lande gegenübersteht, wie es z. B. der Fall war, als Deutschland das Hauptimportland für russischen Roggen bildete. In diesem Fall wird das betreffende Exportland, wenn es auf diesen Absatz angewiesen ist — z. B. um regelmäßig wichtige Zahlungsverpflichtungen erfüllen zu können —, eher bereit sein, Konzessionen im Preise zu machen, um diesen Absatz sich zu erhalten. In diesem Fall wird das Ausland eher in die Lage kommen müssen, den Zoll wenigstens zum Teil auf sich zu nehmen. Eine sehr wichtige Rolle in dieser Frage spielen in beiden Fällen auch die Ernteverhältnisse. Ist infolge von reichlichen Auslandsernten ein sehr großes Angebot auf dem Weltmarkt vorhanden und gleichzeitig eine gute Ernte im zollgeschützten Inland, so wird infolge des Zolles ein Druck auf den Weltmarktpreis ausgeübt. Umgekehrt wenn ein geringes Angebot auf den Weltmarkt mit einer sinkenden Nachfrage des zollgeschützten Inlandes zusammenfällt. Dann wird der Zoll keine Senkung des Weltmarktpreises hervorrufen. „Je mehr wir genötigt sind, im Auslande die Händler zum Einkauf des Bedarfs herumzuschicken", sagt C o n r a d[1]), „um so mehr müssen wir uns den ausländischen Preisen anpassen, das von ihnen eingeführte Getreide hat den Zoll voll und ganz zu tragen, die Preisdifferenzen zwischen In- und Ausland entspricht in der Hauptsache dem Zoll. Je weniger wir im Ausland als Käufer auftreten, je mehr man uns von dort das Getreide offeriert, je mehr es an den Ausfuhrstätten in Massen lagert, um so weniger kommt der Zoll zum Ausdruck, die Preisdifferenz verschwindet."

Diese allgemeinen Zusammenhänge zwischen Preis und Zollbelastung sind auch in der tatsächlichen Preisbildung des deutschen Getreides zu beobachten gewesen. Ein exakter statistischer Beweis für alle diese Zusammenhänge läßt sich freilich nicht führen, denn wenn auch z. B. nachgewiesen wird, daß der Getreidepreis

---

¹) Die Preise des Jahres 1893 in Deutschland und der Einfluß des Zolles auf die Getreidepreise. Jahrb. f. Nationalökonomie, 1899, I, S. 309.

des Freihandelslandes tiefer steht als der des zollgeschützten Landes, so ist noch nicht gesagt, daß die ganze Differenz der Preise durch den Zoll verschuldet wird. Es kommen hier noch Qualitätsdifferenzen, lokale Preisschwankungen, Einflüsse der Konjunkturen usw. in Betracht. Aber wenn auch kein ziffernmäßiger Beweis, so läßt sich doch ein hinreichend genauer Beweis aus der Preisentwicklung führen, daß die Behauptung vieler Schutzzöllner, der Zoll werde vom Ausland getragen, falsch ist. Im Gegenteil wird man sagen können, daß je länger der Zoll andauert und je höher der Zollsatz ist, um so mehr auch eine volle Belastung des Inlandes durch den Zoll eintritt, namentlich wenn es sich um Getreide des Weltmarktes handelt, natürlich immer abgesehen von besonderen Ausnahmefällen und von den vorübergehenden Umständen, die namentlich mit den Ernteverhältnissen zusammenhängen. In diesem Punkte stimme ich durchaus mit den Ausführungen überein, die B r e n - t a n o in seiner Denkschrift gegeben hat.

Betrachten wir jetzt die tatsächliche Wirkung des Getreidezolles auf die deutschen Getreidepreise, so ist die preissteigernde Wirkung des Zolles zweifellos zu konstatieren. Die statistischen Untersuchungen von C o n r a d, L e x i s, B r e n t a n o und V o g e l s t e i n[1]) lassen dies deutlich erkennen. Nach den Untersuchungen von L e x i s[2]) war allerdings in der Periode des niedrigen Zollsatzes von 10 Mk der Einfluß des Zolles auf die Preise noch nicht deutlich erkennbar: ,,daß indessen in diesen Jahren (1879 bis 1884) die ausländischen Produktionsländer, deren ungeheure Getreidemassen auf dem englischen Markte zusammenstießen, teilweise ihrerseits Zugeständnisse gemacht naben, um in Deutschland, soweit ihnen dies bequemer gelegen war, Absatz zu erhalten, ist durchaus wahrscheinlich, und insoweit ist also auch anzunehmen, daß das Ausland einen Teil des Zolles getragen hat.

Weit deutlicher machte sich der Einfluß des 30 Markzolles von 1885 bemerkbar: ,,Im Jahre 1886 betrug die Differenz des Kölner Jahresdurchschnittes für Weizen (167,60) gegen den englischen = 23,80 Mk.; die des Mannheimer (189,80) gegen denselben Vergleichspreis = 46 Mk., während im Jahre 1884 die entsprechenden Unterschiede sich nur auf 14,60 und auf 19,07 beliefen. Auch hier liegt ohne Zweifel eine Wirkung der Zollerhöhung vor, aber die größere Festigkeit des Mannheimer Preises im Vergleich mit dem Kölner hängt jedenfalls mit lokalen Ursachen zusammen." — In bezug auf Roggen ergeben die L e x i s schen Untersuchungen die große Abhängigkeit der Preisbildung von den russischen bzw. deutschen Ernteausfällen; z. B. bemerkt L e x i s: ,,Im Jahre 1880 war die Roggenernte in Deutschland schlecht und auch in Holland erheblich unter dem Durchschnitt. Der Preis ging daher in der zweiten Hälfte des Jahres auf den deutschen Märkten bedeutend in die Höhe und die Wirkung des Zolles von 10 Mk. mußte sich deutlich fühlbar machen. In der Tat sehen wir, daß die Preisdifferenz zwischen Berlin und Bremen (es handelt sich bei dem Bremer Preis um unverzollten südrussischen Roggen) die im April nur 2,65 Mk.

---

[1]) Die Getreidepreise in Ostdeutschland vor Aufhebung des Identitätsnachweises. (Ein Versuch.) Arch. f. Sozialw. u. Sozialpol. Mai-Heft 1911.
[2]) Festgabe für H a n s e n zum 31. Mai 1889. Tübingen 1889. S. 219.

betrug, im Dezember auf 12,25 Mk. gestiegen war[1]). — Dann kam
das Jahr 1885; die deutsche Roggenernte war leidlich, die russische
wieder sehr reichlich, infolgedessen kam die Zollerhöhung von 10
auf 30 Mk. nicht im deutschen Preis zum Ausdruck: ,,Die Wirkung
der Zollerhöhung bestand hauptsächlich darin, daß der Preis des
russischen Roggens herabgedrückt, eine noch größere Entwertung
des deutschen aber verhindert wurde, wenn derselbe auch bei dem
zunehmenden Angebot eine Einbuße nicht vermeiden konnte[2]).''
Auch C o n r a d kommt auf Grund seiner preisstatistischen Ver-
gleichungen zwischen den englischen und deutschen Getreidepreisen
zu dem Ergebnis: ,,In diesen Zahlen kommt die Wirkung des Zolles
auf den inländischen Preis klar zum Ausdruck und sie liefern den
Beweis einer dem Zoll fast entsprechenden Preiserhöhung für das
Inland[3]).''
Richtiger würde man statt von einer preissteigernden Wirkung
des Getreidezolles davon sprechen, daß der Getreidezoll eine weitere
Senkung des Getreidepreises aufgehalten hat. Es muß immer wieder beachtet werden, daß die Weizenpreise in Deutschland in dem
ganzen Zeitabschnitt von 1879—1911 keine Steigerung erfahren
haben trotz erhöhter Produktionskosten und trotz der Einwirkung
des Zolles. Es kostete im Jahre

	Weizen pro Tonne	Roggen pro Tonne		Weizen pro Tonne	Roggen pro Tonne
1879	210,45	167,79	1911	207,24	167,55
1894	144,28	120,03			

Daß die Wirkung des Zolles tatsächlich eine weitere Senkung des Preisniveaus aufgehalten hat und daß der Zoll keineswegs auf das Ausland abgewälzt wurde, ist aus einem Vergleich
der ausländischen Getreidepreise mit den deutschen ersichtlich.
C o n r a d vergleicht die deutschen mit den englischen und holländischen Getreidepreisen in der Zeit von 1875—1894 und sagt:
,,Die Tabelle zeigt, daß durch die Zölle der Preisrückgang erheblich
zurückgehalten wurde; gegenüber der ersten Periode (= 100) waren
in England die Weizenpreise von 1890—1893 gegenüber 1875/79
auf 64,3 heruntergegangen, in Holland auf 70, in Preußen dagegen
nur auf 90, in England 1894 auf 46, in Preußen 1894 auf 64. Der
Gewinn für die Landwirtschaft liegt deshalb in den 10—24%, um
welche in Preußen der Weizen weniger gesunken ist als in England,
und dieses Resultat ist wahrlich nicht zu unterschätzen.'' Die
Wirkung der Zölle war jedenfalls die, daß die Landwirte mit Mut
und Hoffnung, ihren Betrieb rentabel und existenzfähig zu erhalten, erfüllt wurden, und so ist es teilweise den Getreidezöllen
zuzuschreiben, daß in der Zeit von 1886—1905 eine sehr beträchtliche Ertragssteigerung in der deutschen Landwirtschaft erzielt
wurde t r o t z s t e i g e n d e r P r o d u k t i o n s k o s t e n.
Die Zollerhöhung des Bülowtarifs, die 1906 in Kraft trat, hatte,
verglichen mit der vorangegangenen Periode zu einer Steigerung
der Getreidepreise geführt:

---

[1]) S. 226.
[2]) S. 229.
[3]) Art. Getreidezölle. H. d. St., 3. Aufl., S. 826.

Weizenpreise in Berlin für die Tonne in Mark:

1905: 175   1906: 179   1907: 206   1908: 211   1909: 234
1910: 208   1911: 201   1912: 214   1913: 195   1914: 215

Dennoch wäre es irrig, diese Steigerung der Getreidepreise allein auf die Zollerhöhung des Bülowtarifs zurückzuführen, vielmehr sind hier die weltwirtschaftlichen Zusammenhänge zu beachten; zum großen Teil haben die Ernteverhältnisse des Weltmarktes die Preiserhöhung verursacht.

Dies zeigt sich, wenn wir die Preisentwicklung für Getreide im Ausland betrachten. Es war der Preis von Roggen per 100 kg:

	Wien	Budapest	Odessa	Riga	Paris
1906	120	109	101	118	132
1907	157	145	132	152	151
1908	182	170	144	152	140
1909	178	169	132	134	137

Die Preise für Weizen waren folgende:

	Wien	Budapest	Odessa	Riga	Paris
1906	190	171	158	158	192
1907	190	171	158	158	195
1908	222	204	174	171	184
1909	264	246	173	171	198[1])

Diese internationale Erscheinung einer starken Erhöhung der Getreidepreise ist durch die Welternteverhältnisse zu erklären, und es ist bedeutsam, daß im Freihandelsland England diese Preissteigerung in besonders schroffer Weise hervortrat. Im Jahre 1909 stieg in England der vom Board of Agriculture verzeichnete Weizen-Durchschnittspreis auf 36 sh 6 d, d. h. auf den höchsten seit dem allgemeinen Mißerntejahr 1891 in England gekannten Preis; gegen den Durchschnittspreis von 1895 (25 sh 1 d) und 1894 (22 sh 10 d) bedeutete das eine Verteuerung von fast 60% und über 60%.

Die Ursachen dieser auffallenden Preissteigerung waren die Welternteverhältnisse jener Zeit. Es betrug die Weltweizenernte

	1906 Mill. Tonnen	1907 Mill. Tonnen
nach Beerbohm (1. August 1907)	96,1	84,4
„ Ungar. Ackerbauministerium	93,8	86,0
„ Landw. Marktzeitung (26. Februar 1907)	92,2	81,3

Es bedeutet dies einen Ausfall von etwa 11—12 Millionen Tonnen. Hätte dieser Gesamtausfall der Weltweizenernte seinen Einfluß auf den Weltumsatz geltend gemacht, so hätte geradezu, wie B a l - l o d meint, eine Katastrophe eintreten müssen[2]); der Umstand aber, daß noch große Vorräte aus den Vorjahren da waren und daß die Ernte der übrigen Getreidearten besser ausgefallen war, hat diese Katastrophe verhindert.

---

[1]) Drucksachen des Deutschen Reichstages, 12. Legislaturperiode. II. Session 1910.

[2]) B a l l o d in „Die Weltwirtschaft". Herausg. von v. Halle 1908.

Auch in den beiden folgenden Jahren waren die Ernteergebnisse immer noch schlechte. Nach einer in der volkswirtschaftlichen Chronik vom Jahre 1908 abgedruckten Statistik war der Ertrag von Brotgetreide, d. h. von Weizen und Roggen, 1908 noch geringer als der schon schlechte Ertrag von 1907 (S. 669). Die Folge war das starke Steigen der Preise. Sobald die Ernteergebnisse wieder günstiger wurden, sanken auch die Preise. Die gesamte Weizenernte im Jahre 1910 war um 66 Millionen Meterzentner günstiger als 1909. Damit verschwanden die Teuerungspreise der Jahre 1907/09.

§ 54. Die deutschen Getreidepreise seit dem Weltkriege.

Wiederum befindet sich die deutsche Landwirtschaft in einer schweren Krisis, und zwar etwa seit dem Jahre 1923. Wenn auch das äußerliche Symptom dieser Krisis dasselbe ist, wie bei der vorangegangenen, nämlich außerordentlich niedrige Preise, durch welche die Rentabilität vieler Betriebe in Frage gestellt wird, so ist doch der Charakter dieser Krisis und die damit zusammenhängende Preisgestaltung gänzlich verschieden von der Agrarkrisis der 8oer und 9oer Jahre des vorigen Jahrhunderts.

1. Der Unterschied gegenüber der früher geschilderten Krisis ist der, daß die gegenwärtige Agrarkrisis nur einen Teil der allgemeinen Wirtschaftskrisis darstellt, die im Gefolge des Weltkrieges für Deutschland eingetreten ist. Während die erstgenannte Krisis eine partielle Krisis war, die allein das landwirtschaftliche Gewerbe traf, ist die gegenwärtige Agrarkrisis nur ein Teil der krisenhaften Zustände, welche fast alle Gebiete der deutschen Volkswirtschaft seit dem Weltkriege betroffen haben. Ein so lang andauernder Krieg und die harten Bestimmungen des Versailler Vertrages mußten das ganze deutsche Wirtschaftsleben zerrütten, wenn auch die einzelnen Erwerbsklassen in sehr verschiedenem Maße, Tempo und in verschiedenen Zeitabschnitten von der Krisis betroffen wurden. Für die deutsche Landwirtschaft waren die Kriegsverhältnisse und auch die Zustände nach dem Kriege bis zur Stabilisierung der Mark in vielfacher Hinsicht keine ungünstigen. In gewisser Hinsicht war Deutschland in bezug auf die Versorgung mit Agrarprodukten in dieser Zeit ein isolierter Staat; der Bezug von Agrarprodukten aus dem Ausland war zu einem großen Teil ausgeschlossen und das dringende Bedürfnis nach Getreide verschaffte der deutschen Landwirtschaft ein Angebotmonopol und relativ günstige Preise. Vor allem übte der ungünstige Stand der deutschen Mark eine preissteigernde Wirkung auf die Agrarprodukte aus. Die Entwertung der deutschen Valuta kam einem hohen Schutzzoll, ja einem Prohibitivzoll gleich. Dazu kam, daß viele Landwirte ihre in der Vorkriegszeit aufgenommenen Schulden in entwertetem Geld zurückzahlen konnten und in manchen Bezirken auf diese Weise schuldenfrei wurden. Das alles änderte sich, als mit der Stabilisierung der deutschen Mark die Valutasperre fortfiel und wieder die freien Weltmarktverhältnisse für die Preisbildung maßgebend wurden. Die dann maßgeblichen Marktverhältnisse mußten zu einer Preissenkung für Getreide führen.

2. Dieser ungünstige Preisstand für Getreide ist anders zu beurteilen, als die Preissenkung in der Agrarkrise am Ende des

vorigen Jahrhunderts; denn er ist in der jetzigen Krisis keine nationale, sondern eine internationale Erscheinung. Der Preisdruck der ersten Krisis war in allererster Linie in Deutschland zu spüren. Wenn auch andere Länder durch die transozeanische Konkurrenz betroffen wurden, so doch lange nicht in dem Maße, wie es in Deutschland der Fall war. England hatte schon seit Mitte des vorigen Jahrhunderts die Entwicklung zum Industriestaat genommen, Deutschland war damals gerade in dieser Umbildung begriffen und brauchte in größtem Maße für seine Industriearbeiterschaft Agrarprodukte. So mußte die erleichterte Möglichkeit billigen Bezugs von Agrarprodukten gerade der deutschen Landwirtschaft besonders verhängnisvoll werden. In der gegenwärtigen Krise sind aber nicht nur die Getreideimport-, sondern auch die Getreideexportländer, d. h. die Länder, die Überschußgebiete darstellen, betroffen. Es handelt sich um eine internationale Krisenerscheinung. Die Ursache der gegenwärtigen Krisis ist nicht ein Überangebot von billigem Auslandsgetreide, sondern liegt in der geschwächten Kaufkraft aller am Krieg beteiligten west- und mitteleuropäischen Staaten. Auf diese Zusammenhänge haben namentlich S e r i n g und B e c k m a n n hingewiesen, auf deren Arbeiten ich hier verweise[1]). — Die große Verarmung, die in weiten Kreisen durch den Krieg hervorgerufen wurde, schwächte die Kaufkraft der großen Masse der Bevölkerung in einem solchen Maße, daß von dieser Seite das Getreideangebot nur zu gedrückten Preisen Aufnahme fand.

3. Diese ungünstige Preisgestaltung wurde dadurch verschärft, daß gleichzeitig die Preise der Industrieprodukte in die Höhe gingen. Aus all den Gründen, die ich oben über die größere Elastizität und Anpassungsfähigkeit der Industrieproduktenpreise hervorgehoben und infolge des Schutzes, den die Industrie durch die Zölle und Kartelle genoß, konnte sich eine Disparität in der Preisentwicklung der Agrarprodukte und der Industrieprodukte herausstellen. Auch diese Erscheinung, die man als P r e i s s c h e r e bezeichnet hat, war in fast allen Ländern der Welt zu beobachten.

4. Zu den Ursachen und Symptomen internationaler Art kommen n o c h b e s o n d e r e E r s c h w e r u n g e n f ü r d i e d e u t s c h e L a n d w i r t s c h a f t hinzu, die bewirkten, daß die Agrarkrisis in Deutschland einen verschärften Charakter annehmen mußte. Hier sind vor allem die großen Erschwerungen zu nennen, die der deutschen Landwirtschaft in der Beschaffung der für die Fortführung ihrer Betriebe notwendigen Kredite erwachsen sind. Insofern ist die deutsche Agrarkrisis im Gegensatz zu der früheren auch nicht allein als Preiskrisis zu charakterisieren, sie ist zu noch größerem Teil eine Kreditkrisis. Wenn auch die deutschen Landwirte vielfach ihre Besitzschulden abdecken konnten, so mußten sie zur Meliorisierung und Intensivierung ihrer durch den Krieg sehr geschwächten Betriebe in großem Umfang neue Betriebskredite aufnehmen. Dies war in den meisten Fällen nur mit unerträglich hoher Zinsbelastung möglich. Dazu kommen noch die weiteren Vorbelastungen der deutschen Landwirtschaft durch einzelne Steuern, wie namentlich die

---

[1]) M. S e r i n g , Agrarkrisen und Agrarzölle. Berlin und Leipzig 1925. F r i t z B e c k m a n n , Die weltwirtschaftlichen Beziehungen der deutschen Landwirtschaft und ihre wirtschaftliche Lage (1919—1924). In „Bonner staatswissensch. Untersuchungen", Heft 10, Bonn 1924.

Umsatzsteuer, die hohen deutschen Frachtspesen und die großen Belastungen der deutschen Wirtschaft durch den Versailler Vertrag. B e c k m a n n sagt darüber[1]): „Der Inlandspreis steht seit Stabilisierung der Währung dauernd und stetig unter Weltmarktparität. Er notiert nicht nur sehr weit unter dem Inlandspreis des Importgutes, in dem die Transport- und Handelskosten der Einfuhr stecken, sondern sogar unter Inlandspreis der Agrarstaaten selbst. Die Notiz der westdeutschen Wanderbörsen, die beide Provenienzen nebeneinanderstellt, bleibt unter dem Stand in Chicago, Moskau, sogar Liverpools und der Exporthäfen. Deutschland war im letzten Jahr tatsächlich das billigste Kornland der Welt. Auch vor dem Kriege stand deutsche Ware unter Weltmarktpreis plus Zoll, also unter dem Preis des Importgutes (wobei wir eine volle Zollwirkung voraussetzen, eine Frage, die hier nebensächlich ist). In Duisburg, Dortmund, Mannheim stand Inlandsgut etwa 1,50—1,80 Mk. per dz unter Einfuhrpreis. Diese Differenz war gering, blieb in gleicher Höhe das ganze Jahr bestehen (die Preislinien laufen parallel) und machte jede Hausse mit, d. h. der Inlandspreis blieb auch bei Hebung des Weltniveaus nicht zurück. Die Differenz von heute ist viel größer, sehr unregelmäßig, macht vor allem die Welttendenz à la hausse nicht, nicht einmal verschämt, mit. In der Periode der Baisse, im Sommer 1924, stand Inlandspreis etwa 15% unter Weltmarktpreis (immer im Inland also plus Einfuhrkosten gesehen), etwa 16—17 gegen 20 bis 22 Mk.; auf die leise Hausse gegen Ende des Jahres hin zog das Inland nur langsam mit, die Differenz wurde größer; als vollends die spekulative Aufschwänzung in Chicago eine zusätzliche Erhöhung erzwang, zog der deutsche Preis überhaupt nicht mehr mit. Die Differenz betrug beim höchsten Stand etwa 10 Mk., d. h. 35% des Weltmarktpreises. Der Inlandspreis hat also die Tendenz, bei Hausse nur sehr langsam und von einem bestimmten Punkt aus überhaupt nicht mehr mitzugehen." — Auch auf die Vorbelastungen der deutschen Landwirtschaft hat B e c k m a n n wiederholt verwiesen, namentlich durch die Umsatzsteuer: „Einfuhr und erster Massenumsatz in fremdem Korn und Mehl sind u m s a t z s t e u e r - f r e i. Da nur fremdes Mehl und Korn für Deutschland die Grenzeinfuhr bildet, dessen Preis, im Abstand jener Differenz, in Deutschland für Inlandsware den Preis bestimmt, so muß die Vorbelastung zu Lasten der deutschen Ware gehen; diese liegt um den Steuerbetrag unter Einfuhrpreis. Am stärksten schlägt die Differenz bei der Mehleinfuhr durch, welche ungefähr fünfmal die Steuer spart — auf dem Wege bis zum Bäcker. Die Umsatzsteuer wirkt also wie eine E i n f u h r p r ä m i e [2])."

Die niedrigen Getreidepreise sind auch nicht aus einer Überfüllung des Getreideweltmarktes zu erklären. S e r i n g sagt darüber: „Alles in allem kann, verglichen mit der Vorkriegszeit, von einer Überfüllung der Weltgetreidemärkte keineswegs gesprochen werden, am wenigsten für Futtermittel, und gerade sie sind entsprechend dem absolut und relativ tiefem Fall der Fleischpreise am stärksten entwertet. Unter Berücksichtigung des großen Rückganges der landwirschaftlichen Produktion in Mitteleuropa ergibt

[1]) „Weltmarktpreis als Ziel der deutschen agraren Handelspolitik". Weltwirtschaftl. Archiv, 22. Bd., 1925, S. 130/1.

[2]) Ebenda, S. 131.

sich vielmehr der Sachverhalt, daß die v e r r i n g e r t e n Markt-
zufuhren, die viel teuerer zu stehen kommen als vor dem Kriege,
nur zu gesenkten Preisen Abnehmer finden, also größtenteils unter
den Produktionskosten verschleudert werden müssen[1]."

5. Aus dem verschiedenen Charakter der gegenwärtigen Agrarkrisis, verglichen mit der vorangegangenen, ergibt sich auch die
veränderte Stellung zu der Frage der Bedeutung des Getreide-
schutzzolles als Mittel gegen die Krisis. Die Schutzzölle konnten
in der früheren Krisis als Mittel zur Behebung oder jedenfalls Milderung dienen; da die Krisis ihren Ursprung darin hatte,
daß die an den Weltmärkten notierten Getreidepreise niedriger
waren, als die Preise, welche die deutschen Landwirte zur Aufrechterhaltung ihrer Rentabilität nötig hatten, so konnte ein Zoll,
der zu den Weltmarktpreisen hinzutrat und dadurch das importierte
Getreide verteuerte, den Landwirten einen gewissen Schutz gewähren. Wenn aber, wie dies in Deutschland in dieser Krisis der
Fall war, die deutschen Inlandspreise 30—40% u n t e r den Weltmarktpreisen standen, wie hätte hiergegen ein Schutzzoll helfen
sollen? Selbst wenn ein Zoll in solcher Höhe festgesetzt worden
wäre, um die Spannung zwischen Inlands- und Weltmarktpreis auszugleichen, wie hätten die Konsumenten bei ihrer geschwächten
Kaufkraft diese Preise bezahlen können? Und vor allem: der Getreidezoll hätte gegenüber den übrigen Ursachen der Krisis versagt,
hätte namentlich der Kreditnot der Landwirtschaft nicht abhelfen
können.   So war der Getreidezoll jedenfalls nicht als Hauptmittel
zur Abhilfe gegenüber der Krisis anzusehen.

6. Eine ganz andere Frage ist die, ob nicht aus verschiedenen
Gesichtspunkten heraus der Getreidezoll doch zweckmäßig und not-
wendig sein kann. Denn beim Getreidezoll handelt es sich um die
Frage der handelspolitischen Regelung a u f l a n g e S i c h t, und dafür
kann nicht maßgebend sein, ob er gegenüber einer vorübergehenden
Krisis Abhilfe bringt oder nicht. Nur dann könnte man also an
eine Beseitigung der Getreidezollschutzpolitik denken, wenn dieser
Zoll auch im Hinblick auf die k ü n f t i g e G e s t a l t u n g der
Landwirtschaft entbehrlich ist. Hierfür kommen Gesichtspunkte in
Betracht, bei denen ich von dem Standpunkt S e r i n g s und
B e c k m a n n s vielfach abweiche. So sehr ich mit den genannten
Autoren in bezug auf die Diagnose der gegenwärtigen Krisis übereinstimme, so sehr vertrete ich eine andere Auffassung in bezug auf
die Prognose der Zukunft. Wenn wirklich die Ursachen der Agrarkrisis, wie von verschiedenen Seiten dargetan wurde, in der geschwächten Konsumkraft der Welt liegt, so kann aus preistheoretischen Gründen dieser Zustand niemals lange Zeit anhalten. Wenn
auch vorübergehend die Getreidepreise so gedrückt sein können,
daß sie noch unter den Gestehungskosten der sog. Grenzproduzenten
liegen, so ist das für einen längeren Zeitraum unmöglich. Gerade
das Getreide gehört zu denjenigen Waren, die — wie ich oben schon
näher darlegte — wegen der D r i n g l i c h k e i t d e s N a h r u n g s -
b e d ü r f n i s s e s in bezug auf die Preisbildung günstiger stehen als
die Industrieprodukte.   Die durchaus anormalen Wirtschaftsverhältnisse in der Nachkriegszeit konnten derartige Anomalien in der

---

[1] S e r i n g, Die internationale Agrarkrisis. Berichte über Landwirtschaft. Neue Folge, Bd. II, Heft 2, S. 279.

Preisbildung wohl hervorrufen; sobald wieder normale Zeiten im Wirtschaftsleben eintreten, müssen auch wieder für die Bildung der Getreidepreise in der Hauptsache die Produktionskosten und der Ernteausfall entscheidend werden. — Tatsächlich haben, wenige Monate, nachdem S e r i n g in Stuttgart (Herbst 1923) seinen Vortrag über die Ursachen der Agrarkrisis gehalten hatte, die Getreidepreise wieder stark angezogen. Der Grund war ein großer Rückgang der Welternte. Dieser bewirkte, trotzdem die Kaufkraft der Konsumenten sich nicht wesentlich geändert hatte, eine Besserung der Preise. In den drei Jahren seit dem Hervortreten der Agrarkrisis in Deutschland zeigen bereits die Preise wieder eine bedeutende Besserung, so daß alle Anzeichen darauf hindeuten, daß wieder normale Preisgestaltungstendenzen hervortreten werden.

Auch S e r i n g gibt zu, daß die Ernteverhältnisse von Einfluß waren. Er hebt die Tatsache hervor, daß seit Mitte 1924 die agrarischen Erzeugnisse im Preise sich hoben und die Preisschere auf den internationalen Märkten sich zu schließen begann. Er meint zwar, daß diese Steigerung der Agrarpreise mit der Hebung der deutschen Kaufkraft parallel ging infolge der Stabilisierung der Währung und der einfließenden Auslandskredite, fügt dann aber hinzu: ,,Doch war der Beweis für die entscheidende Bedeutung dieser Vorgänge für die internationale Preisbildung um deswillen nicht ganz lückenlos, weil das Jahr 1924 zugleich das Angebot durch eine schlechte Welternte minderte[1].'' Mir scheint dieser Hinweis auf den Ernteausfall von ausschlaggebender Wichtigkeit und auch die ungünstigen Preisverhältnisse von 1923 dürften doch nicht allein, wie S e r i n g meint, durch die geschwächte Konsumtionskraft, sondern vor allem auch durch die ungewöhnlich großen Ernten von 1923 verursacht sein. Betrug doch die Weizenernte in Deutschland 1923 2897 Mill. Tonnen, während die Ernte 1922 nur 1957 Mill. Tonnen betrug. Im Jahre 1924 ging die Ernte wieder zurück, verglichen mit 1923 von 2897 auf 2427 Mill. Tonnen.

Das Problem des Freihandels und Schutzzolles für Agrarprodukte soll hier nur insoweit behandelt werden, als es mit der Preisbildung des Getreides in engstem Zusammenhang steht. Die Vertreter der Freihandelstheorie, für die das Ziel der billigsten Versorgung des Volkes mit Lebensmitteln und anderen Gütern im Vordergrund steht, können für diese Handelspolitik auch dann eintreten, wenn die Gestaltung der Getreidepreise auf den Weltmärkten so ist, daß der Getreidebau durch diesen Konkurrenzdruck des Auslandgetreides im Inland unrentabel wird, denn sie würden dann in einer stärkeren Industrialisierung des Landes den Vorteil erblicken, daß die hochwertigen Industrieprodukte gegen das billige Auslandsgetreide ausgetauscht werden. Anders die Stellung derjenigen, welche den Bestand einer zahlreichen agrarischen Bevölkerung und damit die Rentabilität der landwirtschaftlichen Betriebe aus verschiedenen Gründen erhalten wollen. Für sie ist der Getreidezoll unter Umständen ein wirksames Mittel, um den Preisdruck der Auslandsware zu mildern. Das Ziel für den Schutzzöllner kann nicht sein, daß die Landwirte die sog. Weltmarktpreise anstreben müssen, d. h. die an den Weltmärkten

---

[1] M. S e r i n g , Die deutsche Wirtschaftskrisis. In ,,Berichte über Landwirtschaft''. Neue Folge, Bd. IV, Heft 1, S, 51.

für das ausländische Getreide notierten Preise, sondern daß ein Preis
erzielt werden muß, der die Weiterführung der landwirtschaftlichen
Betriebe gewährleistet. So erscheint mir der immer wieder von
B e c k m a n n wiederholte Satz, das Ziel der agraren Handelspolitik
müsse der W e l t m a r k t p r e i s sein, nicht recht verständlich. Er
sagt: „Erste Forderung der deutschen agraren Handelspolitik ist
Gleichheit mit den Weltmarktpreisen[1]." Und ferner: „So kommt
man also zur Ablehnung des echten Zolles und zur Forderung des
Weltmarktpreises" (S. 138). In einer früher erschienenen Abhandlung
erklärt er: „Ich glaube, daß die Landwirtschaft die volkswirtschaftlich
an sie gestellten Ansprüche erfüllen kann, wenn sie dauernd den
Weltmarktpreis erhält, und daß nur besondere, vorübergehende
Verhältnisse einen Preis über Weltstandard rechtfertigen können[2]."

Zunächst scheint mir der Ausdruck Weltmarktpreis in diesem
Zusammenhang unverständlich. Was heißt Weltmarktpreis? Ich
habe in meinen vorangegangenen Erörterungen über den Weltmarktpreis nachgewiesen, daß diese Bezeichnung rein ideell ist, daß
im Grunde genommen der Weltmarktpreis ein Phantom bedeutet.
Es gibt nur Preise, die an den verschiedenen Weltmärkten und Weltbörsen notiert werden; ob der Preis für australisches, kanadisches
oder sonstiges Getreide gemeint sei, dies alles bleibt unklar, wenn
man den allgemeinen Ausdruck Weltmarktpreis anwendet. Aus
den weiteren Erörterungen B e c k m a n n s geht hervor, daß er
denjenigen Getreidepreis meint, der an den Weltmarktplätzen bezahlt
wird, die für das deutsche Getreide eine besonders wichtige Konkurrenz bedeuten. Im besonderen denkt er wohl an den Getreidepreis
an der Chikagoer Börse. — Als B. die erwähnten Abhandlungen
schrieb, stand der deutsche Getreidepreis unter diesem sog. Weltmarktpreis, und so konnte er mit Recht sagen, daß damals Anschluß
an den Weltmarktpreis eine „positive Forderung auf Preiserhöhung"
bedeutet (S. 137). Gegenwärtig steht der Getreidepreis über dem
Weltmarktpreis, so würde also Anschluß an den Weltmarktpreis
bedeuten müssen: Forderung auf Preissenkung. Man sieht aus alledem, daß man dem sog. Weltmarktpreis nicht diese zentrale Stellung
in dieser Frage einräumen darf, denn es kommt darauf an, ob die
wirtschaftlichen Bedingungen, unter denen das Auslandsgetreide
hergestellt werden kann, und die daraus folgenden Getreidepreise so
hoch sind, daß damit der deutsche Landwirt konkurrieren kann,
oder ob das Gegenteil der Fall ist. Das wechselt aber fortwährend
je nach den Ernten und Qualitäten des Getreides, den spekulativen
Einflüssen usf. — Ich kann also nicht zugeben, daß, wie B e c k -
m a n n meint, der Weltmarktpreis der wirtschaftlich vernünftige Preis
sei. Man bedenke, welche Bedeutung für den sog. Weltmarktpreis
die Spekulation hat, daß z. B., wie S e r i n g einmal erwähnt, die
Spekulation an der Chikagoer Börse die Preise von Mai 1924 bis
Januar 1925 auf beinahe das Doppelte getrieben hat[3]).

Die Stellungnahme zu den Getreidezöllen ist für Autoren wie
B e c k m a n n und S e r i n g, die nicht die Industriestaats-

---

[1]) Weltmarktpreis als Ziel der deutschen agraren Handelspolitik. In „Weltwirtschaftl. Archiv", 22. Bd., 1925, S. 130.
[2]) Inlandspreis und Weltmarktpreis für Getreide, Getreideeinfuhr und Mehleinfuhr. In Schmollers Jahrb., 48. Jahrg., 1924, S. 893.
[3]) Vgl. S e r i n g, Agrarkrisen und Agrarzölle, S. 45.

entwicklung wünschen, sondern die Erhaltung einer starken Landwirtschaft als Ziel vor Augen haben, abhängig von der Prognose, welche sie der künftigen Entwicklung der Getreideproduktion
und damit auch der Bildung der Getreidepreise in der Welt stellen.
Beide glauben, daß in Zukunft solche Konkurrenzmöglichkeiten,
wie sie der deutsche Landwirt in den 7oer und 8oer Jahren hatte,
nicht wieder vorkommen könnten. B e c k m a n n erscheint um
deswillen diese Konkurrenzgefahr so gut wie augeschlossen, weil die
Kosten für den amerikanischen Landbau in neuerer Zeit sehr gesteigert seien: ,,Es ist nun ein seltener Glücksfall, daß die amerikanischen Kosten über die deutschen hinausgehen, oder, vorsichtiger
gesagt, daß der deutsche Landbau mit amerikanischen Kosten
konkurrieren kann. Amerika hat durch seinen Prohibitivzoll das
innere Preisniveau eben zu stark getrieben. Diese höheren amerikanischen Kosten sind ein Fallschirm der deutschen Landkultur.
Auch für die neue Ernte notiert amerikanischer Weizen etwa 25—26 Mk.
in Chicago (per September), das macht in Deutschland etwa 28 Mk.,
ein Weltmarktpreis, zu dem Deutschland mit Erfolg Weizen bauen
kann[1].''

Eine ähnliche günstige Prognose stellt S e r i n g der
deutschen Landwirtschaft. In dem Abschnitt ,,Prognose der Weltmarktpreise'' in seinem Buch über Argarkrisen und Agrarzölle sagt
er: ,,Abgesehen von der unsicheren politischen Lage, erscheinen die
Aussichten auf dem Weltmarkt für agrarische Erzeugnisse keineswegs als ungünstig.'' Auch S e r i n g weist auf die außerordentlich
gestiegenen Produktionskosten in den Vereinigten Staaten hin und
meint: ,,Es steht fest, daß die nordamerikanischen Farmer wegen
ihrer hohen Lebensansprüche und Kulturbedürfnisse, zumal unter
dem Hochschutzzollsystem ihres Landes, keineswegs preis- und
lohndrückende Konkurrenten sind. Nachdem, wie oben nachgewiesen,
die Zeit vorübergegangen ist, in der von der Peripherie her ständig
mit dem Druck einer Marktüberfüllung gerechnet werden mußte,
gravitiert der Preis gesetzmäßig nach dem teuersten, für die Bedarfsbefriedigung noch erforderlichen Angebot. Die Preise werden der
Regel nach so hoch sein, daß unter den großen Exportländern die
Vereinigten Staaten eben als teuerste Lieferanten noch ihre Kosten
decken[2].''

Ich kann dieser günstigen Prognose von B e c k m a n n und
S e r i n g nicht zustimmen. Selbst zugegeben, daß eine preisdrückende
Konkurrenz von seiten der Vereinigten Staaten von Amerika in Zukunft nicht mehr zu erwarten wäre, so ist noch darauf hinzuweisen
daß seit dem Beginn dieses Jahrhunderts in immer wachsendem
Maße neue Überschußgebiete hinzugekommen sind, die als mächtige
weltwirtschaftliche Reserven in Frage kommen. Es ist dabei in erster
Linie an Argentinien, Brasilien, Kanada, Australien, Indien und
Südafrika zu denken. Auch Rußland kann, wenn dort die politischen
und wirtschaftlichen Verhältnisse sich konsolidiert haben, von neuem
eine starke Konkurrenz für den deutschen Getreidemarkt darstellen.
Ich verweise auf den Bericht, den Dr. A x e l S c h i n d l e r über
die Agrarkrisen in den Vereinigten Staaten und den europäischen

---

[1] Weltmarktpreis als Ziel der deutschen agraren Handelspolitik, a. a. O., S. 141.
[2] Ebenda, S. 58.

Markt gegeben hat[1]). Dort heißt es in bezug auf die eben genannten Länder: „In erster Linie ist hier die Tatsache zu erwähnen, daß dort nur ein kleiner Teil der gesamten landwirtschaftlich verwertbaren Fläche in Kultur genommen ist; daß infolgedessen weite Strecken jungfräulichen Bodens der Erschließung harren und bei der Agrarpolitik der in Frage kommenden Regierungen zu verhältnismäßig billigen Preisen abgegeben werden. Infolgedessen ist zur Steigerung der Exportüberschüsse nicht eine Investierung und somit eine Erhöhung der Einstandskosten, sondern vielmehr ausschließlich eine Vergrößerung der Anbaufläche notwendig, so daß eine Erhöhung des Preises nicht ohne weiteres — von den längeren Transportkosten abgesehen — in Erscheinung zu treten braucht. Dasselbe gilt in Hinsicht auf die Arbeitslöhne. Der Stand der landwirtschaftlichen Lebenshaltung ist in diesen Gegenden erheblich geringer, als in den Vereinigten Staaten. Und schließlich spielt das bereits erwähnte Moment eine ausschlaggebende Rolle, daß die europäischen Zuschußgebiete ihren Bedarf naturgemäß in den Staaten zu decken bemüht sein werden, bei denen sie die Bezahlung in Form der Ausfuhr industrieller Erzeugnisse zu bewerkstelligen vermögen. Auch hier bieten die südamerikanischen, die asiatischen und die australischen Getreideerzeugungsgebiete einen relativ erheblich größeren Vorteil, als es die Vereinigten Staaten bei dem Stande ihrer industriellen Produktion jemals vermöchten." ·

So sehr es mir also unmöglich erscheint, den Getreidezoll als Allheilmittel gegenüber der heutigen Agrarkrisis anzusehen aus all den Gründen, die ich oben angegeben habe, so sehr würde ich auf der anderen Seite ernste Bedenken tragen, den Getreidezoll als wichtiges Sicherungsmittel gegen künftige Preisgestaltungen, die der deutschen Landwirtschaft eine sehr drückende Konkurrenz bringen könnten, aufzuheben.

---

[1]) Nach der Veröffentlichung des Institute of Economics: „American Agriculture and the European Market". New York 1924. Berichte über Landwirtschaft. Neue Folge, Bd. II, Heft 2, S. 366/67.

Zweites Buch:

Die Lehre von Geld und Kredit.

—

Erster Teil:

Die Lehre vom Geld.

1. Kapitel.

Einleitung. Über Natur und Entstehung des Geldes.

---

§ 1. Die volkswirtschaftliche Bedeutung des Geldes im allgemeinen.

Das Geld ist keine notwendige Bedingung des Wirtschaftslebens, sondern nur ein technisches Hilfsmittel zur Erleichterung des Wirtschaftsverkehrs auf einer bestimmten wirtschaftlichen Entwicklungsstufe. Notwendig ist das Geld nur für die Marktwirtschaft, entbehrlich dagegen bei marktloser Wirtschaft. Nur wenn auf dem Markte wirtschaftliche Güter gekauft und verkauft werden, bedürfen wir zur bequemeren Abwicklung des Tauschverkehrs des Geldes, das überflüssig ist, wenn kein Tausch- oder Marktverkehr besteht. Auf der Stufe der sog. Hauswirtschaft, wo der ganze Produktions- und Konsumtionsprozeß sich innerhalb des Hauses vollzieht und noch kein arbeitsteiliger Tauschverkehr vorhanden ist, ist das Geld ebenso unnötig wie in einer kommunistischen Wirtschaftsorganisation, in der den einzelnen Wirtschaftsgenossen bestimmte Güter von einer Zentralbehörde zugeteilt werden.

Trotz der untergeordneten Rolle, die das Geld im volkswirtschaftlichen Mechanismus gegenüber allen Dingen spielt, die wirklich zur Befriedigung der wirtschaftlichen Bedürfnisse dienen, hat es immer wieder nationalökonomische Systeme gegeben, die dem Geld eine viel zu weitgehende Bedeutung zumessen. Diese Überschätzung des Geldes trat namentlich in der ersten Zeit hervor, in der man überhaupt über volkswirtschaftliche Dinge nachzudenken begann, in der Zeit des Merkantilismus. Wenn auch eine eindeutige merkantilistische Theorie nicht existiert, und ebensowenig eine einheitliche merkantilistische Geldtheorie, so ist doch festzustellen, daß bei einer großen Anzahl der bekanntesten merkantilistischen Schriftsteller eine Vorstellung vom Gelde besteht, die seinem wahren Wesen widerspricht. In jener Zeit war alles Geld Edelmetallgeld, und die meisten Nationalökonomen jener Periode hielten eine möglichst große Menge von Edelmetall oder daraus geprägtem Münzgeld für das wichtigste Erfordernis des Reichtums eines Landes. Manche Merkantilisten hielten es für unmöglich, daß jemals ein Land zu viel an Geld besitzen könnte und wollten jede Geldausfuhr gesetzlich verhindern. H o r n i g k [1]) hat eine so große Meinung vom Geld, daß er nur diejenigen Kaufleute für nützlich hält, die kein Geld aus dem Lande

---

[1]) v o n H o r n i g k , Österreich über alles wann es nur will. Leipzig 1707.

hinaustragen, daß er ferner erklärt, daß die „Macht und Fürtrefflichkeit" eines Landes in dessen Überfluß an Gold und Silber bestünde. Ja er geht sogar so weit, zu sagen, es sei besser, für eine Ware 2 Taler zu geben, die im Lande bleiben, als 1 Taler, der hinausgeht.

J u s t i hält den Betrieb von Edelmetallbergwerken wegen der „kostbaren" Edelmetalle, die gewonnen werden, selbst dann für geboten, wenn er unrentabel ist. Ein Staat, der seinen wahren Vorteil versteht, soll Gold- und Silberbergwerke bauen, die keine Ausbeute geben, ja die sogar mit Verlust gebauet werden müssen. Dieser Verlust sei nichts weniger als ein Verlust in Ansehung des gesamten Staates. Die darauf gewendeten Kosten blieben im Lande und ernähren eine Menge Menschen. Das Land hingegen werde allemal um so viel reicher, als Gold und Silber mit diesem vermeintlichen Verluste aus der Erde gegraben werden[1]).

Die klassische Abhandlung von D a v i d   H u m e [2]) „Essays Moral and Political" hat die merkantilistische Überschätzung des Geldes einer scharfen Kritik unterzogen. H u m e erblickt die Grundlagen für den Reichtum eines Landes in der Größe der Bevölkerung desselben und deren Gewerbefleiß. Er verfällt sogar in den entgegengesetzten Fehler wie die Merkantilisten, indem er in begreiflicher Reaktion auf deren übertriebene Wertschätzung des Geldes ihm eine zu geringe Bedeutung beimißt. Gleich im Eingange seiner Darlegungen spricht er davon, daß das Geld kein Rad im Handelsverkehr sei, sondern nur das Öl, welches den Umlauf der Räder leichter und geschmeidiger mache. Geld ist für ihn nur ein Mittel, um die Stelle von Arbeit und Waren zu vertreten, nur ein Mittel, sie zu zählen und einzuschätzen. Jedenfalls hat H u m e das Verdienst, die Nationalökonomen darauf hingewiesen zu haben, daß man bei allen volkswirtschaftlichen Untersuchungen durch den Geldschleier hindurchsehen müsse, um das wahre Wesen der wirtschaftlichen Vorgänge zu erfassen. Es wäre aber verfehlt, anzunehmen, daß die alten merkantilistischen Irrtümer heute überwunden seien. Trotzdem schon bald 200 Jahre seit dem Erscheinen der Humeschen Schrift vergangen sind, sind die dort aufgedeckten Irrlehren noch immer anzutreffen. Zwei Hinweise auf nationalökonomische Lehrmeinungen aus neuerer und neuester Zeit sollen zeigen, daß man auch heute oft noch nicht durch den Geldschleier hindurchsieht.

„Das Geld bleibt im Lande," mit diesem Satze sollten während des Weltkrieges alle diejenigen beruhigt werden, die den immer mehr anwachsenden Kriegsausgaben gegenüber Besorgnisse äußerten. Für die wirtschaftliche Lage Deutschlands wurde es als ein besonderes Glück betrachtet, daß wir unsere Munition im Inland produzierten und nicht wie England das „schöne" Geld dafür ins Ausland schickten. Gerade bei diesen und zahlreichen ähnlichen volkswirtschaftlichen Betrachtungen zeigte sich, daß die alten merkantilistischen Irrtümer in neuem Gewande auftauchten. Man schien ganz zu vergessen, daß das Geld nur ein Tauschmittel ist, und daß es darauf ankommt, für das Geld die möglichst zweckmäßige Verwendung zu finden, und daß unter Umständen Geldsummen, die ans Ausland bezahlt werden,

---

[1]) J o h. H e i n r i c h G o t t l o b v o n J u s t i, Staatswirtschaft. 2., stark vermehrte Auflage. Leipzig 1758.
[2]) Zuerst erschienen im Jahre 1742 (Übersetzung nach der von G r e e n und G r o s e veranstalteten Gesamtausgabe der Werke H u m e s. London 1907).

wirtschaftlich zweckmäßiger angewandt sind, als wenn das Geld im Inland verbraucht worden wäre. Gewiß mochte man es bedauern, wenn für reine Luxusartikel Geld ins Ausland floß, und ebenso konnte man es als erfreulich bezeichnen, daß die Unternehmergewinne den deutschen Munitionsfabriken zufielen und insofern Deutschlands Kapital verstärkt wurde. Es wurden also nicht wie in England einem fremden Volke Unternehmergewinne zugeführt, aber die eigentliche Grundausgabe blieb immer ein Opfer schwerster Art für das betreffende Volk; und wenn, wie es im Kriege oft der Fall war, im Inland nur unter ganz besonders erschwerten Produktionsbedingungen die betreffenden Waren herzustellen waren, so bedeutete in diesem Falle die Herstellung solcher Waren im Inland volkswirtschaftlich ein Mehropfer. Wenn man durch den Geldschleier hindurchsieht, kann man sich klarmachen, daß, wenn z. B. von England 100 Millionen Mark an Amerika für Munitionslieferungen bezahlt wurden, dieses zugleich bedeutet, daß sonst viele Hunderte von Millionen von Arbeitsstunden englischer Arbeiter in den Dienst dieser Produktionsaufgabe hätten gestellt werden müssen. Durch diese amerikanische Munitionslieferung wurden also Hunderte von Millionen Arbeitsstunden englischer Arbeiter für andere Zwecke frei. Wie oft ist der Satz ausgesprochen worden, und zwar bei der jedesmaligen Neuauflage von Kriegsanleihen, daß die für die Kriegsanleihen getätigten Kriegsausgaben im Grunde gar keine reinen Ausgaben seien, weil das Geld ja doch im Lande bleibe. Und doch bedeuteten die Kriegsausgaben nichts anderes — nationalökonomisch ausgedrückt — als daß Hunderte von Milliarden Arbeitsstunden von Deutschen für militärische Zwecke aufgewandt werden mußten, für Granaten, Uniformen usw., kurz, daß alle diese Arbeitsstunden nicht verwendet werden konnten, um nutzbringende Anlagen zu schaffen für dauernde wertvolle produktive Anlagen, wie z. B. für Fabriken, für intensiven Betrieb der Landwirtschaft, für Krankenhäuser und Bildungsstätten und hundert andere wichtige wirtschaftliche und kulturelle Betätigungen, sondern daß sie zum größten Teile ausgegeben wurden, ohne daß ein dauernder materieller Gegenwert vorhanden war. Gewiß war das Opfer notwendig, aber man soll es auch als Opfer betrachten und sich klarmachen, welche Fülle von Sparfonds aus früherer Zeit wir im Weltkriege hergeben mußten und somit jetzt darauf bedacht sein müssen, dies alles in harter intensiver Arbeit wieder einzuholen.

Ein zweiter Hinweis auf die Überschätzung des Geldes: Ein neuerer Wirtschaftsreformer, S i l v i o G s e l l , der in Deutschland und in der Schweiz eine große Anzahl Anhänger gefunden hat, glaubt allen Ernstes gerade wie vor hundert Jahren Proudhon alle Übel, Schwierigkeiten und Nöte des kapitalistischen Wirtschaftssystems wie Pauperismus, Handelskrisen usw. durch eine G e l d - r e f o r m beseitigen zu können. Als ob man die Folgeerscheinungen einer bestimmten Produktiosnweise durch Änderungen in der Zirkulationsweise aus der Welt schaffen könne!

So sehr man also sich vor einer Überschätzung der Rolle des Geldes hüten muß, so bedenklich wäre es, die Bedeutung des Geldes zu unterschätzen. Wie hart haben es manche Völker büßen müssen, wenn ihre Staatsmänner nicht genügend beachtet haben, daß volkswirtschaftlich verkehrte Eingriffe in das Geldwesen das gesamte Gesellschaftsleben bis in das Fundament erschüttern können. Es

wird vielleicht zur Vermeidung der beiden Irrtümer, sowohl einer
Überschätzung wie Unterschätzung des Geldes dienen, wenn man
sich den geschichtlichen Entwicklungsgang des Geldes klarmacht.
Aus dieser Betrachtung wird sich ergeben, daß das Geld nur eine
historisch-rechtliche Erscheinung, nicht aber eine dem Wirtschaftsleben selbst immanente Erscheinung ist. Ich will in idealtypischer
Weise zeigen, welche Entwicklungsstufen das Geld aufweist und
dann das theoretisch Entwickelte durch Beispiele aus der Geschichte
illustrieren.

§ 2. Die idealtypischen Entwicklungsstufen des Geldes.

Wir finden vielfach in historischen Darstellungen die Einteilung
des geschichtlichen Entwicklungsganges, daß die Geldwirtschaft
die vorangegangene Periode der Naturalwirtschaft abgelöst habe. Die
Vorstellung ist dabei die, daß die Völker erst eine längere Zeit ohne
Geld gelebt hätten, ehe sie zum Gebrauch des Geldes übergegangen
seien. Diese Betrachtungsweise ist für nationalökonomische Zwecke
unzureichend. Wir müssen vielmehr vier Entwicklungsstufen unterscheiden, selbst dann, wenn wir nur die wichtigsten Erscheinungs-
formen berücksichtigen und alle Übergangsformen usw. beiseite
lassen. Die sog. Naturalwirtschaft umfaßt zwei Stufen, die sog.
Geldwirtschaft ebenfallls zwei Stufen. Es sind im ganzen vier
Entwicklungsstufen zu unterscheiden und zwar:

I. Naturalwirtschaft $\begin{cases} \text{1. Natural-Eigenwirtschaft,} \\ \text{2. Natural-Tauschwirtschaft,} \end{cases}$

II. Geldwirtschaft $\begin{cases} \text{3. Waren-Geldwirtschaft,} \\ \text{4. reine Geldwirtschaft.} \end{cases}$

Es ist das Eigentümliche der Naturalwirtschaft, daß noch
kein Geldgebrauch existiert; dabei sind aber zwei verschiedene
Epochen grundsätzlich voneinander zu unterscheiden. Die erste,
als Natural-Eigenwirtschaft bezeichnete Epoche hat das Eigentümliche, daß überhaupt noch kein Tauschverkehr besteht; es
handelt sich um das Wirtschaftsleben in der sog. Hauswirtschaft.
Da noch keine Arbeitsteilung, kein Tausch- und Marktverkehr
besteht, sondern alle Güter in derselben Wirtschaft, in der sie
produziert werden, auch konsumiert werden, fehlt jede Notwendigkeit und jeder Anlaß zu einem Tauschwerkzeuge.

Innerhalb dieser Naturalwirtschaft vollzieht sich aber ein Umschwung dann, wenn aus der Hauswirtschaft sich einzelne Wirtschaften
loslösen und selbständig werden, wenn einzelne Handwerker und einzelne Landwirte allmählich dazu übergehen, Produkte ihrer Arbeit-
samkeit untereinander auszutauschen. Auf dieser Stufe, die ich Naturaltauschwirtschaft nenne, ist auch noch kein Geldgebrauch vorhanden,
wohl aber bereits ein Tausch; die Produkte werden gegen Produkte vertauscht: P — P —. Die Tauschakte vollziehen sich ein-
malig und zufällig; immer von Fall zu Fall tauscht das betreffende
Wirtschaftssubjekt dasjenige, was es gerade überflüssig hat, gegen
das Produkt, welches es gerade braucht. Diese beiden Stufen
der Naturalwirtschaft machen erst dann der Geldwirtschaft Platz,
wenn diese Tauschakte nicht mehr von Fall zu Fall erledigt werden,
sondern wenn innerhalb der Gemeinschaft ein bestimmtes Produkt
gewählt wird, um regelmäßig als Tauschmittel zu dienen. Und dieser

Umschwung vollzieht sich dann, wenn sich ein Markt herausbildet, auf dem Waren gekauft und verkauft werden. Für diesen marktmäßigen Warenverkehr ist irgendeine allgemeingültige Ware notwendigerweise dazu ausersehen, immer wieder bei den Tauschgeschäften als anerkanntes Tauschmittel zu dienen. Jetzt vollzieht sich der Austausch so:

$$W - W_I - W.$$

Die Ware wird gegen eine andere Ware vermittels der Hingabe einer allgemein beliebten Ware getauscht. Diese Waren sind von der verschiedensten Art. Tiere, Felle, Schmucksachen, Waffen und unzählige andere Dinge haben diese Rolle des Tauschmittels gespielt; aber so verschieden individuell die einzelnen Waren sein mögen, eigentümlich ist ihnen allen, daß sie sich innerhalb der betreffenden Gemeinschaft allgemeiner Beliebtheit erfreuten, so daß jeder die Ware gerne nimmt.

Wir haben hier bereits eine Geldwirtschaft vor uns und zwar deshalb, weil in der betreffenden Gemeinschaft eine Ware, die sich allgemeiner Anerkennung und Beliebtheit erfreut, generell die Rolle des Tauschmittels hat. Dennoch aber ist keine reine Geldwirtschaft vorhanden, sondern eine Wirtschaftsstufe, die ich als Waren-Geldwirtschaft bezeichne, weil das betreffende Geld nicht nur allein die Rolle des Geldes spielt, sondern zugleich noch in der Wirtschaft als Ware mitfungiert. Die Waffen werden abwechselnd als Geld und für Kriegszwecke verwandt, die Schmucksachen abwechselnd als Geld und zum Schmuck des Körpers und der Kleidung.

Es ist das Unterscheidende der höchsten Stufe der Geldwirtschaft, der sog. reinen Geldwirtschaft, daß das Tauschmittel, welches als Geld fungiert, nur noch diesen Geldzwecken dient und für seine sonstige Funktion als Ware unbrauchbar gemacht wird. Der Übergang von der Waren-Geldwirtschaft zur reinen Geldwirtschaft ist folgender: Unter den allgemein beliebten Waren, welche Gelddienste verrichtet haben, befanden sich bei vielen Völkern auch Edelmetalle, namentlich Silber und Gold. Sie dienten zuerst als Geld in der Form, daß die betreffenden Stücke Edelmetalle im einzelnen Fall abgewogen wurden und mit Hilfe der Wage die nötigen Mengen an Edelmetall vom Verkäufer verlangt wurden. Dieses sehr umständliche und schwierige Verfahren, das auch zu Mißbräuchen aller Art Anlaß gab, wurde beseitigt, als die Herstellung von Stücken von Edelmetall vom Staate übernommen wurde. Damit wurden bestimmte Mengen an amtlichen Münzen ausdrücklich für Geldzwecke bestimmt, und insoweit den übrigen Funktionen als Ware usw. entzogen. Mit der Ausprägung von Geldstücken mit bestimmtem Gewicht und Gehalt an Edelmetall wurde die reine Geldwirtschaft im modernen Sinne begründet.

§ 3. Historische Beispiele für die idealtypischen Entwicklungsstufen der Geldwirtschaft.

Erste Stufe: Natural-Eigen-Wirtschaft. Kein Tausch und kein Geld.

1. Über die Güterproduktion und das nationale Erwerbsleben der alten Deutschen in der ersten Zeit der Seßhaftigkeit berichtet

I n a m a - S t e r n e g g[1]): „Weitaus das meiste jedenfalls, was des
Volkes Wirtschaft an Gewerbswaren bedurfte, wurde im Hause ge-
fertigt, und es erweist sich auch hier wieder die Familie als eine
rechte wirtschaftliche Einheit. Es erklärt sich aber diese Isolierung
zum Teil durch die große Gleichmäßigkeit der Bedürfnisse des Haushaltes in kleineren Gebieten des volkswirtschaftlichen Lebens, zum
Teil aus dem höchst ungenügenden Verkehr auf weitere Entfernung,
der ebensowohl durch die große Zerstreutheit der Wohnplätze und
die geringe Anhäufung von Menschen in örtlichen Mittelpunkten
wie durch den äußerst unvollkommenen Zustand der Straßen, Ver-
kehrswege und Verkehrsmittel zu keinerlei Bedeutung gelangen
konnte.

Das verhinderte ebensosehr einen beträchtlichen Überfluß an
Produkten über den Eigenbedarf, wie es eine belangreiche Nachfrage nach fremden Produkten nicht aufkommen ließ. Und überdies war ja auch die Arbeitsteilung bei dem Übergewicht der Urproduktion und der großen Abhängigkeit der Wirtschaft von den
lokalen Bedingungen der äußeren Natur so wenig entwickelt, daß
auch von dieser Seite her keine Anregung zu selbständiger Ausbildung eines gewerblichen Lebens ausging. Die Technik war im
allgemeinen viel zu wenig vorgeschritten, als daß nicht jeder in
seinem Kreise das Nötigste für Haus- und Wirtschaftsbedarf selbst
hätte fertigen können.

Der wichtigste Zweig des Erwerbs aber, die Bodenbenutzung
in Ackerbau und Viehzucht, verträgt überhaupt am wenigsten weitgehende Arbeitsteilung, wie sie auch die größte Gleichförmigkeit
in Produkten erzeugt und die größte Gleichartigkeit der Bedürfnisse
erhält.

Auf diesen beiden Richtungen der Produktion aber, dem
Ackerbau und der Viehzucht, ruhte der Schwerpunkt des nationalen
Erwerbslebens, und darum sind diese Verhältnisse noch näher zu
betrachten.

Wie die Familie ursprünglich wohl im Gemeinbesitz derjenigen
Ländereien war, welche ihr bei der Ansiedelung und allgemeinen
Landteilung zugefallen waren, so sehen wir noch längere Zeit hindurch auch einen Gesamterwerb der engeren Familie herrschend.
Selbst die erwachsenen Söhne verblieben zumeist in der Gemeinschaft dieser Wirtschaft, solange die alten Familientraditionen sich
noch kräftig erwiesen.

Die Wirtschaft des kleinen gemeinfreien Grundbesitzers beruhte aber auch in der Regel ausschließlich auf den Arbeitskräften
seiner Familie, auf der Produktivität seiner Hufe und dem dazu
gehörigen Marknutzen. Er war hier auf das dringendste veranlaßt,
selbst Hand an die Wirtschaft zu legen; mit Weib und Kindern,
zuweilen auch mit Mutter, Geschwistern oder nahen Verwandten,
bebaute er das Feld, besorgte das Vieh im Stalle und auf der Weide,
und schuf sich selbst den kärglichen Hausrat sowie die wenigen
Genüsse, die solch einfaches Leben erheischte. Die Arbeit war hier
wenig geteilt; fiel auch den Weibern insbesondere das Backen, Brauen,
Mahlen, Kochen, Waschen und Spinnen zu, so war ihre Arbeitskraft doch auf dem Felde wie beim Vieh unentbehrlich; nur das

---

[1]) Deutsche Wirtschaftsgeschichte bis zum Schluß der Karolingerperiode.
Leipzig 1879. 1. Bd., S. 146/148.

Schwerste der häuslichen Arbeit und was außerhalb des Hauses zu verrichten war, was Mut und Ausdauer besonders erheischte, blieb wohl ausschließlich den Männern vorbehalten."

2. Diese Art der tauschlosen Wirtschaft ist nicht auf das Altertum und das frühe Mittelalter beschränkt; auch in der Neuzeit und Gegenwart finden wir derartige Wirtschaftszustände in Kolonialländern und in abgelegenen Gebirgsgegenden. In seinem Werk über Korea erzählt P o g i o[1]): „In ganz Korea wird seit undenklichen Zeiten das unumgänglich Notwendige im Bereiche des Hauses erzeugt. Die Frau und Töchter spinnen nicht nur Hanf, sondern auch Seide, zu welch letzterem Zwecke in vielen Häusern die Seidenraupe gezogen wird. Das Haupt der Familie muß zu allen Verrichtungen greifen und nach Bedarf Maler, Steinmetz oder Tischler sein. Die Gewinnung von Branntwein, Pflanzenfetten und Farbstoffen sowie die Erzeugung von Strohmatten, Hüten und Körben, hölzernen Schuhen und Feldgeräten gehören zur Hausarbeit. Mit e i n e m Worte, jeder arbeitet nur für sich und für seine eigenen Bedürfnisse. Dank diesen Verhältnissen ist der Koreaner ein Universalhandwerker, der zur Arbeit nur für die unerläßlichen Dinge greift."

3. Die Bewohner der Inseln in der Japanischen See, zumal auf Loo-Choo, werden als durchaus zivilisiert beschrieben. In sechs Wochen sahen die Reisenden keinen Streit unter ihnen; und es kam kein Diebstahl vor. Sie sind gut genährt, gekleidet, genießen vegetabilische Speisen und Fleisch; sie gewinnen Salz, bauen Steinbogen, haben Reis-, Zucker- und Maisbau, gute Gewebe mit vielen Verzierungen. Seidenwaren t a u s c h e n sie von China ein. Sie sind ohne Waffen, ohne Erinnerung des Krieges; die Oberen sind mild gegen die Untergebenen. Und doch haben sie weder Gebrauch noch Kenntnis des Geldes, ja sie wußten nicht einmal, wozu Gold und Silber diene[2]).

Zweite Stufe. N a t u r a l e T a u s c h w i r t s c h a f t : Tauschakte kommen vor, aber nur von Fall zu Fall. Es fehlt noch ein allgemein beliebtes Tauschmittel, alle Produkte können Tauschdienste verrichten.

1. B ü c h e r sagt über die ersten Tauschhandlungen, die in der geschlossenen Hauswirtschaft hervortreten: „Endlich aber treten auch eigentliche Tauschhandlungen auf. Den Übergang bilden Vorgänge wie die folgenden: der Sklavenherr überläßt dem Nachbar zeitweise seinen unfreien Weber oder Zimmermann und empfängt dafür ein Quantum Wein oder Holz, an dem der Nachbar Überfluß hat. Oder der unfreie Schuster oder Schneider wird von der Fronhofsverwaltung, die seine Arbeitskraft nicht voll ausnutzen kann, auf einer Landstelle angesetzt unter der Bedingung, jährlich eine bestimmte Zahl Tage auf dem Hofe zu arbeiten. In Zeiten, wo er keine Frontage zu leisten und auch in der eigenen Wirtschaft nicht viel zu tun hat, läßt er seinen hörigen Genossen in den Bauernhäusern seine Kunst zugute kommen, empfängt dort die Kost und darüber hinaus

---

[1]) A. P o g i o , Korea. (Wien und Leipzig 1895.) S. 222. Zitiert bei K. B ü c h e r, Die Entstehung der Volkswirtschaft, 6. Aufl. Tübingen 1908, S. 94.
[2]) Account of voyage of discovery to the Westcoast of Corea and the Great Loo-Choo Island by Captain Basil Hall. London 1818 (zitiert bei F. B. W. H e r - m a n n , Staatswirtschaftliche Untersuchungen. München 1832. S. 98).

ein Quantum Brot oder Speck für die Seinen. War er früher bloß
der Knecht des Herrenhofes, so wird er jetzt reihum der Knecht
aller, aber für jeden nur eine kurze Zeit. Früh auch stellt sich der
eigentliche Naturaltausch zur gegenseitigen Ausgleichung von Mangel
und Überfluß ein: Korn um Wein, ein Pferd um Getreide, ein Stück
Leinentuch um ein Quantum Salz[1])."

2. „In manchen Teilen der Vereinigten Staaten war noch
gegen Schluß des 18. Jahrhunderts der Tauschhandel sehr verbreitet. In Vermont z. B. bot der Arzt seine Arzneien aus, um ein
Pferd zu kaufen, der Drucker seine Zeitungen gegen Korn, Butter
usw.[2])."

3. „Zu Corrientes liefen noch 1815 Jungen auf der Straße
umher und riefen: ,Salz für Lichter, Tabak für Brot' usw. Erst
der Verkehr mit den Engländern führte zum eigentlichen Geldverkehr."

4. Da, wo ein allgemein beliebtes Tauschmittel noch fehlt,
können unter Umständen Reisende, die gerade dasjenige nicht zur
Verfügung haben, das von dem Besitzer für die Hergabe des Gutes
verlangt wird, in große Verlegenheit kommen. So erzählt W a l -
l a c e über die Schwierigkeiten, die er bei seinen Reisen im malayi-
schen Archipel hatte[3]): „Da ich in dem Hause eines Händlers
wohnte, so wurde mir so gut wie jedem anderen alles gebracht,
— Bündel geräucherten Tripangs oder ,bêche de mer', die wie Würste
aussahen, welche in Schmutz gerollt und dann in den Schornstein
gehangen worden waren, getrocknete Haifischflossen, Perlmutter-
schalen und Paradiesvögel, welche jedoch so schmutzig und schlecht
erhalten sind, daß ich bis jetzt noch kein Exemplar, welches sich
zum Ankauf lohnte, gefunden habe. Wenn ich die Sachen kaum
ansehe und kein Gebot mache, so scheinen sie ungläubig zu sein,
und als ob sie fürchten mißverstanden zu werden, bieten sie es mir
wiederum an und erklären, was sie dagegen haben wollen — Messer
oder Tabak oder Sago oder Tücher. Ich versuche dann durch einen
Dolmetscher, der mir zur Hand ist, ihnen zu erklären, daß weder
Tripang noch Perlen-Austerschalen Reiz für mich haben, und daß
ich es selbst ablehne, in Schildpatt zu spekulieren, aber daß ich
alles Eßbare kaufen will — Fisch oder Schildkröten oder Gemüse,
was für welches es auch sei. Fast die einzige Nahrung, die wir aber
mit großer Regelmäßigkeit bekommen können, sind Fische und
Muscheln von sehr guter Qualität, und um die täglichen Bedürfnisse zu beschaffen, ist es absolut nötig, immer mit viel Artikeln
versehen zu sein — Tabak, Messern, Sagokuchen und holländischen
Kupferdoits —, denn wenn gerade das, was sie verlangen, nicht da
ist, so gehen sie mit dem Fisch in das nächste Haus, und man bleibt
den Tag ohne Mittagessen."

5. Weil auf dieser Stufe nicht ein oder wenige Artikel als Tauschmittel dienen, sondern alle möglichen Güter nach freier Wahl der
Beteiligten, so werden Naturalien aller möglichen Art auch zu Zah-

---

[1]) B ü c h e r , Die Entstehung der Volkswirtschaft, 6. Aufl., Tübingen 1908,
S. 109/10.
[2]) E b e l i n g , Geschichte und Erdbeschreibung, II, 537. Zitiert bei W.
R o s c h e r , Grundlagen der Nationalökonomie, 16. Aufl., Stuttgart 1882, S. 275.
[3]) A. R. W a l l a c e , Der Malayische Archipel. Deutsche Ausgabe von
A. B. Meyer, 2. Bd., Braunschweig 1869, S. 186/87.

lungsmitteln bei einseitigen Zahlungen, also nicht nur beim Eintausch von Gütern verwendet. J e v o n s berichtet in seinem Werk „Geld und Geldverkehr[1])": „Vor einigen Jahren machte Fräulein Zélie, eine Sängerin von dem Théâtre Lyrique in Paris, eine Kunstreise um die Welt und gab auf den Gesellschaftsinseln ein Konzert. Für eine Arie aus Norma und mehrere Lieder sollte sie den dritten Teil der Einnahme empfangen. Beim Überzählen derselben ergab sich nun ihr Anteil als bestehend aus drei Schweinen, dreiundzwanzig Truthühnern, vierundvierzig Hühnern, fünftausend Kokosnüssen und außerdem noch einer beträchtlichen Menge Bananen, Zitronen und Apfelsinen. In den Fleisch- und Gemüsehallen von Paris, bemerkt die Primadonna in einem lebendig geschriebenen und von W o l o w s k i mitgeteilten Brief, würde ihr diese Masse Vieh und Gemüse etwa viertausend Franken eingebracht haben, was für fünf Lieder keine schlechte Bezahlung gewesen wäre. Auf den Gesellschaftsinseln aber gab es nur sehr wenig Geldmünzen und da Mademoiselle nur einen kleinen Teil ihrer Einnahmen selbst verzehren konnte, so sah sie sich bald genötigt, die Schweine und das Geflügel mit den Früchten zu füttern."

6. Auch Steuerzahlungen werden mit allerlei Naturalien erledigt. So wird dem Reutterschen Bureau unterm 13. Februar 1901 (nach einem Bericht der Frankfurter Zeitung) aus Mengo (Uganda) folgendes gemeldet: „Der eingeborene Premierminister erklärt, daß die Eingeborenen Ugandas ihre Steuern für das laufende Jahr, die annähernd 1 200 000 Mk. betragen, bezahlt haben. Darunter befinden sich auch Bezahlungen in Naturalien, bestehend aus: 5 Elefanten, 1 Zebra, 20 Schimpansen, mehreren Warzenschweinen, Wasserantilopen, Stachelschweinen, Schlangen, Kaninchen und zahlreichen Affen. Alle diese Geschöpfe sind im Regierungshauptquartier in Port Alice in Empfang genommen worden."

7. Welche Schwierigkeiten sich daraus ergeben, daß der einzelne, der ein Gut eintauschen will, nicht gerade das passende Tauschobjekt zur Verfügung hat, schildert C a m e r o n in seinem Reisebericht[2]): „Boote zu erhalten" (um den See Tanganjika zu befahren), schreibt C a m e r o n , „war mein nächster Gedanke. Da die Besitzer von zwei mir zugesicherten Booten abwesend waren, suchte ich ein dem Syde ibn Habib gehöriges von seinem Agenten zu mieten. Sydes Agent wollte aber in Elfenbein bezahlt sein, das ich nicht besaß; aber ich erfuhr, daß Mohamed ben Salib Elfenbein habe und Baumwollzeug brauche. Da ich aber auch kein Baumwollzeug hatte, so nützte mir dies wenig, bis ich erfuhr, daß Mohamed ibn Gharib Baumwollzeug habe und Draht brauche. Glücklicherweise besaß ich diesen. So gab ich denn dem Mohamed ibn Gharib die entsprechende Menge von Draht, worauf er dem Mohamed ben Salib Baumwollzeug gab, der seinerseits Syde ibn Habibs Agenten das gewünschte Elfenbein gab. Hierauf gestattete mir dieser, das Boot zu nehmen." (Vgl. L. C a m e r o n , Across Afrika, 1877, I, p. 246 f.)

Dritte Stufe. W a r e n g e l d w i r t s c h a f t: Einige allgemein beliebte Güter werden allgemein als Tauschmittel und zugleich als Waren verwandt.

---

[1]) Leipzig 1876, S. 1.
[2]) C. M e n g e r , Artikel „Geld" im Handwörterbuch d. Staatsw., 4. Bd., 3. Aufl., S. 557.

1. Bei den alten Deutschen war Vieh als Tauschmittel beliebt: „Daß die Deutschen vor und während der Völkerwanderung weder eigene Münzen noch eine Metallgeldrechnung hatten, ist als gewiß anzusehen; wird ihnen ja doch von T a c i t u s sogar die Wertschätzung der Edelmetalle abgesprochen. Es wird eben dadurch wahrscheinlich, daß sie unter den Gebrauchsgegenständen solche ausgewählt haben, welche durch allgemeine, feststehende Anerkennung ihrer Brauchbarkeit und eine große Gleichartigkeit ihres Vorkommens geeignet waren, sowohl als allgemeines Tauschmittel, als auch zur Wertmessung und Wertbewahrung gebraucht zu werden.

Daß sie für diese Zwecke Vieh von bestimmter Art (Kühe oder Ochsen) gebraucht haben, ist wenigstens in bezug auf Tausch und Wertmessung wahrscheinlich. Es spricht dafür nicht nur der sprachliche Zusammenhang von fê (Vieh) und Vermögen und die Tatsache eines solchen Wertmessers bei den Skandinaviern und Angelsachsen (Kuhgeld, Stiergeld), sondern es sind auch bei den deutschen Stämmen selbst Anhaltspunkte hierfür vorhanden.

Wie schon T a c i t u s berichtet, daß die Bußen in bestimmter Anzahl von Viehhäuptern entrichtet wurden, so finden wir auch in noch späteren Jahrhunderten vorwiegende Viehabgaben; die Sachsen haben an Chlotar II. einen Tribut von Kühen zu leisten, auch Pferdebußen kommen bei den Sachsen vor; und ihr Volksrecht sagt geradezu: Der Solidus ist ein doppelter; der eine ein einjähriger, der andere ein 16monatlicher Ochse[1].“

2. In Ägypten hat das Getreide als allgemeines Zahlungsmittel und als allgemeine Tauschware auch für Steuern zur Zeit der Herrschaft der griechischen Nachfolger Alexanders des Großen gedient[2].

3. G ü ß f e l d t beschreibt in seinem Werke über die Loango-Expedition die Landesprodukte und den Tauschhandel in Banana: „Der Markt ist eröffnet, d. h. der Markt für Lebensmittel, denn Handelsprodukte werden überhaupt nicht in Banana eingekauft. Daß es sich nur um Lebensmittel handelt, beweist schon das Übergewicht der Frauen über die Männer. Die Bodenerzeugnisse, die zum Verkauf angeboten werden, sind Maniokknollen und deren Zubereitungen, Bananen, Erdnüsse, Pfefferschötchen (Capsicum), Tomaten; ferner werden eine Anzahl magerer Hühner, ein entsprechendes Quantum von Eiern, Hammel mit glattem Haar und frisch gefangene Fische gebracht. Die Preise stehen im großen und ganzen fest, und das Geschäft würde glatter gehen, wenn nicht die Zahlung zu Rekriminationen Anlaß gäbe; denn das gemünzte Geld ist unbekannt und jeder Betrag wird in Tauschartikeln entrichtet. Diese werden natürlich häufig bemäkelt, aber meist ohne Erfolg. Die Weiber kauern, in ein dünnes baumwollenes Tuch gehüllt, auf der Erde, unter sich eifern sie in der Sprache der Eingeborenen, ihren Klagen gegen die Weißen machen sie in Negerportugiesisch Luft. Neben ihnen liegt der lange, aus Palmzweigen zusammengeflochtene Tragekorb, den sie auf dem Kopf herbeigeschleppt haben; darin befinden sich die Provisionen, aber auch stets leere Flaschen, die zur Aufnahme von Branntwein dienen.

---

[1] I n a m a - S t e r n e g g, a. a. O., S. 180/82.
[2] R o b e r t E i s l e r, Das Geld, seine geschichtliche Entstehung und gesellschaftliche Bedeutung. München 1924. S. 65.

Alle kleinen Beträge werden in Rum ausgezahlt. Allmählich verläuft sich die Schar, und die aufgekauften Vorräte wandern zum Teil in die große Küche, teils werden sie verteilt, wenn die Schwarzen ihre Rationen erhalten[1]."

4. Über die Verwendung des S a l z e s als Geld beim Stamm der Baele berichtet N a c h t i g a l[2]: „Neben der Viehzucht besteht die Hauptbeschäftigung der Leute Enedîs darin, Salz aus Fodi Intêgiding oder, und zwar vorzugsweise, aus Dimi zu holen und nach Billia, dem Verkehrsmittelpunkt des Landes, auf den Markt zu bringen, von wo es nach Wadâï oder Dâr Fôr ausgeführt wird. Das Dimi-Salz macht sich so gut in diesen Ländern bezahlt, und die Ausbeute desselben ist eine so reiche, daß es das gewöhnliche Mittel zur Deckung des Bedarfes an Getreide und Kleidung, die beide aus dem Sudan kommen müssen, und schließlich das allgemeine Tauschmittel zur Beschaffung aller Lebensbedürfnisse geworden ist. In Billia ist der Stapelplatz des Salzes und des eingeführten Getreides und sudanesischer Gewänder; dorthin zieht auch derjenige, der Schafe, Rinder oder Kamele zu verkaufen und andere Bedürfnisse zu befriedigen hat. Das Salz ist dabei der allgemeine Wertmesser geworden, und zehn Bâtê (großer dichtgeflochtener, flacher Korb) oder eine Kameelladung (drei bis vier Zentner) roten Dimi-Salzes gaben zur Zeit meines Aufenthaltes in Borkû drei Kamelladungen oder ungefähr zehn Zentner Duchn, während ich in Wadâi sogar später ein Maß roten Salzes für dreißig Maß Getreide eintauschen sah. Zehn Bâtê des roten Steinsalzes kamen ferner damals ungefähr zehn bis fünfzehn Schafen, zwanzig bis dreißig Ziegen, zwei Rindern, zwei dunkel gefärbten Toben oder einem ausgezeichneten Kamele gleich."

„Heute noch ist in Abessinien und Nigritien S a l z g e l d üblich. Es gehört hierher, sofern es schon vor der bergmännischen oder sonst gewerblichen Salzerzeugung als bloß gesammeltes Natursalz eine weithin wichtige ‚geltende' Tauschware (Hallstattfunde, Zeugnis für hohes Alter des Salzhandels!) gewesen sein muß. Ebenso war (Ilwof 78) Salzgeld auf der Landzunge Araya am Karaibischen Meerbusen zur Zeit der Entdeckung Amerikas üblich[3]."

5. Auch B a u m w o l l e spielt eine große Rolle als Geld: „Während meines Aufenthaltes in Wadâï kam zum erstenmal eine Karavane in Abesche an, die als Ausgangspunkt nicht Kairo, sondern Tripolis hatte und einen größeren Kapitalwert repräsentierte. Von Kairo bestand die Haupteinfuhr in jenen kleinen Stücken ordinären Baumwollengewebes (Maqta-Châm), welche etwa 14 m lang und 1—1½ m breit sind und die Stelle des Geldes vertreten. . . . Neben den oben erwähnten Stücken europäischen Baumwollenzeuges gelten als kleinere Münzen die mehrfach genannten Streifen einheimischen groben Baumwollengewebes (Toqqîja), deren 10—16 den Wert eines Stückes Kattun haben. Dadurch erhält man jedoch begreiflicherweise noch keine Scheidemünze, welchem Übelstande durch Bogen Papier oder Glasperlen abgeholfen wird[4]."

[1]) Dr. P a u l G ü ß f e l d t , Die Laango-Expedition. Erste Abteilung. Leipzig 1879. S. 31/32.

[2]) Dr. G u s t a v N a c h t i g a l , Sahara und Sudan. Ergebnisse sechsjähriger Reisen in Afrika. Zweiter Teil. Berlin 1881. S. 180.

[3]) E i s l e r , a. a. O., S. 91.

[4]) N a c h t i g a l , a. a. O., 3. Teil, Leipzig 1889, S. 265.

6. Weil Tabak die hauptsächlichste Frucht in Virginien war, hielt es das Volk für das beste, dem Tabak den Charakter des Geldes für das Land zu geben. Nach F r i t z K r a u s e galt „bei den Karajaindianern ein Stück Goyaner Rollentabak von drei Fingern Länge als Zahlungseinheit. 1618 hat Tabak in Virginia Zwangsgeltung[1])".

7. Zeitweise waren auch in Virginien Eichhörnchenfelle gesetzliches Geld[2]). — Bei den Kahrokindianern von Kalifornien waren Spechtskopfbälge als Geld üblich[3]). — Kalifornische Indianerstämme brauchten rote Skalpe von Spechten, die $1\frac{1}{2}$—3 Dollar wert sind und eine Art von Schneckenmuscheln, deren Spitze sie abtragen und auf einer Schnur aneinanderreihen, von denen die kleinsten Stücke 25 Cents und die größten 2 Dollar wert sind.

8. Bei Fischervölkern sind Fische als Geld beliebt, dort finden sich auch schon Preisordnungen in Fischen. So ist bei E i s l e r die Preisordnung in Stockfischen abgedruckt, die sich in der englisch-isländischen Marktordnung findet, die 1423—1426 erlassen wurde und bis zum 18. Jahrhundert gültig war. Dort sind z. B. folgende Güterpreise in Stockfischen festgesetzt:

Güterpreise	Stockfische
48 Ellen von gutem und vollbreitem handelsüblichen Tuch . .	120
1 Tonne Wein.	100
$\frac{1}{8}$ Tonne Honig.	15
$\frac{1}{2}$ Tonne Tran	15
Hufeisen aus Eisen für 5 Pferde	20[4])

9. Kakaobohnen wurden „als Geld bei den Azteken im alten Mexiko zur Zeit des Eroberers Fernando Cortez benutzt: »Man hält sie so hoch, daß sie im ganzen Land als Münze gelten und man alle Notdurft dafür kaufen kann auf Märkten und anderswo« (K o p p e , Drei Berichte des Don Fernando Cortez, Clavigero, History of Mexico, vol. 3, p. 86). C o l u m b u s fand Kakaobohnengeld bei den Majahändlern auf Guanaya (Honduras) umlaufend; bis heute dienen sie als Kleingeld in Guatemala[5])."

10. Wampun: eine Perlenschnur von meist bunten Muschelstücken, wird von den Indianern vielfach als Geld verwendet. Über den Wampun-Gürtelschmuck berichtet L a w s o n[6]): „Dies ist das Geld, mit dem man alles, was die Indianer haben, Häute, Pelze, Sklaven, kaufen kann. Für dieses Geld werden ihre Weiber oft verkauft, ihre Töchter der Vergewaltigung ausgeliefert." — „Noch zur Zeit der europäischen Siedler üblich gewesen, z. B. bis 1693 auf der Brooklyn-Fähre über den Hudson als Fährgeld in Zahlung genommen. 1637 in Connecticut Steuern in Wampun berechnet, 4 Stück weiße oder 2 blaue auf den Penny. 1641 als gültige Scheidemünze bis zum Betrag von 10 Pfund erklärt, erst 1661/62 der gesetzlichen Geltung entkleidet, aber in Massachusetts noch 1671 Wampun

---

[1]) E i s l e r , a. a. O., S. 90.
[2]) E i s l e r , a. a. O., S. 83.
[3]) Ebenda, S. 100.
[4]) Ebenda, S. 84.
[5]) Ebenda, S. 87.
[6]) History of Carolina. Zitiert bei E i s l e r , a. a. O., S. 107.

und Biberfelle als ‚bares Geld‘ (solid cash) bezeichnet[1].“ Bei diesem Schmuckgeld zeigt sich auch deutlich die früher von mir hervorgehobene Erscheinung, daß das Geld zugleich als Gebrauchsgegenstand fungiert. So trugen die indianischen Frauen bis in unsere Zeit hinein ihren ganzen Geldbesitz in Form von Silberschmuck am eigenen Leib, d. h. das Silber diente ihnen als Schmuck, solange sie nicht genötigt waren, es als Geld zu verwenden. E i s l e r bringt die Abbildung einer Khasifrau mit Kupferringgeld im Ohr. Diese Frau hat ihr ganzes Vermögen in Kupferringen angelegt und trägt es in den Ohren. (E i s l e r , S. 117.)

11. Weil auf dieser Stufe der Geldwirtschaft oft mehrere Artikel nebeneinander Gelddienste verrichten, gibt es auch Wertskalen für die verschiedenen Tauschmittel. Z. B. berichtet M o l l i n (Reise nach dem Innern von Afrika) über eine Werttabelle im westlichen Sudan:

Ein Sklave	=	1 Doppelflinte und 2 Flaschen Pulver
„ „	=	5 Ochsen
„ „	=	100 Stück Zeug.
Eine Schnur Glasperlen	=	1 Kürbisflasche voll Wasser
„ „ „	=	1 Maß Milch
„ „ „	=	1 Arm voll Heu
Zwei Schnüre „	=	1 Maß Hirse.

12. Was die Maßeinheiten solcher Geldarten, wie Muscheln, Zeugstoffe usw., anbelangt, so erfordert z. B. das an Schnüren aufgereihte Muschelgeld die Schaffung eines Längenmaßes, das von den kalifornischen Indianern sogar zur dauernden Benutzung auf den Arm tätowiert wird. Häufiger wird der Arm selbst als Maßstab gewählt. Die Methode, die als Geld dienenden Zeugstoffe von bestimmter Breite nach Unterarmlängen abzumessen, findet sich u. a. noch in Deutsch-Ostafrika allgemein.

Ü b e r g a n g   v o n   d e r   d r i t t e n   a u f   d i e   v i e r t e
S t u f e : Das Abwägen von Metallstücken wird im Tauschverkehr von privater Seite vorgenommen.

1. C a r n e g i e [2] erzählt: „Als ich in China war, erhielt ich als Austauschmittel Abfälle und Schnitzel aus einem Silberbarren herausgeschnitten, die vor meinen Augen auf der Wage des Kaufmanns abgewogen wurden.“

2. E i s l e r bringt ein Bild von in Troja gefundenen gekerbten kleinen Weißgoldbarren. Daher deutsche Bezeichnung „Mark“, alt „marca“, für ein halbes Pfund Silber; gemeint die „Marke“, „Kerbe“, bei der der Silberbarren abzubrechen ist. Bei fehlender Kerbung erfolgt Teilung durch Abhacken. Daher nicht selten sog. „Hacksilber“-Funde[3]).

3. Über solche Hacksilberfunde berichtet J o h a n n a M e s t o r f , Direktorin des Museums Vaterländischer Altertümer in Kiel, im 1. Heft des Archivs für Anthropologie und Geologie von Schleswig-Holstein: „Im 9.—11. Jahrhundert unserer Zeitrechnung bestand ein reger Handelsverkehr von der Wolgamündung durch Rußland bis zur Ostsee, derselbe erstreckte sich in seinen westlichen Grenzen auf Skandinavien, Norddeutschland bis zur Elbe, Polen, Schlesien,

---

[1]) E i s l e r , a. a. O., S. 107.
[2]) Kaufmanns Herrschgewalt, S. 24.
[3]) E i s l e r , a. a. O., S. 129.

das südliche Galizien. Der Handel war einerseits ein richtiger Tauschverkehr von Ware gegen Ware, anderseits begann man, Edelmetall, und zwar damals vorzugsweise Silber, zur Bezahlung von Waren zu gebrauchen. Zur Beschaffung von „Kleingeld" griff man zu dem einfachen Mittel, das vorhandene Silber, gleichviel, ob dasselbe in Barren, fremdländischen Münzen, Ringsilber oder silbernem Schmuck bestand, zu zerbrechen bzw. zu zerschneiden. Die großen Mengen solchen „Hacksilbers", welche namentlich in Schweden und ganz besonders in Gotland gefunden sind, deuten auf einen großen Bedarf solchen Kleingeldes, welches von den Besitzern wohl vielfach vergraben sein muß zum Schutze gegen Raub und Diebstahl. Geldfälschungen waren auch schon damals häufig, denn es sind Barren, welche nur einen äußeren Silberüberzug besitzen, im Innern aber aus geringerem Metall (Kupfer u. a.) bestehen, in nicht geringer Zahl erhalten. Um vor solchem Betruge gesichert zu sein, kerbte oder sägte man die Stücke an und überzeugte sich so von ihrer Gediegenheit. Es ist klar, daß diese Hacksilberfunde für die Feststellung der alten Handelswege eine große Bedeutung haben. Bemerkenswert ist ferner, daß sich in den ältesten Funden von Münzen ausschließlich orientalische befinden, während später auch deutsche, angelsächsische, französische und italienische hinzukommen. Das ziemlich kunstvolle Geflecht aus Silberdraht, welches zu Ringen verarbeitet in dem Hacksilber eine große Rolle spielt, weist infolge der Übereinstimmung der Funde in Schleswig-Holstein, Skandinavien usw. auf einen gemeinsamen Ursprung im Osten hin, wobei daran zu erinnern ist, daß noch heute ein ähnliches Drahtgeflecht bei den um Samara (an der Wolga) wohnenden Mordwinen in Übung ist."

4. Über Kupferdrahtgeld von Calagar berichtet E i s l e r , und die griechisch beigedruckte Quellenstelle lautet deutsch: „An Stelle von Münzen benutzen die Lusitanier (die alten Bewohner von Portugal) entweder den Warenaustausch oder sie schneiden von Silberdraht etwas ab und geben es her"[1]).

5. Captain G i l l [2]) berichtet anläßlich des Grenzübertrittes von China und Tibet nach Indien: „Nur die, die das ermüdende Verfahren eine Zeitlang mitgemacht haben, Silberklumpen entzweischneiden und wiegen, dabei jedesmal über die Wage streiten und die Feinheit des Metalls verbürgen zu müssen, können sich unsere Freude darüber vorstellen, endlich wieder einmal mit Münze zahlen zu können."

Vierte Stufe: G e m ü n z t e s M e t a l l g e l d. Aus der Schwierigkeit und Schwerfälligkeit dieses Verkehrs ergab sich die Notwendigkeit für den Staat, einzugreifen und durch seine staatliche Ordnung das Münzwesen einzurichten. Erst in staatlich gemünzter und geprägter Form haben die Münzen alle früher üblichen Tauschmittel verdrängt. Die ältesten, mit einer gleichartigen Stempelung versehenen Edelmetallstückchen, stammen aus dem kleinen asiatischen Grenzgebiet der griechischen und orientalischen Kultur und gehören dem 7. Jahrhundert vor Christi Geburt an.

Die Stempelung der Münzstücke erfolgte zuerst durch angesehene Kaufleute. Zunächst also gab es nichtstaatliche Stempe-

---

[1]) a. a. O., S. 126.
[2]) The River of golden Sand, II, S. 48. Zitiert bei E i s l e r , a. a. O., S. 165.

lung seitens einzelner vertrauenswürdiger Metallgießer oder Gold-schmiede. So hat schon vor der Einführung der Münzen eine Stempe-lung von Waren, z. B. durch phönizische Kaufleute, stattgefunden[1]).

„Jedenfalls war von der frühesten Zeit an das Recht der Münz-prägung in der allgemeinen Vorstellung so sehr mit der Staatsgewalt verknüpft, daß es stets als ein wesentlicher Bestandteil der Souve-ränität angesehen wurde und daß die Geschichte seiner Ausübung in den einzelnen Staaten ein förmliches Spiegelbild für die Gesamt-einrichtung der Entwicklung der Staatsgewalt liefert. So hat schon D a r i u s die Goldprägung zum ausschließlichen Monopol der Zentralgewalt des persischen Reiches gemacht und nur die Prägung von Silbermünzen für den lokalen Umlauf den Satrapen und Vasallen überlassen. Nach der Unterwerfung Italiens durch die Römer wurde den italienischen Unterstaaten nur die Prägung des kleinen Geldes überlassen, das große Geld wurde ausschließlich von Rom selbst geprägt. A u g u s t u s nahm, nachdem er die Herrschaft errungen hatte, für sich das ausschließliche Recht der Prägung von Gold-und Silbermünzen in Anspruch, dem Senat verblieb nur die Kupfer-prägung. In Deutschland hatte, solange unter den altfränkischen Königen noch eine starke Zentralgewalt bestand, der König allein das Recht der Münzprägung. Mit der späteren Zersplitterung der Staatsgewalt ging eine völlige Dezentralisation des Münzrechtes Hand in Hand. Geistliche und weltliche Herren und Reichsstädte erhielten zuerst die Befugnis zur Prägung von kleinen Münzen, bis in der gol-denen Bulle den Kurfürsten auch das Recht der Goldprägung ver-liehen wurde. Erst die Konsolidierung der größeren Territotial-staaten brachte nach der mit der Auflösung der Reichsgewalt ein-getretenen völligen Zersplitterung des Münzwesens eine Wendung zum Besseren zustande, und eine der ersten Segnungen, die das neue Deutsche Reich auf wirtschaftlichem Gebiete brachte, war die Herstellung der deutschen Münzeinheit[2])."

---

[1]) Vgl. E i s l e r , a. a. O., S. 138.
[2]) K. H e l f f e r i c h , Das Geld. 6. Aufl. Leipzig 1923, S. 31/32.

2. Kapitel.

Die Funktionen des Geldes.

---

§ 4. Das Geld als Tauschmittel.

Die erste und wichtigste Funktion des Geldes ist diejenige, die wir bereits bei der Darstellung der geschichtlichen Entwicklung des Geldes kennengelernt haben, nämlich die, als Hilfsmittel des Tausches zu dienen. Ohne ein derartiges Tauschmittel wäre überhaupt ein geregelter Tausch- und Marktverkehr unmöglich. Die primitive Art, wie auf der Stufe der Naturalwirtschaft die Tauschakte von Fall zu Fall erledigt wurden und als ein allgemeines Tauschmittel noch fehlte, konnte auf die Dauer nicht genügen. Der wirtschaftliche Verkehr benötigte ein bestimmtes Gut oder mehrere bestimmte Güter, die als allgemein beliebte, begehrte und anerkannte Tauschmittel bei allen Kauf- und Verkaufsgeschäften benutzt wurden. Sobald innerhalb einer Gemeinschaft — Sippe, Stamm, Volk — eine Einigung über ein oder mehrere solcher Tauschmittel zustandekamen, konnte eine Geldwirtschaft entstehen. Wie schwerfällig und umständlich vollzogen sich die Tauschakte in der vorangegangenen Periode, und wie sehr hing es vom Zufall ab, ob z. B. gerade der Tischler, der Brot brauchte, den Bäcker fand, der gerade sein Arbeitsprodukt begehrte, und wie selten kam es vor, daß gerade der Betreffende auch den Gegenwert in der gewünschten Menge zur Verfügung hatte. Die Erleichterung schuf erst der Geldverkehr dadurch, daß er ein Gut zur Verfügung stellte, das auch in der gewünschten Menge und in den verschiedensten Teilmengen dargeboten werden konnte, und es ist eine Eigentümlichkeit des Geldes, daß es eine leichte Teilbarkeit aufweisen muß. Damit hängt es auch zusammen, daß bei den meisten Völkern die Edelmetalle im Laufe der Zeit zu Geldzwecken benutzt werden mußten, denn die Edelmetalle haben, abgesehen von ihrer hauptsächlichsten ökonomischen Bedeutung, die Eigenschaft, leicht teilbar zu sein. Dazu treten noch die bekannten Vorzüge der Haltbarkeit, des hohen spezifischen Wertes, der Dauerbarkeit usw. — Erst durch das Geld konnte der Tauschverkehr aus den eng begrenzten lokalen Bezirken auf immer weitere Märkte ausgedehnt werden.

§ 5. Das Geld als allgemeines Zahlungsmittel.

Nachdem das Geld sich als Tauschmittel eingebürgert hatte, erlangte es auch immer mehr die Funktion eines allgemeinen Zahlungsmittels, d. h. nicht nur, wenn eine Ware gekauft und der Kaufpreis dafür in Geld hingegeben wurde, sondern auch bei einseitigen Zahlungsleistungen und Vermögensübertragungen wurde es üblich, Geld zu benutzen. Also bei Zahlungen, wie z. B. Besoldungen, Tributen, Strafen, Bußen, Pacht, Renten usw. trat immer mehr die Geldzahlung an Stelle der früher üblichen Naturalzahlung. Auch diese zweite Funktion des Geldes, die mit der ersten eng zusammenhängt, hat im allgemeinen zu großen volkswirtschaftlichen Fortschritten geführt. Sowohl für den zur Zahlung Verpflichteten wie für den Empfänger der Zahlung ist es in der Regel zweckmäßiger und vorteilhafter, eine Geldsumme anstatt einer Menge von Naturalien zu bezahlen bzw. zu empfangen, und wie weit übersichtlicher und klarer gestalten sich die Budgets der Privatpersonen und der Staaten, seitdem an Stelle der vielen Naturalposten wenige Geldposten getreten sind.

Die Zahlungsverpflichtung in Geld wurde auch in manchen Fällen gesetzlich erzwungen, wo der frühere Modus der Naturalzahlungen zu schweren sozialen Schädigungen geführt hatte, z. B. beim sog. Trucksystem. Häufig zahlten die Fabrikanten den Arbeitern die Löhne nicht in Geld, sondern in Produkten, die im eigenen Betriebe hergestellt wurden. So konnten die Arbeiter erst durch Verkauf dieser Produkte zu Geld kommen. Dieses Lohnzahlungssystem ist nach der deutschen Gewerbeordnung und auch in den meisten übrigen Ländern für gewerbliche Arbeiter verboten. Auf der anderen Seite hat dieses Natural-Zahlungssystem noch eine große Verbreitung und große Vorzüge, z. B. in der Landwirtschaft, wo auch noch in der Gegenwart ein großer Teil der Löhne in Naturalbezügen gegeben wird.

Gewiß hat diese Umwandlung der Naturalzahlungen in Geldzahlungen auch vielfach große Härten, namentlich in der Übergangszeit, mit sich gebracht. Man denke an das Elend der französischen Bauern vor der großen Revolution, das durch die Verwaltung der Naturalsteuern in Geldsteuern hervorgerufen wurde. Und dennoch ist letztlich diese Zahlung von Renten und Steuern in Geldform auch für den Verpflichteten der günstigere Modus, denn er ist dann frei in der Verkaufsmöglichkeit seiner Produkte und hat den Vorteil, daß bei steigenden Produktenpreisen ein und dieselbe Geldzahlung zu leisten war.

Die früher vielfach übliche Bezahlung der Beamten zu einem großen Teil in Naturalien, wie Wohnung, Heizmaterial, Getreide usw., mochte für den Berechtigten viele Vorzüge haben, für den verpflichteten Staat bedeutete dieser Zahlungsmodus eine schwere und umständliche Belastung.

§ 6. Das Geld als Schatzmittel.

Die relative Wertbeständigkeit des Geldes hat dazu geführt, daß das Geld, namentlich in früheren Zeiten, vielfach auch als Wertaufbewahrungsmittel, als Wertträger in Zeit und Raum benutzt wurde. Die Sitte war früher weit verbreitet besonders in ländlichen Kreisen, daß Geldstücke in der Truhe oder sonstwo aufbewahrt wurden, damit in Zeiten der Not bestimmte Summen dem Eigentümer zur Verfügung standen. Vielfach wurde diese Thesaurierung von den Staaten ausgeübt, besonders um einen

Kriegsschatz aufzusammeln und ihn für den Zweck eines plötzlich ausbrechenden Krieges bereit zu halten. So zuletzt noch in Deutschland, wo im Spandauer Juliusturm 120 Millionen Mark in Goldstücken für diesen Zweck aufbewahrt wurden.

Diese Funktion des Geldes als Thesaurierungsmittel ist jetzt so gut wie völlig aufgegeben. Längst hat man eingesehen, daß diese Thesaurierung dem wirtschaftlichen Zweck des Geldes entgegengesetzt ist, denn das Geld soll ausgegeben und nicht aufgespeichert werden. Aufspeicherung des Geldes bedeutet, daß eine nutzbringende Sache nutzlos verwendet wird, und auch die staatliche Thesaurierungspolitik wird jetzt immer mehr aufgegeben, da man durch die Erfahrungen des letzten Krieges eingesehen hat, daß es für ein Volk viel wichtiger ist, Rohstoffe, wie Baumwolle, Kupfer oder Getreide usw. aufzusammeln als Geld, das im Wege des Kredits beschaffbar ist.

Damit komme ich zum Hauptgrunde, warum das Geld seine Funktion als Thesaurierungsmittel in der Gegenwart verloren hat: da man Geld, welches nicht ausgegeben zu werden braucht, kapitalistisch verwerten kann, d. h. durch Verwandlung des Geldes in Kapitalform in den Genuß von Zinsen kommen kann, ist Thesaurierung des Geldes in jeder Form eine unwirtschaftliche Handlung.

§ 7. Das Geld als Vermittler von Kapitalübertragungen.

Geld selbst ist nicht Kapital, denn Kapital ist, wie wir im zweiten Bande dargelegt haben, Erwerbsvermögen, also ein Vermögen, das irgendwie dazu benutzt wird, neue Güter zu erwerben. Das Geld in seiner Funktion als Tausch- und Zahlungsmittel, soll nicht dem Erwerbe neuer Güter dienen, sondern dem Zweck dienen, andere Güter einzutauschen. Das Geld ist also Tausch- und Zahlungsmittel, aber nicht Erwerbs- und Produktionsmittel.

Wenn das Geld nicht Kapital ist und sogar begrifflich streng vom Kapital getrennt werden muß, so kann unter Umständen das Geld die Kapitalform annehmen und zwar immer dann, wenn das Geld nicht als Tauschmittel, sondern als Erwerbsmittel fungiert. Rein technisch kann Geld als produziertes Produktionsmittel Kapitalform erhalten, z. B. dann, wenn ein Goldschmied aus Gold- oder Silbermünzen Schmuckgeräte herstellt. Aber das ist nur ein ganz seltener Ausnahmefall, die Hauptmöglichkeit, Geld kapitalistisch zu verwerten, liegt auf anderem Gebiete. Man kann Geldsummen einem anderen in der Weise übertragen, daß man ihm die Rückzahlung der Geldsummen zu einem späteren Termine gestattet. Diese darlehnsweise Übertragung des Geldes an einen anderen ist die Hauptform, in der Geld kapitalistisch verwertet wird. Der betreffende Darlehnsempfänger kann die geliehenen Geldsummen in jede beliebige Form von Gütern umwandeln; er kann sich dafür z. B. Rohstoffe, Maschinen usw. beschaffen und dadurch, daß die Rückgabe der geliehenen Geldsumme erst zu einem späteren Termin erfolgt, die Zwischenzeit benutzen, um mit diesen so geschaffenen Erwerbs- und Produktionsmitteln ein gewinnbringendes Unternehmen durchzuführen. Aus dem Erlöse dieser kapitalistischen Verwertung muß er dem betreffenden Geldgeber einen Zins zahlen. Es ist das Eigentümliche der Geldwirtschaft, daß, nachdem das Geld als Tausch- und Zahlungsmittel eingeführt wurde, es auch in wachsendem Maße als Kapitalübertragungsmittel fungiert, d. h. die betreffenden Schuldner nehmen das Darlehen nicht in Form von Getreide, Kohlen, Maschinen usw. auf, sondern die Darlehnssucher suchen in der Regel eine Summe Geldes zu erlangen und mit Hilfe dieser Geldsumme die nötigen Produktionsmittel zu kaufen.

Die vielfach übliche Auffassung, unter den Begriff Kapital auch das Geld zu rechnen, ist abzulehenn und gibt zu Mißverständnissen Anlaß. Alles Geld, das jemand zu seiner Verfügung hat, um Zahlung zu leisten usw., ist Geld und nicht Kapital; es wird überhaupt erst Kapital, wenn es seiner eigentlichen Geldfunktion entzogen wird. Indem der Besitzer längere Zeit hindurch sich des Geldgebrauchs enthält und es einem anderen überträgt, wird es Kapital.

Mit dieser Unterscheidung von Geld und Kapital hängt auch die Unterscheidung von Geldmarkt und Kapitalmarkt zusammen. Streng genommen müßte die Unterscheidung bedeuten, daß man von Geldmarkt nur spricht, wenn ein Markt gemeint ist, wo Geld gehandelt wird, also z. B. der Markt für verschiedene Geldsorten, wie in früheren Zeiten bei der Vielgestaltigkeit des deutschen Münzwesens der Geldsortenhandel und der Geldwechsel eine große Rolle spielte. Im Gegensatz dazu würde der Kapitalmarkt der Markt sein, auf dem Kapitalien gehandelt werden. Tatsächlich wird aber diese Unterscheidung in der Literatur, namentlich in der Handelspresse, nicht in dieser strengen Form durchgeführt, sondern in mißverständlicher Weise wird der Ausdruck Geldmarkt für einen Markt gebraucht, der ebenfalls Kapitalmarkt ist. Es ist heute üblich, Geld- und Kapitalmarkt so zu scheiden, daß man unter Geldmarkt den Markt für kurzfristige Kapitalanlagen, Wechseldiskont usw. bezeichnet und als Kapitalmarkt den Markt für langfristige Anleihen Hypotheken, Staatsaneihen usw. Richtiger würde man also von Kapitalmarkt sprechen und dann trennen: Kapitalmarkt für kurzfristige, und Kapitalmarkt für langfristige Anlagen.

§ 8. Das Geld als Mittel der Preisfestsetzung und Preisvergleichung.

Die letzte und wichtigste Funktion des Geldes wird in der Regel in den Lehrbüchern als die Funktion des Geldes als eines Wertmaßstabes bezeichnet. Ich halte diese Bezeichnung des Geldes als Wertmaßstab für falsch und irreführend. Man sollte bei dieser Funktion des Geldes von einem Preisindikator sprechen, nicht aber von einer Wertmaßfunktion. Wäre wirklich das Geld ein Wertmaßstab im strengen Sinne des Wortes, so müßte man am Werte des Geldes den Wert der Waren messen können, so daß man also sagen dürfte, daß, wenn eine Ware in Geld ausgedrückt teurer wird, der Wert der Ware gestiegen sei und umgekehrt, wenn der Wert einer Ware in Geld ausgedrückt gesunken ist, daß der Wert der Ware gesunken sei. Dies ist unmöglich und zwar aus dem Grunde, weil das Geld selbst im Wert veränderlich und darum als Wertmaßstab untauglich ist. Es gibt in der Volkswirtschaft kein Gut, welches im Wert unveränderlich wäre. Darum können wir auch

keinen exakten Wertmaßstab haben. So kann man niemals die
Mark als Wertmaß in dem Sinne auffassen, wie etwa das Meter als
Längenmaß. Das Meter ist der zehnmillionste Teil des Viertels eines
Erdmeridians und zwar des Quadranten zwischen dem Äquator
und dem Nordpol. Dieses Längenmaß ist auf Grund ganz genauer
Messungen endgültig in Frankreich durch Gesetz vom 10. Dezember
1799 eingeführt worden und dann durch die im Jahre 1875 ab-
geschlossene internationale Meterkonvention von 18 Staaten angenommen worden. So kann man mit Hilfe dieses Metermaßes in
exakter Weise alle Längen messen. Was ist dagegen die Mark?
Die Mark ist der 2790ste Teil von einem Kilo Feingold. Dieses Gold
selbst ist aber nicht im Wert unveränderlich, sondern der Wert
des Goldes ist ebenso wie der Wert anderer Waren veränderlich
je nach den Produktionskosten des Goldes, der Nachfrage nach
Gold und verschiedenen anderen wertbestimmenden Momenten.
Wenn also eine Ware im Preise steigt, so muß die Ursache nicht
darin bestehen, daß der Wert der Ware größer geworden ist, sondern die Steigerung bzw. Senkung kann auch dadurch verursacht
sein, daß der Wert des Geldes gesunken ist und umgekehrt.
Darum muß bei jeder Preissteigerung oder Preissenkung untersucht werden, ob die Ursachen der Steigerung bzw. der Senkung auf Seite der Ware oder auf Seite des Geldes liegen. Deshalb
sollte man ein für allemal die Bezeichnung des Geldes als eines
Wertmaßstabes aufgeben und nur von der Funktion des Geldes als
Preisfestsetzungs- und Preisvergleichungsmittels sprechen. Auch eine
juristische Bedeutung wird dieser Funktion des Geldes nicht beigelegt. So erklärt Hartmann[1]), daß der Begriff des Wertmaßes
ein juristisches Moment von selbständiger Bedeutung und Brauchbarkeit nicht enthält.

Aber diese Funktion als Preisindikator ist eine eminent wichtige, denn sobald einmal die Geldwirtschaft aufgekommen ist, werden
auch die Warenpreise in aller Regel in Geld festgesetzt. Man hat durch
die Geldpreise der Waren die Möglichkeit, die Warenpreise untereinander zu vergleichen. Die Festsetzung der Preise in Geld ist aber
für die kapitalistische Wirtschaft eine unbedingte Notwendigkeit,
denn es ist die Eigentümlichkeit der kapitalistischen Produktion,
daß Waren auf den Markt gebracht und dort zum Verkauf gestellt
werden, ohne daß man die Absatzmöglichkeit der Waren und die
Preishöhe derselben von vornherein kennt. Erst auf dem Markte
werden die Preise fixiert und um deswillen ist das Geld ein sehr guter
Preisregulator, weil man aus dem Geldpreise der Waren erkennen
kann, wie hoch die Waren an einer bestimmten Menge Edelmetalls
gemessen bewertet werden. Nur dadurch, daß gegenüber den vielen
Waren des Marktes eine bestimmte privilegierte Ware, nämlich das
Edelmetall Gold oder Silber, aus dem die Münzen hergestellt werden,
besteht, läßt sich ein ungefährer Anhalt über die Höhe des Wertes
angeben. Auch ist zu beachten, daß innerhalb kurzer Zeitperioden, in
denen der Geldwert selbst keinerlei Schwankungen unterliegt, das Geld
als Wertmaß fungieren kann. Nur darf man nicht übersehen, daß
Geld kein absolut wertbeständiges, sondern nur ein relativ wert-

---

[1]) Über den rechtlichen Begriff des Geldes und den Inhalt von Geldschulden.
Braunschweig 1848. S. 6.

beständiges Tauschmittel darstellt. Daraus ergibt sich auch die
Notwendigkeit, daß dieses Geld selbst einen Wert haben muß, denn
wie könnte man den Wert der Waren irgendwie feststellen oder die
Preise der Waren vergleichen, wenn nicht ein tertium comparationis
für diese Wertvergleichung vorhanden wäre. Die Frage, ob für diese
Funktion als Preisindikator auch ein Gegenstand tauglich wäre,
der selbst keinen Wert hat, wird uns noch in einem späteren Zusammenhang beschäftigen.

3. Kapitel.
Einige theoretische Grundprobleme
des Geldwesens.

---

§ 9. Definition des Geldes.

Geld ist dasjenige Zahlungsmittel, das von der Rechtsordnung als allgemeingültig anerkannt ist. Aus dieser Definition geht hervor, daß der Begriff des Geldes ein viel engerer ist als der des Zahlungsmittels. Es gibt Zahlungsmittel, die nicht Geld im strengen Sinne sind; nur das, was unbegrenzt als gesetzliches Zahlungsmittel und damit auch zur Schuldentilgung angewandt werden kann, ist Geld im juristischen und nationalökonomischen Sinn.

Zum Wesen des Geldes gehört also auch, daß es Zwangskurs hat, d. h. daß es von allen Beteiligten zu dem vom Staate festgesetzten Nominalwert angenommen werden muß. Damit hängt es auch zusammen, daß Geld immer nationales Geld ist, d. h. nur Gültigkeit hat innerhalb der Grenzen des Staates, der die für das Geld maßgebenden Rechtsnormen erlassen hat.

Neben dem obligatorischen Zahlungsmittel „Geld" gibt es noch fakultative Zahlungsmittel und zwar:

1. diejenigen Zahlungsmittel, die nur in begrenzter Menge die Funktion des gesetzlichen Zahlungsmittels haben (die Scheidemünzen);

2. diejenigen Zahlungsmittel, die freiwillig im Verkehr als Zahlungsmittel Verwendung finden, wie Papiergeld und Banknoten ohne Zwangskurs, Schecks, Coupons, Wechsel usw. (Geldsurrogate).

Es wird oft behauptet, daß diese Trennung von Geld und Geldsurrogaten nur juristische, aber keine nationalökonomische Bedeutung hätte, so daß man also für das Geld im juristischen Sinne meine obige Definition zugrunde legen könnte, daß aber für die nationalökonomische Geldlehre alles das als Geld anzusehen wäre, was im wirtschaftlichen Verkehr Gelddienste verrichtet. Diese Auffassung ist irrig. Juristen wie Nationalökonomen müssen in der grundlegenden Definition des Geldes einig sein. Auch für die nationalökonomische Betrachtungsweise und für die Erklärung zahlreicher wirtschaftlicher Erscheinungen ist es dringend erforderlich, das Geld im engeren Sinne von den anderen Zahlungsmitteln zu trennen, die zwar Gelddienste verrichten können, aber nicht verrichten müssen.

Nach meiner Definition gehörten zum Geld in Deutschland vor dem Kriege die Reichsgoldmünzen und die Reichsbanknoten, streng genommen sogar nur die Reichsgoldmünzen, weil die Reichsbanknoten jederzeit in Goldmünzen eingelöst werden mußten.

§ 10. Das Geld als Geschöpf der Rechtsordnung.

Nach meiner obigen Darlegung gehört zum Wesen des Geldes die rechtliche Anerkennung. Nur d a s ist Geld, was die Rechtsordnung als solches bestimmt und anerkennt. Diese Auffassung ist in der Literatur lebhaft bestritten, und es wird behauptet, daß das Geld spontan aus dem wirtschaftlichen Verkehr enstanden wäre, daß sein Wesen sich allein aus den Funktionen herleite, die es im wirtschaftlichen Tauschverkehr ganz unabhängig von rechtlicher Regelung zu erfüllen habe. Namentlich C a r l M e n g e r ist Vertreter dieser Auffassung; er erblickt das Wesen des Geldes darin, daß es eine b e s o n d e r s m a r k t g ä n g i g e W a r e sei. Er sagt darüber[1]): „Das Interesse der Wirtschaftssubjekte an ihrer Güterversorgung hat dieselben mit fortschreitender Erkenntnis dieses ihres Interesses — o h n e Ü b e r e i n k u n f t, o h n e l e g i s l a t i v e n Z w a n g, j a o h n e j e d e R ü c k s i c h t n a h m e a u f d a s g e m e i n e I n t e r e s s e — dazu geführt, in Verfolgung ihrer i n d i v i d u - e l l e n wirtschaftlichen Zwecke vermittelnde Tauschakte mehr und mehr, schließlich als eine normale Form des Güterumsatzes vorzunehmen, d. i. ihre zu Markte gebrachten, schwer oder im gegebenen Falle gegen die von ihnen gesuchten Bedarfsgegenstände überhaupt nicht abzusetzenden Güter zunächst gegen Marktgüter auszutauschen, deren sie zwar nicht unmittelbar bedurften, deren Besitz ihnen aber wegen der großen Marktgängigkeit dieser Güter die Aussicht bot, sich mittels derselben die unmittelbar begehrten Güter auf dem Markte leicht eintauschen zu können.

Als Waren von besonderer Marktgängigkeit haben sich allerorten erfahrungsgemäß in begrenzter Menge verfügbare Güter allgemeinen Bedarfs und Begehrs erwiesen, für welche ein verhältnismäßig großer offener (ungedeckter) Bedarf tauschkräftiger Marktgenossen dauernd vorhanden zu sein pflegt."

M e n g e r führt dann eine Reihe solcher Güter an und erklärt[2]): „Güter dieser und ähnlicher Art gewähren in der Periode des Tauschhandels demjenigen, der sie zu dem Zwecke zu Markte bringt, um sie gegen Güter seines speziellen Bedarfs auszutauschen, nicht nur den Vorteil, daß die Aussicht derselben, seinen Zweck zu erreichen, überhaupt eine ungleich größere ist, als wenn er mit Gütern zu Markte geht, welche den Vorzug der Marktgängigkeit nicht oder nur in geringem Maße aufweisen; er kann — da die Nachfrage nach den von ihm zu Markte gebrachten Gütern eine umfangreichere, konstantere und wirksamere als nach Gütern anderer Art ist — zugleich mit größerer Wahrscheinlichkeit darauf rechnen, dieselben, wo nicht etwa usuelle oder von Gewalthabern angeordnete Preisverhältnisse bestehen, zu verhältnismäßig günstigen naturalen Preisen austauschen zu können.

Mit der w a c h s e n d e n E r k e n n t n i s des obigen wirtschaftlichen Interesses, insbesondere infolge überlieferter Einsicht und der mechanisierenden Gewohnheit ökonomischen Handels, sind denn auch aller Regel nach auf allen Märkten die nach Maßgabe der örtlichen und zeitlichen Verhältnisse marktgängigsten Waren zu

---

[1]) Grundsätze der Volkswirtschaftslehre. 2. Auflage. Wien 1923. S. 248/49. — Diese Ausführungen finden sich auch wörtlich in seinem Artikel „Geld" im Handwörterbuch der Staatswissenschaften.
[2]) a. a. O., S. 250.

solchen geworden, welche im Austausche gegen seine eigenen minder marktgängigen Tauschgüter anzunehmen jedermann nicht nur ein ökonomisches Interesse hat, sondern tatsächlich,. ja gewohnheitsmäßig, bereitwillig annimmt; die marktgängigsten aber deshalb, weil nur diese im Verhältnisse zu allen übrigen Waren die absatzfähigeren sind und somit aller Regel nach nur sie zu a l l g e m e i n gebräuchlichen Tauschmitteln werden können."

Der Staat hat nach M e n g e r nur für eine gewisse Vervollkommnung des Geldes zu sorgen, mit dem Wesen und der Entstehung des Geldes sollen der Staat und die Rechtsordnung nichts zu tun haben. Für den Begriff des Geldes sei nur wesentlich, ob es die Funktion des Austauschs vermittelt.

M e n g e r starb im Jahre 1921 und K n a p p s Werk über „Die staatliche Theorie des Geldes" erschien in erster Auflage 1905! Daß M e n g e r trotzdem immer noch so eng und einseitig im Gelde nur das allgemein beliebte wirtschaftliche Gut sieht und die öffentlich-rechtliche Seite des Geldes nicht beachtet, ist auffallend. M e n g e r ist Metallist, und in dieser Beziehung stimme ich ihm durchaus zu, aber auch der Metallist muß doch die wichtige Aufgabe des Staates und der Rechtsordnung für das Geldwesen erkennen und hervorheben. Darin ist K n a p p unbedingt recht zu geben, daß das Geld ein Geschöpf der Rechtsordnung ist, denn das unterscheidet das Geld von den früheren Tauschmitteln aller Art, daß in einer Volksgemeinschaft durch Gewohnheitsrecht oder geschriebenes Gesetz ein bestimmtes, als rechtliches Zahlungsmittel anerkanntes Gut besteht. Die manchesterliche Auffassung des Geldwesens, die sich in M e n g e r s Geldtheorie dokumentiert, kann heute nicht mehr aufrecht erhalten werden.

Die Bedeutung des Staates und der Rechtsordnung kommt bei dieser Fassung von M e n g e r zu kurz. Erst h i e r m i t , erklärt M e n g e r , ist die Erscheinung des Geldes gegeben, und er meint unter „hiermit", daß die Einsicht aufgekommen wäre, wie sehr es im ökonomischen Interesse jedes einzelnen wirtschaftenden Individuums läge, den Austausch von minderabsatzfähigen Waren gegen solche von höherer Absatzfähigkeit vorzunehmen[1]). — Diese Einsicht genügt nicht, es müssen feste staatliche Normen und auch staatliche Garantien vorliegen, daß das, was sich urwüchsig im Verkehr herausbildet, die wichtigen Funktionen von Gemeinschaftswegen erhält, die das Wesen des Geldes ausmachen, nämlich als unbedingt gültige Solutionsmittel für Schulden aller Art zu dienen. Wenn man die Eigenart des Geldes allein in der wirtschaftlichen Besonderheit erblickt, daß die Geldware besonders marktgängig sei, so wird dabei die für das Wesen des Geldes viel wichtigere Eigentümlichkeit übersehen, die sich in den R e c h t s f o l g e n äußert, welche die Institution des Geldes mit sich bringt. Wenn M e n g e r erklärt[2]): „Das Geld ist seinem Ursprung nach keine staatliche, sondern eine gesellschaftliche Erscheinung", so muß erwidert werden: Was sind denn „gesellschaftliche" Erscheinungen, hinter denen nicht irgendeine staatliche oder rechtliche Autorität steht? — Nur eine Vervollkommnung des Geldes durch den Staat erkennt M e n g e r

---

[1]) Handwörterb. d. Staatsw., S. 560.
[2]) Handwörterb. d. Staatsw., S. 574.

an; aber schon die Entstehung des Geldes selbst ist ohne staatliche Sanktion nicht denkbar. Wenn man aber gar die Ausmünzung der Geldmetalle, also eine rein technische Leistung, als den Grund angibt, „der das Eingreifen des Staates mehr und mehr zu einem unabweisbaren macht[1])", so verkennt man vollends die wichtige Rolle des Staates im Geldwesen, die auf ganz anderem Gebiete liegt.

§ 11. Der Geldbegriff in der juristischen Literatur.

Die von mir vertretene Auffassung, daß das Geld seinem Grundwesen nach rechtlicher Natur ist, wird auch in der juristischen Literatur vielfach vertreten, so mit besonderem Nachdruck von G e r b e r [2]).

G. geht davon aus, daß das Wesen des Geldes rechtlicher und zwar staatsrechtlicher Natur sei, und daß es daher allein aus rechtlichen Erwägungen heraus verstanden werden könne. Hieraus folgerte er für die Wirtschaftswissenschaft, daß auch sie das Geld als Rechtsbegriff auffassen müsse, und daß es einen besonderen juristischen und ökonomischen Geldbegriff nicht gäbe. Wenn G. das Geld als einen Begriff des Staatsrechts auffaßt, so meint er dies im Sinne des nationalen Rechtes und nicht des Völkerrechts. Zusammenfassend sagt er: „Das Geld ist d a s r e c h t l i c h e Z a h l u n g s m i t t e l d e r u m f ä n g l i c h s t e n Z a h l g e m e i n s c h a f t und deswegen das a l l g e m e i n s t e. S e i n B e s t a n d r u h t n i c h t a u f v e r t r a g l i c h e r V e r e i n b a r u n g , e r i s t n i c h t G e l t u n g i m p r i v a t r e c h t l i c h e n S i n n , s o n d e r n W ä h r u n g i m S i n n e v o n ö f f e n t l i c h - r e c h t l i c h e r G e w ä h r l e i s t u n g . Die durch das Geld begründete wirtschaftliche Gemeinschaft ist nicht eine beliebige, sondern die notwendige einer nationalen Wirtschaft. G e l d hat als rechtlich geordnetes Zahlungsmittel öffentlich-rechtliche Bedeutung. Es ist e i n S t ü c k „S t a a t" im Sinne des öffentlich-rechtlichen Teiles der nationalen Rechtsordnung" (S. 71).

Diese Begriffsbestimmungen G e r b e r s scheinen mir zutreffender zu sein als die von W o l f und N u ß b a u m. Die abweichende Meinung von W o l f (Handh. d. ges. Handelsrechts, 3. Abschn.: Das Geld), der in der seit H a r t m a n n üblichen Weise einen Begriff des Geldes im wirtschaftlichen Sinne und einen Begriff des Geldes in rechtlichem Sinne unterscheidet, scheint mir unhaltbar. Zwar hat der Nationalökonom dem Geldwesen gegenüber eine gänzlich andere Betrachtungsweise und gänzlich verschiedene Probleme, als der Jurist, aber der grundlegende Begriff des Geldes sollte für Juristen und Nationalökonomen gemeinsam sein. Wie unklar und gerade für einen Juristen auffallend wenig scharf ist die Erklärung von W o l f : „Geld sind solche Sachen, die von einem Vertrauen der Verkehrsgenossen getragen werden, dem Vertrauen darein, daß man gegen ihre Hingabe Güter verschiedenster Art werde erwerben können" (S. 564).

---

[1]) Ebenda, S. 574.
[2]) Dr. H a n s G e r b e r, Geld und Staat. Eine Untersuchung über die Geldverfassung als Problem des Staatsrechts im Rahmen einer allgemeinen Systematik des Rechts. Jena 1926.

Ebenso scheint es mir unzweckmäßig, wenn N u ß b a u m [1]) einen engeren aktuellen und weiteren wirtschaftsgeschichtlichen Begriff des Geldes unterscheidet. Der wirtschaftsgeschichtliche Begriff des Geldes soll für alle allgemeinen Tauschmittel, die in der Wirtschaftsgeschichte aufgetreten sind, Verwendung finden und logisch dem aktuellen Geldbegriff übergeordnet sein. Auch diese Trennung halte ich für irreführend, denn das allgemeine Tauschmittel fällt unter den allgemeinen Geldbegriff, sobald es als rechtlich anerkanntes Zahlungsmittel einer Zahlungsgemeinschaft auftritt. Ist dies aber nicht der Fall, so haben wir kein Geld vor uns, sondern eines der vielen Tauschmittel, die der vorgeldwirtschaftlichen Periode angehören. Wenn N u ß b a u m behauptet: „Freilich ist nicht viel damit gewonnen, daß man das Geld als ein rechtlich anerkanntes Zahlungsmittel zu definieren sucht" (S. 3), so ist die Frage aufzuwerfen, ob mehr damit gewonnen ist, wenn man mit N u ß - b a u m das Geld definiert als „diejenigen Sachen, die im Verkehr nicht als das gegeben und genommen werden, was sie physisch darstellen, sondern lediglich als Bruchteil, Einfaches oder Vielfaches (x-faches) einer ideellen Einheit" (S. 6).

Sobald man V e r k e h r s g e w o h n h e i t e n als Kriterium für das Wesen des Geldes annimmt, fehlt nicht nur jede juristische Bestimmtheit, sondern auch das für den Nationalökonomen Wesentliche. Durchaus zutreffend ist es auch, wenn G e r b e r das Wesen des Geldes in seiner öffentlich-rechtlichen Qualität erblickt. Auch hier ist die gegenteilige Auffassung N u ß b a u m s abzulehnen. Für seine Meinung, daß das Geldrecht grundsätzlich dem Privatrecht angehöre, macht er z. B. geltend, daß die Frage der Schulderfüllung und des Annahmezwanges im Kern privatrechtlicher Art seien (S. 17). Das sind sie eben nicht! Es ist ein Ausfluß der staatlichen Machtbefugnisse, zu bestimmen, was Geld ist und welche Rechtsverhältnisse sich aus der Geldschöpfung ergeben. Wenn N u ß - b a u m weiterhin meint, daß durch die „Macht des Verkehrs" (S. 16) Geld geschaffen werden könne (z. B. Notgeld) und auch Geld auf diesem Wege demonetisiert werden könne, so wird hier wiederum der gänzlich vage Begriff des Verkehrs herangezogen. Das private sog. Notgeld stellt eine krankhafte Entartung des Geldwesens in anormalen Zeiten, besonders in Kriegszeiten, dar, kann daher nicht als Beweis für staatloses Geld herangezogen werden. Vielmehr ist das Geld eine schlechthin öffentliche Angelegenheit und auf Gedeih und Verderb sind die Staatsbürger mit dem durch den Staat geordneten Geldwesen verbunden und gezwungen, sich allem zu fügen, was der Staat anordnet.

Durchaus richtig scheint es mir auch zu sein, wenn G e r b e r das Geld als eine nationale Erscheinung auffaßt und alle Versuche eines internationalen Geldes als Ersatz nationalrechtlicher Regelung des Geldwesens als unmöglich zurückweist (S. 82). Ich möchte sogar in dieser Auffassung des Geldes als einer nationalen Angelegenheit noch weiter gehen wie G e r b e r, denn er macht noch eine Konzession an die Auffassung des Geldes als internationales Zahlungsmittel, wenn er behauptet, daß der intervalutarische Kurs die An-

---

[1]) A r t h u r N u ß b a u m , Das Geld in Theorie und Praxis des deutschen und ausländischen Rechts. Tübingen 1925, S. 13.

erkennnung eines nationalen Zahlungsmittels als internationales, die Eingliederung desselben in das System der völkerrechtlich bestimmten Zahlungsmittel bedeute (S. 84). Er erklärt, daß das Geld für den internationalen Zahlungsverkehr seine völkerrechtliche Wertbestimmung durch völkerrechtlichen Gebrauch erhielte, und daß sich auf diese Weise in der rechtlich geordneten Geldwirtschaft die Notwendigkeit eines öffentlich-rechtlich bestimmten Zahlungsmittels durchsetze (S. 88). Demgegenüber möchte ich meine Meinung dahin präzisieren, daß das Geld im internationalen Zahlungsverkehr eine Ware ist und nicht Geld. In dieser Behauptung liegt kein Irrtum, wie der Verfasser S. 85 meint, sondern, im Grunde genommen, die durchaus logische Folgerung seiner eigenen Begriffsbestimmung des Geldes als einer nationalrechtlichen Erscheinung. Wenn das Geld sein Wesen nur erhält durch die staatlichen Rechtsregeln über das Geldwesen, und da diese Regeln nur für den Staat gelten, in dem sie aufgestellt sind, folgt daraus, daß jenseits der Grenzen des Staates das betreffende Geld seine Geldqualität verliert und nur als Ware betrachtet werden kann, soweit es zu Zahlungsdiensten herangezogen wird.

Abweichend von meiner Terminologie hält G e r b e r den Annahmezwang nicht für ein wesentliches Kriterium des Geldbegriffes. Er unterscheidet vollverkehrsfähiges von beschränkt verkehrsfähigem Geld. Er versteht unter ersterem das Geld mit unbeschränktem, unter letzterem das Geld mit beschränktem Annahmezwang. Ich kann mich dieser Definition nicht anschließen, denn das sog. beschränkt verkehrsfähige Geld gehört nicht zum Geld im strengen Sinne des Wortes, da ihm wichtige Wesensbestimmungen des Geldes fehlen, nämlich der Annahmezwang und die Möglichkeit, als letztes Solutionsmittel für Obligationen zu dienen. Ferner macht G e r b e r den Unterschied von P r ä s e n t g e l d und K r e d i t g e l d. Präsentgeld soll das vollgewichtige und vollwertig ausgeprägte Münzgeld sein, alles übrige Geld soll Kreditgeld sein, und zwar entweder Realkreditgeld, wenn Deckung für das Geld vorhanden ist, wie z. B. bei den Reichsbanknoten, oder Personalkreditgeld, wenn keine Deckung vorhanden ist, wie z. B. bei den Reichskassenscheinen vor dem Kriege. Auch die Scheidemünzen zählt G e r b e r zum Kreditgeld, weil sie nicht vollwertig ausgeprägt seien.

Die Bezeichnung Kreditgeld ist nicht neu. Schon A d a m M ü l l e r hatte 1816 die Banknoten als Kreditgeld bezeichnet. S c h n a p p e r - A r n d t bezeichnet das Scheidegeld als Kreditgeld, aber nur mit der Einschränkung, „soweit sein Wert auf Kredit beruht"[1].

Diese Abgrenzung der Begriffe in Präsentgeld und Kreditgeld, die G e r b e r vornimmt, hat große Bedenken. Wenn G e r b e r alles Geld außer dem vollwertigen Metallgeld als Kreditgeld bezeichnet, so faßt er unter diesem Begriff alle möglichen Zahlungsmittel zusammen, die zum Kredit in sehr verschiedener, oft nur in ganz loser Beziehung stehen. Zu welchen Mißverständnissen die Bezeichnung Kreditgeld führen kann, sei am Beispiel der Banknoten einerseits, der Scheidemünzen anderseits illustriert. — Die Bezeichnung Kreditgeld ist für die Banknote um deswillen schon

---

[1] Sozialstatistik. Berlin 1908. S. 269.

irreführend, weil die Banknote normaliter überhaupt nicht Geld, sondern ein Kreditmittel ist. Die Banknote wird nicht ausgegeben, um Zahlungsmittel zu schaffen, sondern um dem Handel und der Industrie auf sicherer Grundlage Kredit zu gewähren. Daß die Banknoten de facto auch als Zahlungsmittel und als Geldsurrogat fungieren, ist eine Sache für sich und hat mit dem Wesen der Banknote nichts zu tun. Soweit die Banknoten als Geld dienen, leisten sie diesen Dienst nur als Stellvertreter der Goldmünzen, gegen die sie jederzeit einlösbar sind. Also selbst dann, wenn die Banknoten de iure wegen des Annahmezwanges Geld sind, sind sie de facto nur Stellvertreter für das eigentliche Geld.

Genau umgekehrt liegt es beim staatlichen Papiergeld und bei den uneinlöslichen Banknoten, die zu Papiergeld geworden sind. Hier liegt tatsächlich ein Geld vor, welches durch Inanspruchnahme des staatlichen Kredits entstanden ist. Hierfür würde der Name Kreditgeld durchaus passend sein. Faßt man aber die beiden grundverschiedenen Arten der Banknoten unter dem Namen Kreditgeld zusammen, so werden diese so wichtigen Unterschiede ganz verwischt; was die Scheidemünzen anlangt, so soll man ebenfalls nicht von Kredit sprechen, denn wenn sie nicht vollwertig ausgeprägt sind, so bedeutet das nicht, daß der Staat seinen Kredit zur Geldschöpfung benutzt, sondern daß er durch diese minderwertige Ausprägung einen **Münzgewinn** erzielt.

§ 12. Zur Frage der Geldschulden.

Vom Standpunkt unserer begrifflichen Erörterung des Geldes aus müssen wir auch zum Problem der Geldschulden Stellung nehmen. Es handelt sich um folgende Fragen: Kann ein Gläubiger, der ein Darlehn in Metallgeld gegeben hat, die Rückgabe in Metallgeld verlangen auch dann, wenn der Staat inzwischen zur Papierwährung übergegangen ist? Oder allgemeiner gesprochen: Muß eine Geldschuld zum Münzwert, zum Kurswert oder zum Nominalwert zurückgezahlt werden? Nach alledem, was ich über den öffentlich-rechtlichen Charakter des Geldes ausgeführt habe, ist die Antwort nur so zu geben: die Geldschuld ist nach dem Nominalwert zu tilgen; der Gläubiger muß z. B. zufrieden sein, mit Papiermark abgefunden zu werden, auch wenn er das Darlehn in Goldmark gegeben hat, und zwar aus folgendem Grunde: Die Geldschuld lautet auf eine bestimmte Summe, die in irgendeinem Geldnamen ausgedrückt ist, z. B. Mark, Frank, Pfund Sterling usw. Geht der Staat zu einer Papierwährung über, so bleibt der Name der Geldeinheit bestehen. In dieser Geldeinheit darf dann auch die Schuld getilgt werden selbst dann, wenn der wirtschaftliche Wert der nominalen Geldeinheit infolge der Papiergeldwirtschaft sich verschlechtert hat. So erklärt auch W o l f [1]: „Geht ein Staat von einer M e t a l l w ä h r u n g zu reiner P a p i e r g e l d w ä h r u n g über, so wird ein „rekurrenter" Anschluß nie fehlen; eine ausdrückliche Umrechnungsnorm wird regelmäßig entbehrlich sein, da schon der Name des Papiergeldstücks die nötige Auskunft geben wird: daß mit einer Währungsbanknote über 100 Mk. eine ältere auf 100 Mk. (Gold)

---

[1] M a r t i n W o l f , Das Geld (1916). In Handbuch des gesamten Handelsrechts. Herausgegeben von V. Ehrenberg. Dritter Abschnitt, S. 645.

lautende Schuld erfüllt wird, ist deutlich." — Der Staat geht nur
gezwungenermaßen und durch eine Notlage veranlaßt zu dieser
Änderung der Geldverfassung über; weil nicht genügend Metallgeld
zur Verfügung steht, um die Zahlungsmittelfunktion und die anderen
Geldfunktionen zu erfüllen, setzt der Staat ein neues Geld an Stelle
des vorangegangenen. Aus seiner öffentlich-rechtlichen Machtbe-
fugnis heraus, kraft deren er das Geldwesen zu ordnen hat, setzt er
die neue Geldverfassung fest. Wie könnten dann einzelne Staatsbürger, auf privatrechtliche Verträge pochend, die Rückzahlung der
Schuld in einer Form verlangen, die in der Regel überhaupt unmöglich ist? Das Staatsinteresse muß vor dem Privatinteresse
stehen, und wenn auch in vielen Fällen große Härten und Ungerechtig-
keiten mit dieser Schuldregulierung verbunden sein mögen, so sind
es unvermeidliche Opfer, die in solchen Notzeiten von den Bürgern
verlangt werden müssen. Es ist lediglich Sache der Billigkeit und
der ausgleichenden Gerechtigkeit, inwieweit der Staat durch seine
Gesetzgebung und Verwaltung allzu große Härten, die sich ergeben,
lindern kann. Das sind aber keine Fragen der Geldtheorie mehr,
sondern praktische Verwaltungsprobleme, die nur von Fall zu Fall
und nach der ganzen finanziellen und ökonomischen Gesamtlage
des Staates gelöst werden können. Diese Rückzahlung der Geldschuld nach dem Nominalwert ist selbst dann für den Gläubiger
zwingend, wenn dieser ausdrücklich die Rückzahlung der Schuld
in Goldmark vertragsmäßig stipuliert hat. Solche Goldmarkklauseln
sind mit dem Wesen des Geldes im Widerspruch, werden außerdem
auch in der Regel ausdrücklich gesetzlich aufgehoben, so z. B. in
Deutschland durch die Bundesratsverordnung vom 28. September
1914, ,,indem sie alle vor dem 31. Juli 1914 getroffenen Vereinbarungen,
in Gold zu zahlen, für bis auf weiteres unverbindlich erklärt, und
dies sogar dann, wenn der Schuldner tatsächlich Goldgeld zur Zahlung seiner Schuld besitzt: die Geldsortenschuld wird damit zur gewöhnlichen Geldschuld[1])".

Im Grunde genommen bedarf es aber solcher gesetzlicher Ver-
bote überhaupt nicht. Auch wo sie nicht bestehen, kann der Gläubiger
nicht Rückgabe der Schuld in einem Gelde verlangen, das seine
Rolle als Geld infolge staatlicher Anordnung verloren hat. Noch
heute ist richtig, was H a r t m a n n in seiner klassischen Schrift[2])
schon vor 60 Jahren gesagt hat: ,,Wo aber zur Linderung finanzieller
Noth ein Papier ohne gegenwärtige Einlösbarkeit mit Zwangscurs
emittirt wird: da liegt es zur Sicherung des Zweckes in der Con-
sequenz des Begriffs, daß die rechtliche Möglichkeit ausgeschlossen
ist, bei einer auf die Landeswährung gerichteten Obligation dem
entsprechenden Papiergeld im voraus vertragsmäßig seine Zahlkraft zum vollen Nennwerthe zu entziehen. Es kann also m. a. W.
bei einem in solchem Papiergelde geschlossenen Darlehn nicht einmal durch ausdrückliche Abrede der Parteien der Curswerth im Sinne
der gegnerischen Theorie zum Inhalt der Geldschuld gemacht werden."
Und ferner: ,,Und wie, scheint es, könnte der Staat selbst irgend
etwas dadurch gewinnen, daß den Privaten verstattet wird, ihre
Zahlungsverbindlichkeiten unter sich in dem entwertheten Gelde

---

[1]) cf. W o l f , a. a. O., S. 619.
[2]) G u s t a v H a r t m a n n , Über den rechtlichen Begriff des Geldes und
den Inhalt von Geldschulden. Braunschweig 1868, S. 100/1.

nach seinem Nennwerth zu tilgen? In der That aber begründet
sich ein solcher Gewinn des Staates doch insofern, als durch die
rechtliche Garantie, daß dem Papiergeld für die im Inland zu ver-
folgenden Obligationen der vollständig gleiche Grad von z w i n g e n -
d e r Zahlkraft mit dem entsprechenden Metallgeld inwohne,
indirect auch für den f r e i e n Verkehr seine K a u f k r a f t,
welche der Staat durch die Emission eben gewinnen will, sich erhöhen muß. Und im Moment einer großen Crisis des Staatslebens
wird die Hinstellung der Sicherheit, das empfangene Papiergeld
s o f o r t zu gewissen Zwecken in f e s t e m Werth wieder verwenden zu können, oft das einzige Mittel sein, um die Emission
ihren Zweck, nämlich die Verschaffung augenblicklicher Hilfe, erreichen zu lassen[1]."

Daher ist die Auffassung G e r b e r s [2]) abzulehnen, die er
im Anschluß an seine Unterscheidung von Präsentgeld und Kreditgeld in der Frage der Geldschulden vertritt. G e r b e r betrachtet
die Vorgänge der Inflation in Deutschland unter diesem Gesichtspunkte und meint, daß es einen Verstoß gegen die Rechtsgrundsätze
des Geldwesens bedeute, wenn man bei der Tilgung von Schulden
in Präsentgeld die Rückzahlung in Kreditgeld zulasse. Ich kann
in diesem Vorgehen keineswegs eine Verletzung der rechtlichen
Grundsätze des Geldwesens erblicken. Gerade vom Standpunkt
G e r b e r s aus, der immer wieder den öffentlich-rechtlichen Charakter des Geldes betont und seine Qualität als rechtliches Zahlungsmittel, muß es auffallen, daß er dem ungedeckten Papiergeld die
Geldqualität absprechen will. Seine Auffassung, daß das Geld eine
„wertbestimmte Wirtschaftsleistung" (S. 110) sei, und ferner seine
Meinung, daß das Geld Wirtschaftsleistungen voraussetze, welche
im Verkehr vorhanden sind und nur durch die rechtliche Bestimmung einer besonderen Aufgabe, eben der Zahlungsvermittlung,
dienstbar gemacht werde (S. 117), ist unhaltbar. Geld setzt gar
keine Wirtschaftsleistung voraus, sondern ist das, was der Staat
als Geld rechtlich anerkennt; auch ist der Staat durchaus berechtigt,
seinen Kredit zur Geldschöpfung zu benutzen; ob und in welchem
Maße er dies tut, ist eine volkswirtschaftlich sehr wichtige Angelegenheit, die aber mit dem juristischen und ökonomischen Wesen
des Geldes nichts zu tun hat. Der so vielfach angefochtene Grundsatz „Mark = Mark" besteht daher dennoch zu Recht, und wenn
der Gläubiger in seinem privatwirtschaftlichen Interesse noch so
sehr durch die Rückzahlung geschädigt ist, wenn er mit Papiermark
befriedigt werden kann, so muß er doch mit dieser Erledigung seiner
Schuld zufrieden sein, auch wenn die Papiermark noch so sehr
entwertet ist.

Wiederum ist es eine Frage für sich, ob und inwieweit der
Staat aus Billigkeitsgründen dem Gläubiger eine Entschädigung
für seinen durch die Geldentwertung erlittenen Schaden gewähren
will oder kann. Aber gänzlich unangebracht ist es, wenn G e r b e r
hier von „gröblichstem Mißbrauch von Personalkredit des Reiches"
oder von „eigensüchtigen Finanzbedürfnissen des Staates" spricht.
Eine „unbefriedigte Erfüllung des Rechtswesens in der Geldver-

---

[1]) H a r t m a n n, a. a. O., S. 87.
[2]) cf. H a n s G e r b e r, Geld und Staat, Jena 1926.

fassung des Staates", wie G e r b e r (S. 113) meint, liegt nicht vor, sondern eine schwere und unbefriedigende Notlage des ganzen Volkes, und wenn die Staaten in solchen Notzeiten immer wieder zu Papiergeldausgaben gelangt sind, ist das doch nur eines der unendlich vielen Opfer, die in solchen Zeiten im Staats- und Wirtschaftsleben gebracht werden müssen. Soll etwa unter Berufung auf den privatrechtlichen Charakter des Schuldvertrages der Geldgläubiger die Rückgabe der Schuld in vollwertigem Geld verlangen dürfen, während alle anderen Volksgenossen, der eine mehr, der andere weniger, unter der Not des Krieges zu leiden haben? Gerade der Gemeinschaftsgedanke, den G e r b e r so gerne betont, sollte ihn doch aus diesem Gesichtspunkte heraus dahin führen, auch bei der Frage der Geldschulden diesen Gemeinschaftsgedanken zu beachten. Gewiß: jede Papiergeldausgabe bedeutet eine harte und gänzlich ungleichmäßig wirkende Steuer; jede Papiergeldausgabe ist mit den unheilvollsten wirtschaftlichen Folgen behaftet, aber dies kann doch nur bedeuten, daß alle Länder auf Grund der schlimmen Erfahrungen, die mit der Papiergeldausgabe gemacht worden sind, mit der äußersten Vorsicht und der größten Rücksicht auf die Interessen der Staatsbürger verfahren, besonders was Maß und Tempo der Papiergeldausgabe betrifft. Darum ist aber doch die Papiergeldausgabe selbst nichts, was mit dem Wesen des Geldes im Widerspruch stünde und aus der Wirtschaftsgeschichte wissen wir, daß, wenn diese Papiergeldausgabe sich in gewissen Grenzen hält, sie auch ohne allzu große Schädigung durchgeführt werden kann. Das Beispiel Englands, welches trotz eines 22jährigen Krieges mit Frankreich in kürzester Frist nach Beendigung des Krieges die Banknoten zum ursprünglichen Nennwert wieder einlösen konnte, sollte zeigen, daß man mit der absoluten Verwerfung des Papiergeldes als eines Kreditgeldes zurückhaltender sein muß.

§ 13. Ist das Geld eine Ware?

Die Frage, ob Geld eine Ware ist oder nicht, muß verschieden beantwortet werden.

1. Auf der ersten Stufe der Geldwirtschaft, der sog. Warengeldwirtschaft, ist das Geld schlechthin Ware, wie die anderen Waren auch. Ich zeigte bereits oben, daß das als Tauschmittel benutzte Gut abwechselnd zu Geldzwecken oder zu sonstigen Gebrauchszwecken verwendet wird, also z. B. der Gürtel kann entweder als Geld oder als Schmuckgegenstand benutzt werden. Hier ist Geld eine Ware schlechthin.

2. Geld ist Ware im ausländischen Zahlungsverkehr — da das Geld nur innerhalb der Grenze eines Landes seine staatlichen Funktionen zu erfüllen hat, wird es im Auslande zu einer Ware, die nach ihrer Verwertungsmöglichkeit im ausländischen Zahlungsverkehr bewertet wird.

3. Ganz anders, sobald das Geld, wie es auf der Stufe der reinen Geldwirtschaft der Fall ist, ausschließlich zu Geldzwecken benutzt wird. Die ausgeprägte Münze soll nur Gelddienste, aber keine Warendienste verrichten. Hier tritt sogar das Geld direkt in Gegensatz zu den übrigen Waren, die Waren treten dem Geld gegenüber als Objekte, die in Geld geschätzt und bewertet werden.

Hierauf beruht auch der von den Juristen hervorgehobene Gegensatz von Geldpreis (pretium) einerseits und Ware (merx) anderseits.

4. Auch insofern ist Geld nicht Ware, als die Eigentümlichkeit der Waren, Objekt der freien Preisbildung auf dem Warenmarkt zu werden, dem Gelde fehlt. Das Geld hat einen staatlich fixierten Preis und unterscheidet sich auch hierdurch von allen übrigen Waren.

5. Trotzdem wir so das Geld in einen Gegensatz zu den übrigen Waren gestellt haben, ist der Satz „Geld ist keine Ware" nur mit Vorsicht anzuwenden und mit Einschränkungen zu versehen; denn diejenigen Geldtheoretiker, die das Geld nur als Zeichen oder als Symbol, als Verkehrsmarke oder als abstrakte Rechnungseinheit auffassen, könnten die Behauptung, daß Geld keine Ware ist, für ihre verfehlte Lehrmeinung verwerten. Daher muß mit Nachdruck festgestellt werden, daß das Geld, wenn es auch seinen eigentlichen Warencharakter durch die Geldschöpfung verliert, doch nicht völlig seine Warenqualität einbüßt; denn, wie wir gesehen haben, ist es nicht die staatliche Prägung, die dem Geld Wert verleiht, sondern die Eigenschaft, selbst ein wertvolles Gut zu sein; die Möglichkeit, jederzeit die Geldmünzen wieder in Edelmetall umzuschmelzen, weist allein schon auf eine gewisse Warenqualität des Geldes hin.

Es ist daher zu empfehlen, die Frage „Ist das Geld eine Ware?" so zu beantworten: Das Geld ist eine Ware mit ganz besonderen Qualitäten, durch die es sich von allen übrigen Waren wesentlich unterscheidet; es ist eine Ware sui generis, eine staatlich privilegierte Ware oder ein mit bestimmten staatlichen Privilegien ausgestattetes wirtschaftliches Gut.

§ 14. Muß das Geld einen Substanzwert haben?

Die Frage bedeutet: Muß das Geld eine Sache sein, die selbst einen Wert hat? Oder: Kann auch irgendeine völlig wertlose Sache, z. B. ein bedrucktes Stück Papier Geld sein?

1. Da der Staat allein das Recht und die Macht hat, darüber zu bestimmen, welche Dinge als gesetzliche Zahlungsmittel dienen sollen, hat er auch das Recht und die Macht, gänzlich wertlosen Dingen, wie z. B. Stücken Papier, die Geldqualität zu verleihen. Daß das Papiergeld sowohl juristisch wie ökonomisch Geld sein kann, ist nicht zu bestreiten.

2. Eine andere Frage ist die, ob es volkswirtschaftlich zweckmäßig ist, zum Geld ein Ding ohne Substanzwert zu wählen. Die Beantwortung dieser Frage kann aber nicht absolut, sondern nur relativ erfolgen, da es darauf ankommt, welche Funktionen das Geld in der Volkswirtschaft zu erfüllen hat.

3. Wenn das Geld lediglich eine Anweisung auf bestimmte von der Volksgemeinschaft hergestellte Produkte darstellt, wie z. B. in einer sozialistischen oder kommunistischen Wirtschaftsorganisation, so braucht das Geld keinen Substanzwert zu haben. Eine papierene Anweisung, auf Grund welcher die Volksgenossen gewisse, von der Volksgemeinschaft hergestellte und durch die Obrigkeit bewertete Produkte erhalten kann, genügt für diesen Zweck. Anders aber, wenn das Geld bestimmte Funktionen in einer auf dem freien

Güteraustausch beruhenden individualistischen Verkehrswirtschaft erfüllen soll. Für diese Funktion ist nur ein Geld mit Substanzwert brauchbar, denn da die Produzenten ihre Ware nur dann hergeben werden, wenn ihnen auch ein entsprechendes Äquivalent geboten wird, muß auch jeder am Marktverkehr Beteiligte schätzen können, ob das ihm gebotene Tauschmittel seinem Werte nach ihn veranlassen kann, seine Ware herzugeben. Ein vom Staat kostenlos hergestelltes Papiergeld ohne jeden eigenen Wert ist zu einer Wertvergleichung völlig unmöglich. Die näheren wirtschaftlichen Gründe dieser Unmöglichkeit werde ich bei meiner späteren eingehenden Behandlung des Papiergeldes nachzuweisen suchen.

§ 15. Der Geldwert.

Das Problem des Geldwerts umfaßt eine Reihe verschiedener Probleme, die streng unterschieden werden müssen. Abzulehnen ist die Auffassung des Geldwerts, wonach der Wert des Geldes durch die Bestimmungen des Münzgesetzes angegeben sei, nach denen für eine bestimmte Gewichtsmenge Metall eine bestimmte Menge an Geld ausbezahlt wird. Hier handelt es sich um den M ü n z p r e i s des Geldes, nicht aber um den G e l d w e r t. Die Tatsache, daß man für 1 Pfund feines Gold 1395 Mk. erhält, besagt noch gar nichts über den Wert des Geldes, sondern bedeutet nur, daß die aus dem Pfund feinen Goldes hergestellten Münzen eine bestimmte Zahl von Mark repräsentieren. „Mark" ist also nur der Name für eine bestimmte Gewichtsmenge Edelmetalls. Beim Geldwert wollen wir wissen, welcher wirkliche Wert hinter diesem rein äußerlichen Namen steht. Ferner wird der Begriff Geldwert ganz unzulässig angewandt, wenn man behauptet, der Geldwert sei gestiegen oder gesunken, wenn der Diskontsatz herauf- oder heruntergeht. Man sagt wohl auch, das Geld sei teurer oder billiger geworden. Hier liegt eine völlige Verwechslung der Begriffe Geld und Kapital vor. Wenn der Diskontsatz in die Höhe geht, ist nicht das Geld teurer geworden, sondern der Leihsatz für das Geldkapital ist höher geworden und ebenso wenn der Diskontsatz fällt, ist nicht das Geld billiger geworden, sondern der Leihsatz für das Geldkapital hat sich vermindert.

1. D e r   G e l d w e r t = G e l d w e r t   d e r   G ü t e r.

Der Begriff Geldwert kann einmal bedeuten, daß der Wert von Waren und Gütern aller Art in „Geld" ausgedrückt wird. Der Besitzer eines Vorrates von Waren kann, auch wenn er gar nicht die Absicht hat, die Waren augenblicklich zu verkaufen, doch für einen bestimmten Zeitpunkt angeben, wie hoch der Warenwert, in Geld ausgedrückt, ist. Dies ergibt sich aus den Verkaufspreisen der betreffenden Waren an dem betreffenden Zeitpunkte und an dem betreffenden Ort. — Ebenso kann ein Gutsbesitzer, auch wenn er gar nicht die Absicht hat, sein Gut zu verkaufen, doch für einen bestimmten Zeitpunkt den Geldwert des Gutes angeben und ebenso ein Hausbesitzer, auch wenn er das Haus nur zum eigenen Wohnen benutzen will.

Für alle Vermögensberechnungen, Bilanzaufstellungen usw. ist diese Feststellung des „Geldwertes" in der geldwirtschaftlichen

Epoche eine wichtige und vielfach unumgänglich notwendige Feststellung. Dieser Geldwert ist aber nichts weiter als eine äußerliche
Feststellung. Er besagt nur, wieviel „Geld" man für ein Gut erhalten
könnte, wenn man es aus irgendeinem Grunde zum Verkauf bringen
müßte.

2. Der Geldwert des Geldes selbst (Der äußere Tauschwert des Geldes):

Zu einer wirtschaftlichen Auffassung des eben erwähnten
Geldwertes der Güter gelangen wir erst, wenn wir auch nach dem
Wert des Geldes selbst fragen, denn dann wollen wir wissen, wieviel
Kaufkraft in einem gewissen Zeitpunkt und an einem bestimmten
Orte eine gewisse Menge Geld umschließt. Die Methode der sog.
Indexziffern, die ich in der Preislehre erläutert habe, gibt eine gute
Möglichkeit, festzustellen, wieviel an Waren verschiedener Art man
in einem bestimmten Zeitpunkt erhalten kann. In diesem Sinn
bedeutet also Geldwert = allgemeine Kaufkraft des Geldes. Der
Geldwert von 100 Mk. heißt also, daß ich für diese Summe in einem
bestimmten Zeitpunkt so und soviel an Getreide, Fleisch usw. eintauschen kann. Ebenso kann man auch den Geldwert in diesem
Sinne für den Durchschnitt längerer Zeiträume feststellen, also erfassen, wieviel Kaufkraft etwa eine gewisse Geldsumme im Durchschnitt von 10 Jahren gehabt hat. Mit diesem „Geldwert" haben
wir nur einen Ausdruck für den sog. äußeren Tauschwert des Geldes
erhalten; wir wissen aber noch nichts über den sog. inneren Tauschwert des Geldes.

3. Der Geldwert des Geldes selbst (Der innere Tauschwert des Geldes):

Bei der Frage nach dem inneren Tauschwert des Geldes wollen
wir wissen, ein wie großes Wertquantum eine gewisse Geldsumme
umschließt im Hinblick auf den inneren Wert des Geldes selbst. —
Der äußere Tauschwert des Geldes, nämlich seine Kaufkraft, kann
eine sehr verschiedene Bedeutung haben, je nachdem Veränderungen
dieser Kaufkraft auf der Seite des Wertes der Güter oder auf der
Seite des Wertes des Geldes selbst beruhen. Besäßen wir ein Gut
von unveränderlichem Werte und könnten an diesem Gut die Preise
der Waren feststellen, so wäre der äußere und innere Tauschwert
des Geldes identisch. Da wir ein solches Gut aber nicht besitzen,
so müssen wir auch auf die Momente achten, die den Wert des Geldes
selbst bestimmen. Diese Momente sind genau dieselben wie diejenigen, die auch für den Wert der Waren gelten. Auch der Wert
des Geldes hängt von der Schätzung des Wirtschaftssubjektes ab,
und für diese Schätzungen sind beim Metallgeld namentlich der
Vorrat und die Produktionskosten der Edelmetalle, die Nachfrage
nach den Edelmetallen zur industriellen Verwertung und zu Wäh-
rungszwecken usw. maßgebend. Ein allgemeines starkes Steigen
der Marktpreise bei gleichzeitiger starker Vermehrung der Edelmetallproduktion läßt mit großer Wahrscheinlichkeit den Schluß
zu, daß die Preisverschiebung durch Änderung des inneren Tauschwertes des Geldes hervorgerufen ist.

4. Der Geldwert als Wert des inländischen Geldes im Vergleich zum ausländischen Geld (Binnenwert und Außenwert des Geldes).

Eine weitere Bedeutung hat der Begriff des Geldwertes noch im Hinblick auf die Verschiedenheit des Geldwertes in verschiedenen Ländern. Da das Geld, wie wir gesehen haben, nur nationale Gültigkeit hat, d. h. nur innerhalb der Grenzen des Landes, in dem es ausgegeben wird, gesetzliches Zahlungsmittel ist, daher für Zahlungen im Auslande ausländische Zahlungsmittel gebraucht werden, ist das Wertverhältnis des inländischen Geldes zum ausländischen Geld von größter Bedeutung. Diese Frage des Geldwertes wird von mir später bei der Betrachtung der Valuta ausführlich erörtert.

5. Der Geldwert im Sinne des subjektiven Wertes des Geldes für den Geldbesitzer.

Hier ist der Geldwert in Zusammenhang gebracht mit den Vermögens- und Einkommensverhältnissen der Geldbesitzer. Wie ich bereits in der Lehre vom Preise gezeigt habe, werden bestimmte Geldsummen ganz verschieden subjektiv bewertet, je nachdem es sich um Leute mit kleinem oder großem Einkommen bzw. Vermögen handelt.

§ 16. Die Theorie von der Bestimmung des Geldwertes durch die Produktionskosten der Edelmetalle (Produktionskostentheorie).

Es handelt sich hierbei um die Frage: was ist in letzter Linie für die Höhe des Geldwertes, d. h. in diesem Fall für die Höhe des inneren Tauschwertes des Geldes bestimmend? Die Produktionskostentheorie lehrt, daß die Höhe des Geldwertes in erster Linie durch die Produktionskosten der Edelmetalle bestimmt werde. Der typische Vertreter der Produktionskostentheorie ist Senior[1]. Für den Wert der Edelmetalle sind für ihn die gleichen Faktoren maßgebend, wie für den Wert aller übrigen Waren. Seiner Anschauung nach wird der Wert des Geldes, soweit er von inneren Ursachen abhängt, um seine eigenen Worte zu gebrauchen, für die Dauer nicht bestimmt von der Menge des Geldes, die im Besitze irgendeines Gemeinwesens ist, auch nicht von der Umlaufsgeschwindigkeit desselben oder von dem Überwiegen des Austausches von Waren oder von der Ausbildung des Kreditsystems, sondern ganz allein von den Beschaffungskosten der edeln Metalle.

In zwei Schriften hat er diese Produktionskostentheorie vertreten. Zuerst in der über den „Wert des Geldes", drei Vorlesungen, die erst 11 Jahre, nachdem sie gehalten worden waren, auf den Wunsch seiner Freunde veröffentlicht worden sind, um aber nur einem kleineren Kreise zugänglich gemacht zu werden. Diese Schrift ist wenig bekannt geworden und in zahlreichen Artikeln über Senior ist sie unerwähnt geblieben. In diesen Vorlesungen wird die Frage erörtert, welche Ursache für die Beschaffungskosten der Edelmetalle an den Orten maßgebend sind, an denen sie selbst gewonnen werden. — Eine zweite Schrift: „Drei Vorlesungen über

---

[1] W. N. Senior, Three Lectures on the Cost of Obtaining Money 1830 und Three Lectures on the Value of Money 1840.

die Kosten der Geldbeschaffung", ist zwar 10 Jahre vor der oben-
genannten erschienen, aber erst 1 Jahr nach ihr verfaßt und bildet
die Fortsetzung jener erstgenannten. In dieser zweiten Schrift
werden die Ursachen untersucht, welche für die Kosten bei der
Überführung der Edelmetalle in jene Länder bestimmend sind, in
denen sie nicht gewonnen werden. Diese letzte Schrift ist weit bekannter geworden und hat eine größere Verbreitung erfahren als
die erstgenannte. S e n i o r sagt[1]):

„Wer nicht gerade behaupten will, daß Gold und Silber eine
Veränderung ihrer Eigenschaften erfahren, sobald diese Metalle in
Teile von bestimmtem Gewicht und Feingehalt geschieden und
durch einen Stempel beglaubigt werden, der wird mir zugeben müssen,
daß für ihren Wert die gleichen Gesetze, wie für alle anderen Waren,
die unter ähnlichen Bedingungen hergestellt werden, bestimmend
sein müssen. Nun sind die Bedingungen, unter denen alle Metalle
beschafft werden, diejenigen des Wettbewerbs, aber eines Wettbewerbs, bei dem die Mitbewerber ungleiche Vorteile haben. Die
Metalle werden aus angeschwemmtem Niederschlag und aus Bergwerken gewonnen, die alle von ungleicher Ergiebigkeit sind. Der
Wert eines jeden Teilchens, das zutage gefördert wird, muß daher
groß genug sein, um die Löhne und den Gewinn derjenigen zu zahlen,
welche das am wenigstens ergiebige Bergwerk oder die am spär-
lichsten durchsetzte Sandstelle bearbeiten, deren Bearbeitung sich
doch noch ohne Verlust aufrecht erhalten läßt. Wenn der Wert
noch höher steigen sollte, dann würden Bergwerke und Flüsse von
noch geringerer Ergiebigkeit in Angriff genommen werden. Sollte
er fallen, dann würde man die schlechtesten, die augenblicklich bearbeitet werden, außer Betrieb setzen. . . . Es liegt auf der Hand,
daß der Wert von Gold nd Silber, gleich dem aller anderen Erzeugnisse, welche wegen ihrer aus inneren Ursachen beschränkten
Menge ein Monopol haben, abhängig sein muß von den unter den
ungünstigsten Bedingungen erforderlichen Gestehungskosten, oder
mit anderen Worten, von den Kosten desjenigen Teiles, dessen Erzeugung trotz der größten Unkosten fortgesetzt wird."

Auch R i c a r d o ist als Vertreter der Produktionskostentheorie, soweit es sich um das Edelmetallgeld handelt, zu nennen.
R i c a r d o erklärt, daß der Wert des Geldes genau nach denselben
Gesetzen bestimmt werde, wie der der sonstigen Waren, nämlich
nach der Menge an Arbeit bzw. an Produktionskosten, die zur Herstellung des Geldes notwendig sind. In seiner Schrift: „The high
Price of Bullion" führt er aus:

„Gold und Silber haben, wie andere Waren, einen inneren
Wert, der nicht willkürlich ist, sondern von ihrer Seltenheit, von
der Arbeitsmenge, die zu ihrer Herstellung nötig war und von dem
Werte des Kapitals, das in den Bergwerken gebraucht wurde, um
zu beschaffen, abhängt.

Die Menge Geld, die ein Land braucht, steht im Verhältnis
zur Ausdehnung seines Handels und Verkehrs: wenn in ׳der Entwicklung zum Reichtum ein Land schneller als die anderen vorwärts kommt, so würde auf dieses Land mehr Anteil des Geldes
der Welt kommen.׳

---

[1]) In seiner Schrift „Drei Vorlesungen über den Wert des Geldes" (gehalten
an der Universität Oxford im Jahre 1829).

Würde nun eine Goldmine in einem der miteinander verkehrenden Länder entdeckt werden, so würde der Wert des Goldes in diesem Lande vermindert infolge der vermehrten Menge der in den Verkehr gebrachten Edelmetalle und würde daher nicht länger mit dem Golde der anderen Länder im Werte gleich sein. Sofort würde Gold und Silber, gemäß dem Gesetze, das für alle Waren gilt, das Land verlassen, wo sie billig sind, nach den Ländern, wo sie teuer sind, und dies würde so lange fortgesetzt, bis das Verhältnis, das zwischen Gold und Kapital vor der Entdeckung der Mine bestand, wiederhergestellt ist und Gold und Silber überall wieder denselben Wert hätten. Im Austausche für das exportierte Gold würden Waren eingeführt; und obgleich die sog. Handelsbilanz gegen das Land wäre, das Geld oder Barren ausführte, wäre es klar, daß es einen sehr vorteilhaften Handel treibt, indem es ausführt, was in keiner Weise ihm nützlich ist, für Waren, die zur Vergrößerung seines Reichstums gebraucht werden können."

In seinen „Principles" sagt er: „Wie alle anderen Güter, so werden auch Gold und Silber nur der Arbeitsmenge entsprechend bewertet, die erforderlich ist, um sie zu produzieren und auf den Markt zu bringen. Das Gold ist ungefähr 15mal teurer als Silber, und zwar nicht deshalb, weil eine größere Nachfrage nach ihm besteht, auch nicht, weil das Angebot von Silber 15mal so groß ist als das des Goldes, sondern einzig und allein, weil zur Produktion einer bestimmten Menge Goldes ein 15faches Arbeitsquantum notwendig ist[1]."

§ 17. Kritik der Produktionskostentheorie des Geldwertes.

Die Produktionskostentheorie enthält zweifellos einen richtigen Kern. Gerade vom Standpunkt der metallistischen Theorie, die in diesem Werk vertreten wird, wonach also das Metallgeld nicht nur die wichtigste Erscheinung des Geldwesens ist, sondern auch eine unbedingte Notwendigkeit im kapitalistischen Wirtschaftssystem, muß auch auf die Bedeutung des Metallwertes für den Geldwert nachdrücklich hingewiesen werden. Dadurch wird auch das Vorurteil widerlegt, als ob das Geld seinen Wert allein schon durch seine Funktion als Zahlungsmittel erhalten könnte, also nur Funktionswert habe. Es hat vor allem Substanzwert, und dieser wiederum wird durch den Wert der Edelmetalle, aus denen das Geld hergestellt ist, bestimmt. Ebenso wie der Wert aller Waren zu einem wesentlichen Teil durch die Produktionskosten bestimmt wird, ist dies auch bei den Edelmetallen der Fall; aber das Produktionskostengesetz findet bei den Edelmetallen nur insoweit Anwendung, als hier wie bei allen Produktionszweigen, die mit differentiellen Kosten arbeiten, die Kosten derjenigen Betriebe maßgebend sind, die unter den ungünstigsten Umständen produzieren. Diejenigen Gold- und Silberminen, die ergiebiger sind als die für die Preisbildung maßgebenden, erzielen eine Differentialrente.

---

[1] David Ricardo, Grundsätze der Volkswirtschaft und Besteuerung. (Aus dem englischen Original, und zwar nach der Ausgabe letzter Hand (3. Aufl. 1821) ins Deutsche übertragen von Dr. Ottomar Thiele. Jena 1905.) Sammlung sozialwissenschaftlicher Meister. Herausgegeben von H. Waentig, 5. Bd., S. 359.

Wie verschieden die Produktionskosten gerade bei den Goldminen sind, mag durch einen Hinweis auf die Selbstkosten der Goldminen-Industrie am Rand (Transvaalgebiet) illustriert sein. Die
Selbstkosten steigen bei Flötzen bei ungünstigeren Verhältnissen,
namentlich bei geringerer Mächtigkeit bis zu 40 Mk. und mehr für
eine Tonne Konglomerat an; sie sinken bei besonders günstigen Bedingungen mächtigeren und reicheren Flötzen flacher Lagerung auf
etwa 20 Mk. herab. Im Durchschnitt belaufen sich die Selbstkosten
auf etwa 27 Mk. für eine Tonne Konglomerat. Bei diesem Durch-
schnittsbetrag und dem Preis von 72 Mk. für 31,1 g (1 Unze) Gold
deckt ein Tonnengehalt von 11,7 g die Selbstkosten. Man betrachtet
daher z. B. 11,7 g Goldgehalt auf eine Tonne im allgemeinen als
unterste Grenze für einen wirtschaftlichen Betrieb. Wenige unter
besonders günstigen Verhältnissen arbeitende Gruben können indessen
schon bei 7,5 g Goldgehalt einen kleinen Nutzen abwerfen[1]).

Ferner ist zu beachten, daß die Preisbildung bei den Edelmetallen, soweit sie bergmännisch gewonnen werden, durch das
Gesetz von den zunehmenden Kosten beherrscht wird, d. h. bei gleich-
bleibendem Stand der Technik haben die Preise der Edelmetalle die
Tendenz zu steigen wegen der höheren Kosten, die durch die Gewinnung der Erze in größerer Tiefe notwendig sind. Allerdings
spielen gerade bei den Edelmetallen die Gegenwirkungen gegen dieses
Gesetz, namentlich die Verbesserung der Technik, eine große Rolle.
Z. B. entdeckten im Jahre 1885 MacArthur und Forrest,
daß Zyankalium allein zur Auflösung des Goldes ausreiche. Die Kosten
des Verfahrens, die bei Einführung für eine Tonne Pochrückstand
ungefähr 15 Mk. betragen hatten, gingen auf den Durchschnitt von
7,50 Mk. herunter und betrugen bei den besten Werken 5 Mk.[2]).

Der Hinweis auf die Bedeutung der Produktionskosten für den
Geldwert ist um so wichtiger, als dadurch die Auffassung widerlegt
wird, als ob wesentlich die Seltenheit des Vorkommens der Edelmetalle für ihren Wert maßgebend sei, so daß alle Wertveränderungen
auf die Entdeckung von Fundstätten von Gold- oder Silberminen
usw. zurückgeführt werden müßten. Namentlich im 19. Jahrhundert
tritt die Wichtigkeit der Produktionskosten für den Geldwert hervor;
durch die Vervollkommnung der bergmännischen Technik, durch die
Einführung arbeitssparender Maschinen usw. hat wiederholt eine
große Senkung der Kosten der Edelmetallgewinnung stattgefunden,
was sich in einem Rückgang des Gold- bzw. Silberwertes äußerte.
Es ist derselbe Vorgang, der auch, wie ich im Kapitel über Maschinen-
wesen nachgewiesen habe, zu einem Rückgang des Preises vieler
Industrieprodukte führte.

Demnach ist der Zusammenhang zwischen Geldwert und den
Produktionskosten der Edelmetalle dieser: Wie ich schon ausführte,
ist die Bezeichnung 1 Mk., 1 Fr., 1 £ nur ein Münzname, inter
dem eine bestimmte Gewichtsmenge Edelmetalls steht. Jede größere
Änderung des Wertes der Edelmetalle bewirkt also, daß der hinter
dem Namen der Münze stehende wirkliche Wert der Münzen sich
ebenfalls ändert. Welche Bedeutung den Produktionskosten für die
Bildung des Geldwertes zukommt, zeigt die tatsächliche Entwertung

---

[1]) Epstein, Die englische Goldminen-Industrie. Dresden 1904, S. 163.
[2]) Epstein, a. a. O., S. 4.

des Edelmetallwertes besonders im 19. Jahrhundert. Durch die bessere Technik gelang es nicht nur, die Kosten der Gewinnung der Edelmetalle bei den neuen Gruben zu ermäßigen, sondern auch den Betrieb von alten Gruben, die bereits aufgegeben waren, wieder aufzunehmen. Bekannt ist der Rückgang des Goldwertes um die Mitte des 19. Jahrhunderts infolge der australischen und kalifornischen Goldgewinnung. Dieser Rückgang war aber keineswegs allein durch die neuen Fundstätten des Goldes verursacht, sondern auch zum großen Teile durch die verbesserten und vervollkommneten Methoden der Gewinnung des Goldes. Der Direktor der Geologischen Landesanstalt Berlin, Dr. H a u c h e c o r n e , teilte in seinem der Deutschen Silberkommission von 1894 erstatteten Bericht über die Lage der Edelmetallgewinnung der Erde folgendes über die kalifornische Goldgewinnung mit: „Die Goldgewinnung begann im Jahre 1848 mit der stürmischen Ausbeutung der leichtgewinnigen jüngeren Goldseifen, welche bereits gegen Ende 1860 ziemlich erschöpft waren. Der Betrieb zog sich dabei allmählich mehr und mehr in die schwieriger auszubeutenden High-gravel-Lager hinauf unter fortschreitender Einführung des im Jahre 1852 erfundenen Verfahrens des Hydraulic mining, der Hereingewinnung der goldhaltigen Gerölleablagerungen durch unter Hochdruck stehendem Wasserstrahl. — Der Abbau der Goldquarzgänge, welche bei der Abräumung des Placers blosgelegt wurden, durch bergmännischen Betrieb wurde schon im Jahre 1852 eröffnet und seitdem im ganzen Staatsgebiete rasch verbreitet[1].“ H a u c h e c o r n e gibt dann weitere Beispiele für die Vervollkommnung des Bergbaues und fährt fort: „Diese wenigen Beispiele mögen als Belege für die in einer großen Anzahl von Gruben des ganzen Staates konstatierte Thatsache genügen, daß in den californischen Goldquarzgängen der Reichthum der edeln Metalle in sehr bedeutende Tiefen niedersetzt, die Nachhaltigkeit des Bergbaues demnach als gesichert angesehen werden darf. Auf Grund dieser Erfahrung herrscht gegenwärtig eine große Regsamkeit und Unternehmungslust. Zahlreiche alte Gruben werden mit gutem Erfolge aufgenommen und neu eröffnet, große Anlagen von Wasserlösungsstollen sind in der Ausführung begriffen, wie beispielsweise der sog. Gold-Bank-Tunnel zur Entwässerung der Gruben der Reviere Nevada-City und Grass-Valley usf. Nie soll für solche Unternehmungen das Kapital flüssiger gewesen sein als jetzt. — Dazu kommt die Einführung der neuesten technischen Fortschritte im Bergbau, wie Arbeitsmaschinen, Anwendung von Wasserkraft an Stelle des Dampfes, von Elektrizität zum Betrieb und zur Fernkraftübertragung, Verbesserungen in den Aufbereitungs- und Extraktionsmethoden[2].“ Der Geologe S t e l z n e r wies bei den Verhandlungen der Silberkommission besonders darauf hin, daß die vervollkommnete Technik nicht nur in Europa und in den alten Kulturländern, sondern auch in den wenig zivilisierten Ländern bereits Eingang gefunden habe: „Herr Geheimrath Leuschner sprach die Befürchtung aus, daß derartige Vervollkommnungen des Gruben- und Hüttenbetriebes wohl in Europa und in der Mitte der Kulturstaaten möglich seien,

---

[1] Verhandlungen der Kommission behufs Erörterung von Maßregeln zur Hebung und Befestigung des Silberwertes. Amtliche Ausgabe. Zweiter Band. Berlin 1894. Nr. 12, S. 20.

[2] Ebenda, Nr. 12, S. 22.

daß man aber nicht annehmen könne, daß sie sich auch an den Grenzen der Kulturwelt in gleichem Maße würden einbürgern können. Ich kann dieser Befürchtung in diesem so allgemein gehaltenen Umfange nicht beipflichten. Wenn man z. B. die Photographien der Werke von Kimberley und von Johannesburg in Transvaal oder vom Mount Bischoff in Tasmanien betrachtet — ich habe eine Anzahl schöner großer Photographien von den dortigen Betrieben — und wenn man sieht, wie alle diese Gruben ausgestattet sind mit den besten Maschinen, die von Krupp oder von großen amerikanischen Werken bezogen sind, wenn man wahrnimmt, wie auch an jenen Orten schon mit elektrischem Licht gearbeitet wird, wenn man die dem neuesten Stande der Aufbereitung entsprechenden, großartigen Pochwerke sieht, die dort errichtet sind, und sich auch vergegenwärtigt, daß der Massenbetrieb an jenen und anderen Orten des Auslandes doch nur möglich ist durch die Ausnutzung des Besten, was unsere Zeit kennt, ja, meine Herren, dann müssen wir doch wohl auch mit dem Faktor rechnen, daß auch bereits an den Grenzen der Kultur, mit Anwendung der vollkommensten Maschinen und mit Zuhilfenahme der tüchtigsten Ingenieure, Erfolge erzielt werden, welche sich denen im Bereiche der civilisirten Staaten würdig an die Seite stellen[1].‘‘

Bekannt ist der große Rückgang des Silberwertes im 19. Jahrhundert. Auch hierbei spielt die Vervollkommnung der Technik und die dadurch bewirkte Senkung der Produktionskosten eine wichtige Rolle. Der bekannte Wiener Geologe S ü ß sagte hierüber bei den Verhandlungen der Silberkommission[2]: ,,Silber kommt in der Natur auf verschiedene Arten vor. Eines der wichtigsten Vorkommnisse — ich spreche hier natürlich nur von den allerhäufigsten — ist das Vorkommen des Silbers in Verbindung mit Blei, also von silberhaltigen Bleierzen, welche sich finden als bald mehr bald weniger mächtige Anhäufungen, oft in sedimentären Gebirgen, in Kalkstein und in Sandstein. Diese butzenförmigen oder stockförmigen Vorkommnisse sind manchmal außerordentlich reich und gehen dann rasch wieder aus. Ein anderes Vorkommen ist das eigentlich gangförmige, wo Silber manchmal auch in Verbindung mit Blei, sehr häufig auch in Verbindung mit Antimon und Arsen und in diesem Falle auch mit Gold vorkommt, und diese letzten gangförmigen Vorkommnisse pflegt man Dürrerze zu nennen, im Gegensatz zu den Bleierzen. Bis vor 10 oder sagen wir 6 Jahren war es in Amerika Gebrauch, daß man die Silbererze ähnlich wie die Golderze verarbeitete, d. h. daß sie gemahlen wurden und dann, mit Quecksilber amalgamirt, dem weiteren Amalgamationsverfahren unterzogen wurden. Erst in verhältnismäßig später Zeit ist man darauf gekommen, daß Silber durch Schmelzung viel leichter zu gewinnen sei, und da man unter den Bleierzen in Amerika gewisse Vorkommnisse besaß, welche ganz besonders für diesen Schmelzprozeß sich eignen — ich meine die Bleierze, wie sie z. B. in der Gegend von Leadville gefunden werden — so ergab sich aus der Einführung des Schmelzprozesses em außerordentlicher Aufschwung der Silberproduktion, welche man im Laufe von beiläufig 10 oder 8 Jahren in den Vereinigten Staaten

---

[1] Verhandlungen der Kommission usw. usw. Amtliche Ausgabe. Erster Band. Berlin 1894, S. 585.
[2] Ebenda, S. 571.

erlebt hatte. Das ist die Glanzzeit von Leadville. Es wurden nun großartige Schmelzwerke gebaut, so in Denver und in Pueblo. Die Bleierze wurden zu den Dürrerzen zugeschlagen und miteinander verhüttet; man führte auch viele Erze aus Mexiko ein und nun kam die außerordentlich große Produktion an Silber." Und Bergrat K l ü p f e l fügte hinzu: „. . . Die technischen Fortschritte sind nach zwei Richtungen vor sich gegangen, zunächst handelt es sich um die Fortschritte durch die chemische Technik — und da muß ich nun sagen, was Herr Professor S ü ß schon gesagt hat: die Erfindung des Flammofenprozesses und der Silbertrennung durch Zink haben nicht nur ein großes Wachsen der Produktion, sondern haben auch ein erhebliches Herabgehen der Selbstkosten bewirkt. Wir haben von diesem Gesichtspunkt aus die Periode zwischen dem Jahre 1872 und jetzt zu betrachten. In dieser Periode sind namentlich die größten Unterschiede in dem Werthverhältniss zwischen Silber und Gold entstanden. Ich möchte dies als Beweis dafür ansehen, daß nicht nur gesetzgeberische Maßregeln dahin gewirkt haben, sondern eben diese technischen Erfindungen haben es wenigstens zum Theil mitbewirkt. Man mag ja nun sagen, diese Erfindungen seien zum Theil schon vor dem Jahr 1873 gemacht worden; aber in der Praxis haben sie erst seit dieser Zeit im weiteren Maßstabe Eingang gefunden und haben bewirkt, daß die Produktionskosten vom Jahre 1873 bis jetzt wesentlich gefallen sind, und daß dies mit ein Grund dafür ist, warum das bisherige Verhältniss im Preise beider Metalle nicht hat aufrecht erhalten werden können[1]."

Wenn auch die Vertreter der Produktionskostentheorie im Recht sind insofern, als sie e i n e n w i c h t i g e n F a k t o r für die Bestimmung des Geldwertes hervorheben, so begehen sie doch einen großen Irrtum, wenn sie meinen, mit ihrer Lehre das für den Geldwert allein entscheidende Moment aufgezeigt zu haben. Die Produktionskostentheorie des Geldes leidet an genau denselben Mängeln, die ich oben in meiner Kritik der Produktionskostentheorie für diese Lehre überhaupt nachgewiesen habe, aber die Fehler dieser Theorie treten hier in noch verstärktem Maße hervor.

Folgende Einwendungen sind gegen die Produktionskostentheorie des Geldes zu erheben:

1. Die Produktionskostentheorie könnte überhaupt nur zur Erklärung des Wertes des Edelmetallgeldes dienen; zur Erklärung des Wertes aller übrigen Geldarten ist sie unbrauchbar.

2. Sie berücksichtigt viel zu einseitig die Seite des Angebotes der Edelmetalle und vernachlässigt die Seite der Nachfrage. — Für die Gestaltung des Geldwesens kommt aber außer den Beschaffungskosten für die Edelmetalle auch der Bedarf an Edelmetallen für monetäre und industrielle Zwecke in Betracht. — Um an die eben gegebenen Beispiele anzuknüpfen: die Entwertung des Silbers im 19. Jahrhundert ist nicht nur durch die Verbilligung der Produktion, sondern auch durch den Rückgang der Nachfrage nach Silber, durch die Verdrängung der Silberwährung verursacht. Vor allem hat die 1873 erfolgte Schließung der indischen Münzstätten für Silber zu dem Rückgang des Silberwertes beigetragen. Wenn innerhalb von 6—8 Tagen nach dieser Maßregel der Preis des Silbers per Unze

---

[1] Ebenda, S. 574.

in London von 38 d auf 29 d sank, so hing das nicht mit den Produktionskosten des Silbers, sondern allein mit der Nachfrage nach Silber zusammen. Und wenn der Goldwert in den 70er Jahren des vorigen Jahrhunderts stieg, so ist dies nicht allein durch den Rückgang und die größeren Schwierigkeiten der Goldgewinnung verursacht, sondern auch dadurch zu erklären, daß damals eine große Zahl von Ländern Europas zur Goldwährung übergingen. Also: der gestiegene Goldbedarf zu Münzzwecken führt zu einer Steigerung des Geldwertes.

3. Die jährliche Neuproduktion an Gold und Silber ist in der Regel verschwindend gering gegenüber dem bereits in der Welt vorhandenen Gold- und Silbervorrat. Darum können im allgemeinen die Produktionskosten der Edelmetalle nicht den Einfluß auf den Wert gewinnen, wie dies bei anderen Waren der Fall ist. Nur ganz gewaltige Umwälzungen in der Edelmetallproduktion oder das Hinzutreten sehr ergiebiger neuer Fundstätten können diesen Einfluß ausüben.

4. Die Gold- und Silberminen-Industrie hat in ganz besonderem Maße unsicheren, sprunghaften und aleatorischen Charakter. Sie ist wie kaum ein zweiter Industriezweig Gegenstand der Spekulation. Daher kommt es, daß viele Bergwerke oft Jahre lang ohne Gewinn produzieren, und daß ihre Produkte unter den Produktionskosten verkauft werden. Mit anderen Worten: es wird mehr gemünztes Gold in die Bergwerke hereingesteckt, als in Form ungemünzten Goldes aus ihnen gewonnen wird. E p s t e i n meint[1]), daß $^3/_4$ aller Minengeschäfte Spielgeschäfte seien, und daß die Londoner Börse in bezug auf Minenwerte ein großes Monte Carlo sei.

Nach einer Angabe des Geh. Bergrates Dr. Z i r k e l bei den Verhandlungen der Silberkommission existieren „in Transvaal und den angrenzenden Gebieten 68 Goldminen-Aktiengesellschaften mit einem Kapital von 325 Millionen Mark. Davon sind nur 28 Gesellschaften mit einem Kapital von 122 Millionen Mark, also nicht die Hälfte, welche Dividende zahlen, und 40 Gesellschaften mit einem Kapital von 203 Millionen Mark, welche seit Eröffnung des Betriebes im Jahre 1888 bis auf den heutigen Tag noch keinen Pfennig Dividende bezahlt haben, deren Produktion aber natürlich in den allgemeinen Ziffern mit enthalten ist[2])."

Gegenüber der Einseitigkeit der Produktionskostentheorie von S e n i o r bedeutete das 1843 erschienene Werk von H e l f e r i c h „Von den periodischen Schwankungen im Werte der edlen Metalle von der Entdeckung Amerikas bis zum Jahre 1830" einen großen Fortschritt. H e l f e r i c h ist keineswegs Gegner, sondern selbst Anhänger der Produktionskostentheorie, aber er hebt in scharfsinniger Weise die Grenzen der Bedeutung dieser Lehre hervor. Von den Produktionskosten hinge die untere Grenze desselben ab, während seine obere Grenze durch den Gebrauchswert auf Seite der Nachfrage bestimmt werde, „da kein Käufer von Geld mehr Arbeit und Kapital dafür geben wird, als er dadurch, daß er sich dieses Umsatzmittels nicht bedient, verlieren würde." Er weist mit Nachdruck auf den großen Einfluß hin, den die „Warenseite" für den Wert des Geldes habe. Diese Betrachtungen werden in engem Anschluß an die Aus-

---

[1]) a. a. O., S. 84.
[2]) Verhandlungen der Kommission usw. Erster Band. Berlin 1894, S. 551.

führungen H e r m a n n s über den Preis durchgeführt, indem nacheinander die Zahlungsfähigkeit der Begehrenden, die Konkurrenz der Käufer und Verkäufer in ihren Wirkungen auf den Wert des Geldes scharf auseinandergehalten werden. Er weist auch auf die vielen Ausgleichsmomente hin, die bewirkten, daß den Produktionskosten bei der Preisbestimmung des Geldes nicht die ausschlaggebende Rolle zukommen könne: „Denn das scheint eben das unterscheidende Merkmal des heutigen Verkehrs zu sein, daß die Preisbestimmung der Güter mehr und mehr allein von dem großen Warenaustausch im Welthandel abhängt, und daß das Tauschmittel des Geldes immer mehr seinen Einfluß auf die Güterpreise verliert. In den früheren Jahrhunderten, wo ein Markt, das ist ein bestimmtes Produktions- und Consumtionsgebiet auf eine einzelne Gegend oder auf ein einzelnes Land beschränkt war, wo kein regelmäßiger Warenaustausch zwischen den einzelnen Theilen des allgemeinen Marktes stattfand, wo der Kredit es noch nicht möglich gemacht hatte, Tauschmittel in beliebiger Menge zu creiren, da war wirklich Geld die wichtigste Ware und die Preisbestimmung der übrigen Güter von der größeren oder geringeren Leichtigkeit abhängig, mit welcher Geld zu bekommen war. Heutzutage dagegen ist es viel mehr der große Warenhandel selbst, der die Reichthumsverhältnisse der Länder bildet und ändert und der mittelst der Wechsel das Geld je nach dem größeren Geldbedürfniss der Länder, wie es durch den Handel bestimmt wird, von einem Theil der Erde zur andern treibt. Denn das Geld dient im großen Verkehr nur als Mittel der Werthausgleichung; aber die Ungleichheit in dem Reichthum der Länder, die eine solche Ausgleichung notwendig macht, geht als etwas selbständig gewordenes voraus und wird durch die Veränderungen im Verhältniss von Angebot und Nachfrage nach denjenigen Gütern hervorgerufen, die den Reichthum eines Landes begründen. Die Bewegungen des Geldmarktes folgen nur den großen Bewegungen im Waarenaustausch der Länder und nicht umgekehrt diese jenen[1].“ Und an anderer Stelle: „Gerade die vis inertiae, die in jedem einmal festgestellten Preisverhältniss liegt und die wesentlich darin ihren Grund hat, daß jeder Verlust von sich abzuwenden und am Gewinn anderer möglichst viel Theil zu nehmen sucht, bewirkt, daß der ökonomische Verkehr von selbst erst alle Mittel zur Ausgleichung der Preisverschiedenheiten versucht, um dem gefährdeten Theil zu Hülfe zu kommen und den Übergriffen eines anderen Theils des Angebots oder der Nachfrage entgegenzutreten. Erst wenn alle Hülfsmittel des Verkehrs, deren Bestimmung es ist, irgend einen Theil, der aus dem Gleichgewicht zu kommen droht, aufzuhelfen, nämlich einerseits Ausdehnung der Produktion und langsamer Umlauf des Geldes, anderseits Einziehung der Produktion und schnellerer Umlauf des Geldes, erst dann kann sich der Preis des Geldes selbst ändern[2].“

§ 18. Die Theorie von der Bestimmung des Geldwertes durch die Geldmenge (Quantitätstheorie).

Wir haben gesehen, welch große Bedeutung der innere Tauschwert des Geldes für die Preise hat. Da die Menge des in einem Lande

---

[1]) J. H e l f e r i c h , Von den periodischen Schwankungen im Wert der edeln Metalle.
[2]) J. H e l f e r i c h , a. a. O.

vorhandenen Geldes wieder von der größten Wichtigkeit für den
Geldwert ist, hat man eine Theorie aufgestellt, welche die Beziehungen
zwischen der Menge des Geldes einerseits und der Höhe der Warenpreise anderseits in ein gesetzmäßiges Verhältnis bringt. Diese Lehre
ist die sog. Q u a n t i t ä t s t h e o r i e. Die Quantitätstheorie in
ihrer ersten und naiven Formulierung lautet so: Die Höhe der Warenpreise ist umgekehrt proportional der in einem Lande vorhandenen
Geldmenge, d. h. steigt die Geldmenge, so sinken die Warenpreise;
verringert sich die Geldmenge, so steigen die Warenpreise. Für
das Verständnis der Quantitätstheorie, die in sehr verschiedenen
Fassungen und Variationen vorkommt, ist es von großer Bedeutung
zu beachten, aus welchen Vorkommnissen heraus das erste Auftreten
der Quantitätstheorie zu erklären ist.

Das 16. und 17. Jahrhundert weist eine große Preissteigerung
in fast allen Ländern der Welt auf. Verglichen mit den Preisen um
die Mitte des 16. Jahrhunderts waren bis zum Jahre 1590 die Getreidepreise in Sachsen um 300 %, in Straßburg um 280 %, in England um 155 %, in Paris um 165 % gestiegen[1]). Die Tatsache dieser
Preissteigerung wurde allgemein anerkannt; über die Ursachen jedoch gingen die Meinungen weit auseinander. Eine weit verbreitete
Ansicht war die, daß diese Preissteigerungen in der Hauptsache
auf die Münzverschlechterungen zurückzuführen seien. Der Erste,
der eine derartige Behauptung aufgestellt hat, scheint V i e r d u n g
gewesen zu sein, der das Steigen der Preise bis zum Jahre 1541 zwar
auf das Dreifache und mehr veranschlagt, dasselbe aber allein durch
entsprechende Münzverschlechterungen erklärt hat[2]).

In Frankreich wurde dieselbe Auffassung besonders vertreten
von M a l e s t r o i t [3]). In dieser Münzdenkschrift stellt der Verfasser die zwei Paradoxen auf:

„E r s t e s P a r a d o x o n: Die Kläge über allgemeine Teuerung
in Frankreich ist unberechtigt; die Preise sind heute nicht teurer
als vor 300 Jahren.

Z w e i t e s P a r a d o x o n: An einem Krontaler, wie an jeder
Gold- und Silbermünze, kann ein großer Verlust haften, selbst wenn
man ihn zu derselben Bewertung los wird, wie man ihn empfangen
hat[4]).“

Ihm erwidert der französische Staatsrechtslehrer B o d i n mit
seiner 1568 erschienenen Schrift und weist auf die Vermehrung
der Geldmenge als die notwendige Ursache hin[5]): „. . . . Die erste
und fast einzige, welche niemands vor diesem berührt hat, ist der
Überfluß und die Menge dess Golds und Silbers, dessen heut zu Tage
in diesem Königreich mehr ist, alss in 400 Jahren gewesen. Dann

---

[1]) G. W i e b e , Zur Geschichte der Preisrevolution. Leipzig 1895, S. 113.
[2]) W i e b e , a. a. O., S. 184.
[3]) „Paradoxen“ 1566. (Paradoxa Domini de M a l e s t r o i c t de re numaria
1566. . . ex gallica lingua in latinam translata: B u d e l i u s , De Monetis [Cöln
1691, 4⁰], S. 746—750). Zitiert bei J a s t r o w , Geld und Kredit (4. Band der
Textbücher zu Studien über Wirtschaft und Staat). Berlin 1914.
[4]) J a s t r o w , a. a. O., S. 7.
[5]) La Response aux Paradoxes de M. de Malestroit touch. l'enchérissement
de toutes choses et de monnayes. Paris 1568. — Lateinisch u. a. in: B u d e l i u s ,
De Monetis (Cöln 1691, 4⁰), S. 751—90. — Das folgende (mit einigen orthographischen
Vereinfachungen) nach der deutschen Übersetzung: Discurs dess berühmbten Politici
Johannis B o d i n i , Von den Ursachen der Theurung wie auch dem Auff- u. Abschlag der Müntz. . . . Hamburg 1624“. Zitiert bei J a s t r o w , a. a. O., S. 8—9.

weiter wil ich nicht gehen. Weil auch die Cantzley und Kammerregister nicht uber 400 Jahre alt seyn. Das fernere muss man auss den alten Historien ohne grosse Gewissheit zusammen lesen (Kap. 7).

Kap. 8. Die vornembste Ursach, warumb alle Ding Theur seynd, es sey wo es wolle, ist die Menge dessen, welches denselben jhren Tax unnd Preiss gibt. Der Plutarchus und Plinius bezeugen, daß nach eröberung dess Königsreichs Macedonien unter dem König Perseus der Feldt Obriste Paulus Emilius so viel Golt und Silber näher Rom gebracht habe, dass das Römische Volk von entrichtung dess gewöhnlichen Tributs und Zolls sey entfreyt worden, und das der Kauff der Landgüter gleich in einem huy zwey tritte theil in der Romaney gestiegen und zugenommen habe. Und der Suetonius meldet, daß der Käyser Augustus so gross Gut auss Egypten mit sich gebracht habe, daß das Interesse oder die Gelt Rente gefallen, und der Kauff der Landereyen viel höher gestiegen sey, als er vormals gewesen. Also war dann damals die ursach der theurung nicht die verbesserung der Ländereyen, welche weder zu- noch abnehmen können, auch nicht die monopolien oder verkäuffere, welche in diesem fall nicht stedt haben mögen; besondern es war der uberfluss dess Golds und Silbers, welcher dass Gelt unwerth und alle dinge theuer machte, wie dann auch damahls geschach als die Königin Candace, welche in der Heiligen Schrift die Königin von Saba genennet wird, in die Stadt Jerusalem kommen, wohin sie so viel Edelgesteine gebracht, das man mit Füßen darüber gegangen ist. Und da der König bey Hispanien sich der Neuen Welt erstmahls bemächtigt, würden daselbsten die Eyserne Beyle und Messer viel theurer verkaufft, als die Perle und Edelgesteine, weil man nennlichen der Orter keine andere Messer hatte, als von Holtz und Stein, die Perlen aber hatte man in großem uberfluss. Derohalben ist der uberfluss und die menge ein ursach der wöllfeilheit. . . .‟

In seinem späteren Werk „Die Republica‟ aus dem Jahre 1576 spricht B o d i n noch einmal über die allgemeine Teuerung seit den Zeiten Ludwigs XII. und sagt dort: „l'or et l'argent est venu en si grande abondance des terres neuves, mêmement du Pérou, que toutes choses sont enchéries dix fois plus qu'elles n'étaient, comme j'ai montré contre le Paradoxe du seigneur de Malestroit[1].‟

Ferner ist M o n t e s q u i e u als Vertreter der naiven Quantitätstheorie zu erwähnen. Er erklärt[2]: „L'argent est le prix des marchandises ou denrées. Mais comment se fixera ce prix, c'est-à-dire par quelle portion d'argent chaque chose sera-t-elle représentée? Si l'on compare la masse de l'or et de l'argent, qui est dans le monde avec la somme des marchandises, qui y sont, il est certain que chaque denrée ou marchandises en particulier pourra être comparée à une certaine portion de la masse entière de l'or et de l'argent. Comme le total de l'une est au total de l'autre, la partie de l'une sera à la partie de l'autre.‟ — Bei M o n t e s q u i e u tritt besonders klar die Meinung der ersten Quantitätstheoretiker hervor: die Masse an Gold und Silber in der Welt wird der Masse der Waren in der Welt gegenübergestellt und dann die Preisbewegung der Waren in direktes Verhältnis zur Veränderung der Edelmetallmenge gebracht.

---

[1] W i e b e, a. a. O., S. 188.
[2] De l'Esprit des Lois par Montesquieu (1748). Ausgabe Paris, Didot 1803. 3. Bd., Chap. VII, S. 152.

Auch H u m e vertritt eine Q u a n t i t ä t s t h e o r i e,
aber nicht in der weitgehenden Weise wie die genannten Autoren.
Er weist vielmehr auf verschiedene Faktoren hin, die außer der
Menge des Geldes für die Höhe der Warenpreise von Einfluß sind.
Nur mit gewissen Modifikationen will er den fast selbstverständlichen
Satz gelten lassen, daß die Preise aller Dinge von dem Verhältnis
zwischen Waren und Geld abhängen und daß jede beträchtliche
Veränderung des einen oder des anderen die gleiche Wirkung hat,
entweder die Preise zu steigern oder sie zu vermindern. Werden
die Waren vermehrt, so werden sie billiger, wird das Geld vermehrt,
so steigen die Waren im Preise. Wie auf der anderen Seite eine Verminderung jener und eine Verminderung dieser entgegengesetzte
Wirkungen haben. Vielmehr sei zu beachten, daß nicht so sehr auf
die absolute Menge von Geld einerseits und Waren anderseits ankomme, als vielmehr auf die Menge des Geldes, das im Umlauf ist.
„Preisbestimmend ist das Verhältnis zwischen dem im Umlauf befindlichen Gelde und den Waren, die auf den Markt kommen." —
Ferner weist er darauf hin, daß der Prozeß der Assimilierung der
Warenpreise und der Geldmenge sich sehr allmählich und nur innerhalb längerer Zeiträume vollziehe.

Um diese merkwürdige Erscheinung zu verstehen, müssen wir
bedenken, daß ein hoher Warenpreis zwar die notwendige Folge
der Zunahme von Gold und Silber ist, daß diese Zunahme aber
nicht sofort eintritt, daß es vielmehr einiger Zeit bedarf, bis das Geld
im ganzen Lande im Umlauf ist und seine Wirkungen in allen
Schichten des Volkes fühlbar ist. Zuerst läßt sich keine Veränderung
feststellen, allmählich steigen die Preise, erst bei einer Ware, dann
bei einer anderen, bis das Ganze zuletzt im richtigen Verhältnis zu
der neuen Menge des Edelmetalls im Lande steht. — Wegen des bedeutenden Einflusses, den aber die Geldvermehrung zunächst, d. h.
vor der Einwirkung auf die Preise, auf Handel und Gewerbe ausübe,
hält er es für zweckmäßig, daß die Menge des Geldes stets eine gewisse Zunahme erfahre, damit der Geist der Betriebsamkeit rege erhalten werde.

Aus der Q u a n t i t ä t s t h e o r i e zieht H u m e auch
Konsequenzen für seine Lehre vom i n t e r n a t i o n a l e n H a n -
d e l. Die große Menge von Gold und Silber, die bei reichen Handels-
völkern vorhanden sei, wirke erhöhend auf die Preise der Lebensmittel und Arbeit. Dies veranlasse viele Gewerbetreibende, Länder
aufzusuchen, wo infolge geringeren Geldvorrats die Preise noch
niedrige seien, und so entwickele sich allmählich ein internationaler
Ausgleich des Reichtums unter den verschiedenen Ländern.

§ 19. Kritik der Quantitätstheorie.

Die Quantitätstheorie enthält einen richtigen Kern, aber in
der ersten Formulierung, in der sie vorgetragen wurde, von der wir
einige Beispiele gegeben haben, ist sie unhaltbar. Nur mit ganz erheblichen Einschränkungen und Modifikationen kann sie zur Erklärung der wirklichen Preisvorgänge dienen. Richtig ist die Quantitätstheorie um deswillen, weil sie auf einer Kausalerklärung beruht,
die auf Grund richtiger empirischer Beobachtungen gegeben wurde.
Ich werde im folgenden Paragraphen einige historische Beispiele
für die Richtigkeit der Quantitätstheorie geben.

Die Zeit, in der sie aufgestellt wurde, das 16. Jahrhundert, hatte eine enorme Vermehrung des Zustroms von Silber in fast allen Ländern Europas infolge der Entdeckung Amerikas gebracht. Diese Vermehrung des Silbervorrates und ebenso die vervollkommnete Technik der Herstellung des Silbers mußten eine Tendenz zur Senkung des Silberwertes und damit auch des Wertes des Silbergeldes auslösen. Gerade wie der Wert der Silberwaren in Form von Schmucksachen geringer wird infolge der Vermehrung des Edelmetalles, geht auch die silberne Geldware im Wert herunter, wenn das Edelmetall im Werte sinkt. Diesen ganzen Vorgang nennt man Inflation. Inflation bedeutet Preissteigerung der Waren, die nicht durch Vorgänge auf der Warenseite verursacht ist, sondern durch außergewöhnliche Vermehrung der Zahlungsmittel. Es ist falsch, anzunehmen, daß Inflation nur durch vermehrte Papiergeldausgabe hervorgerufen werden könne; Inflation kann auch durch Vermehrung des Metallgeldes hervorgerufen werden. Man spricht dann von Gold- oder Silberinflation.

So richtig diese Zusammenhänge sind, so ist die von der Quantitätstheorie erweckte Vorstellung doch ganz falsch, als ob ein direkter oder mathematischer Zusammenhang zwischen dem Edelmetallvorrat eines Landes einerseits und der Höhe der Warenpreise anderseits vorläge. So meinten die ersten Quantitätstheoretiker tatsächlich, daß z. B. bei einer Vermehrung des Edelmetallvorrates in einem Lande um 10 % auch zugleich eine 10proz. Verminderung der Warenpreise in dem betreffenden Lande eintreten müsse und umgekehrt. Es müssen eine ganze Reihe von Momenten außer der Geldmenge noch in Rücksicht gezogen werden, von denen ich die wichtigsten hervorhebe:

1. Es kommt nicht auf die Menge, sondern auch auf die Umlaufsgeschwindigkeit des Geldes an; vergrößerte Umlaufsgeschwindigkeit des Geldes liegt vor, wenn mit derselben Geldmenge eine größere Zahl von Umsätzen vorgenommen wird. Verstärkte Umlaufsgeschwindigkeit des Geldes hat also dieselbe Bedeutung, als wenn die Geldmenge selbst vermehrt worden wäre. Wenn so mit vermehrter Geldmenge eine verringerte Umlaufsgeschwindigkeit des Geldes Hand in Hand geht, so ist ein größerer Geldbedarf als vorher zur Befriedigung des Umsatzes notwendig, und dann muß die Vermehrung der Geldmenge in ihrem Einfluß auf die Warenpreise wirkungslos sein. Auf diesen Punkt hatte bereits D a v i d H u m e hingewiesen.

2. Nicht alle Vermehrung des Edelmetalls bzw. des Edelmetallgeldes bedeutet direkt eine Vermehrung der Zahlungsmittel. Häufig wird ein Teil des neu hinzukommenden Geldes in den Banken und sonstigen großen Kreditinstituten aufgesammelt und dient zur Vermehrung der dort ruhenden Reserven. Diese Geldmenge tritt also gar nicht in die Zirkulation ein und kann direkt keinen Einfluß auf die Warenpreise ausüben. Nur wenn auf Grund dieser Geldreserven neue Kredite gegeben werden, und damit die Kaufkraft erhöht wird, kann dieser Einfluß stattfinden.

3. In Ländern mit Metallwährung wird das vorhandene Gold bzw. Silber nicht nur für monetäre Zwecke, sondern auch für nicht-monetäre, z. B. industrielle Zwecke, verwendet. Bei Goldwährung ist z. B. die Goldmenge nicht im Verhältnis zum gesamten Goldvorrat abgegrenzt, vielmehr wandert das Gold vom nicht-monetären

Goldwerte zum monetären über und umgekehrt. „Wieviel Gold der monetären Verwendung zugeführt wird, kann u. a. vom Geldbedarf des Verkehrs und somit auch vom allgemeinen Preisniveau abhängen[1])."

4. Neben dem Metallgeld werden noch eine Menge anderer Zahlungsmittel zu Gelddiensten benutzt, z. B. Papiergeld, Banknoten, Schecks, Wechsel u. a. bargeldsparende Zahlungsmittel. Man kann aber die Einwirkung der Geldmenge auf die Warenpreise nur dann richtig beurteilen, wenn man den gesamten Umfang an Zahlungsmitteln, d. h. auch die genannten Geldsurrogate heranzieht.

Auf die Bedeutung der unter 2 und 3 genannten Momente kann ich erst später ausführlich eingehen, wenn ich das Wesen des Papiergeldes und der bankmäßigen Kreditzahlungsmittel erläutert habe. Erst dann kann ich die Gesichtspunkte hervorheben, die zur Kritik der Quantitätstheorie wegen des Hinzutretens dieser sonstigen Zahlungsmittel zu beachten sind (Kritik der sog. modifizierten Quantitätstheorie).

5. Die Einwirkung der Edelmetallmenge auf die Warenpreise ist nie eine so direkte und eine viel allmählichere als die Quantitätstheorie annimmt. Der Einfluß der Edelmetallmenge auf die Preise geht immer nur allmählich über die Einkommen der Wirtschaftssubjekte vor sich. Die Vermehrung der Geldmenge kann von sich aus keinen Einfluß auf die Preisbildung gewinnen, sondern nur indirekt dadurch, daß sie zu neuer Unternehmungslust, zur Stärkung des Geschäftsverkehrs, zur Erhöhung der Einkommen und damit zu vergrößerter Kaufkraft der einzelnen führt, die dann wieder die Preise in die Höhe treibt. Zuerst zeigt sich der Einfluß der Geldvermehrung in den Ländern mit den Produktionsstätten der Edelmetalle; die Neuentdeckung von Gold- und Silberminen führt zu verstärkter Kaufkraft der Minenbesitzer und der von ihnen beschäftigten Arbeiter. Diese vermehrte Kaufkraft bewirkt auch vermehrte Kaufkraft der Kaufleute und Gewerbetreibenden in den betreffenden Ländern. Durch den internationalen Warenaustausch pflanzt sich diese vermehrte Kaufkraft auch auf die übrigen Länder fort, die ebenfalls durch die vermehrte Edelmetallzufuhr in ihrer Kaufkraft gestärkt werden. Vergrößerte Kaufkraft bedeutet aber größere Einkommen der Wirtschaftssubjekte, die daher bei ihren Einkäufen höhere Preise zu zahlen in der Lage sind.

6. Aus allem bisher Gesagten geht hervor, daß die Quantitätstheorie am klarsten und deutlichsten ihre Richtigkeit beweist gerade dann, wenn die Geldverfassung eines Landes einen anormalen Charakter hat, d. h. in der Zeit vorgeschrittener Papierwährung. Nur bei Metallwährung kommen alle die genannten Momente in Betracht, die einem rein mengenmäßigen Einfluß des Geldes auf die Preise entgegenwirken, anders bei der Papierwährung. Sobald ein Land nur Zirkulation von größeren Papiergeldmengen hat, verschwinden alle anderen Zahlungsmittel aus der Zirkulation und alle Zahlungen werden in Papiergeld erledigt. Dann ergibt die Steigerung der Preise ein deutliches Bild von der Steigerung der Geldmenge.

---

[1]) C a s s e l, Theoretische Nationalökonomie, III. Aufl., S. 405.

§ 20. Geschichtliche Beispiele zur Bestätigung der Quantitätstheorie.

1. D i e P r e i s s t e i g e r u n g im 16. u n d 17. J a h r h u n d e r t.
Die gewaltige Preissteigerung dieser Zeit geht aus folgenden
Zahlen hervor, wobei ich allein die Weizenpreise heraushebe. Ver-
glichen mit der Periode

1526—1550,	in der der Weizenpreis i. Elsaß	18,61 g Silber
	betrug, war er in der Zeit von	
1601—1625	auf . . . . 49,90 g	,,
	gestiegen. In Sachsen betrug er	
1455—1480	. . . . 13,90 g	,,
	und stieg in der Periode von	
1581—1590	auf . . . . 60,43 g	,,
	In England stieg er i. d. Periode	
1511—1520	von . . . . 20,59 g	,,
	auf . . . . 69,88 g	,,
	in der Periode	
1603—1612.		

Mit dieser Preissteigerung vergleiche man die Silbergewinnung
der Welt, die von

47 000 kg im Jahresdurchschnitt der Periode 1493—1520 stieg auf
422 000 kg ,,   ,,   ,,   ,,   1601—1620.

Das bedeutet eine Steigerung um fast das Zehnfache.

Zweifellos steht die große Preissteigerung der Waren und die
Vermehrung der Edelmetallgewinnung in ursächlichem Zusammenhang; denn diese große Zunahme der Edelmetallproduktion kann
nicht etwa durch die in diesem Zeitraum eingetretene Vermehrung
des Bedarfs ausgeglichen sein. W i e b e , der beste Geschichts-
schreiber dieser Epoche, hat eingehend auf diese Zusammenhänge
hingewiesen. Er schildert, wie überall zuerst in den Produktionsländern des Edelmetalls, namentlich in Spanien, Sachsen, im Münster-
land und Elsaß die Preisbewegung und Geldentwertung begonnen
habe, und daß sie zuletzt in den Ländern hervorgetreten sei, wie
England, die keine eigene Edelmetallproduktion hatten. Auch er
bemüht sich, die Quantitätstheorie zurückzuweisen, die er für ganz
unzulänglich hält, diese Zusammenhänge zu erklären und sagt:
,,Aber die bloße Vermehrung des Geldvorrates kann an sich nicht
preissteigernd wirken; das neu hinzugetretene Geld muß auch auf
dem Markt kaufend Nachfrage erzeugen. Dies ist die erste Einschränkung, die gegenüber jener Theorie gemacht werden muß.
Eine in dieser Weise zur Geltung gebrachte Vermehrung des Geldbestandes wird aber ferner nicht genau in dem entsprechenden
Verhältnis die Preise steigern, wie sie auch niemals eine ganz gleichmäßige Verteuerung der Waren herbeiführen wird. Die ganze preissteigernde Wirkung einer Geldvermehrung beruht ausschließlich
darauf, ob dieselbe eine Nachfrage hervorruft. Die Art, Größe und
Intensität dieser Nachfrage hängt wiederum im wesentlichen davon
ab, wer die Besitzer dieses neu hinzugekommenen Geldes sind[1]."
Wie die Vermehrung des Edelmetalls und Geldvorrats allmählich auf dem Wege der Einnahmenerhöhung die Preissteigerung
erwirkt, schildert er so: ,,Ein Teil des neuen Goldes und Silbers wird
in Deutschland von den reichen Kuxenbesitzern im Handel und auch

---

[1] W i e b e , Zur Geschichte der Preisrevolution des 16. und 17. Jahrhunderts.
Leipzig 1895. S. 318.

in der gewerblichen Produktion angelegt worden sein. Daneben haben sie gewiß auch einen Teil zur Erweiterung und Vermehrung ihrer feineren Bedürfnisse verwandt. Die kleinen Kuxeninhaber, die Gewerbe, werden die Mehreinnahmen gewiß fast ausschließlich zur Konsumerweiterung, Verbesserung benutzt haben. Der Staat hat seinen Anteil wahrscheinlich vorwiegend zu militärischen und Verwaltungszwecken und für den Hof des Fürsten verwandt. Endlich hat der Bergbau selber eine Nachfrage nach gewissen, für den Betrieb des Bergwerkes und die Verhüttung des Erzes notwendigen Materialien, wie Holz, Holzkohlen u. dgl. geschaffen. Es ist also eine mannigfaltige Nachfrage hervorgerufen worden und inwieweit dieselbe zur Steigerung der Preise führte, war einmal durch die Dringlichkeit des Bedarfs bedingt und zweitens durch die mehr oder weniger große Möglichkeit, die betreffenden Waren heranzuschaffen oder zu vermehren[1])."

2. Die Preissteigerung in den 50er Jahren des vorigen Jahrhunderts.

Seit der Mitte des vorigen Jahrhunderts war eine starke Steigerung der Preise in allen Ländern zu beobachten. Verglichen mit der Periode von 1847/50 waren die Preise in der Zeit von 1861—65 um etwa 24% gestiegen. Dies ergibt sich aus folgender Tabelle:

Entwicklung des allgemeinen Preisniveaus von 1847/50 bis 1885 auf Grund der Soetbeerschen Totalindexziffern für 114 Warengattungen[2]):

Jahr	Index
1847—1850	100,0
1851—1855	112,2
1856—1860	120,9
1861—1865	123,6

Man vergleiche mit dieser Entwicklung der Warenpreise die Edelmetallproduktion in jener Periode. Durch die Auffindung der kalifornischen und australischen Goldstätten war eine außerordentliche Vermehrung des Goldvorrates eingetreten. Dies ergibt sich aus folgender Tabelle:

Gesamtgewinnung der Periode:

Jahr	Wert in Mill. Mk.	Jahresdurchschnitt in kg
1841—1850	1528	54 759
1851—1855	2781	199 388
1856—1860	2815	201 750
1861—1865	2582	185 057

Das bedeutet also eine Vermehrung der Goldproduktion innerhalb 20 Jahren um das Vierfache. Auch hier scheint der ursächliche Zusammenhang zwischen der Goldvermehrung und der Preissteigerung klar zu sein. In dem besten Werke, welches über die Preisentwicklung dieser Periode vorliegt, von T o o k e und N e w - m a r c h , „Die Geschichte und Bestimmung der Preise während der Jahre 1793—1857", 2. Band, 1859, wird von T o o k e auch

---

[1]) a. a. O., S. 319.
[2]) Handw. d. Staatswissensch., 3. Aufl., 6. Bd., Art.: „Preis".

speziell untersucht, „die Art, wie das neue Gold sich unter die Handelsstaaten der Erde verteilt und allmählich eine E r h ö h u n g   d e r
E i n k o m m e n und durch sie eine Erhöhung der Preise herbeiführe[1]).‟

Die allgemeinen Resultate, die T o o k e über die Wirkungen
der Goldauffindung in Australien und Kalifornien um die Mitte
des 19. Jahrhunderts feststellt, faßt er einmal so zusammen: „1. daß
vom Anfang bis zum Ende die vielfältigen gewaltigen Wirkungen,
welche das neue Gold in den Produktionsländern hervorgebracht,
sich in volkswirtschaftliche Veränderungen auflösen, die in schnellem
Wechsel und in unendlich verschiedenen Formen aus dem verdrei-
fachten und vervierfachten Einkommen der Arbeiter entstehen. Und
2. daß alle die mannigfaltigen Wege, auf denen das neue Gold zur
Verteilung gekommen ist, sich durch ein einfaches Prinzip erklären
lassen, nämlich: daß die Verteilung genau dem Verhältnis entspricht, in welchem die vermehrte Nachfrage nach Gütern, die ursprünglich von den ersten Goldsammlern ausging, mehr und mehr
Arbeiter sowie stets größere Kapitalien in Tätigkeit versetzte, um
nicht nur die Bedürfnisse der Gold produzierenden Länder, sondern
auch mehr oder minder aller der anderen zu befriedigen, welche
Rohstoffe oder Fabrikate, auf die Einkommen verwendet werden,
hervorbringen[2]).‟ Er schildert eingehend, wie zuerst die Wirkung
der Preissteigerung in den Goldländern sich herausstellt und sich
dann immer mehr ausdehnt, und fährt fort: „und in derselben Progression weitergehend, muß sich der Kreis, innerhalb dessen der
Bedarf von Waren zunimmt, oder richtiger, innerhalb dessen die
größeren Einnahmen ausgegeben werden, mit jedem Monat notwendig erweitern[3]).‟

3. D i e P r e i s s t e i g e r u n g s e i t 1900.

Wiederum hatten wir eine große Teuerungsperiode, die seit
1900 besonders hervortrat, aber schon seit Mitte der 90er Jahre
anfing, bemerkbar zu werden. Setzt man den Durchschnittspreis
auf Grund der Totalindexziffern in der Periode von 1890—99 auf
100, so ergibt sich folgende Preissteigerung:

Ü b e r b l i c k ü b e r d i e a l l g e i m e n e P r e i s b e w e g u n g i n E n g -
l a n d , D e u t s c h l a n d u n d A m e r i k a 1901—1911[4]).
(Sämtl. Indexziffern sind nach amerikan. Vorbild auf die Jahre 1890—1899 reduziert.)

Jahr	England			Deutschland		Ver. Staaten
	Sauer-beck[5])	Ökono-mist[6])	Handels-amt[7])	Reichs-stat.	Schmitz[8])	Arbeitsamt[9])
1901—1905	109,1	102,0	101,0	108,3	108,7	112,8
1906—1910	120,0	115,0	108,6	121,6	123,0	126,6
1911	121,7	122,6	113,6	127,5	127,9	—

[1]) T o o k e, a. a. O., 2. Bd., S. 396. — [2]) Ebenda, S. 419. — [3]) a. a. O.,
S. 420. — [4]) F. E u l e n b u r g, Die Preissteigerung des letzten Jahrzehnts.
Leipzig 1912. — [5]) Für 45 Waren berechnet. — [6]) Für 22 Waren berechnet. —
[7]) Hier sind „gewogene‟ Indexziffern zugrunde gelegt. Auch deckt sich der Inhalt
der einzelnen Gruppen nicht mit den deutschen Gruppen. — [8]) S c h m i t z, Die
Bewegung der Warenpreise in Deutschland von 1851—1902. Berlin 1903. Die weiteren
Ziffern auf Grund persönlicher Angabe von Schmitz, mitgeteilt von E u l e n b u r g,
a. a. O. — [9]) Für 257 Artikel berechnet.

In den 90er Jahren des vorigen Jahrhunderts vollzog sich aber zugleich ein großer Umschwung in der Goldgewinnung durch die Entdeckung des Transvaalgoldes. Während die Gesamtgewinnung von Gold im Jahresdurchschmitt von 1881/85 = 154 959 kg betrug, betrug sie im Jahresdurchschnitt von 1900/05 = 484 639 kg und im Jahresdurchschnitt von 1906/10 = 652 166 kg.

Mir scheint der Einfluß der Goldvermehrung auf die Preisbildung in jener Periode um so sicherer zu sein, als sich diese Preissteigerung in sämtlichen Ländern der Welt vorfindet. In Übereinstimmung mit den Anschauungen von A s h l e y[1]), M y r b a c h[2]) und E u l e n b u r g[3]) glaube ich, daß bei dieser großen Preissteigerung auch die außerordentliche Goldvermehrung, die seit 1903 in noch verstärktem Maße vorlag, beteiligt ist. Allerdings sind die Meinungen über diesen Zusammenhang in der Wissenschaft geteilt. Namentlich L e x i s hält den Einfluß der Steigerung der Goldproduktion auf die Preisbildung jener Periode „nicht für nachweisbar[4]).“ Zuzugeben ist allerdings, daß, verglichen mit der Wirkung der Silbervermehrung im 16. und 17. Jahrhundert und der Goldvermehrung in der Mitte des 19. Jahrhunderts bei der neuen Preissteigerung seit Beginn des 20. Jahrhunderts bis zum Weltkriege die Steigerung der Edelmetallproduktion nur eine sekundäre Rolle spielt. Primär kommen für die große Preissteigerung dieser Zeitperiode folgende Momente in Betracht:

1. Die steigende Schwierigkeit der Gewinnung einzelner Rohstoffe und die größere Seltenheit einiger Rohstoffprodukte, verglichen mit der wachsenden Nachfrage (dies trifft namentlich zu für einige Erze, Kohle, Baumwolle usw.);

2. die allgemeine und bedeutende Steigerung der landwirtschaftlichen und gewerblichen Arbeitslöhne;

3. die starke Steigerung des städtischen Bodenwertes, die besonders für die große Steigerung der städtischen Kleinhandelspreise eine Erklärung zu bieten vermöchte;

4. der landwirtschaftliche und geschäftliche Aufschwung, den wir — von einzelnen Unterbrechungen abgesehen — im allgemeinen seit 1901 zu konstatieren haben.

---

[1]) Jahrbuch für Gesetzgebung, Verwaltung und Volkswirtschaft im Deutschen Reich. Leipzig 1911.
[2]) Über Teuerung. Leipzig u. Wien 1910.
[3]) Jahrbuch für Gesetzgebung, Verwaltung usw. 1911. S. 457.
[4]) L e x i s, a. a. O., S. 102.

4. Kapitel.

Die staatliche Regelung des Geld- und Münzwesens.

√

§ 21. Die Aufgabe des Staates auf dem Gebiet des Geldwesens im allgemeinen.

Die Frage, welche Rolle der Staat, die staatliche Rechtsordnung und Verwaltung gegenüber dem Gelde zu erfüllen hat, soll an dieser Stelle in bezug auf das Metallgeld, also auf den wichtigsten und typischsten Fall des Geldwesens behandelt werden; auf einzelne andere Probleme, die sich auf die Stellung des Staates zum Papiergeld beziehen, soll erst später eingegangen werden.

Die Rolle des Staates in bezug auf das Geldwesen ist einerseits eine außerordentlich wichtige und maßgebende, auf der anderen Seite eine sehr untergeordnete und unbedeutende. Von größter Wichtigkeit und Bedeutung ist die Aufgabe des Staates gegenüber dem Geldwesen insofern, als der Staat für die rechtliche Ordnung des Geldwesens zu sorgen hat. Wie schon aus der bisherigen Darstellung hervorgeht, ist das Geldwesen auf das engste mit der Rechtsordnung verknüpft. Wir können überhaupt erst von Geld sprechen, wenn irgendwelche rechtliche Ordnung des Geldwesens vorhanden ist. Es braucht sich nicht um eine geschriebene Rechtssatzung zu handeln, es kann auch nur gewohnheitsrechtliche Übung vorliegen, jedenfalls aber muß innerhalb der Gemeinschaft eine Übereinkunft darüber bestehen, daß ein bestimmtes Gut als unbedingt gültiges Mittel zum Abschluß bindender Kaufverträge bestimmt wird. Erst dann ist das vorangegangene geldlose Stadium überwunden, in dem die Tauschakte rein zufällige und willkürliche waren; indem der Staat diese rechtliche Ordnung normiert und bindende Vorschriften über das Geld erläßt, hat er eine der wichtigsten Aufgaben des Wirtschaftslebens zu erfüllen. — Untergeordnet und unwichtig ist die Rolle des Staates insofern, als er niemals die Macht hat, einen Wert des Geldes zu statuieren, oder die Macht, durch seine Münzprägung einen autoritativen Einfluß auf den Geldwert im Wirtschaftsverkehr auszuüben. Durch seine Münzhoheit und Münzausprägung kann der Staat immer nur ein Verkehrsgut seiner Gültigkeit nach beglaubigen; er sanktioniert das, was sich bereits im freien Wirtschaftsverkehr vollzogen hatte. Konkret gesprochen: der Staat kann nur durch seine Autorität beglaubigen, daß in einer Münze ein bestimmtes Gewicht und Feingehalt von edlem Metall enthalten ist, mehr kann er nicht leisten; niemals kann er künstlich den Münzen irgendeinen Wert beilegen. Und wo der Staat, wie in der Kipper- und Wipperzeit, durch Ausgabe unterwertiger Münzen und durch Münzverschlechterungen aller Art einen fiskalischen Gewinn zu erzielen hoffte, hat er dies immer durch die größte Verwirrung im Geldwesen büßen müssen. „Seit dem 7. Jahrhundert v. Chr. wurden zuerst in den griechischen Stadtstaaten Kleinasiens und in Lydien Stücke Gold von bestimmtem Gewicht und Feingehalt von Staats wegen ausdrücklich für die Tauschvermittlung bestimmt und durch Prägung zu M ü n z e n geformt, womit zugleich eine staatliche Garantie für den inneren Gehalt dieser Stücke gegeben sein sollte. Diese durch staatliche Prägung für die Geldfunktion ausersehenen Gold- und Silberstücke stellen nun das Metallgeld dar, als vollkommenes Geld werden sie nur dann angesehen, wenn die staatliche Garantie sich nicht einfach auf die Einhaltung des gesetzlich vorgeschriebenen Gewichts und der gesetzlichen Feinheit bezieht, sondern auch die möglichst genaue Gleichheit des Nominalwertes und des inneren Metallwertes der Münzen sichert, so daß die eingeschmolzene Münze als Barrenmetall denselben Wert hat wie vorher[1])."

Indem der Staat feste Normen für den Rechtsverkehr mit Geld aufstellt, verleiht er dem Geldwesen eine sichere Stütze und Garantie für alle Beteiligten. Ich will im folgenden einige der wichtigsten Normen des Staates in bezug auf Geld anführen und auch einige Begriffe erläutern, die in meinen weiteren Ausführungen über Geldwesen häufig wiederkehren.

§ 22. Staatliche Normen über Geldwesen im besonderen.

1. M ü n z h o h e i t   u n d   M ü n z p r ä g u n g: Unter dem Namen „Münzregal" hat man früher zwei Begriffe zusammengefaßt, die aber streng auseinandergehalten werden müssen, nämlich die Begriffe Münzhoheit und Münzprägung.

a) M ü n z h o h e i t bezeichnet das Hoheitsrecht des Staates, bestimmte Rechtssätze über das Geldwesen zu erlassen. Der Staat muß als Gesetzgeber erklären, was als gesetzliches Zahlungsmittel gelten soll und daher auch allein bestimmt ist, Schulden zu tilgen. Jeder Staat mit einigermaßen entwickelter wirtschaftlicher Kultur muß dieses Hoheitsrecht ausüben, und auch der radikalste Manchestermann, der sonst für die größte Freiheit im Wirtschaftsleben eintritt, kann niemals diese staatliche Aufgabe ablehnen, die ebenso notwendig ist, wie die staatliche Regelung des Maß- und Gewichtswesens. An sich hat der Staat die Macht, jedem beliebigen Gut die Eigenschaft des gesetzlichen Zahlungsmittels zu verleihen. Er kann auch ein Geld aus ganz wertlosem Stoff, z. B. Papiergeld, zulassen. Wenn der Staat regelmäßig die Edelmetalle zu Geldzwecken gewählt hat, so hat dies wichtige volkswirtschaftliche Gründe, auf die noch öfters zurückzukommen ist. Kein Kulturstaat kann ohne Münzhoheit bestehen, während er wohl auf die eigene Herstellung der Münzen verzichten und auch den Umlauf fremder Münzen zulassen kann.

b) Die M ü n z p r ä g u n g ist die Herstellung der Münzen. Hier handelt es sich um kein Hoheitsrecht des Staates, sondern um ein technisches Verfahren, das der Staat selbst übernehmen, aber

---

[1]) L e x i s , Allgemeine Volkswirtschaftslehre. 2. Aufl. Leipzig 1913. S. 99.

auch privaten Unternehmungen übertragen kann. So hat es in Deutschland in früherer Zeit Staaten gegeben, die keine eigenen Münzfabriken hatten, sondern die Ausprägung der Münzen durch auswärtige Prägeanstalten besorgen ließen. Nach den in Deutschland geltenden staatsrechtlichen Verhältnissen ist in bezug auf Münzhoheit und Münzprägung folgende Rechtslage festzustellen: die Münzhoheit kommt allein dem Deutschen Reiche zu, dagegen haben die Einzelstaaten das Recht zur Ausprägung von Reichsmünzen (das Münzmonopol). Der Artikel 6 der deutschen Reichsverfassung vom 11. August 1919 bestimmt: Das Reich hat die ausschließliche Gesetzgebung über 5. das Münzwesen, und Art. 7: Das Reich hat die Gesetzgebung über 14. den Handel, das Maß- und Gewichtswesen, die Ausgabe von Papiergeld, das Bankwesen sowie das Börsenwesen. — Damit ist klar festgestellt, daß nach der neuen Reichsverfassung, ebenso wie dies schon in der alten Verfassung der Fall war, dem Reiche und nicht den Einzelstaaten die Gesetzgebung über das Geldwesen zusteht. Dementsprechend lautete schon Artikel 1 des alten Münzgesetzes vom 9. Juli 1873: An die Stelle der in Deutschland geltenden Landeswährung tritt die Reichs-. goldwährung. — Analog lautet § 1 des neuen Münzgesetzes vom 30. August 1924: Im Deutschen Reich gilt die Goldwährung.

Mit der gesetzlichen Einführung der Reichswährung waren sämtliche landesgesetzlichen und gewohnheitsrechtlichen Rechtssätze über das Münzwesen, die früher in Deutschland galten, aufgehoben. Im ganzen deutschen Reichsgebiet ist immer nur derjenige Gegenstand Geld im Rechtssinn, den das Reich dazu erklärt. Damit ist auch allen Landeswährungen ein Ende bereitet, d. h. die Einzelstaaten haben nicht mehr das Recht, über Ausprägung der Münzen Rechtssätze zu geben. Das Deutsche Reich allein hat zu bestimmen, welche Münzen auszuprägen sind. Das Deutsche Reich hat den Einzelstaaten die Münzhoheit entzogen, dagegen die Ausprägung der Reichsmünzen den Einzelstaaten gelassen. Das Reich hat keine Münzprägeanstalten errichtet, sondern die Reichsmünzen sollen auf den Münzstätten der Bundesstaaten, die sich dazu bereit erklärt haben, ausgeprägt werden. Die Ausprägung erfolgt jetzt nur noch durch 6 Münzstätten: Berlin (A), München (D), Muldenhütten (Dresden, E), Stuttgart (F), Karlsruhe (G) und Hamburg (J).

2. D e r   M ü n z f u ß. Der Münzfuß ist das Verhältnis der Zahl der ausgeprägten Münzeinheiten zu einer Gewichtseinheit des Metalls. So bestimmte das alte deutsche Münzgesetz vom 4. Dez. 1871: § 1. Es wird eine Reichsgoldmünze ausgeprägt, von welcher aus einem Pfund feinen Goldes 139½ Stück ausgeprägt werden. § 2. Der zehnte Teil dieser Goldmünze wird Mark genannt und in 100 Pfennige eingeteilt. — Analog lautet die Bestimmung des neuen Münzgesetzes. § 3. Bei der Ausprägung der Goldmünzen werden aus einem Kilo feinen Goldes 139½ Stücke über 20 Reichsmark oder 279 Stücke über 10 Reichsmark ausgeprägt. Eine Reichsmark ist also ein 1395stel Pfund Feingold.

3. F e i n g e h a l t   u n d   L e g i e r u n g. Der Feingehalt ist das Gewicht des edlen Metalles, welches in der Münzeinheit enthalten sein soll. Die Legierung ist das schlechtere Metall, das beigemischt wird, um die Stärke der Abnutzung zu vermindern. Durch

den Münzfuß ist das Gewicht der einzelnen Münze noch nicht bestimmt, sondern nur der Feingehalt. Es unterscheidet sich also Feingehalt und Gesamtgewicht. Bei den deutschen Goldmünzen beträgt das Mischungsverhältnis 900 Teile Gold und 100 Teile Kupfer.

4. R e m e d i u m   u n d   P a s s i e r g e w i c h t. Remedium ist die Grenze für erlaubte Münzfehler, Passiergewicht ist die Grenze für den Gewichtsverlust, den die Münzen erleiden dürfen, ohne ihre Eigenschaft als gesetzliches Zahlungsmittel zu verlieren. Nach den Bestimmungen des deutschen Münzgesetzes darf keine Reichsgoldmünze zur Verausgabung abgeliefert werden, welche bei der vorgeschriebenen Prüfung bei Goldmünzen mehr als 2½ Tausendstel im Gewicht, 2 Tausendstel im Feingehalt von dem gesetzlichen Gewicht im Feingehalt abweichen. Goldmünzen, deren Gewicht um nicht mehr als 5 Tausendstel hinter dem Sollgewicht zurückliegt, sollen bei allen Zahlungen als vollgewichtig gelten.

5. S c h l a g s c h a t z. Der Unterschied zwischen dem Marktpreise des in der Münze enthaltenen Goldes oder Silbers und demjenigen höheren Nominalwert, welcher ihr gesetzlich beigelegt wird, heißt Schlagschatz oder Prägeschatz. Man kann unter Schlagschatz auch die Gebühr verstehen, welche die Münze für die Prägekosten erhebt. Während einige Staaten, wie z. B. England und die Vereinigten Staaten, die Prägung der Münzen unentgeltlich übernehmen, betrug diese Prägegebühr nach dem alten deutschen Münzgesetz 6 Mark pro Kilo; nach dem neuen Münzgesetz wird die Ausprägungsgebühr durch den Reichsminister der Finanzen mit Zustimmung des Reichsrates festgesetzt. Aus der Festsetzung des Ankaufspreises ergibt sich aber, daß die bisherige Prägegebühr keine Veränderung erfahren soll.

6. W ä h r u n g s g e l d   u n d   S c h e i d e m ü n z e n. Das Währungsgeld ist dasjenige, welches die eigentliche Grundlage des Währungssystems bildet und als allgemeines gesetzliches Zahlungsmittel fungieren soll. Die Scheidemünze dagegen soll nur dem kleinen Verkehr dienen und nur in begrenztem Umfang ausgeprägt werden und in den Verkehr kommen. Damit die Scheidemünze diese sekundäre Rolle im Währungssystem spielen soll, sind verschiedene gesetzliche Kautelen getroffen: 1. die Scheidemünze ist unterwertig ausgeprägt, d. h. der Nominalwert ist bedeutend höher, als dem wirklichen Metallwert entspricht. Die Unterwertigkeit der deutschen Reichssilbermünzen betrug nach dem zugrunde gelegten Wertverhältnis von Gold zu Silber (15½ : 1) 11 Prozent; da aus einem Pfund Feinsilber statt 90 Mark 100 Mark geprägt wurden. Nach dem neuen Münzgesetz ist diese Festsetzung einer späteren Regelung vorbehalten worden. § 3 des neuen Münzgesetzes bestimmt: für die Silbermünze ist das Mischungsverhältnis vom Reichsminister der Finanzen mit Zustimmung des Reichsrates festzusetzen.

Zweitens: da die Scheidemünze nur in beschränktem Umfang im Umlauf sein soll, ist auch gesetzlich ein bestimmter Maximalbetrag für die Ausprägung von Scheidemünzen festgestellt. Ursprünglich war der Höchstbetrag der Silbermünzen auf 10 Mark, dann auf 20 Mark für den Kopf der Bevölkerung festgesetzt, derjenige der Nickel- und Kupfermünzen auf 2½ Mark. Jetzt ist der Höchstbetrag der Silber- und Pfennigmünzen zusammen auf 20 Mark für den Kopf der Bevölkerung festgesetzt worden.

Drittens: ferner haben die Scheidemünzen nur einen beschränkten Annahmezwang für Private. § 9 bestimmt: Niemand ist verpflichtet, Silbermünzen im Betrag von mehr als 20 Reichsmark, die übrigen Scheidemünzen im Betrag von mehr als 5 Reichsmark in Zahlung zu nehmen.

Viertens: es besteht eine Umtauschpflicht für die Scheidemünze bei den öffentlichen Kassen: von den Reichs- und Landeskassen werden die Scheidemünzen in jedem Betrag in Zahlung genommen und ferner werden von den dafür bestimmten öffentlichen Kassen gesetzliche Zahlungsmittel gegen Einzahlung von Scheidemünzen verabfolgt.

5. Kapitel

Die metallistischen Währungssysteme.

Vorbemerkung.

Alle Währungen, die zur Grundlage Metallmünzen haben, werden metallistische genannt im Gegensatz zu den Papierwährungen. Die metallistischen Währungen sind entweder monometallistische, wenn sie e i n Metall zur Grundlage der Währung nehmen, oder bimetallistische, wenn sie z w e i Metalle ihrer Währung zugrunde legen. Hiernach ergibt sich folgende

S c h e m a t i s c h e   Ü b e r s i c h t   ü b e r   d i e   m e t a l l i s t i s c h e n
W ä h r u n g s s y s t e m e :

M e t a l l w ä h r u n g

monometallistische		bimetallistische	
Goldwährung	Silberwährung	Parallelwährung	Doppelwährung
			nationale internat.
reine Goldwährung Hinkende Goldwährung Goldkernwährung			Doppel- Doppel- währung währung

√   ## § 23. Die Goldwährung.

1. D i e r e i n e G o l d w ä h r u n g.

Reine Goldwährung liegt vor, wenn folgende drei Momente zusammentreffen:

a) Währungsgeld sind ausschließlich die aus Gold geprägten Münzen;

b) die übrigen im Lande vorhandenen Metallmünzen zirkulieren nur als Scheidemünzen;

c) es besteht unbeschränkte Ausprägung von Goldmünzen, aber nicht von anderen Münzen.

Beispiel: Das erste Land, das in Europa die Goldwährung einführte, war England. England hatte ursprünglich die Silberwährung. Pfund-Sterling bedeutete ein Gewichts-Pfund Silber. Daneben gab es Goldmünzen, als Handelsmünzen. K a r l II. ließ vom Jahre 1663 ab Guineen prägen. Aus einem Pfund Feingold wurden 44½ Guineen geschlagen. 1 Guinee galt von 1717 ab = 21 Shilling. Der erste Schritt zur Goldwährung geschah im Jahre 1774, in dem bestimmt wurde, daß die Silbermünzen nur noch bis zum Betrag von 25 Pfund Sterling als gesetzliches Zahlungsmittel gelten sollten; die Zahlungen darüber hinaus mußten in Goldmünzen geleistet werden. 1797 wurde die Silberprägung gesetzlich aufgehoben und damit prinzipiell die Goldwährung eingeführt.

Die Goldwährung konnte aber nicht zur praktischen Durchführung gelangen, weil England infolge der kriegerischen Ereignisse in die Papiergeldwirtschaft geriet, worüber ich später noch berichten werde. Erst nach dem Friedensschluß wurde die Goldwährung definitiv hergestellt durch das Gesetz von 1816. Auf diesem Gesetz beruht auch heute noch im wesentlichen die englische Geldverfassung. Durch dieses Gesetz wurde zum ersten Male in aller Strenge die Goldwährung in der Geschichte durchgeführt. Das Silbergeld durfte nur noch als Scheidemünze Verwendung finden. Als neue Münze wurde an Stelle der Guinee der Sovereign = 20 sh eingeführt.

Wenn damals England definitiv zur Goldwährung überging und nicht zur Silberwährung zurückkehrte, so war dafür besonders der Grund maßgebend, daß Gold als wertbeständiger galt als Silber. Auch R i c a r d o , der zuerst Anhänger der Silberwährung war, trat in jener Zeit für die Goldwährung ein. Als die Frage der Wiedereinführung der Barzahlung erörtert wurde — denn diese konnte noch nicht gleich mit dem Gesetze aufgenommen werden — gab R i c a r d o in den beiden Parlamentsausschüssen seiner Meinung zugunsten des Goldes Ausdruck. Auf die Frage[1]: ,,Wenn ein Metall vorzuziehen ist, da es weniger Schwankungen unterliegt, als zwei, welches Metall würden Sie empfehlen?'' antwortete er: ,,Ich finde, diese Frage ist etwas schwierig zu beantworten; es gab Gründe, die mich eine Zeitlang bewogen, zu glauben, daß Silber das besser zu einem Wertmaß geeignete Metall sei; aber, da ich gehört habe, daß die Maschinen jetzt ganz besonders in den Silberbergwerken zur Anwendung kommen, und daher leicht zu einer vermehrten Menge dieses Metalls und zu einer Änderung seines Wertes führen könnten, während dieser selbe Vorgang auf den Wert des Goldes keinen Einfluß hat, bin ich zu dem Schlusse gekommen, daß G o l d d a s b e s s e r e M e t a l l ist, um den Wert unserer Währung zu regeln.''

Fast genau dieselbe Erklärung gab er vor der Kommission des Oberhauses ab[2]). Ähnlich sagte er in der Sitzung des Unterhauses vom 24. Mai 1819[3]): ,,Ich stimme völlig bei, daß Gold zum Währungsmetall gemacht und Silber als Scheidemünze behandelt wird. Dies scheint mir eine gründliche Verbesserung im System unseres Münzwesens.''

2. D i e h i n k e n d e G o l d w ä h r u n g liegt vor, wenn folgende Voraussetzungen gegeben sind:

a) Als eigentliches Währungsgeld und unbedingt gesetzliches Zahlungsmittel gilt die Goldmünze;

b) daneben zirkulieren noch in beschränktem Umfang Silbermünzen auch als gesetzliches Zahlungsmittel. Die Silbermünzen werden in einem bestimmten gesetzlichen Wertverhältnis zu den Goldmünzen für den inländischen Zahlungsverkehr benutzt;

---

[1]) Reports from the secret committee on the Expediency of the Bank resuming Cash Payments, ordered by the house of Commons, to be printed, 5th April and 6th May 1819.

[2]) Reports by the Lords committees appointed a secret committee to enquire into the state of the Bank of England; with reference to the expediency of the resumption of Cash payments with minutes of evidence and an appendix, ordered to be printed 7th May 1819.

[3]) Vgl. H a n s a r d , Parliamentary Debates. Nr. 5. Vol. XL.

c) für den Zahlungsverkehr mit dem Ausland wird nur das Gold benutzt;

d) unbeschränkte Privatprägung existiert nur für Gold, nicht für Silber.

Für dieses Währungssystem, das hauptsächlich in Ländern eine Rolle spielte, die zur Goldwährung übergingen, aber den Silberumlauf noch zum Teil aufrecht erhalten wollten, kann die deutsche Währung in der Zeit von 1873—1908 angeführt werden. — Zum Verständnis der deutschen hinkenden Goldwährung diene folgende kurze Skizze über die Entwicklung der deutschen Währungsverhältnisse bis 1873.

Bis zum Jahre 1871 herrschte im deutschen Reichsgebiet mit Ausnahme von Bremen die reine Silberwährung; vor 1871 gab es kein Reichsgeld, sondern nur Geld der einzelnen Länder. Durch Staatsverträge war das Geldwesen der Länder untereinander geordnet. Wichtig war vor allem der Staatsvertrag vom Jahre 1857, der sog. deutsch-österreichische Münzverein. Er war abgeschlossen zwischen den Staaten des Zollvereins einerseits und Österreich anderseits. Es gab zwei Gruppen von Ländern: die norddeutsche Gruppe mit Talergeld und die süddeutsche Gruppe mit Guldengeld. In den Talerländern war der Taler, in den Guldenländern der Gulden Kurrantgeld, wobei immer 4 Tlr. = 7 Fl. galten. — Im Jahre 1857 kam die neue Bestimmung hinzu, daß die Guldenländer neben dem Gulden des neuen Typus auch Taler des neuen Typus ausprägen sollten. Die Taler sollten im ganzen Vereinsgebiet bei allen Zahlungen zugelassen werden; daher trugen die neuen Taler den Namen Vereinstaler.

Bei der Einführung der Goldwährung in Deutschland wurde die Talerwährung in eine Markwährung umgewandelt. Man legte das Verhältnis von Silber zu Gold wie 15½ : 1 zugrunde. Der Taler sollte = 3 Mark sein, daher folgende Umrechnung: Aus einem Pfund feinem Silber sollten 30 Taler, d. h. 3 × 30 Mk. = 90 Mk. geprägt werden, also müssen aus einem Pfund Feingold 15½ mal soviel Mark, d. h. 1395 Mk. geprägt werden.

Warum hat man nach der Einführung der deutschen Goldwährung die Taler noch als Zahlungsmittel beibehalten und damit die hinkende Goldwährung eingeführt? Dies geschah aus folgendem Grunde: Als Deutschland zur Goldwährung überging, waren etwa 1530 Millionen Mark Silbergeld in Deutschland vorhanden, und davon konnten bei der damaligen Bevölkerung nur etwa 450 Millionen als Silberscheidemünzen beibehalten werden. Der Rest von 1080 Millionen Mark hätte gegen Gold veräußert werden müssen. Bis zum Frühjahr 1879 hatte auch die deutsche Regierung im ganzen etwa 3½ Millionen kg Silber verkauft. Bei diesen Verkäufen hatte das Deutsche Reich wegen des Rückganges des Silberpreises große Verluste erlitten. Während zu Anfang der 70er Jahre der Silberpreis in London etwa 61 d per Unze betrug, war er im Jahre 1879 nur noch 50 d. Bei dieser großen Entwertung des Silbers verfügte Bismarck als Reichskanzler die Einstellung der Silberverkäufe. Die Taler blieben dann noch bis zum Jahre 1907 gesetzliches Zahlungsmittel, dann verloren sie diese Eigenschaft, und von 1908 ab hatte Deutschland die reine Goldwährung.

3. Die Goldkernwährung.

Die Goldkernwährung liegt vor, wenn folgende Bestimmungen gelten:

a) Als gesetzliches Währungssystem besteht die Goldwährung;

b) die Zahlungen in Goldmünzen finden aber nur im Verkehr mit dem Auslande statt, für den ein stärkerer Goldkern in der Zentralnotenbank deponiert wird;

c) für den inneren Zahlungsverkehr werden nicht Goldmünzen benutzt, sondern uneinlösliche Banknoten.

Dieses Währungssystem findet sich in Ländern, die zwar prinzipiell zur Goldwährung übergegangen sind, aber nicht über einen genügenden Goldvorrat verfügen, um sie restlos durchzuführen. Ein Beispiel bietet Österreich-Ungarn von 1892—1914. — Über die Bedeutung der Goldkernwährung werde ich im späteren Zusammenhang noch ausführliche Erörterungen bringen.

§ 24. Die Silberwährung.

Die Silberwährung hat folgendes zur Voraussetzung:

a) Das allgemein gesetzliche Zahlungsmittel ist eine Silbermünze, die vollwertig ausgeprägt wird, d. h. so, daß der Nominalwert der Münze ihrem Metallgehalt entspricht.

b) Soweit Goldmünzen außer den Silbermünzen in Umlauf sind, haben sie den Charakter als Handelsmünzen, dienen aber nicht als gesetzliches Zahlungsmittel.

c) Freie Privatprägung existiert für Silber und nur für Silber.

In früheren Jahrhunderten war die Silberwährung das vorherrschende Währungssystem in den meisten Ländern, in neuerer Zeit wurde sie immer mehr durch die Goldwährung verdrängt. Nur in einigen Ländern hat sich die Silberwährung bis in die neuere Zeit erhalten. Beispiel: Die Britisch-Indische Währung. Durch Gesetz vom 17. August 1835 wurde die Kompagnie-Rupie (1,9245 Silbermark) als einheitliches und alleiniges gesetzliches Zahlungsmittel eingeführt. Daneben kursierten Goldmünzen als Handelsmünzen, die aber zugleich bei den öffentlichen Kassen nach dem Wertverhältnis 15 : 1 angenommen wurden. Im Jahre 1852 wurde den Goldmünzen der Kassenkurs entzogen und damit die reine Silberwährung in aller Strenge durchgeführt.

§ 25. Die Parallelwährung.

Die Parallelwährung ist eine Art der bimetallistischen Währung und hat folgende Merkmale:

1. Zwei aus verschiedenen Metallen geprägte Münzen sind gesetzliche Zahlungsmittel;

2. für diese zwei Münzsorten ist aber im Gegensatz zur Doppelwährung kein gesetzliches Wertverhältnis festgesetzt, sondern der Kurs der beiden Münzarten zueinander wird von Fall zu Fall im Verkehr bestimmt.

Beispiel: die preußische Parallelwährung seit der Mitte des 18. Jahrhunderts. Der Wert des Bankopfundes, nach dem die von Friedrich dem Großen gegründete Königliche Bank rechnen sollte, war in Gold und nicht in Silber festgesetzt und zwar dahin, daß 4 Pfund „unveränderlich einen Friedrichs-d'or ausmachen" sollten. In dem ersten Bankreglement (vom 17. Juli 1765) hieß es: wer Bankgeld auf sein Folium haben wolle, müsse Friedrichsd'or oder grobes Kurantsilbergeld an die Kasse liefern und „sich um den Kurs zwischen der Silbermünze und dem Friedrichsd'or vergleichen". Die letzte und zwar gemilderte Regelung der Goldeinnahmen und -Ausgaben gab die Kabinettsorder vom 29. Mai 1814, nach welcher die Domänenpachtgelder zu einem Drittel in Gold zu zahlen waren, während wegen der schlechten Zeiten der gewöhnliche innere Holz-debit nicht noch weiter durch die Goldzahlung erschwert werden sollte. Die Accise von den gewöhnlichen Lebensmitteln, die bis dahin zu $1/_4$—$1/_2$ in Gold zu entrichten war, sollte künftig in Silber zahlbar sein, die übrigen Acciseabgaben aber mußten bei Beträgen von 5 Tlr. und mehr zur Hälfte, die Lizenz-, Zoll- und Transitabgaben aber bei Beträgen von 2½ Tlr. und mehr ganz in Gold abgeführt werden[1]).

Bevor ich die ökonomische und rechtliche Struktur der von der Parallelwährung gänzlich verschiedenen Doppelwährung dar-lege, sei einiges zur Theorie der Doppelwährung vorausgeschickt.

§ 26. Die Theorie der Doppelwährung.

Bei der Theorie der Doppelwährung muß zwischen den Ver-tretern der nationalen Doppelwährung und denen der internationalen Doppelwährung unterschieden werden. Der Gedanke, zur Grund-lage der Währung eines Landes nicht ein sondern zwei Metalle zu nehmen, wurde zuerst von O r e s m i u s und K o p e r n i k u s ausgesprochen (Nicole Oresme, Bischof von Lisieux: Traictée de la première invention des monnoies, geschrieben gegen 1370. und Astronom K o p e r n i k u s : Traité de la monnoie, geschrieben gegen 1526). Nach O r e s m i u s und K o p e r n i k u s sind Gold und Silber gemeinsam der Natur der Dinge nach zum Gebrauch als Geld bestimmt. K o p e r n i k u s erklärt: „Wohl sind die Gefahren, welche die Zerrüttung von Königreichen, Fürstentümern und Repu-bliken zur Folge haben, unermeßlich an Zahl, aber doch scheint es mir, als ob die vier folgenden am schrecklichsten: die Zwietracht, die Seuchen, die Unfruchtbarkeit des Bodens und die Entwertung des Geldes. Was die drei ersten betrifft, so sorgt ihre Wirkung da-für, daß sie nicht unbeachtet bleiben, was aber das vierte, das Geld betrifft, so kümmert sich außer einigen besonders einsichtigen Männern niemand darum. Warum? Weil es nicht auf einen einzigen Schlag, sondern nach und nach durch eine gewissermaßen verborgene Wirk-samkeit den Staat zugrunde richtet[2])."

Dann setzt der große Astronom die Bedingungen des Geldes fest: „Die Einführung des Geldes geschieht auf Grund der Not-wendigkeit. Man hätte wohl auch Tauschhandlungen dadurch voll-ziehen können, daß man das Gold oder Silber einfach nur gewogen hätte, da diese Metalle überall auf Grund allgemeiner Übereinstim-mung der Menschen als Gegenstände von Wert betrachtet werden. Da es aber eine große Unbequemlichkeit bedeuten würde, immer Gewichte bei sich zu haben, und da nicht jedermann auf den ersten Blick die Reinheit des Goldes und des Silbers zu erkennen vermag,

---

[1]) L e x i s , Artikel Parallelwährung im Handwörterbuch der Staatswissen-schaften. 3. Aufl.

[2]) M. W o l o w s k i , Traité de la monnaie de Copernic, S. 43 und 81.

ist man überein gekommen, das Geld mit einem gesetzlichen Stempel zu versehen. Dieser soll den Gold- oder Silbergehalt eines jeden Stückes feststellen und dem Vertrauen des Publikums eine Sicherheit gewähren[1])."

Dann hat der Italiener S c a r o f f i in seiner 1582 erschienenen Schrift „Discorso sopra le monete" den Gedanken der Doppelwährung von neuem vertreten. Aus beiden Metallen sollen nach seiner Ansicht Münzen geprägt werden, auf welchen Gewicht und Feinheit deutlich angegeben sind und die unverändert bleiben sollen. Das wahre Wertverhältnis von Gold und Silber sei, wie schon P l a t o angegeben hat, 12 : 1. So sei es von Gott bestimmt und von der Natur in dem relativen Vorkommen der beiden Metalle begründet.

Schon P e t t y und L o c k e hatten gegen diese Theorie eingewandt, daß die Doppelwährung immer nur als kurz vorübergehender Zustand möglich sei, auf die Dauer aber unhaltbar, weil das Marktverhältnis zwischen Silber und Gold keineswegs so bliebe, wie es im Doppelwährungsland gesetzlich fixiert sei. Sobald das Marktverhältnis beider Metalle von der im Währungslande fixierten Relation sich entferne, ende die Doppelwährung im Zustand eines Monometallismus desjenigen Metalles, welches bei der gesetzlichen Tarifierung überschätzt sei.

In neuerer Zeit wurde daher der bimetallistische Gedanke nur noch zugunsten einer internationalen Doppelwährung vertreten. W o l o w s k i , der Verfasser des 1868 in Paris erschienenen Werkes „L'or et l'argent" ist wohl der theoretisch schärfste und bekannteste Verfechter dieser Doppelwährung auf internationaler Grundlage. W o l o w s k i zieht unter allen Umständen die Doppelwährung der Einheitswährung vor. Selbst wenn bewiesen wäre, daß der Goldvorrat ausreiche, um allen Kulturländern das nötige Währungsmetall zu liefern, müßte er aus inneren Gründen der Doppelwährung den Vorzug vor der Einheitswährung geben. Der wichtigste innere Grund ist für W o l o w s k i der, daß das Geld die Funktion des Wertmaßes habe; diese Funktion könne es aber nie vollkommen, sondern stets nur relativ erfüllen, weil das Geld selbst im Werte veränderlich sei. Die Veränderlichkeit des Geldwertes sei aber bedeutend geringer bei einem Währungssystem, welches auf zwei alternativ zu verwendenden Metallen beruhe, als wenn es nur aus einem Metall bestünde. W o l o w s k i bringt hier den berühmten Vergleich mit dem Kompensationspendel. Wie ein Pendel aus nur einem Metall den Einflüssen der Temperatur mehr ausgesetzt sei, ungenauer wirke, als ein aus zwei Metallen bestehendes, so sei auch ein aus zwei Metallen bestehendes Währungssystem weniger den Veränderungen der Edelmetallproduktionsverhältnisse ausgesetzt, als ein nur aus einem Metall bestehendes System. Bedeutsam ist auch für W o l o w s k i die scharfe Betonung, daß ein Doppelwährungssystem nur auf internationaler Basis erfolgreich wirken könne. „Das Ziel, auf das wir hinarbeiten, heißt Weltgeld: der Weg, auf dem wir es am schnellsten und sichersten erreichen können, ist nicht der einer absoluten Vereinheitlichung des auf Gold beschränkten Währungsmittels, sondern der einer gleichzeitigen Verwendung von Gold und Silber, nach einem gesetzlichen Wertverhältnis, das die Zah-

---

[1]) Ebenda, S. 41 und 89.

lungsannahme an den Staatskassen bedingt. Im Jahre 1803 hat
man das Wertverhältnis zwischen Gold und Silber im Verhältnis
von 1 : 15½ berechnet; trotz der ungeheueren Schwankungen der
Edelmetallproduktion gilt dieses Verhältnis noch auf dem offenen
Markte des Jahres 1868. Fügt man zu der natürlichen Solidarität,
welche die beiden Metalle, die berufen sind, sich in der gleichen Aufgabe zu vereinigen, verbindet, die gesetzliche Solidarität, welche
aus der in allen Kulturstaaten eingeführten allgemeinen Annahme
eines gleichen Wertverhältnisses der beiden Geldarten hervorgehen
muß, dann werden die leichten Schwankungen, denen der relative
Wert von Gold und Silber seit 65 Jahren unterworfen gewesen ist,
noch geringfügiger und noch seltener werden[1])."

Als W o l o w s k i in einer Sitzung der Pariser Akademie 1868
seine Abhandlung über **Bimetallismus** vorlas, knüpfte er dabei an
die Pariser Weltausstellung 1867 an, bei der man die Fortschritte
gesehen habe, welche die Vereinheitlichung des Maß- und Gewichts-
systems in der Welt hervorgebracht habe. Ähnliche Fortschritte
könne man auch durch eine Welteinheit im Münzwesen erreichen.

Auch der Hauptvertreter der bimetallistischen Theorie in
Deutschland, O t t o A r e n d t , trat für internationale, nicht für
nationale Doppelwährung ein. „Unbedingt wird man uns zugeben
müssen, daß ein rationelleres Münzsystem nicht möglich ist, sobald
zwischen Silber und Gold keine Wertschwankung existiert. Sonst
freilich würde die Harmonie leicht durch das Verdrängen desjenigen
Metalls gestört werden können, welches auf dem Weltmarkt einen
höheren Wert besitzt. Nun aber bietet der Bimetallismus die absolute
Sicherheit gegen jede künftige Wertschwankung, eine Tatsache, die
die einsichtigeren Anhänger der Goldwährung, selbst S o e t b e e r ,
auch zugestehen. Aus diesem Grunde sind wir nicht Anhänger der
Doppelwährung schlechthin, die doch immer zu einer Alternativ-
währung werden müßte, sondern der allgemeinen, d. h. vertragsmäßigen Doppelwährung, die durch einen Weltmünzbund sanktioniert ist[2])."

§ 27. Kritik der Theorie der Doppelwährung.

1. K r i t i k d e r n a t i o n a l e n D o p p e l w ä h r u n g.

Wenn ein Land ein Währungssystem auf der Grundlage zweier
Metalle einrichtet, so muß dieses System in kürzester Zeit scheitern,
und zwar aus folgendem Grunde: nach diesem System sollten in
einem Lande nebeneinander zweierlei Münzarten gleichberechtigt als
allgemeine gesetzliche Zahlungsmittel gültig sein. Das Wertverhältnis
zwischen beiden Metallen wird durch Münzgesetz festgestellt, z. B.
es sollen nach dem Verhältnis von 15½ : 1 Gold und Silbermünzen
in einem Lande zirkulieren. Dieser Gedanke, ein Wertverhältnis
zwischen zwei Edelmetallen gesetzlich fixieren zu wollen, ist aber
um deswillen unmöglich, weil, wie wir in dem Kapitel über Geldwert festgestellt haben, der Geldwert sich gerade wie der Wert aller
Waren nach Angebot und Nachfrage bzw. nach den dahinterstehenden
Faktoren der Preisbildung gestaltet. Der wirkliche Wert der Gold-
und Silbermünzen richtet sich nach dem Wertverhältnis der beiden

---

[1]) W o l o w s k i , Gold und Silber. Paris 1870.
[2]) O. A r e n d t , Die vertragsmäßige Doppelwährung. Berlin 1880. S. 157.

Edelmetalle, wie es sich auf den Edelmetallmärkten der Welt bildet. Setzt nun ein Land für sich ein Wertverhältnis für seine Gold- und Silbermünzen fest, so gibt es neben diesem offiziellen Wertverhältnis noch das tatsächliche Wertverhältnis des Edelmetallmarktes. Sobald aber dieses tatsächliche Wertverhältnis sich verändert gegenüber dem im Doppelwährungslande gültigen offiziellen Wertverhältnis, so wird die Münze, die nach der gesetzlichen Münzrelation hochwertiger ist, als dem tatsächlichen Wertverhältnis entspricht, aus diesem Lande in die Länder abströmen, in denen die Münze nach dem Marktwerte verwertet werden kann. Die weitere Folge ist die, daß das, verglichen mit dem Marktwert, zu günstig bewertete Metall ausschließlich die Zirkulation des Doppelwährungslandes ausfüllt. Dieser Fall ist immer wieder eingetreten, wo in einem Lande zweierlei Münzen mit juristischer Gleichberechtigung im Verkehr waren, er ist eine Bestätigung der Richtigkeit des sog. G r e s h a m schen Gesetzes. Dieses Gesetz lautet: „Schlechtes Geld verdrängt das gute Geld aus dem Lande". Sir T h o m a s G r e s h a m (1519—1579), nach dem dieses Gesetz benannt ist, war ein hervorragender Kaufmann und Beamter der Königin Elisabeth. Über ihn berichtet M a c l e o d: „Drei Tage nach der Thronbesteigung wurde dieser hervorragende Kaufmann durch Cecil der Königin vorgestellt. Diese verwendete ihn alsbald zu Verhandlungen über eine Anleihe, die bei dem erschöpften Zustande des Staatsschatzes, wie ihn die Königin Maria hinterlassen hatte, sich als notwendig erwies. Vor der Abreise nach Flandern schrieb er noch einen Beratungsbrief an die Königin und setzte unter anderem auseinander, wie die gute Münze aus dem Umlauf verschwunden war. Die Ursache fand er in der Münzverschlechterung Heinrichs VIII. So scheint er der erste gewesen zu sein, der klar aussprach, daß die Herausbringung einer geringeren Münze das Verschwinden der guten zur Folge hat. Daher können wir diesen Satz mit Recht das G r e s h a m sche Gesetz nennen („Gresham's Law of the currency"). Eindringlich empfahl er der Königin, die Münze auf ihren früheren Feingehalt zurückzubringen, und in Übereinstimmung mit seinem Rate machte sie sich alsbald ernstlich ans Werk[1]."

In folgender Weise wirkt sich das G r e s h a m sche Gesetz bei der isolierten Doppelwährung aus: Wenn wir die dem französischen Münzgesetz von 1803 zugrunde liegende Wertrelation von $15\frac{1}{2}:1$ annehmen, so würden aus 1 kg Silber 200 Fr. und aus 1 kg Gold 3100 Fr. geprägt. Die Münzen, die aus $15\frac{1}{2}$ kg Silber geprägt werden, würden dann im Verkehr mit Frankreich genau gleichberechtigt sein mit den Münzen, die aus 1 kg Gold geprägt werden, also: wer 3100 Fr. zu zahlen hat, kann ebensowohl mit 3100 Silberfrancs wie mit 31 goldenen 10-Francs-Stücken zahlen. Nehmen wir nun an, daß das tatsächliche Wertverhältnis von Gold und Silber auf dem Edelmetallmarkt sich so zu ungunsten des Silbers ändert, daß es nicht $15\frac{1}{2}:1$, sondern $18:1$ wird, dann ist folgende geschäftliche Spekulation möglich: man läßt 3100 Fr. in Frankreich einschmelzen und erhält auf diese Weise 1 kg feines Gold. Für dieses Kilogramm feines Gold erhält man auf dem Londoner Markt 18 kg Silber, für welche man auf der französischen Münze $18 \times 200 = 3600$ Fr. einlöst. Ebenso ist das Umgekehrte möglich. Es ändert sich auf dem

[1] M a c l e o d, Dictionary of political economy. London 1863. S. 464.

Edelmetallmarkt das Wertverhältnis zugunsten des Silbers, so daß
Gold zu Silber sich verhält wie 1 : 12. Nun ist die umgekehrte Transaktion möglich. Man läßt 2400 Fr. einschmelzen und erlangt dafür
12 kg feines Silber. Dafür ist auf dem Londoner Markt 1 kg Feingold erhältlich, für welches die französische Münze 3100 Fr. in Goldmünze gibt. Auf diese Weise ist jede bimetallistische Währung
immer nach kurzer Zeit zu einer monometallistischen geworden.

2. Kritik der internationalen Doppelwährung.

Diese Möglichkeit der Münzarbitrage wäre aber ausgeschlossen,
wenn alle Länder in der Welt sich zu einem Münzbund auf der Basis
der Doppelwährung zusammenschlössen. Darum meinten auch die
späteren Vertreter des Bimetallismus, daß die Valutaschwankungen
zwischen Goldländern einerseits und Silber- und Papierländern
anderseits erst dann aufhörten, wenn ein internationales Geld in
allen Ländern der Welt die gleiche Gültigkeit hätte. Trotzdem ist
auch dieser Plan eines internationalen bimetallistischen Münzbundes
nicht durchführbar, und zwar aus politischen und wirtschaftlichen
Gründen. Die politischen Schwierigkeiten ergeben sich daraus, daß
alle derartigen Münzkonventionen nur auf dem Wege von Verträgen
möglich sind. Eine autonome gesetzliche Macht sorgt da nicht für
das Geldwesen, sondern die Stabilität der Münzkonvention hängt
lediglich davon ab, ob wirklich auch die Verträge innegehalten werden. Die Gefahr, daß aber ein solcher Münzvertrag gebrochen wird,
liegt außerordentlich nahe. Es braucht nur einer der Staaten des
Münzbundes durch Krieg, Revolution, oder sonstige Finanzkalami-
täten in die Papierwirtschaft zu geraten, so sind damit schon die
Grundlagen des Münzbundes aufgehoben. Dazu kommen auch noch
wirtschaftliche Schwierigkeiten, die im Wesen des Geldes begründet
sind. Wenn auch bei der internationalen Doppelwährung der eben
erwähnte Austausch von Münzmetallen zu Münzzwecken nicht mehr
lukrativ sein kann, weil alle Länder dieselbe Münzrelation haben,
so kann doch eine Störung des ganzen Münzsystems dadurch eintreten, daß auf dem Edelmetallmarkt die Wertrelation eine andere
wird, als sie dem Verhältnis des Münzbundes entspricht. Sobald
z. B. Gold auf dem Markte wertvoller wird, als der offiziellen Relation entspricht, wird das im Verhältnis zum Silber wertvollere
Gold eingeschmolzen und zu Schmucksachen und anderer industrieller Verwendung benutzt. Das minder wertvolle Silber wird dann
die Zirkulation ausfüllen und umgekehrt. Selbst wenn der Münzbund von Zeit zu Zeit die Wertrelation neu festsetzt, wird immer
in der Zwischenzeit bis zur neuen gesetzlichen Feststellung die erwähnte Folge eintreten.

Die hier theoretisch festgestellten Folgeerscheinungen des bimetallistischen Systems haben sich auch tatsächlich in allen Ländern
gezeigt, in denen die Doppelwährung bestanden hat. Dies soll noch
an einer Reihe von Beispielen nachgewiesen werden.

§ 28. Die Doppelwährung auf nationaler Basis.

Doppelwährung auf nationaler Basis liegt dann vor, wenn
folgende Momente zusammentreffen:

1. Es werden in einem Lande sowohl Gold- als Silbermünzen

vollwertig ausgeprägt, die unbeschränkt gesetzliche Zahlungsmittel sind;

2. das Wertverhältnis zwischen Gold- und Silbermünzen wird — dadurch unterscheidet sich die Doppelwährung von der Parallel-währung — im Münzgesetz festgesetzt und alle Zahlungen können nach Belieben in Gold oder Silber geleistet werden;

3. es besteht unbeschränkt freie Privatprägung sowohl für Gold wie für Silber.

Beispiel: die amerikanische Doppelwährung. Die Doppel-währung wurde in den Vereinigten Staaten im Jahre 1792 gesetzlich eingeführt. Das Gesetz bestimmte ausdrücklich: „1. daß der ver-hältnismäßige Wert von Gold und Silber in allen Münzen, die nach dem Gesetze in den Vereinigten Staaten umlaufen, wie 15 zu 1 sein solle, daß jede 15 Pfund fein Silber in allen Zahlungen von gleichem Werte sein solle mit einem Pfunde feinem Gold"; 2. daß die in der Münzanstalt geprägten Gold- und Silbermünzen gesetzliches Zah-lungsmittel bei jeder Art von Zahlung sein sollen; 3. daß jedermann berechtigt sein solle, sowohl Gold als Silber in beliebiger Menge in die Münzanstalt zu bringen, und daß dieses in möglichst kurzer Zeit u n e n t g e l t l i c h für den Einbringer geprägt werden solle[1]."

Das Verhältnis von 15 zu 1 entsprach dem damals in London bestehenden Silberpreise. Bald nach dem Beginn der amerikanischen Prägung fing das Gold an, im Werte zu steigen. Von 1806—1834 herrschte dann die Silberprägung durchaus vor, wie dies nicht anders sein konnte, da in Europa das Wertverhältnis des Goldes zum Silber in dieser Zeit meistens zwischen 15½ und 16 stand; der größte Teil des vorhandenen Goldes wurde infolge der starken Nachfrage für England ausgeführt. Durch das Gesetz vom 28. Juni 1834 wurde das gesetzliche Wertverhältnis der beiden Edelmetalle in den Münzen mit dem damals im Verkehr geltenden in bessere Übereinstimmung gebracht, aber nunmehr zugunsten des Goldes etwas zu hoch be-stellt, und zwar auf 16 : 1. Da das Wertverhältnis für Gold zu hoch war, strömte es auch von 1834 ab in mehr als viermal größerer Menge zur Münze als 1833. Als durch die kalifornischen Goldentdeckungen das Gold im Werte sich verminderte, wurde es in wachsendem Maße zum Währungsgeld benutzt, und eine Verminderung der Silber-prägung trat ein.

Ähnliche Erfahrungen wurden auch mit der französischen Doppelwährung gemacht. In Frankreich wurde im Jahr 1803 die Doppelwährung mit dem Wertverhältnis 1 : 15½ eingeführt. „So-lange das Marktwertverhältnis dieses gesetzlich zugunsten des Goldes übertraf, also bis etwa 1850, bestand die Währungsgeldmasse Frank-reichs so gut wie ausschließlich aus Silber, und die Einfuhr des Silbers, wie die davon in der Münze ausgeprägten Mengen überstiegen die entsprechenden Geldmengen um das Vielfache. Nach dem Wirksam-werden der kalifornischen Goldfelder seit etwa 1848 änderte sich das Marktverhältnis zugunsten des Silbers, das nunmehr in wachsen-dem Maße aus dem Verkehr verschwand und nach und nach einer Goldwährung Platz machte. Als in den 70er Jahren mit der Silber-entwertung wieder der umgekehrte Umschlag drohte, mußte Frank-reich wie die übrigen Länder des lateinischen Münzbundes die

---

[1]) Vgl. L e x i s , Artikel „Doppelwährung" im Handwörterbuch der Staats-wissenschaften.

Doppelwährung beseitigen, um nicht mit unterwertigen Silbermünzen überflutet zu werden und nicht zur reinen Silberwährung zu gelangen[1])."

§ 29. Die Doppelwährung auf internationaler Basis.

Der Gedanke eines Zusammenschlusses aller Länder der Erde zu einem Weltmünzbund auf Basis der Doppelwährung wurde auf mehreren internationalen Münzkonferenzen eingehend erwogen, gelangte aber nie zur praktischen Durchführung. Die zur Vorbereitung eines internationalen Währungsvertrages einberufenen Münzkonferenzen zu Paris (1878 und 1881) ergaben die Unmöglichkeit einer Einigung aller Kulturstaaten über einen allgemeinen Währungsvertrag. Wohl aber haben eine größere Anzahl von Staaten sich zu einem bimetallistischen Münzbunde zusammengeschlossen, und zwar geschah dies durch die sog. lateinische Münzkonvention. Auch die Erfahrungen dieses Münzbundes sind für die Theorie der Doppelwährung lehrreich. Die Lateinische Münzunion wurde am 23. Dez. 1865 zwischen Belgien, Frankreich, Italien und der Schweiz abgeschlossen. 1868 trat auch Griechenland hinzu. In allen diesen Ländern sollten Gold- und Silbermünzen gleich an Gewicht, Feingehalt und Durchmesser geprägt werden und Umlauf haben. Als seit Mitte der 60er Jahre der Wert des Silbers, verglichen mit dem des Goldes, sank, wurde die Zirkulation der Länder des Bundes mit Silber ausgefüllt, und das Gold strömte aus diesen Ländern ab. Auf das Drängen der Schweiz kam 1874 ein Zusatzvertrag zustande, der bereits im Widerspruch stand zu dem Grundgedanken des Bundes. Er beschränkte die im Jahre 1874 auszuprägende Silbermenge für jeden Staat auf einen bestimmten Betrag. Daran wurde auch in den folgenden Jahren festgehalten. Als das Silber sich immer weiter entwertete, wurde 1878 in einem neuen Artikel bestimmt: „Die Ausprägung von silbernen Fünffrancsstücken wird eingestellt". Endlich kam 1885 noch ein weiterer Vertrag zustande, wonach bei einem Erlöschen des Münzbundes jeder Staat die in den übrigen Ländern umlaufenden Fünffrancsstücke seines Gepräges zurückzunehmen habe. Er habe sie dem abliefernden Staate entweder mit Fünffrancsstücken eigenen Gepräges oder in Gold zu bezahlen. — Schwere Störungen im Geldwesen wurden durch den lateinischen Münzbund nicht verhindert. So kam Italien schon im Jahre 1866 in die Papiergeldwirtschaft, die bis 1883 dauerte. Da überhaupt der Münzbund sich niemals auf die neben dem Metallgeld umlaufenden papierenen Geld- und Kreditzahlungsmittel erstreckte, konnte von einem einheitlichen Geldwesen nicht die Rede sein. So haben sich auch unter der Herrschaft des Münzbundes die Geldverhältnisse der einzelnen Länder eigenartig und unabhängig voneinander entwickelt.

---

[1]) Vgl. M. Palyi, Artikel „Doppelwährung" im Handwörterbuch der Staatswissenschaften. 4. Aufl.

6. Kapitel.

Das Papiergeld.

I. Abschnitt:

Wesen, Arten und volkswirtschaftliche Wirkungen des Papiergeldes.

§ 30. Wesen und Arten des Papiergeldes.

Neben den aus Edelmetall hergestellten Münzen gibt es in allen Ländern, auch in denen, wo die Gold- oder Silberwährung streng durchgeführt ist, papierene Zahlungsmittel in den verschiedensten Arten und Formen. Irreführend wäre es jedoch, wollte man alle papierenen Zahlungsmittel unter der Sammelrubrik Papiergeld begrifflich zusammenfassen. Vielmehr muß beachtet werden, daß die papierenen Zahlungsmittel, je nach der Art ihrer Emission, grundverschiedenen ökonomischen und juristischen Charakter haben können. Vor allem ist zu unterscheiden: das eigentliche Papiergeld (Papiergeld im engeren Sinne) und das uneigentliche Papiergeld (Papiergeld im weiteren Sinne). — Das Papiergeld im engeren Sinne ist das Papiergeld im Sinne der Papierwährung oder der Papiergeldwirtschaft. Es liegt nur dann vor, wenn dieses Papiergeld unter drei Bedingungen zur Ausgabe gelangt: 1. es muß Zwangskurs haben, d. h. von jedermann zum Nominalwert in Zahlung genommen werden; 2. es muß uneinlöslich sein; 3. es darf nicht durch Metallgeld oder Edelmetallvorräte gedeckt sein. Alle papierenen Zahlungsmittel, welche diese drei Qualitäten nicht haben, zählen nicht zum Papiergeld im engeren Sinne, nur wenn die drei genannten Momente zusammentreffen, ist von einer Papierwährung im Gegensatz zur Metallwährung die Rede. In allen übrigen Fällen lehnen sich die papierenen Zahlungsmittel irgendwie an das Metallgeld an. Das Primäre ist dann die Metallwährung, und nur ergänzenderweise treten noch papierene Zahlungsmittel hinzu, die aber mit der Metallwährung im Zusammenhang stehen.

Ein papierenes Zahlungsmittel, das keinen Zwangskurs hat, d. h. nicht gesetzliches Zahlungsmittel ist, kann nicht zur Grundlage der Währung dienen. Ein papierenes Zahlungsmittel, das in Metallgeld einlösbar ist, ist nur Stellvertreter für ein Metallgeld, und diese Eigentümlichkeit tritt noch stärker hervor, wenn die Einlöslichkeit durch einen bestimmten Vorrat an Edelmetall oder Edelmetallgeld zur Deckung des Papiergeldes garantiert ist. — In allen diesen Fällen haben wir es also nicht mit Vorgängen zu tun, die auf dem Gebiete des Geldwesens größeres theoretisches Interesse beanspruchen können oder die etwa bei der praktischen Durchführung bedeutsame Umwälzungen hervorrufen könnten. Manche dieser Papiergeldarten können, namentlich wenn sie in kleiner Menge ausgegeben sind — selbst dann, wenn kein besonderer Deckungsvorrat vorhanden ist —, nur als kleine Schönheitsfehler der Metallwährung betrachtet werden.

Wir kommen demnach zu folgendem Schema der Arten des Papiergeldes:

Papiergeld

a) Eigentliches Papiergeld   b) Uneigentliches Papiergeld
(Papiergeld im engeren Sinne)   (Papiergeld im weiteren Sinne)
ungedeckt, uneinlöslich,
    mit Zwangskurs.

         1. Ohne Zwangs-   2. Ohne Zwangs-   3. Mit Zwangs-
         kurs, ungedeckt,   kurs, aber gedeckt   kurs, aber einlös-
         aber einlöslich.   und uneinlöslich.   lich und gedeckt.

Für die drei Arten des uneigentlichen Papiergeldes mögen folgende Beispiele angegeben werden:

b 1) Papiergeld ohne Zwangskurs, ungedeckt aber einlöslich.

Beispiel: Die deutschen Reichskassenscheine vor dem Weltkriege. Sie wurden nach dem Gesetz vom 30. April 1874 im Betrage von 120 Millionen Mk. ausgegeben (der Betrag wurde 1913 um 120 Millionen Mk. erhöht). Sie mußten von der Reichshauptkasse jederzeit in bar eingelöst werden und von allen Staatskassen zum vollen Nennwert in Zahlung genommen werden. Ein Deckungsvorrat hierfür existierte nicht. Der zufällige Umstand, daß im Spandauer Juliusturm 120 Millionen Mk. in Gold aufgespeichert waren, hat zu der irrigen Meinung Anlaß gegeben, als ob dieses Geld zur Deckung der Reichskassenscheine bestimmt sei. Die 120 Millionen Mk. im Juliusturm dienten nur dem Zweck eines Reichskriegsschatzes. Man konnte diese deutschen Reichskassenscheine auch als schwebende Schuld des Deutschen Reiches auffassen.

b 2) Papiergeld ohne Zwangskurs, aber gedeckt und uneinlöslich.

Beispiel: Die im Weltkriege ausgegebenen deutschen Darlehnskassenscheine. Auf die juristische und ökonomische Struktur der Darlehnskassenscheine komme ich im späteren Zusammenhang ausführlich zurück.

b 3) Papiergeld mit Zwangskurs, aber einlöslich und gedeckt.

Beispiel: Die amerikanischen Schatznoten nach dem Gesetz vom 14. Juli 1890. Sie wurden gegen Silberbarren nach dem Tagespreise derselben ausgegeben und sollten immer nur in der Menge im Umlauf sein, die den Kosten der Silberbarren und der daraus geprägten Silberdollars entsprach, die auf Grund der Silberkäufe vermittels solcher Noten beim Schatzamt deponiert waren.

§ 31. Die Banknoten.

Auch die Banknoten sind Zahlungsmittel aus Papier und dennoch müssen sie streng von allem Papiergeld, sowohl dem eigentlichen wie dem uneigentlichen, getrennt werden. Wenn die Banknoten auch als Zahlungsmittel benutzt werden, so ist doch ihre eigentliche Funktion eine ganz andere. Vermittels der Banknoten sollen nicht die Zahlungsmittel vermehrt werden, sondern es sollen dadurch Kreditübertragungsmittel geschaffen werden; sie haben den Zweck, Geschäftsleuten und Gewerbetreibenden kurzfristigen Kredit auf wechselmäßige Deckung zu vermitteln. Die regelmäßige Emission der Banknoten beruht auf folgendem Vorgang: Ein Fabrikant, der z. B. für 10 000 Mk. Maschinen verkauft hat, erhält dafür in der Regel nicht bares Geld, sondern einen Dreimonatswechsel, lautend auf 10 000 Mk., erst nach drei Monaten kann der Fabrikant auf den Eingang der 10 000 Mk. rechnen, auf diese Summe aber mit großer Sicherheit infolge der Strenge des Wechselrechts. Eine Zentralnotenbank mit großem Goldvorrat ist dann in der Lage, folgendes Kreditgeschäft zu vermitteln: die Notenbank erwirbt den Wechsel des Fabrikanten und zahlt ihm sofort den Betrag in Noten der Bank aus unter Abzug des Zinses für drei Monate, des sog. Diskonts. Die Notenbank ist auf Grund ihres Barvorrates und der erworbenen Wechsel, die nach drei Monaten bezahlt werden, in der Lage, diesen Notenkredit zu geben. Da die Noten regelmäßig in dieser Form gedeckt und auch jederzeit in barem Geld einlöslich sind, können diese, auf runde Beträge laufenden Abschnitte im Verkehr zugleich als Zahlungsmittel dienen. Nicht jeder Noteninhaber löst die Noten direkt in barem Geld ein, sondern die Noten gehen von Hand zu Hand wie bares Geld. Dennoch ist die Banknote kein Geld, auch kein Papiergeld, sondern ein Kreditinstrument, welches als Geldsurrogat dient. Für diese eigenartige Stellung der Banknoten im Geldsystem ist es auch nebensächlich, ob die Banknote gesetzliches Zahlungsmittel ist oder nicht. Zwei Fälle sind denkbar:

a) Die Banknote ist nicht gesetzliches Zahlungsmittel, dann ist sie kein Geld, da ihr die wichtigste Geldqualität fehlt, sie ist Geldsurrogat.

b) Die Banknote ist gesetzliches Zahlungsmittel, dann ist sie zwar Geld in dem oben von mir definierten Sinne und dennoch hat sie nur die Rolle einer Stellvertretung für das Währungsgeld; denn da die Banknote jederzeit in Währungsgeld eingelöst werden kann, lehnt sich ihre ganze Geldeigenschaft nur an das Geld an, welches zu ihrer Einlösung parat liegt. Sie ist eine Anweisung auf Geld selbst dann, wenn ihr juristisch die Geldqualität verliehen ist. -- Gänzlich anders liegt der Fall dann, wenn die Banknote dieser Stellung, die sie im privaten Kredit- und Geschäftsverkehr einnimmt, entfremdet wird und zum Mittel staatlicher Kreditgewährung und Geldschöpfung gemacht wird. Sobald der Staat die Notenbank, und zwar gleichgültig, ob es sich um eine Staatsbank oder um eine privilegierte private Notenbank handelt, für seine staatlichen Kreditbedürfnisse durch Aufnahme von Notenkredit in Anspruch nimmt, ohne dafür eine Deckung zu bieten, und zugleich die Einlösungspflicht der mit Zwangskurs ausgestatteten Noten aufhebt, wird die Banknote zum Papiergeld im eigentlichen Sinne des Wortes; dann treffen die drei Kriterien, die ich hierfür oben angegeben habe, auch für die Banknote zu: sie ist ein ungedecktes, uneinlösliches, mit Zwangskurs ausgestattetes Zahlungsmittel. Man spricht dann von „entarteten" Banknoten, für die ich später einige Beispiele geben werde.

§ 32. Die volkswirtschaftlichen Wirkungen des Papiergeldes.

Im folgenden soll nur von den volkswirtschaftlichen Wirkungen die Rede sein, die eintreten, wenn ein Papiergeld im engeren Sinne vorliegt.

Wenn eine Papierwährung vorhanden ist, dann tritt sie als selbständiges Währungssystem in Erscheinung, und das Papiergeld spielt nicht nur eine ergänzende Rolle wie bei den bisher betrachteten papierenen Zahlungsmitteln. An die Stelle der Metallwährung tritt die Papierwährung mit eigenartigen und neuen Wirkungen, die nur vom Papiergeld in diesem engeren Sinne ausgehen.

Geschichtlich ist die Papierwährung niemals so in die Erscheinung getreten, daß etwa ein Staat aus geldtheoretischen Erwägungen heraus dieses Währungssystem eingeführt hätte, weil es ihm zweckmäßiger als die Metallwährung erschienen wäre. Die Papierwährung ist immer nur in Zeiten schwerster finanzieller Not und Bedrängnis als letztes Rettungsmittel ergriffen oder in Kriegs- und Revolutionszeiten zur Behebung dringender Geld- und Kreditnot benutzt worden. Erst aus späterer Zeit stammen die Theorien, die auf Grund eingehender geldtheoretischer Erwägungen dem Papiergeld den Vorzug vor dem Metallgeld geben, und selbst, wo schon Versuche zu einer theoretischen Begründung des Papiergeldsystems gemacht worden sind, wie z. B. von J o h n L a w, haben die Staaten, die zu dem von ihm empfohlenen Mittel griffen, dieses nicht getan, weil sie von der Vortrefflichkeit dieses Währungssystems überzeugt waren, sondern weil sie es als vorübergehendes Rettungsmittel aus schwerer Bedrängnis betrachtet haben. Daher stellen die Papierwährungen, dis bisher in der Geschichte zu verzeichnen sind, keine organischen Glieder im Aufbau der Währungssysteme dar, sondern es handelt sich immer nur um Ausnahmezustände, die mit irgendwelchen Erschütterungen des betreffenden Staatswesens zusammenhängen. Jeder Staat, der bisher die Papierwährung einführte, hatte auch das Bestreben, sobald als möglich aus der Papierwirtschaft wieder herauszukommen; trotzdem sind die Erfahrungen, die mit der Papiergeldwirtschaft bisher gemacht worden sind, im höchsten Maße lehrreich auch für die Theorie des Geldes und für die Frage der Zweckmäßigkeit des Papiergeldes überhaupt.

Wenn die Verteidiger der Papierwährung behaupten, diese Erfahrungen könnten nichts beweisen, weil noch niemals das Papiergeld in „ruhigen" Zeiten zur Ein- und Durchführung gelangt wäre, so ist darauf zu erwidern, daß diese Erfahrungen aus unruhigen Zeiten trotzdem sehr viel beweisen, denn die verhängnisvollen Wirkungen der Papiergeldwirtschaft hängen mit dem Wesen des Papiergeldes selbst zusammen und würden genau so in die Erscheinung treten, wenn das Papiergeld in sog. ruhigen Zeiten zur Einführung käme. Die Form der Einführung des Papiergeldes ist hierbei von keiner Bedeutung, ob das Papiergeld direkt vom Staat als Staatspapiergeld ausgegeben wird, oder ob der Staat sich von einer Zentralnotenbank Kredit in Banknoten geben läßt, die dann Zwangskurs erhalten, ist für die Wirkungen des Papiergeldes gleichgültig.

Diese volkswirtschaftlichen Wirkungen sind zunächst danach zu unterscheiden, ob sie im inneren Verkehr des Papierwährungslandes hervortreten oder im Verkehr des Papierwährungslandes mit dem Auslande. Die letzteren Wirkungen will ich erst in dem Kapitel erörtern, welches der Valuta gewidmet ist und mich an dieser Stelle auf eine Betrachtung der Wirkungen im inneren Landesverkehr beschränken. Diese Wirkungen sollen zunächst in theoretischer Betrachtungsweise dargelegt werden; in den folgenden Paragraphen will ich sie an Hand der Erfahrungen aufweisen, die mit der Papierwährung gemacht worden sind.

Die hauptsächlichsten Wirkungen des Papiergeldwesens im inneren Verkehr des Papierwährungslandes sind folgende:

1. Es bildet sich ein Agio des Metallgeldes und ein Disagio des Papiergeldes.

Es ist für die Kritik des Papiergeldes wichtig, zu beachten, daß in der Regel das Papiergeld so zur Einführung kommt, daß neben ihm noch ein Metallgeld im Verkehr bleibt. Nach kurzem Bestehen einer Papiergeldwährung bildet sich regelmäßig ein Agio für das umlaufende Metallgeld heraus. Diese Agiobildung ist eine Wirkung des von mir bereits erwähnten Greshamschen Gesetzes: ,,Gutes Geld wird durch schlechtes Geld verdrängt". Das gute Geld ist in diesem Falle das Metallgeld, das schlechte das Papiergeld. Das gute Geld pflegt immer seltener zu werden, es wird durch das Papiergeld verdrängt und darum muß derjenige, der Metallgeld haben will, eine Prämie oder ein Agio zahlen. Sobald der Staat einem Papierschein gesetzliche Zahlungskraft verleiht, und zwar im Nominalwert genau gleich dem Metallgeld, bildet sich eine Bewertung zuungunsten des Papiergeldes heraus. Der tatsächliche Wert des Papiergeldes wird geringer geschätzt als der Wert des Metallgeldes, das mit demselben Nominalwert im Umlauf ist. Ein silbernes Fünfguldenstück wird höher geschätzt als der Papierschein, der auf fünf Gulden lautet, und ein goldenes Zehnmarkstück höher als der Papierschein, der auf 10 Mk. lautet. Hatte jemand z. B. eine Ware für 100 österreichische Gulden gekauft, so hatte er die Wahl, ob er diese 100 Fl. in 100 Papiergulden oder in 90 Silbergulden zahlen wollte, wenn beispielsweise das Agio des Metallgeldes 10 % betrug. Wie kommt es aber zu dieser Höherbewertung des Metallgeldes, trotzdem der Staat dem Papiergeld die volle gesetzliche Zahlkraft zum Nominalwert verliehen hat? Der Grund ist der, daß Sachgeld immer höher bewertet wird als Kreditgeld. Das Papiergeld hat seinen einzigen Wert darin, daß es zu Zahlungen für Steuerzwecke und auch im wirtschaftlichen Verkehr dienen kann; das Metallgeld hat außerdem noch den Substanzwert durch das Metall, aus dem es geprägt ist. Die Bewertung des Papiergeldes hängt von dem Vertrauen ab, das man in den Staat setzt, daß er baldigst das Papiergeld wieder zum vollen Nominalwert in Metallgeld einlösen wird. Dieses Vertrauen ist aber gegenüber dem Metallgeld, das seinen Substanzwert in sich birgt, nicht notwendig. Dazu kommt noch ein weiterer Umstand, wodurch die Agiobildung zu erklären ist: das Papiergeld ist, wie alles Geld, nur nationales Geld, d. h. es hat nur Gültigkeit innerhalb der Grenzen des Staates, der das Geld ausgibt. Auch das Metallgeld hat nur nationale Gültigkeit, hat aber doch insofern internationalen Wert, weil das Metall, aus dem es geprägt ist, in der ganzen Welt geschätzt wird. Der Papierschein kann aber im Auslande nur insoweit verwertet werden, als der Ausländer ihn zu Zahlungen im Papierwährungslande brauchen kann.

Auf diese Weise kommt es zur Agiobildung des Metallgeldes, die mit großen Störungen im wirtschaftlichen Verkehr des Papierwährungslandes verknüpft ist; denn die doppelte Preisfestsetzung für die Waren, sowohl in Metallgeld wie in Papiergeld und ebenso die fortwährenden Schwankungen des Agios bringen eine große Unsicherheit im Geschäftsverkehr hervor. Diese Störungen werden in der Regel so groß, daß die Papierwährungsländer sehr bald zu dem Mittel greifen, Agiozahlungen zu verbieten, d. h. es unter Strafe zu stellen, wenn jemand Metallgeld mit Agio nimmt oder gibt. Das führt vollends dazu, daß das Metallgeld ganz aus dem Verkehr verschwindet, nur noch Handelsmünze wird und das Papiergeld allein die Zirkulation ausfüllt. Aber auch ohne Agioverbot wird bei längerer Dauer der Papiergeldwirtschaft das Metallgeld immer seltener, und schließlich wird dem Papiergeld allein die Funktion des Geldes überlassen. Sobald das Papiergeld allein die Geldfunktion erfüllt, tritt die andere volkswirtschaftliche Wirkung ein, nämlich

2. die Steigerung der Warenpreise infolge der Entwertung des Papiergeldes.

Diese als Papiergeldinflation bekannte Erscheinung ist mit der Papierwährung eng verbunden; denn der Staat hat zwar die Macht, bestimmten Papierscheinen die Eigenschaft des gesetzlichen Zahlungsmittels mit einem bestimmten Zwangskurs zu geben, hat aber keine Macht über die Bildung des Warenpreises, der sich in der kapitalistischen Wirtschaftsordnung durch die subjektive Schätzung der Marktparteien bildet. Für diese Schätzung ist der innere Tauschwert des Geldes von größter Bedeutung. Der Wert des Papiergeldes sinkt erfahrungsgemäß immer mehr, je stärker die Menge des Papiergeldes zunimmt. Dennoch wäre es irrig, die Entwertung des Papiergeldes einseitig vom Standpunkt der Quantitätstheorie aus zu erklären, d. h. das Sinken des Wertes des Papiergeldes allein aus der Vermehrung der Papiergeldausgabe zu erklären. Neben der Quantität des ausgegebenen Papiergeldes ist auch seine Qualität von größter Bedeutung. Die Qualität eines Papiergeldes, das kostenlos vom Staat hergestellt werden kann, muß immer hinter der Qualität eines Geldes mit Substanzwert zurückbleiben, und darum spielt das Vertrauensmoment hier eine wichtige Rolle. Da das an sich schon vorhandene Mißtrauen in das Papiergeld mit der vermehrten Menge des Papiergeldes immer mehr zunimmt, und sobald das Vertrauen des Volkes in die Wiedereinlösung immer mehr abnimmt, wird schließlich der Wert des Papiergeldes ins Ungemessene sinken. Dies drückt sich in einer Steigerung aller Warenpreise aus, und alle Versuche der Staatsgewalt, dieser Preissteigerung durch Festsetzung von Höchstpreisen entgegenzutreten, haben sich immer als unwirksam erwiesen.

Der Vorgang der Inflation, der hier als Folge der Papiergeldausgabe geschildert wurde, ist keineswegs auf die Papiergeldwirtschaft beschränkt. Inflation ist jede durch Vermehrung zusätzlicher Kaufkraft verursachte Erhöhung des allgemeinen Preisniveaus. Sie kann auch bei der Metallwährung vorkommen, z. B. durch starke

Vermehrung des Geldvorrats in Ländern mit Goldwährung. Keinesfalls läßt sich aber die Inflation als eine Art der Geldverfassung bezeichnen.

G e r b e r nennt Inflation „das Musterbeispiel einer ungerechten Geldverfassung" (a. a. O., S. 112); ferner sagt er: „Vom juristischen Standpunkte aus ist Inflation zunächst der Ausdruck für einen von der Regierung herbeigeführten und geduldeten Mißstand der Geldverfassung" (S. 112). Und schließlich: „Wenn das rechtliche Wesen des Geldes also in der Inflation verletzt sein soll, so kann diese Verletzung nur darin bestehen, daß die rechtliche Wertfestsetzung in der Wirtschaft das erträgliche Maß überschreitet" (S. 114).

Diese Ausführungen sind terminologisch und sachlich unhaltbar. Unter Inflation ist überhaupt keine „Geldverfassung", sondern eine Erscheinung des Wirtschaftslebens zu verstehen, nämlich eine durch vermehrte zusätzliche Kaufkraft verursachte allgemeine Preiserhöhung. Ob und inwieweit diese zusätzliche Kaufkraft durch eine sog. „ungerechte Geldverfassung" verursacht wird, ist immer quaestio facti. Inflation kann durch starke Vermehrung der Papiergeldausgabe verursacht sein, sie kann aber auch bei der Geldverfassung, die nach G e r b e r die beste ist, bei der Metallwährung, vorkommen, wie ja wiederholt in der Geschichte Goldinflationen vorgekommen sind. Sie kann auch durch Überspannung des Kredits verursacht sein, dann liegt Kreditinflation vor. Ferner aber: wie soll denn irgendwie festgestellt werden können, wann eine Volkswirtschaft eine größere Menge an Geld tatsächlich im Verkehr hat, als sie Zahlungsmittel braucht, und was heißt es, daß die rechtliche Wertfestsetzung in der Wirtschaft das „erträgliche Maß" überschreite? Das sind doch alles Dinge, die, wie der Nationalökonom weiß, gar nicht feststellbar sind. Aber vollends dem Staate daraus einen Vorwurf zu machen und zu behaupten, daß er durch eine diesen Bedarf überschreitende Menge von Geld seine Aufgabe unbefriedigend erfülle, ist unmöglich; selbst in dem Fall, wenn die Inflation die Folge übermäßiger Papiergeldausgabe ist, muß doch immer beachtet werden, daß der Staat in der Regel sich hier in einer schweren Notlage befindet und daß man bei derartigen Erscheinungen, die durch die größten Schicksalsschläge, die ein Volk treffen können, verursacht werden, nicht von Rechtsverletzungen seitens des Staates sprechen kann.

3. D i e   u n g l e i c h m ä ß i g e   B e l a s t u n g   d e r   e i n z e l n e n
V o l k s k l a s s e n   d u r c h   d i e E n t w e r t u n g   d e s   P a p i e r -
g e l d e s.

Man könnte darauf hinweisen, daß diese Steigerung der Warenpreise nur eine nominelle ist, daß sie also die Interessen des Volkes gar nicht schädige, weil entsprechend der Steigerung der Warenpreise durch die Menge des ausgegebenen Papiergeldes dem Volke eine größere zusätzliche Kaufkraft zuteil würde, daß also parallel mit der Erhöhung der Warenpreise auch das Einkommen zunähme. Dies ist nicht der Fall, da vielmehr die Steigerung der Kaufkraft keineswegs allgemein und gleichmäßig vor sich geht. Die große soziale Ungerechtigkeit der Papiergeldwirtschaft beruht darauf, daß die verschiedenen Klassen und Schichten der Bevölkerung durch die Inflation in sehr verschiedenem Maße getroffen werden.

Während viele im Wirtschaftsprozeß selbst tätige Personen sich durch höhere Preis- und Lohnfestsetzungen schadlos halten können, so z. B. der Zwischenhändler, der höhere Preise vom Käufer fordert, wenn er selbst höhere Preise beim Produzenten bezahlt hat, so der Arbeiter, der höhere Nominallöhne vom Arbeitgeber fordert, wenn die Lebensmittelpreise steigen, ist es vielen Angehörigen anderer Berufe, die auf festes Gehalt, feste Besoldung usw. angewiesen sind, meist unmöglich, mit der Entwertung des Papiergeldes auch die entsprechend höheren Bezüge zu erhalten. In besonderem Maße hart und ungerecht ist das Schicksal des Gläubigers gegenüber dem Schuldner.

Bei der Betrachtung der Funktionen des Geldes haben wir auch die Funktion des Geldes als Mittel der Kapitalübertragung kennengelernt. Diese Funktion kann vermittels des Geldes gut erfüllt werden, wenn der Geldwert eine gewisse relative Stabilität und Konstanz aufweist; sobald der innere Tauschwert des Geldes so großen Schwankungen ausgesetzt ist wie beim Papiergeld, kann der Gläubiger unter Umständen die schwersten Verluste, der Schuldner die größten Vorteile haben. Ein Gläubiger, der seinem Schuldner ein Darlehen von 1000 Goldmark, rückzahlbar nach einem Jahr, gegeben hat, erhält unter Umständen 1000 Papiermark zurück, die, an ihrer Kaufkraft gemessen, vielleicht nur den zehnten Teil der ursprünglichen Darlehnssumme ausmachen. Die ganze geschäftliche Moral erleidet schweren Schaden, wenn an Stelle fester im voraus zu bestimmender Preiskalkulation die Preisbildung von so vielen unberechenbaren und unsicheren Faktoren beherrscht wird, wie dies bei der Papierwährung der Fall ist.

2. Abschnitt:
Geschichtliche Beispiele des Papiergeldes.

§ 33. Das französische Papiergeld von John Law.

1. Die Papiergeldtheorie von John Law.

John Law, geboren 1671 als Sohn eines reichen Goldschmieds und Bankiers in Edinburgh und selbst vielfach praktisch auf dem Gebiete des Bankwesens tätig, war Berater des Herzog-Regenten Philipp von Orleans, als Frankreich durch seine Schuldenlast in große finanzielle Bedrängnis geraten war. Law hat seine theoretischen Ideen über das Papiergeld in verschiedenen Schriften niedergelegt. Seine erste Schrift, betitelt „Money and Trade considered" erschien 1696 in erster und 1720 in zweiter Auflage; sie wurde 1705 dem schottischen Parlament vorgelegt. Law erklärt das gemünzte Geld für ein Hindernis des Verkehrs und schlägt vor, an Stelle des Metallgeldes ein auf den Grund und Boden basiertes und durch ihn gedecktes Papiergeld zu setzen, und zwar besonders deshalb, weil nach seiner Meinung der Boden wertbeständiger sei als das Edelmetall. Der Boden habe einen weniger schwankenden Wert, als irgendein anderes Gut, da er nicht an Quantität zunehme, wie es bei anderen Gütern geschehen könne. Der verschiedenartige Gebrauch, den man von den Gütern machen könne, könnte aufhören, oder durch allmähliche Gewöhnung von ihnen auf andere Güter übertragen werden. Statt des Hafers könnte man z. B. ausschließlich nur noch Weizen zur Brotbereitung verwenden. An Stelle des Silbers könnten Bodenwerte als Zahlungsmittel treten und man könnte für das Tafelgerät an Stelle des Silbers irgendein anderes Metall oder eine Legierung, welche für zweckdienlich angesehen würde, verwenden. In allen jenen Fällen verlören diese Güter einen Teil ihres Wertes und zwar nach Maßgabe des ihnen entzogenen Gebrauchswertes. Nur der Boden könne keine seiner Verwendungsmöglichkeiten einbüßen. Denn da jedes Gut durch den Boden hervorgebracht werde, so müsse dieser seinen vollen Wert behalten, da er verwendet werden könne, diejenigen Güter zu produzieren, welche gerade gebraucht würden. Wenn mehr Weizen und weniger Hafer benötigt würde, so lasse man den Boden, da er ja beides hervorbringen könne, dasjenige produzieren, was in größerer Menge gebraucht würde und damit wertvoller sei.

Dieses Geld werde durch seine Verwendung als Zahlungsmittel keinen zusätzlichen Wert erhalten, darum werde der Empfänger keinen Verlust befürchten müssen, selbst wenn ihm dann nach der Reihe von Jahren der Charakter des Zahlungsmittels wieder aberkannt werden würde. Der Boden werde sogar im Werte steigen dadurch, daß er als Sicherheit für die Geldausgabe eintrete; und dieser zusätzliche Wert werde größer sein, als der, welchen das Silber erhalten könnte. Denn obgleich der Boden als hypothekarische Sicherheit in Anspruch genommen werde, so werde ihm hierdurch doch keine seiner sonstigen Verwendungsmöglichkeiten entzogen; hingegen könne das Silber nicht zu gleicher Zeit in Form von Münze und von Tafelgerät Verwendung finden. Da aber der Boden in größerer Menge vorhanden sei, als der Bedarf, ihn mit Geld zu beleihen, so würde der zusätzliche Wert, den er erhielte, nicht annähernd so groß sein, als der Wertzuwachs des Silbers als Geld.

Angenommen, der so entstandene Wertzuwachs des Bodens betrüge ein Viertel; sein Wert wäre somit kapitalisiert zu 4 anstatt zu 5%. Wenn nun das Parlament das Papiergeld wieder einzöge, so würde der Besitzer solcher Noten hierdurch noch keinen Verlust erleiden, denn wenn auch der Boden damit seinen Wertzuwachs eingebüßt habe, so sei ja doch nur so viel Papiergeld ausgegeben worden, daß es den Bodenwert — ohne Berücksichtigung von dessen Gebrauchswert als Geld — nicht überstieg. Wenn hingegen das Silber nicht mehr länger als Zahlungsmittel verwendet würde, so verlöre der Besitzer von Silbergeld dabei die Hälfte oder zwei Drittel, da dann das Silber auf seinen Metallwert heruntersänke.

„Indem nun das Papiergeld, das hier in Vorschlag gebracht wird, einen besseren Wert hat als Silber und durch seine Verwendung als Zahlungsmittel keinen Wertzuwachs erfährt, auch keinen Wertschwankungen unterworfen ist, indem Angebot und Nachfrage sich stets gemeinsam verstärken und abschwächen werden, so ist dieses Papiergeld viel besser geeignet, den Maßstab für die Bewertung der anderen Güter abzugeben und den Wert festzusetzen, auf Grund dessen Güter gegeneinander ausgetauscht und Verträgen durch Zahlung entsprochen werden soll.

Die weiteren Eigenschaften, denen das Geld entsprechen muß, sind folgende:

1 Leichtigkeit der Übertragung.

2. Gleicher Wert an jedem beliebigen Platz.

3. Möglichkeit, es ohne Verlust und Spesen aufzubewahren.

4. Teilbarkeit (to be divided) ohne Verlust.

5. Möglichkeit, es mit Stempelzeichen zu versehen.

Das Papiergeld hat alle diese Eigenschaften in höherem Maße als Silbergeld.

1. Es ist leichter übertragbar; man kann in kürzerer Zeit L 500 in Papier als L 5 in Silber auszahlen.

2. Infolge der einfacheren Transportbedingungen wird sein Wert an jedem Orte so ziemlich der gleiche sein.

3. Es kann viel leichter aufbewahrt werden, indem es wenig Platz einnimmt, und da man es jederzeit an der Kasse einlösen kann, so verliert es nicht an Wert. Der Verbrauch an Papier ist viel weniger kostspielig, als der Verbrauch an Silber. Die Abnützung an Papier fällt der Kommission, die Abnützung an Silber aber dem Besitzer zur Last.

4. Man kann es ohne Verlust teilen, insofern man es jederzeit an der Kasse gegen Noten von geringerem Werte eintauschen kann.

5. Es kann mit einem Stempelzeichen versehen werden und ist darum der Gefahr der Fälschung weniger ausgesetzt."

L a w führt zugunsten seines Vorschlages noch folgendes an: „Geld ist nicht der Wert (value f o r . . .), für den Güter ausgetauscht werden, sondern nur das Mittel (value b y . . .), durch das sie ausgetauscht werden. — Der Gebrauch des Geldes besteht darin, Güter zu kaufen und Silber läßt sich — soweit es Geld ist — überhaupt nicht anders gebrauchen. Selbst wenn das Silber ein Produkt unseres Bodens wäre, so ist es doch nicht so geeignet, Zahlungsmittel zu werden, als dieser Boden selbst. Denn der Grund und Boden bringt selber alles hervor, Silber ist nur eines der Produkte. Der Boden nimmt an Masse weder zu noch ab, Silber oder irgendein anderes Gut ist dem immerhin ausgesetzt; darum ist der Boden viel eindeutiger in seinem Werte bestimmt, als dies bei Silber oder irgendeinem anderen Gute der Fall ist.

Der Grund und Boden ist der Verbesserung fähig; die Nachfrage darnach kann steigen und damit wird er an Wert gewinnen. Von Silber ist kaum anzunehmen, daß man es in anderer Weise verwenden sollte, als man es heute schon tut, oder daß die Nachfrage stärker wachsen sollte als die Produktion.

Der Boden kann keine Verwendungsmöglichkeit einbüßen, darum auch nicht wertloser werden; Silber aber könnte nicht länger als Geld gebraucht werden und sänke damit auf seinen Metallwert.

Sogar in seiner Verwendung als Metall könnte das Silber infolge der Ersetzung durch andere Güter eingeschränkt werden, dadurch verlöre es noch einen Teil seines Metallwertes. Aber nichts kann den Nutzen von Grund und Boden ersetzen.

Der Bodenwert kann durch Papier übertragen werden und besitzt damit alle dem Geld nötigen Eigenschaften in höherem Maße als das Silber. Zudem weist der Boden noch einige Eigenschaften auf, die ihn zum Gebrauch als Geld geeignet machen, und die das Silber nicht hat. Der Grund und Boden, der als Geld gebraucht wird, verliert hierdurch doch keine seiner sonstigen Verwendungsmöglichkeiten; das ausgemünzte Silber kann hingegen keinem seiner sonstigen Zwecke als Metall dienen.

Handel und Geld stehen in gegenseitigem Abhängigkeitsverhältnis; wenn der Handel zurückgeht, so nimmt auch der Geldvorrat ab, und wenn weniger Geld verfügbar ist, so geht der Handel zurück. Macht und Reichtum beruhen auf einer hohen Bevölkerungsziffer und großen Vorräten an einheimischen und fremden Gütern; diese aber sind auf den Handel angewiesen, der wiederum vom Geld abhängig ist. Da infolgedessen Handel und Geld sowohl mittelbar als auch unmittelbar in Mitleidenschaft gezogen werden können, so wird das, was dem einen schadet, beiden gefährlich werden. Macht und Reichtum werden also keinen festen Grund unter den Füßen haben.

Wenn nun ein Geld eingeführt wird, das keinen Eigenwert (intrinsic value) besitzt, dessen nur beigelegter Wert (extrinsic value) aber so beschaffen ist, daß er nicht ausgeführt werden kann, dann wird man Reichtum und Macht erlangen und besser sicherstellen können. Da das Geld weder der mittelbaren noch der unmittelbaren Gefahr ausgesetzt ist, in Verlust zu geraten, so fallen damit auch die gefährdenden Folgeerscheinungen für den Handel weg. So können Macht und Reichtum nur durch eine unmittelbare Schädigung des Handels selbst bedroht werden.

Das in Vorschlag gebrachte Papiergeld wird stets der Nachfrage entsprechen, die Bevölkerung hat Beschäftigung, Grund und Boden werden verbessert, das Gewerbe gefördert, der inländische und ausländische Handel wird ausgebreitet, und Macht und Reichtum werden ihren Einzug halten. Da dieses Geld nicht ins Ausland ausgeführt werden kann, so wird die Bevölkerung nicht arbeitslos werden usw., und Reichtum und Handel werden weniger gefährdet sein[1]."

Die Geldtheorie L a w s findet sich in erweiterter und wesentlich modifizierter Gestalt und mit einer neuen Kredittheorie verbunden in seinen französisch geschriebenen Mémoires sur les Banques und Lettres sur les Banques[2]).

Im 6. Briefe über die Banken erklärt L a w [3]), wie mit der Geldvermehrung auch die Einkünfte des Königs und des Gutsherrn sich steigern: „Wenn das Geld vermehrt und der Boden in derselben Menge geblieben ist, vermehrt sich die Nachfrage nach dem Boden und man gibt mehr Geld für dieselbe Menge an Boden. Auch die Früchte und Erzeugnisse des Bodens werden teurer und der Pächter kann dem Könige und dem Gutsherrn mehr bezahlen, als wenn das Geld in demselben Verhältnis geblieben wäre, in dem es ohne den Kredit war."

Die Frage, welche Zeichen am besten die Gelddienste verrichten, beantwortet L a w folgendermaßen[4]): „Gold und Silber sind Waren wie die anderen; der Teil, der davon zu Geld benutzt wird, ist dem gewöhnlichen Verkehre entzogen . . . es ist, als wenn man einen Teil der im Lande vorhandenen Vorräte an Wolle und Seide dem Gebrauche entzogen hätte, um daraus Überlieferungszeichen zu machen.

[1]) Money and Trade, 1705. Kapitel VII.
[2]) Vgl Economistes financiers du dix-huitième siècle. Paris, Quillaumin, 1851.
[3]) a. a. O., S. 588.
[4]) a. a. O., S. 632.

Wäre es nicht praktischer, wenn man diese Waren ihrem natürlichen Gebrauche überließe und nur solche Stoffe zu Geldzeichen benutzte, die an sich zu keinem Gebrauche dienten? Das P a p i e r entspricht vollkommen allen Bedingungen des Geldes; es ist genügend unveränderlich wegen der Leichtigkeit, mit der es an der Bank gewechselt werden kann, wenn es abgenutzt ist . . . und vor allem, es hat selbst keinen Wert, der in Rechnung kommen könnte."

2. Das Lawsche Papiergeld in der Praxis[1]).

Nach dem Tode Ludwigs XV. waren die französischen Finanzen in größter Unordnung. Die Staatsschuld belief sich auf 2½ Milliarden Frs.; mehr als 90 Millionen Frs. waren notwendig, um die Zinsen dieser Schuld zu decken, gegenüber einer Steuereinnahme von 160 Millionen Frs., wovon ein großer Teil bereits verbraucht war. Dem Regenten Philipp von Orleans war bereits der Vorschlag des Staatsbankerottes unterbreitet, als J o h n L a w mit seinen Plänen zur Rettung der Finanzen hervortrat. L a w erhielt zunächst nur die Erlaubnis zur Errichtung einer Privatnotenbank und zwar am 2. Mai 1716. Das Privileg dieser Bank, genannt Banque générale, lautete auf 20 Jahre. Das Aktienkapital betrug 6 Millionen Frs. in 12 000 Namensaktien zu je 5000 Frs., das jedoch zu ³/₄ in entwerteten Staatsbillets und nur zu ¹/₄ in bar einbezahlt werden mußte, so daß das tatsächlich eingebrachte Grundkapital sich nur auf 3,3 Millionen Frs. belief. Die Bank gab Banknoten aus in Stücken zu 10 000 und 1000 Ecus (1 Mk. Silber = 8 Ecus zu 5 Frs.). Sie sollten bei Sicht nach dem damals herrschenden Münzfuß einlösbar sein. Bei der anfangs vorsichtigen Geschäftsführung und guten Entwicklung der Bank wurden 1717 alle öffentlichen Kassen angewiesen, die Noten der Bank bei der Steuerzahlung an Geldesstatt anzunehmen.

Zu einer großen Erweiterung seiner geschäftlichen Tätigkeit gelangte L a w, als C r o z a t sein Patent zum ausschließlichen Handel mit Louisiana zurückgab und L a w die Nachfolge erhielt. So kam es zur Gründung der Compagnie d'occident, der berüchtigten Mississippi-Gesellschaft. Das Aktienkapital war auf 100 Millionen Livres in 200 000 Inhaberaktien zu 500 Livres festgesetzt und sollte ganz in 4 proz. Staatsbillets, die damals mehr als die Hälfte ihres Wertes verloren hatten, al pari eingezahlt werden. Die anfänglich nicht ungünstigen Geschäftsergebnisse dieser Mississippi-Gesellschaft veranlaßten L a w zu einer großen Erweiterung seiner Kompetenzen, indem er es durchsetzte, daß seine Privatnotenbank durch Edikt vom 4. Dezember 1718 in eine Staatsbank umgewandelt wurde. Diese neue Banque royale erhielt als Bankfonds 12 000 Aktien der Compagnie d'occident, die Bankwährung wurde aufgegeben, die neuen Banknoten sollten auf Livres gestellt und durch etwaige Münzverschlechterungen nicht berührt werden. Die Compagnie d'occident wurde dadurch erweitert, daß die ostindische und chinesische Compagnie mit ihr vereinigt wurden. Gegen einmalige Zahlung von 50 Millionen Livres erhielt die Compagnie auch das Münzregal auf neun Jahre mit der Auflage, weder den Nominalwert noch den Feingehalt der Münzen zu verringern. Da es L a w auch gelang, die Generalpacht

---

[1]) Vgl. Artikel L a w im Handwörterbuch der Staatswissenschaften. 4. Aufl. von J a h n und 3. Aufl. von A d l e r.

der Steuern auf neun Jahre an sich zu bringen, wurden die Aktien der Compagnie allmählich zu einem sehr beliebten Spekulationspapier, und ihr Kurs stieg in der Zeit der wildesten Spekulation bis auf 18 000. Die Banknoten der Banque royale wurden als Zahlungsmittel so geschätzt, daß sie bis zu 10 % Agio erhielten, und die Bank erhöhte ihren Notenumlauf bis Ende 1719 auf 1 Milliarde Livres. Law selbst war durch seine 1720 erfolgte Ernennung zum Generalkontrolleur der Finanzen auf dem Höhepunkt seiner Macht angelangt. — Eine Wendung trat ein, als bei der Bilanz der Compagnie 1720 sich herausstellte, daß die Erträgnisse sehr unbedeutend waren, und die Kolonie Louisiana erfüllte in keiner Weise die auf sie gesetzten Erwartungen. Jetzt suchte das Publikum sich der Aktien und der Banknoten zu entledigen und dafür Sachwerte zu erlangen. — Um die Bank vor Metallentziehungen zu bewahren, wurde eine Anzahl von Edikten erlassen, um das Metallgeld möglichst im Wert zu drücken. Durch diese Edikte sollte z. B. das Aufspeichern von Bargeld unterdrückt, der Gebrauch von Metall nur für kleine Zahlungen gestattet, die Ausfuhr von Edelmetallen untersagt, der Wert der Gold- und Silbermünzen verringert, das Tragen von Edelsteinen und Perlen, die Einfuhr von solchen, sowie die Anfertigung von Silbergerät verboten und die Banknoten mit Zwangskurs im ganzen Reiche ausgestattet werden. — Als zur Beseitigung des Mißtrauens beschlossen wurde, die Noten zu 10 Livres einzuziehen, war der Andrang zur Bank so groß, und es wurde der Bank soviel Geld entzogen, daß es nötig wurde, aufs neue die Aufbewahrung von mehr als 500 Livres in Metallgeld zu verbieten (27. Februar 1720). Der Notenumlauf war bis zum 22. Mai 1720 auf 2700 Millionen Livres gestiegen. Angesichts der immer größeren Entwertung der Banknoten sah sich Law genötigt, den Wert der Banknoten zunächst um $^1/_5$ und allmählich bis auf die Hälfte zu vermindern. Dadurch wurde der Sturz des ganzen Unternehmens herbeigeführt. Der Bargeldumlauf mußte freigegeben werden, und bei der Rechnungslegung stellte es sich heraus, daß fast 3 Milliarden Banknoten nur durch 21 Millionen Livres in Bargeld, 28 Millionen Livres in Barren und 240 Millionen Livres in Wechseln gedeckt waren. Neue Kursstürze und Paniken waren die Folge.

Als am 1. Juni 1720 die Kasse der Bank zur Einlösung der Noten zu 100 und 10 Livres aufs neue geöffnet wurde, war der Andrang so groß, daß die Bank gezwungen wurde, zu schließen und die Noteneinlösung ganz einzustellen. Von einer Einlösung der größeren Notenabschnitte war überhaupt keine Rede mehr. Sie sollten bis 1. November außer Kurs gesetzt und in 2 proz. Rentenbriefe umgewandelt werden und durch Dekret vom 10. Oktober wurden die Noten ganz außer Kurs gesetzt, und damit war das Ende der Bank besiegelt. Law selbst verließ Frankreich, nachdem sein ganzes Vermögen konfisziert war und wandte sich dann 1725 nach Belgien und England und zuletzt nach Italien, wo er in Venedig im Jahre 1729 in dürftigen Verhältnissen gestorben ist.

§ 34. Das Papiergeld der französischen Revolution 1789—1797[1]).

Die Schuldenlast am Vorabend der Revolution betrug 4¹⁄₂ Milliarden Livres, während der Wert des gesamten jährlichen Volks-

---

[1]) Ich folge in meiner Darstellung der neuesten quellenmäßigen Bearbeitung der Assignatenwirtschaft durch S. A. Falkner (Professor der Politischen Ökono-

einkommens sich auf 2,88 Milliarden stellte. Die Ausgaben des Staates erreichten 600 Millionen Livres jährlich; davon diente ein Drittel bis zur Hälfte der Verzinsung alter Schulden, ein weiteres Drittel wurde zum Unterhalt des Heeres, der Flotte und des Hofes verwandt. Ein Viertel verwandelte sich in eine neue Schuld.

Zur Erleichterung dieser Schuldenlast sollten der Verkauf der Staatsdomänen und die Ausgabe von Assignaten dienen. Die Assignaten waren in ihrer ersten Ausgabe Obligationen zur Befriedigung der Staatsgläubiger und nur in großen Stücken ausgegeben. Auch waren sie zu 5% verzinslich. Auf den Zusammenhang der Ausgabe der Assignaten und den Staatsländereien wurde immer wieder hingewiesen, so in dem Dekret vom 8./10. Oktober 1790: „Da die Assignaten das Grundeigentumsrecht an den Nationalgütern darstellen, so besitzen sie einen so realen und offensichtlichen inneren Wert (valeur intrinsèque), daß sie bei allen Umsätzen mit Gold- und Silbergeld konkurrieren können. . .‟

Nach dem Sinne des Dekrets vom 19./21. Dezember 1789 konnte die endgültige Tilgung der Staatsschuld und die reale Befriedigung der Inhaber von Assignaten auf zweierlei Weise erfolgen: a) durch unmittelbaren Kauf von Ländereien für Assignaten (deshalb nennt das Dekret die Assignaten „billets d'achat de domaines nationaux") und b) durch den Verkauf von Ländereien an kauflustige Nichtassignatenbesitzer und die Tilgung der Assignaten durch auf diese Weise erlangte Mittel. — Demgemäß mußte die Einziehung und die Vernichtung der Assignaten vor sich gehen.

Das Dekret vom 16./17. April 1790 verfügte: „Die Assignaten geben eine Hypothek, ein Privileg und besonderen Rechtsanspruch sowohl auf den Ertrag wie auf den Erlös aus dem Verkauf der angegebenen Ländereien derart, daß ihr Erwerber das Recht erhält, zu verlangen, daß ihm mit gesetzlichen Mitteln b e w i e s e n werde, daß seine Zahlung zur Tilgung einer gleichen Summe von Assignaten dienen werde." Man folgte hierbei der Theorie L a w s über das Papiergeld. M i r a b e a u erklärte bei Einführung der Assignaten: „Es ist verfehlt, Assignaten gesichert auf der festen Grundlage solcher Staatsgüter mit gewöhnlichem zwangsgültigem Papiergeld zu vergleichen. Sie stellen wirkliches Grundeigentum, den sichersten Besitz von allen dar, den Boden, auf dem wir alle stehen. Warum ist denn eine Metallwährung wertbeständig? Weil sie auf Gütern von wirklichem, dauerhaftem Werte gegründet ist, gerade wie der Boden, der mittelbar oder unmittelbar die Quelle aller Werte ist[1]."

Allmählich aber wurde die Tilgung der in die Staatskassen zurückströmenden Assignaten immer mehr eingeschränkt und dann ganz eingestellt. Der Wert der zur Deckung der Assignaten bestimmten Ländereien wurde 1795 auf 7 Milliarden Frs. geschätzt, und das Band zwischen den Assignaten und ihrer Deckung durch das Grundeigentum lockerte sich immer mehr. Dadurch erhielten die Assignaten immer mehr die Natur des Papiergeldes. Schon am 29. September 1790 wurde die Verzinsung der Assignaten aufgehoben; zugleich wurden

---

mie an der Universität Moskau) in seiner Schrift: „Das Papiergeld der französischen Revolution 1789—1797" in den Schriften d. Vereins f. Sozialpolitik. 165. Bd., 3. Teil. München und Leipzig 1924.

[1] M a c l e o d , Theory and Pratice of Banking. London 1858. Vol. II, p. 343. Zitiert bei E i s l e r , a. a. O., S. 250.

die Einlösungs- und Tilgungsfristen immer unbestimmter. — Was die Festsetzung des Zwangskurses anlangt, so hat diese folgende Entwicklung genommen: In dem grundlegenden Dekret vom 19./21. Dezember 1789 werden wenigstens formal weder der Annahmezwang noch eine gesetzliche Wertrelation zum Metall, dem damaligen Hauptumlaufsmittel des Landes, festgestellt. — Aber ein Element des Zwangskurses wurde doch stillschweigend vorausgesetzt: das war die Aufdrängbarkeit bei Zahlungen des Staates.

Das zweite Dekret vom 16./17. April 1790 bestimmte: „Die durch das Dekret vom 19./21. Dezember 1789 geschaffenen Assignaten werden im Verkehr zwischen allen Personen in der ganzen Ausdehnung des Königsreichs M ü n z k u r s haben (auront cours de monnaie) und bei allen öffentlichen und privaten Kassen e b e n s o w i e   k l i n g e n d e   M ü n z e   a n g e n o m m e n   w e r d e n."

Die königliche Proklamation vom 19. April 1790, die von N e c k e r verfaßt ist, gibt ganz unerwarteterweise die Auslegung, daß die Assignaten Zwangskurs haben nur zur Tilgung von Verbindlichkeiten aus K r e d i t g e s c h ä f t e n, zur Zahlung von Schulden; für das ganze gewaltige Gebiet des Warenverkehrs fehlt ihnen diese rechtliche Grundlage. Hier soll nur „das patriotische Gefühl ein solches Verhalten allen guten Franzosen befehlen . . .".

Der Aufruf der Nationalversammlung, der vom 30. April datiert und am 3. Mai 1790 veröffentlicht ist, steht auf dem genau entgegengesetzten Standpunkt. Wir finden hier die Formel: „Die Nationalversammlung verleiht den Assignaten einen o b l i g a t o - r i s c h e n   K o n v e n t i o n a l w e r t."

So wurde ein System paralleler Währungen geschaffen, die wertmäßig durch nichts miteinander verbunden waren. Und da die große Menge Hartgeldes, die auf 2,2 Milliarden Livres berechnet wurde, alle wesentlichen Aufgaben als Umlaufsmittel erfüllte, so mußte die ständig wachsende Assignatenmenge, die ihr, obwohl gesellschaftlich für den Umlauf nicht notwendig, zugesetzt wurde, sich entwerten.

Das Dekret vom 8. April 1793 ordnete an, künftig seien bei allen wirtschaftlichen Operationen des Staates die Preise ausschließlich in Assignaten auszudrücken. Alle Klauseln über Zahlungen in Metall werden verboten.

Durch das Dekret vom 11. April wird dieser Grundsatz auch auf alle privaten Geschäfte ausgedehnt.

„Keinerlei Käufe, Verkäufe, Verträge, Übereinkünfte oder Geschäfte" dürfen von nun ab andere als in Assignaten ausgedrückte Verpflichtungen enthalten. Zu sechs Jahren Kerker wird . . . verurteilt, wer überführt ist, verschiedene Preise, je nachdem in Metallgeld oder in Assignaten gezahlt wird, festgesetzt oder angeboten zu haben; jedoch wird den Besitzern von Metallgeld „nicht die Möglichkeit verboten, es al pari mit den Assignaten zu verwenden". Die Dekrete vom 1. August und vom 5. September 1793 endlich, welche dieselben Sätze wiederholen, gehen mehr ins einzelne und bauen das System der Strafen für alle darunter fallenden Vergehen aus, sogar Äußerungen zur Diskreditierung der Assignaten werden bestraft.

So kann man in der Geschichte der Assignaten als Umlaufsmittel drei Hauptstadien unterscheiden: a) bei der Schaffung der Assignaten überwogen in ihnen deutlich die Kreditfunktionen, b) etwa vom August 1790 bis zum Frühling 1793 wird ihnen die Stellung eines Umlaufsmittels neben dem Metallgeld zuerkannt, und c) seit dem Frühjahr 1793 werden die Geldfunktionen für sie monopolisiert; das Metall wird endgültig aus dem Umlauf verdrängt.

Endlich ist noch ein Prozeß zu beachten, in dem äußerlich die Veränderung des wirtschaftlichen Wesens der Assignaten zum Ausdruck kam: es werden immer kleinere Abschnitte ausgegeben. Das zweite Dekret vom 16./17. April 1790 sieht Abschnitte von 1000, 300 und 100 Livres vor, was sie Geldzeichen von allerdings sehr großen Nominalwerten annähert. — Die dritte, am 29. September dekretierte Ausgabe umfaßte Abschnitte von 2000, 500, 100, 90, 80, 70, 60 und 50 Livres.

In dem Maße, wie das Münzgeld (außer den Kupfermünzen) ein Aufgeld erzielte und aus dem Verkehr verdrängt wurde, wurden noch kleinere Abschnitte nötig. Nach langem Zögern war die Verfassunggebende Nationalversammlung endlich genötigt, am 6. Mai 1791 die Ausgabe von 5-Livres-Assignaten zu dekretieren, die wieder auf Kosten der Ausgabe von großen Abschnitten erfolgte. Jetzt erzielte schon jedes Hartgeldstück ein beträchtliches Aufgeld und wurde aus dem Umlauf verdrängt. Ferner entstand eine große Menge verschiedenerlei Privatgeldes. — Unter diesen Umständen schaffte die Verfassunggebende Nationalversammlung endlich auch ganz kleine Assignatenstücke zu 50, 25 und 10 Sou (Dekrete vom 16. und 28. Dezember 1791) und ergänzt auch das alte Stückelungssystem durch Abschnitte zu 25 und 10 Livres (Dekret vom 17. Dezember 1791). Und erst seit dieser erzwungenen Vollendung des Systems des staatlichen Papiergeldes fangen die Goldsurrogate und das Privatgeld an, allmählich aus dem Umlauf gezogen zu werden.

Sehr bald trat die oben von mir festgestellte Wirkung des Papiergeldes, die Agiobildung, in die Erscheinung. Während der Kurs der Assignaten zum Metallgeld sich bis zum März 1791 auf 90 hielt, schritt die Entwertung in der zweiten Hälfte des Jahres 1791 und in der ersten des Jahres 1792 bis auf 57 % ihres Nominalwertes fort.

Seit April 1793 war durch Gesetz ein Aufgeld für Metall bei der Bewertung der Assignaten verboten; das Gesetz schrieb die Gleichwertigkeit der beiden Arten von Umlaufsmitteln vor. Natürlich wurde dadurch das Hartgeld aus dem Warenverkehr vollkommen verdrängt. Die wohlhabenden Gruppen der Bevölkerung thesaurierten es, es konzentrierte sich im Kapitalverkehr, und teilweise floß es ins Ausland ab.

Wie stark die Entwertung der Assignaten allmählich wurde, lehrt folgende Tabelle:

Jahr	Durchschnittskurs für den Januar jeden Jahres Livre	Jahr	Durchschnittskurs für den Januar jeden Jahres Livre
1790	96	1794	40
1791	94	1795	18
1792	92	1796	0,46
1793	51		

Auf der anderen Seite war der Umlauf der Assignaten immer mehr angeschwollen, worüber folgende Tabelle Aufschluß gibt:

Datum	Assignatenumlauf in Millionen Livre	Datum	Assignatenumlauf in Millionen Livre
1789 1. August	120	1792 1. April	1550
1790 1. Oktober	400	1. Mai	1650
1791 1. Juni	912	1. August	1800
1. Oktober	1151	22. September	1972
1. November	1520	1793 1. Januar	2825
15. Dezember	1400	1. Mai	3100
		1. August	3775

Auch eine allgemeine Preissteigerung trat ein. Aus folgender Zusammenstellung der ,,Gazette Française" vom 3. Vendémiaire des Jahres IV geht dies hervor:

Waren	Preis in Livre		Waren	Preis in Livre	
	1790	1795		1790	1795
1 Scheffel Mehl . .	2	225	1 Scheffel Holzkohle	— 7 Sou	10
1 Scheffel Bohnen .	4	126	1 Paar Strümpfe. .	3	10
½ Flasche Orl.-Wein	80	2400	1 Elle Elbeufer Tuch	18	306
Flößholz	20	500			

Generalindex für 24 Gegenstände 1790: 164 L. 17 S.; 1795: 5642 L.

Dennoch wäre es falsch, einen Parallelismus zwischen der ausgegebenen Menge der Assignaten und der Entwertung des Papiergeldes und der Steigerung der Warenpreise anzunehmen. Außer der Menge des Papiergeldes spielte auch das immer wechselnde Vertrauen bzw. Mißtrauen zum Papiergeld eine große Rolle, und für dieses Vertrauen waren wiederum die politischen Verhältnisse von großer Bedeutung. So notierten z. B. die Assignaten:

im Januar 1792 . . . . 72 für 100
,, Juli 1792 . . . . 57 ,, 100
,, November 1792 . . . . 73 ,, 100
,, Dezember 1792 . . . . 72 ,, 100

In den letzten Monaten des Jahres 1792 waren die äußeren Siege der von Dumouriez geführten französischen Truppen bei Valmy, am Rhein und in Belgien für diese Steigerung entscheidend.

Umgekehrt spiegelte sich die scharfe Verschlechterung der Kriegslage zu Anfang des Jahres 1793 in einem ebenso scharfen Sturz des Metallkurses der Assignaten wider: der Verrat Dumouriez, der Rückzug der französischen Truppen vom Rhein, die royalistischen Aufstände im Innern, das alles wurde bei den Börsengeschäften als Momente in Rechnung gestellt, welche die Wahrscheinlichkeit einer Befestigung des Finanzsystems und die Wiederherstellung der Vollwertigkeit des Papiergeldes verminderten. — Der Kurs der Assignaten fiel vom Januar bis zum August, dann warf ihn die neue Verbesserung der allgemeinen Lage wieder steil empor.

Mitte 1795 nahmen die Schwankungen des Assignatenkurses einen ganz ungewöhnlichen Charakter an. Im Laufe von 1—2 Std. pflegte ihr Kurs um 20—25% zu fallen und manchmal auch zu steigen. Die völlige Entwertung der Assignaten mußte dann auch zu ihrer Annullierung führen. Durch Dekret vom 25. April 1795 wurde der Zwangskurs der Assignaten in Metallgeld für Geschäfte unter Privaten aufgehoben. Es folgte das Gesetz vom 30. Januar 1796, wodurch die öffentliche Vernichtung aller Gegenstände, die zur Herstellung der Assignaten dienten, angeordnet und zwar auf den 19. Februar 1796 festgesetzt wurde.

Über die weiteren Schicksale der französischen Währung und über die endgültige Sanierung des Geldwesens werde ich an späterer Stelle dieses Werkes berichten. Ebenso werde ich noch weitere Beispiele zur Papiergeldwirtschaft, namentlich des englischen und deutschen Papiergeldwesens, bringen, nachdem ich das Valutaproblem erörtert habe, und dort werde ich auch den Zusammenhang zwischen dem Binnenwert und dem Außenwert des Papiergeldes betrachten.

7. Kapitel.

Die Knappsche Geldtheorie.

§ 35. Darlegung der Knappschen Geldtheorie.

I. Knapp als Vertreter der nominalistischen Geldtheorie.

Die herrschende Geldtheorie, zu der sich auch der Verfasser dieses Werkes bekennt, ist die sog. metallistische. Nach dieser Geldtheorie ist das Edelmetall, welches in den geprägten Münzen enthalten ist, für den Wert der einzelnen Münzen maßgebend. Ferner lehrt diese Theorie, daß jedes rationelle und volkswirtschaftlich gesunde Geldwesen innerhalb der kapitalistischen Volkswirtschaftsform auf einer Währung mit metallistischer Basis beruhen muß. Die Rolle, die der Staat gegenüber dem Geldwesen zu spielen hat, ist nach der metallistischen Theorie eine verhältnismäßig untergeordnete; er hat im wesentlichen nichts anderes zu tun, als dafür zu sorgen, daß der Metallgehalt der Münzen ihrem Nominalwerte entspricht, daß gesetzliche Maßregeln gegen Verschlechterung der Münzen getroffen werden und vor allem dafür, daß alle gesetzlichen Zahlungsmittel, die nicht aus dem Währungsmetall hergestellt sind, gegen das Währungsgeld einlösbar werden.

Nach dieser Theorie hat der Staat mit seinem Geldwesen nichts Neues geschaffen, sondern er hat nur das übernommen und mit größeren Kautelen umgeben, was bereits vor der staatlichen Regelung des Münzwesens auf den primitiveren Stufen des Tausch- und Geldverkehrs stattfand; einerlei, ob das Tauschmittel Muscheln, Stücke Vieh oder Edelmetallbarren waren, stets hatte man einen wertvollen Gegenstand zu diesem Dienste herangezogen. Der Staat hat in seiner Münzordnung diese wertvollen Gegenstände einer gesetzlichen Regelung und öffentlichen Kontrolle unterworfen.

Im Gegensatz zu der metallistischen Lehre steht die nominalistische Theorie. Nach dieser Theorie ist für den Wert des Geldes nicht das in der Münze enthaltene Metall entscheidend, sondern vielmehr der Nominalwert, der durch staatliche Proklamation dem Zahlungsmittel beigelegt wird. Da diese Zahlungsmittel nicht nur aus Metall, sondern auch aus Papier oder sonstigen wertlosen Stoffen hergestellt werden können, ist der Substanzwert des Geldes für das Wesen desselben nicht entscheidend.

Knapp ist keineswegs der erste Vertreter der nominalistischen Theorie; schon vor Knapp hat es Geldtheoretiker gegeben, die auf dem Boden des Nominalismus standen. Knapp selbst erwähnt Heyn mit seinem 1894 erschienenen Werke: ,,Papierwährung mit

Goldreserve für den Auslandsverkehr" und die 1900 erschienene
„Philosophie des Geldes" von S i m m e l als zwei Werke, mit denen
er sich „verwandt" fühle. — Aber ganz abgesehen von diesen unmittelbaren Vorläufern hat immer, solange es überhaupt eine Geldliteratur gibt, darüber ein Streit bestanden, ob die Bedeutung des
Geldes in der wertvollen Substanz oder in der vom Staat proklamierten Gültigkeit bestehe. K n a p p hat die nominalistische Auffassung des Geldes nicht nur mit besonderem Nachdruck vertreten,
sondern ihr auch in seinem Werke eine so gründliche, scharfsinnige,
sowohl in theoretischer wie in praktischer Hinsicht tiefgehende Begründung gegeben, daß seit dem Erscheinen dieses Werkes die nominalistische Theorie in den Vordergrund der Diskussion über Geldwesen getreten ist, und K n a p p hat für seine Auffassung zahlreiche Anhänger und Nachfolger gefunden.

2. Die Nominalität der Geldeinheit.

Nach K n a p p ist es nicht notwendig, daß das Geld eine
real darstellbare Werteinheit sein müsse. Er erklärt das Geld für
ein „Geschöpf der Rechtsordnung" und folgert daraus, daß eine
Theorie des Geldes nur rechtsgeschichtlich sein könne. Die Rechts-
geschichte weise aber eine Menge von Geldarten auf: neben dem gemünzten Geld z. B. auch Papiergeld. Eine Theorie des Geldes müsse
a l l e Arten des Geldes umfassen, auch das „schlechte Geld" müsse
in die Theorie einbezogen werden.

Alles Geld ist nach K n a p p , und zwar einerlei, ob es aus
Metall oder Papier besteht, nur eine Unterart der Zahlungsmittel;
vom Begriff des Zahlungsmittels müsse man ausgehen, denn es gäbe
Zahlungsmittel, die noch nicht Geld seien, später solche, die Geld
seien und schließlich solche, die nicht mehr Geld seien. Was ist aber
ein Zahlungsmittel? Nehmen wir ein Beispiel: eine Mark. Der
„Metallist" erklärt: die Mark ist der 1395ste Teil eines Pfundes Gold.
Dieses ist aber, meint K n a p p , nur eine technische Definition,
es gäbe auch Zahlungsmittel, die mit dem Metall gar nichts zu tun
hätten, z. B. Papiergeld. Der theoretische Mensch müsse daher
Nominalist werden, d. h. er dürfe die Realität der Metallmenge nicht
zugrunde legen. Die Seele des Geldes liege nicht im Stoffe der Platten,
sondern in der Rechtsordnung, die den Gebrauch regelt.

Die Werteinheit ist also längst nominal geworden, sie ist ein
historisch definierter Begriff, der unserer Rechtsordnung angehört.
Die Definition der Mark lautet: Eine Mark ist der dritte Teil der vorausgegangenen Werteinheit, des Talers.

Die bisher aufgestellten Behauptungen konnten die Meinung
erwecken, daß von K n a p p die Herstellung der Geldstücke
aus Papier empfohlen werde, woraus sich die Gefahr einer
Mißwirtschaft ergäbe, wie man sie in Österreich, Rußland, zeitweilig auch in Frankreich und in England während der Revo-
lutionskriege erlebt habe. Daher, meint K n a p p , solle man dies
beachten: Die staatliche Theorie empfiehlt weder diese noch eine
andere Herstellung der Geldarten, sondern stellt nur fest, was in
allen das Gemeinsame sei, nämlich die autoritative Geltung der
Stücke mit der Folge, daß jedenfalls der Staat selbst sie in Zahlung
annimmt. Keineswegs sei aber die Schilderung des Geldwesens dadurch erschöpft, daß wir nur von der Herstellung der Stücke aus

diesem oder jenem Stoffe reden; das sei vielmehr der Fehler, den die Metallisten so leicht begingen. Für K n a p p gibt es vielmehr eine „lytrische" Verwaltung, d. h. eine weit umfassendere Tätigkeit des Staates, um das Zahlungswesen zu ordnen. Die Herstellung der Stücke sei nur ein Teil dieser Tätigkeit. Auch müsse, sagt K n a p p, zur Beruhigung der Gemüter gesagt werden: „Es liegt der staatlichen Theorie durchaus fern, die sog. Papierwirtschaft zu empfehlen. Sie besteht darin, daß der Staat in Fällen dringender Not sich entschließt, uneinlösliches Papiergeld in großen Mengen auszugeben, wie es z. B. in Österreich 1866 geschah, als man die Staatsnoten im Betrage von 312 Millionen Gulden schuf und ihnen den Zwangskurs beilegte. Hier liegt eine Maßregel der Finanzpolitik vor; der Staat konnte auf keine andere Weise die notwendigen Zahlungsmittel aufbringen, weder durch Anleihen noch durch entsprechende Erhöhung der Steuerleistungen. Solche Zwangslagen traten auch mitunter auf durch entstehendes Defizit und sind als ein politisches Unglück aufzufassen, das natürlich niemand empfehlen wird. Wir sind selbstverständlich der Ansicht, daß die Ordnung im Staatshaushalt, das Gleichgewicht der Ausgaben und Einnahmen, den regelrechten Zustand darstellt; hingegen ist es allerdings Aufgabe der staatlichen Theorie, diesen Zustand ernst zu nehmen und zu schildern, insofern dadurch eine Neuordnung des Zahlungswesens in so beschaffenen Staaten begründet wird. Das Übel liegt dann nicht etwa in der papierenen Beschaffenheit der Zahlungsmittel, wie die Metallisten glauben, sondern im Verfall der staatlichen Finanzwirtschaft."

K n a p p definiert die Zahlungsmittel folgendermaßen: „Eine bewegliche Sache, die zirkulatorisch verwendbar ist, d. h. die weitergegeben werden kann, um andere Waren anzuschaffen."

Zu derselben Anschauung, daß für das Zahlungsmittel nicht der W e r t d e s M e t a l l s bestimmend sei, müsse man auch kommen, wenn man sich der Veränderlichkeit der Zahlungsmittel erinnere. Die Zahlungsmittel würden vom Staat von Zeit zu Zeit geändert; damit veränderten sich auch in der Regel dem Werte nach die Schulden, die in dem alten Zahlungsmittel aufgenommen worden seien. Der Staat fasse also die Schulden nicht als Realschulden auf, sondern als Nominalschulden, welche mit dem Zahlungsmittel getilgt werden können, das zur Zeit der Kündigung üblich sei.

3. Das Geld als chartales Zahlungsmittel.

In den bisherigen Betrachtungen war davon ausgegangen worden, daß sich im Verkehr ein bestimmtes Gut oder richtiger ein bestimmter Stoff zum Zahlungsmittel entwickelt hatte. Die Bestimmung darüber, welcher Stoff dies sei, war der Rechtsordnung überlassen. Aber gibt es nicht noch eine weitere Stufe der Entwicklung, wobei die Zahlungsmittel etwas anderes sind als ein zu diesem Zweck auserkorener Stoff? Dieser Zustand werde erreicht, wenn die Bestimmung, Geld zu sein, nicht an einem bestimmten Stoff hafte, z. B. einem Edelmetallbarren, sondern nur ganz bestimmt bezeichneten Stücken zukäme, den sog. Münzen. Sobald als Zahlungsmittel nur solche Stücke von der Rechtsordnung zugelassen seien, die mit bestimmten Zeichen versehen seien, sei die sog. „chartale" Verfassung. Darum definiert K n a p p : „Geld ist chartales Zahlungsmittel." Die früheren Zahlungsmittel in Form von Edelmetallbarren seien darum noch nicht Geld. „Die rechtliche Bedeutung chartaler Zahlungsmittel ist also nicht aus dem Stück Silber erkennbar; das Stück trägt nur Zeichen, was sie aber bedeuten, steht in den Gesetzen oder in anderen Rechtsquellen." Sobald aber die chartale Verfassung des Geldes erreicht sei, sei damit auch die Möglichkeit erreicht, Zahlungsmittel nicht nur aus wertvollen Stoffen, sondern auch aus ganz wertlosen Stoffen, z. B. aus Papier auszugeben: „Durch Chartalität wird der Begriff des Zahlungsmittels unabhängig vom Stoff. Daß ein Zahlungsverkehr nur möglich sei bei einer real darstellbaren Werteinheit, sei ein Irrtum. Beim Eintritt der Chartalverfassung läge die Sache so: „Es sind Schulden in der früheren Werteinheit da; die jetzige Werteinheit aber wird nicht real definiert, sondern dadurch, daß der Staat angibt, wieviel jetzige Werteinheiten (z. B. Mark) gegeben werden müssen, um die Schuld im Betrage der früheren Werteinheit (Taler) zu tilgen; und wenn man nach den Zahlungsmitteln fragt, so ergeben sich dieselben natürlich nicht aus nur historischen Definitionen der Werteinheit, sondern aus der besonderen Beschreibung der Stücke, zu welcher auch gehört, wieviel Werteinheiten jedes Stück gilt. Dieses Gelten ist aber rein autoritativ. Ein bestimmter Gehalt der Stücke ist weder gefordert noch ausgeschlossen."

Wegen dieser Begriffsbestimmung des Geldes als eines chartalen Zahlungsmittels wird die K n a p p sche Geldtheorie als chartalistische Theorie bezeichnet. Also: innerhalb der nominalistischen Richtung, zu der K n a p p gehört, vertritt er speziell die chartalistische Theorie.

4. D i e B e d e u t u n g d e r s t a a t l i c h e n V e r w a l t u n g s t ä t i g k e i t f ü r d a s G e l d. (V a l u t a r i s c h e s u n d a k z e s s o r i s c h e s G e l d.)

Auch in der Definition und Einteilung des staatlichen Geldes weicht K n a p p von der üblichen Erklärung ab. Im Gegensatz zu meiner Trennung des Geldes in die gesetzlichen Zahlungsmittel als Geld im engeren Sinne und die Geldsurrogate stellt K n a p p einen weiteren Begriff des Geldes auf. Die staatliche Emission dürfte nicht maßgebend sein, weil sonst die Banknoten ausgeschlossen würden, die unter Umständen Geld sein könnten. Aber auch der allgemeine Annahmezwang sei nicht von Bedeutung, denn es gebe auch Geldarten, denen ein solcher Zwang nicht beiwohne, wie z. B. die deutschen Reichskassenscheine. Nach K n a p p ist vielmehr das Kennzeichen des Geldes die Annahme bei Zahlungen, die an staatliche Kassen gerichtet sind. Zum Geld gehören nach K n a p p alle Zahlungsmittel, mit denen man an den Staat Zahlung leisten könne; also sei auch nicht die Rechtsordnung, d. h. die gesetzlichen Bestimmungen über die Annahmepflicht für den Begriff des staatlichen Geldes maßgebend, sondern die staatliche Verwaltungstätigkeit. Während z. B. bei uns in Deutschland üblicherweise die Zahlungsmittel so eingeteilt werden, daß man die Goldmünzen und Taler als gesetzliches Geld auf die eine Seite stellt und ihnen gegenüber alle übrigen Geldarten als fakultatives Geld oder als Geldsurrogate, will K n a p p eine neue Unterscheidung vornehmen, nämlich in valutarische und akzessorische Geldarten. — Sind nämlich mehrere definitive Geldarten vorhanden, d. h. solche, in denen

Zahlungen endgültig geleistet werden können, so hat der Staat die Wahl, in welcher Geldart er Zahlung leisten will. Daraus ergibt sich der Begriff des valutarischen Geldes. Dieses ist dasjenige, welches der Staat bei seinen Zahlungen regelmäßig hergibt, bzw. dem Publikum „aufdrängt".

Das akzessorische Geld dagegen ist dasjenige, welches, obwohl damit endgültige Zahlungen geleistet werden konnten, doch nicht vom Staat bei seinen Zahlungen aufgedrängt wird. — Auf Grund dieser Unterscheidung erklärt K n a p p unsere deutschen Taler als akzessorisches Geld und die Goldmünzen als valutarisches Geld.

In Frankreich waren zur Zeit der gesetzlichen Doppelwährung abwechselnd die goldenen und silbernen Fünf-Francs-Stücke valutarisches Geld. — Demnach ist für die Frage, welches Geld in einem Lande die maßgebende Rolle spielt, nicht entscheidend, was die Rechtsordnung als gesetzliches Zahlungsmittel bezeichnet, sondern die tatsächlich von der Staatsverwaltung ausgeübte Praxis der Zahlungsleistung: „Nicht die Gesetze entscheiden, was valutarisches Geld sein soll; sie drücken nur einen frommen Wunsch aus, denn sie vermögen nichts gegen ihren Erzeuger, den Staat; sondern das tatsächliche Verhalten des Staates bei seinen Zahlungen entscheidet, was valutarisches Geld ist, und danach richten sich die Gerichtshöfe."

5. Die Banknoten als Kassenscheine der Bank.

Auch hinsichtlich der Banknoten vertritt K n a p p eine von der herrschenden Theorie abweichende Auffassung. Es sei unrichtig, wenn man sie als ein einlösliches Zahlungsmittel erkläre. Die Definition der Banknoten müsse so weit sein, daß auch die uneinlöslichen Banknoten darunter fallen. Daher definiert K n a p p: „Die Banknote ist ein Kassenschein der Bank." Die Banknoten sind nach K n a p p auch staatliches Geld, wenn sie nämlich als staatliche Kassenscheine zugelassen sind, d. h. sobald der Staat erklärt, daß er sie bei Zahlungen, die an ihn gerichtet sind, annimmt, und zwar einerlei, ob sie einlöslich oder uneinlöslich sind. Sie können valutarisches Geld sein, wenn der Staat sie bei seinen Zahlungen aufdrängt, oder akzessorisches, wenn er sie nicht aufdrängt.

In ähnlicher Weise wie die Banknoten betrachtet K n a p p auch die Girozahlungen. Die Banknote als chartales Zahlungsmittel von privater Emission sei zunächst nur Privatgeld, sie könne aber zu Staatsgeld werden, sobald der Staat die Akzeptation ausspricht, indem er erklärt, daß die Banknoten an seinen Kassen als Zahlungsmittel angenommen würden. Die Girozahlung sei ebenfalls zunächst ihrer geschichtlichen Entstehung nach eine Zahlung in privaten Gemeinschaften, aber auch sie kann zur Zahlung in der staatlichen Gemeinschaft erhoben werden, ebenfalls durch Akzeptation, indem der Staat in die Girogemeinschaft eintrete und also zulasse, daß Zahlungen an ihn durch Benutzung der Giroeinrichtung geleistet werden dürfen. Hierbei werde nicht ein sachliches Zahlungsmittel akzeptiert, sondern ein rechtliches Zahlungsverfahren.

6. Die Ursachen der Einführung der Goldwährung.

Daß die Goldwährung in den meisten Kulturländern den Sieg über die anderen Währungssysteme davongetragen hat, wird in der

Regel durch die relative Wertbeständigkeit des Goldes und die
sonstigen Vorzüge, die in dem Edelmetall Gold begründet sind,
erklärt. Diese Auffassung weist K n a p p als „metallistische Beschränktheit" zurück. Er meint vielmehr, daß die Wahl des Goldes
als Währungsmetall nichts mit den Eigenschaften des Goldes zu tun
hätte, sondern daß sie lediglich behufs zweckmäßiger Einwirkung
auf die Wechselkurse der handelspolitisch wichtigen Nachbarstaaten
erfolgt sei. Die allgemeine Verbreitung der Goldwährung hat nach
K n a p p ihren Grund in der bewußten Durchführung staatlicher
Maßnahmen. Da das Gold in den handelspolitisch wichtigsten Staaten
eingeführt war, hätten sich die schwächeren Staaten anschließen
müssen zum Schutze des Paristandes der Wechselkurse. Das alles
sei aber nur historisch zufällig gewesen. Wäre Silber das Haupt-
währungsmetall gewesen, so hätten sich diese Manipulationen auch
ebenso leicht unter der Herrschaft der Silberwährung ausführen
lassen. Die Metallqualität des Goldes sei nicht ausschlaggebend,
es sei sozusagen historisch zufällig gewesen, daß die Erleichterung
der Aufrechterhaltung des Paristandes durch Wahl des Goldes und
nicht des Silbers zustande gekommen wäre.

7. D i e B e s t i m m u n g s g r ü n d e d e r W e c h s e l k u r s e.

Wir erwähnten soeben die Wechselkurse; gerade in bezug hierauf aber, d. h. in bezug auf die Bestimmungsgründe der Wechselkurse, will K n a p p die herrschende Theorie gänzlich umstoßen.
An Stelle des Ausdrucks „Wechselkurs" will K n a p p die Bezeichnung „intervalutarischen" Kurs treten lassen. Die Existenz
von Wechselbriefen sei nicht wesentlich für die internationalen Zah-
lungs- und Handelsbeziehungen, die hier in Betracht kämen, sondern
es käme auf das „valutarische" Geld der betreffenden Länder an.
Bei der Betrachtung des sog. „Wechselkurses" geht man in der
Regel von der Parität aus, welche zwischen zwei Ländern mit gleicher
metallischer Währung, z. B. zwischen England und Deutschland,
besteht. Ein solches „natürliches" Münz-Pari leugnet K n a p p.
Nur der Kurszettel entscheide, wieviel Mark 1 Pfund Sterling im
Einzelfalle wert sei. K n a p p behauptet, daß der Normalzustand
ein b e w e g l i c h e r Kurs und nicht ein f e s t e r Kurs sei:
„Wer von der Annahme ausgeht, eigentlich sei der Kurs fest, der
kann niemals die Beweglichkeit begreifen; wohl aber kann die zeitweilige Festigkeit begriffen werden, wenn man von der Annahme
der Beweglichkeit ausgeht." Die Höhe des auswärtigen Wechselkurses soll im einzelnen Falle von den gesamten Beziehungen beider
Länder, aus denen Zahlungen entstehen, abhängen. Auch hier hat
K n a p p eine neue Bezeichnung geprägt. Der Kurs wird „panto-
polisch" bestimmt. Er will damit sagen, daß der Kurs auf einer
Preisbildung beruhe und daß diese Preisbildung abhänge von allen
Zahlungsverpflichtungen zwischen den Ländern und den Stimmungen,
die für alle Preisbildungen maßgebend seien. Der Metallhandel soll
dabei zwar nicht gleichgültig sein, aber doch nur eines der vielen
Momente darstellen, die auf die Preisbildung einwirken.

Wie erklärt K n a p p, daß man trotzdem von Unter-
und Überparität spricht? Dies habe nur insofern Berechtigung,
als man allerdings ein Pari anerkennen müsse, welches aber
nicht aus den Geldverfassungen der betreffenden Länder hervor-

ginge, sondern durch die P o l i t i k d e r b e t e i l i g t e n S t a a t e n
künstlich geschaffen würde: „Der Frank", sagt K n a p p , „ist
nicht an sich 81 Pfennige in deutschem Gelde wert, sondern es besteht die Politik, ihn auf diesem Wert zu erhalten. Der Rubel ist
nicht (1903) an sich 2,16 Mk. wert, sondern es besteht die Politik,
ihn auf diesem Wert zu erhalten. Lange Zeiten hindurch kann diese
Politik erfolgreich sein, indem mit ganz kleinen Kursschwankungen
nach oben oder unten jener Kursstand verwirklicht wird. Dann aber
treten mitunter Krisen ein, welche beweisen, daß das Pari nur ein
politisches Ziel war, dessen Festhaltung plötzlich nicht mehr gelingt — und in solchen Augenblicken tritt die Wahrheit wieder
hervor, daß das Pari nur die Wirkung einer regulierenden Politik
ist und nicht bereits aus den Geldverfassungen an sich hergeht"
(S. 212). Das Pari zwischen England und Deutschland z. B. sei
nur deshalb vorhanden, weil die Staaten beiderseitig sich entschlossen
hätten, den Kursstand, der dem Münzpari entspräche, als Pari zu
betrachten und durch besondere Einrichtungen aufrechtzuerhalten.
Das Münzpari könne zum Ziel der Handelspolitik genommen werden,
es sei aber nicht notwendig, es könnte auch ein anderes Ziel aufgestellt werden. Der Kurs selbst wird nach K n a p p stets durch
die Handelsbeziehungen, wenn auch unter gelegentlicher Mithilfe
der staatlichen Verwaltung, g e s c h a f f e n. Die herrschende Auffassung, daß zuerst ein Kurspari da sei, und daß die Handelsgeschäfte sich hier anlehnten, wird als falsch zurückgewiesen:
„Die Handelsgeschäfte setzen stets nur voraus, daß ein Kurs da
sei, nicht aber, daß ein fester da sei, und benützen den Kurs, welcher
eben zufällig besteht, als Ausgang ihrer Berechnungen. Sie gehen vom
heutigen Kurs aus und helfen den morgigen Kurs schaffen" (S. 218).
    Auch bei der Regelung der Schwankungen des Wertverhält-
nisses zwischen zwei Metallen, z. B. zwischen Gold und Silber, soll
die „metallistische" Theorie versagen. Diese Theorie erklärt einfach das Auf und Ab der Preise von Gold und Silber durch den Umfang der Produktion der betreffenden Metalle. Anders K n a p p :
Wie erklärt er z. B. den Einfluß der großen Goldvermehrung um
das Jahr 1850 auf den Silberpreis? Nicht wie der „Metallist": das
englische Geld wurde ungeheuer vermehrt, also verlor es an Wert
gegenüber dem Geld der Silberländer. Vielmehr müßten G e -
s c h ä f t e nachgewiesen werden, die den Kurs des Pfund Sterling
gegen das Geld der Silberländer herabdrückten, z. B. die Leute,
die durch Einlieferung des neuproduzierten Goldes in Besitz von
englischem Geld gelangten, kauften deutsche Staatspapiere; dadurch wurde die deutsche Silberwährung gehoben, das englische
Goldgeld sank dann gegenüber dem deutschen Silbergeld. Ohne
solche Geschäfte änderte sich der Valutakurs nicht, mit anderem
Valutakurs änderte sich das Wertverhältnis der beiden Edelmetalle
sofort.
    Nach der herrschenden Theorie findet eine automatische, d. h.
ohne staatlichen Eingriff sich vollziehende Ausgleichung des Wechselkurses zum Parikurs zwischen Ländern mit gleicher metallischer
Währung statt, also z. B. in England und Deutschland in der bekannten Weise, daß, wenn der Kurs des Pfund Sterling einen gewissen
Punkt — den sog. Goldpunkt — überschreitet, es vorteilhafter wird,
deutsches Geld nach England zu schicken und umgekehrt.

K n a p p hält auch diese Auffassung für irrig. Diese „automatische" Regelung fände nur statt, solange die Störungen der Parikurse von k u r z e r D a u e r und von g e r i n g e r S t ä r k e seien, sobald aber solche Störungen andauernd würden, z. B. dadurch, daß das eine Land aufhöre, wichtige Waren des anderen Landes zu beziehen, dann höre diese „automatische" Regelung auf, und es trete eine s t a a t l i c h e I n t e r v e n t i o n s t ä t i g k e i t. ins Mittel, um mit bewußter Absicht die Abweichungen des Valutakurses vom Pari zu beendigen. Als solche Maßnahme führt K n a p p z. B. die Erhöhung des Bankdiskontos an. Also nicht, wie gewöhnlich gesagt werde, um den Barbestand der Zentralbank zu schützen, werde diese Politik betrieben, sondern um das P a r i d e s V a l u t a - k u r s e s wieder herbeizuführen.

8. D i e Z u k u n f t d e s G e l d w e s e n s.

K n a p p meint, daß bei der künftigen Entwicklung des Geldwesens das sog. n o t a l e Geld ein stärkeres Übergewicht erhalten werde, also des nichtbaren Geldes, wobei K n a p p unter barem Geld nur das Metallgeld versteht, welches vollwertig ausgeprägt ist. Immer mehr nähmen die Zahlungen durch Banknoten, Kassenscheine, Schecks usw. zu. Die Barverfassung werde immer überflüssiger und sei überhaupt nur noch nötig, um die F e s t i g - k e i t d e r a u s w ä r t i g e n W e c h s e l k u r s e z u g e - w ä h r l e i s t e n. Für den inneren Verkehr eines Landes könnte das bare Geld überhaupt entbehrt werden; nur wegen des auswärtigen Verkehrs sei es vorläufig noch nützlich, an der Barverfassung festzuhalten. Freilich könnte die Beseitigung des baren Geldes aus dem inneren Verkehr auch nur unter der Annahme empfohlen werden, daß der Staat sog. W ä h r u n g s k a s s e n einrichtete. Diese Währungskassen hätten die Pflicht, stets auf Verlangen den Überbringern von „notalem" Gelde Goldgeld zu zahlen.

Aber auch für eine fernere Zukunft will K n a p p noch einen Ausblick tun, er meint nämlich, daß es wohl möglich sei, selbst den Zweck der Aufrechterhaltung der auswärtigen Wechselkurse ohne Bargeldverfassung zu erreichen. Wenn es z. B. weder in England noch in Deutschland bares Geld gäbe, sondern nur Noten der Bank von England und der Reichsbank, jene auf Pfund Sterling, diese auf Mark lautend, und wenn beiderseits Währungskassen bestünden, welche die Noten in den betreffenden Mengen rohen Metalls einlösten, so würde dies vollkommen genügen, um einen festen Kurs aufrecht zu erhalten. Immerhin ist auch hierbei noch die metallische Grundlage des Geldwesens beibehalten; könnte aber auch diese vielleicht beseitigt werden? Auch dies hält K n a p p für möglich. Wenn z. B. die beiden Staaten einen Entschluß über das einzuhaltende Pari faßten, z. B. England und Deutschland übereinkämen, daß 1 Pfund Sterling = 20 Mk. sein sollte, wenn dann England jederzeit für 1 Pfund Sterling 20 Mk. in deutschem Gelde, d. h. in uneinlösbarem Papiergeld bezahlte, und ebenso umgekehrt Deutschland für 20 Mk. stets 1 Pfund Sterling in englischem uneinlösbarem Papiergeld zahlte, so hätten wir hier tatsächlich ein Geldsystem ohne jedes Metall, und Gold und Silber würde dann nur noch für die Technik und die Industrie Interesse haben. Jeder Einzelstaat hätte dann freilich noch eine Reihe von Vorsichtsmaßregeln zu treffen, namentlich betreffend der Menge des auszugebenden Papieres, um einen Mißbrauch der Papiergeldausgabe zu vermeiden. Aber unter diesen Kautelen wäre ein solcher Geldverkehr ohne Metallgeld wohl denkbar.

Nochmals sei bemerkt: K n a p p hält keineswegs den Übergang zu einem solchen Geldsystem für empfehlenswert für die nächste Zukunft, wohl aber meint er, daß theoretisch ein solcher Zustand wohl denkbar wäre. Er empfiehlt vielmehr die Beibehaltung der jetzigen Goldwährung, aber nicht in Rücksicht auf den inneren Verkehr, sondern nur wegen der bequemeren Aufrechterhaltung des Paristandes.

§ 36. Kritik des Knappschen Werkes im allgemeinen.

K n a p p hat das große Verdienst, die Bedeutung des Staates, der Rechtsordnung und der staatlichen Verwaltungstätigkeit für die Ordnung des Geldwesens geklärt zu haben.

Die zahlreichen Maßregeln, die der Staat, abgesehen von der Kontrolle des Münzwesens, für die Regelung des inneren und auswärtigen Geldverkehrs treffen kann, hat K n a p p viel schärfer und eingehender herausgearbeitet, als es in der älteren Geldtheorie der Fall war. Auf Grund dieser neuen Theorie hat er auch eine nach vielen Richtungen hin präzisere und erschöpfendere Darstellung der historischen Entwicklung der Währungsverhältnisse in Deutschland, England, Frankreich und Österreich gegeben. Sein Werk bildet einen Markstein in der Geschichte der Geldlehre, und die Erkenntnis des Geldwesens ist durch dieses Werk außerordentlich gefördert worden.

So verdienstlich die K n a p p sche Leistung in bezug auf die neuartige Klassifikation und Schematisierung des Geldwesens und durch seine eigenartige rechtsgeschichtliche, staats- und verwaltungsrechtliche Betrachtung des Geldes auch ist, so ist doch durch das K n a p p sche Werk in keiner Weise die sog. metallistische Theorie erschüttert worden. K n a p p nennt seine Theorie „Staatliche Theorie des Geldes" und will sie in einen Gegensatz zur metallistischen Theorie bringen. Mit dieser seiner Kritik und seinem Gegensatz trifft er nur eine längst überwundene Art der metallistischen Theorie. — Zum Verständnis der K n a p p schen Theorie ist notwendig, zunächst sich über das Wesen der sog. metallistischen Theorie zu verständigen. Wenn K n a p p erklärt, er wolle die metallistische Auffassung durch eine staatswissenschaftliche ersetzen (Vorwort, S. VII), und wenn er die Herleitung des Geldes aus einer staatslosen Betrachtungsweise, die er als metallistische bezeichnet, zu bekämpfen vorgibt, so kann dieser Kampf nur gegen eine ganz veraltete und längst überwundene Phase der metallistischen Theorie geführt sein. Richtig ist, daß die ersten bedeutendsten Vertreter des sog. Metallismus und vor allem die verdienstlichen Vorkämpfer der Goldwährung in Deutschland, Männer wie B a m - b e r g e r und S o e t b e e r , einen solchen manchesterlichen Metallismus begründet haben. Wie fast alle deutschen Volkswirte der 6oer und 7oer Jahre des vorigen Jahrhunderts gehörten sie jener liberalen extrem-individualistischen Schule der Volkswirtschaft an, welche die Einwirkung des Staates auf das Wirtschaftsleben schroff bekämpften und in der Theorie von allen staatlichen Einflüssen

abstrahierten. Wenn K n a p p mit Recht diesen älteren Vertretern
des Metallismus zum Vorwurf macht, daß sie die Rolle des Staates
im Geldwesen viel zu eng aufgefaßt haben, wenn sie im Staate nur
den Münzmeister erblickten, so gelten alle diese Ausführungen von
K n a p p keineswegs gegen die metallistische Theorie, wie sie
sich später entwickelt hat. Wenn auch die neueren Vertreter des
Metallismus nicht in der breiten ausführlichen Weise wie K n a p p
die Einwirkung des Staates auf das Geldwesen erörtert haben, so
kann ihnen doch niemals der Vorwurf gemacht werden, daß sie
überhaupt die Bedeutung des Staates für das Geldwesen verkannt
hätten. Und wenn K n a p p den Verfasser dieses Werkes als „den
besten Vertreter des Metallismus" bezeichnet (3. Aufl., S. 447), so
möchte ich doch dieses Lob, wenn es überhaupt ein Lob sein soll, da
K n a p p immer von „metallistischer Beschränktheit" spricht, ablehnen, da ich gar nicht die Art von „Metallismus", die K n a p p
bekämpft, vertrete. Im Gegenteil besteht eine sehr weitgehende
Übereinstimmung zwischen K n a p p und mir in der Hervorhebung
der Wichtigkeit der Rechtsordnung für das Wesen und die Entstehung des Geldes. Gerade vom Standpunkt der sozialrechtlichen
Richtung, die in diesem Werke vertreten wird, kann ich nur
mit Freude begrüßen, daß im K n a p p schen Werke die rechtliche
Seite des Geldes eine so gründliche und scharfe Betrachtung gefunden
hat. Deshalb bin ich auch mit K n a p p einig in der Erklärung,
daß das Geld ein Geschöpf der Rechtsordnung sei, wie ich auch
in meiner Definition des Geldes als gesetzliches Zahlungsmittel
diese Rechtsnatur des Geldes besonders hervorgehoben habe. Zwar
ist es bei dieser Erklärung des Geldes als gesetzliches Zahlungsmittel
an sich völlig gleichgültig, ob das Geld aus Edelmetall oder aus
Papier hergestellt ist: Geld ist eben das, was die Rechtsordnung zum
Gelde bestimmt. Aber, und hierdurch unterscheidet sich allerdings
die neuere metallistische Geldtheorie von der K n a p p schen —
und dies ist das unterscheidende Merkmal dieser metallistischen
Theorie gegenüber der K n a p p schen Geldtheorie —: die Metallisten
verkennen keineswegs die Bedeutung des Staates für das Geldwesen,
sie weisen aber auch auf die S c h r a n k e n und G r e n z e n
hin, die dem Staate auf diesem Gebiet gezogen sind.

Dieser Vorwurf kann K n a p p nicht erspart werden: daß
er nämlich, wenn er so nachdrücklich die staatliche Regelung des
Geldwesens hervorhebt, nicht auch die S c h r a n k e n aufweist, die
der staatlichen Macht hier gezogen sind. Gewiß hat K n a p p recht,
wenn er erklärt, daß die Definition des Geldes so weit sein müsse,
daß sie sowohl das gute als das schlechte Geld umfaßt, aber die
Geldtheorie hat auch die Aufgabe, zu erklären, was schlechtes und
was gutes Geld sein soll. Wenn K n a p p auf gelegentlichen Hinweis auch von seiten ihm befreundeter Fachgenossen, daß man doch
so schlechte Erfahrungen mit dem Papiergeld mancher Länder gemacht habe, erklärte, das ginge ihn nichts an, er wolle keine Geldart
empfehlen, sondern nur als G e l d t h e o r e t i k e r die verschiedenen
Arten des Geldes e r k l ä r e n, so kommt dabei die Aufgabe des Geld-
theoretikers zu kurz. Jeder Geldtheoretiker muß auch zugleich Geld-
und Währungspolitiker sein. Gerade so wie die berühmten Vertreter
der Goldwährung neben der theoretischen Begründung der Goldwährung auch Pläne für die Durchführung der Goldwährung bis

ins einzelne gegeben haben, muß von einem Verkünder der Theorie, daß für das Geldwesen die metallistische Basis gar nicht notwendig sei, auch verlangt werden, daß er genau darlegt, auf welche Weise ein solches Geldsystem beschaffen sein soll. Gerade in diesem Punkte versagt aber K n a p p völlig. Er will das Geld nur rechtsgeschichtlich und verwaltungsrechtlich erklären. Das ist sein gutes Recht, aber er hätte doch nur dann eine wirkliche Geldtheorie als Nationalökonom liefern können, wenn er auch einige wichtige wirtschaftliche Probleme des Geldwesens erörtert hätte, die er bewußtermaßen außer acht läßt. Hätte er dieses getan, so hätte er auf Grund einer Betrachtung der volkswirtschaftlichen Funktionen des Geldes die Unmöglichkeit eines substanzwertlosen Geldes nachweisen müssen; dann hätte er auch die Frage des Geldwertes eingehender betrachten müssen, die er ebenfalls bewußt beiseite läßt, denn die kurzen Betrachtungen im § 24 der 3. Auflage über den sog. Geldwert enthalten keine Erörterungen über den Geldwert, sondern vielmehr wollen sie eine Erklärung geben, warum K n a p p den Geldwert gar nicht behandelt. Dies wäre aus guten Gründen geschehen, weil eine Darstellung des Verwaltungsrechts, soweit es sich um das Geldwesen handelte, mit der Frage nach dem Werte des Geldes nur ganz wenig zu schaffen hätte. Hierfür sei vielmehr die allgemeine Volkswirtschaftslehre zuständig, das gehöre nicht in die staatliche Theorie des Geldes, sondern in die Wirtschaftslehre.

Wenn ich diesen Standpunkt auch keineswegs für richtig halten kann, weil es keine Theorie des Geldes geben kann, die nicht auch diese wirtschaftlichen Probleme heranzieht, so hätte K n a p p wenigstens konsequent bei diesem Standpunkt bleiben müssen. Diesem seinem Grundsatz ist er aber keineswegs treu geblieben, er hat vielmehr, wie ich oben in meiner Darstellung zeigte, auch Ausblicke in die Zukunft des Geldwesens getan und dabei auch die Möglichkeit eines Geldes ohne Substanzwert für den inneren Verkehr, mit gewissen Kautelen sogar für den auswärtigen Verkehr behauptet. Ich vermisse aber eine eigentliche Begründung dieser Theorie. Wenn K n a p p zur Begründung nur Tatsachen anführt, die beweisen sollen, daß der Staat durch seine Gesetzgebung und Verwaltung nicht nur den Wert des Geldes und die auswärtigen Wechselkurse beeinflussen könne, sondern auch durch seine administrativen Anordnungen den sog. notalen Geldarten, d. h. den Kassenscheinen, Schecks, Banknoten usw. immer größere Verbreitung verschaffen könne, so ist doch zu beachten, daß alle diese Maßnahmen gerade auf der Basis eines streng durchgeführten metallistischen Geldsystems getroffen werden. Je schärfer die Bestimmungen über die Metallwährung und die Einlösungspflicht der Noten in Metall sind, um so leichter finden die sog. notalen Geldarten im Verkehr Eingang. Ohne diese metallistische Basis wäre dies alles unmöglich.

Viele der K n a p p schen Ausführungen zugunsten der chartalen Theorie sprechen also tatsächlich zugunsten der metallistischen Theorie, weil ohne die metallische Grundlage die Chartalität ganz wirkungslos wäre. Einzelne Sätze K n a p p s zur Rechtfertigung seiner Theorie müssen geradezu Mißverständnisse hervorrufen, so z. B., wenn er wiederholt sagt, daß das sog. schlechte Geld um deswillen erträglich sei, da man es nicht nur nehme, sondern auch gebe: „Man verwendet das Geld ja nur innerhalb der Rechtsordnung,

und man ist nicht Nehmer allein, sondern auch Geber des Stückes"
(S. 40). — Damit ließe sich auch die schlimmste Assignatenwirtschaft
rechtfertigen! Oder, was soll es heißen, wenn er die Möglichkeit
eines Papiergeldsystems dann für gegeben hält, wenn der Staat in
bezug auf die Menge des auszugebenden Papieres einen Mißbrauch
dieser Papiergeldausgabe vermiede? Wenn dieser Satz überhaupt
irgendeinen Sinn haben soll, so hätte K n a p p angeben müssen,
auf welche Weise dieser Mißbrauch zu vermeiden sei. Das
konnte er aber nicht, denn tatsächlich ist der Mißbrauch niemals
zu vermeiden. Sobald der Staat als Geldschöpfer und zugleich
Kreditschöpfer kostenlos ein Papiergeld emittieren kann, wird immer
die Gefahr bestehen, daß diese Geldausgabe zu volkswirtschaftlichen
Unzuträglichkeiten führen muß. Denn darin liegt gerade der
Vorzug der Metallwährung einmal, daß die Menge des umlaufenden
Geldes sich leicht an die Bedürfnisse des Verkehrs anpaßt und ferner,
daß die Ausgabe des Geldes selbst mit Opfern und Kosten verbunden
ist. Ohne diese Eigentümlichkeiten könnte das Geld niemals die
Rolle des Preisindikators und des Preisvergleichungsmittels spielen.

Indem also K n a p p nur sehr mystische und dunkle An-
deutungen über die Art und Weise bringt, wie ein Geldwesen ohne
metallische Basis zustande kommen soll, hat er gerade durch diese
in ein gewisses Dunkel gehüllte Ausdrucksweise sehr vielen Geldreformern die Bahn eröffnet, die nun meinen, auf Grundlage der
K n a p p schen Theorie allerlei mehr oder minder phantastische
Geldreformpläne aufstellen zu können. Zwar rückt K n a p p selbst
sehr deutlich von diesen ab und er sagt in der 3. Auflage, S. 447:
„Unter den Anhängern der neuen Lehre befinden sich einige Übertreiber, die nun hoffen, daß es mit der Goldwährung auf immer vorbei
sei. Dies wäre vorerst abzuwarten." Aber ist es nicht seine eigene
Schuld, daß solche Übertreiber auf den Plan getreten sind? Wir
werden später eine ganze Anzahl solcher neuerer nominali-
stischer Geldtheorien kennenlernen und dann darauf hinweisen
müssen, daß sie zweifellos durch manche K n a p p schen Lehrsätze
zu ihren irrigen Vorstellungen gekommen sind. Wenn weiterhin
K n a p p in der 3. Auflage sagt: „Im ganzen gewinnt man den
Eindruck, daß die Anschauungen der Metallisten sich im Rückgang
befinden", so ist mein Eindruck gerade der umgekehrte. Mir scheint,
daß die richtig verstandene metallistische Theorie seit dem Erscheinen
des K n a p p schen Werkes an Bedeutung und Anhängerschaft noch
zugenommen hat; denn die Notwendigkeit, die metallistische Theorie
gegen die K n a p p sche Auffassung zu rechtfertigen, hat zu neuer
Vertiefung des Metallismus geführt; und die Tatsache, daß die besten
Geldtheoretiker aus der Zeit des Erscheinens des K n a p p schen
Werkes, daß Männer wie L e x i s , L o t z , A d o l p h W a g n e r
diese Lehre gänzlich ablehnten, sollte doch einigermaßen dafür
sprechen, daß die metallistische Theorie in keiner Weise durch das
K n a p p sche Werk erschüttert worden ist.

§ 37. Kritik der Knappschen Geldtheorie im einzelnen.

1. Z u r   F r a g e   d e r   W e r t b e s t ä n d i g k e i t   d e s   G e l d e s.

Wenn die Metallisten mit Recht eine metallistische Basis des
Geldwesens fordern, so begründen sie dies keineswegs damit,

daß das Gold eine feste Werteinheit darstelle. Es ist ein Kampf gegen Windmühlen, wenn K n a p p besonders auf S. 80—83 so scharf gegen die angebliche Vorstellung der Metallisten kämpft, daß die Edelmetalle ein sicheres Wertmaß seien. Der Satz: „Das Gold als solches hat einen festen Wert, darum muß es unser Wertmesser bleiben, andere Metalle haben die Festigkeit des Wertes nicht", den K n a p p mit dem Zusatz begleitet: „So viel Worte, so viel Irrtümer" wird kein „Metallist" unterschreiben. Auch die Metallisten wissen sehr wohl, daß es kein festes Wertmaß gibt, daß auch die edlen Metalle fortwährend Schwankungen unterworfen sind. Wenn sie trotzdem Gold empfehlen, so geschieht es nur, weil es r e l a t i v den g e r i n g s t e n Wertschwankungen unterliegt.

2. Ü b e r d i e U r s a c h e n d e r E i n f ü h r u n g d e r G o l d w ä h r u n g.

Wenn die Staaten aus wichtigen nationalökonomischen Gründen eine metallische Basis ihres Geldsystems brauchen, so ist die weitgehende Bevorzugung des Goldes vor dem Silber ebenfalls allein in den m e t a l l i s c h e n Eigenschaften des Goldes zu suchen. Auch hier behauptet K n a p p auf Grund seiner antimetallistischen Auffassung, daß dies aus Gründen h a n d e l s p o l i t i s c h e r M a c h t v e r t e i l u n g und nicht wegen der Eigenschaften des Goldes geschehen sei. Wenn England als erste Nation zur Goldwährung überging, so war es nicht historisch zufällig, auch geschah es nicht schon deshalb, weil England noch großen Vorrat an Goldmünzen hatte. Der ganze Vorgang ist keineswegs noch „unaufgeklärt", sondern England ist bei dem definitiven Übergang zur Goldwährung (1816) wesentlich durch die metallischen Eigenschaften des Goldes bestimmt worden. In den Debatten über die Änderung des Währungssystems zu Beginn des 19. Jahrhunderts in England spielte die Frage, welches Metall das bessere Währungsmetall sei, eine große Rolle. R i c a r d o , der anfänglich ein Anhänger der Silberwährung war, bekannte sich später (1819) als Anhänger der Goldwährung, und zwar gerade deshalb, weil er fürchtete, daß infolge der verbesserten Technik der Silbergewinnung leicht eine Entwertung des Silbers eintreten könnte. Darum gab er dem Golde den Vorzug.

3. Ü b e r d i e V e r ä n d e r u n g d e s W e r t v e r h ä l t n i s s e s v o n G o l d z u S i l b e r.

Auch in der Frage der Veränderung des Wertverhältnisses von Gold zu Silber will K n a p p die „metallistische Theorie" durch seine sog. „Geschäftstheorie" ersetzen. Auch der „Metallist" wird zugeben, daß Änderungen im Wertverhältnis der Edelmetalle nicht ohne weiteres das Wertverhältnis des Metallgeldes ändern, schon um deswillen nicht, weil außer den Produktionsverhältnissen der Edelmetalle noch viele andere Umstände auf den Wert der Geldarten einwirken. Aber, wenn es z. B. gilt, die Frage zu entscheiden, wie die kalifornische Goldausbeute auf das Wertverhältnis des Goldes zum Silber eingewirkt habe, so scheint mir der Weg, den K n a p p hier einschlägt, ein viel zu umständlicher. Er sucht erst nach Geschäften, welche die Silbervaluta im Verhältnis zur Goldvaluta in

die Höhe treiben und findet solche z. B. in den erleichterten Kapitalanlagen in Silberländern, aber statt zu fragen: „Konnte die kalifornische Goldausbeute den Kurs des Pfund Sterling gegen den
deutschen Taler oder gegen die indische Rupie herabdrücken?"
(S. 228) ist es doch einfacher und richtiger, auch hier die „metallistischen" Verschiebungen kurzerhand zu Rate zu ziehen.

Man wird leicht aus der vermehrten Goldausbeute zweierlei
Tendenzen mit Sicherheit folgern können:

1. Die Tendenz des Goldwertes, infolge des vermehrten Goldvorrates im Verhältnis zum Silber zu sinken,

2. die Tendenz der Silberländer, da sie mit Recht aus metallistischen Gründen den Goldumlauf vorziehen, den Goldmünzen
einen größeren Raum im Umlauf zu gewähren. Die Folge
dieser Tendenz ist umgekehrt eine verstärkte Nachfrage
nach Gold und somit eine Hemmung der ersten Tendenz.

Tatsächlich hat das Zusammenwirken beider Tendenzen zu
einer nur geringeren Entwertung des Goldes geführt als sie, wenn
die Währungsverhältnisse dieselben geblieben wären, zu erwarten war.

4. Über das Wesen der Banknoten.

Auch die neue Art der Einrangierung der Banknoten in das
Geldsystem, die K n a p p vornimmt, scheint mir keine glückliche
zu sein. K n a p p will nicht fragen: sind Banknoten gesetzliche
Zahlungsmittel? sondern, wie werden sie „administrativ" behandelt,
d. h. werden sie an öffentlichen Kassen angenommen? Da dies in
Deutschland geschieht, rechnet K n a p p die Banknoten zum Gelde
und zwar zusammen mit den Talern und Reichskassenscheinen zum
sog. „notalen" Geld, d. h. dem Geld, das nicht „metallisch" ist
oder metallisch nicht vollwertig ausgeprägt ist. Ich glaube, daß
dies nicht zur Klärung in der Geldtheorie beiträgt. Wir müssen
auch hier zunächst fragen: ist die Banknote gesetzliches Zahlungsmittel oder nicht? Im ersteren Falle ist sie Geld, im zweiten Geldsurrogat. Ist die Banknote Geld, so leitet sie, wenn sie einlöslich ist,
ihren Wert her von der metallischen und sonstigen Deckung, die
vorhanden ist. Ist sie uneinlöslich, so hängt ihr Wert von dem
Kredit des ausgebenden Staates oder der ausgebenden Bank ab.

Jedenfalls ist das Zusammenwerfen der deutschen Banknoten
mit Talern, obwohl nur letztere gesetzliches Zahlungsmittel sind,
und zwar nur aus dem Grunde, weil sie beide nicht aufgedrängt
werden, irreführend. Überhaupt scheint mir K n a p p die Bedeutung des sog. „valutarischen" Geldes, d. h. des Geldes, welches
auf Grund von „administrativer" Anordnung aufgedrängt wird, im
Gegensatz zum gesetzlichen Geld stark zu übertreiben. „Der Staat",
sagt K n a p p, „ist tatsächlich nicht an sein Gesetz gebunden,
er selber schafft zuweilen neues Recht."

Hierauf ist folgendes zu erwidern: Selbstverständlich muß bei
der Betrachtung des Geldwesens auf die Verwaltungstätigkeit des
Staates geachtet werden, aber ebenso auch auf die Praxis der Geschäftsleute, der großen Banken usw. Aber hiernach darf doch
nicht die theoretische Grundunterscheidung der Geldarten vorgenommen werden, denn die „administrative" und „geschäftliche"
Praxis ändert sich fortwährend; was aber fest bleibt, sind die ge-

setzlichen Grundlagen des Geldwesens, von denen man immer bei der Unterscheidung der Geldarten wird ausgehen müssen. Je schärfer und prägnanter die Gesetzgebung ist, um so weniger läßt sie der Verwaltungstätigkeit freien Spielraum. Daher die von K n a p p angeführten Beispiele des großen Einflusses staatlicher Verwaltungspraxis mit Vorliebe solchen Zuständen entnommen sind, wo durch die gesetzlichen Formen des Geldsystems, nämlich der Doppelwährung oder der hinkenden Währung den staatlichen Organen eine gewisse Möglichkeit der Bevorzugung einer Geldart eingeräumt ist. Dieses haben auch die „Metallisten" stets zugegeben, indem sie neben einer „gesetzlichen Währung" die „tatsächliche" Währung unterschieden haben.

Dasselbe gilt, wenn ein Land durch politische Verhältnisse in der normalen Ordnung des Geldwesens gestört ist; dann tritt natürlich das Verhalten des Staates wieder stärker hervor. Dieses war z. B. der Fall während der englischen Bankrestriktion 1779—1819, aber auch hierbei zeigt sich wieder die Wichtigkeit des Verhaltens der Geschäftswelt. Daß die Banknoten als „valutarisches" Geld im Sinne K n a p p s fungierten, war die Folge der Erklärung von 4000 der angesehensten Kaufleute und Banken, daß sie ihre Zahlungen in Banknoten leisten wollten.

5. Ü b e r d i e S t e l l u n g d e r T a l e r i m f r ü h e r e n d e u t s c h e n M ü n z s y s t e m.

Daß die Taler in Deutschland trotz ihrer Eigenschaft als gesetzliches Zahlungsmittel im Geldverkehr eine untergeordnete Rolle spielen, ist ebenfalls nicht nur administrativen Anordnungen, sondern ebenso auch einem gewissen „kulanten Geschäftsgebrauch" zuzuschreiben. Auch wenn ein Land erst im Übergang zu geordneten Geldverhältnissen begriffen ist, zeigt sich der starke Einfluß staatlicher Verwaltungstätigkeit. Je nachdem es der russischen Regierung darauf ankam, das Publikum an das neue Metallgeld zu gewöhnen oder im Interesse der Erhaltung größerer Barreserven den Umlauf von Kreditbillets zu verstärken, waren die Anordnungen der russischen Regierung in den letzten Jahren an die Reichsbankkassen sehr verschieden. Dies alles ändert sich aber in dem Maße, je fester und konsolidierter die gesetzlichen Währungsverhältnisse sind. Keinesfalls kann aber die staatliche Verwaltung so weit gehen, daß sie sogar zu gerichtlichen Entscheidungen contra legem führen könnte.

Im Gegensatz zu der Meinung von K n a p p , daß die deutschen Gerichte Zahlungen in Talern nicht als vollgültig betrachten würden, „weil der Staat als Gerichtsherr nur diejenigen Geldarten zu leisten zwingt, die er als Fiskus selber darbietet" (S. 146), scheint es mir ganz zweifellos, daß eine derartige gerichtliche Entscheidung gänzlich ausgeschlossen war, da sie den klaren Bestimmungen des Münzgesetzes zuwiderliefe.

6. Ü b e r K n a p p s A u f f a s s u n g d e s i n t e r v a l u t a - r i s c h e n K u r s e s.

Die Richtigkeit der „metallistischen" Theorie zeigt sich am schlagendsten darin, daß nicht nur für den inneren Verkehr eines Landes der metallische Gehalt des Geldes für den Geldwert entscheidend ist, sondern daß auch in dem Verkehr der Länder unter-

einander der metallische Gehalt der betreffenden Geldarten für die
Valuta maßgebend ist. Gerade gegen diese Auffassung richtet daher
K n a p p seine heftigsten Angriffe; der Wechselkurs soll gar nicht
in dieser Weise durch die Eigenschaften der Münzmetalle,
sondern durch die Handelsverhältnisse einerseits, die staatliche
Interventionspolitik anderseits bestimmt sein.

Vieles von dem, was K n a p p über die Gestaltung des Wechselkurses sagt, wird auch der Metallist unterschreiben können. — Auch
wir leugnen nicht, daß die Wahl eines und desselben Edelmetalls
noch nicht genügt, um für zwei Länder einen stabilen Kurs zu erhalten,
daß es vielmehr auf die ökonomische und finanzielle Leistungsfähigkeit der betreffenden Länder ankommt, ob sie überhaupt diese
Währung wählen können. Ebenso wird der Metallist nicht leugnen, daß die Hauptursache des Standes der Wechselkurse in den
internationalen Verbindlichkeiten liegt, ebenso, daß unter Umständen gelegentlich eine starke Interventionstätigkeit zur Regelung
und Stabilisierung der Wechselkurse notwendig werden kann.

Insofern hat K n a p p sicher Recht mit seinem Satz: ,,Es
gibt keine Geldverfassung an sich, die ein Pari der Wechselkurse
gewährleistet." Wohl aber wird man sagen können, daß die ,,me-
tallische" Geldverfassung ein Schwanken der Wechselkurse in viel
engeren Grenzen gewährleistet, als dies in Ländern mit metallischer
Währung einerseits und in Ländern mit nichtmetallischer Währung
anderseits der Fall ist. Der Unterschied beruht darauf, daß
im ersten Falle die staatliche Interventionstätigkeit suchen muß,
den Abfluß des Edelmetalls zu hemmen, also z. B. den Abfluß
deutschen Goldes nach Frankreich. Dagegen kann es niemals Aufgabe der staatlichen Politik sein, etwa einen deutsch-französischen
Wechselkurs auf 81 zu erhalten, weil er eben schon aus metallischen
Gründen sich immer um diesen Punkt bewegen muß, und auch bei
den denkbar ungünstigsten ,,pantopolischen" Verhältnissen nie sich
über eine minimale Differenz von diesem Pari entfernen kann. Daß
die Interventionstätigkeit des Staates in diesem Falle nicht allein
auf einen Schutz des Barvorrates abzielt, sondern selbstverständlich
auch gleichzeitig den Wechselkurs beeinflussen will, liegt auf der
Hand. Auch hier handelt es sich darum, daß der Kurs auf dem
normalen, durch das metallische Pari gegebenen Standpunkt erhalten wird. Im zweiten Falle muß dagegen die staatliche Interventionspolitik ihr Verhalten darauf richten, daß der Kurs n i c h t
i n s U n g e m e s s e n e s t e i g t.

Hier können die ,,pantopolischen" Verhältnisse unberechenbare
Schwankungen der Kurse bewirken. Die bekannten Manipulationen
der russischen Regierung vom Jahre 1894 an, um den Rubelkurs
zu stützen, entstammen eben aus der Zeit, bevor die russische Goldwährung definitiv und gesetzlich wurde (1899). Seitdem war auch
der Rubelkurs stabil und kam erst durch politische Unruhen und
durch den Weltkrieg ins Wanken.

8. Kapitel.

Das Wesen der Valuta.

§ 38. Der Begriff der Valuta.

Man versteht unter Valuta das Wertverhältnis zwischen einheimischen und ausländischen Zahlungsmitteln. Im Besonderen ist die Valuta der Wert des einheimischen Geldes, gemessen am ausländischen Gelde. Wonach richtet sich die Höhe der Valuta oder die Höhe des Wertes des einheimischen Geldes, verglichen mit dem auswärtigen Gelde? Der Stand der Valuta ist ebenso wie der Stand aller Preise abhängig von Angebot und Nachfrage; also, je stärker die auswärtigen Zahlungsmittel nachgefragt werden, um so höher muß der Preis dieser ausländischen Zahlungsmittel stehen, und man muß in einheimischem Gelde desto mehr für das auswärtige Zahlungsmittel zahlen. Umgekehrt: Besteht nur geringe Nachfrage nach ausländischen Zahlungsmitteln, so sinkt der Preis derselben, und man kann für einen geringeren Betrag einheimischen Geldes das ausländische Geld erhalten.

Trotzdem die Höhe der Valuta von den immer wechselnden Verhältnissen von Angebot und Nachfrage abhängt, ist die Tatsache zu verzeichnen, daß die Valuta der Goldwährungsländer immer nur ganz minimalen Schwankungen unterlag. Die deutsche Valuta z. B. hatte seit Anfang der 70er Jahre bis zum Weltkriege immer ungefähr die gleiche Höhe, d. h. konkret gesprochen, man kann den Kurszettel seit 1876 nachsehen, wann man will, immer stand der Frankenkurs so, daß man nicht mehr als etwa 81 Mk. für 100 Franken zu zahlen hatte, und der Sterlingkurs so, daß man nicht mehr als etwa 20,43 Mk. für ein Pfund Sterling zu zahlen hatte. Wie ist diese Tatsache zu erklären? Sie hängt damit zusammen, daß zwischen Ländern mit derselben Metallwährung, z. B. der Goldwährung, sich immer ein fester Kurs, die sog. Parität, herausbilden muß. Man kann sagen: Geld ist die einzige Ware, die einen festen Preis hat. Im Inland ist der Preis des Geldes ein fester, weil nach den Bestimmungen des deutschen Münzgesetzes von 1871 aus einem Kilo feinen Goldes 279 Zehnmarkstücke ausgeprägt wurden. Das ausländische Geld hat für uns ebenfalls einen festen Preis, und zwar ist er fixiert durch die Menge an Gold, welche die inländischen und die ausländischen Goldmünzen enthalten. Beim Einschmelzen von 1000 Fr. in goldenen 10-Fr.-Stücken erhält man genau soviel Gold, als in 81 goldenen Zehnmarkstücken enthalten ist. Daher kommt es, daß der deutsch-französische Wechselkurs sich mit ganz kleinen Abweichungen immer um 81 herum bewegte. Aus demselben Grunde bewegte sich der deutsch-englische Wechselkurs immer um 20,43.

Wer in Friedenszeiten 1000 Fr. in Frankreich zu zahlen hatte, schickte diese 1000 Fr. nicht in französischen oder deutschen Goldmünzen nach Frankreich, sondern suchte einen auf 1000 Fr. lautenden Wechsel zu kaufen, den ein deutscher Kaufmann in Händen hatte, weil er an eine französische Firma Waren geliefert hat. Für diesen Wechsel war er bereit, einen Kurs von 81 zu zahlen, aber niemals 82 oder 83, und zwar aus dem Grunde, weil es sonst für ihn billiger gewesen wäre, deutsche Goldmünzen nach Frankreich zu senden, wo durch Einschmelzen von 810 Mk. 1000 Fr. gelöst werden konnten. Er wird auch bereit sein, etwas mehr als 81 zu zahlen, denn er hat durch Versendung, Versicherung, Einschmelzung der Goldmünzen Spesen, weshalb er bereit ist, auch z. B. 81,20 Mk. oder 81,30 Mk. zu zahlen, aber er wird nicht über den sog. Goldexportpunkt hinausgehen, d. h. über den Punkt, zu dem es für ihn vorteilhafter wird, Goldmünzen zu exportieren.

Umgekehrt wird jeder, der Wechsel auf Frankreich zu verkaufen hat, sie nicht viel unter 81 Mk. hergeben, denn sonst läßt er sich billiger von seinem französischen Schuldner Zwanzigfrancsstücke remittieren, die er dann durch Einschmelzen so verwerten kann, daß 1000 Fr. = 810 Mk. sind. Auch hier wird er bereit sein, um die Spesen zu vermeiden, den Wechsel etwas billiger abzugeben, also etwa für 80,80 Mk. oder 80,60 Mk., nicht aber für weniger, als dem sog. Goldimportpunkt entspricht. Diese beiden Goldpunkte, zwischen denen sich der deutsch-französische Wechselkurs bewegte, waren nach H a u p t = 80,56 und 81,37 Mk.

Auf diese Weise ist zwischen allen Ländern mit Goldwährung ein normaler Stand der Valuta vorhanden, die sog. Parität, welche den gegenseitigen gesetzlichen Ausprägungsverhältnissen der Goldmünzen entspricht. So kommt es, daß zwar das Geld jedes Landes nur Gültigkeit innerhalb der Grenzen des eigenen Landes hat und dennoch die Geldsorten aller Länder mit Goldwährung einen international-einheitlichen Preis aufweisen. Das den Goldwährungen zugrunde liegende gleiche Metall schafft einen gebundenen festen Ausgleichspreis, eine Solidarität zwischen den verschiedenen Geldmärkten.

Das Gold bildet also das internationale Ausgleichungsmittel zwischen verschiedenen Ländern für ihre gegenseitigen Forderungen und Verpflichtungen; und da das Gold einen festen Preis hat, ergibt sich daraus die Festigkeit der Wechselkurse unter normalen Verkehrszuständen bei den Goldwährungsländern.

Man spricht von ungünstigem Wechselkurse in einem Lande dann, wenn der Wechselkurs so hoch ist, daß er den Goldexportpunkt erreicht hat, und umgekehrt von günstigem Wechselkurse, wenn er so niedrig steht, daß er sich dem Goldimportpunkt nähert. Man hat gemeint, der ungünstige Wechselkurs sei die Folge einer ungünstigen Handelsbilanz und der günstige Wechselkurs die Folge einer günstigen Handelsbilanz. Dies ist eine falsche Auffassung. Ich habe oben bei dem Beispiel zur Erklärung der Valuta den Fall angenommen, daß die betreffenden Wechsel für den Import von Waren zu bezahlen seien. Der Wechselverkehr geht aber weit über den Warenverkehr hinaus; es werden Devisen, Schecks und telegraphische Auszahlungen nicht nur für den Warenverkehr, sondern auch für den Kapitalverkehr und für alle möglichen anderen Zahlungen, die im Ausland zu leisten sind, benötigt. Solche Zahlungen, die an das Ausland zu leisten sind, sind z. B. Zinsen für Kapitalanlagen im Auslande oder für Rückzahlungen von ausländischen Kapitalschulden oder zur Zahlung von Schiffsfracht auf ausländischen Schiffen bestimmt usw. — Also nicht die Handelsbilanz ist maßgebend, sondern die Zahlungsbilanz. Diese entscheidet über den Stand der gegenseitigen Forderungen zweier Länder. Man wird daher richtiger sagen, daß der ungünstige Wechselkurs ein Zeichen für die ungünstige Zahlungsbilanz ist und umgekehrt.

Wenn ich oben davon sprach, daß man im Falle ungünstiger Wechselkurse immer die Möglichkeit hat, durch Versendung von Geld ins Ausland ein Ausgleichsmittel parat zu haben, so ist dabei zu beachten, daß diese Goldsendungen nur die ultima ratio darstellen, und keineswegs immer, wenn die Goldpunkte erreicht sind, Goldsendungen stattfinden müssen. Es gibt noch weitere Ausgleichungsmittel bei ungünstiger Wechselkursgestaltung, z. B. kommen in Betracht die Diskontpolitik, durch welche das Ausland zur Anlage von Kapitalien im Inland veranlaßt werden kann, Aufnahme langfristiger Kreditgeschäfte, Verkauf von Kapitalanlagen im Auslande usw. Erst wenn alle diese Möglichkeiten erschöpft sind, muß die Goldsendung als letztes Ausgleichsmittel dienen.

Ich habe bei meiner bisherigen Darstellung der Valutagestaltung vorausgesetzt, daß die Länder, die dabei in Betracht kommen, dieselbe Währung, und zwar die Goldwährung haben. Diese Verhältnisse ändern sich vollkommen, wenn das eine Land die Goldwährung und das andere Land die Papierwährung hat. Jetzt ist es für das Land mit Papierwährung nicht mehr möglich, das Goldgeld als Ausgleich zu verwenden, sondern es steht ihm nur das Papiergeld zur Verfügung. Dieses Papiergeld ist aber nur in den Grenzen des eigenen Landes verwendbar; während Gold ein internationales Zahlungsmittel ist, ist Papiergeld immer nur ein nationales Zahlungsmittel. Jetzt ist der Wechselkurs nicht mehr ein fester, so daß er immer nur mit ganz minimalen Schwankungen um einen festen Mittelpunkt oscilliert, wie das bei der Valuta der Goldwährungsländer der Fall sein muß, sondern jetzt werden für die Valuta des Papierwährungslandes, verglichen mit den Goldwährungsländern, allein die Verhältnisse von Angebot und Nachfrage entscheidend, ohne daß eine Parität vorhanden ist.

§ 39. Die Theorien über die Ursachen der Entwertung der Valuta.

Während die Wechselkurse zwischen Goldwährungsländern nie um mehr als etwa ½ % von der Parität abweichen, weisen die Wechselkurse zwischen Gold- und Papierwährungsländern die größten Schwankungen auf, und oft erreicht die Valuta des Papierwährungslandes gegenüber dem Goldwährungslande einen außerordentlichen Tiefstand. Wie ist dies zu erklären? Der Hinweis auf das Verhältnis von Angebot und Nachfrage ist natürlich keine Erklärung, wir wollen wissen, was für wirtschaftliche Vorgänge diese sprunghafte Auf- und Abwärtsbewegung der Wechselkurse und diesen Tiefstand der Wechselkurse der Papierwährungsländer bewirken. Die Antwort wird in der Regel auf zweierlei Weise gegeben: entweder mit dem Hinweis auf die Gestaltung der Zahlungsbilanz des Papierwährungslandes oder mit dem Hinweis auf die Verschlechterung des Geldwertes im Papierwährungslande, bzw. auf den Vorgang der Inflation. Man unterscheidet daher die Zahlungsbilanz-Theorie und die Inflations-Theorie.

1. Die Zahlungsbilanz-Theorie.

Nach dieser Lehre ist die Verschlechterung der Zahlungsbilanz die Ursache der Verschlechterung der Valuta des Papierwährungslandes. Die Papiergeldwirtschaft käme immer nur in Notzeiten vor, es seien immer Kriegs-, Revolutions- und Krisenzeiten, in denen die betreffenden Länder den Übergang von der Metallwährung zur Papierwährung vollzögen. Diese Zeiten seien aber zugleich solche, in denen die Zahlungsbilanz des Papierwährungslandes sich verschlechtere. So seien z. B. die kriegführenden Länder regelmäßig zu größter Einschränkung der einheimischen Produktion gezwungen, müßten daher den Export ihrer Waren sehr einschränken, anderseits die Einfuhr aus dem Auslande verstärken. Daraus ergäbe sich ein ungünstiger Stand der Handelsbilanz, der aber nicht durch günstigere Zahlungsbilanz ausgeglichen werden könnte; denn die sonst vorhandenen Ausgleichsmittel, wie z. B. Zahlungen aus dem Auslande für Schiffsfrachten oder für Zinsen von Kapitalanlagen im Auslande usw. kämen in der Regel in Wegfall. Die ungünstige Zahlungsbilanz für das Papierwährungsland bedeute aber, daß das Papierwährungsland viel mehr ausländische Zahlungsmittel braucht, als das Ausland Zahlungsmittel des Papierwährungslandes. Der starke Begehr nach ausländischen Zahungsmitteln, nach Devisen, Schecks, telegraphischen Auszahlungen usw., bewirke ein Ansteigen des Preises dieser ausländischen Zahlungsmittel. Umgekehrt bewirke die geringe Nachfrage nach Zahlungsmitteln des Papierwährungslandes ein Sinken des Preises dieser Zahlungsmittel. Die schlechte Valuta des Papierwährungslandes sei also eine Folge des ungünstigen Standes der Zahlungsbilanz dieses Landes.

2. Die Inflations-Theorie.

Diese Theorie lehrt, daß die Ursache des Sinkens der Valuta des Papierwährungslandes der verringerte Wert des Geldes des Papierwährungslandes sei. Während die Zahlungsbilanz-Theorie von Vorgängen auf der Warenseite ausgeht, weist die Inflations-Theorie auf Vorgänge auf der Geldseite hin.

Auf Grund quantitätstheoretischer Betrachtungen erblickt man in einer Verschlechterung des Geldwertes des Papierwährungslandes die Hauptursache des Sinkens seiner Valuta. Der gesunkene Außenwert des Papiergeldes sei eine Folge des gesunkenen Binnenwertes des Papiergeldes, und dieses Sinken resultiere aus der großen Vermehrung der Zahlungsmittel, die regelmäßig mit der Papiergeldwirtschaft verknüpft sei. Die große Vermehrung des Geldes bewirke zunächst eine Steigerung der Warenpreise im Inlande. Da diese Preissteigerung eine Folge der Vermehrung der Zahlungsmittel sei, zeige sich darin eine Verringerung des Geldwertes, die auch im Auslande eine geringere Bewertung des Papiergeldes zur Folge habe. So entstünde aus der Verschlechterung des Geldwertes ein Agio auf das ausländische Goldgeld und ein Disagio auf das Papiergeld.

Auch die Frage, wie die gesunkene Valuta wieder auf ihre

normale Höhe zurückgebracht werden könne, wird von den Anhängern der beiden Theoriengruppen verschieden beantwortet. Die Anhänger der Zahlungsbilanz-Theorie glauben, daß die Valuta auf ihren alten Stand komme, sobald die Zahlungsbilanz mit dem Aufhören der Störungen des Handels- und Zahlungsverkehrs wieder günstig werde. Sobald der Import und Export von Waren in normalen Bahnen verliefe, müsse auch die Valuta in Ordnung kommen. Die verbesserte Zahlungsbilanz gäbe dem Papierwährungsland die Mittel, die Einlösung des Papiergeldes durch Steuern, Einzug der Noten usw. vorzunehmen.

Die Inflations-Theorie dagegen glaubt, daß die Rückkehr zum alten Stand der Valuta unmöglich ist; da der Geldwert in der Papiergeldperiode sich immer mehr verschlechtere, müsse eine Neubewertung des Geldes durch eine sog. Devalvation oder eine andere derartige Maßregel vorgenommen werden.

3. Kritik dieser Theorien.

Die dargelegten Theorien sind insofern richtig, als sie tatsächlich die beiden wichtigsten Ursachen unter den vielen Komponenten, welche die ungünstige Valutagestaltung in Papierwährungsländern bewirken, in den Vordergrund stellen. Sie sind aber beide einseitig, weil sie eine der beiden Ursachen allein zur Erklärung heranziehen wollen. Ob die ungünstige Zahlungsbilanz oder die Inflation für den Stand der Valuta verantwortlich ist, ist immer quaestio facti und läßt sich nur auf Grund der tatsächlichen Erscheinungen in dem betreffenden Lande und in der betreffenden Zeit entscheiden. Der Zahlungsbilanz-Theorie kommt nur insofern ein Vorrang bei der Kausalerklärung zu, als sie die primäre und oft auch die alleinige Ursache der ungünstigen Gestaltung des Wechselkurses abgibt. Immer ist es zuerst die Veränderung der Zahlungsbilanz, welche den ungünstigen Stand der Wechselkurse bewirkt, und erst, wenn die Papiergeldausgabe einen größeren Umfang angenommen hat, tritt die Inflation noch als ein weiteres verursachendes Moment hinzu. Dieser Ursachenkomplex ist besonders an zwei historischen Beispielen gut zu verfolgen, nämlich an der Gestaltung der englischen Valuta während der Napoleonischen Kriege und der deutschen Valuta während des Weltkrieges und der Nachkriegszeit.

9. Kapitel.
Die Valutaprobleme in England zur Zeit der Bankrestriktion (1797—1821).

§ 40. Die Anomalien des Geldwesens zur Zeit der Bankrestriktion.

Der Krieg, den England mit Frankreich führte und der von 1793 ab über 20 Jahre dauerte, gab Anlaß zu einschneidenden Änderungen des englischen Geld- und Bankwesens[1]). Die Kriegsausgaben waren gewaltige und betrugen während des ganzen Krieges rund 17 Milliarden Mk., eine für die damaligen Zeitverhältnisse ungeheure Summe. Allein in den 4 Jahren von 1793—1796 hatte sich die fundierte Staatsschuld Englands um 134,5 Mill. £ vermehrt. Infolge der großen Zahlungen der Regierung an das Ausland besonders für den Unterhalt der Truppen und für Subsidien an die Verbündeten gestaltete sich die englische Zahlungsbilanz immer ungünstiger. So war die englische Regierung gezwungen, immer größere Kredite bei der Bank von England aufzunehmen, und da diese Kredite für das Ausland bestimmt waren und deshalb hauptsächlich in Gold gegeben werden mußten, verminderte sich der Barvorrat der Bank von England immer mehr, so daß er schließlich im Februar 1797 auf 1 272 000 £ zusammengeschmolzen war, während er im März 1796 noch mehr als das Doppelte: 2 972 000 £ betragen hatte.

Demgegenüber betrug der Notenumlauf 8 640 250 £. — Diese Bedrängnis der Bank von England gab den Anlaß zu der folgenschweren Bank-Restriktionsakte vom 3. Mai 1797, die zuerst auf 2 Jahre festgesetzt war, dann mehrmals verlängert wurde und erst durch Gesetz für das Jahr 1823 aufgehoben wurde. Durch diese Akte wurde die Bank von England von der Verpflichtung zur Einlösung der Noten in barem Geld entbunden. Die Noten der Bank von England wurden zwar noch nicht zum gesetzlichen Zahlungsmittel erklärt, aber de facto wurden sie das allgemein übliche Zahlungs-

---

[1]) Vgl. zu den folgenden Ausführungen besonders die Werke von T o o k e und N e w m a r c h , Die Geschichte und Bestimmung der Preise während der Jahre 1793—1857. Deutsch von C. W. A s h e r. 2 Bde. 1858 u. 1859. — M. B o u n i a t i a n , Geschichte der Handelskrisen in England im Zusammenhang mit der Entwicklung des englischen Wirtschaftslebens 1640—1840. München 1908. — P. A r e t z , Die Entwicklung der Diskontpolitik der Bank von England 1780—1850. Berlin 1916. — J. W o l t e r , Das staatliche Geldwesen Englands zur Zeit der Bankrestriktion (1797—1821). Abhandlungen aus dem Staatswissenschaftlichen Seminar zu Straßburg, Heft XXXIII. Straßburg 1917. — K. D i e h l , Sozialwissenschaftliche Erläuterungen zu David Ricardos Grundgesetzen der Volkswirtschaft und Besteuerung. II. Teil. Leipzig 1905.

mittel, das im Verkehr wie bares Geld genommen wurde. Hierzu trug vor allem bei, daß 4000 der angesehensten Londoner Kaufleute erklärt hatten, Banknoten jeden Betrags in Zahlung zu nehmen und sich für ihre Zahlungen untereinander ebenfalls der Banknoten zu bedienen. In diesem Zeitabschnitt, in welchem die Bareinlösung der englischen Banknoten aufgehoben (1797—1823) und damit die englische Goldwährung, wenn auch nicht de jure, so doch de facto beseitigt und durch Papierwährung ersetzt war, traten in mehr oder minder starkem Maße folgende vier Anomalien des Geld- und Kreditverkehrs auf:

1. Der Londoner Marktpreis für Gold (der sog. Goldpreis) stieg über den Preis, den die Londoner Münze für das Gold, das ihr zu Prägezwecken übergeben wurde, zahlte (den sog. Münzpreis).

Dies war eine Anomalie insofern, als tatsächlich bis zum Jahre 1797, von seltenen Ausnahmefällen abgesehen, der Marktpreis und Münzpreis des Goldes zusammenfiel, und zwar obgleich eine gesetzliche obere Preisgrenze für Gold nicht festgesetzt war. Der Zustand der englischen Goldwährung war bis zum Jahre 1797 folgender[1]): In England bestand die Goldwährung, d. h. die Goldmünzen waren gesetzliches Zahlungsmittel, und zwar galt die Guinee = 21 Schilling. Jedermann konnte jede beliebige Menge Standardgold zur Ausprägung an die Münzstätte bringen und erhielt für jede Unze: £. 17. 10½. Damit war eine feste untere Preisgrenze für Gold gegeben, denn niemand würde Gold zu niedrigerem Preise abgegeben haben, wenn er diesen Betrag für eine Unze Standardgold in der Münze jederzeit zu erhalten vermochte. Eine obere Grenze für den Goldpreis war nicht festgesetzt, vielmehr konnten nach oben hin Schwankungen eintreten, aber der Marktpreis für Gold hätte sich auch über diese Grenze nicht wesentlich heben können, wenn man jederzeit das gemünzte Gold hätte in Metall zurückverwandeln können. Hätte man also jederzeit vollwichtige Sovereigns erhalten und zu Barren einschmelzen können, so hätte sich der Marktpreis nicht über den Münzpreis erheben können; denn wäre der Marktpreis des Goldes höher gewesen als dem Münzpreis entspricht, so wäre es lukrativ gewesen, sich durch Einschmelzen gemünzten Metalles den Vorteil des höheren Marktpreises zu verschaffen. Nach der damaligen Geldverfassung Englands war aber diese Möglichkeit, sich beliebige Mengen Goldmünzen zu diesem Zweck zu verschaffen, ausgeschlossen. Der Goldverkehr unterlag mannigfachen gesetzlichen Beschränkungen; Handel und Export englischer Goldmünzen waren überhaupt verboten, ebenso ihr Einschmelzen und die gewerbliche Verwendung sowie Ankauf und Verkauf der daraus zu bildenden Barren. Erst wenn die Goldmünzen durch Abnützung in ihrem Gewicht unter das Passiergewicht gesunken und damit demonetisiert waren, waren sie dem Inhaber zu beliebiger stofflicher Verwendung durch das Inland freigegeben. Wer Gold zum Zwecke der Ausfuhr verkaufen wollte, mußte schwören, daß dieses Gold nicht aus dem Courantgeld Englands stamme. Brauchte also jemand dringend Gold zu Exportzwecken, so mußte er das Metallangebot unter Umständen auch an-

---

[1]) Vgl. W o l t e r, a. a. O., S. 1—92.

nehmen, wenn es für ihn teurer war als der Münzpreis: „Wer für
gewerbliche Zwecke oder zur Ausfuhr Gold brauchte, war gezwungen,
wenn er die Beschränkungsgesetze nicht übertreten wollte, Gold auf
dem Markte zu erstehen, und dafür eventuell mehr zu zahlen, als
der Münzpreis betrug. Benützte er für seine Zwecke das Goldgeld,
so machte er sich strafbar[1]).“ Erst im Jahre 1819 wurde durch Gesetz
alles aufgehoben, was den Handel in Gold und Münzmetall eingeengt
hatte. War auch keine obere Preisgrenze für Gold festgelegt, so
hatte sich doch der Marktpreis des Goldes vor der Bankrestriktion
nur in Ausnahmefällen über den Münzpreis erhoben, so z. B. im
Herbst 1795, als infolge ungewöhnlich großer Metallausfuhr der Goldpreis sich auf £ 4. 4 erhöhte[2]).

Nach· der Bankrestriktion war diese Erhöhung nicht nur sehr
häufig und eine fast allgemeine Erscheinung, sondern eine so bedeutende, wie sie früher nie vorgekommen war. Zwar entfernte sich
in der ersten Zeit nach der Restriktion der Marktpreis nicht wesentlich vom Münzpreis: erst im August 1800 ging er auf £ 4. 4. 5 in
die Höhe und blieb dann dauernd hoch. Im Jahre 1809 stieg er auf
£ 4. 12. — d. h. 15—16% über pari. Im Jahre 1814 stieg er sogar
bis auf £ 5. 8.[3]).

2. Die Goldmünzen erhielten ein Agio gegenüber den Banknoten.

Im Zusammenhang mit der ersten Anomalie stand die zweite,
daß die im Verkehr befindlichen Goldmünzen, die Guineen, ein Agio
gegenüber den Banknoten erhielten. Während früher die Banknoten
als vollkommen gleichwertig mit dem Metallgeld genommen wurden,
wiesen sie nach der Restriktion ein Disagio auf. Wenn auch die Banknote das allgemein verbreitete und übliche Zahlungsmittel war, so
wurden doch zu gewissen Zahlungen auch Goldmünzen benutzt,
so z. B. für bestimmte Zahlungen, die seitens des Staates geleistet
wurden.

Soweit Guineen im Umlauf waren, gab man sie nur mit einem
Agio, gab man die Guinee nicht mehr für 21 sh. her, sondern für
22, 23 oder 25 sh. je nach der Höhe des augenblicklichen Marktpreises für Gold. Man scheute sich auch nicht, im privaten Verkehr
das Goldgeld mit einem Agio offen weiter zu geben. So verschwand
das Goldgeld aus dem Verkehr oder es zirkulierte nur mit Agio[4]).
Dieses Agio war so groß, daß die auf 1 £ lautende Note im Oktober
1810 nur einen Wert von ca. 18⅓ sh. hatte, nämlich 8½% unter
Pari, und im Februar 1811 war das Gold so im Preise gestiegen,
daß eine Pfundnote knapp 17 sh. galt, d. h. gut 15% unter Pari
stand[5]). Dieser Zustand wurde gesetzlich erst im Jahre 1811 beseitigt. Lord King hatte ein Zirkularschreiben erlassen, worin
er seinen Pächtern mitteilte, daß er in Zukunft Zahlungen von ihnen
nur in Guineen oder portugiesischen Goldmünzen annehmen würde.
Sollten sie Zahlungen in Noten vorziehen, so könne er sie nur mit
einem Zuschlag von 14,5% berechnen. Dieses Vorgehen gab Anlaß

---

[1]) Vgl. Wolter, a. a. O., S. 61.
[2]) Bounitian, a. a. O., S. 178.
[3]) Vgl. die Tabellen im Anhang zu Wolter, a. a. O.
[4]) Wolter, a. a. O., S. 63.
[5]) Scharling, W., Bankpolitik. Jena 1900. S. 95.

zu dem Gesetz vom 24. Juli 1811, wodurch bestimmt wurde, daß kein Aufgeld auf Goldmünzen genommen oder gegeben werden dürfe. Ferner war bestimmt, daß die Noten der Bank von England nicht anders als zu dem ihnen aufgedruckten Nennbetrag in den Verkehr gebracht werden dürften. Damit war dem Papiergeld zwar nicht ausdrücklich Annahmezwang verliehen, aber durch eine neue gleichzeitige Verfügung fast dieselbe Wirkung erreicht. Es wurde nämlich bestimmt, daß jeder, der einem anderen eine Rente oder sonstwie Geld schulde, seinem Gläubiger entweder allein oder neben anderem Geld zur Tilgung seiner Schuld Noten der Bank von England anbieten dürfe. Falls das Angebot den vollen Schuldbetrag erreichte, sollte, auch wenn der Gläubiger die Notenannahme verweigerte, Pfändung und Zwangsvollstreckung in das Vermögen des Schuldners ausgeschlossen sein[1]).

3. Die Wechselkurse waren überwiegend ungünstig für England und zeigten zeitweise einen enormen Rückgang der englischen Valuta an.

Vor der Restriktion standen die englischen Wechselkurse überwiegend zugunsten Englands, nur in Ausnahmefällen waren sie zeitweise ungünstig für England. Das änderte sich in der Periode der Restriktion. In dieser Zeit notierten die Wechselkurse überwiegend zuungunsten Englands, und oft war eine auffallend große Entwertung der englischen Valuta festzustellen. Die Parität zwischen England und Hamburg (dem hauptsächlichsten ausländischen Marktplatz für den englischen Handel) war 1 £ = 34 sh. 3½ Pfennige vlämisch. Der Wechselkurs stand aber im Februar 1811: 1 £ = 25 sh. (Es muß hier daran erinnert werden, daß die Londoner Wechselkursnotierung angibt, wieviel ausländisches Geld man für ein £ erhält; also bedeutet ein Heruntergehen des Kurses eine Verschlechterung.) — Die Parität zwischen London und Paris beträgt

$$1 £ = 25 \text{ Livres,}$$

der Wechselkurs stand aber im

Februar 1811: 1 £ = 17 Livres 16 cent[2]).

Ihren tiefsten Stand erreichten die Wechselkurse im November 1811 mit 31% unter Pari[3]).

4. Die Preise vieler wichtiger Waren wiesen oft eine außerordentlich starke Erhöhung auf, so daß zeitweise eine Teuerung eintrat, z. B. der Preis für Weizen betrug:

per Quarter am Michaelistag 1797 . . . 53 Schilling
,,   ,,   ,,   ,,   1798 . . . 54   ,,
,,   ,,   ,,   ,,   1799 . . . 92   ,,
,,   ,,   ,,   ,,   1800 . . . 128   ,,

Die ersten zwei dieser vier Anomalien des Geld- und Kreditverkehrs wies Deutschland während des Weltkrieges nicht auf. Da

---

[1]) Wolter, a. a. O., S. 91.
[2]) Wolter, a. a. O., Tabellen im Anhang.
[3]) Aretz, a. a. O., S. 121.
[4]) Tooke, a. a. O., 1. Bd., S. 797.

Deutschland keinen Goldmarkt hat — dieser ist in London konzentriert, so daß der Londoner Goldmarkt der Weltgoldmarkt ist —, gibt es auch keinen eigenen Goldmarktpreis, der gegenüber dem Münzpreis der Reichsbank eine Differenz aufweisen könnte. Ein Agio auf Goldmünzen konnte auch nicht eintreten, da bald nach Kriegsbeginn die Bekanntmachung betreffend Verbot des Agiohandels mit Reichsgoldmünzen vom 23. November 1914 erschien[1]). Danach machte sich jeder strafbar, der es unternahm, ohne eine besondere Genehmigung des Reichskanzlers Reichsgoldmünzen zu einem ihren Nennwert übersteigenden Preise zu erwerben, zu veräußern oder solche Geschäfte zu vermitteln. Aber abgesehen von dieser Strafbestimmung waren sehr bald nach Kriegsausbruch die Goldmünzen fast ganz aus dem Verkehr verschwunden. Die Reichsbanknoten, die vor dem Kriege bereits gesetzliches Zahlungsmittel waren, übten jetzt nebst anderen papierenen Geldsurrogaten die Funktion des Zahlungsmittels aus. Wohl aber haben sich die beiden anderen Anomalien auch bei uns in wachsendem Maße gezeigt, nämlich das Sinken der Valuta und die Steigerung der Preise. Beide Erscheinungen werden mit derselben währungspolitischen Maßnahme, die auch England während der Napoleonischen Kriege ergriffen hatte, in Zusammenhang gebracht, nämlich mit der Erklärung der Uneinlöslichkeit der Reichsbanknoten. Abgesehen von dieser bankpolitischen Maßnahme weisen allerdings die wirtschaftlichen Verhältnisse Englands während der Napoleonischen Kriege gegenüber den deutschen Zuständen während des Weltkrieges gewisse Abweichungen auf. Vor allem hatte England nicht dauernd und stetig wie Deutschland unter den Absperrungsmaßregeln der Feinde zu leiden. Je nach der wechselnden Kriegslage war die Absperrung Englands größer oder geringer, während bei uns die Absperrung mit der wachsenden Zahl der Feinde immer größer wurde. Aber gerade in der Zeit, als der wissenschaftliche Streit über die Ursachen der Teuerung und des Sinkens der Wechselkurse am heftigsten war, in den Jahren 1808—1811, hatte die Lage Englands infolge der Kontinentalsperre mit der Deutschlands in diesem Kriege große Ähnlichkeit. Am Schluß des Jahres 1807 fand sich England durch die Kriegsereignisse (Dekret von Mailand vom 17. Dezember) vom unmittelbaren Handelsverkehr mit jedem europäischen Staate, außer mit Schweden, abgeschlossen, wodurch ein Mangel an allen europäischen Produkten, die England für seine Fabriken und Flotte gebrauchte, entstand. Um dieselbe Zeit begannen auch die Streitigkeiten mit den Vereinigten Staaten von Nordamerika, woraus zuerst eine förmliche Aufhebung des Verkehrs, dann ein Krieg entstand. Anfang 1809 hatten die der Einfuhr entgegenstehenden politischen Hindernisse ihren Höhepunkt erreicht, die Preise stiegen damals auf eine enorme Höhe, z. B. für Hanf von 58 £ pro Tonne im Sommer 1807 auf 118 £ im Laufe von 1808, und Flachs aus ähnlichen Gründen von 68 £ auf 142 £; Bauholz aus Memel, das 1806 und 1807 zwischen 3 £ 13 sh. und 8 £ 10 sh. variiert hatte, stieg auf 17 £ pro Last; Bretter und andere Sorten Holz im Verhältnis. Leinsaat von 43 auf

---

[1]) Nur ganz vereinzelt kam Agiozahlung vor (z. B. zahlte die städtische Sparkasse Essen eine Zeitlang bei Einzahlungen in Gold 1% Agio); wären solche Maßnahmen zahlreich geworden, so hätte sich auch eine Spannung zwischen Gold und Papier ergeben (vgl. C a l w e r , Monatsberichte 7. 1915).

150 sh. pro Quarter und russischer Talg von 53 auf 112 sh. pro Zentner[1]).

Das Disagio der Noten war im Jahre 1809 von 2½—3 % in wenigen Monaten auf 13—14 % gestiegen. Der Wechselkurs auf Hamburg stand im Juli 1809 auf 28 sh. 6 d. (Parität 34 sh.), auf Paris im August 1809 auf 20 Fr. 1 ct. (Parität 25 Fr.). Dieser Stand der Wechselkurse erregte großes Aufsehen. Die Ursache wurde zu ergründen gesucht und in dem darüber entstandenen Meinungsstreite traten sich zwei Richtungen schroff gegenüber.

Die eine Richtung behauptete, daß die Steigerung der Preise und das Fallen der Wechselkurse durch den i n n e r e n Zustand des e n g l i s c h e n G e l d w e s e n s verursacht sei. Infolge übermäßiger Ausgabe der englischen Banknoten sei eine Entwertung des englischen Geldes eingetreten. Diese habe das Steigen des Goldgeldes, die Steigerung der Preise, und das Fallen der Wechselkurse bewirkt. — Die a n d e r e Richtung bestritt, daß der Zustand des englischen Geldwesens irgendwie an einer dieser Anomalien beteiligt sei; sie seien lediglich auf die Verhältnisse des auswärtigen Handels und der Zahlungsbilanz zurückzuführen. Da infolge der dringenden Goldausfuhr das Gold selten und knapp geworden sei, habe es einen hohen Wert erlangt, wie viele andere Waren auch, aber das Papiergeld sei nicht entwertet gewesen, sondern die Banknotenausgabe habe sich durchaus in den für den Zahlungsmittelverkehr Englands notwendigen und berechtigten Grenzen gehalten. Die Preise seien gestiegen infolge der durch die Absperrung entstandenen Warenknappheit, aber nicht durch Geldentwertung. Die Vermehrung der Noten sei die notwendige Folge der gestiegenen Preise gewesen, aber nicht umgekehrt, und ebenso habe die Steigerung der Wechselkurse nichts mit einer Geldentwertung zu tun, sondern nur mit der ungünstigen Zahlungs- und Handelsbilanz Englands.

§ 41. Die Erklärung der Anomalien aus der Inflation.
(Die Inflationstheorie der Bullionisten.)

Die Auffassung, daß die Mißstände des englischen Geldwesens durch die Entwertung der Banknoten verursacht seien, wurde insbesondere von R i c a r d o vertreten. Er stellte die Behauptung auf, daß die zu große Notenausgabe die Ursache der Störungen sei. Nachdem er bereits in einigen Artikeln im Morning Chronicle diesen Zusammenhang nachzuweisen gesucht hatte[2]), gab er 1809 eine Broschüre heraus, betitelt: „The High Price of Bullion a proof of the depreciation of bank notes", welche eine Neu- und Umarbeitung dieser Zeitungsartikel darstellt. Die Hauptgedanken dieser Schrift sind folgende:

Gold und Silber haben, wie andere Waren, einen inneren Wert, der nicht willkürlich ist, sondern von ihrer Seltenheit, von der Arbeitsmenge, die zu ihrer Herstellung nötig war und von dem Werte des Kapitals, das in den Bergwerken gebraucht wurde, um sie zu beschaffen, abhängt.

Die Menge Geld, die ein Land braucht, steht im Verhältnis

---

[1]) Vgl. T o o k e , a. a. O., S. 127.
[2]) Die Beiträge R i c a r d o s zum Morning Chronicle in dieser Frage sind neu herausgegeben unter dem Titel: „Three lettres on the Price of Gold" by D a v i d R i c a r d o (A reprint of economic tracts edited by Hollander), Baltimore.

zur Ausdehnung seines Handels und Verkehrs: wenn in der Entwicklung zum Reichtum ein Land schneller als die anderen vorwärts kommt, so würde auf dieses Land mehr Anteil des Geldes der Welt kommen.

Würde eine Goldmine in einem der miteinander verkehrenden Länder entdeckt werden, so würde der Wert des Goldes in diesem Lande vermindert infolge der vermehrten Menge der in den Verkehr gebrachten Edelmetalle und würden daher nicht länger mit dem Golde der anderen Länder im Werte gleich sein. Sofort würden Gold und Silber gemäß dem Gesetze, das für alle Waren gilt, das Land verlassen, wo sie billig sind, nach den Ländern, wo sie teuer sind, und dies würde so lange fortgesetzt, bis das Verhältnis, das zwischen Gold und Kapital vor der Entdeckung der Mine bestand, wiederhergestellt sei und Gold und Silber überall wieder denselben Wert hätten. Im Austausch für das exportierte Gold würden Waren eingeführt; und obgleich die sog. Handelsbilanz gegen das Land wäre, das Gold oder Barren ausführte, wäre es klar, daß es einen sehr vorteilhaften Handel treibt, indem es ausführt, was in keiner Weise ihm nützlich ist, für Waren, die zur Vergrößerung seiner Gewerbe und zur Vermehrung seines Reichtums gebraucht werden können.

Würde nun an Stelle einer entdeckten Goldmine eine Bank errichtet, wie die Bank von England, mit dem Recht, Noten als Zahlungsmittel auszugeben, so würde, wenn ein großer Betrag davon, sei es in Form von Darlehen an Kaufleute, oder von Vorschüssen an die Regierung, ausgegeben ist, d i e s e l b e   W i r k u n g ausgeübt, wie durch die Entdeckung einer Mine, weil ebenfalls die Summe des Geldes beträchtlich vermehrt würde.

Das Geld würde entwertet und die Warenpreise würden steigen; das Gleichgewicht zwischen diesen und anderen Ländern könnte nur durch die Ausfuhr eines Teiles der Münze wiederhergestellt werden.

Die Bank setzt also ein Geld o h n e   W e r t an Stelle eines sehr kostspieligen Geldes und erlaubt, die edlen Metalle in ein Kapital zu verwandeln, das Ertrag abwirft.

In einer Randbemerkung zu M a c C u l l o c h s Artikel „Money" in dem „Supplement to the Encyclopaedia Britannica" spricht sich R i c a r d o über diese Zusammenhänge nochmals klar aus. Er gibt eine Kritik der englischen Geldverhältnisse und bemerkt, daß der englische Geldumlauf, der fast vollständig aus Papier besteht, vor allem gegen die Entwertung des Papiergeldes geschützt werden müsse und daß dieses versäumt worden sei: — durch die Bankrestriktion, wodurch die Bank der Verpflichtung enthoben sei, in barer Münze zu zahlen, sei die frühere Hemmung einer zu großen Notenausgabe beseitigt, und jetzt hätten es die Leiter der Bank in der Hand, den Wert des Papiergeldes zu erhöhen oder zu vermindern. Die Entwertung der Banknoten sei die direkte Folge davon, daß die Bank von England zuviel Noten ausgegeben hätte; der niedrige Wechselkurs könne unmöglich aus der ungünstigen Handelsbilanz erklärt werden, sondern sei verursacht durch die Geldentwertung.

Da jetzt alle Hemmnisse gegen eine Zuvielausgabe seitens der Bank durch die Parlamentsakte beseitigt seien, würden die Banken nicht länger durch „fear for the safety of their establishment" abgehalten, die Menge ihrer Noten auf den Betrag zu beschränken, welcher sie denselben Wert bewahren läßt, als die Münze, welche sie vertreten. Daher fänden wir, daß Goldbullion von 3 £ 17 sh. 17¾ d., dem Durchschnittspreise vor der Restriktion, auf 4 £ 10 sh. gestiegen sei und sogar auf 4 £ 13 sh. per Unze gestanden hätte. Wir können daher — fährt R i c a r d o fort — ruhig schließen, daß dieser Unterschied in dem relativen Wert oder mit anderen Worten, daß diese Entwertung in dem tatsächlichen Wert der Banknoten durch die zu große Menge verursacht ist, welche die Bank in Umlauf gesetzt hatte. Dieselbe Ursache, welche einen Unterschied von 15—20% in Banknoten, verglichen mit Goldbullion, bewirkt hat, kann ihn auch auf 50% vermehren.

Der extreme Standpunkt der Bullionisten wird am besten durch einen erst 30 Jahre später veröffentlichten Börsenartikel des Morning Chronicle (vom 3. Juli 1839) charakterisiert, wo es heißt: „Die Bankdirektoren haben es in ihrer Gewalt, durch Ausdehnung oder Einziehung des Notenumlaufs die Preise der meisten Handelsartikel zu steigern oder herunterzudrücken."

Schon vor R i c a r d o hatte W a l t e r B o y d in seiner im Dezember 1800 erschienenen Broschüre „A letter to the Right hon. W i l l i a m P i t t on the Influence of the Stoppage of Issues in Specie at the Bank of England on the Prices of Provisions and other Commodities" behauptet, daß die größte Wahrscheinlichkeit vorläge, daß die Vermehrung der Banknoten seit 1797 die Hauptursache des großen Steigens der Warenpreise sei[1].

Besonders hatte Lord K i n g in seiner 1803 veröffentlichten Broschüre „Thoughts on the Effects of the Bank Restriction" die Zusammenhänge zwischen Notenmenge und Preisen in einer Weise erklärt, die in den Grundzügen mit den Ideen R i c a r d o s und der übrigen Führer der Currency-Theorie übereinstimmt.

Einige Monate nach der Veröffentlichung von R i c a r d o s Schrift bildete das Parlament einen besonderen Ausschuß zur Untersuchung der Frage (Bullion Committee). Der Bericht nebst den Zeugenaussagen zeigt deutlich, wie stark die Anschauungen R i c a r d o s auf die Meinung des Ausschusses eingewirkt haben[2].

Es heißt dort: „Der Ausschuß spricht es als seine Meinung aus, nach einer sehr gründlichen Beratung dieses Punktes, daß es ein großer praktischer Irrtum ist, anzunehmen, daß die Wechselkurse mit fremden Ländern und der Goldpreis nicht von dem Betrag eines Papiergeldes, das ohne die Einlösungspflicht nach dem Wunsche des Inhabers ausgegeben wird, abhängig wären. Daß durch eine übermäßige Ausgabe von Papiergeld die Wechselkurse fallen und der Goldpreis steigen, wird nicht nur als ein Grundsatz von den hervorragendsten Autoritäten über Handel und Finanzen aufgestellt, sondern seine praktische Wahrheit wird durch die Geschichte fast jedes Staates der neueren Zeiten belegt[3]."

Ferner: „Die Suspension der Barzahlungen hat die Wirkung gehabt, in die Hand der Direktoren der Bank von England die wichtige Aufgabe zu legen, das Land mit der Menge von umlaufender

---

[1] M c C u l l o c h , Literature of pol. ec., S. 169.
[2] Report together with minutes of evidence and accounts, from the Select Committee on the high Price of bullion. London 1810.
[3] a. a. O., S. 39.

Münze zu versehen, die gerade den Bedürfnissen des Publikums angepaßt ist. Nach der Meinung des Komitees ist dies eine Aufgabe, von der es unverständig ist, zu erwarten, daß die Direktoren der Bank von England sie jemals erfüllen könnten[1] . . ."

Der Ausschuß empfahl als Aushilfsmittel, in dem Geldsystem dieses Landes mit so viel Eile, als mit der nötigen Klugheit und Vorsicht vereinbar sei, zu dem ursprünglichen Grundsatze der Barbezahlung nach dem Wunsche der Inhaber der Noten zurückzukehren.

§ 42. Die Erklärung der Anomalien aus der Handels- und Zahlungsbilanz (die Zahlungsbilanztheorie).

Von den Vertretern der entgegengesetzten Richtung nenne ich B o s a n q u e t (Practical observations on the report of the bullion committee)[2]), der erklärte, daß nicht ein Übermaß an Umlaufsmitteln, sondern 1. die veränderte Lage des Kornhandels und die damit zusammenhängende Not von 1800 und 1801; 2. die Vermehrung der Steuerlast seit Beginn des Krieges (1793) die Ursache der Preissteigerung sei.

Eine sehr geschickte Vertretung hatte diese Richtung auch in T h o r n t o n gefunden, der 1802 ein Buch „An Inquiry into the Nature and Effects of the Paper Credit of Great Britain" veröffentlichte, worin die Beweisführung der damals durch B o y d vertretenen Currency-Theorie widerlegt wurde.

Er bezeichnet die Befürchtungen, die man von einer übermäßigen Ausnutzung der Notenausgabe seitens einer Zettelbank hegt, als übertriebene und führt den Stand der Preise und der Wechselkurse auf andere Ursachen zurück[3]): „Daß der Geldpreis einiger englischer Artikel in letzter Zeit sehr erhöht wurde, und daß der Geldpreis aller, oder fast aller Artikel im gewissen Grade gestiegen ist, sind Tatsachen, die nicht bezweifelt werden können. Aber daß diese Erhöhung einer Vermehrung des Papiergeldes geschuldet ist, ist nicht in gleicher Weise zuzugeben; denn es ist klar, daß andere Ursachen mächtig mitgewirkt haben, nämlich der Kriegszustand, neue Steuern, und zwei schlechte Ernten, die, indem sie den Brotpreis erhöhten, in gewissem Grade auch den Preis der Arbeit und aller Waren gesteigert haben."

Namentlich ist T o o k e als Vertreter der Richtung zu erwähnen, die jeden unmittelbaren Zusammenhang zwischen der Notenausgabe und dem Stand der Wechselkurse und der Preise bestritt. T o o k e wendet besonders gegen die Bullionisten ein, daß die Preiserhöhung in der in Frage kommenden Periode keineswegs eine allgemeine war, sondern fast nur bei dem Getreide vorgekommen sei. Wäre wirklich eine Geldentwertung schuld gewesen, so hätte sich die Preiserhöhung auf alle Waren erstrecken müssen: „Nicht wohl zu begreifen ist es daher — sagt T o o k e [4]) —, wie es in dem Bericht der Commission (Bullion C.) von 1810 heißen konnte: „Die Preise aller Waren sind gestiegen und Gold scheint nur in Gemeinschaft mit ihnen gestiegen zu sein. Wenn diese gleichmäßige Wirkung einer und derselben Ursache zuzuschreiben ist, so kann diese Ursache

---

[1]) a. a. O., S. 57.
[2]) II. ed., connected with a supplement. London 1810.
[3]) a. a. O., S. 301.
[4]) a. a. O., S. 142/43 u. 144/45.

nur in der Lage der Landesvaluta zu suchen sein." Diese Bemerkung wurde zu einer Zeit niedergeschrieben, als alle Waren, mit Ausnahme von Lebensmitteln, an welchen Mangel war, reißend im Preise fielen und noch im Fallen begriffen waren, als Gold stieg. „ . . . Es gab im Jahre 1810 sehr wenige Waren, deren Verkauf damals nicht einen Kapitalverlust von 20, 30 % und selbst mehr im Vergleich zum Einkaufspreise von 1800 gebracht haben würde. Bei Ländereien, Häusern oder Schiffen würde allerdings eine Ausnahme stattgefunden haben; die ist aber leicht zu erklären. Die wiederholten Mißernten hatten die Getreidepreise zu einer, wie es schien, bleibenden Höhe getrieben und dadurch die Grundbesitzer in den Stand gesetzt, bei jedem neuen Pachtkontrakt ein höheres Pachtgeld zu erhalten, so daß diese in einzelnen Fällen dreimal so hoch wurden, wie sie 1792 gewesen und Spekulationen in Land fast sicher einen Vorteil abwarfen. Bei Häusern wirkten die vermehrten Abgaben auf Baumaterial und die so viel höheren Preise von Bauholz, neben der Zunahme der Bevölkerung, wie eine Prämie zugunsten aller vorhandenen Gebäude, und führten notwendig eine Steigerung ihres Wertes herbei. Bei Schiffen kam außerdem noch hinzu, daß sehr viele zu Truppentransporten, namentlich nach Portugal und Spanien, gebraucht wurden. Aber mit diesen Ausnahmen, für welche die Erklärung vorliegt, waren die Preise fast aller Verkehrsgegenstände 1810 und 1811 niedriger als 1800; in wenigen Fällen um nur 20, in vielen um mehr als 50%, in Papier bemessen, während Gold um 25% gestiegen war."

T o o k e weist ferner darauf hin, daß die Ursache des niedrigen Wechselkurses 1809 in den außergewöhnlichen Zahlungsverpflichtungen Englands an das Ausland gelegen hätte: „Der Krieg auf der Pyrenäischen Halbinsel hatte begonnen, der große Barsendungen für den Sold und Unterhalt der verbündeten Heere erforderte, und mit Österreich wurden im Hinblick auf dessen Kriegserklärung gegen Frankreich, die im Frühjahr 1809 stattfand, Subsidientraktate gepflogen.

Diese Verhältnisse mußten mächtig auf die Wechselkurse einwirken, die demnach beträchtlich hinuntergingen, ohne daß die Bank vorher ihre Notenausgabe vermehrt hätte. Der durchschnittliche Betrag der Noten von 5 £ und darüber war während des Vierteljahres, endend am:

	Kurs auf Hamburg
30. Juni 1808: 13,189,270 £	1. Juli 35 sh. 3 d. (Bcom. 13/3.6)
30. Sept. 1808: 13,060,650 „	30. Sept. 33 „ 9 „ („ 12/10.6)
31. Dez. 1808: 13,259,780 „	30. Dez. 31 „ 3 „ („ 11/11.6)

Und dieser Fall des Kurses war eingetreten, obgleich die Bank inzwischen über 3 Millionen in Metall ausgegeben hatte. Am Schluß von 1808 wurde kein Preis von Gold notiert; im Verhältnis zum Kurs mußte er etwa 4 £ 7 sh. 6 d. sein. . . . Die Zahlungen der Regierung im Auslande betrugen 1808, 1809 und 1810 über 32 Millionen, und die Getreide-Einfuhr nahm noch über 10 Millionen in Anspruch, was mithin einen Betrag an außerordentlichen Zahlungen von 42 Millionen £ bildete. Dazu kamen 1809 und 1810 noch sehr viele andere Einfuhren außer Getreide, und da alle diese schweren Güter in fremden Schiffen eingeführt werden mußten, so machten schon allein die Frachtgelder, die damals übertrieben hoch waren, einen ferneren bedeutenden Posten unter den dem Auslande zu leistenden Zahlungen aus, der für das Jahr 1810 auf nicht weniger als 5½ Millionen angegeben wird. Und während die von England zu leistenden Zahlungen zu so übermäßiger Höhe anschwollen, zielte das Kontinentalsystem, dem unsere eigenen Kabinettbefehle in die Hände arbeiteten, dahin, uns die Möglichkeit zur Bestreitung dieser Ausgaben mittels Warenausfuhr immer mehr zu beschneiden[1])."

T o o k e zieht dann zum Beweis für seine Auffassung die Verhältnisse der Jahre 1813 und 1814 heran. Die Bank von England hätte damals einen sehr großen Notenumlauf gehabt, nämlich rund 25 Millionen £. Der Goldpreis sei bis auf 5 £ 8 sh. gestiegen, der Wechselkurs auf Hamburg auf 29 sh., der auf Paris auf 21 Fr. gefallen. Er erwähnt die großen Zahlungsverpflichtungen Englands für Subsidien und die großen Zahlungen für Korneinfuhren, so daß insgesamt für diese beiden Rubriken in den Jahren 1813 und 1814 England 53 Millionen £ zu zahlen gehabt hätte. Dann fährt er fort: „Ein entscheidender Beweis, daß, wenn auch unter so außergewöhnlichen Umständen der Umlauf der Noten zu groß war, um das Papier auf gleicher Höhe mit seinem Wertmesser zu erhalten, dieses nicht der Fall war, sobald jene Umstände wegfielen, liegt darin, daß die Wechselkurse wieder stiegen und Gold rasch fiel, als der Betrag der Noten nicht nur nicht vermindert, sondern vermehrt wurde. Die Friedenspräliminarien zwischen den verbündeten Mächten und Frankreich wurden im April 1814 unterzeichnet und innerhalb der nächsten 6 Monate war Gold auf 4 £ 5 sh. gefallen, der Kurs auf Hamburg auf 33 sh. (Bcomb. 12.6 sh.), der auf Paris auf 23 Fr. 30 sh. gestiegen. Auch fielen die Warenpreise in diesem Zeitraum beträchtlich[2])."

In derselben Zeit aber habe die Bank von England ihren Notenumlauf noch erheblich vermehrt, nämlich auf 28,3 Millionen (31. 8. 1814).

§ 43. Kritik dieser beiden Theorien.

Das Urteil darüber, welche der beiden Richtungen im Rechte ist, lautet auch heute in der Wissenschaft noch verschieden. Bis in die neueste Zeit herein fanden die Bullionisten (d. h. diejenigen, die wie R i c a r d o die Ursache der beklagten Mißstände im Zustande des englischen Geldwesens erblickten) Anhänger, wie z. B. K e l l e n b e r g e r [3]), wie andererseits auch die Antibullionisten vielfach Zustimmung fanden. In gewisser Hinsicht wird man auch sagen können, daß auf beiden Seiten die Gesichtspunkte zur richtigen Beurteilung der Sachlage gegeben werden, daß aber infolge zu großer Verallgemeinerungen und Einseitigkeiten eine objektive Würdigung fehlt und der wahre Kausalzusammenhang verkannt wird. Auf Grund des reichen Materials, das heute vorliegt und in einer außerordentlich großen Literatur verarbeitet ist, und auf Grund der Beobachtungen, die unter der Wirksamkeit der Bankgesetze gemacht wurden, die gerade unter dem Einfluß bestimmter Theorien der Bullionisten zustande kamen, läßt sich heute das folgende Urteil fällen:

---

[1]) a. a. O., S. 161/62 u. 164.
[2]) a. a. O., S. 191.
[3]) Vgl. seine Abhandlung „Die Aufhebung der Barzahlung in England 1797 und ihre Folgen". In C o n r a d s Jahrb. 1916. II. S. 391.

Wir müssen unterscheiden zwischen der p r i m ä r e n , d. h. der eigentlich entscheidenden Ursache des Sinkens der Wechselkurse und der Preissteigerung und den s e k u n d ä r e n Ursachen. Was die p r i m ä r e Ursache anlangt, so haben die Bullionisten offenbar u n r e c h t , wenn sie diese auf der Seite des Geldes, d. h. in der Entwertung der Banknoten erblicken, und es ist den Antibullionisten entschieden recht zu geben, wenn sie die damalige Gestaltung der Handels- und Zahlungsbilanz als ausschlaggebenden Faktor bezeichnen. Auf der anderen Seite war es eine Einseitigkeit der Antibullionisten, zu bestreiten, daß auch die Geld- und Währungsverhältnisse teilweise die Schuld trügen, und R i c a r d o mit seinen Anhängern hat durchaus mit Recht auch auf diese Seite des Ursachenkomplexes hingewiesen.

Unter den s e k u n d ä r e n Faktoren spielt zweifellos die Entwertung der Noten eine Rolle. Wäre aber wirklich die Entwertung der Noten infolge der Bankrestriktion die entscheidende Ursache gewesen, so hätte sich während der ganzen Restriktionsperiode eine viel stabilere und stetigere Preissteigerung und ein fortdauernd ungünstiger Stand der Wechselkurse zeigen müssen. Dies war keineswegs der Fall, sondern wir sehen, daß die Wechselkurse und die Preise einen sprunghaften Charakter an sich trugen, daß Zeiten großer Preissteigerungen auch solchen von gedrückten Preisen Platz machten und ebenso, daß auch der Goldpreis und die Wechselkurse nur zu bestimmten Zeitperioden eine für England sehr ungünstige Gestaltung angenommen haben. Die besonderen, durch den Krieg hervorgerufenen ungünstigen Gestaltungen des Warenmarktes und der auswärtigen Handelsbeziehungen hatten zeitweilig zu den schlechten Wechselkursen und teueren Preisen geführt. Die Gestaltung der Handels- und Zahlungsbilanz war in dieser Periode öfters so — namentlich infolge der Absperrungspolitik —, daß England nicht genügend Waren ausführen konnte, um seine dringend notwendigen Zahlungen sowohl für Subsidien wie für die Einfuhr nötiger Waren mit Waren zu bezahlen. Da die englischen Wechsel wegen ungenügender Ausfuhr nicht so dringend nachgefragt waren wie umgekehrt die Wechsel auf das Ausland von England gesucht wurden, so mußte der Preis für die Auslandswechsel steigen. Weil England für viele Zahlungen auf Goldsendungen angewiesen war, wurde in gewissen Zeitperioden Gold immer seltener, knapper und teurer, und hieraus erklärt sich im wesentlichen die häufige Steigerung des Goldpreises über den Münzpreis. Trotz aller Einfuhrbeschränkungen gelang es England auch in den Zeiten strengster Absperrungsmaßregeln, gewisse Waren, die es dringend benötigte, auf dem Wege des Schmuggels, durch Lizenzen usw. einzuführen. Dafür waren Goldzahlungen nötig; denn Wechsel auf England wurden gerade in jener Zeit z. B. in Hamburg nicht mehr gezogen, da niemand mehr wagte, offen mit England in Verbindung zu bleiben. So mußte England große Goldmengen für seine ausländischen Verpflichtungen der verschiedensten Art reservieren, wodurch der Goldvorrat immer mehr zusammenschmolz und das Gold immer teurer wurde. Ebenso mußte England in jener Absperrungsperiode für die Bezahlung der Einfuhr aus den neu eröffneten südamerikanischen Märkten Gold senden, da für englische Waren der südamerikanische Markt nicht in entsprechendem Maße sich aufnahmefähig erwies und

ein geregelter Wechselverkehr mit diesem Lande nicht möglich war[1]):
„Diese fast 3 Jahre dauernde Übersendung von Metallgeld hatte aber
den Vorrat an solchem jetzt vollständig aufgebraucht. Gold fing an,
buchstäblich eine Rarität zu werden und war nicht mehr in ausreichender Menge zum Auslandtransport zu haben. Das Silbergeld
des Landes war in einer Verfassung, die jeder Beschreibung spottete.
Es hatte durchweg eine Begültigung, die zu seinem Edelmetallgehalt
in fast gar keinem Verhältnis stand. So mußte denn England taten-
los zusehen, wie die Wechselkurse sich immer ungünstiger gestalteten[2]).“

Schon vor der Aufhebung der Einlösungspflicht war gelegentlich
aus demselben Grunde, nämlich wegen dringender Nachfrage nach
Gold zu Auslandszahlungen der Goldpreis über den Münzpreis gestiegen, so z. B.:

$$1720 \text{ auf } £ \ 4/5$$
$$1783 \ ,, \ ,, \ 4/2.3$$
$$1795 \ ,, \ ,, \ 4/8 \ ^3).$$

Die irrige Meinung der Bullionisten ist auf gewisse Grund-
anschauungen R i c a r d o s über das Verhältnis zwischen Geldmenge und Warenpreisen zurückzuführen. Sein Hauptirrtum lag
in der von ihm vertretenen Q u a n t i t ä t s t h e o r i e, die
zwar eine bedeutende Verbesserung gegenüber der naiven Q u a n -
t i t ä t s t h e o r i e von L o c k e und H u m e darstellt, aber
auch in dieser verfeinerten Form zu falschen Schlüssen führen mußte.
Sei zuviel Geld im Land, so meint R i c a r d o, dann sänke sein
Tauschwert, es stiegen infolgedessen die Warenpreise, bis wieder
durch Abströmen des zu billigen Geldes ins Ausland das richtige
Verhältnis hergestellt sei; umgekehrt, sei zu wenig Geld im Lande —
sei es zu „teuer“, so fielen die Warenpreise, bis durch Zuströmen
des im Auslande billigen Geldes wieder ein Ausgleich stattfände.
So faßt R i c a r d o in sehr einseitiger Weise das Verhältnis zwischen Geldmenge und Warenpreise als ein mechanisch-automatisches
auf. P r e i s e der Waren einerseits und M e n g e des Geldes
andererseits stünden im engsten Konnex.

„Verminderung oder Vermehrung der Menge des Geldes steigert
oder erniedrigt i m m e r den Preis der Waren“[4]) — so lautet eine
seiner apodiktischen Behauptungen vor der Unterhauskommission. —
Und zwar soll die Einwirkung der Geldmenge auf die Preise in fast
arithmetisch-exakter Weise vor sich gehen. Auf die Frage vor derselben Kommission: „Glauben Sie, daß eine Verminderung der Umlaufsmittel eine Verminderung der Preise in exakt-arithmetischer
Progression hervorbringt?“ antwortete er: „Ich glaube, sie hat eine
Tendenz so zu wirken, aber sie wird nicht genau so exakt zum Vorschein kommen[5]).“

R i c a r d o übersah die besondere Eigentümlichkeit des Geldes, die es vor allen anderen Waren auszeichnet, nämlich, daß Geld
das einzige gesetzlich zulässige letzte Solutionsmittel für Forderungen
aller Art ist. Wenn also ein Land gezwungen ist, eine bestimmte
Ware vom Ausland zu beziehen, so ist es genötigt, Geld dafür zu

---

[1]) W o l t e r, a. a. O., S. 77.
[2]) W o l t e r, a. a. O., S. 104.
[3]) Vgl. B o u n i a t i a n a. a. O., S. 218.
[4]) Commons cash payments reports, S. 198.
[5]) Ebendort, S. 136.

zahlen, wenn nicht ein Ausgleich durch andere Waren möglich ist. Dann ist es aber verkehrt zu sagen, Geld geht aus dem Lande, weil es verhältnismäßig billiger ist als dort, wohin es ausgeführt wird, sondern Geld geht dorthin, weil unter den konkreten Marktverhältnissen Geld zum Ausgleich bestimmter Forderungen für Warenkäufe die einzig mögliche Gegenleistung darstellt. Mit Eigensinn hält er aber den Einwänden von M a l t h u s gegenüber daran fest, daß eine sog. ungünstige Handelsbilanz immer nur durch Billigkeit, d. h. Überfluß des Geldes verursacht sein könne.

Nicht also die Nachfrage nach Waren, oft dringendster Art, wie z. B. nach Getreide, sei die Ursache ungünstiger Handelsbilanz, sondern immer nur die „Billigkeit" bzw. „Teuerkeit" des Geldes soll in Frage kommen.

So kam R i c a r d o schließlich zu dem vor dem parlamentarischen Untersuchungsausschuß (1819) ausgesprochenen Satz[1]): „Es gibt keinen ungünstigen Wechselkurs, der nicht durch eine Verminderung in der Menge der Umlaufsmittel zu unseren Gunsten geändert werden könnte."

Man könnte es fast als Sophisterei bezeichnen, wenn R i - c a r d o auf die wiederholten Einwände M a l t h u s', daß doch unter Umständen ein b e s o n d e r s d r i n g l i c h e r B e d a r f nach einer Ware die Preissteigerung erkläre und daß die anderen Waren daher im Preise stabil blieben, an seiner Meinung festhält mit der Motivierung, daß es auf die Gesamtmenge der Waren einerseits und die Gesamtmenge des Geldes auf der anderen Seite ankomme[2]). „Obwohl zugegeben werden kann, daß die Preissteigerung einer Ware, im Falle eines Mangels an Getreide, von einem Fallen der Preise aller übrigen begleitet sein kann, warum sollte ein Überfluß an Geld unter solchen Umständen unmöglich sein? Das Geld muß, behaupte ich, als ein Ganzes betrachtet werden, und muß als solches verglichen werden mit der Gesamtheit an Waren, die es umsetzt. Wenn es also in ‚a greater proportion' zu Waren steht, nach als vor einer schlechten Ernte, während keine solche Änderung in dem Verhältnisse zwischen Geld und Waren auswärts stattgefunden hat, so scheint mir, daß kein Ausdruck diesen Zustand der Dinge richtiger bezeichnen kann als ‚a relative redundancy of currency'.

Unter solchen Umständen würde nicht nur Geld, sondern jede andere Ware verhältnismäßig billiger werden, verglichen mit Getreide, und würde infolgedessen gegen das Getreide, welches in diesem Lande verlangt wird, ausgeführt. Unter relativer Überfülle verstehe ich also relative Billigkeit und die Ausfuhr der Ware sehe ich in allen gewöhnlichen Fällen als Beweis solcher Billigkeit an."

Bei seiner Theorie von dem engen Zusammenhange zwischen der im Lande vorhandenen Geldmenge und den Warenpreisen übersieht R i c a r d o ferner zu sehr den Unterschied der beiden Funktionen des Geldes als eines Wertumsatzmittels und eines Wertaufbewahrungsmittels. Es ist gar nicht nötig, daß jede Geldeinfuhr die Umlaufsmittel als solche vermehre, d. h. den Teil des Geldes, der dem Güterumsatz dient, wie umgekehrt auch nicht durch jede Geld-

---

[1]) Commons cash payments reports 1819, S. 200.
[2]) Letters of D a v i d R i c a r d o to T h o m a s R o b e r t M a l t h u s 1810—1823 ed. by James Bonar. Oxford 1887. (B. W. I.) S. 13.

ausfuhr die in Zirkulation befindliche Geldmenge verringert zu werden braucht. Es können auch die in den großen Banken und sonstigen Kreditinstituten ruhenden Geldbestände sein, die in beiden Fällen allein geändert werden; das im Umlauf befindliche Geld kann unberührt bleiben, und daher kann auch ein direkter Einfluß dieser Änderung der Geldmenge auf die Preise nicht stattfinden.

Es ist das besondere Verdienst F u l l a r t o n s , in seiner Schrift „On the Regulation of currencies"[1]) auf diesen Punkt nachdrücklich aufmerksam gemacht zu haben. Er wies auf die Bedeutung der „Hoards" hin, die „einen Teil des Geldes aller Länder ausmachen, und deren Wichtigkeit bis jetzt noch nicht genügend beachtet wurde[2])."

Wenn auch die den Reservebeständen entnommenen Beträge wieder aus den in der Volkswirtschaft vorhandenen ersetzt werden müssen, so braucht dies doch nicht momentan zu geschehen, es kann lange Zeit vergehen, bis dies nötig wird. Zweifellos ist der mechanische Zusammenhang, den die Bullionisten zwischen der im Lande befindlichen Geldmenge und den Warenpreisen annehmen, auch gerade im Hinblick auf die erwähnten Hoards zu bestreiten.

Es ist ferner für R i c a r d o s Auffassung charakteristisch, wonach es auf die M e n g e der Umlaufsmittel ankommt, und nicht auf die A r t derselben, daß er es in der Frage der Einwirkung der Notenmenge auf den Geldwert als ganz gleichgültig bezeichnet, auf welche Art die Noten ausgegeben werden. Bei seiner Vernehmung vor dem parlamentarischen Ausschuß über die Wiederaufnahme der Barzahlungen (1819) wurde er gefragt, ob es nicht einen Unterschied für die Frage der Zuviel- oder Zuwenigausgabe der Noten ausmache, ob letztere gegen Ankauf von Edelmetall oder in Form von Darlehen ausgegeben würden. Er antwortete: „Es scheint mir keinen Unterschied zu machen, ob die Ausgabe auf dem Weg des Diskonts, in Form von Regierungsdarlehn oder gegen Ankauf von Münze vor sich geht, es ist der z i f f e r n m ä ß i g e Betrag, der die Wirkung hervorbringt[3])."

Indem R i c a r d o die letztere t h e o r e t i s c h bestehende Gefahr auch als p r a k t i s c h vorhanden annahm, irrte er über den Kausalzusammenhang zwischen Wechselkursen und Notenausgabe; die letztere schien ihm für alle abnormen Preisgestaltungen verantwortlich. Nur wenn wirklich Schritt für Schritt mit vermehrter Notenausgabe auch eine Erhöhung der Preise und Verschlechterung der Kurse verbunden gewesen wäre, hätte man aus den tatsächlichen Vorkommnissen auf diesen Zusammenhang schließen können. Es läßt sich aber leicht zeigen, daß eine solche allmähliche Entwicklung gar nicht vorlag; ebenso auch, daß die Kurse und Preise sich bedeutend besserten, ohne daß eine Verminderung in der Notenausgabe eingetreten war.

Somit wäre auch das von R i c a r d o vorgeschlagene Heilmittel — nämlich eine proportionelle Einschränkung der Notenmenge — nicht imstande gewesen, den ungünstigen Preis- und Kursverhältnissen entgegenzuwirken, sondern die Sanierung konnte erst

---

[1]) II. ed. London 1845.
[2]) S. 70.
[3]) Commons cash reports, 1819. S. 139.

eintreten, als die Verhältnisse der Handels- und Zahlungsbilanz sich gebessert hatten.

Ricardo spricht von einem „progressively increasing" schlechten Stand der Wechselkurse und sucht nach einer „permanent cause" und findet, „that it is to be accounted for only by the depreciation of the circulating medium". Es ist also das Charakteristische, daß Ricardo allein die Geldentwertung für die niedrigen Wechselkurse verantwortlich macht, nicht, was ohne weiteres zuzugeben ist, daß sie nur eine der Ursachen sei.

Tatsächlich hatte der Stand der Handelsbilanz die ungünstigen Wechselkurse hervorgerufen, was klar daraus hervorgeht, daß auch während der Restriktion und zu Zeiten starker Notenausgabe die Kurse besser waren, sobald die Handelsverhältnisse besser wurden, und daß die gesunkenen Kurse sich wieder erholten, ohne daß die Menge der Noten abgenommen hatte. Für Ricardo ist eigentümlich, daß er eine „ungünstige Handelsbilanz" gar nicht anerkennt; wenn infolge der großen Warensendungen Geld aus dem Lande gezogen wird, so ist für ihn Geld „the cheapest exportable commodity", ein Ausdruck, der immer bei ihm wiederkehrt. Es findet dann ein natürlicher Austausch zwischen zwei Waren statt, und die natürliche Preisbildung soll bewirken, daß Geld und keine andere Ware exportiert wird.

Den Ausdruck „ungünstige Handelsbilanz" erklärt daher Ricardo für inkorrekt[1]). „Aus welchem Grunde immer eine Ausfuhr von Gold im Austausch gegen Waren geschehen mag, sie wird stets (wie ich glaube, sehr inkorrekterweise) ungünstige Handelsbilanz genannt."

Fullarton sagt sehr zutreffend[2]): „Ricardo lebte zur Zeit der Streitigkeiten, die sich an die Restriktionsakte anschlossen, und hatte sich so lange daran gewöhnt, alle großen Schwankungen des Wechselkurses und des Goldpreises als Folge der übermäßigen Notenausgabe der Bank von England anzusehen, daß er zu gewissen Zeiten kaum bereit schien, zuzugeben, daß ein derartiges Ding wie eine ungünstige Handelsbilanz überhaupt existiere."

Anstatt der schematischen, generalisierenden Auffassung der Bullionisten über den Zusammenhang zwischen Notenausgabe, Wechselkursen und Warenpreisen derart, daß es nur die zu große Menge von Noten sei, die den ungünstigen Stand der Kurse und den hohen Preisstand erklärten, ist der methodisch viel richtigere Standpunkt Tookes zu akzeptieren, der in genauer Weise für die einzelnen Zeitabschnitte im einzelnen untersucht, wie der Stand der Wechselkurse und der Preise zu erklären ist. Das Resultat dieser sorgfältigen und gründlichen Untersuchungen Tookes ist, daß die Ansicht Ricardos und des Bullion-Committees falsch sei, und daß es andere Ursachen waren, welche die abnormen Preis- und Kursverhältnisse bewirkt haben, daß jedenfalls der Geld- und Notenumlauf bei dieser Gestaltung nur eine sekundäre Rolle gespielt hat.

---

[1]) The high price usw. S. 270.
[2]) On the regulation of currencies. London 1849. S. 133.

10. Kapitel.

Das Valutaproblem in Deutschland während des Weltkrieges und nach dem Weltkriege (1914–1924).

---

§ 44. Die Änderungen der gesetzlichen Grundlagen des deutschen Geldwesens im Weltkriege.

A. Gesetzliche Maßnahmen vor Ausbruch des Weltkrieges.

Der Hauptzweck der gesetzlichen Änderungen des Geldwesens, die sogleich nach Ausbruch des Weltkrieges getroffen wurden, war Schutz des Goldvorrates der Reichsbank; diesem Zweck aber, den Goldvorrat der Reichsbank zu schützen und das Publikum an den Gebrauch sog. „notaler" Zahlungsmittel zu gewöhnen, dienten bereits einige gesetzliche Änderungen des deutschen Geldwesens, die in den letzten Jahren vor Ausbruch des Weltkrieges vorgenommen wurden. Man hat diese Maßnahme auch als „finanzielle Mobilmachung" oder „finanzielle Kriegsrüstung" bezeichnet. Nicht mit Recht, da dieselben keineswegs allein im Hinblick auf einen event. Krieg, sondern überhaupt zum Schutz der Währung auch in Friedenszeiten bestimmt waren. Seit der Geldkrisis von 1907, die durch die amerikanischen Wirtschaftsverhältnisse verursacht war, dann in der Zeit der Marokkokrisis war immer wieder auf das Ziel hingewiesen worden, der Reichsbank einen möglichst großen Goldvorrat zuzuführen, um auch in kritischen Zeiten die deutsche Goldwährung aufrechterhalten zu können.

Die einzelnen Maßnahmen, die in dieser Hinsicht getroffen wurden, sind folgende:

1. Die Einführung der kleinen Reichsbanknoten durch Gesetz vom 5. Juni 1906.

Früher gab es nur Reichsbanknoten zu 100 Mk. Durch das Gesetz von 1906 sind auch Reichsbanknoten zu 20 und 50 Mk. geschaffen worden. Dafür wurden die früheren Reichskassenscheine zu 20 und 50 Mk. abgeschafft und die Reichskassenscheine jetzt zu 5 und 10 Mk. ausgegeben. Dadurch hat man dem Kleinverkehr Banknoten zugeführt und auch das größere Publikum an den Gebrauch von Banknoten statt baren Geldes gewöhnt. Die Schaffung dieser kleinen Noten verfolgte nicht allein den Zweck, Gold aus dem Verkehr in die Reichsbank zu drängen, sondern war gleichzeitig ein Schutz gegen eine unnötige Verminderung des Goldbestandes durch Umwechslung von Noten; denn erfahrungsgemäß bleibt die kleine Note länger im Verkehr als größere Abschnitte. Sie kommt weniger in den Großverkehr und wird mehr als die größere Note — wenn sich die Bevölkerung einmal an ihren Gebrauch gewöhnt hat — als wirkliches Gold angesehen.

2. Das Scheckgesetz vom 11. März 1908.

Dieses Gesetz sollte dazu dienen, die Zahlung vermittels Schecks möglichst populär zu machen und dadurch die Haltung privater Goldvorräte entsprechend zu vermindern.

3. Das Gesetz vom 1. Juni 1909 über die Erklärung der Reichsbanknoten als gesetzliche Zahlungsmittel.

Durch dieses Gesetz wurden die Reichsbanknoten zum gesetzlichen Zahlungsmittel erklärt, während vorher kein Annahmezwang bestand. Selbstverständlich wurde dadurch nicht etwa die sog. Papiergeldwirtschaft eingeführt, denn nach wie vor bestand die Verpflichtung der Reichsbank weiter fort, jederzeit auf Verlangen diese Noten in Gold einzulösen. Aber das Publikum wurde doch auch durch diese Maßregel darauf hingewiesen, welch unbedingt sichere Bedeutung man der Banknote zumißt, wenn man ihr in bezug auf die gesetzliche Zahlungspflicht dieselbe Qualität wie dem baren Golde einräumt.

4. Das Gesetz über Änderung im Finanzwesen vom 3. Juli 1913.

Dieses Gesetz ist nicht nur wichtig für die sog. Finanzreform, sondern hat auch im Zusammenhang damit einige Änderungen im Geld- und Zahlungswesen gebracht. Vor allen Dingen bietet es eine Vermehrung der Münzen im Kleinverkehr, d. h. der sog. Scheidemünzen. Zunächst wurde der Reichskanzler ermächtigt, bis zur Höhe von 120 Millionen Mk. neue Silbermünzen auszuprägen. Ferner wurde der Reichskanzler ermächtigt, bis zur Höhe von 120 Millionen Mk. noch weitere Reichskassenscheine auszugeben; der Erlös dieser Reichskassenscheine sollte dann zur Beschaffung desselben Betrages von 120 Millionen in gemünztem Golde verwendet werden, um den Reichskriegsschatz zu vermehren. Dadurch war die Möglichkeit gegeben, den Reichskriegsschatz von 120 Millionen Mk. bis auf 240 Millionen Mk. zu erhöhen. War schon durch diese gesetzliche Maßnahme in weitgehendem Maße für Vermehrung von papierenen und metallenen Zahlungsmitteln gesorgt, und andererseits dafür eine Vermehrung des Goldvorrates im Juliusturm und der Reichsbank Sorge getragen, so wurden noch viel tiefeinschneidendere Maßnahmen sofort nach dem Kriegsausbruch getroffen.

B. Die Maßnahmen nach Ausbruch des Krieges.

1. Die Reichskassenscheine werden zu gesetzlichen Zahlungsmitteln erklärt und brauchen nicht mehr gegen bar eingelöst zu werden (Gesetz vom 4. August 1914).

Die Reichskassenscheine waren vor dem Kriege keine gesetzlichen Zahlungsmittel und konnten gegen bares Geld eingelöst werden. Jetzt wurden diese Reichskassenscheine, deren Betrag, wie erwähnt, auf 240 Millionen Mk. erhöht worden war, zum Papiergeld im engeren Sinne des Wortes, denn sie waren ungedeckt, uneinlöslich und hatten Zwangskurs. Der Betrag der Reichskassenscheine wurde durch Gesetz vom 22. März 1915 nochmals um 120 Millionen Mark erhöht. Dieser Betrag aber sollte durch Hinterlegung von Darlehenskassenscheinen oder gemünztem deutschen Geld gedeckt sein. Diese Maßnahme sollte nur eine vorübergehende sein, denn gleichzeitig erhielt die Reichsbank die Ermächtigung, Banknoten auf den Betrag von 10 Mk. auszugeben. Sobald diese Ausgabe erfolgte, sollte der Betrag der Reichskassenscheine wieder auf 240 Millionen beschränkt werden.

2. Die Aufhebung der Verpflichtung der Reichsbank zur Einlösung der Banknoten in Gold.

Durch Gesetz vom 4. August 1914 wurde die Reichsbank von ihrer Pflicht, die Reichsbanknoten auf Verlangen in barem Geld einzulösen, entbunden: „Bis auf weiteres ist die Reichsbank zur Einlösung ihrer Noten nicht verpflichtet." Mit dieser Aufhebung der Einlösungspflicht war aber keine Beseitigung der Deckungsvorschriften der Noten verbunden. Nach wie vor mußte die Reichsbank die Deckungsvorschriften innehalten, d. h. ein Drittel der Noten mußten in barem Geld und zwei Drittel in guten, mit zwei bis drei sicheren Unterschriften versehenen Wechseln gedeckt sein. Später wurde dies geändert. Durch die Bankgesetznovelle vom 9. Mai 1921 wurde die Drittelbardeckungsvorschrift zunächst bis zum 31. Dezember 1923, durch Verordnung vom 26. Oktober 1923 bis zum 31. Dezember 1925 außer Kraft gesetzt.

3. Die Aufhebung der Notensteuer.

Die Bestimmung, daß die Reichsbank den nicht bar gedeckten Notenbetrag, der über das ihr zukommende Kontingent von 550 Millionen Mk. bzw. an Quartalsenden von 750 Millionen Mk. hinausgeht, mit 5 % versteuern mußte, hatte den Zweck, eine übermäßige Notenausgabe zu vermeiden. Im Kriege war eine sehr große Steigerung des nicht bar gedeckten Notenumlaufes zu erwarten; deshalb wurde die Notensteuer beseitigt.

4. Gesetz betr. die Ergänzung der Reichsschuldenordnung.

Die Reichsschuldenordnung vom 19. März 1900 hatte verfügt, daß die Bereitstellung der außerordentlichen, im Kreditwesen zu beschaffenden Geldmittel durch Annahme einer Anleihe oder durch Ausgabe von Schatzanweisungen zu erfolgen habe.

Durch dieses Gesetz wurde die Reichsschuldenordnung dahin geändert, daß die Beschaffung von Reichsgeldmitteln auch durch Ausgabe von Wechseln geschehen kann. Um aber auf Grund solcher Wechsel zu Geldmitteln zu gelangen, mußte auch eine Änderung des Reichsbankgesetzes vorgenommen werden.

5. Die Reichswechsel werden als bankmäßige Deckung zugelassen.

In Friedenszeiten mußte die Reichsbank, wie bemerkt, für den Betrag ihrer umlaufenden Noten, der nicht bar gedeckt ist, diskontierte Wechsel haben, die eine Verfallzeit von höchstens drei Monaten haben, und aus welchen in der Regel drei, mindestens aber zwei als zahlungsfähig bekannte Verpflichtete haften. Eine Ausnahme war zugunsten von Reichswechseln nicht vorgesehen; auch sie hätten einer zweiten Unterschrift bedurft, um bankfähig zu sein und als Notendeckung zu dienen. Auch dies wurde jetzt beseitigt. Wechsel nämlich, die das Reich verpflichten und eine Verfallzeit von höchstens drei Monaten haben, dürfen auch dann von der Reichsbank gegen Ausgabe von Noten diskontiert werden, wenn aus ihnen sonstige Verpflichtete nicht haften. Durch diese Änderung wurde es möglich, daß das Deutsche Reich seinen Finanzbedarf in dem Zeitraum, bis die Ausgabe einer Kriegsanleihe möglich war, sich bei der Reichsbank verschaffen konnte. Dieselbe Konzession wurde auch zugunsten der Schatzanweisungen gemacht, nämlich Schuldverschreibungen des Deutschen Reiches, die nach spätestens drei Monaten mit ihrem Nennwert fällig sind, sind ebenso wie die sog. Reichswechsel als Notendeckung zugelassen.

6. Die Einrichtung der Darlehenskassen.

Der Zweck der Darlehenskassen war in erster Linie eine Förderung des Kredits. Sie stellten eine Erleichterung des Lombardkredits für die im Kriege besonders hervortretenden Kreditbedürfnisse dar. Da der Darlehenskassenkredit in Form von Geldscheinen gegeben wurde, führten die Darlehenskassen zugleich eine Vermehrung des Papiergeldes herbei. Weil sofort nach Kriegsausbruch die deutschen Börsen geschlossen wurden, war es für alle Leute, die Geld brauchten, sei es für geschäftliche oder private Zwecke, sehr schwierig, dieses Geld zu bekommen, selbst dann, wenn sie wertvollen Besitz an Waren oder an Wertpapieren hatten. Da die Waren- und Wertpapierbörsen geschlossen waren, so konnte man eben auch selbst den kostbarsten und feinsten Besitz nicht leicht zu Geld machen. Eine Lombardierung der Werte bei der Reichsbank reichte nicht aus, weil die Reichsbank gesetzlich zu äußerst strengen Vorschriften für Lombardierung verpflichtet ist und sie nur bei erstklassigen Werten vornimmt. — Da sprang das Deutsche Reich ein und erklärte: Wenn Ihr Geld braucht, verpfändet mir Eure Warenbestände, z. B. Wolle, Getreide, Eisen, Stahl usw. oder bringt mir Eure Staatspapiere, Aktien und ähnliche gute Wertpapiere, dann leihe ich Euch bis zur Beendigung des Krieges gegen dieses Pfand so viel, daß ich unbedingt sicher stehe, d. h. ich werde Euch etwa 40—50 % oder bei guten Waren etwa 70 % des Pfandes auszahlen. Ich brauche es Euch ja nicht in barem Geld, in Gold oder Silber, gleich auszuzahlen, sondern kann Euch dafür auch Scheine ausstellen. Wenn ich einen solchen Schein — sagen wir einmal im Betrage von 20 Mk. — Euch in die Hand gebe, so weiß ich ja, daß diese 20 Mk. mir, dem Deutschen Reiche, ganz sicher sind, denn wenn Ihr diese 20 Mk. nicht zurückzahlt, so verkaufe ich sofort Eure Waren und Wertpapiere und komme auf diese Weise zu meinem Geld. Es wird also dann sozusagen der unbedingt sichere aber in Kriegszeiten nicht leicht verwertbare Kapitalbestand zur Grundlage einer Kredithilfe gemacht und gleichzeitig dieses Kredithilfsmittel dem Verkehr als Zahlungsmittel übermittelt. —

Im einzelnen ist über die ökonomische und juristische Struktur der Darlehenskassenscheine folgendes zu sagen:

a) Die Darlehenskassen waren keine neue durch den Weltkrieg hervorgerufene Einrichtung, sondern schon früher in Deutschland und anderen Ländern vorgekommen, so z. B. in Deutschland 1848, 1866 und 1870.

b) Die Bestimmung der Darlehenskassen war: Kreditgewährung durch Pfänder: „Es sollen Darlehenskassen errichtet werden mit der Bestimmung, zur Abhilfe des Kreditbedürfnisses, vorzüglich zur Förderung des Handels und Gewerbefleißes, gegen Sicherheit Darlehen zu geben" (§ 1 des Darlehenskassengesetzes vom 4. August 1914).

c) Die Art des Darlehenskassenkredits war so, daß zugleich neue Geldzeichen geschaffen wurden: „Für den ganzen Betrag der bewilligten Darlehen soll unter der Benennung Darlehenskassenschein ein besonderes Geldzeichen ausgegeben werden" (§ 2).

d) Die Darlehenskassenscheine hatten Kassenzwang: sie mußten bei allen Reichskassen sowie bei allen öffentlichen Kassen in sämtlichen Bundesstaaten nach ihrem vollen Nennwert in Zahlung genommen werden.

e) Sie waren aber nicht gesetzliches Zahlungsmittel: „Im Privatverkehr tritt ein Zwang für deren Annahme nicht ein" (§ 2).

f) Die Pfänder, gegen welche die Darlehensscheine ausgegeben wurden, waren entweder Waren oder Wertpapiere, und zwar nicht nur Staatspapiere, sondern auch Aktien (§ 4).

g) Die Höhe der Beleihung war bei Waren bis zu $\frac{1}{2}$, ausnahmsweise bis zu $\frac{2}{3}$ ihres Schätzungswertes, bei Wertpapieren mit einem Abschlag vom Kurse oder marktgängigen Preise. Bei Reichsanleihen wurde bis zu 75 % des Kurswertes beliehen, bei Aktien in der Regel bis zu 40 % des Kurswertes.

h) Die Darlehenskassenscheine wurden auf Beträge von 5, 10, 20 und 50 Mk. ausgestellt (§ 18). Durch Bekanntmachung vom 31. August 1914 wurde die Ermächtigung auch auf Beträge von zwei Mark und eine Mark ausgedehnt.

i) Die Darlehenskassen waren mit der Reichsbank eng verbunden. Die Darlehenskassen geben dem Empfänger des Darlehens nicht direkt Darlehenskassenscheine, sondern Reichsbanknoten, und die Reichsbank erhält dann für den gleichen Betrag Darlehenskassenscheine. Die Reichsbank gibt die Darlehenskassenscheine in den Verkehr, soweit sie es für nötig hält, und besonders dorthin, wo Mängel an kleinen Zahlungsmitteln besteht und behält den Rest in ihrem Portefeuille. — Was die in dem Besitz der Reichsbank befindlichen Darlehenskassenscheine anlangt, so erwuchs der Reichsbank hieraus ein eigentümlicher Vorteil, nämlich Abschnitt 2 des § 2 des Darlehenskassengesetzes bestimmt: im Sinne der §§ 9, 17, 44 des Bankgesetzes vom 14. März 1875 stehen die Darlehenskassenscheine den Reichskassenscheinen gleich. Danach gelten also die Darlehenskassenscheine als Bardeckung für die Reichsbanknoten, d. h. für die im Besitz der Reichsbank befindlichen Darlehenskassenscheine kann die Reichsbank den dreifachen Betrag an Banknoten ausgeben, vorausgesetzt, daß sie für die restlichen $\frac{2}{3}$ dieses Betrages diskontierte Wechsel besitzt. Während früher die Bestimmung lautete, daß $\frac{1}{3}$ der Reichsbanknoten in bar gedeckt sein müssen, d. h. in kursfähigem deutschen Geld, Reichskassenscheinen oder in Gold in Barren oder in ausländischen Münzen, das Pfd.F. zu 1392 Mk. berechnet, treten jetzt noch zu dieser Bardeckung die im Besitz der Reichsbank befindlichen Darlehenskassenscheine hinzu.

k) Die Maximalhöhe der auszugebenden Darlehenskassenscheine wurde zunächst auf 1500 Millionen Mk. festgesetzt (§ 2), eine Erhöhung jedoch bundesrätlicher Ermächtigung vorbehalten; und so wurde schon am 11. November 1914 die Maximalhöhe auf 3000 Millionen Mk. festgesetzt.

7. Verbot des Agiohandels mit Reichsgoldmünzen.

Um die Agiobildung des Metallgeldes zu vermeiden, die, wie wir sahen, regelmäßig mit der Einführung des Papiergeldes verbunden ist, wurde durch Bekanntmachung vom 23. November 1914 der Agiohandel mit Reichsgoldmünzen verboten. Demnach machte sich jeder strafbar, der es unternahm, ohne eine besondere Genehmigung des Reichskanzlers Reichsgoldmünzen zu einem ihren Nennwert übersteigenden Preise zu erwerben, zu veräußern oder solche Geschäfte zu vermitteln.

§ 45. Die Vermehrung der Zahlungsmittel und die Verschlechterung der Valuta 1914—1924.

Somit waren alle gesetzlichen Grundlagen gegeben, daß in Deutschland während des Krieges eine reine Papiergeldwirtschaft im oben definierten Sinne entstehen konnte. Nicht weniger als drei Papiergeldarten waren jetzt vorhanden:

1. die Reichskassenscheine,
2. die Reichsbanknoten und
3. die Darlehenskassenscheine.

Die ersten beiden Papiergeldarten waren de iuro und de facto Papiergeld im eigentlichen Sinne des Wortes, denn sie waren ungedeckt, uneinlöslich und hatten Zwangskurs; die Deckung der Reichsbanknoten durch Reichswechsel war nur eine nominelle, sie bestand in Schuldverschreibungen des Reiches, nicht aber in barem Geld oder in sonstigen liquiden Werten. Es war eine Methode, durch Emission von Papiergeld die Kreditbedürfnisse des Reiches zu decken. Aber auch die Darlehenskassenscheine waren de facto reines Papiergeld, denn wenn sie auch nicht gesetzliche Zahlungsmittel waren, so wurden sie doch im Verkehr genau so angenommen wie die übrigen Geldarten, da sie keineswegs schlechter waren wie das andere Papiergeld, und wenn sie auch „gedeckt" waren, so war diese Deckung nur eine illusorische. — Anfänglich bestand die Deckung der Darlehenskassenscheine in guten, leicht realisierbaren Pfandobjekten, wie Waren und Wertpapieren und dienten auch ihrem eigentlichen Zweck, den starken Kreditbedürfnissen des Geschäftsverkehrs bei Beginn des Krieges entgegenzukommen. Bald aber änderte sich dies, als die Darlehenskassen auch zur Befriedigung des langfristigen Kreditbedarfs der Staaten und Gemeinden dienen mußten. Die Pfänder wurden in wachsendem Maße Anleihestücke von Staaten und Gemeinden, und so wurde durch vermehrten Notenumlauf der Kreditbedarf der öffentlichen Körperschaften befriedigt.

Von der Gesamtinanspruchnahme der Darlehenskassen entfallen auf Darlehen an „Bundesregierungen, ihre Banken und die Kommunalverbände im Jahre 1917 = 74,9 %, 1918 = 84,4 %"[1]).

Über die Vermehrung der papierenen Zahlungsmittel während des Krieges und nach dem Kriege gibt folgende Tabelle über die Vermehrung des Notenumlaufs Aufschluß, wobei ich auch zugleich die Entwicklung der deutschen Valuta und der Preisgestaltung in Deutschland hinzugefügt habe[2]):

Datum	Notenumlauf in Papiermark (in Mill. Mk.)	Jeweiliger Dollarkurs	Großhandelsindexziffer in Deutschland im Jahresdurchschnitt (Stat. Reichsamt)
Ende Juli 1914. . . .	1 891	4,20	100 (1913)
„ Dezember 1914 .	5 046	4,56	106 (1914)
„ „ 1915 .	6 918	5,25	142 (1915)
„ „ 1916 .	8 055	5,53	153 (1916)
„ „ 1917 .	11 468	5,09	189 (1917)
„ „ 1918 .	22 181	8,00	217 (1918)
„ „ 1919 .	35 698	48,43	415 (1919)
„ „ 1920 .	68 805	73,37	1 486 (1920)
„ „ 1921 .	113 639	184,00	1 911 (1921)
„ Juni 1922 .	169 212	374,50	34 200 (1922)
„ Dezember 1922 .	1 280 095	7 350,00	
„ Januar 1923 .	1 984 496	49 000,00	
„ Februar 1923 .	3 512 788	22 700,00	
„ März 1923 .	5 517 920	20 945,00	}32 860 (Januar 1923)
15. April 1923 .	5 837 965	21 110,00	
30. Juni 1923 .	17 291 061	154 500,00	
15. November 1923 .	92 844 720 743 031	2 520 000,00	

§ 46. Die Ursachen der Entwertung der deutschen Valuta in der Periode vom Beginn des Weltkrieges bis Ende 1917.

Die Frage nach den Ursachen der Verschlechterung der deutschen Valuta während des Weltkrieges und nach dem Weltkriege läßt sich nicht allgemein beantworten, weder im Sinne der Zahlungsbilanztheorie noch im Sinne der Inflationstheorie; vielmehr sind die Umstände, welche die Schwankungen und zuletzt den vollkommenen Sturz der deutschen Mark herbeigeführt haben, je nach den ökonomischen, finanziellen, sozialen und politischen Zeitverhältnissen in den einzelnen Perioden sehr verschieden gewesen.

Zusammenfassend läßt sich folgendes sagen: Die erste Periode bis Ende 1917 weist eine große Ähnlichkeit mit der Entwicklung in der englischen Restriktionsperiode auf; die Hauptursache der ungünstigen Valuta in Deutschland war die ungünstige Zahlungsbilanz, hervorgerufen durch den starken Rückgang des deutschen Exportes und die große Zunahme des Importes von Waren aus den neutralen Ländern. In der folgenden Periode bis Mitte 1922 traten die inflationistischen Wirkungen der Vermehrung des Papiergeldes deutlich hervor; in der dritten Periode endlich vom Dezember 1922 bis November 1923 ist die Inflation im allergrößten Maße vor sich gegangen. In den beiden letzten Perioden war also im Gegensatz zu der ersten Periode der gesunkene Geldwert in erster Linie für

---

[1]) L o t z , Artikel „Darlehnskassen" im Handwörterbuch d. Staatsw. 3. Aufl.

[2]) Die Ziffern sind entnommen aus A. H a h n , Geld und Kredit. Gesammelte Aufsätze. Tübingen 1924.

die schlechte Gestaltung der Valuta verantwortlich zu machen. Die Inflation nahm einen derartigen Umfang an, daß im Gegensatz zu England nach den Napoleonischen Kriegen eine Wiederaufnahme der Einlösung der Noten zum Friedenskurse völlig ausgeschlossen war. Dies will ich jetzt im einzelnen begründen.

Gerade wie durch die Kontinentalsperre England vom Außenhandel großenteils abgesperrt wurde und dadurch die Ausgleichungsmöglichkeiten zur Stabilisierung seiner Wechselkurse sehr eingeschränkt waren, so ist auch die für Deutschland während des Krieges eingetretene Absperrung vom Auslande die entscheidende Ursache des Sinkens der Wechselkurse. Man mag ermessen, was es heißt, wenn ein Land mit einem Außenhandelsverkehr von rund 20 Milliarden plötzlich eines großen Teiles dieses Verkehrs sich beraubt sieht. Nicht nur der Handel mit dem feindlichen Auslande hörte auf, auch der Handel mit den neutralen Ländern erlitt die größten Einschränkungen, besonders unser Exporthandel, weil Deutschland zur Sicherung der Versorgung der einheimischen Bevölkerung zahlreiche Ausfuhrverbote bzw. Ausfuhrbeschränkungen eintreten lassen mußte. Soweit der deutsche Außenhandel noch bestand, schloß er mit einem Passivsaldo ab; die Einfuhr aus den neutralen Ländern war regelmäßig viel größer als unsere Ausfuhr nach diesen Ländern. Forderungen auf die skandinavischen Länder, auf die Schweiz, Holland und andere neutralen Länder waren stark begehrt wegen der großen Einfuhr aus diesen Ländern. Diese Passivität unserer Handelsbilanz konnten wir nicht durch Aktivität unserer Zahlungsbilanz ausgleichen, weil die sonst üblichen Ausgleichsmittel, wie Forderungen aus Schiffahrtsdiensten, Zinsen und Dividenden aus auswärtigen Anlagen, Ausfuhr fremder Wertpapiere nur in stark verringertem Maße zur Verfügung standen und wir uns zur Aufnahme von Auslandsanleihen in nennenswertem Umfang nicht entschließen konnten; weil ferner viele kurzfristige Forderungen Deutschlands im Ausland infolge der ausländischen Zahlungsverbote nicht realisierbar waren. War also ein Defizit zu decken, so mußte eine stürmische Nachfrage nach ausländischen Zahlungsmitteln eintreten, während umgekehrt im neutralen Auslande die deutschen Zahlungsmittel stark angeboten waren.

Bei dem Mangel an ausländischen Wechseln genügte oft eine kleine Verstärkung der Nachfrage bei uns, um die Devisen auf Kosten der eigenen Valuta zum Steigen zu bringen[1]), und da die deutsche Devise unter den Verhältnissen des Krieges überhaupt nur einen kleinen Markt hatte und bei dem passiven Charakter unserer Zahlungsbilanz schwer verkäuflich war, so erklärt sich, daß bei uns die Kurse der fremden Zahlungsmittel stiegen und die Kurse unserer Zahlungsmittel im neutralen Auslande fielen. Die deutschen Industriellen waren vielfach bestrebt, schon während des Krieges Vorsorge für den Fall des Friedensschlusses zu treffen und sich mit Rohstoffen einzudecken, die noch nicht geliefert werden konnten, aber sofort bezahlt werden mußten; hierdurch entstand neuer Begehr nach Devisen. Oft kam es auch vor, daß Mengen von Waren angekauft waren, ohne daß Devisen zur Zahlung bereit lagen. Mußten dann die Waren in kürzester Frist bezahlt werden, so konnten

---

[1]) Vgl. Monatsbericht des Schweizerischen Bankvereins März 1915.

die ausländischen Verkäufer die höchsten Kurse fordern. Dazu kamen noch die besonderen Schwierigkeiten des deutschen Außenhandels mit einzelnen neutralen Ländern. Schon Monate vor Ausbruch des Krieges war das Exportgeschäft nach Argentinien, Brasilien, Mexiko, China usw. lahmgelegt infolge der finanziellen Schwierigkeiten, unter denen besonders Südamerika zu leiden hatte, oder infolge politischer Unruhen. Noch schwieriger wurde diese Lage, als durch den Krieg die Schiffahrt fast völlig stillgelegt wurde und dazu noch neue finanzielle Schwierigkeiten traten, weil die Finanzierungsmöglichkeiten stark unterbunden waren. In den meisten südamerikanischen Ländern war ein Moratorium erklärt worden und die deutschen Exportleute waren infolge des Krieges mit England von ihren dort liegenden Aktiven abgeschnitten[1]). Große Industriezweige, wie z. B. die chemische Industrie, die jährlich für etwa 1800 Mill. Mk. Waren herstellte, wovon etwa die Hälfte ins Ausland abgesetzt wurde, sahen sich des größten Teiles dieses Absatzes beraubt, weil wir zu Ausfuhrverboten der chemischen Fabrikate im Interesse unserer Kriegsführung gezwungen waren. Wenn England längst nicht in dem Maße wie Deutschland während des Weltkrieges unter ungünstigen Wechselkursen zu leiden hatte, so hat dies seinen Grund darin, daß es den Fehlbetrag seiner internationalen Handelsbilanz durch Aufnahme von Anleihen und Versendung von Wertpapieren ausgleichen konnte. Daß die Wechselkursgestaltung in der Hauptsache auf die Verhältnisse der Handels- und Zahlungsbilanz zurückgeht, ergibt sich deutlich aus dem Handelsverkehr einzelner neutraler Länder. — Man kann an Hand der Handelsstatistik beobachten, wie mit der Veränderung der Aus- und Einfuhrziffern sich auch die Wechselkurse verändern. So führte z. B. Norwegen im Jahre 1913 für 75 Millionen Kronen nach Deutschland aus, während die Einfuhr aus Deutschland einen Wert von 167 Millionen Kronen darstellte (wesentlich Mehl und Getreide). Diese Ausfuhr Deutschlands hatte im Kriege ganz aufgehört; natürlich war die Folge, daß jetzt die norwegische Ausfuhr statt mit Waren bar bezahlt werden mußte, daß also einem großen Begehr nach norwegischen Zahlungsmitteln nur ein geringer Begehr nach deutschen Zahlungsmitteln in Norwegen gegenüberstand. Infolgedessen war der Reichsmarkkurs schon gleich nach Kriegsausbruch in den nordischen Ländern fortgesetzt gesunken. Während der Kurs sonst durchschnittlich für eine Reichsmark mit 88³/₄ bis 89 Öre notiert zu werden pflegt, betrug er im November 1914: 84—85 Öre, war also um 4—5 % gesunken. Gleichzeitig mit dem Sinken des Markkurses hat in Skandinavien — aus ähnlichen Gründen — ein erhebliches Steigen des Pfund-Sterling- und Dollarkurses stattgefunden. Während der Durchschnittskurs eines Pfund Sterling etwa 18,20 Kronen ist, betrug der Kurs Ende November 1914: 19,10 Kronen, war also mehr als 5 % über das Normale gestiegen. Der Grund lag auch hier an der Handelsbilanz. Norwegen führte im Jahre 1913 Waren im Werte von 94 Millionen Kronen nach England aus, während der Wert der Einfuhr 147 Millionen Kronen betrug. Nach dem Kriegsausbruch war die Differenz zwischen der Ein- und Ausfuhr Norwegens, soweit England in Frage

---

[1]) Vgl. „Der deutsche Exporthandel und der Krieg" im Handelsteil der Frankfurter Zeitung vom 15. September 1914.

kommt, noch größer geworden, da Norwegen einer erheblichen Zufuhr an Kohlen und Getreide bedurfte[1]).

Ähnlich war es in Schweden. Der normale Kurs ist Mk. 100 = rund 89 Kronen. Er fiel schon Mitte Oktober 1914 auf 87 Kronen (während sonst der niedrigste Kurs seit 1890: 88,75 war). Diese Entwertung der deutschen Valuta erklärt sich wiederum leicht aus der Gestaltung des Warenaustausches zwischen Schweden und Deutschland. Für die bedeutenden Lieferungen Schwedens an Eisenerzen, Metallen, Holz, Lebensmitteln usw. hatte Deutschland nicht genügend Waren zu liefern, es lieferte hauptsächlich Kohlen und Koks[2]).

In Holland wurde der Stand der deutschen Wechselkurse sofort für uns günstiger, als infolge der Warenausfuhrverbote in Holland unsere Handelsbilanz günstiger wurde. Während der holländische Gulden in normaler Zeit bei uns mit 1,69 Mk. bewertet wird, war er bereits Oktober 1914 auf 1,87 Mk. gestiegen, fiel aber in demselben Monat wieder auf 1,80 Mk. infolge der Verringerung unserer Warenbezüge aus Holland[3]).

Gerade die Veränderungen des Markkurses gegenüber Holland zeigen in anschaulicher Weise, wie sozusagen unmittelbar die Kurse auf die Bewegungen des Warenmarktes reagieren. Bis zu Anfang Oktober 1915 war die Mark gegenüber der holländischen Währung nur um etwa 4,8 % verschlechtert, dann trat vom 18. bis 28. Oktober eine weit stärkere Verschlechterung ein, die jedoch ihren Grund nur darin hatte, daß vom 20. bis Ende Oktober für einige Waren, besonders für Butter und Fett, die Ausfuhr aus Holland gestattet war. Auch waren gewisse Kredite, die Berliner Banken in Holland aufgenommen hatten, zum Teil abgelaufen. Als die damit zusammenhängenden Zahlungen beendet waren, trat in den beiden letzten Tagen des Monats Oktober wieder eine Besserung des Wechselkurses ein, aber schon im November folgte wieder eine Verschlechterung, weil die Ausfuhr von Schweinefleisch aus Holland für einige Zeit gestattet war[4]).

Wie ausschlaggebend die Verhältnisse der Handels- und Zahlungsbilanz für die Gestaltung der Wechselkurse während des Krieges sind, zeigt das Beispiel der Vereinigten Staaten von Nordamerika. Unmittelbar vor Ausbruch des Krieges stand der Markkurs in New York ungefähr auf pari (in New York sind 95,2 Cents für 4 Mk. die Parität). Im Laufe des Jahres 1915 sank der deutsche Wechselkurs in New York, so daß er z. B. am 31. Mai 1915 auf 82 stand, also ein Disagio von 13,1 % aufwies. Das Sinken ist zu erklären durch die großen Baumwollversendungen Amerikas nach Deutschland, die bezahlt werden mußten, ohne daß Deutschland genügend Waren als Gegenwert liefern konnte[5]).

---

[1]) Vgl. „Die Bewegung der Devisenkurse in Skandinavien" im Handelsteil der Frankfurter Zeitung vom 2. Dezember 1914.

[2]) Finanzielles aus Schweden, Frankf. Ztg. vom 22. Oktober 1914.

[3]) Vgl. Handelsteil des Berl. Tagebl. vom 24. Oktober 1914.

[4]) Vgl. W. J u t z i - Köln, Markwährung und Auslandswährungen im Kriege. Essen 1916. S. 17.

[5]) Vgl. B o n n , Die Wechselkurse im Kriege. Europäische Staats- und Wirtschaftszeitung vom 13. Oktober 1917.

Ebenso sind die **Veränderungen** im englisch-amerikanischen Wechselkurs aus den Handelsbilanzverhältnissen zu erklären. Im Anfang des Krieges stand der Pfundwechsel in Amerika sehr günstig, da England noch große Guthaben in Amerika hatte, über die es verfügen konnte. Infolge der großen Goldexporte nach England hatte der Sterlingkurs in New York eine ungewöhnliche Höhe erreicht. Im September 1914 mußte in New York das Pfund Sterling mit etwa 5 Doll. bezahlt werden (Parität 4,86^3/$_4$); um die Wende des Jahres 1914/15 trat aber ein Umschwung zuungunsten Englands ein und der Kurs sank sehr rapid herunter, so daß er z. B. Ende Juni 1915 etwa 3 % unter Parität notierte (4,72). Diese Entwertung des Pfundwechsels ist aus der stärker werdenden Passivität der englischen Handelsbilanz leicht zu erklären. Durch die amerikanischen Lieferungen an Kriegsmaterial und Lebensmitteln waren große Forderungen Amerikas an England entstanden, wodurch die Entwertung der englischen Valuta teilweise ihre Erklärung findet. — Vergleicht man die Außenhandelsziffern Englands in den ersten 5 Monaten des Jahres 1915, so ergibt sich in der Einfuhr eine Steigerung von 317,7 auf 353,2 Millionen Pfund, während die Ausfuhr einen Rückgang von 215,6 auf 150,4 Millionen Pfund aufweist.

Umgekehrt zeigt sich das Wachstum der amerikanischen Ausfuhr in folgenden Ziffern:

diese Ausfuhr hatte 1912/13 einen Überschuß von 652 Mill. Dollars,
1915/16 „ „ „ 2130 „ „ [1])

Auch in der Schweiz stieg der Dollarkurs infolge der großen Ausfuhr der Vereinigten Staaten bedeutend und erreichte Februar 1915 eine Höhe von 5,50 Fr., was einem Aufgeld von 6^1/$_4$ % entspricht; er besserte sich aber so, daß er im Juli 1915 auf 5,37 Fr. stand. Zum Teil war das der Unterbringung von 15 Millionen Doll. eidgenössischer Schatznoten zu verdanken, deren Erlös zur Bezahlung von eingeführtem Getreide und anderen Produkten verwendet wurde, wodurch die Beschaffung von Dollars in der Schweiz vorläufig hinfällig wurde[2]).

Später verschlechterte sich der amerikanische Wechselkurs gegenüber den neutralen Staaten in dem Maße, als Amerika immer mehr zu Exporteinschränkungen schritt, teils wegen des wachsenden Eigenbedarfs, teils um die Versorgung Deutschlands aus den neutralen Staaten zu verhindern. Wenn auch der Export der neutralen Staaten nach den Vereinigten Staaten wahrscheinlich sehr geringfügig ist, so waren doch die Ententemächte immer noch auf ihn angewiesen und sie besorgen sich die neutrale Valuta über New York. Daher stammt der in New York hervortretende große Goldbegehr für Exportzwecke und der starke Kursrückgang der New Yorker Devisen an den neutralen Plätzen, der vorübergehend in Stockholm bis zu über 30 % Disagio führte[3]).

Die Handelsbilanzverhältnisse erweisen sich unter den Kriegsverhältnissen sogar als so mächtig, daß der Wechselkurs selbst von Ländern mit schlechten Währungsverhältnissen günstig stand, wenn

---

[1]) J a s t r o w , Dollar contra Sterling. Berl. Tagebl. vom 6. März 1915 und ebenda Handelsteil vom 8. Juli 1915.
[2]) Vgl. Monatsberichte des wirtschaftsstatistischen Bureaus von C a l w e r 1915. Heft 8. S. 20.
[3]) Vgl. Österreichischer Volkswirt vom 30. Januar 1918.

das betreffende Land eine große Warenausfuhr aufzuweisen hatte. Dies lehrt die Gestaltung des Kurses der spanischen Pesetas. Zum ersten Male in der Geschichte der spanischen Finanzen kam es vor, daß die spanische Währung auf allen Märkten, London ausgenommen, ein Aufgeld bedang. Sicher hat die Entwicklung der spanischen Ausfuhr dies bewirkt; die Ausfuhr an Fabrikaten, Rohstoffen und verarbeiteten Metallen hatte zugenommen, während die Einfuhr bedeutend vermindert war. Beide Ursachen ergaben zusammen eine aktive Handelsbilanz[1]). Während die spanische Peseta im 1. Halbjahr 1914 im Vergleich zum Schweizer Franken beständig einen Verlust von 4—5 % aufwies, hob sich der Kurs nach Ausbruch des Krieges allmählich, um im Januar 1915 den Paristand zu erreichen und ihn in der Folge sogar zu überschreiten — notierte sie doch ein Aufgeld von 6½—7 % gegenüber dem englischen Pfund und von 11 % gegenüber dem französischen Franken. Die fortwährende Nachfrage nach spanischen Wechseln hat diese Steigerung hervorgebracht[2]).

Auch die Steigerung der Warenpreise ist in dieser Periode in erster Linie nicht aus der Entwertung der Mark, sondern aus den durch den Krieg hervorgerufenen Knappheitsverhältnissen der meisten Waren zu erklären. Die Inflation stellt keineswegs die Hauptursache der Preissteigerung dar, sie spielt nur eine s e k u n d ä r e Rolle. Die eigentlich entscheidende und wichtigste Ursache der Preissteigerung liegt auf der Warenseite und nicht auf der Geldseite. Die besonderen, durch den Krieg hervorgerufenen Verhältnisse von Nachfrage und Angebot auf dem Warenmarkt haben die Preissteigerung hervorgerufen. Die durch die Absperrung vom Auslande hervorgerufene Knappheit vieler wichtiger Waren und die wachsende Schwierigkeit ihrer Beschaffung auf der einen Seite, die steigende Nachfrage nach Waren aller Art auf der anderen Seite geben die einfache Erklärung der Steigerung der Preise ab. Durch den Fortfall eines großen Teiles der Zufuhr von Lebensmitteln aller Art und namentlich von Rohstoffen aus den feindlichen Ländern mußten die Preise der meisten Bedarfsgegenstände außerordentlich steigen. Soweit Rohstoffe in Deutschland nicht zu gewinnen waren, mußten sie zu den höchsten Preisen, soweit es überhaupt möglich war, aus dem neutralen Ausland herbeigeschafft werden. Soweit die Lebensmittel in Deutschland, namentlich die Agrarprodukte, im Inland erzeugt werden konnten, war dies nur mit wachsenden Produktionskosten möglich. Für diese Erzeugnisse der Urproduktion gilt die Preistendenz, daß die Kosten der unter den ungünstigsten Produktionsbedingungen erzeugten Produkte für die Preise der Produkte maßgebend sind. Während man in Friedenszeiten die inländische Produktion, soweit sie nur unter den ungünstigsten Bedingungen möglich war, unterließ und das Bedarfsdefizit unter günstigeren Bedingungen aus dem Auslande deckte, mußten jetzt in der ,,isolierten'' Wirtschaft alle, auch die ungünstigsten Produktionsmöglichkeiten ausgenutzt werden. Das bewirkte mit Notwendigkeit immer steigende Preise, weil hohe Produktionskosten zu decken waren. Das bedeutet zugleich hohe Kriegsgewinne in Form von Differentialrenten an diejenigen Produzenten, die unter günstigeren Bedingungen, z. B. der Fruchtbarkeit des Bodens, produzieren können. Aber auch

---

[1]) C a l w e r , a. a. O., S. 21.
[2]) Vgl. Monatsschrift des Schweizerischen Bankvereins März 1915. S. 99.

abgesehen von der Urproduktion waren viele weitere Ursachen der Preissteigerung auf fast allen Warenmärkten wirksam, vor allem auch der Mangel an tierischen und menschlichen Arbeitskräften, den wichtigsten Roh- und Hilfsstoffen, die oft nur durch kostspielige Surrogate zu ersetzen sind. Also nach den elementarsten Vorgängen der Preisbildung m u ß t e n die Preise steigende Tendenz aufweisen. Auch ohne jede Veränderung in der Geldverfassung und in den tatsächlichen Geldverhältnissen wäre eine große Preissteigerung eingetreten.

Es soll nicht geleugnet werden, daß auch in der damaligen ersten Periode eine gewisse Inflation vorhanden war. Aber die Inflation spielt nicht nur eine sekundäre Rolle, sie ist auch ihrem Wesen nach nicht so aufzufassen, wie die meisten aus der Geschichte bekannten früher vorgekommenen Fälle von Inflation, die aus der Papiergeldwirtschaft hervorgegangen waren. Man darf die damalige Inflation in keine Parallele stellen etwa mit den bekannten früheren Beispielen, wie z. B. der Assignatenwirtschaft zur Zeit der französischen Revolution. Denn die q u a n t i t a t i v e Zunahme der papierenen Zahlungsmittel in Deutschland war damals nicht annähernd in dem Maße erfolgt, wie die Vermehrung des Papiergeldes in Ländern, die in die sogen. Papiergeldwirtschaft geraten waren, und vor allem hatte q u a l i t a t i v unser Papiergeld in seiner Periode nicht den bedenklichen Charakter wie jenes. Denn bei der eigentlichen Papiergeldwirtschaft handelt es sich darum, daß die Geldzirkulation mit einem uneinlöslichen und ungedeckten Papiergeld vor sich geht, während das deutsche Papiergeld während seiner Periode zwar uneinlöslich war, aber — wenigstens in überwiegender Menge — gedeckt war.

Was zunächst die q u a n t i t a t i v e Seite anlangt, so sind für Deutschland folgende Ziffern zu nennen; es waren im Umlauf:

1. Reichskassenscheine im Betrage von 320 Mill. Mk. (Ende 1917);
2. Darlehenskassenscheine. Von ihnen waren im Herbst 1917: 5½ Milliarden Mk. im Verkehr und ½ Milliarde im Bestand der Reichsbank;
3. die Reichsbanknoten. Ihr Umlauf betrug im Herbst 1917 rund 10½ Milliarden.

So waren also etwa im ganzen 17 Milliarden papierene Zahlungsmittel vorhanden. Was will diese Summe aber heißen gegenüber der Papiergeldausgabe zur Zeit der französischen Revolution, als sich im Jahre 1796 die Summe der im Umlauf befindlichen Assignaten auf 45½ Milliarden Frs. belief. Noch wichtiger ist der q u a l i t a t i v e Unterschied. Ungedecktes und uneinlösliches Papiergeld, das typische Geld der Länder mit Papiergeldwirtschaft, waren nur die Reichskassenscheine im Betrag von 240 Millionen; die darüber hinaus auf Grund des Gesetzes vom 22. März 1915 ausgegebenen Reichskassenscheine mußten durch Darlehenskassenscheine oder gemünztes deutsches Geld gedeckt sein. Von den Reichsbanknoten war nur der Betrag als ungedeckt und uneinlöslich zu bezeichnen, der auf Grund von Schatzanweisungen des Reiches und Reichswechseln, die nach Gesetz vom 4. August 1914 zur Notendeckung zugelassen waren, ausgegeben wurde. Die Höhe ihres Betrages kann nicht angegeben werden, da in den Reichsbankausweisen diese Reichswechsel mit den übrigen Wechseln in einer Summe ausgewiesen wurden. Doch hat das Deutsche Reich von dieser Art der Kreditaufnahme des Reiches nie in bedenklichem Umfange Gebrauch gemacht. Da die große Hauptmasse der Reichskriegskosten durch fundierte Anleihen aufgebracht wird, machte das Reich von diesem ungedeckten kurzfristigen Kredit in Form von Reichswechseln usw. vielfach nur Gebrauch, wenn in der Zeit bis zum Eingang von Reichssteuern oder Reichsanleihen Zahlungsmittel flüssig gemacht werden müssen.

Abgesehen also von diesem Teil der Notenausgabe waren sämtliche Reichsbanknoten, also die Hauptmenge des im Umlauf befindlichen Papiergeldes, g e d e c k t, und zwar waren die deutschen Reichsbanknoten während der Zeit vom Februar bis Oktober 1917 im Durchschnitt bis zu 35,3 % durch den Barvorrat der Reichsbank gedeckt. Zu diesem Barvorrat gehören auch die Darlehenskassenscheine, die in der genannten Zeit in einem Betrag von 537 Millionen im Bestande der Reichsbank waren. Überwiegend war hierbei die Deckung in Gold, und zwar betrug sie in dieser Zeit 23,1 %. Die Darlehenskassenscheine waren gedecktes Papiergeld, denn sie wurden nur gegen Verpfändung von Wertpapieren oder Waren ausgegeben. Daneben bestand noch die persönliche Haftung der Darlehensschuldner.

Somit ist der damalige Zustand des deutschen Papiergeldwesens dahin zu charakterisieren, daß wir in nennenswertem Umfang überhaupt kein „eigentliches" Papiergeld im Sinne der sog. Papiergeldwirtschaft hatten, da unsere papierenen Zahlungsmittel in überwiegendem Maße gedeckt waren, teils durch Gold, teils durch sichere Unterlagen, Wechsel oder Waren und Wertpapiere. Wenn auch die Einlösungspflicht der Noten aufgehoben war, da das in der Reichsbank befindliche Gold zur Deckung der Noten und zu dringenden Zahlungen ins Ausland reserviert bleiben mußte, so waren doch die Grundsätze der bankmäßigen Deckung der Noten keineswegs preisgegeben. Es handelte sich bei der Aufhebung der Einlösungspflicht bei uns wie in England während der Restriktionsperiode nur um die durch die Kriegsereignisse notwendig gewordene Vermehrung von Zahlungsmitteln, wobei aber die Maßnahmen so getroffen waren, daß die Grundlagen unseres Kredit- und Geldsystems nicht erschüttert wurden. Trotzdem war, namentlich in der Ententepresse, immer wieder unser deutsches Geldwesen während des Krieges als Assignatenwirtschaft charakterisiert worden, aber mit demselben Unrecht, wie dies gegenüber dem englischen Geldwesen zur Zeit der Bankrestriktion geschah. Damals benutzten die politischen Gegner Englands die schroffen Ansichten der Bullionisten über die angeblichen Mißstände der englischen Banknotenausgabe zu ihren Plänen. „Die Bullionisten", berichtet R o s c h e r[1]), „waren 1812 höchst unpopulär, d. h. die Bank von England gerade in der Zeit ihrer ärgsten Mißverwaltung höchst populär. Darum ließ Napoleon R i c a r d o s Schrift „On the high price etc." im Moniteur von 1810, Nr. 167 ff. ganz übersetzen!"

Die Vergleiche, welche die Bullionisten zwischen den Bank-von-England-Noten, den französischen Assignaten und J o h n L a w s

---

[1]) R o s c h e r - S t i e d a , System der Volkswirtschaft. III. S. 417.

Papiergeld anstellten, wurden auf dem Kontinent, namentlich in französischen Publikationen — wahrscheinlich unter dem Einfluß Napoleons — geflissentlich verbreitet[1]). —

Hier haben wir Fälle wirklicher Papiergeldwirtschaft vor uns. Daß sowohl bei uns in Deutschland bis 1917 als in England während der Napoleonischen Kriege davon nicht die Rede sein kann, ergibt sich aus der quantitativen und qualitativen Verschiedenheit der Geldverhältnisse in England in der Zeit von 1797—1821 und den damaligen deutschen Zuständen mit der Assignatenperiode.

Trotzdem in keiner Weise unsere deutsche Geldwirtschaft dieser Epoche irgendeine Ähnlichkeit mit der Papiergeldwirtschaft in den erwähnten früheren Zeiten, die in der Regel mit Staatsbankerott geendet hatten, aufwies, so war doch eine gewisse Inflation, d. h. eine preissteigernde Wirkung durch die Änderung unserer Währungsverhältnisse eingetreten. Aber in welcher Weise wirkte die Geldvermehrung damals auf den Stand der Preise? Dies darf man sich nicht nach der Art der naiven Quantitätstheoretiker vorstellen. Diese nehmen an, daß im Verhältnis der Vermehrung der Zahlungsmittel auch eine Erhöhung des Preisstandes eintreten müsse, so daß also, wenn die Menge der Zahlungsmittel auf das Doppelte gestiegen wäre, auch die Preise um das Doppelte in die Höhe gehen müßten. Dabei wird nicht nur übersehen, daß die Zahlungsmittel eine ganz verschiedene Wirkung ausüben je nach der Umlaufsgeschwindigkeit, sondern vor allem, daß eine große Masse von Umsätzen auf dem Wege des Kredits durch bargeldlose Zahlungsmethoden usw. vermittelt wird, so daß immer nur ein Teil der Umsätze sich mit Hilfe der Banknoten und der anderen Geldzahlungsmittel vollzieht. So kann niemals eine bestimmte Menge neu hinzukommender Zahlungsmittel sofort und direkt eine Erhöhung des Preisstandes bewirken. Der Zusammenhang ist vielmehr ein indirekter und quantitativ nie exakt feststellbarer. Die Einwirkung der neu geschaffenen Zahlungsmittel auf die Preise vollzieht sich durch die dadurch neu geschaffene Kaufkraft, die zahlreichen Käufern die Möglichkeit bietet, mit präsenten Zahlungsmitteln auf den Markt zu treten und durch gesteigerte Nachfrage die Preise vieler Waren zu erhöhen. Diese hohen Preise bedeuten zunächst für die Verkäufer dieser Waren erhöhtes Vermögen und Einkommen; sie werden dadurch in die Lage versetzt, ihrerseits wiederum für alle möglichen Waren höhere Preise zu zahlen, und so pflanzt sich der durch die vermehrten Zahlungsmittel gegebene Anstoß weiter fort bis in die weitesten Volksschichten, vor allem auch in Form der Steigerung der Arbeitslöhne; da besonders der Staat durch die ihm gewährten Notendarlehen in den Besitz sofort zur Verfügung stehender Zahlungsmittel kommt, ist auch er in der Lage, in größtem Umfang als potenter Käufer auf dem Markte aufzutreten und sehr hohe Preise für Kriegsmaterial und all die tausend Dinge, die er für Kriegszwecke beschaffen muß, zu bezahlen. Bei diesem rein q u a n t i t a t i v e n Einfluß, der von den vermehrten Zahlungsmitteln ausgeht, ist es auch ganz gleichgültig, ob die neu geschaffenen Zahlungsmittel, wie z. B. die Darlehenskassenscheine g e d e c k t sind oder nicht, wie z. B. die auf Grund von Reichs-

---

[1]) A r e t z , a. a. O., S. 115.

wechseln ausgegebenen Noten. In beiden Fällen wird neue zusätzliche Kaufkraft geschaffen, die preiserhöhend wirken muß. Auf dem Wege des Kredits werden Zahlungsmittel erzeugt, einerlei, ob es gedeckter Lombardkredit ist oder der ungedeckte Kredit, der dem Staat gegen die versprochene Rückzahlung gewährt wird[1]).

Dagegen macht sich hier wieder der Unterschied geltend, auf den ich bei Besprechung der englischen Verhältnisse hingewiesen habe, nämlich, ob die Banknoten wie in regulären Zeiten aus dem Handelsverkehr hervorgehen, auf Grund von Warenwechseln, also auf Grund bereits abgeschlossener Kaufgeschäfte ausgegeben werden und daher in kürzester Frist regelmäßig an die Bank zurückströmen, oder ob die Noten auf dem Wege der Mobilisierung des Kredits ausgegeben werden, den der Staat als solcher genießt, oder den Private auf Grund verpfändeter Wertpapiere und Waren erhalten. Hier wird die Möglichkeit zu neuen Kaufgeschäften aller Art geschaffen, ohne daß andere Zahlungsmittel, wie etwa Warenwechsel hingegeben werden, was zunächst eine Verstärkung der Kaufkraft einzelner Käuferschichten bewirkt, zuletzt aber die Kaufkraft der Gesamtheit der Bürger, gemessen an der Geldeinheit infolge der Steigerung aller Preise herabsetzen muß. Sehr treffend drückt diesen Vorgang S c h l e s i n g e r einmal so aus[2]): „Der Staat muß — wenigstens vorübergehend — zu einer eigentümlichen indirekten Steuer greifen, welche die individuellen Einkommen nicht unmittelbar und physisch ergreift, sondern ihnen durch Emission neuen Geldes eine Quote ihrer Kaufkraft entzieht."

Außer dem Umstand aber, daß durch die Schaffung neuer Zahlungsmittel auf dem kostenlosen Wege der Benutzung der Notenpresse zusätzliche Kaufkraft geschaffen wird, ist noch eine zweite Quelle der Inflation zu nennen, die q u a l i t a t i v e r Art ist. — Die bisher geschilderten Einwirkungen der Vermehrung der Zahlungsmittel verlaufen im wesentlichen genau so, wie die, welche von einer Vermehrung des Goldvorrates ausgehen, wenn etwa neue Goldminen entdeckt werden. Auch dies führt zunächst zu einer Erhöhung des Vermögens und Einkommens gewisser Käuferschichten, die eine stärkere Nachfrage hervorrufen, hierdurch die Preise erhöhen, bis sich der Prozeß auf die breitesten Schichten fortpflanzt. Bei der Vermehrung papierner Zahlungsmittel kommt aber noch ein weiteres Moment hinzu, nämlich das tradionelle Mißtrauen, das im Volk überall dort gegen papierne Zahlungsmittel besteht, wo früher Metallgeldumlauf vorhanden war. Selbst da, wo, wie in Deutschland durch die strengen Deckungsvorschriften einerseits, durch den geringen Umlauf des ungedeckten Papiergeldes anderseits objektiv keine Besorgnis berechtigt ist, ob die Notenbanken, bzw. der Staat ihren Einlösungspflichten nachkommen werden, ist zweifellos der Mann im Volke geneigt, das Papiergeld nicht so hoch zu bewerten wie das Metallgeld, und er

---

[1]) Mit Recht hat schon H e l a n d e r darauf hingewiesen, daß hier Nicht-Zahlungsmittel in Zahlungsmittel verwandelt werden, da dadurch die Gesamtmasse der Zahlungsmittel der Volkswirtschaft vergrößert wird, wodurch eine inflationistische Wirkung ausgeübt wird. Es sei das Typische der Papiergeldbeschaffung, daß der Zukunftswert in einen Gegenwartswert (der Zahlungsmittel, womit sofort bezahlt werden kann) verwandelt wird (vgl. den Aufsatz: „Das Inflationsproblem im Kriege" in C o n r a d s Jahrb. 1915. II. S. 246).

[2]) a. a. O., S. 6.

ist daher bestrebt, für seine Waren in dem „minderwertigen" Geld höhere Preise zu verlangen. Daß solche Imponderabilien in Deutschland eine Rolle spielten, sollte nicht geleugnet werden, mag man es „metallistisches Vorurteil" nennen oder nicht. Haben wir doch beobachten können, in wie großem Maße Gold- und Silberstücke während des Krieges „gehamstert" wurden aus der unklaren Vorstellung heraus, daß solches Geld als wertvoller Bestand reserviert werden müßte. Die Kehrseite dieser Erscheinung war ein gewisses Mißtrauen gegenüber den papiernen Zahlungsmitteln, und dieses Mißtrauen wirkte ebenfalls bei der Preissteigerung mit, soweit diese von der Geldseite stammte. Wenn somit schon ein gewisses, wenn auch unberechtigtes Mißtrauen im Inland bestand, dann war es erklärlich, wenn im Auslande erst recht solches Mißtrauen wachgerufen wurde, zumal es von unseren Feinden durch allerlei unwahre Behauptungen systematisch großgezogen wird. Die Steigerung der Preise wird dann mit einer Verschlechterung der Währung in Verbindung gebracht, und dies beeinflußt die Valuta.

Wenn also die Marknoten, mit denen das neutrale Ausland überschwemmt wurde, so gering bewertet wurden, so spielte dieses psychologische Moment sicher auch eine Rolle, und insoweit hatte die Inflation auch auf den Stand unserer Valuta eingewirkt.

B u d g e betont mit Recht, daß die Preissteigerung teilweise ein (Folge der Inflation sei: „Der hohe Stand der Preise ist zum großen Teil durch Entwertung des Geldes infolge einer Inflation verursacht"[1]).

Es ist ein Irrtum, den einige neuere antimetallistische Autoren begehen, wenn sie schlechthin jede Inflation, die aus der Qualität des Geldstoffes herrühre, ableugnen und nur eine Inflation aus der quantitativen Geldvermehrung anerkennen wollen, so z. B. B e n - d i x e n [2]). Er behauptet, bei den Inflationen beruhe der Fehler nicht auf der Wahl des S t o f f e s, aus dem man Geld macht, „sondern in dem Ü b e r m a ß der Geldschöpfung, gleichviel, ob es sich um papierne oder metallische Zahlungsmittel handelt und ob die papiernen etwa metallisch gedeckt sind"[3]). Es sei auch gleich, ob die Scheine dem Inhaber Einlösung in Währungsmetall in Aussicht stellten, ob sie ihm einen ideellen Anteil am Staatsvermögen zusprächen, oder ob sie ihm überhaupt keine Rechte gewährten außer der Befugnis, die Scheine zur Zahlung zu verwenden[4]). Aus demselben Grund leugnet er auch einen Einfluß dieser Art auf die Valuta: „Die Wechselkurse in Rußland werden unmittelbar weder durch das heimische Preisniveau beeinflußt, noch durch die Frage, ob man in Deutschland seine Schulden mit Gold- oder mit Papiergeld bezahlt[5])."

Es ist durchaus nicht gleich, ob die Scheine durch Gold gedeckt sind oder ob sie reines Papiergeld sind, und es ist nicht derselbe

---

[1]) Zur Frage der Bankrate und des Geldwertes. Im Arch. f. Soz.-Wissensch. u. Soz.- Pol., 44. Bd., 1. Heft 1917. S. 231.

[2]) Das Inflationsproblem. In Finanzwirtschaftl. Zeitfragen, 31. Heft. Stuttgart 1917.

[3]) Ebenda S. 13.

[4]) Ebenda S. 11.

[5]) Ebenda S. 17.

Übelstand, wenn in Ländern mit Goldwährung durch Vermehrung des Goldvorrates eine Inflation entsteht oder wenn diese inflationistische Wirkung durch übermäßige Ausgabe von Papiergeld erzielt wird. Die erstere Inflation muß als unvermeidliches Übel auch bei der Goldwährung unter Umständen in Kauf genommen werden. Da es kein Gut gibt, das im Werte unveränderlich ist, unterliegt das Gold auch derartigen Schwankungen, aber der große Unterschied ist der: bei der Goldwährung werden nur die Produktionskosten des der Währung zugrunde liegenden Metalls v e r r i n g e r t , bei der Papierwährung kann die Vermehrung der Zahlungsmittel g a n z   k o s t e n l o s in beliebiger Ausdehnung erfolgen. Somit ist das Urteil B e n d i x e n s unhaltbar, daß die Steigerung der Preise nie auf einer Minderbewertung des Geldes, sondern auf den Vorgängen des Warenmarktes beruhe.

§ 47. Über den Einfluß der Spekulation auf die Valuta.

Die von uns vertretene Meinung, daß der Stand der Handels- und Zahlungsbilanz in der ersten Periode die Hauptursache der Verschlechterung unserer Valuta sei, wurde oft mit dem Hinweis auf die S p e k u l a t i o n bestritten. Es heißt, in viel einflußreicherem Maße hätten spekulative Machenschaften den Kurs unserer Wechsel gedrückt als die Vorgänge des Handelsverkehrs. Diese Argumentation ist in doppelter Hinsicht falsch. Es wird dabei übersehen, daß bei den meisten dieser Spekulationen, deren Tragweite gar nicht geleugnet werden soll, sich Hausse- und Baissespekulanten gegenüberstehen, die in ihren Wirkungen auf den Markt sich gegenseitig neutralisieren. Ferner aber, daß insoweit einseitige und überwiegende Baissespekulationen vorliegen, sie im engsten Zusammenhang mit der primären Ursache, der Handels- und Zahlungsbilanz, stehen. Die Baissespekulanten nutzen die durch die Handels- und Zahlungsbilanz bewirkte Tendenz zum Sinken der Kurse aus, indem sie diese Tendenzen bewußt verstärken durch falsche Nachrichten und Berichte über die häufig zu erwartende noch schlechtere Gestaltung der Marktlage usw. Während in normalen Zeiten, wie wir oben sahen, die Wechselkurse nur innerhalb ganz enger Grenzen sich bewegen können, daher der Spekulation nur ein begrenzter Spielraum gegeben ist, ist in Kriegszeiten dieses Schwanken ein unbegrenztes. Da jetzt an Stelle des einheitlichen internationalen Zahlungsmittels, des Goldes, die nationalen Zahlungsmittel treten, deren Wert sehr erheblich durch das Vertrauen bedingt ist, das in die wirtschaftliche Kraft des betreffenden Landes gesetzt wird, sucht der Baissespekulant dieses Vertrauen zu erschüttern und verstärkt die in der wirklichen Verkehrsbilanz begründete Tendenz zum Sinken noch weiter. Man kann also sagen: die primäre Ursache der schlechten Valuta ist die Handels- und Zahlungsbilanz, verstärkt durch Spekulation darauf. Diese Spekulationen fanden in besonders großem Maßstabe statt, solange vor dem Inkrafttreten der beiden Devisenordnungen vom 21. Januar 1916 und 8. Februar 1917 der Devisenverkehr noch frei war.

Bei den Spekulationen, die auf die Wechselkurse einwirkten, sind die des neutralen Auslandes, des feindlichen Auslandes und des Inlandes zu unterscheiden. Im neutralen Auslande waren die Markwechsel und Marknoten seit Beginn des Krieges ein sehr beliebter Gegenstand der Spekulation. Besonders in der Schweiz wurden solche Spekulationen auch von Leuten ausgeübt, die allem geschäftlichen Leben fernstehen. Später wurden sie mehr à la Hausse ausgeübt, während sie früher mehr à la Baisse operierten. Viele Menschen kauften z. B. Mark, die sie berufsmäßig keineswegs brauchen, weil sie hofften, daß die infolge der Friedensverhandlungen in Brest-Litowsk eingetretene Erhöhung des Markkurses noch weiter anhielte. Vom kleinen Geschäftsmann bis zum Dienstboten — so berichtet die Frankfurter Zeitung vom 7. Januar 1918 — kauft man Mark. Die Hoffnung, an dem heutigen Kurs und dem Friedensstand verdienen zu können, reizte die kleinen Käufer ebenso wie die hier gegebene Möglichkeit, mit den geringsten Frankenbeträgen noch an der Jagd nach Gewinn sich beteiligen zu können. Bei der zuerst vorhandenen allgemeinen Tendenz der Devisen, zu steigen, rechneten die Spekulanten mit immer weiterem Steigen, hielten oft mit dem Angebot zurück und verstärkten dadurch die Steigerung. Die Spekulanten kauften mit Vorliebe fremde Geldsorten, Noten, Wechsel, Schecks usw., um bei der zu erwartenden Preissteigerung Vorteil zu ziehen. Andererseits hat das Steigen der Devisenkurse importierende Geschäftsleute in Deutschland veranlaßt, größeren Bedarf an fremden Zahlungsmitteln anzumelden, als wirklich bei ihnen vorhanden war. Vom feindlichen Auslande wurde durch allerlei falsche Gerüchte, die über die Zahlungsfähigkeit Deutschlands verbreitet wurden, ein Druck auf die deutschen Wechselkurse ausgeübt. Es ist auch anzunehmen, daß das feindliche Ausland, besonders England, durch indirekte Käufe, die in Deutschland vorgenommen wurden, ausländische Zahlungsmittel mit Beschlag belegte und dadurch die deutsche Valuta entwertete. Durch Zeitungsanzeigen im neutralen Auslande wurden oft Marknoten in größten Mengen zu niedrigeren Preisen angeboten, als ihrem wirklichen Werte entsprach. Die Engländer kauften deutsche Markwechsel auf und warfen große Posten auf den Markt, um den Preis zu entwerten. In holländischen Zeitungen erschien eine Anzeige, die 17 Mill. Mk. deutschen Geldes zum Kurs von 41 Gulden für 100 Mk. anbot; der amtliche Kurs war damals 41½ Gulden. Zweck: die deutsche Valuta möglichst schlecht zu machen[1]). Leider wurden auch von Deutschen viele Spekulationen vorgenommen, die eine weitere Verschlechterung der Valuta zur Folge haben mußten. Diese Spekulation à la Baisse der eigenen Landeswährung wurde z. B. so vorgenommen, daß jemand Reichsmarkvermögen bei einem Kursstand von 108 Franken für 100 Mk. in die Schweiz sandte mit der Absicht, die umgekehrte Transaktion mit einem entsprechenden Gewinn an Reichsmark vorzunehmen. Auf diese Weise wurden große Summen Reichsmark auf den Schweizer Geldmarkt geworfen und dadurch der Reichsmarkkurs geschädigt[2]).

Es war eine große Lücke in der ersten deutschen Devisenordnung, daß die Ausfuhr von Marknoten freigelassen war. Infolgedessen wurden große Mengen Banknoten ins neutrale Ausland gebracht in allen Fällen, wo eine Devisenanschaffung nicht möglich war. Auch hierbei wirkte die Spekulation mit, da bei den steigenden Preisen vieler Waren in Deutschland es eine vorteilhafte Spekulation

[1]) Zukunft vom 12. Februar 1916.
[2]) Vgl. W e y e r m a n n , Das deutsche Valutaproblem und die Devisenzentrale. Im Handelsteil der Frankfurter Zeitung vom 22. Januar 1917.

war, im neutralen Auslande diese Waren anzukaufen und in Deutschland zu verkaufen. Mit großen Mengen deutscher Banknoten ausgestattet, reisten deutsche Aufkäufer ins neutrale Ausland, um derartige Geschäfte abzuschließen, und schädigten dadurch die deutsche Valuta. Auch durch österreichische und galizische Händler wurden in großen Mengen deutsche Banknoten in die neutralen Länder gebracht. Häufig haben unsere Bundesgenossen die ihnen aus Deutschland zukommenden Überweisungen dazu benutzt, ihre Käufe in den neutralen Ländern in Mark zu bezahlen. Ähnlich wirkte vielfach die Übertragung deutscher Wertpapiere ins neutrale Ausland. Durch solche Vermögensverschiebungen, wie W e y e r m a n n es nennt, wurden namentlich in die Schweiz große Mengen flüssigen Vermögens geschafft, teils auch zur Vermeidung künftiger Steuern. Durch diese Ausfuhr deutscher Effekten wurde das Angebot deutscher Zahlungsmittel im neutralen Auslande noch weiter vermehrt, und ein Druck auf die deutsche Valuta ausgeübt. So wurde zeitweise das neutrale Ausland förmlich mit Marknoten überschwemmt, die dann angeboten wurden wie „sauer Bier".

Auch in den dem deutschen Reichstag vorgelegten Denkschriften über wirtschaftliche Maßnahmen wurde wiederholt die große Ausdehnung dieser Art von Markzahlungen ans Ausland hervorgehoben[1]).

§ 48. Über den Einfluß der politischen Ereignisse auf die Valuta.

Ebenso wie die Spekulation im engsten Zusammenhang mit der primären Ursache des Standes der Wechselkurse im Kriege, der Handels- und Zahlungsbilanz, steht, ist dies mit den Einflüssen der „P o l i t i k" der Fall. Als Ende des Jahres 1917 infolge der Friedensverhandlungen in Brest-Litowsk die deutschen Wechselkurse in den neutralen Ländern sich bedeutend verbesserten, wurde die Meinung geäußert, hier zeige es sich, daß die politischen Faktoren weit mächtiger auf den Stand der Wechselkurse einwirkten als die Verhältnisse des Handels- und Zahlungsverkehrs. Dies ist irrig. Im Gegenteil, gerade dieses Einwirken der politischen Ereignisse bestätigt unsere Auffassung von der primären Bedeutung der Handels- und Zahlungsbilanz; denn wenn durch die Friedensverhandlungen die deutschen Wechselkurse in die Höhe gingen, so geschah es aus dem Grunde, weil dadurch das Vertrauen wuchs, daß binnen kurzer Frist die Handelsbeziehungen Deutschlands wieder neu belebt würden, daß die Hemmungen des Waren- und Schiffahrtsverkehrs aufhörten, daß daher die deutschen Zahlungsmittel wieder begehrter würden. Sobald an die Stelle des international gleichwertigen Zahlungsmittels, des Goldes, nationale Zahlungsmittel treten, die im Werte schwanken und die nicht wie das Gold einen realen Stoffwert haben, sondern auf Kredit beruhen: die Wechsel, Schecks, Noten, muß alles, was den Kredit des betreffenden Landes erhöht, auch die Zahlungsmittel, die dem betreffenden Lande entstammen, im Werte erhöhen. Die Inhaber solcher papiernen Zahlungsmittel geben sie nicht länger aus Besorgnis noch größerer Entwertung zu billigem Preise her, sondern gehen mit ihrem Preisangebot in die Höhe, weil sie erwarten, daß diese Zahlungsmittel in Zukunft wieder

---

[1]) Vgl. 10. Nachtrag, S. 146, und 11. Nachtrag, S. 168.

mehr gesucht werden. — Im Hinblick auf die veränderte politische Lage werden die Wechsel der Länder mehr gesucht, von denen anzunehmen ist, daß sie infolge des Friedens große wirtschaftliche und politische Vorteile erringen.

Der Zusammenhang zwischen P o l i t i k und V a l u t a ist also der, daß alle politischen Ereignisse, die das Vertrauen in die wirtschaftliche Kraft eines Landes zu stärken geeignet sind, auch die Valuta des betreffenden Landes verbessern. Gänzlich verfehlt muß es aber sein, die Zusammenhänge zwischen Politik und Valuta p a r t e i p o l i t i s c h zu verwerten. Die eine Partei wirft dann der anderen vor, daß sie durch ihr Verhalten die Valuta „verschlechtere". Es ist ebenso falsch, wenn D e r n b u r g sagte: „Das Gerede der Vaterlandspartei über den Hungerfrieden verschlechtert unsere Valuta", als wenn K l o ß behauptete, „daß bei einer Rede von E r z b e r g e r der Kurs gesunken, bei der Gründung der Vaterlandspartei gestiegen sei"[1]).

Es heißt direkt Mißbrauch mit der Statistik treiben, wenn man, wie es K l o ß in dem genannten Artikel tat, sogar in Kurven darstellt, wie gewisse Tiefpunkte der Valuta eingetreten seien, wenn bestimmte friedensfreundliche Reden im Reichstag gehalten wurden, daß dagegen in den Tagen, als die Vaterlandspartei auf den Plan trat, eine starke Besserung der Valuta erfolgte. Mit mathematischer Genauigkeit will er sogar feststellen, daß E r z b e r g e r s „Flaumacherei", am Schwedenkurs gemessen, 25 mal so schädlich war als die Kriegserklärung Rumäniens und mehr als 10 mal so schädlich als die der Amerikaner. Es wird hierbei ganz übersehen, daß der Stand der Wechselkurse die Komponente zahlreicher Faktoren ist, und daß es daher durchaus verfehlt erscheinen muß, den Stand der Wechselkurse an einem bestimmten Tage mit unbedingter Sicherheit auf diese oder jene Rede eines Parteiführers zurückführen zu wollen. Diese Art Statistik zu treiben erinnert an die statistische Beweisführung des Gegners der Getreidezölle, der mit Hilfe der Statistik feststellen wollte, daß die Jahre mit den höchsten Getreidepreisen zugleich die der zahlreichsten Verbrechen waren und hieraus die Verwerflichkeit der Getreidezölle zu beweisen suchte. Die ganzen Kurvenzeichnungen von K l o ß , die zeigen sollen, wie sehr die Richtung Scheidemann-Erzberger die deutsche Valuta schädige, übersieht ferner, daß auch hier sich wiederum zwei Parteien gegenüberstehen, und daß daher, soweit Valutaspekulationen mit solchen politischen Strömungen zusammenhängen, Hausse- und Baisseparteien sich ausgleichen.

Der wahre Zusammenhang zwischen Politik und Valuta ist der, daß wirklich entscheidende Schlachten oder Niederlagen und ebenso positive Friedensberatungen oder Friedensschlüsse zweifellos, und zwar in dem oben von mir erklärten Sinne einen Einfluß ausüben. Dies hat gerade der Weltkrieg mehrfach erwiesen.

Interessant ist in dieser Hinsicht ein Vergleich der Wechselkurse im Dezember 1916 einerseits und Dezember 1917 und Anfang 1918 andererseits. Als es sich im Dezember 1916 nur um Friedensgerüchte und unsichere Friedensaussichten infolge des deutschen Friedensangebotes handelte, schwankten die deutschen Wechsel-

---

[1]) Vgl. „Verzichtfriede und Valuta" von Prof. Dr. K l o ß in der Rheinisch-Westfälischen Zeitung vom 16. Januar 1918.

kurse hin und her, je nach der Beurteilung dieser Aussichten. So war z. B. der Schweizer Wechselkurs

$$
\begin{aligned}
\text{am } 12.\ \text{Dezember} &= 79{,}00\% \\
\text{,, } 13.\ \quad\text{,,} &= 82{,}75\% \\
\text{,, } 15.\ \quad\text{,,} &= 80{,}00\% \\
\text{,, } 20.\ \quad\text{,,} &= 83{,}50\% \\
\text{,, } 22.\ \quad\text{,,} &= 82{,}00\%
\end{aligned}
$$

„Die Kurse steigen mit den Friedensgerüchten und fallen, wenn diese Aussichten sich zu verflüchtigen scheinen"[1].

Man vergleiche damit die entschieden anhaltende und nachhaltige Besserung der deutschen Valuta, als die positiven Friedensverhandlungen begannen und der Friede mit der Ukraine geschlossen wurde. Von Anfang November bis Ende Dezember 1917 war der amerikanische Wechselkurs um etwa ein Drittel des vorherigen Höchststandes zurückgegangen. Die Reichsmarkkurse stiegen seit dem 8. November 1917 bis Ende Dezember in

Zürich	von 61,75	auf 86,—,	also um etwa			39,27%
Kopenhagen	,, 40,60	,, 64,—,	,,	,,	,,	57,63%
Stockholm	,, 34.—	,, 60,—,	,,	,,	,,	76,47%
Kristiania	,, 40,—	,, 60,50,	,,	,,	,,	51,25%
Amsterdam	,, 32,10	,, 45,40,	,,	,,	,,	41,43%[2]

Dagegen sanken die Entente-Devisen, und zwar berechnet auf der Grundlage der Züricher Notierungen vom 8. November 1917 und 31. Dezember 1917:

	engl. £	französischer Fr.	italienischer Lire	amerikan. Dollar
8. November 1917 . . .	21,05	76,80	54,50	4,40
31. Dezember 1917 . . .	20,85	76,75	52,75	4,38[3]

Ohne daß also erhebliche Änderungen im Stande der Handelsbilanz eintraten, ist nur durch die Stärkung des Vertrauens, das in die Wiederaufnahme der deutschen Handelsbeziehungen gesetzt wurde, diese Besserung eingetreten. Aus derselben Ursache, aus welcher viele Warenpreise s a n k e n , weil nämlich infolge der zu erwartenden Öffnung der Grenzen das Angebot der Waren sich verstärken mußte, stiegen die Preise für deutsche Wechsel, weil jetzt die Aussicht bestand, daß durch den neu belebten Warenverkehr die deutschen Zahlungsmittel weit mehr begehrt würden. Wie unter dem Eindruck der Brest-Litowsker Verhandlungen der französische Kurs sank und der deutsche Kurs stieg, ergibt sich auch aus der folgenden Entwicklung der Schweizer Kurse. Während bis zum Oktober 1917 die Reichsmark in der Schweiz (und in anderen neutralen Ländern) bis zu 20% weniger wert war als der französische Franken, hat sich dieses Verhältnis so geändert: die erste Notierung im neuen Jahre lautete für uns auf 86,25, für den Franken auf 77, d. h. die Mark stand um etwa 13% über dem französischen Franken[4]. Der Friede mit der Ukraine und die Beendigung des Kriegszustandes an der russischen Front bewirkte sofort eine bedeutende Verbesse-

---

[1] Vgl. Monatsbericht des Schweizer Bankvereins vom Januar 1917.

[2] M a x S e c k e l , Entwicklung der Devisenkurse während des Krieges vom 30. Juli 1914 bis zum 31. Dezember 1917 (herausgegeben von der Zentral-Einkaufs-Genossenschaft, Berlin).

[3] Ebenda.

[4] Frankfurter Zeitung (Handelsteil) vom 3. Januar 1918.

rung der deutschen Wechselkurse. Der Züricher Wechselkurs auf
Deutschland war

am 9. Februar (am Tage des Friedensschlusses) . . 82,50
„ 11. „ . . . . 87,—
in Kopenhagen stieg er von 60,50 am 10. Februar auf 63,75
„ Stockholm „ „ „ 55,50 „ 10. „ „ 57,—

Die Waffenerfolge an der Westfront hatten sofort Kursbesse-
rungen der deutschen Valuta im Gefolge. Schon auf Grund der
ersten Siegesnachrichten stieg der Kurs

in Zürich von 81¼ auf 83½,
„ Amsterdam „ 42 „ 42,70,
„ Kopenhagen „ 63½ „ 64½,
„ Stockholm „ 56¾ „ 61.

Dieselbe Erscheinung war auch bei der Entwicklung der englischen Wechselkurse während der Napoleonischen Kriege zu beobachten. Der Preis von Gold war am 28. Dezember 1814: 5 £ 8 sh.,

der Kurs auf Hamburg . . . . . 29 sh.,
„ „ „ Paris . . . . 21 Fr.;

die Friedenspräliminarien zwischen den verbündeten Mächten und
Frankreich wurden im April 1814 unterzeichnet und innerhalb der
nächsten 6 Monate war Gold auf 4 £ 5 sh. gefallen,

der Kurs auf Hamburg auf 33 sh.,
„ „ „ Paris „ 23 Fr. gestiegen.

Auch fielen die Warenpreise in diesem Zeitraume beträchtlich[1]).
Dagegen hatte die Wiederkehr von Napoleon von der Insel Elba
sofort zur Folge, daß die Kurse wieder außerordentlich herabgedrückt
wurden. Die Kurse auf Hamburg und Paris, die unmittelbar vor
dem Kundwerden jener Nachricht auf 32 sh. 3 d. und 22 Frs. 10 cts.
gestanden hatten, fielen alsbald auf 28 sh. und 18,80 Frs., während
Gold von 4 £ 9 sh. per Unze auf 5 £ 7 d. stieg[2]).

Auch in der Assignatenperiode in Frankreich trat der Einfluß
der politischen Faktoren entscheidend hervor: „Die Assignaten
notierten:

im Januar 1792: 72 für 100
„ Juli 1792: 57 „ 100
„ November 1792: 73 „ 100
„ Dezember 1792: 72 „ 100

In den letzten Monaten des Jahres 1792 waren die Siege der
von Dumouriez geführten französischen Truppen bei Valmy, am
Rhein und in Belgien für diese Steigerung entscheidend.

Umgekehrt spiegelte sich die scharfe Verschlechterung der
Kriegslage zu Anfang des Jahres 1793 in einem ebenso scharfen
Sturz des Metallkurses der Assignaten wider: Der Verrat Dumouriez',
der Rückzug der französischen Truppen vom Rhein, die royalistischen Aufstände im Innern, das alles wurde bei den Börsengeschäften
als Momente in Rechnung gestellt, welche die Wahrscheinlichkeit
einer Befestigung des Finanzsystems und die Wiederherstellung der
Vollwertigkeit des Papiergeldes verminderten.

Der Kurs der Assignaten fällt vom Januar bis zum August,
dann wirft ihn die neue Verbesserung der allgemeinen Lage wieder
steil empor[3])."

---

[1]) Tooke, a. a. O., I. Bd. S. 191.
[2]) Ebenda S. 193.
[3]) Vgl. S. A. Falkner, Das Papiergeld der französischen Revolution
1789—1797. In Schriften des Vereins für Sozialpolitik. 165. Bd. 3. Teil. S. 41.

§ 49. Die Ursachen der Entwertung der deutschen Valuta von Ende 1917 bis 1924.

Für diese Periode muß die Kausalerklärung ganz anders lanten. Konnte man in den ersten Kriegsjahren im wesentlichen die Verhältnisse auf der Warenseite, d. h. den ungünstigen Stand der Waren- und Handelsbilanz und die Warenknappheit für die erwähnten Mißstände als verursachende Momente bezeichnen, so ist seit dieser Zeit umgekehrt die Inflation das wesentlichste und Hauptmoment. Die Vermehrung der Zahlungsmittel hatte allmählich und in immer steigendem Maße eine derartige Ausdehnung erlangt, daß sie als die letztlich entscheidende Ursache dieser Kalamität genannt werden muß. Die S c h w a n k u n g e n der Wechselkurse, ihre zeitweilig abnormen Steigerungen und Senkungen sind nach wie vor auf die Handelsbilanz, auf politische und spekulative Einflüsse zurückzuführen. So war vom Oktober 1917, wo der tiefste Stand während des Krieges überhaupt (48—49%) Wertverlust erreicht war, zunächst eine Besserung zu konstatieren, die bis Mitte Juni 1918 anhielt und die Mark bis auf 80% ihrer Friedensparität hob. „Zu dieser Veränderung trugen die verschiedensten Momente bei: der Zusammenbruch Rußlands mit dem Frieden von Brest-Litowsk und die geplanten deutschen Westoffensiven sowohl wie nicht zum mindesten, besonders anfänglich, die energischen Interventionen der Reichsbank in Amsterdam, der Schweiz und in den nordischen Ländern auf Grund und im Zusammenhang mit größeren Valutakrediten. Mit dem Zusammenbruch der deutschen Offensive Juli 1918 fiel der Kurs dann wieder, schnellte mit dem deutschen Waffenstillstandsangebot noch einmal hinauf und sank in der Folgezeit bis zur Revolution auf etwa 50% seines Friedenswertes hinab[1]."

Dann aber setzte das starke Sinken der Valuta in größtem Umfange ein und zwar wesentlich verursacht durch die Vermehrung der Zahlungsmittel. Wie stark diese Vermehrung vor sich gegangen ist, lehrt ein Vergleich des jetzigen Standes der papiernen Zahlungsmittel verglichen mit der auf S. 61 in meiner Schrift über Geldwesen (1. Aufl.) gegebenen Tabelle. Die Darlehenskassenscheine, die im Herbst 1917 einen Betrag von 6 Milliarden ausmachten, weisen in der dritten Oktoberwoche 1920 einen Bestand von $33^1/_4$ Milliarden auf. Die Reichsbank hatte statt einer halben Milliarde über 20 Milliarden Darlehenskassenscheine im Besitz. Der Umlauf an Reichsbanknoten belief sich statt auf $10^1/_3$ Milliarden (Herbst 1917) auf über 62 Milliarden. Insgesamt hatten wir in der dritten Oktoberwoche 1920 einen Papiergeldumlauf von rund 75 Milliarden, verglichen mit 17 Milliarden im Herbst 1917.

Inzwischen war der Goldvorrat der Reichsbank immer mehr gesunken. Am 31. Juli 1919 belief er sich nur noch auf 1,13 Milliarden Mk. gegen einen Vorrat von rund 2,46 Milliarden Mk. zur gleichen Zeit 1918. Dieser Goldvorrat ist bis zum 30. September 1920 noch weiter gesunken, und zwar bis auf 1,09 Milliarden Mk.

Die Notendeckung durch Gold ging entsprechend immer tiefer herunter, sie betrug:

am 10. Juni   1914 . . . . . 54,3%
„ 31. Dezember 1914 . . . . . 41,5%

---

[1] Vgl. H e r m a n n   B e n t e , Die deutsche Währungspolitik von 1914 bis 1924. Im Weltwirtschaftlichen Archiv. 23. Bd. Heft 1. Januar 1926. S. 127.

am 31. Dezember 1915 . . . . . . 35,3%
„ 31.   „   1916 . . . . . 31,3%
„ 31.   „   1917 . . . . . 21,0%
„ 31.   „   1918 . . . . . 10,2%
„ 31.   „   1919 . . . . . 3,0%
„ 31. März 1920 . . . . . 2,4%
„ 30. Juni 1920 . . . . . 2,0%
„ 30. September 1920 . . . . . 1,8%

Der Einfluß der Inflation auf den Devisenkurs ist aus einem von W a l b[1]) gezeichneten Diagramm gut ersichtlich. Auf dem Diagramm sind zwei Linien gezeichnet, die eine des holländischen Wechselkurses, die andere der Vermehrung der Zahlungsmittel. Der Kurs gibt die holländische Parität der Berliner Notierung wieder. Die Linie, die dadurch fallend erscheint, verläuft im großen und ganzen parallel mit den ebenfalls fallend dargestellten Linien der Zahlungsmittel. Die Einflüsse der Handels- und Zahlungsbilanz sowie die der Politik drängen den Kurs wohl zeitweise von der Grundlinie ab, auf die Dauer stellt er sich aber stets wieder darauf ein.

Den starken Rückgang der Devisenkurse seit 30. Dez. 1916 lehrt der Vergleich dieser Kurse mit dem Stand vom 31. Dez. 1919. Es kosteten:

	25. Juli 1914	30. Dezember 1916	31. Dezember 1919
100 Dollars	419,—	544	4925
100 fl. holländisch	169,—	239	1876
100 Kr. schwedisch	112,—	172	1073
100 Fr. schweizerisch	82,40	117	880

War die Mark Anfang des Jahres 1919 auf etwa 50% ihres Friedenswertes gesunken, so sehen wir sie Ende des Jahres auf kaum 10% angelangt[2]). Der ungünstige Stand der Valuta wurde noch verstärkt durch die Verhältnisse im besetzten Gebiet. Durch das „Loch im Westen" strömten immer mehr Waren nach Deutschland hinein und immer größere Warenmassen wurden über das besetzte Gebiet in das unbesetzte gebracht. Für die vielen Marknoten, welche die fremden Händler dafür erhielten, war nur geringe Verwertungsmöglichkeit vorhanden, und so wurde der Stand der Reichsmark immer mehr gedrückt. Am 1. März 1919 war z. B. der Wert von 100 Schweizer Franken an der Frankfurter Börse von 165¼ Mk. am 2. Januar auf 209½ Mk., von 100 dänischen Kronen von 212¾ Mk. am 2. Januar auf 258½ Mk. gestiegen[3]).

Am 1. August 1919 hatten Auszahlung
    Schweiz den Preis von annähernd 315 Mk.
    Holland „   „   „   „   692 „
erreicht und zeigten weiter steigende Tendenz[4]).

Im Jahre 1920 setzte sich, von Ausnahmen abgesehen, die Entwertung der Mark immer weiter fort. Hierfür ist besonders die

---

[1]) W a l b , Wechselkurse und Inflation. Kölnische Zeitung vom 21. und 23. März 1920. Wieder abgedruckt in R o t h s c h i l d s Taschenbuch für Kaufleute. Zweites Buch. S. 1132.
[2]) Frankfurter Wirtschaftsbericht 1914—1919. Selbstverlag der Frankfurter Handelskammer. Frankfurt 1920. S. 83.
[3]) Ebenda S. 84.
[4]) Ebenda S. 85.

Entwicklung des Dollarkurses lehrreich. Am 1. Januar 1920 kostete der Dollar in Deutschland 49½ Mk. Der Kurs verschlechterte sich immer mehr, so daß schließlich der Preis des Dollars bis 1. März auf 100 Mk. gestiegen war. Dann trat eine Besserung ein, der Kurs erholte sich so, daß er am 1. Juli auf 38 Mk. stand. Die Ursache dieser Besserung war die verbesserte Zahlungsbilanz. Infolge des großen „Ausverkaufs" deutscher Waren ins Ausland entstand eine große Nachfrage nach Marknoten und Markwechseln. Durch spekulative Einflüsse wurde diese Verbesserung noch verstärkt. Aber sie war nur eine vorübergehende und durch die besonderen Handelsverhältnisse dieser Monate bedingt. Sehr bald traten wieder die Dauerursachen der Verschlechterung in Kraft, nämlich besonders die starke Geldvermehrung, und der Kurs verschlechterte sich so, daß er am 17. Sept. 1920 auf 68 stand. Seit Ende 1919 war der ungedeckte Papierumlauf in Deutschland von 39 auf 71 Milliarden gestiegen. Dann war die Entwertung der Mark noch weiter fortgeschritten. Der Dollar, der vor Beginn der Brüsseler Finanzkonferenz auf 68¼ stand, war in den letzten Oktobertagen auf 78 gestiegen. Neben der durchgehenden allgemeinen Tendenz zum Abwärtssteigen wiesen die Kurse noch auffallend große Schwankungen in einzelnen Wochen und Monaten, je nach dem Stand der Handels- und Zahlungsbilanz und der spekulativen und politischen Momente, auf. Hierfür ist folgende Tabelle charakteristisch, die das Auf und Ab der Mark im Jahre 1920 zeigt[1]).

	11. Sept. 1919	2. Jan. 1920	2. Febr. 1920	9. Febr. 1920	21. Mai 1920	26. Mai 1920	11. Sept. 1920
Holländ. Gulden	9,17	18,85	36,50	39,60	15,24	11,60	16,91
Schweiz. Frank	4,37	8,80	15,95	17,32	7,45	5,70	8,77
Franz. Frank .	3,05	4,56	6,95	7,20	3,13	2,70	3,60
Dollar	25,53	49,00	93,00	104,75	41,75	31,40	53,75
Engl. Pfund. .	111,00	180,50	319,00	348,50	161,20	125,00	189,00
Italien. Lire .	2,60	3,75	5,60	5,55	2,20	1,92	2,34
Wiener Krone .	0,39	0,26	0,27	0,27	0,20	0,26	0,27

§ 50. Abweichende Erklärung des Valutaproblems. 1. Vom Standpunkt der Zahlungsbilanztheorie.

Abweichend von der hier vertretenen Auffassung, daß die für die Bewegung der Valuta ausschlaggebenden Ursachen auf der Zahlungsbilanz und der Inflation beruhen, wird die Meinung aufgestellt, daß die primäre Ursache der ungünstigen Gestaltung der Wechselkurse allein in der Zahlungsbilanz liege. Nach dieser Theorie ist die Zahlungsbilanz durch die Kriegs- und Nachkriegsereignisse im stärksten Maße passiv geworden. Diese Passivität der Zahlungsbilanz sei die Ursache der Zerrüttung der Währung. Ebenso sei die Preissteigerung die Folge der Knappheit der Waren und anderer durch den Krieg hervorgerufener Ereignisse. Die Preissteigerung habe aber größere Mengen an Zahlungsmitteln erfordert. Also sei die Vermehrung der Zahlungsmittel nur die zwangsläufige Folgeerscheinung der Zustände auf der Warenseite, nicht aber sei die Ursache des Sinkens der Valuta auf der Geldseite zu suchen.

---

[1]) Frankfurter Zeitung vom 12. September 1920. Nr. 676.

Diese Auffassung wird in vielen offiziellen Denkschriften der deutschen Reichsregierung und in den meisten Verwaltungsberichten der deutschen Reichsbank vom Jahre 1915—1922 vertreten. Auch Karl Helfferich ist dieser Richtung zuzuzählen, der in seinem Werke „Das Geld" nachzuweisen sucht, daß die von der Warenseite herkommenden Einflüsse von ausschlaggebender Bedeutung für den ungünstigen Stand der deutschen Valuta waren.

Die Denkschrift über Deutschlands Wirtschaftslage[1]) sagt am Schluß zusammenfassend: „Die Passivität der Zahlungsbilanz ist, wie oben ausgeführt, die tiefere Ursache der Zerrüttung der deutschen Währung. Die Störung des Gleichgewichts im Haushalt und die Inflation sind wieder die Folgen der Geldentwertung. Die Geldentwertung vernichtet also den Haushalt, bewirkt mit unabänderlicher Notwendigkeit die Spanne zwischen Einnahmen und Ausgaben, die zum Defizit führt. Demgegenüber wird immer wieder behauptet, die Reichsregierung sei selbst an der Entwertung der Mark schuld, weil sie in steigendem Umfang ihren ordentlichen Finanzbedarf anstatt durch Steuern durch Inflation, d. h. durch Diskontierung von Schatzanweisungen bei der Reichsbank deckt."

Helfferich zeigt zunächst, daß in der ersten Kriegszeit der Anstoß zu den Verschlechterungen der Valuta von der Warenseite ausgegangen sei. Er sagt[2]):

„In der Tat ging der erste Anstoß zu den gewaltigen Verschiebungen auf dem Gebiete der Geldverfassungen, des Geldumlaufs und der Kaufkraft des Geldes von der Warenseite aus. Der Krieg brachte sofort eine riesenhafte Steigerung der Nachfrage nach allen Dingen, die für die Ausrüstung und den Unterhalt der Millionenheere erforderlich waren; er brachte gleichzeitig eine schwere Störung und Einschränkung der Gütererzeugung, teils im Wege der Entziehung von Millionen der leistungsfähigsten Arbeitskräfte, teils infolge der durch die Besonderheit des Kriegsbedarfs bedingten Umstellung der Produktion, teils durch die Erschwerung oder völlige Verhinderung der Zufuhr von ausländischen Rohstoffen. Der ungeheuere improduktive Verbrauch auf der einen Seite, die Drosselung der Produktion auf der anderen Seite mußten für sich allein, ganz unabhängig von Veränderungen auf dem Gebiete des Geldwesens, eine starke Tendenz der Preissteigerung schaffen.

Gewiß sind auch auf der Seite des Geldwesens sofort bei Kriegsausbruch bedeutsame und folgenschwere Veränderungen qualitativer und quantitativer Art vor sich gegangen: die Einlösbarkeit der papiernen Umlaufsmittel wurde aufgehoben, und die Notenpresse wurde in Bewegung gesetzt, um den dringenden und starken Geldbedarf des Staates für die Kriegszwecke zu befriedigen. Aber der Steigerung des Geldangebots, wie sie durch diese Art der Kriegsfinanzierung herbeigeführt wurde, stand zum mindesten in den ersten Wochen des Krieges eine gleichfalls sehr starke Steigerung des Geldbedarfs gegenüber, die nicht nur auf die allgemeine Erhöhung der Preise, sondern vor allem auf die schwere Erschütterung des Kredits,

---

[1]) Vgl. Deutschlands Wirtschaftslage unter den Nachwirkungen des Weltkrieges. Unter Verwendung von amtlichem Material zusammengestellt im Statistischen Reichsamt. Berlin im März 1923. S. 21 ff.
[2]) In seinem Werke „Das Geld" (6. Aufl. Leipzig 1923). 2. Buch, IV. Abschnitt, 13. Kapitel, § 11.

auf die ängstliche Zurückhaltung und Anhäufung von Kassenbeständen und die Einschränkung der auf Kredit beruhenden bargeldersparenden Zahlungsmethoden zurückzuführen war. Diese Gegenwirkung gegen die vermehrte Papiergeldausgabe war zunächst so stark, daß nicht Geldüberfluß, sondern eine ausgesprochene, ja bedrohliche Geldknappheit entstand. Scharfe Geldknappheit bei scharf steigenden Preisen — allein schon dieses Zusammentreffen, wie es in den ersten Wochen des Krieges vor aller Augen lag, zeigt mit aller Deutlichkeit, daß in jener Zeit die entscheidende Ursache der Preissteigerung, also der Verringerung der Kaufkraft des Geldes, nicht auf der Seite des Geldes gelegen haben kann, sondern auf der Seite der gegen das Geld austauschbaren Verkehrsobjekte gesucht werden muß.

Freilich konnte die Kriegsfinanzierung im Wege des Notendrucks nicht ohne Einfluß auf die Kaufkraft des Geldes bleiben. Während die Beschaffung von Mitteln im Wege der Besteuerung oder der langfristigen Anleihen nur vorhandene Kaufkraft von den Privaten an den Staat überträgt, schafft die Ausgabe von Papiergeld zusätzliche Kaufkraft, die mit der vorhandenen Kaufkraft in Konkurrenz tritt und dadurch caeteris paribus die Preise steigern, also die Kaufkraft des Geldes verringern muß. Aber diese Tendenz hat sich in der ersten Zeit des Krieges bei uns in Deutschland nur in einer Abschwächung der Geldknappheit, nicht in einer Überdeckung des Geldbedarfs ausgewirkt.

In der weiteren Entwicklung des Krieges hat Deutschland die Politik verfolgt, der Vermehrung des Papierumlaufs durch die von sechs zu sechs Monaten erfolgende Begebung von Kriegsanleihen, vom Jahre 1916 an auch durch Kriegssteuern entgegenzuwirken. Wie weit das gelungen ist und in welchem Maße und Tempo der Papierumlauf trotz dieser Gegenwirkung in den verschiedenen Stadien des Krieges angewachsen ist, wurde oben bereits dargestellt.

Die Zunahme des Papiergeldumlaufs war im Einklang mit der Entwicklung der Kriegsausgaben und dem guten Erfolg der Kriegsanleihen eine mäßige bis zum Herbst des Jahres 1916. Die Kriegsausgaben konnten in jener Zeit, trotz der Ausdehnung der Kriegsschauplätze, trotz der Vermehrung der Truppenzahl, trotz der vermehrten und verbesserten Ausstattung des Heeres mit Kriegswerkzeug aller Art und trotz des gesteigerten Munitionsverbrauchs, auf etwa 2 Milliarden Mk. pro Monat annähernd stabil gehalten werden, und zwar vermöge einer Politik strenger Sparsamkeit und vorsichtiger Preisbemessung für die Kriegslieferungen aller Art. Das beschleunigte Tempo in der Papiergeldausgabe und das Zurückbleiben der Anleiheerträgnisse hinter den Kriegskosten fällt zusammen nicht nur mit den erhöhten Anforderungen des „Hindenburg-Programmes‘‘, sondern auch mit einer Änderung der Preispolitik der Heeresverwaltung in der Richtung, daß Lieferungen, statt zu festen Preisen, immer mehr zu Materialkosten und Löhnen zuzüglich eines Gewinnzuschlages abgeschlossen wurden. Dieses System der Preisfestsetzung nahm den für die Kriegsbedürfnisse arbeitenden Unternehmungen jedes eigene Interesse an niedrigen Materialpreisen und Löhnen und mußte so zu einer wesentlichen Verteuerung des Kriegsmaterials führen. Gleichzeitig wurde die in der ersten Hälfte des Krieges streng durchgeführte Politik der Rationierung und der Höchstpreise für die

Gegenstände des täglichen Verbrauchs mehr und mehr durch die Lockerung der öffentlichen Moral und den Schleichhandel durchbrochen. Auch in der weiteren Entwicklung des Krieges lagen also nicht nur auf der Geld-, sondern auch auf der Warenseite gewichtige Momente vor, die für sich allein genügen würden, um starke Verschiebungen in den Austauschverhältnissen von Geld und Waren zu erklären."

Helfferich behauptet des weiteren, daß auch bis zum Ende des Weltkrieges keine Inflation stattgefunden hätte:

„Nimmt man hinzu, daß Deutschland, angesichts der Ausdehnung der Kriegsschauplätze und der Okkupationsgebiete in West und Ost mit seinem Gelde ein weit größeres Territorium zu versehen hatte als vor dem Kriege, daß ferner die Behinderungen des Kreditverkehrs und der auf Kredit beruhenden Zahlungsmethoden fortbestanden, so mag es zweifelhaft erscheinen, ob man für die eigentliche Kriegszeit bis in das Jahr 1918 hinein für Deutschland überhaupt von einer „Inflation" im Sinne einer Überdeckung des Geldbedarfs durch die Neuausgabe von Umlaufsmitteln sprechen kann, zumal da, wie oben (S. 622) dargetan, die Steigerung des Preisniveaus in Deutschland während jener Zeit geringer war, als in allen anderen kriegführenden und neutralen Ländern Europas. Der Reichsbankpräsident Havenstein, mit dem der Verfasser als Staatssekretär des Reichsschatzamtes und später als Staatssekretär des Innern und Vertreter des Reichskanzlers in der Bankleitung während jener Jahre im engsten Konnex stand, hat stets die Ansicht vertreten, daß angesichts der großen in den Kassen der Heeresverwaltung und der Wirtschaft gebundenen Geldbestände, angesichts der für die Kriegsgebiete benötigten Umlaufsmittel und angesichts des gesteigerten Geldbedarfs, der sich aus der durch die Kriegsverhältnisse bedingten, von den Geldverhältnissen unabhängigen Preis- und Lohnsteigerung ergeben mußte, von einer „Inflation" keine Rede sein könnte."

Aber selbst für die Nachkriegszeit hält Helfferich an seiner Lehre fest, daß die primäre Ursache des Verfalls der deutschen Währung nicht auf inflationistischen Vorgängen beruht hätte:

„In den vom Kriegsausgang am schwersten getroffenen und durch die Friedensbedingungen am stärksten belasteten Staaten brachte die Nachkriegszeit eine weitere Vermehrung des Geldumlaufs und eine weitere Revolutionierung aller Austauschverhältnisse, Erscheinungen, die alles in Schatten stellten, was sich auf diesem Gebiete während des Krieges ereignet hatte.

Auf den ersten Blick scheint hier der durch andere Deckung nicht befriedigte und sich deshalb in der Ausgabe von Papiergeld auswirkende Geldbedarf des Staates das treibende Moment zu sein. Speziell in Deutschland scheint die gewaltige Zunahme der „schwebenden Schuld" des Reiches, die sich durch die Diskontierung der Reichsschatzanweisungen bei der Reichsbank in eine entsprechend starke Zunahme der Notenausgabe umsetzt, alles andere hinreichend zu erklären.

Aber auch hier liegen die Zusammenhänge nicht so einfach.

Zunächst wirkten neben den staatsfinanziellen Ursachen Momente allgemein wirtschaftlicher und sozialer Natur, die teilweise unmittelbar auf die Geldverhältnisse, teilweise mittelbar auf die Gestaltung der staatsfinanziellen Verhältnisse einen starken Einfluß ausübten. Der Krieg hat durch Kapitalverbrauch, Kapitalzerstörung und schließlich durch Kapitalberaubung (Wegnahme unserer auswärtigen Kapitalanlagen, unserer Handelsflotte, der in den Kolonien und in den abgetrennten europäischen Gebieten investierten Kapitalien), noch mehr vielleicht durch die Schwächung der Arbeitskraft des deutschen Volkes (Tod und Verstümmelung von Millionen der im kräftigsten Alter stehenden Männer, Nachwirkungen der Hungerblockade) die Ergiebigkeit des deutschen Produktionsprozesses empfindlich beeinträchtigt. Die Revolution und die durch sie erzeugte Geistesverfassung eines großen Teiles der Arbeiterschaft, für die jede Relation zwischen Arbeitsleistung und Entlohnung verlorengegangen war, hat diese Beeinträchtigung der Ergiebigkeit der Produktion noch verstärkt. Im Kohlenbergbau stellt sich die durchschnittliche Förderung pro Kopf der Belegschaft auf nicht viel mehr als 60 Prozent der Vorkriegszeit. In den großen Industrien und bei den großen Verkehrsunternehmungen ist ein ähnlicher Rückgang der Arbeitsleistung gegenüber dem Vorkriegsstand festzustellen. In der Landwirtschaft ist die gesamte Körnerernte von 28 Millionen Tonnen im Jahre 1913 auf 17 Millionen Tonnen im Jahre 1921 zurückgegangen. Allein schon das annähernde Festhalten der vor Kriegsausbruch erreichten Lebenshaltung hätte angesichts der durch den Krieg und seinen Ausgang so stark beeinträchtigten Ergiebigkeit des Produktionsprozesses eine wesentlich gesteigerte Arbeitsleistung zur Voraussetzung gehabt. Wenn jetzt die Ansprüche auf Behauptung und Verbesserung der Lebenshaltung mit den Ansprüchen auf verminderte Arbeitsleistung einhergingen, so konnte die Wirkung nur das Wettrennen zwischen Löhnen und Preisen sein, dessen Zeugen wir in den letzten Jahren gewesen sind. Die soziale und politische Position der Arbeiterschaft war stark genug, um trotz objektiver Minderleistung höhere Löhne zu erzwingen. Da der Kapitalgewinn ohnehin auf ein Minimum zusammengeschrumpft war, konnten die höheren Löhne nur bezahlt werden, wenn höhere Preise für die Erzeugnisse durchgesetzt wurden; da die höheren Preise die Lebenshaltungskosten verteuerten, gaben sie Anlaß zu neuen Lohnforderungen, die ihrerseits wieder zu neuen Preiserhöhungen führten. — Und die Rolle des Geldes bei dieser Entwicklung? Aus dem Wettrennen von Löhnen und Preisen entstand ein entsprechend erhöhter Geldbedarf sowohl der Volkswirtschaft als auch der staatlichen Finanzverwaltung. Eine Geldverfassung, die einer solchen Ausdehnung des Geldbedarfs einen Widerstand entgegengesetzt hätte, würde damit auch dem Wettlauf von Preisen und Löhnen eine Barriere entgegengestellt haben; die Entwicklung der Preise und Löhne wäre infolge schärfster Geldknappheit — wahrscheinlich unter schweren Krisen und Katastrophen — zusammengebrochen. Unsere Geldverfassung, die eine praktisch schrankenlose Vermehrung des Geldumlaufs ermöglicht, bot eine solche Hemmung nicht. Die Geldverfassung und die Vorgänge auf dem Gebiete des Geldwesens sind also an der geschilderten Entwicklung von Löhnen und Preisen beteiligt, aber nur sekundär und passiv. Die Steigerung der Papiergeldausgabe ist innerhalb dieses Komplexes von Erscheinungen nicht die Ursache, sondern die Folge der Preis- und Lohnsteigerung; ander-

seits ist die Möglichkeit der schrankenlosen Steigerung der Papiergeldausgabe die Voraussetzung für die ungemessene Lohn- und
Preissteigerung.

Im weiteren Verlauf der Entwicklung der deutschen Geld-
und Preisverhältnisse hat mehr und mehr die Gestaltung der deutschen V a l u t a die beherrschende Rolle übernommen. Während
die namentlich im Ausland weit verbreitete Auffassung bei der Beurteilung der deutschen Geldverhältnisse von der reinen Quantitätstheorie ausgeht und demgemäß die Vermehrung des deutschen
Papiergeldumlaufs als die Ursache der Steigerung des deutschen
Preisniveaus und der Entwertung der deutschen Valuta ansieht,
zeigt eine genauere Betrachtung, daß der kausale Zusammenhang
der umgekehrte ist, daß nämlich die Vermehrung der deutschen
Papiergeldzirkulation nicht die Ursache, sondern die Wirkung der
Entwertung der deutschen Valuta und der großenteils aus dieser
hervorgehenden Steigerung der Löhne und Preise ist. . . .

Die Kette von Ursachen und Wirkungen stellt sich also im
vorliegenden Falle folgendermaßen dar:

Entwertung der deutschen Valuta infolge der Überlastung
Deutschlands mit ausländischen Zahlungsverpflichtungen und infolge der französischen Gewaltpolitik; aus der Entwertung der deutschen Valuta hervorgehend Steigerung der Preise aller Einfuhrwaren;
daraus hervorgehend allgemeine Steigerung der Preise und Löhne;
infolgedessen vermehrter Bedarf der Wirtschaft an Umlaufsmitteln
und erhöhter Geldbedarf der Reichsfinanzverwaltung; infolgedessen
schließlich gesteigerte Inanspruchnahme der Reichsbank durch Wirtschaft und Reichsfinanzverwaltung und vermehrte Notenausgabe.
Im Gegensatz zu der weit verbreiteten Auffassung steht also nicht
die ,,Inflation", sondern die Valutenentwertung am Anfang dieser
Kette von Ursachen und Wirkungen; die Inflation ist nicht die Ursache der Preissteigerung und der Valutaentwertung, sondern die
Valutaentwertung ist die Ursache der Preissteigerung und der Vermehrung der Papiergeldausgabe.

Dieser Zusammenhang wird auch durch die seit Ende Januar
1923 bis zum Abschluß dieses Buches eingetretene Entwicklung
nicht widerlegt, sondern bestätigt. Die Signatur dieser Entwicklung
ist: Senkung des Dollurkurses von dem Höchstkurse von rund
50 000 Mk. Ende Januar auf 22 000 Mk. und annähernde Stabilisierung auf dieser Höhe; Senkung der Indexziffer der Einfuhrwaren
von 11 171 am 5. Februar auf 6577 am 24. März, der Indexziffer der
Inlandswaren von 4925 auf 4477 in derselben Zeit; Steigerung des
Wechselportefeuilles der Reichsbank von 697 Millionen Mk. Ende
Januar auf 2586 Millionen Mk. Mitte April, der diskontierten Reichsschatzanweisungen von 1609 auf 5440 Milliarden Mk. und der Notenausgabe von 1984 auf 5838 in derselben Zeit.

Mit der Hebung der Valuta sind also in dieser Periode die
Preise gesunken; am stärksten die Preise der Einfuhrwaren, die
vorher der Steigerung der Golddevisen unmittelbar und vollständig
gefolgt waren; wesentlich schwächer die Preise der Inlandswaren,
die sich vorher den gestiegenen Devisenkursen noch nicht entfernt
angepaßt hatten. Aber während Devisenkurse und Preise zurückgingen, erfuhr die Notenausgabe in diesen zehn Wochen eine Steigerung auf das Dreifache!

Deutlicher als durch das Absinken des Preisniveaus und der Devisenkurse bei der alles bisher Dagewesene übertreffenden Steigerung der Notenausgabe kann die Unabhängigkeit der Preisentwicklung von dem quantitativen Moment der Vermehrung der Umlaufsmittel und ihre Abhängigkeit von der Gestaltung der Valuta kaum dargetan werden. Insofern hat also die Entwicklung seit Ende Januar 1923 die Bestätigung der aus der Entwicklung der vorausgegangenen Periode gezogenen Schlußfolgerungen erbracht. Dagegen scheint hinsichtlich der Bedingtheit der Zunahme des Notenumlaufs von der Entwertung der Valuta die Entwicklung der letzten zehn Wochen mit dem Zusammenfallen der Valutabesserung und der gewaltigen Vermehrung der Papiergeldausgabe den Erfahrungen der vorhergegangenen Periode zu widersprechen. Aber dieser Widerspruch ist nur ein scheinbarer. Man braucht sich nur vor Augen zu halten, daß der Kurs, auf den der Dollar durch die Intervention der Reichsbank im Februar zurückgebracht und bis in die zweite Aprilhälfte annähernd stabil gehalten wurde (20—22 000 Mk.) dreimal so hoch ist, als der noch Anfang Januar 1923 notierte Kurs, und daß die Ausgleichung des Geldumlaufs an die Entwertung des deutschen Geldes, wie sie einem Dollarkurs von 20—22 000 Mk. und einer Großhandelsindexziffer von rund 3800 entspricht, Anfang Februar noch nicht entfernt erreicht war, ja auch heute (Ende April 1923) noch nicht voll erreicht ist. Gegenüber dem Stande vom Mai 1921 ergibt sich für den 24. März 1923

beim Dollarkurs eine Steigerung von 62,3 auf 20 915, also auf das 335 fache,

bei der Indexziffer der Einfuhrwaren eine Steigerung von 15,2 auf 6577, also auf das 435 fache,

bei der Indexziffer der Inlandswaren eine Steigerung von 12,7 auf 4477, also auf das 353 fache,

bei dem Notenumlauf der Reichsbank eine Steigerung von 71 auf 4956 Milliarden Mk , also auf das 70 fache.

Auch heute noch ist also gegenüber dem Stande vom Mai 1921 die am Dollarkurs gemessene Entwertung der deutschen Valuta und die an den Großhandelspreisen gemessene Verminderung der inländischen Kaufkraft des Geldes ungefähr fünfmal so stark wie die Vermehrung des Notenumlaufs. Der Fortgang der Vermehrung der Notenausgabe auch in der Zeit der Senkung und Stabilisierung des Dollarkurses beruht also darauf, daß der Prozeß der Angleichung des Geldumlaufs an das durch den Valutastand bedingte Preisniveau noch nicht vollendet ist.‘‘

Zur Kritik dieser Auffassung kann ich auf meine ganz anders lautende Erklärung des Gesamtverlaufes hinweisen. Im übrigen sei in aller Kürze bemerkt, daß ich in der Beurteilung der Kausalzusammenhänge für die erste Kriegszeit mit der Auffassung der Regierungsdenkschrift und H e l f f e r i c h im wesentlichen übereinstimme; aber für die späteren Zeiten liegt in den mitgeteilten Äußerungen H e l f f e r i c h s eine bedeutende Unterschätzung der von der Geldseite ausgehenden Faktoren vor. Wenn H e l f f e r i c h zum Beweise dafür, daß die Vermehrung der Zahlungsmittel nicht die Ursache der Preissteigerung und der Valutaverschlechterung sei, darauf hinweist, daß die Steigerung des Notenumlaufs oft kleiner gewesen sei als die entsprechende Steigerung der Preise der Waren und des auswärtigen Geldes, so muß darauf erwidert werden, daß niemals von seiten der Inflationstheorie ein genauer ziffermäßiger paralleler Zusammenhang zwischen Vermehrung der Zahlungsmittel und Preissteigerung behauptet worden ist. Dies könnte nur für die extremen Vertreter der Quantitätstheorie zutreffen.

Bei der kritischen Beurteilung der Auffassung H e l f f e r i c h s und der Verfasser der genannten Denkschriften ist nicht zu übersehen, daß es dort nicht so sehr auf die wissenschaftliche Klärung des Zusammenhanges zwischen Preisbildung und Geldverfassung ankam — was allein Sache der theoretischen Nationalökonomen ist — sondern auch darauf, eine bestimmte Geld- und Finanzpolitik zu rechtfertigen. Wenn in den genannten Auslassungen die Bedeutung der Inflation auf ein so geringes Maß herabgedrückt ist, so mag dabei mitsprechen, daß die Verfasser in allererster Linie selbst an dieser Politik der Papiergeldemission beteiligt waren. Einer Rechtfertigung der Papiergeldemission bedarf es aber im Grunde nicht, denn noch immer sind die in einen Krieg verwickelten Völker zu dem Mittel der Papiergeldausgabe genötigt gewesen; aber der Umfang solcher Papiergeldemissionen kann allerdings unter Umständen sehr bedeutend eingeschränkt werden. Auch in Deutschland hätte, besonders in den ersten Kriegsjahren, durch energische Steuerpolitik, namentlich durch eine von dem Verfasser dieses Werkes schon 1915 befürwortete Vermögensabgabe der Umfang der Papiergeldemission stark vermindert werden können, wenn die Kriegsausgaben statt ausschließlich auf dem Anleihewege auch teilweise durch Steuern gedeckt worden wären.

§ 51. Abweichende Erklärung des Valutaproblems. 2. Cassels Theorie der Kaufkraftparitäten.

Während die zuletzt betrachtete Auffassung eine zu einseitige Beurteilung des Valutaproblems vom Standpunkt der Zahlungsbilanztheorie darstellt, behandelt C a s s e l das Valutaproblem zu einseitig aus dem Gesichtspunkt der Inflationsvorgänge. Die von ihm aufgestellte Theorie der Kaufkraftparitäten ist eine einseitig zugespitzte Variante der Inflationstheorie.

C a s s e l will direkt einen Parallelismus zwischen dem Preisstand und der Verschlechterung der Valuta der betreffenden Länder feststellen. Den statistischen Beweis dafür will er auf folgende Weise anstellen: Da die Wechselkurse an einem Orte, z. B. Stockholm, die relativen Bewegungen der verschiedenen Valuten widerspiegelten, so käme es darauf an, die absoluten Veränderungen einer dieser Valuten zu ermitteln, dann könne man daraus ein Bild der absoluten Veränderung sämtlicher Valuten gewinnen. C a s s e l stellt für England an Hand der Indexziffern des „Statist" fest, daß sich das Preisniveau in England seit Beginn des Krieges bis zum März 1916 im Verhältnis von 100 zu 159 verändert habe. Folglich, so argumentiert er, weise die englische Valuta eine Inflation von 159 auf. Habe man so die absolute Bewegung der Valuta festgestellt, so könne man mit Hilfe der Wechselkurse in Stockholm die relative Bewegung der übrigen Valuten im Verhältnis zur englischen herausbekommen und gewinne dadurch ein Bild von den absoluten Veränderungen sämtlicher Va-

luten während des Krieges, und zwar komme man so zu folgender
Höhe der Inflation:

Schweden	146,2
England	159,0
Frankreich	177,8
Deutschland	207,7
Rußland	251,1[1]).

Hatte also England eine Inflation seiner Valuta von 59 %, so
weise das auf eine entsprechende Vermehrung der Zahlungsmittel hin.
Tatsächlich sei es das Hinzukommen der sog. Currency notes, das
eine Vermehrung der Zahlungsmittel um ungefähr 50 % bedeute,
was der gleichzeitigen Steigerung der S a u e r b e c k schen Indexzahlen ungefähr entspreche. Warum habe sich z. B. die russische
Valuta verschlechtert? Weil die russischen Zirkulationsmittel vermehrt worden seien. So stellt er fest, daß für Rußland die relative
Zirkulationsvermehrung für April 1916 sich auf 264,4 belaufe, „was
ja sehr nahe mit der tatsächlichen Inflation von 265,8 übereinstimmt"[2]).

C a s s e l hat in einer Reihe weiterer Schriften diese Theorie
immer von neuem vertreten und weiter ausgebaut, besonders
in seiner Schrift „Das Geldproblem der Welt" (Erste Denkschrift.
II. Aufl. München 1923). Er führt dort aus:

„Der Krieg ist in allen in ihn verwickelten Ländern in großem
Umfang durch Schaffung neuen Geldes finanziert worden, das mehr
oder weniger direkt in die Staatskasse überführt wurde, und zwar
teils in Form neuer Emissionen von Bankscheinen oder Staatspapiergeld, teils in Form von umfangreichen Bankkrediten, die als
Zahlungsmittel verwandt werden konnten. Die letztere Methode hat
mittelbar eine entsprechende Vermehrung der Zirkulation verursacht,
die notwendig war, um das erhöhte Bedürfnis an Bargeld für kleinere
Auszahlungen zu befriedigen. Denn das Verhältnis zwischen Scheck-
und Barzahlung war, wie oben erwähnt, ziemlich konstant, je nach
den Gewohnheiten jedes Volkes.

Das Ergebnis der Schaffung neuer Geldmittel war in beiden
Fällen, daß der Regierung neue Kaufkraft zur Verfügung gestellt
wurde. Als so die gesamte Kaufkraft erhöht wurde, ohne daß sich
die Warenmenge entsprechend vermehrte, war eine allgemeine Steigerung der Preise die Folge. Mit den höheren Preisen wuchs entsprechend der Bedarf an Zahlungsmitteln, und die Menge der Tauschmittel, die in Umlauf gehalten werden konnte, stand daher zu jeder
Zeit in gleichem Verhältnis zum allgemeinen Preisniveau. Aber der
„primus motor" der Preissteigerung ist immer die Schaffung einer
künstlichen Kaufkraft gewesen.

Es muß beachtet werden, daß unter normalen Verhältnissen
neue Kaufkraft nur durch Produktion, Verkauf von Gütern und
Leistungen von entsprechendem Wert geschaffen wird; eine solche
Kaufkraft hat nicht die Tendenz, die Preise in die Höhe zu treiben.
Als künstlich müssen wir eine Kaufkraft bezeichnen, die nicht auf
einer derartigen Produktion begründet ist und deshalb zur Preissteigerung führen muß.

---

[1]) G u s t a f   C a s s e l , Deutschlands wirtschaftliche Widerstandskraft.
Berlin 1916. S. 137.
[2]) C a s s e l , a. a. O., S. 157.

Gegen die sog. Quantitätstheorie wird gewöhnlich eingewendet, daß eine Vermehrung der Geldmittel nicht von so entscheidendem Einfluß auf die gesamte Kaufkraft der Allgemeinheit sein kann, daß sie eine entsprechende Steigerung aller Preise hervorzurufen vermag. Es wird auch oft behauptet, daß man dem Publikum nicht mehr Geld aufzwingen kann, als es selbst wünscht. Die beiden Einwände haben etwas Wahres an sich. Aber eine Summe neugeschaffener Kaufkraft, die einem eifrigen Käufer, wie einer Regierung im Krieg, zur Verfügung gestellt wird, vermehrt unstreitig dessen Kaufkraft, ohne einen anderen der entsprechenden Kaufkraft zu berauben. Also muß eine gewisse Preissteigerung stattfinden, damit das Gleichgewicht zwischen der Kaufkraft der Allgemeinheit, ausgedrückt in Geld, und der Warenmenge sowie den Leistungen, die sich zum Kaufe vorfinden, wieder hergestellt wird. Wir können auf theoretischem Wege nicht berechnen, wie groß diese Preissteigerung sein kann. Aber es genügt zu wissen, daß eine gewisse Steigerung des allgemeinen Preisniveaus das Ergebnis einer künstlich vermehrten Geldmenge werden muß. Wenn das neue Preisniveau erreicht ist, wird sich der Geldbedarf des Publikums im Verhältnis zu der stattgefundenen Preissteigerung vermehrt haben und genau so viel mehr Geld wird im Umlauf bleiben. Es ist daher sehr wohl möglich, daß ein Teil des neugeschaffenen Geldes zu der Bank, die es ausgegeben hat, zurückfließt, da das Publikum keine Verwendung dafür hat. Aber die künstlich geschaffene Kaufkraft hat ihre Wirkung ausgeübt, indem sie das allgemeine Preisniveau hinaufgetrieben hat. Wenn sich nun die gleiche Manipulation wiederholt, wird die Wirkung eine neue Steigerung der Preise und dementsprechend eine neue Vermehrung der in Umlauf gehaltenen Geldquantität sein. Dauert dieser Prozeß Monat um Monat und Jahr nach Jahr an, so ist das Ergebnis eine fortgesetzte Steigerung der Preise und eine kontinuierliche und proportionale Vermehrung der Zirkulation des Landes. Das ist gerade das, was sich während der letzten Jahre vor unseren Augen vollzogen hat.

Auf diese Weise hat in allen kriegführenden Ländern eine Inflation stattgefunden. Der Prozeß ist im wesentlichen der gleiche, ob die künstliche Kaufkraft, die zur Verfügung der Regierung gestellt wurde, die Form von Banknoten, anderen Scheinen oder Buchkrediten in den Banken hat. Die Steigerung der Preise wird, wie soeben ausgeführt wurde, von einer Vermehrung all dieser Zahlungsmittel begleitet, ganz unabhängig davon, wo die erste Vermehrung geschieht. Nichtsdestoweniger haben diejenigen Zahlungsmittel, die den Charakter von gesetzlichen haben, eine besondere Bedeutung für den Prozeß der Inflation, denn eine Vermehrung der anderen Zahlungsmittel wird zuletzt eine mehr oder weniger proportionale Vermehrung der Menge der gesetzlichen Zahlungsmittel verlangen und ist daher insofern unmöglich, wo keine willkürliche Zulage zu der Summe der gesetzlichen Zahlungsmittel vorgenommen werden kann. Somit löst sich letzten Endes der Inflationsprozeß in eine willkürliche Neuschaffung von Zahlungsmitteln mit gesetzlicher Kraft auf."

Im fünften Kapitel behandelt Cassel den Zusammenhang von internationalen Wechselkursen und Kaufkraftparitäten. Er erklärt:

„Unsere Geneigtheit, einen gewissen Preis für ausländisches Geld zu bezahlen, muß letzten Endes und wesentlich auf der Tatsache beruhen, daß dieses Geld eine Kaufkraft im Hinblick auf Waren und Leistungen in dem fremden Land besitzt. Auf der andern Seite bieten wir, wenn wir so und soviel von unserem eigenen Gelde anbieten, in Wirklichkeit eine Kaufkraft im Hinblick auf Waren und Leistungen in unserem eigenen Lande an. Unsere Schätzung des ausländischen Geldes beruht daher der Hauptsache nach auf der relativen Kaufkraft des Geldes der beiden Länder.

Wenn zwischen den beiden Ländern A und B eine normale Handelsfreiheit gegeben ist, wird sich zwischen ihnen ein Wechselkurs stabilisieren, und dieser Kurs wird, abgesehen von kleinen Schwankungen, unverändert bleiben, solange keine Veränderungen in der Kaufkraft der beiderseitigen Valuten eintreten und dem Handel keine speziellen Hindernisse auferlegt werden. Aber sobald eine Inflation der A-Valuta vor sich geht und deren Kaufkraft deshalb abnimmt, wird der Wert der A-Valuta im Lande B notwendigerweise im gleichen Verhältnis sinken. Und wenn die B-Valuta eine Inflation erlitten hat und ihre Kaufkraft gefallen ist, wird natürlich die Wertschätzung der A-Valuta im Lande B im gleichen Grade steigen. Wenn z. B. die Inflation in A das Verhältnis 320 : 100 und die in B das Verhältnis 240 : 100 erreicht hat, wird der neue Wechselkurs drei Viertel des alten ausmachen (annähernd der Fall England—Vereinigte Staaten). Hieraus ergibt sich die Regel: w e n n z w e i V a l u t e n I n f l a t i o n e r l i t t e n h a b e n , i s t d e r n o r m a l e W e c h s e l k u r s g l e i c h d e m a l t e n K u r s m u l t i p l i z i e r t m i t d e m Q u o t i e n t e n z w i s c h e n d e m G r a d e d e r I n f l a t i o n i n d e m e i n e n u n d d e m a n d e r e n L a n d e . Natürlich werden immer Abweichungen von diesem neuen Normalkurs vorkommen, und während einer Übergangsperiode kann man erwarten, daß diese Abweichungen ziemlich stark sein werden. Aber der Kurs, der auf die hier angegebene Weise berechnet wurde, muß als die neue Parität zwischen den Valuten angesehen werden. Diese Parität kann Kaufkraftparität genannt werden, da sie durch den Quotienten zwischen der Kaufkraft der verschiedenen Valuten bestimmt wird.

Infolge des Überflusses an Zahlungsmitteln ist während des Krieges die Kaufkraft der verschiedenen Valuten in hohem Grade, wenn auch in sehr ungleichen Proportionen zurückgegangen, somit haben die Kaufkraftparitäten sehr große Veränderungen durchgemacht und unterscheiden sich jetzt völlig von den beiden Paritäten, die vor dem Kriege galten. Es besteht kein Grund zu glauben, daß die Wechselkurse jemals wieder allgemein ihre alten Paritäten erreichen werden. Diese alten Paritäten haben tatsächlich ihre Bedeutung verloren und können in keiner Hinsicht mehr als normal angesehen werden. Die ständigen Hinweise auf sie sind ein ernstes Hindernis für ein klares Verständnis dessen, was mit den Valuten der Welt wirklich vorgegangen ist. Es ist auch nur irreführend, wenn in den statistischen Übersichten die alte Gewohnheit beibehalten wird, ausländische Münze auf Grund der Paritäten vor dem Kriege zu berechnen.

Die Kaufkraftparitäten bezeichnen die wahre Gleichgewichtslage der Wechselkurse, und es ist daher von großer praktischer Bedeutung, sie kennenzulernen. Denn an sie müssen wir uns in der Tat halten, wenn wir eine Idee von dem wirklichen Werte jener

Valuten bekommen wollen, deren Wechselkurse der Gegenstand willkürlicher und oft gewaltiger Schwankungen sind. Alle Mühe sollte
daher darauf verwandt werden, eine Einsicht in den Grad der Inflation in jedem Lande, gemessen an dem Zuwachs der Zirkulation
oder der Preissteigerung, zu gewinnen und auf diesen Grundlagen
die Kaufkraftparitäten zwischen den einzelnen Valuten zu berechnen.
Solche Ziffern, die auf der monatlichen Durchschnittsziffer für die
Inflation basieren, müßten der Welt einige Tage nach dem Ende
jedes Monats vorgelegt werden . . .
    Wenn wir also gezwungen sind, aus diesen Gründen die populäre
Theorie von der Handelsbilanz als Erklärung für die Bewegungen der
internationalen Wechselkurse seit Anfang des Krieges ganz aufzugeben,
so muß auch eine andere sehr populäre Theorie über Bord geworfen
werden, nämlich die Theorie, daß gedrückte Wechselkurse durch eine Justierung der Handelsbilanz verbessert werden können. In der Tat glaubt
man ziemlich allgemein, daß ein Land, das den Preis seiner Valuta im
Auslande tief unter die Parität vor dem Kriege sinken sah, nach dem
Kriege die alten Wechselkurse nur dadurch wiederherstellen kann, daß es
seine Ausfuhr vermehrt. Das ist zweifellos möglich, wenn die niedrige
Wertsetzung der Valuta des Landes ausschließlich durch einseitige Hindernisse für die Ausfuhr des Landes verursacht wurde. Ist aber die erwähnte Wertsetzung ein Zeichen für eine Verschlechterung des inneren
Geldwertes, so kann keine Entwicklung der Ausfuhr des Landes die
Wechselkurse verbessern. Diese werden in Zukunft ausschließlich
durch die Kaufkraftparitäten bestimmt werden und können sich
deshalb nur bessern, wenn es dem Lande gelingt, seine Inflation
zu reduzieren und somit seiner Münzeinheit einen höheren inneren
Wert zu geben. Dies aber ist, wie wir sehen werden, ein sehr komplizierter Prozeß, der Schwierigkeiten einer ganz anderen Art als die
Vermehrung der Ausfuhr mit sich bringt.‘‘
    Ähnlich argumentiert L a n s b u r g h. Er sagt: ,,Es gibt
keinen zuverlässigeren Index für die Veränderungen, die das innere
Preisniveau und der innere Geldwert erfahren haben, als die Bewertung der Landeswährung im Auslande‘‘ . . . ,,Die Währungsverschlechterung, wie sie im Stande der Wechselkurse zum Ausdruck
kommt, ist nur der sichtbare Reflex der Veränderungen, die sich in
der Kaufkraft des Landesgeldes und damit zugleich in der wirtschaftlichen Struktur des Volksganzen vollzogen haben. Es wird eins der
schwierigsten Probleme der Zeit nach dem Kriege sein, mit der
Wertminderung der Währungen auch diese wirtschaftlichen Störungen
zu beseitigen, soweit sie sich nachträglich überhaupt noch beseitigen
lassen[2]).‘‘

§ 52. Kritik der Theorie der Kaufkraftparitäten[3]).

    Die C a s s e l sche Theorie, die mit Recht in nachdrücklicher
Weise auf den Einfluß der Inflation auf die Wechselkurse hinweist, ist wegen ihrer einseitigen theoretischen Zuspitzung abzulehnen.

---

    [1]) A. L a n s b u r g h, Die großen Notenbanken im Dienste der kriegführenden Staaten. ,,Die Bank‘‘, 1915, S. 1090.
    [2]) Ebenda, S. 1094.
    [3]) Vgl. auch zu der Kritik der Kaufkraftparitäten Dr. H u g o M ü l l e r ,
Wechselkurse und Güterpreise. Jena 1926.

Die Auffassung, wonach die Veränderungen des inneren Preisniveaus der Maßstab für die Veränderung der Valuta seien, ist unhaltbar. Die ganze Beweisführung verläuft im Gedankengange der Quantitätstheorie, die jedenfalls in dieser extremen Form als überwunden gelten sollte: wonach streng parallel mit der Vermehrung der Zahlungsmittel auch eine Erhöhung des Preisniveaus erfolgen muß. Auch das statistische Material ist sehr anfechtbar, denn die Indexziffern, in welcher Form immer sie aufgestellt sind, geben nur ein ganz rohes, oberflächliches Bild der Preisverschiebungen, weil immer nur eine gewisse Gruppe von Waren erfaßt werden, und auch bei diesen die statistischen Unterlagen meist sehr unbestimmt sind. Auf der anderen Seite sind auch die statistischen Angaben über die Zahl der papierenen Zahlungsmittel sehr vage, und die papierenen Zahlungsmittel der verschiedenen Länder weisen qualitativ einen grundverschiedenen Charakter auf. Es ist unmöglich, einen exakten Zusammenhang zwischen dem durch die Zahlungsmittelmenge bewirkten inneren Preisstand und der Bewegung der Valuta feststellen zu wollen. Der Wechselkurs ist und bleibt immer der Preis der ausländischen Zahlungsmittel, nach inländischem Geld bemessen, und muß sich daher auch immer nach dem Stand der Zahlungsbilanz zwischen den betreffenden Ländern und nicht nach dem Stand der Preisentwicklung der betreffenden Länder richten. Wäre wirklich ein tatsächlicher Zusammenhang zwischen der Valuta und der Vermehrung der Zirkulationsmittel vorhanden, so müßte doch ein gewisser Parallelismus zwischen dem Stand der Wechselkurse und der Ausgabe von Papiergeld nachweisbar sein. Wir sahen aber während des Krieges, daß z. B. in Deutschland der Wechselkurs noch lange Zeit günstig stand, während schon eine große Vermehrung des Papiergeldes stattgefunden hatte. Wir sahen, daß die italienische Valuta längere Zeit günstiger als die deutsche war, trotzdem in Italien die Ausgabe uneinlöslicher Noten in besonders großem Maße vorgenommen wurde.

Gewiß ist ein bestimmter Zusammenhang zwischen dem inneren Preisstand und der Valuta vorhanden und doch nicht in der exakten Weise, wie C a s s e l annimmt. Die hohen Preise in Deutschland während des Krieges und nach dem Kriege waren zum Teil, ebenso wie der schlechte Valutastand, eine Folge der gestörten Handelsbeziehungen und zum Teil eine Folge der Inflation. Wenn also hohe Preise und schlechte Valuta derselben Ursache entspringen, darf man doch nicht sagen, die schlechte Valuta sei die Folge der hohen Preise, das hieße Ursache und Wirkung verwechseln. Damit wird der kausale Zusammenhang verdunkelt und verwischt. Darum muß mit aller Entschiedenheit gesagt werden: die hohen Inlandspreise in Deutschland sind direkt von gar keinem Einfluß auf die Bewertung der Mark im Ausland. Der Schweizer, Holländer, Däne usw., der deutsche Markwechsel kauft, kauft diese Wechsel nicht allein, um deutsche Waren zu kaufen, sondern um irgendwelche Zahlungsverpflichtungen, die er in Deutschland hat, erfüllen zu können, z. B. Zahlungen für bereits gekaufte oder zu kaufende Waren zu leisten, oder zur Zahlung von Zinsen, Dividenden oder Kapitalien an Deutschland. Wieviel er für den deutschen Markwechsel bezahlen muß, hängt von den Preisverhältnissen des Zahlungsmittelmarktes ab, aber nicht von den Preisverhältnissen des

deutschen Warenmarktes. Sind also, wie es während des Krieges
meist der Fall war, sehr viele deutsche Zahlungsmittel angeboten,
so bezahlt er wenig in seinem Geld, weil der geringen Nachfrage
ein großes Angebot gegenübersteht. Keineswegs sind also die Preise
auf dem Zahlungsmittelmarkt des Auslandes einfach ein Reflex der
Preisverhältnisse im Inland, sondern die Preise der Wechsel haben
ihre eigenen und besonderen Bestimmungsgründe. Wieviel ein
Schweizer für das deutsche Geld zahlt, richtet sich einzig und allein
nach der Forderungs- bzw. Zahlungsbilanz zwischen der Schweiz
und Deutschland: hätten viele Schweizer Waren von Deutschland bezogen und eine große Nachfrage nach deutschen Wechseln hervorgerufen, so hätte auch ein höherer Preis für die
deutschen Wechsel bezahlt werden müssen; da aber die Einfuhr
aus der Schweiz im Kriege viel größer war als unsere Ausfuhr
dorthin, ergab sich eine Bilanz zu unseren Ungunsten und ·daher
der gedrückte deutsche Wechselkurs. Denn nicht nur werden, wie
bereits bemerkt, Devisen für Zwecke des Warenimports nachgefragt,
sondern auch um Zahlungen ins Ausland zu leisten usw. Das alles
wirkt ebenfalls auf die Höhe der Wechselkurse ein. — Wäre wirklich der deutsche Preisstand für die Valuta der ausschlaggebende
Grund, wie könnte es erklärt werden, daß im Oktober 1917 unsere
Valuta gegenüber der Schweiz sich um 50 % entwertet hatte, während
in der Schweiz selbst die Preise der wichtigsten Lebensmittel außerordentlich stark in die Höhe gegangen waren? — Der enge Zusammenhang zwischen dem inneren Preisstand und der Valuta
kann nicht vorhanden sein, weil die Preisbestimmungsgründe für
beiderlei Preise ganz verschieden sind. Die Preise auf dem Markt
der ausländischen Zahlungsmittel — das sind eben die Wechselkurse
— unterliegen ganz anderen Bestimmungsgründen als die Preise der
Waren der Länder, auf welche die Wechsel lauten. Vollends aber
in Kriegszeiten, in denen alle Länder mehr oder minder abgesperrt
sind, und die Preise vielfach der Ausdruck ganz eigenartiger und
anormaler, durch die Isolierung der Länder hervorgerufener Verhältnisse sind, ist der Zusammenhang nicht vorhanden. Dasselbe
gilt auch für den Preis der Zahlungsmittel, der ebenfalls durch den
ganz eigenartigen Zustand des zerstörten internationalen Wechsel-
marktes hervorgerufen ist, in dem alle die ausgleichenden Faktoren
ausgeschaltet werden, die sonst wirksam sind. Die oft ganz sprunghaft und sehr schnell aufeinanderfolgenden Veränderungen im
Wechselkurse deuten auf den Zusammenhang mit der Zahlungsbilanz hin, während die Veränderungen der Preise nicht annähernd
diesen sprunghaften Charakter aufweisen.

Es soll natürlich nicht geleugnet werden, daß der hohe
Preisstand einen indirekten Einfluß auf den Stand der Valuta
ausübt, denn die hohen Inlandspreise verhindern eine sonst
vorhandene Möglichkeit, den schlechten Stand der Wechselkurse zu
verbessern. Für das Land mit gesunkener Valuta wirkt diese im
allgemeinen exportfördernd, weil die Exporteure die höherwertigen
ausländischen Zahlungsmittel erhalten. Auch ließen wir uns während
des Krieges vom neutralen Ausland für Waren, die es unbedingt
brauchte, höhere Preise zahlen, wodurch die Valutaverschlechterung
unter Umständen ausgeglichen werden kann. Ist aber der Preisstand
der inländischen Waren ein sehr hoher, so kann ein Export trotz

der gesunkenen Valuta nicht stattfinden; ferner werden durch die gesunkene Valuta die Preise der vom Ausland eingeführten Waren verteuert, was wiederum ein neues Moment der inländischen Preissteigerung auslöst.

Kann somit ein direkter Zusammenhang zwischen dem inneren Preisniveau und der Valuta nicht zugegeben werden, so soll nicht geleugnet werden, daß der im Preisstand sich äußernde B i n n e n - w e r t des Geldes auf den A u ß e n w e r t des Geldes, der Valuta, von Einfluß ist. Zu den sekundären Gründen des Sinkens der Valuta ist zu rechnen, wenn z. B. durch übermäßige Ausgabe von Papiergeld eine Preissteigerung hervorgerufen wird, und man dies im Auslande als Symptom ungünstiger wirtschaftlicher Lage betrachtet, so daß Mißtrauen gegenüber der Währung des betreffenden Landes hervorgerufen wird und die Käufer solcher Zahlungsmittel fürchten, durch weiteres Sinken des Kurses zu verlieren. — Dieses Mißtrauen ist dann besonders groß, wenn durch übermäßig große Papiergeldausgaben das Ausland eine immer weitere Entwertung des Papiergeldes befürchtet.

C a s s e l hat selbst darauf hingewiesen, daß seine Theorie durch eine ganze Menge von Ausnahmen durchbrochen wird. Er hat in der ersten Denkschrift, die er im Juni 1920 der Internationalen Friedenskonferenz in Brüssel überreichte, als Beispiel für weiter entwertende Tendenzen (abgesehen von der Geldvermehrung) auf spekulative Operationen und auf das Mißtrauen in die Zukunft einer Valuta hingewiesen; und in der zweiten Denkschrift, die 1921 dem Finanzausschuß beim Völkerbund in Genf vorgelegt wurde, sagte er nochmals: ,,Die Aussicht auf weitere Inflationen hat, wie ich in der ersten Denkschrift auseinandersetzte, die Wirkung, daß der Kurswert der betreffenden Währung auf weniger als seine Kaufkraftparität heruntergedrückt wird. Ungeklärte politische Bedingungen können das Mißtrauen in die Zukunft einer Währung verstärken und die internationale Unterschätzung derselben verschlimmern. Alle diese Faktoren sind während des letzten Jahres am Werk gewesen.''

Es ist jedenfalls nicht richtig, daß in der Weise, wie C a s s e l es annimmt, die Wechselkurse dem allgemeinen Preisniveau der einzelnen Länder sich anschlössen und die Kaufkraftparität die wahre Gleichgewichtslage der Wechselkurse bezeichneten. Der früher von C a s s e l gebrauchte Ausdruck ,,theoretical exchange rate'' scheint mir richtiger als der spätere ,,Kaufkraftparität'', weil die Bezeichnung ,,der theoretische Wechselkurs'' darauf hindeutet, daß es sich um eine rein theoretische Auffassung handelt, wobei absichtlich von einer Menge von sog. störenden Momenten abgesehen wird.

Auch von B e n d i x e n ist die Casselsche Auffassung energisch abgelehnt worden. In seiner Abhandlung: ,,Die Bestimmungsgründe der intervalutarischen Kurse'' (Weltwirtschaftl. Archiv 1918. 2. Bd., S. 65 ff.) sagt er mit Recht: ,,Die Lösung des Rätsels ist, daß die Wechsel nicht als Kauf-, sondern als Zahlungsmittel gehandelt werden. Der Käufer erwirbt den Wechsel, nicht um mit dem fremden Gelde zu kaufen, sondern um seine Schuld zu bezahlen, und es ist ihm ganz gleichgültig, wieviel oder wie wenig man sich dafür kaufen kann. Die Preisverhältnisse des eigenen und des fremden Landes interessieren ihn nämlich nicht im allgemeinen, sondern nur in der Besonderheit seiner Handelsware. Da kalkuliert er Kosten und Gewinn unter Berücksichtigung der Wechselkurse und entscheidet sich danach, ob er das Geschäft machen will oder nicht. Aber der Gedanke, daß man Devisen erwerbe, um Waren damit zu kaufen, und daß bei dem Wechselhandel die Kursgestaltung von Betrachtungen über Warenpreise und ihre Veränderungen hüben und drüben beeinflußt werde, ist ganz lebensfremd und stellt das Sachverhältnis geradezu auf den Kopf."

R i s t sagt in seiner Darstellung der Valutaverhältnisse in der Tschechoslowakei[1]): „In der Tschechoslowakei wie in anderen Ländern unterlag der Devisenmarkt, nachdem der Krieg beendigt war, den Einflüssen von Faktoren, die ihm eigentümlich sind und unter denen die Kapitalwanderungen besonders wirksam sind. Die Wechselkurse sind nicht den inneren Preisschwankungen gefolgt, sondern die Preise haben mit äußerster Empfindlichkeit auf die Bewegungen der Wechselkurse reagiert, indem das Fallen oder Steigen der Krone sofort eine Änderung der Preise der aus- und eingeführten Waren und dadurch eine solche aller anderen Preise bewirkte."

Eine Reihe von Autoren hat in der Tat, ohne auf dem extremen Standpunkte C a s s e l s oder L a n s b u r g h s zu stehen, auf den engen Zusammenhang zwischen inländischem Preisniveau und dem Wert der Valuta hingewiesen. Soweit ich die Literatur übersehe, ist zuerst von S c h l e s i n g e r der Zusammenhang in dieser vorsichtigeren Form behauptet worden. In einem Aufsatz „Die Veränderung des Geldwertes im Kriege"[2]) sucht er zu zeigen, daß der größere Rückgang der österreichischen Valuta gegenüber der deutschen dem Umstand zuzuschreiben sei, daß das deutsche Preisniveau im allgemeinen weniger gestiegen wäre als das österreichische[3]). Dieser Zusammenhang sei ein allgemeiner, er faßt seine Meinung dahin: „Der wesentlichste Grund des Agios ist die Steigerung des inländischen Preisniveaus gegenüber dem ausländischen; ein sekundärer Faktor ist der Umstand, daß für viele Güter, deren Export unter den herrschenden Preis- und Agioverhältnissen rentabel wäre, Ausfuhrverbote bestehen. In entgegengesetzter Richtung wirkt hingegen die Blockade, welche große, dem Preise nach lohnende Einfuhrmöglichkeiten abschneidet. Endlich ist die Repatriierung von im Ausland angelegt gewesenem Nationalkapital zu erwähnen, die besonders für Deutschland die Devisenkurse und das Agio stark ermäßigte[4])."

Auch L i e f m a n n [5]) meint, daß ein enger Zusammenhang zwischen der gesunkenen Kaufkraft der Mark im Inland und dem Stand unserer Valuta bestünde. In seinem in Berlin 1917

---

[1]) R i s t , C h a r l e s : Die Deflation und ihre Praxis in England, den Vereinigten Staaten, Frankreich und der Tschechoslowakei. Berlin 1925.

[2]) Zeitschrift für Volkswirtschaft, Sozialpolitik und Verwaltung, 25. Band 1916, S. 1—22.

[3]) S c h l e s i n g e r , a. a. O., S. 18.

[4]) Ebenda, S. 21.

[5]) L i e f m a n n sagt in einer Anmerkung seines Buches „Die Geldvermehrung im Weltkriege" (Stuttgart 1918), S. 110, er habe den Gedanken, daß die durch die Absperrung und durch die Umstellung der Industrie verursachten hohen Inlandspreise der Hauptgrund für das starke Sinken unserer Valuta seien, zuerst in seinem im Frühjahr 1917 in Berlin gehaltenen Votrage ausgesprochen, dann habe D a l b e r g in einem Aufsatz in der Deutschen Wirtschaftszeitung denselben Gedanken vertreten. Doch hat S c h l e s i n g e r schon im ersten Heft des Jahrganges 1916 der genannten Zeitschrift denselben Gedanken entwickelt.

gehaltenen Vortrag „Aufgaben der Geldpolitik nach dem Kriege" kam er auf die Ursachen des schlechten Standes unserer Valuta zu sprechen, erwähnt in erster Linie den hohen Stand der Warenpreise in Deutschland und bemerkt dazu: „Eine starke Warenknappheit in einem Staate, die zu hohen Preisen vieler der wichtigsten Güter führt, muß unbedingt ein Sinken der Kaufkraft des Geldes auch dem Auslande gegenüber zur Folge haben, wenn dort nicht der gleiche Warenhunger besteht, aber eine völlige Ausgleichung der Nachfrage nicht möglich ist"[1]. — Erst in zweiter Linie kommt bei ihm die Ein- und Ausfuhrbilanz in Frage: „Dazu kommen noch einige Gründe besonderer Art, welche mit den besonderen Verhältnissen Deutschlands im Kriege in Beziehung stehen. Erstens das Überwiegen der Einfuhr über die Ausfuhr" usw.[2]

Viel eingehender äußert er sich zu diesem Thema in seiner Schrift „Über die Geldvermehrung im Weltkriege". Er nennt zwar die Anschauung von C a s s e l übertrieben, aber sie sei richtiger als die Meinung derer, welche behaupten, daß der ausländische Wechselkurs mit dem inländischen Preisniveau gar nichts zu tun habe, daß er einzig und allein durch die Zahlungsbilanz des betreffenden Landes bestimmt werde (S. 21). — Starke Preissteigerungen im Inlande, meint L i e f m a n n , müßten auf die Bewertung unseres Geldes im Auslande einwirken: „Natürlich wenn alle Forderungen des Auslandes an uns ohne weiteres durch Forderungen unsererseits ausgeglichen werden können, wird ein erhebliches Sinken unserer Valuta nicht eintreten können, zumal man ja immer bestrebt ist, ein solches zu verhindern und dafür die verschiedensten Mittel besitzt. Aber von künstlicher Beeinflussung abgesehen, werden höhere Preise im Inlande, sofern sie nicht die Folge von Schutzzöllen sind, eben den Import und damit die Forderungen des Auslandes an uns vergrößern. Wenn dieses Ausgleichsmittel versagt, weil wenig importiert werden kann, aber anderseits aus irgendwelchen Gründen im Inland die Preise steigen, muß unser Geld im Auslande weniger bewertet werden, weil man damit weniger im Inlande kaufen kann, als im Auslande mit ausländischem Gelde. Dies wird um so mehr der Fall sein, je weniger von uns exportiert werden kann, je weniger also Forderungen des Auslandes an uns durch Forderungen, die wir im Inland haben, ausgeglichen werden können" (S. 108). Diese Behauptung, daß das deutsche Geld im Auslande geringer bewertet wird, weil man damit in Deutschland weniger kaufen könne als im Ausland, wiederholt er noch mehrmals, so z. B. in dem Satz, daß, wenn im Ausland überhaupt Forderungen auf Deutschland vorhanden waren, man sie geringer bewertete, weil man in Deutschland wenig dafür kaufen könnte.

Auch D a l b e r g wirft den Schriftstellern, die sich bisher mit den Valutaproblemen beschäftigt haben, vor, daß sie einen „überaus wesentlichen Umstand außer Betracht gelassen hätten, der dem Valutaproblem ein ganz anderes Gewicht gebe, und der jedenfalls klar erkennen lasse, daß die im Anschluß an solche Erwägungen

---

[1] Vgl. seinen Vortrag über „Aufgaben der Geldpolitik nach dem Kriege" in den Veröffentlichungen des Deutschen Wirtschaftsverbandes für Süd- und Mittelamerika, Heft 1, Drei Vorträge zum Geld- und Währungsproblem. Berlin 1917. S. 53.
[2] Ebenda, S. 54.

meist vertretene Ansicht unzutreffend sei, daß nämlich nach Friedensschluß und mit Fortfall der Blockadewirkung die deutsche Valuta
auch selbsttätig und unbedingt ihren alten Stand wieder zurück-
erobern werde. Dieser Umstand betrifft den Grad der Entwertung
unserer Währung auf dem inneren Markt"[1]. . . Die Kaufkraft der
Mark ist auf die Hälfte oder noch tiefer gesunken. In dieser Tatsache liegt aber ein wesentlicher Grund für den Niedergang unserer
Valuta auf den Auslandsmärkten, und wenn nach Friedensschluß
die Schranken für den Außenhandel fallen sollten, so wird hierin
das Haupthemmnis liegen, um unsere Valuta wieder auf den alten
Paritätsstand zu bringen. Dieses Hemmnis muß als so gewichtig
eingeschätzt werden, daß für die ersten Friedensjahre die Wieder-
erreichung des alten Valutastandes jedenfalls als ausgeschlossen
gelten muß"[2]. Er glaubt einen direkten gesetzmäßigen Zusammenhang zwischen dem Stand der Valuta und dem inländischen Preisniveau zu erkennen und kommt so zu dem Satz: „Tatsächlich ist
während des Krieges auch in Holland und beinahe in allen anderen
Ländern eine starke Preissteigerung aller Waren und damit ein Rückgang der Kaufkraft des Geldes eingetreten. Wenn das Preisniveau
in Holland ebenso stark gestiegen wäre, wie in Deutschland, also
angenommenerweise auf das Doppelte, so müßte die dadurch aus-
gelöste Gegenwirkung auf Warenbewegung und Valutastand die oben
dargelegte Einwirkung des Ansteigens des deutschen Preisniveaus
völlig zum Ausgleich bringen, so daß der Devisenkurs auf dem alten
Paritätsstand bleiben müßte[3]. . . . Der (holländische) Guldenkurs
in Deutschland ist gleich dem Quotienten aus dem durchschnittlichen
deutschen Preisniveau in Mark und dem durchschnittlichen holländischen Preisniveau in Gulden[4]."

Der von S c h l e s i n g e r , L i e f m a n n und D a l b e r g
aufgestellten Hypothese über den engen -Zusammenhang zwischen
dem inneren Preisstand und der Höhe der Valuta kann ich nicht
zustimmen. Die genannten Schriftsteller machen den Fehler, ein
Zwischenglied in der Kette der Verursachungen als das entscheidende
kausale Moment anzusehen. —

L i e f m a n n selbst macht auf den wirklichen Zusammenhang
aufmerksam, wenn er z. B. sagt: „Erst an die gestiegenen Preise,
w e n n   s i e   n i c h t   d u r c h   E i n f u h r   a u s g e g l i c h e n
w e r d e n   k ö n n e n , knüpft das Sinken der Valuta an." Daraus
sollte man auch den richtigen Schluß ziehen: also ist die mangelnde
Ausgleichsmöglichkeit im Wege des Handelsverkehrs an der schlechten
Valuta schuld. Oder, wenn L i e f m a n n an obiger Stelle, nachdem er den ungünstigen Stand der deutschen Valuta auf die hohen
Preise in Deutschland zurückgeführt hat, fortfährt: „Dies wird um
so mehr der Fall sein, je weniger von uns exportiert werden kann,
je weniger also Forderungen des Auslandes an uns durch Forderungen,
die wir im Ausland haben, ausgeglichen werden können." — Also
auch hier sehen wir: es ist die erschwerte Ausfuhrmöglichkeit, welche
die letzte Ursache bildet. Oder schließlich wenn L i e f m a n n direkt

---

[1]) D a l b e r g , Der Zusammenhang zwischen Valutarückgang und Teuerung.
In der Deutschen Wirtschafts-Zeitung Nr. 17 vom 1. September 1917, S. 478 ff.
[2]) D a l b e r g , ebenda, S. 480.
[3]) a. a. O., S. 483.
[4]) a. a. O., S. 483/484.

sagt[1]): „Natürlich hätte dies alles überwunden werden können, wenn wir nicht mehr ein- als ausgeführt und nicht so schon zahlreiche Schulden z. B. aus Hypotheken im Auslande gehabt hätten."

Auch S c h l e s i n g e r gibt implizite zu, daß der Stand der Zahlungsbilanz und nicht der Stand der Preise für die Valuta maßgebend ist. Er sagt[1]): „So oft die Steigerung der Inlandspreise das Gleichgewicht des Außenhandels störte und die gesunkenen Exportmöglichkeiten ein Überwiegen der Devisennachfrage verursachten, bedurfte es daher einer Steigerung der Devisenkurse, um das Gleichgewicht wieder herzustellen; das Agio mußte der Warenteuerung von Stufe zu Stufe folgen."

Und warum kann das Gleichgewicht des Außenhandels nicht wieder hergestellt werden? Weil drei Möglichkeiten des Ausgleichs fehlen, die S c h l e s i n g e r selbst angibt: 1. Wenn Gold exportiert wird; 2. wenn andere Posten der Zahlungsbilanz aktiver werden; und 3. wenn der Zufluß von Auslandskapitalien wächst. Also, wir sehen, die Verhältnisse der Zahlungsbilanz sind ausschlaggebend und nicht die Gestaltung der Warenpreise.

Auch D a l b e r g verwechselt, wie L i e f m a n n , Ursache und Wirkung. Diese Verwechslung geht deutlich aus folgender Argumentation D a l b e r g s hervor. Er erklärt den Zusammenhang zwischen Preisstand und Valuta auf folgende Weise[2]): „Sowie die deutschen Preise unter der Kriegseinwirkung anstiegen, mußte der Import aus Holland gefördert werden, da ja höherer Erlös winkte. Umgekehrt mußte der deutsche Export dadurch gehemmt werden, da die höheren deutschen Preise gegenüber den alten Preisen des holländischen Marktes vielfach zu hoch wurden. Diese aus der Veränderung der Kaufkraft der Mark in Deutschland sich ergebenden Antriebe und Hemmungen der Warenbewegung über die Landesgrenzen konnten aber nicht ungehindert zur Wirkung kommen, da es wegen des geringer werdenden deutschen Exportes an holländischen Zahlungsmitteln (als Erlös für deutsche Exporte) fehlte, um die steigenden Importe nach Deutschland zu bezahlen. Die unbefriedigte Nachfrage nach Gulden mußte aber den Guldenkurs steigern." In diesen Ausführungen gibt D a l b e r g implizite selbst zu, was die eigentliche Ursache der gesunkenen deutschen Valuta ist: „Die unbefriedigte Nachfrage nach Gulden mußte den Guldenkurs steigern" und diese Nachfrage konnte nicht befriedigt werden, weil infolge des geringen Exports aus Deutschland es an holländischen Zahlungsmitteln fehlte. Hier ist also der Kausalzusammenhang richtig aufgedeckt. Es ist die infolge der Kriegsereignisse mangelnde Ausgleichsmöglichkeit zwischen Ein- und Ausfuhr, nicht aber der gegenseitige Preisstand in den beiden Ländern, der den Valutastand hervorruft.

Kann somit ein direkter Zusammenhang zwischen dem inneren Preisniveau und der Valuta nicht zugegeben werden, so soll nicht geleugnet werden, daß der im Preisstand sich äußernde B i n n e n - w e r t des Geldes auf den A u ß e n w e r t des Geldes, die Valuta, von Einfluß ist. Zu den sekundären Gründen des Sinkens der Valuta ist zu rechnen, wenn z. B. durch übermäßige Ausgabe von Papiergeld eine Preissteigerung hervorgerufen wird und man dies im Aus-

---

[1]) a. a. O., S. 18.
[2]) a. a. O., S. 481.

lande als Symptom ungünstiger wirtschaftlicher Lage betrachtet, so daß Mißtrauen gegenüber der Währung des betreffenden Landes hervorgerufen wird und die Käufer solcher Zahlungsmittel fürchten, durch weiteres Sinken des Kurses zu verlieren. Ob und inwieweit der niedrige Kursstand der Mark im Auslande auch auf diese Ursache, also auf Inflation zurückzuführen ist, soll jetzt noch besonders untersucht werden.

Die von L i e f m a n n , D a l b e r g , S c h l e s i n g e r u. a. vertretene Theorie, daß die ausländischen Wechselkurse im engsten Zusammenhang mit dem inneren Preisniveau stehen, ist, soweit ich die Literatur überblicken kann, seitdem nicht mehr vertreten worden. Vielmehr ist diese Auffassung energisch abgelehnt worden, namentlich auch von B e n d i x e n in seiner Abhandlung „Die Bestimmungsgründe der intervalutarischen Kurse", Weltwirtschaftl. Archiv 1918, 2. Bd., S. 65 ff., wie ich oben[1]) bereits zeigte.

L i e f m a n n hat an zwei Stellen sich gegen diese Kritik von B e n d i x e n und gegen meine Kritik gewendet[2])[3]). Wesentliche neue Argumente zugunsten seiner Auffassung hat L i e f m a n n nicht in seiner Abhandlung vorgebracht. Zurückweisen muß ich aber die von L i e f m a n n geäußerte Meinung, meine Polemik gegen ihn sei nicht klar, denn ich hätte selbst zugegeben, daß der im Preisstand sich äußernde Binnenwert des Geldes auf den Außenwert des Geldes, die Valuta, von Einfluß sei. — Es ist doch ein großer Unterschied, ob man, wie ich es getan habe, einen gewissen indirekten und mittelbaren Einfluß zugibt, oder ob man, wie L i e f - m a n n direkt und allgemein die Höhe der Valuta ursächlich vom Preisstande bedingt sein läßt. Zur Sache führt L i e f m a n n wiederholt aus, daß man nur seine neue Preistheorie und seine Lehre vom Zusammenhang aller Preise richtig verstehen müsse, dann müsse man auch seiner Erklärung des Standes der Wechselkurse zustimmen. „Auch D i e h l hindert, wie B e n d i x e n und H e y n , das Fehlen einer wirklichen Preistheorie an der Erkenntnis des Zusammenhanges der inländischen Preissteigerungen mit dem Sinken der Wechselkurse im Kriege. Bis in die neueste Zeit glaubte man eben allgemein, jeden einzelnen Preis isoliert aus Angebot und Nachfrage des betreffenden Gutes erklären zu können, und es bedeutet daher keinen persönlichen Vorwurf, wenn ich sagte, daß jemand von dem Zusammenhang aller Preise nichts wisse[4])." . . . „Was nun die Anwendung meiner Preistheorie auf den Preis ausländischen Geldes im Inlande, deutschen Geldes im Auslande betrifft, so ist zu sagen, daß der Preis eines ausländischen Zahlungsmittels wie der Preis eines Kostengutes zu betrachten ist. Er richtet sich — ein richtiger Grundgedanke der ‚subjektiven Wertlehre‘, der aber ausgebaut werden muß —, nach den Preisen aller Genußgüter, die man sich damit beschaffen kann. Das gilt für das ausländische Geld ganz besonders. Seine Geltung spiegelt gewissermaßen die Preise aller Güter wider, die man damit kaufen kann, steht also mit den Preisen aller Güter

---

[1]) S. 399.
[2]) L i e f m a n n , ‚Die Bestimmungsgründe der intervalutarischen Kurse". Weltwirtschaftliches Archiv, S. 429.
[3]) L i e f m a n n , „Valutakurs und Inlandspreise". Bankarchiv 1918/19. S. 82 ff.
[4]) a. a. O., S. 84.

und Leistungen in dem betreffenden Lande in Zusammenhang[1])."
Wenn wirklich die L i e f m a n n sche Preistheorie diese Konsequenz
hat und damit die Besonderheit der Preisbildung auf dem Markte
der Zahlungsmittel gegenüber dem Warenmarkte nicht zugegeben
wird, so spricht das gegen L i e f m a n n s Preistheorie, aber nicht
gegen die Einwendung, die B e n d i x e n und ich gegen seine
Theorie vom Zusammenhang zwischen Valuta und innerem Preisstande vorgebracht haben.

Auch L a n s b u r g h , dessen mit C a s s e l übereinstim-
mende Auffassung ich oben nachwies, hat neuerdings im Hinblick
auf die Vorgänge bei der französischen Frankenentwertung geäußert:
„Hier wie in Paris starrt man wie hypnotisiert auf die Franken-
flucht und die internationale Spekulation, denen man die alleinige
Schuld an der Entwertung der Landeswährung beimißt, weil der
Außenwert des Franc zu einer Zeit sinkt, wo sein Binnenwert noch
verhältnismäßig stabil ist. Man weiß anscheinend weder hier noch
dort, daß die Phasen des Währungszerfalls wechseln und überall da,
wo die Inflation eine gewisse Dauer und Stärke erreicht hat, reagiert der Preis der Devisen schneller auf die Geldaufblähung als
der Preis der Waren. Der Anstoß zur Entwertung kommt also nicht
mehr von innen, sondern von außen[2])." Er erwähnt dann die deutschen Inflationsvorgänge und sagt: . . . „Das wertbeständige Auslandsgeld erhielt neben seiner absolut größeren Kaufkraft auch noch
einen spekulativen Liebhaberwert, der seinen Preis, ausgedrückt
in Mark, über den gegenwärtigen ‚Inflationsfuß' hinaustrieb, seine
Kaufkraft auf dem Binnenmarkt verstärkte, die Preise hier weiter-
steigerte und so die Mark auch im Inland noch unter das durch
den Inflationsgrad gerechtfertigte Maß hinaus entwertete[3])."

---

[1]) a. a. O., S. 85.
[2]) In Zeitschrift „Die Bank", Juli 1926, S. 372.
[3]) Ebenda, S. 379.

11. Kapitel.
Die Wiederherstellung entwerteter Währungen.

___

§ 53. Über die Frage der Stabilisierung entwerteter Währungen im allgemeinen.

Der Zustand der Volkswirtschaft, der durch länger andauernde Papierwährung und die damit verknüpften geschilderten Wirkungen sich ausbildet, ist auf die Dauer unerträglich. Alle Länder, die in die Papierwährung geraten waren, haben nach kürzerer oder längerer Zeit ihre entwertete Währung auf irgendeinem Wege wieder in Ordnung bringen müssen, wenn sie überhaupt im internationalen Handelsverkehr eine gleichberechtigte Rolle mit den Ländern mit Metallwährung spielen wollten. Diese Notwendigkeit stellte sich ein, trotzdem die entwertete Valuta für bestimmte Wirtschaftskreise von ganz erheblichem, privatwirtschaftlichem Vorteil ist.

Diese privatwirtschaftlichen Vorteile ergeben sich daraus, daß die entwertete Valuta in ihrer Wirkung einerseits einer hohen Exportprämie und andererseits einem hohen Schutzzoll gleichkommt. Die große Mehrzahl der Exportindustrien und ebenso alle Erwerbszweige, die die Konkurrenz des Imports von Auslandswaren zu fürchten haben, können durch die entwertete Valuta in den Genuß von großen Sondervorteilen kommen, denn die vom Papierwährungsland exportierten Waren werden vom Ausland in ausländischem Gelde bezahlt. Da aber für das ausländische Geld das Geld des Papierwährungslandes außerordentlich billig zu haben ist, können die ausländischen Importeure den Bezug der Waren aus dem Papierwährungslande unter besonders vorteilhaften valutarischen Bedingungen durchführen. Ebenso können die Erwerbszweige, die mit besonders starker Konkurrenz des Auslandes zu kämpfen haben, den Vorteil für sich buchen, daß die Einfuhr der Auslandsware, weil sie mit dem im Vergleich zu dem Papiergeld sehr teuern Auslandsgeld bezahlt werden muß, gesperrt oder wesentlich gehemmt ist.

So groß auch diese privatwirtschaftlichen Vorteile für einzelne Industrielle und Landwirte sein mögen, so ist doch der Nachteil für die ganze Volkswirtschaft des Landes unendlich viel größer, denn durch die fortwährenden Schwankungen und die immer stärker werdende Entwertung der Valuta des Papierwährungslandes kommt in den ganzen Handelsverkehr mit dem Papierwährungslande ein so stark aleatorisches Element, werden alle Kalkulationen und Rechnungsaufstellungen so unsicher, daß der durch die schlechte Valuta verursachte Aufschwung einzelner Erwerbszweige für die ganze Volkswirtschaft nur eine Scheinblüte darstellt. Die Mittel und Wege, auf denen ein Land mit entwerteter Valuta wieder zu geordneten und normalen Währungsverhältnissen zurückkehrt, sind sehr verschieden und richten sich sowohl nach dem Grade der Entwertung des Papiergeldes als auch nach der ganzen sozialen, finanziellen und politischen Lage des Papierwährungslandes.

Wenn ich von den vielen Varianten und Einzelheiten der Stabilisierungsmaßnahmen absehe, lassen sich die Wege zur Sanierung der Währung im allgemeinen auf drei Typen zurückführen:

1. die N o r m a l i s i e r u n g , wobei das Papiergeld zum Nominalwerte eingelöst und die Währung wieder auf den früheren Stand zurückgeführt wird;

2. die R e p u d i a t i o n , wobei das Papiergeld als wertlos erklärt und vernichtet wird, und

3. die D e v a l v a t i o n , wobei das Papiergeld zu einem neuen, von seinem Nominalwerte abweichenden Kurse zur Einlösung kommt.

Wir wollen in den folgenden Paragraphen für die verschiedenen Formen der Stabilisierung einige typische Beispiele geben.

§ 54. Die Normalisierung (England nach der Restriktionsperiode).

In überraschend schneller Frist ist es England gelungen, die Papierwährung und den schlechten Stand der Valuta zu beseitigen. Es kommen hier namentlich folgende gesetzliche Maßnahmen in Betracht:

1. Die gesetzliche Wiederherstellung der Goldwährung 1816.

Schon 7 Monate nach dem Friedensschluß kam das neue Münzgesetz von 1816 heraus, das mehrere Änderungen prinzipieller Art brachte[1]). Zunächst wurde die Goldwährung insofern streng durchgeführt, daß das Silbergeld nur noch als Scheidemünze Verwendung finden sollte. Während vorher Silber bis zu 25 £ bei Zahlungen angenommen werden mußte, wurde jetzt die Grenze der Annahmepflicht auf 2 £ herabgesetzt. Ferner wurde durch Ziffer XI des Gesetzes die Rückkehr zur Goldwährung verkündet. Als neue Münze wurde statt der Guinee der Sovereign bestimmt.

2. Wiederaufnahme der Barzahlungen.

Die Direktoren der Bank von England waren schon 1817, also 2 Jahre nach Beendigung des Krieges, zur Wiederaufnahme der Barzahlungen bereit, denn in diesem Jahre hatte die Bank einen größeren Barvorrat als jemals seit ihrer Errichtung. Es traten aber einige Störungen auf, welche die Absicht der Bankdirektoren vereitelten. Diese lagen auf dem Gebiete der auswärtigen Politik: durch die großen Anleihen, welche Frankreich, Rußland und Österreich in England aufnahmen, und durch die starke Einfuhr fremden Getreides wurde der Bank sehr viel Gold entzogen. Infolgedessen gab die Direktion die Hoffnung auf, ihre Barzahlungen vor dem Juli 1818 aufnehmen zu können, und die Beschränkung wurde durch ein Gesetz bis zum Ende der nächsten Parlamentssitzung ausgedehnt[2]). Ohne die großen Anleiheoperationen der vornehmsten Staaten des europäischen Festlandes, ohne die großen Anleihen, welche sie in den Jahren 1817/18 abschlossen — Frankreich, Preußen, Österreich

---

[1]) W o l t e r , a. a. O., S. 121.
[2]) T o o k e , I, S. 612.

und Rußland zusammen 38 Mill. £, wozu noch die eigenen englischen Anleihen kamen —, wäre die Wiederaufnahme der Barzahlungen 1818 von selbst eingetreten[1]).

Die Wiederherstellung des Paristandes von Papier und Gold trat entgegen den Prophezeiungen R i c a r d o s ein, ohne daß eine wesentliche Reduktion der Noten oder des Geldumlaufs überhaupt nötig war. Bis Ende August 1819 — berichtet T o o k e[2]) — hatte keine Verminderung des Notenumlaufs stattgefunden, und doch war seit Februar der Preis des Goldes von 4 £ 1 sh. auf 3 £ 18 sh., also abgesehen von einem nicht nennenswerten Unterschiede, bis auf den Münzpreis gefallen. Was aber den Stand der Wechselkurse betrifft, die sich schon auf Pari befanden und fortwährend stiegen, so ließen sie keinen Zweifel über das Zuströmen edler Metalle, woraus also folgt, daß es keiner Verminderung des Notenumlaufs bedurfte, um den Änderungen des neuen Gesetzes nachzukommen[3]).

Die Wiederaufnahme der Barzahlungen wurde dann schrittweise, aber energisch vorgenommen, und zwar durch Gesetz vom 5. Mai 1819, die sog. Peels Currency Bill, welche die endgültige Wiederaufnahme der Barzahlungen bestimmte. Die Einlösung der Noten sollte zum Münzpreise und nicht zum Marktpreise erfolgen. Hier war R i c a r d o mit seiner richtigeren Ansicht durchgedrungen, während die Direktoren der Bank von England nur eine Einlösung der Noten zum Börsenpreise zulassen wollten. Allerdings sollte dieses Ziel erst in Etappen erreicht werden. Vom 1. Februar 1820 ab sollte die Einlösung der Noten in Etappen beginnen, deren erste bis zum 1. Oktober 1820 festgesetzt wurde. Die Noten wurden aber nicht mit Goldmünzen, sondern mit Goldbarren eingelöst, wobei ein Preis von 4 £ 1 sh. per Unze festgesetzt wurde. Weniger als 60 Unzen in Barren brauchten aber nicht abgegeben zu werden. Die zweite Phase dauerte vom 1. Oktober 1820 bis 1. Mai 1821, wobei der der Goldabgabe zugrunde gelegte Preis auf £ 3.19.6 ermäßigt war, also dem Münzpreis näher gebracht war. In der dritten Periode, in der Zeit vom 1. Mai 1821 bis 1. Mai 1823, wurde dann als Preis für die Goldabgabe der Münzpreis zugrunde gelegt, nämlich £ 3.17.10½. Vom 1. Mai 1823 ab sollten die Noten in dem Goldgeld des Landes zum Münzpreis eingelöst werden und damit die volle Wiederherstellung der Noteneinlösung erreicht werden. Die Bank von England hatte aber die tatsächliche Einlösung schon 2 Jahre vor diesem gesetzlichen Termin, nämlich mit dem 1. Mai 1821 begonnen. Nachdem die abnormen Handels- und Verkehrszustände des Krieges wieder normale geworden waren, war es England gelungen, die Parität seiner Wechselkurse wieder herzustellen und zur Bareinlösung der Noten zurückzukehren, und zwar war dies geschehen, ohne daß eine Verminderung der Notenmenge vorgenommen wurde, wie R i c a r d o vorgeschlagen hatte.

Wenn es England in so kurzer Zeit gelungen ist, den Paristand seiner Valuta wieder zu erreichen, so ist dies in erster Linie den günstigen wirtschaftlichen Verhältnissen Englands zu verdanken. Nicht nur kommt die überragende Stellung in Betracht, die damals England im Welthandel einnahm, seine industrielle und kommerzielle

---

[1]) T o o k e , I, S. 257.
[2]) T o o k e , I, S. 260.
[3]) Ebenda.

Vorherrschaft und die ihm dadurch erleichterte Möglichkeit, Rohstoffe und Gold zu erhalten, auch die besonderen Verhältnisse der Zeit von 1819/20 kommen dazu. Die verbesserte Lage seiner Finanzen setzte die Regierung in den Stand und veranlaßte sie, die schwebende Schuld zu vermindern; das Ausland schuldete beträchtliche Summen für die ungewöhnlich große Ausfuhr von 1818, für welche andere Rimessen als Gold sehr knapp sein mußten, da eine Korneinfuhr nicht zulässig, in anderen Produkten der Markt aber schon überfüllt war. Alle diese Umstände wirkten vereint dahin, edles Metall nach England heranzulocken.

§ 55. Die Repudiation. (Die Wertloserklärung des Papiergeldes in Frankreich bei der Beendigung der Assignatenwirtschaft.)[1]

Die allmähliche Annullierung der Assignaten vollzog sich in mehreren Etappen. Durch Dekret vom 25. April 1795 wurde der Zwangskurs der Assignaten in Metallgeld für Geschäfte unter Privaten aufgehoben. Es folgte das Gesetz vom 30. Januar 1796, wodurch die öffentliche Vernichtung aller Gegenstände, die zur Herstellung der Assignaten dienten, angeordnet, und zwar auf den 19. Februar 1796 festgesetzt wurde.

Da die finanzielle Not des Staates es unmöglich machte, die Papiergeldausgabe aufzugeben, wurde an Stelle der Assignaten ein neues Papiergeld geschaffen, die sog. Mandats territoriaux. Der Gesamtbetrag der ausgegebenen Territorialmandate war auf 2,4 Milliarden Fr. festgesetzt; die umlaufenden Assignaten wurden erst im Verhältnis von 30 : 1, später im Verhältnis von 100 : 1 gegen die Mandate umgetauscht. Die Mandate waren ebenso wie ursprünglich die Assignaten durch den Grundbesitz der Republik gedeckt, und jeder Besitzer von Territorialmandaten konnte ein Grundstück zu dem geschätzten und bekannt gemachten Wert erwerben. Der Gesamtwert der Ländereien, welche die Mandate hypothekarisch sicherstellen sollten, wurde auf 3785 Millionen Fr. berechnet.

„Die Territorialmandate erhalten legalen Kurs (cours de monnaie) in allen Geschäften unter Privaten und sind bei allen privaten und öffentlichen Kassen wie Münzen in Zahlung zu nehmen (Art. 2).

Gleichzeitig beseitigt das Gesetz wieder die Konkurrenz der Edelmetalle. Der ‚Verkauf‘ von Gold- und Silbermünzen wird verboten (Art. 15).

Andererseits wird auf den Zusammenhang der Mandate mit dem Grundbesitz der Republik, der ihre reale Deckung darstellt, noch mehr Nachdruck gelegt als bisher bei den Assignaten. Neu ist eigentlich nur folgendes: die Schätzungen der Nationalgüter sollen nicht erhöht werden und die Versteigerung wird beseitigt: jeder Besitz von Territorialmandaten kann unverzüglich ein beliebiges Grundstück zu dem geschätzten und bekanntgemachten Wert erwerben und in einer Frist von 10 Tagen den bestätigten Vertrag erhalten (Art. 4).

Die breiten Volksmassen brauchten Mandate für ihre täglichen Ausgaben, Grund und Boden konnten sie nicht kaufen, so daß die

---

[1] Die folgende Darstellung stützt sich wesentlich auf die neueste quellenmäßige Arbeit von S. A. F a l k n e r: Das Papiergeld der französischen Revolution 1789—1797. In Schriften d. Ver. f. Soz.-Pol. 165. Bd. München und Leipzig 1924.

H y p o t h e k e n n a t u r der unverzinslichen Mandate doch bloß eine theoretische Konstruktion blieb[1])."

Die hypothekarische Sicherstellung (der Zusammenhang mit dem Grundbesitz) konnte die Vollwertigkeit nur eines sehr kleinen Teiles der ausgegebenen Mandate gewährleisten, denn nur ein sehr kleiner Teil von ihnen konnte in so kurzer Frist zum Erwerb von Grundbesitz benutzt oder auch nur dazu bestimmt werden. Der Rest der Mandatmasse verursachte ein neues Anschwellen des ohnehin außerordentlich aufgequollenen Geldumlaufs des Landes; als dritte Währungsgeldart kam er zu den beiden damals vorhandenen, den Assignaten und dem Metallgeld hinzu.

Das Gesetz vom 23. Juli 1796 nimmt den Mandaten die Bedeutung als einziges gesetzliches Zahlungsmittel und stattet das Münzgeld mit derselben Geltung aus. Es wurde bestimmt, daß Verträge mit der Klausel „Zahlung in Hartgeld" abgeschlossen werden durften, und daß die Mandate nur zum Tageskurs angenommen werden mußten.

Die Entwertung der Mandate ging noch schneller vor sich als bei den Assignaten. Im September 1796 galten 100 Fr. in Mandaten so viel wie 2—4 fs. Metallgeld. So war auch diese Papiergeldausgabe mißglückt, und die Mandate erlitten dasselbe Schicksal wie die Assignaten.

„Nach dem Mißlingen aller Versuche, den Wert der Mandate zu heben, beschließt das Direktorium endgültig mit der Papiergeldwährung und dem System der Emissionswirtschaft zu brechen."

Die Regierung beschloß Ende Oktober 1796, allmählich zu Zahlungen in Münzgeld überzugehen.

Das Gesetz vom 25. Oktober 1796 (4. Brumaire des Jahres IV) ordnete an, daß vom 1. Vendémiaire (22. September) an gerechnet den Beamten und Angestellten ihre Bezüge zur Hälfte in Münzgeld, zur Hälfte in Mandaten auszuzahlen seien, wobei 100 Livre in Mandaten gleich 6 Livre in Metall sein sollten[2]).

Den Zollbeamten dagegen sollte nach einem Sondergesetz vom 5. November (15. Brumaire) ihr ganzes Gehalt vom 1. Brumaire (22. Oktober) ab in Gold ausgezahlt werden.

Mit dem 1. Nivôse (21. Dezember 1796) wird diese Anordnung auf alle Beamten und Angestellten ausgedehnt . . .

Durch Gesetz vom 4. Februar 1797 wird der Zwangskurs der Mandate abgeschafft, mit der Motivierung: „Da der geringe Wert der noch im Umlauf befindlichen Mandate sie für die Geschäfte unter den Bürgern unnütz macht, sie aber die den Interessen der Staatskasse schädliche Spekulation ermutigen und dazu beitragen, die gefährlichen Komplikationen in der Rechnungsführung über die öffentlichen Abgaben andauern zu lassen", so ordnet der „Rat der Fünfhundert nach Anhörung seines Finanzausschusses" die Abschaffung des Zwangskurses (cours forcé de monnaie) der Mandate für Geschäfte unter Privaten an.

---

[1]) In der Zeit der Territorialmandate übersteigt die Einnahme aus dem Verkauf von Ländereien — während die Emission 2400 Livres beträgt — anscheinend nicht 100—150 Millionen, d. h. beträgt etwa 5% der Einnahmen aus der Emission.

[2]) Real werden dadurch alle Gehälter auf 56% herabgesetzt.

Am 1. April 1797 fordert die Staatskasse in Ausführung der Vorschriften über die Vernichtung der Papiergeldzeichen den Bestand der lokalen Kassen an solchen ein.

Am 25. und 28. Januar endlich nehmen die beiden gesetzgebenden Kammern eine Verordnung an, nach der alle Gegenstände, die der Herstellung der Mandate gedient haben, an Bevollmächtigte des Direktoriums zur Vernichtung abzuliefern sind.

Damit war die französische Papiergeldwirtschaft, sowohl der Assignaten wie der Mandate, beendet und Metallgeld kam wieder in den Verkehr. Eine endgültige Regelung der französischen Währungsverhältnisse kam erst durch Gesetz vom 28. März 1803 zustande, welches die Doppelwährung einführte.

§ 56. Die Devalvation in Österreich 1811[1]).

Durch Patent vom 15. Juni 1762 war die Ausgabe von 12 Millionen Gulden in sog. Bankozetteln angeordnet. Es war die erste Ausgabe eines unverzinslichen Papiergeldes in Österreich, das aber nicht mit Zwangskurs ausgestattet war, und durch finanzielle Schwierigkeiten verursacht war, die infolge des seit mehr als fünf Jahren bestehenden Kriegszustandes zwischen Österreich und Preußen entstanden war.

Es folgte eine neuerliche Ausgabe von Bankozetteln in Höhe von 12 Millionen Gulden durch Patent vom 1. August 1771. Es kamen weitere Emissionen von Bankozetteln hinzu, so daß 1796 bereits für 44 Millionen Gulden Bankozettel ausgegeben waren. Am 7. April 1797 wurde der Zwangskurs für die Bankozettel erklärt, von da an fand eine starke Vermehrung der Bankozettel statt, so daß bis Mitte 1802 über 300 Millionen Gulden Bankozettel im Umlauf waren. Im Jahre 1804 wurde ein kleiner Betrag der Bankozettel (12 Millionen Gulden) vernichtet; aber die schwierigen Kriegsverhältnisse Österreichs im Herbst 1805 zwangen wieder zu einer Vermehrung der Papiergeldemission, die zu immer größerer Entwertung der Bankozettel führte. Während man Ende November 1808 für 222 Gulden B. Z. 100 Gulden Konv. Münze erhalten konnte, und mitten im Kriege (Juli 1809) das Verhältnis wie 100 : 315 war, unmittelbar nach dem Friedensschlusse vorübergehend sogar auf 100 : 299 herabsank, schnellte es im Januar 1810 auf 100 : 469 empor und im Januar 1811 auf 100 : 1020.

Die Stabilisierung der Valuta war zu einer der wichtigsten politischen Fragen des Kaiserreichs geworden. Man entschloß sich, zu diesem Zweck eine D e v a l v a t i o n des Papiergeldes vorzunehmen.

Die wichtigsten Bestimmungen über die Art der Durchführung der Devalvation ergeben sich aus den nachfolgenden Paragraphen des Patentes vom 20. Februar 1811, des sog. Bankerottpatentes:

---

[1]) Quellen: S t i a s s n y , P.: Der österreichische Staatsbankerott von 1811. (Nach archivalischen Quellen.) Wien und Leipzig 1912 bei Hölder. — R a u d n i t z , J.: Das österreichische Staatspapiergeld und die privilegierte Nationalbank. I. Teil 1762—1820. Wien 1917. — H o f m a n n , V i c t o r : Die Devalvierung des österreichischen Papiergeldes im Jahre 1811. Finanzgeschichtliche Darstellung nach archivalischen Quellen. In Schriften d. Vereins f. Soz.-Pol. 165. Bd. München und Leipzig 1923.

§ 1. Die Stadt-Wiener-Bankozettel haben nur noch bis letzten Jänner 1812 in Umlauf zu bleiben.

§ 2. Bis dahin werden sie nach dem fünften Teil ihres Nennwertes mit Einlösungsscheinen ausgewechselt werden.

§ 3. Vom 15. März 1811 an werden die Bankozettel gegen Einlösungsscheine und Konventionsmünze auf den fünften Teil ihres Nennwertes, nämlich:

der Bankozettel von			1	Gulden	auf	12	Kreuzer
,,	,,	,,	2	,,	,,	24	,,
,,	,,	,,	5	,,	,,	1	Gulden
,,	,,	,,	10	,,	,,	2	,,
,,	,,	,,	25	,,	,,	5	,,
,,	,,	,,	50	,,	,,	10	,,
,,	,,	,,	100	,,	,,	20	,,
,,	,,	,,	500	,,	,,	100	,,

bestimmt und sind sie in diesem Betrage bei allen öffentlichen Kassen und von Privaten bis Ende Jänner 1812 unweigerlich anzunehmen.

§ 4. Mit 1. Hornung 1812 treten die Einlösungsscheine an die Stelle der Wiener Bankozettel, als das einzige Papiergeld in Unseren Erbstaaten. Von diesem Tage an werden die Wiener Bankozettel außer allen Kurs gesetzt und hat die Auswechslung der Bankozettel mit 31. Jänner 1812 ganz aufzuhören.

§ 5. Einlösungsscheine werden nicht mehr in Umlauf gesetzt werden, als zur Einwechslung der Bankozettel nach dem fünften Teil ihres Nennwertes erforderlich sind. Hiernach wird sich die Summe der Einlösungsscheine auf keinen Fall höher als auf 212 159 750 Gulden belaufen.

§ 8. Vom 15. März 1811 an erklären Wir die Einlösungsscheine nach ihrem vollen Nennwerte, und bis letzten Jänner 1812 die Bankozettel nach dem fünften Teil ihres Nennwertes als Wienerwährung und die einzige Valuta für das Inland.

§ 9. Vom 15. März 1811 an müssen alle Kontrakte zwischen Unseren Untertanen, insofern sie sich nicht etwa auf das Ausland beziehen, in der in § 8 ausgedrückten Wienerwährung abgeschlossen werden. Jeden seit diesem Zeitpunkte auf eine andere Art eingegangenen Kontrakt erklären Wir für ungültig. Nur wollen Wir gestatten, daß, insofern Darlehen in einer besonderen Münzsorte gemacht werden, die Rückzahlung in eben dieser Münzsorte sich ausbedungen werden dürfe.

§ 11. Vom 15. März 1811 an bis zur vollendeten Umwechslung der Bankozettel in Einlösungsscheine, nämlich bis letzten Jänner 1812, darf jedermann die Zahlungen, welche er in Einlösungsscheinen zu berichtigen haben wird, in einem fünffachen Betrag in Bankozetteln leisten. Derjenige, der einhundert Gulden in Einlösungsscheinen zu bezahlen hätte, ist daher berechtigt, diese Zahlungen in Bankozetteln mit 500 Gulden zu leisten.

§ 12. Alle vor dem gegenwärtigen Patente gemachten Privatanleihen sowie alle aus Kontrakten oder sonstigen Verpflichtungen entspringenden Zahlungen, insofern die Schuldscheine, Kontrakte und Verpflichtungen vor dem Jahre 1799 ausgestellt, errichtet und eingegangen worden sind, müssen nach dem vollen Betrag in Wiener Kurant, nämlich in Einlösungsscheinen oder im fünffachen Betrag in Bankozetteln geleistet werden. Dies gilt sowohl vom Kapital als von den Interessen. Wenn z. B. eine Schuldverschreibung über 10 000 Gulden im Jahre 1790 mit Festsetzung 5proz. Interessen ausgestellt worden ist, muß das Kapital mit 10 000 Gulden in Einlösungsscheinen oder mit 50 000 Gulden in Bankozetteln zurückgezahlt und die jährlichen Interessen von 500 Gulden müssen entweder in Einlösungsscheinen mit 500 Gulden oder mit 2500 Gulden in Bankozetteln berichtigt werden. Nur bei jenen Schuldverschreibungen und Kontrakten, worin bestimmte Münzsorten eigens bedungen worden sind, muß die Zahlung in der bestimmten Münzsorte geleistet werden.

§ 13. Alle aus Privatschuldscheinen entspringenden Kapitale oder Interessenzahlungen und überhaupt alle in dem § 12 bemerkten Zahlungen, insofern sie sich auf im Jahre 1799 oder seither, und zwar bis letzten September 1810, errichtete Schuldverschreibungen, Kontrakte, Urkunden oder sonstige Übereinkommen gründen, werden nach dem zur Zeit des ursprünglichen Darleihens oder sonstigen Kontraktes bestandenen Kurse nach Maßgabe der angeschlossenen Skala A berechnet, und wird der diesfällige Betrag in Bankozetteln zu entrichten sein, z. B. ein im Monate Juli 1802, zur Zeit als der Kurs der Bankozettel zu 120 stand, ausgestellter Privatschuldschein von 60 000 Gulden nebst 5 % Interessen, war damals an Konventionsmünze 50 000 Gulden wert und würde an Interessen in Konventionsmünze 2500 Gulden abgeworfen haben. Dieser Schuldschein müßte daher vom 15. März an mit 50 000 Gulden in Einlösungsscheinen oder, solange noch Bankozettel im Umlauf sein werden, mit 250 000 Gulden in Bankozetteln zurückgezahlt werden, und die laufenden Interessen würden mit 2500 Gulden in Einlösungsscheinen oder mit 12 500 Gulden in Bankozetteln zu entrichten sein.

§ 14. Insofern sich Zahlungen auf Schuldverschreibungen, Kontrakte, Urkunden oder sonstige Veröffentlichungen gründen, welche in dem Zeitraume vom 1. Oktober bis 14. März 1811 errichtet oder eingegangen worden sind, verordnen Wir, daß sie nach dem Kurse von 500 berechnet und in diesem Betrag in Einlösungsscheinen oder fünffach in Bankozetteln geleistet werden sollen. Zu dieser Bestimmung finden Wir Uns deshalb veranlaßt, weil Wir die Bankozettel bis letzten Jänner 1812, als bis zu welchem Zeitpunkt sie noch im Umlauf zu bleiben haben, nach dem fünften Teil ihres Nennwertes (§ 2) in Einlösungsscheinen umwechseln lassen und sie bis dahin in diesem Betrage (§ 3) bei allen öffentlichen Kassen und von Privaten unweigerlich anzunehmen sind. Hiernach ist z. B. ein im Monate Dezember 1810 über 10 000 Gulden ausgestellter 5proz. Privatschuldschein vom 15. März des Jahres an mit 2000 Gulden in Einlösungsscheinen oder, insolange die Bankozettel noch zu bestehen haben, mit 10 000 Gulden in Bankozetteln zu bezahlen, und ebenso werden die Interessen mit 100 Gulden in Einlösungsscheinen oder 500 Gulden in Bankozetteln zu entrichten sein.

§ 15. In Hinsicht der zwar im Jahre 1799 oder seither eingegangenen Verpflichtungen, sowie auch der Schuldverschreibungen, Kontrakte und sonstigen Urkunden, worin jedoch die Zahlung ganz oder zum Teil in klingender Münze überhaupt oder in einer bestimmten Münzsorte bedungen worden ist, setzen Wir fest: da die Zahlungen ganz oder teilweise, nach Maßgabe der eingegangenen Verpflichtungen, hiermit da, wo Urkunden vorliegen, nach dem Inhalte derselben, im ersteren Falle in Wiener Kurant nach dem vollen Nennwerte, hiermit in Einlösungsscheinen oder im fünffachen Bankozettelbetrag, im zweiten Falle aber in der bedungenen Münze geleistet werden sollen. Ist daher in einer Schuldverschreibung vom Jahre 1799 über 1000 Gulden die Rückzahlung in klingender Münze bedungen worden, so müssen 1000 Gulden in Einlösungsscheinen oder 5000 Gulden in Bankozetteln gezahlt werden. Hat sich dagegen der Gläubiger in einer wenn gleich im Jahre 1799 oder späterhin über 2000 Gulden ausgestellten Schuldverschreibung die Rückzahlung in Zwanzigern oder kaiserlichen Dukaten bedungen, so muß auch die Rückzahlung der Schuld von 2000 Gulden in Zwanzigern oder in kaiserlichen Dukaten geleistet werden.

§ 18. Die Satzungen auf Fleisch, Brot usw. werden, insolange die Bankozettel noch im Umlaufe bleiben, zweifach, nämlich, nach dem bisherigen Nennwerte der Bankozettel, und nach dem Nennwerte der Einlösungsscheine berechnet werden; z. B. das Pfund Rindfleisch nach dem Nennwerte der Bankozettel zu dreißig Kreuzer, nach dem Werte der Einlösungsscheine zu sechs Kreuzer.

§ 19. Vom 15. März 1811 an werden wir bei allen Unseren Kassen alle Steuern, Abgaben, Maut und sonstigen Gebühren in Einlösungsscheinen oder im fünffachen Werte in Bankozetteln annehmen. Derjenige, welcher daher 100 Gulden zu zahlen hat, darf zwar diese Schuldigkeit in Bankozettel berichtigen, muß jedoch in solchen 500 Gulden erlegen; weil Wir, vom 15. März 1811 an, die Bankozettel bloß nach dem Fünftel ihres Nennwertes annehmen werden. Nur in Ansehung jener Beträge, welche mit 14. März 1811 schon fällig waren und bis dahin hätten entrichtet werden sollen, gestatten Wir, daß sie in Bankozetteln nach ihrem vollen Nennwerte berichtigt werden, weil die neue Bestimmung des Wertes der Bankozettel erst mit 15. März 1811 ihren Anfang zu nehmen hat.

Die Publikation des Patents, das bis zum letzten Augenblick geheim gehalten wurde, wirkte erschütternd auf das Volk. Wie aus dem Patent hervorgeht, wurde das im Umlauf befindliche Papiergeld durch ein anderes Papiergeld eingelöst, die sog. Wiener Währung, und zwar zu $1/_5$ ihres Nennwertes. Der Inhaber eines Bankozettels von 100 Gulden erhielt also einen Schein in Wiener Währung von 20 Gulden. Bei dem ganzen Plan ging man von quantitätstheoretischen Betrachtungen aus: ,,Die Summe der am 15. März 1811 im Umlauf befindlichen Bankozettel war in dem Patente mit 1 060 798 753 Gulden angegeben und sollten unter keinen Umständen mehr Einlösungsscheine ausgegeben werden, als zur Einlösung dieser Bankozettel nach dem fünften Teile ihres Nennwertes erforderlich war, mithin höchstens für 212 159 750 Gulden. Aber auch diese Einlösungsscheine sollten allmählich eine Verminderung erfahren, und zwar durch Fundierung und allmähliche Tilgung. Die Gründung eines Amortisationsfonds und die Bestimmungen, welche Zuflüsse demselben zu verschaffen seien, war einem eigenen Patente vorbehalten, dagegen war schon in dem Patente vom 20. Februar 1811 ausdrücklich erklärt, daß der von dem Verkaufe der geistlichen

Güter eingehende Kaufschilling zur Tilgung des Papiergeldes verwendet werden soll[1]).‟
Die Devalvation hatte den gewünschten Erfolg nicht. Die Finanznot zwang Österreich schon im Jahre 1813 zur Vermehrung des Papiergeldes. Um aber das im Patent von 1811 gegebene Versprechen, die Menge des Papiergeldes nicht zu vermehren, äußerlich zu erfüllen, sollten die neuen sog. Antizipationsscheine, die im Patent vom 16. April 1813 im Betrag von 45 Millionen Gulden ausgegeben wurden, kein eigentliches Papiergeld sein, sondern die neuen Zettel sollten „einen Teil der fundierten, wenngleich nicht verzinslichen Schuld bilden‟; durch die eingehende Grundsteuer sollte eine Einlösung bzw. Tilgung der Antizipationsscheine stattfinden. Die Ausgaben des Krieges von 1813/14 brachten eine Vermehrung der Antizipationsscheine bis zum Betrag von 250 Millionen Gulden Ende 1814. Am Ende des Jahres 1815 waren neben den 212 Millionen Gulden Einlösungsscheinen 450 Millionen Gulden Antizipationsscheine im Umlauf, und es trat eine neue Entwertung des Papiergeldes ein. Der Kurs der Einlösungs- bzw. Antizipationsscheine im Verhältnis zur Metallmünze schwankte in den Jahren 1811—1815 zwischen 137 als dem niedrigsten und etwa 350 als dem höchsten.
Eine Besserung der Geldverhältnisse trat erst durch die 1816 gegründete Österreichische Nationalbank ein. Im ersten Patent vom 1. Juni 1816 wird in § 1 erklärt, daß von nun an nie mehr die Ausfertigung eines neuen Papiergeldes mit Zwangskurs oder irgendeine Vermehrung des gegenwärtigen Umlaufs stattfinden sollte: „Das gegenwärtig vorhandene Papiergeld wird auf dem Wege einer freiwilligen Einlösung aus dem Umlauf gezogen und die Geldzirkulation auf die Grundlage der konventionsmäßig ausgeprägten Metallmünze zurückgeführt (§ 2). Zur Einlösung des Papiergeldes wird den Besitzern desselben ein zweifacher Weg geboten, nämlich 1. die Verwechslung desselben zum Teil gegen Zahlungsanweisungen (Banknoten), die jederzeit in klingende Münze realisiert werden können, und zum andern Teile gegen verzinsliche Staatsobligationen; 2. die Annahme des Papiergeldes bei den Aktieneinlagen die zu errichtende Nationalbank (§ 4). Die Einlösung des Papiergeldes wird einer privilegierten Nationalbank übertragen[2]) (§ 6).‟
In dem zweiten Patente vom 1. Juni 1816 (gewöhnlich als Bankpatent bezeichnet) war im § 1 gesagt, daß die privilegierte Österreichische Nationalbank, sobald die dazu erforderliche Anzahl von Aktien erhoben ist, unverzüglich in Wirksamkeit treten, bis dahin aber in der Eigenschaft als Zettelbank mit dem 1. Juli 1816 in Tätigkeit gesetzt und von einer einstweiligen Direktion vertreten werden soll[3]).
Der Verwirklichung dieser Pläne sollten sich noch große Schwierigkeiten entgegenstellen. Ich kann nicht auf die Einzelheiten dieser Sanierungsaktion eingehen und verweise den Leser auf die quellenmäßige Darstellung in den genannten Werken. Hier sei nur kurz angeführt, daß die schlechten Erfahrungen bei der ersten Einlösung des Papiergeldes durch die Nationalbank dahin führten, daß die Papiergeldeinlösung durch die Bank 3 Jahre lang sistiert blieb.

[1]) Vgl. R a u d n i t z , a. a. O., S. 86.
[2]) R a u d n i t z , a. a. O., S. 148.
[3]) a. a. O., S. 149.

Erst 1820 wurde die Einlösung wieder aufgenommen und mit Unterstützung des Staates durch die Nationalbank durchgeführt. „Der Staat ergänzt den dermaligen effektiven Fond der Nationalbank bis zu dem ihr durch die ursprünglichen Patente über die Errichtung der Bank und die Statuten zugedachten Umfange von 60 Millionen Gulden Konventionsmünze, um dieselbe dadurch in den Stand zu setzen, die Maßregeln zur Einziehung des Papiergeldes zu unterstützen. . . . Die von der Bank aus ihren eigenen Mitteln zur Einlösung des Papiergeldes verwendeten Summen werden derselben vom Staate verzinst werden. Die Abtragung des Kapitals geschieht mittels eines besonderen für diesen Zweck gebildeten Tilgungsfonds[1].‟

Die Einlösung des im Umlauf befindlichen Papiergeldes geschah im Verhältnis von 250 Gulden Papiergeld für 100 Gulden Konventionsmünze. Bis zur Mitte der 30er Jahre war die Einziehung des Papiergeldes in der Hauptsache vollendet. Aber Österreich geriet im Laufe des 19. Jahrhunderts noch wiederholt in die Papiergeldwirtschaft. Eine endgültige Sanierung der österreichischen Währungsverhältnisse kam erst 1892 durch Einführung der Goldwährung zustande.

Was den Mißerfolg der Devalvation von 1811 anlangt, so hätte er eigentlich vorausgesehen werden müssen; der Hauptfehler der Devalvation war der, daß das alte Papiergeld durch ein neues ersetzt wurde. Es war ein Irrtum, anzunehmen, daß lediglich durch die Verringerung der Menge des Papiergeldes auf $^1/_5$ die Stabilität des Kurses zu erreichen war und die Inflation dadurch hätte beseitigt werden können. Die Meinung der Urheber des Patentes, besonders des Grafen von Wallis war, daß nicht das Papiergeld als solches schlecht sei, daß das Papiergeld durchaus auch nicht untauglich zu Gelddiensten sei, nur die Menge des Papiergeldes müßte kontingentiert werden.

In dem zweiten Vortragskonzept des Grafen von Wallis, in dem auch das Finanzsystem des Grafen O'Donell einer eingehenden Beurteilung unterzogen wurde, heißt es: „Der Stand der in Umlauf befindlichen Bankozettel beträgt 1 011 801 898 fl. 12 kr. Wollte man diesen Betrag auf den vierten Teil herabsetzen, würde dies eine Summe von 252 950 474 fl. 30 kr. betragen. Dagegen würde bei einer Reduktion auf den fünften Teil des Nominalwertes die Masse des Papiergeldes nur mehr ausmachen 202 360 377 fl. 36 kr.

Ich meines Ortes muß auf die Reduzierung auf ein Fünfteil, nämlich auf die Herabsetzung eines jeden Guldens in Bankozettel auf 12 kr., aus mehreren Betrachtungen gehorsamst antragen: erstens, weil selbst bei einer Reduzierung auf ein Fünftel die Bankozettel noch immer auf einem höheren Wert als nach dem Kurse stehen, hiermit selbst diese Herabsetzung willkommen sein und als eine Wohltat betrachtet werden müßte, zweitens, weil bei einer geringeren Herabsetzung nur zu leicht der nämliche Mißstand und Nachteil wie bei der erfolgten Bestimmung der Einlösungsscheine gegen Bankozettel zu dreihundert eintreten könnte, drittens, weil im Jahre 1800, wo nicht mehr als 200 948 588 fl. Bankozettel in der Zirkulation waren, solche zu Konventionsmünze zu 113½ und 115 stunden.

---

[1] a. a. O., S. 207.

Dieser letztere Umstand würde mich sogar veranlassen, auf eine Herabsetzung der Masse des Papiergeldes bis auf den sechsten Teil seines Nominalwertes, hiermit bis auf 168 632 649 fl. 40 kr. anzutragen, wenn ich nicht in Erwägung zöge, daß im Jahre 1800 die Zirkulation der Konventionsmünze noch sehr lebhaft war, daß damals noch bei 90 Millionen Gulden in Zwölfkreuzern und bis 8 000 000 fl. in 24- und 6-kr.-Stücken kursierten, daß die Industrie seither mehrere Lebhaftigkeit und Ausdehnung erhalten hat, daß bei dem nun überall eingetretenen fühlbaren Mangel an schwerer Münze vielleicht selbst die Summe von 202 360 377 fl. 36 kr. Papiergeld für den Umlauf zu gering sein dürfte, und daß sogar die französische Regierung die Bankozettel in den illyrischen Provinzen nur auf den fünften Teil ihres Nominalwertes herabgesetzt hat[1].“

Es kommt nicht auf die Q u a n t i t ä t des Geldes an, sondern vielmehr auf die Q u a l i t ä t. Da das neue Geld wieder ein uneinlösliches ungedecktes Papiergeld war, mußte es demselben Mißtrauen begegnen wie das alte, ganz abgesehen davon, daß nicht einmal das Versprechen innegehalten wurde, die Menge des Papiergeldes nicht zu vermehren. D i e D e v a l v a t i o n e n h a b e n i n d e r G e s c h i c h t e i m m e r n u r d a n n E r f o l g g e h a b t, w e n n d a s P a p i e r g e l d d u r c h e i n M e t a l l g e l d o d e r e i n a u f M e t a l l g e l d b a s i s f u n d i e r t e s P a p i e r g e l d e r s e t z t w u r d e.

Wie sehr man von einer naiv-quantitätstheoretischen Voraussetzung ausging, geht aus den Einleitungsworten des Patentes hervor, wo als Endzweck angegeben wurde, auf der einen Seite das Papiergeld auf das zum Verkehr erforderliche Verhältnis schnell zurückzudrängen und auf der anderen Seite jeder Stockung vorzubauen und Unseren Untertanen die anerkannte Wohltat des an und für sich für die Industrie überaus wichtigen, nur allein durch Übermaß schädlichen Papiergeldes nicht zu entziehen[2]: ebenso war auch im Patent die Summe der im Umlauf befindlichen Bankozettel und der Gesamtbetrag des nach erfolgter Reduzierung erübrigenden Papiergeldes angegeben, um Besorgnisse vor größeren Summen zu zerstreuen, die Bedeutung der Herabsetzung des Papiergeldes recht anschaulich zu machen und die beruhigende Überzeugung zu verschaffen, daß die beibehaltene Summe nicht zu groß, sondern vielmehr „für die Verhältnisse und Bedürfnisse kaum zureichend“ sei[3].

Ebenso glaubte man, daß entsprechend der Reduktion der Papiergeldmenge auf $1/_5$ die Preise auch um $1/_5$ heruntergingen. Ausdrücklich war in dem Patent gesagt (§ 17 und 18), daß die Preise von Fleisch, Brot usw. in doppelter Weise angegeben werden müssen, einmal nach dem bisherigen Nennwert der Bankozettel und dann nach dem Nennwert der Einlösungsscheine, aber immer so, daß der Preis ausgedrückt in Einlösungsscheinen nur $1/_5$ des Preises in Bankozettel sein dürfe. Tatsächlich sind aber die Preise nach der Devalvation doch in die Höhe gegangen, und zwar trotz aller Voraussagungen der Patente. So war z. B. in dem Patent für Steiermark und Kärnten ausdrücklich gesagt worden: „Hieraus entsteht bei richtiger Ansicht der Dinge die natürliche Folge, daß der Preis der Waren und Feilschaften in dem Nennwerte der Einlösungsscheine

---

[1]) Vgl. H o f m a n n , a. a. O., S. 32/33.
[2]) H o f m a n n , a. a. O., S. 103.
[3]) Ebenda, S. 34.

und der neuen Valuta auch um vier Fünfteile sich verändern und auf ein Fünfteil herabkommen müsse. Denn der Preis der Waren richtet sich im ganzen nach ihrem wechselseitigen Verhältnis mit der Menge des umlaufenden Geldes. Es ist also offenbar, daß Waren und Feilschaften, welche von nun an in Einlösungsscheinen oder in dem nunmehrigen auf ein Fünfteil verminderten Werte der Bankozettel und Kupfermünzen verkauft werden, auch um ein Fünfteil des vorigen Preises zu verkaufen seien, oder daß, wenn bei dem Verkaufe der Waren die Bankozettel um ihren vorigen vollen Nennwert angenommen werden, die Preise auch nicht höher als wie sie vorher gestanden sind, gefordert werden können. . . . Durch die neue Finanzoperation ist eigentlich gar kein Grund zur Erhöhung der Preise, der Waren und Feilschaften vorhanden, als derjenige, der in der Erhöhung der Aufschläge und Abgaben liegt; allein dieser Grund kann allenfalls eine mäßige, keineswegs aber eine große Erhöhung der Preise rechtfertigen, und eine große Erhöhung der Preise bei Waren und Feilschaften im vorigen Nennwerte der B. Z. und Kupfermünzen würde also eine mutwillige Verteuerung sein, welche die Regierung (auch nur auf kurze Zeit) nicht gleichgültig ansehen würde, sondern durch wirkende Maßregeln zurückhalten müßte[1]."

Tatsächlich wurden aber schon am 16. März 1811 in Graz für die meisten Waren um 20—30 Prozent höhere Preise gefordert, besonders groß waren die Steigerungen der Mehlpreise; sie betrugen 50 und mehr Prozent (auch die Getreidepreise stiegen in zehn Tagen um mehr als die Hälfte), weshalb denn auch die Wiedereinführung der Taxierung für diese Waren wenigstens für einige Monate vom Kreishauptmann vorgeschlagen wurde.

Wir kommen jetzt zu einer Devalvation, bei der diese Fehler vermieden wurden. Die Devalvation in Rußland wurde in Metallgeld bzw. in einer auf Metallgeld basierten Währung vorgenommen.

§ 57. Die Devalvation in Rußland 1897[2]).

Rußland hatte seit 1810 gesetzlich die Silberwährung; daneben gab es den Goldrubel als Handelsmünze. Tatsächlich war meist der Papierrubel mit gesetzlicher Zahlungskraft im Umlauf, und namentlich seit dem Krimkriege basierte die russische Währung auf dem uneinlöslichen Papierrubel, der einer starken Entwertung gegenüber dem Silberrubel unterlag. Schon seit den 70er Jahren war es das Ziel Rußlands, zur Goldwährung überzugehen, und zu diesem Zweck wurde ein großer Goldschatz angesammelt. Beim Übergang zur Goldwährung konnte Rußland nicht daran denken, den Papierrubel auf die Höhe des alten Goldrubels zu heben; vielmehr setzte es sich zum Ziel, den Rubelkurs auf der durchschnittlichen Höhe der letzten Jahre festzulegen. Wenn auch der Papierrubel keine Goldparität hatte, sondern nur via Silberrubel mit dem Goldrubel in Verbindung stand, so wurde er doch seit Ende der 70er Jahre nicht mehr als Silber-, sondern als Goldrepräsentant empfunden. „Tatsächlich bestimmte sich der Rubelkurs nach Angebot und Nach-

---

[1]) H o f m a n n , a. a. O., S. 177.
[2]) Quellen: v. S c h u l z e - G ä v e r n i t z : Volkswirtschaftliche Studien aus Rußland, Leipzig 1899. — K n a p p , G. F.: Staatliche Theorie des Geldes, 3. Aufl. München u. Leipzig 1921. — S c h a e f e r , C. A.: Klassische Valutastabilisierungen und ihre Lehren für Deutschland. Hamburg 1922.

frage von dreimonatlichen London auf dem Petersburger Wechselmarkt, nach Angebot und Nachfrage von Papierrubeln gegen deutsches Reichsgold auf der Berliner Rubelbörse. Der Rubel wurde in
Gold gemessen, denn die Zahlungsbeziehungen zum Auslande, welche
in normalen Zeiten den Papierkurs beherrschen, waren längst G o l d -
beziehungen. Der Rubel war zwar nicht gesetzlich, wohl aber tatsächlich Goldrepräsentant[1])."

Der Papierrubel repräsentierte tatsächlich eine mehr oder
minder schwankende Menge Goldes, welche besonders aus dem
Rubelpreis in Berlin kenntlich war. Diese Goldmenge hatte im
Durchschnitt der Jahre 1884—1895 ungefähr 216 deutsche Reichs-
pfennige betragen. Diese Goldmenge wurde bei der Devalvation zu-
grunde gelegt. Bei diesem Kurse waren 1½ Papierrubel = ein alter
Goldrubel. Das Ziel der russischen Währungsform war demnach:
,,Stabilisierung des Kurses auf der Höhe von 1,50 R.Papier = 1 R.-
Gold alter Prägung, Beschaffung von Gold zwecks Einlösbarkeit der
umlaufenden Papierrubel zu diesem Kurse, Prägung eines neuen
Goldrubels im Werte von $^2/_3$ des bisherigen, Sättigung des Verkehrs
mit dieser Münze unter möglichster Einziehung der umlaufenden
Kreditbillets[2])."

Dieses Ziel wurde tatsächlich durch die neue Goldwährung
von 1897 erreicht. Der Goldrubel wurde die wirkliche Währungsmünze, die Silbermünze wurde Scheidemünze mit beschränkter
Zahlkraft und der Papierrubel einlöslich gegen Goldrubel. Schon
1893/4 war es dem russischen Finanzminister Witte gelungen, den
Rubelkurs zu befestigen. Das Ziel war: ,,Der Rubel soll das Pari
von 2,16 Mark in Berlin einhalten. Zu diesem Zwecke stellte der
russische Staat einem bekannten Berliner Bankhause eine große
Menge von deutschem und russischem Gelde zur Verfügung und
gab folgenden Auftrag: sobald der Rubel in Berlin niedriger steht
als 2,16 Mark, soll jenes Bankhaus jeden dargebotenen Rubel zu
2,16 Mark einlösen. Sobald aber der Rubel in Berlin höher steht als
2,16 Mark, soll jenes Bankhaus für je 2,16 Mark einen Rubel dar-
bieten."

Daß es Rußland gelang, die Devalvation auf dieser Basis mit
einem günstigen Erfolg im Gegensatz zu früheren Mißerfolgen durchzuführen, war besonders darauf begründet, daß es nicht nur einen
Goldschatz angesammelt hatte, der sich Ende 1898 auf 1146 Millionen
Rubel belief, sondern auch in der günstigen Handelsbilanz bewirkt
war. Seit 1887 hatten sich die Aktiva des russischen Staates in beträchtlich stärkerem Maße vermehrt als die Schulden. Die Erklärung
hierfür liegt in den Budgetüberschüssen, mittels derer sowohl ein
Teil des staatlichen Eisenbahnbesitzes wie des Goldvorrates erworben wurde.

---

[1]) S c h u l z e - G ä v e r n i t z , a. a. O., S. 475.
[2]) S c h u l z e - G ä v e r n i t z , a. a. O., S. 476.

12. Kapitel.
Die Stabilisierung der deutschen Währung 1923–24.

§ 58. **Allgemeine Vorbemerkung zur Frage der Stabilisierung der deutschen Währung.**

Das tiefe Währungselend, das Deutschland in der zweiten Hälfte des Jahres 1923 aufwies, und das, zumal infolge der Ruhrbesetzung und des Ruhrkampfes immer trostlosere Zustände mit sich brachte, zwang schließlich zu einer Sanierung der deutschen Währung. Ohne eine Stabilisierung der deutschen Valuta wäre das deutsche Wirtschaftsleben dem Verfall preisgegeben gewesen.

Nur eine Ziffer soll hier angegeben werden, um den Verfall der deutschen Mark zu illustrieren:

1 Dollar galt am 2. Januar 1923 = 7260 Mk.
1 „ „ „ 20. Dezember 1923 = 4,2 Billionen Mk.

Neben der Staatsinflation, die durch die massenhafte Ausgabe staatlichen Papiergeldes zur Deckung des Staatsdefizits auf dem Wege fortwährender Einreichung von Reichsschatzwechseln entstand, trat noch eine Privatinflation durch die Ausgabe von Privatnotgeld und ähnlichen Geldsurrogaten hinzu. Der private Geschäftsverkehr hatte sich schon durch eine Art Selbsthilfe von den schlimmsten Folgeerscheinungen der Inflation zu bewahren gesucht. Die Rechnung in Dollars, Goldmark oder Sterling, die Aufstellung von Goldmarkbilanzen usw. waren kleine Mittel des privaten Geschäftslebens zur Abhilfe; aber das alles konnte auf die Dauer nicht genügen, und es ging nicht an, daß ein kleiner Teil des Volkes sich durch private Maßnahmen vor den Mißständen zu bewahren suchte, die das ganze Volk schwer belasteten. Immer dringender wurde die Aufgabe, durch eine staatliche Stabilisierungsaktion zu einem wertbeständigen Gelde zu kommen.

Die drei Wege, die wir bisher zur Stabilisierung von Währungen aufgezeigt haben, waren in Deutschland nicht gangbar. Gänzlich ausgeschlossen war eine Wiederherstellung der Währung nach dem Vorbilde Englands in der Zeit nach den Napoleonischen Kriegen; aber auch eine Wertloserklärung des deutschen Papiergeldes war ausgeschlossen, wenn man einen formellen Staatsbankerott vermeiden wollte, und auch die Devalvation nach dem Vorbilde früherer derartiger Maßregeln konnte nicht eingeführt werden und hätte auch nicht sofort die nötige Wirkung gehabt, denn eine einfache Devalvation hätte doch wieder zu einem neuen ungedeckten Papiergeld führen müssen. Deutschland ist vielmehr einen neuen eigenartigen Weg gegangen, der bisher bei derartigen Sanierungsaktionen in der Geschichte noch nicht vorhanden war.

So sehr die Männer, die sich um die Neuordnung des deutschen Währungswesens verdient gemacht haben, in ihren Plänen und Reformvorschlägen auseinandergingen, so waren sie doch in vier grundsätzlichen Ausgangspunkten einig: Erstens negativ: niemand dachte daran, die Reform durch Einführung einer neuen, wie immer gearteten Papierwährung durchzuführen. Die Ideen der Geldreformer der nominalistischen Richtung (Bendixen, Heyn, Liefmann) wurden von keinem einzigen deutschen Währungspolitiker auch nur in Erwägung gezogen. Zweitens negativ: man wollte zunächst keine Devalvation vornehmen. Drittens positiv: man war sich darüber einig, daß das Endziel der Reform die Rückkehr zur Goldwährung sein müsse. Viertens positiv: man stimmte aber auch darin überein, daß die Goldwährung nicht sofort zu erreichen sei, sondern auf dem Wege allmählicher, schrittweiser Reform.

Tatsächlich hat die deutsche Stabilisierungsaktion drei Etappen:
1. die Zwischenlösung: die Rentenmark;
2. die vorläufige Lösung: die Goldkernwährung;
3. die endgültige Lösung: die Goldwährung.

Zwei Etappen sind bereits erreicht, die dritte wird erst im Verlaufe der Zeit erreicht werden können.

§ 59. Die Zwischenlösung des Valutaproblems: die Rentenmark[1]).

1. Die Träger der Rentenbank.

Die Deutsche Rentenbank, welche die Rentenmarkscheine ausgab, war eine mit den Rechten aller juristischen Personen ausgestattete privatrechtliche Gesellschaft und wurde errichtet von Vertretern der Landwirtschaft, der Industrie, des Gewerbes und des Handels einschließlich der Banken. In der Verwaltung und Führung der Geschäfte war die Rentenbank selbständig, nur die Wahl des Präsidenten bedurfte der Genehmigung der Reichsregierung.

2. Das Kapital der Rentenbank.

Das Kapital der Rentenbank betrug 3200 Millionen Rentenmark; es wurde aufgebracht durch eine Belastung der Wirtschaft, so daß zu gleichen Teilen die Landwirtschaft einerseits, Industrie und Gewerbe andererseits die Last aufbringen mußten. Die Belastung der Landwirtschaft bestand in Grundschulden, die von der Rentenbank an den Grundstücken erworben wurden, die dauernd land- und forstwirtschaftlichen oder gärtnerischen Zwecken dienen. Diese Grundstücke mußten eine Grundschuld in Höhe von 4 % des Wehrbeitrages auf sich nehmen, und diese Grundschuld lautete auf Goldmark. Sie ging allen anderen Lasten im Range vor. Als Goldmark im Sinne des Rentenbankgesetzes galt der Wert von $1/_{2790}$ kg Feingold. Dieses Kapital der Grundschuld, das für die Rentenbank unkündbar war, war mit 6 % jährlich zu verzinsen, und zwar mußten die Zinsen nach dem Goldwerte zur Zeit der Zahlung bezahlt werden.

---

[1]) Verordnung über die Errichtung der Deutschen Rentenbank vom 15. Oktober 1923 (Reichsgesetzblatt 1923, I. S. 963).

Es handelt sich hierbei in Wirklichkeit nicht um eine Grundschuld im Sinne des § 1191 BGB., sondern um öffentlich-rechtliche Reallasten[1]).

Was die Belastung der industriellen, gewerblichen und Handelsbetriebe einschließlich der Banken anlangt, so wurden diese in ihrer Gesamtheit zugunsten der Deutschen Rentenbank mit demselben Betrag in Goldmark belastet wie die Gesamtheit der Grundstücke. Soweit die auf den einzelnen Unternehmer entfallende Last nicht durch eine Grundschuld gedeckt werden konnte, war der Deutschen Rentenbank eine auf Gold lautende Schuldverschreibung des Unternehmers auszuhändigen.

3. Die Einlösbarkeit der Rentenmark.

Die Rentenbank gibt Rentenbankscheine aus, deren Werteinheit die Rentenmark ist, die in 100 Rentenpfennige eingeteilt wird. Wie ist dieses neue Papiergeld, der Rentenmarkschein, einlöslich? Die Einlösbarkeit besteht nicht wie bei den früheren Reichsbanknoten in Gold, sondern in einer Schuldurkunde, dem sogenannten Rentenbrief. Jeder Inhaber von 500 Rentenmark kann die Aushändigung eines Rentenbriefes im Werte von 500 Goldmark verlangen. Diese Rentenbriefe sind mit 5 % verzinslich. — Insgesamt dürfen nicht mehr Rentenmarkscheine ausgegeben werden, als dem Betrag des Kapitals und der Grundrücklage der Rentenbank entspricht. Die Rentenbankscheine erhielten nicht die Eigenschaft des gesetzlichen Zahlungsmittels, wohl aber waren sie an allen öffentlichen Kassen als Zahlungsmittel anzunehmen.

Auf welche Weise wurde die Rentenmark vor der Gefahr der Inflation geschützt?

a) durch die Kontingentierung der Ausgabe: Nur bis zum Betrag von 3200 Millionen durften Rentenmarkscheine ausgegeben werden;

b) durch die Deckungsvorschrift: die Rentenbriefe, gegen welche die Rentenmarkscheine eingelöst werden mußten, waren durch eine Hypothek auf die gesamte Wirtschaft, d. h. durch die Erträge der deutschen landwirtschaftlichen und gewerblichen Betriebe gedeckt. Jeder Rentenbankschein, der auf Rentenmark lautete, war durch einen auf Goldmark lautenden Pfandbrief gedeckt. Dieser Pfandbrief wiederum beruhte auf verpfändetem Sachbesitz der Wirtschaft, da, wie wir gesehen haben, auf dem gesamten landwirtschaftlichen Besitz eine Hypothek von 600 Millionen ruhte, und da die gesamte Industrie inklusive Banken mit Schuldverschreibungen in gleicher Höhe belastet war, war eine unbedingt sichere Deckung vorhanden.

c) Vor allem aber wurde die Gefahr der Inflation durch die Bestimmung des § 19 vermieden: „Sowie die Deutsche Rentenbank mit der Ausgabe von Rentenbankscheinen begonnen hat, dürfen bei der Reichsbank Schatzanweisungen nicht mehr diskontiert werden."

Damit war die Hauptquelle der Inflation verstopft; auch ein weiterer Verfall der Papiermark wurde dadurch verhindert, daß aus dem Kredit der Rentenbank in umfangreicher Weise Papiermark in Rentenmark umgetauscht werden konnten. Damit komme ich zu den Aufgaben der Rentenbank als Kreditbank.

---

[1]) N u ß b a u m , a. a. O., S. 111.

4. Die Rentenbank als Kreditbank.

Die Deutsche Rentenbank war verpflichtet, dem Deutschen Reich einen Kredit von 1200 Millionen Rentenmark zu geben. Schon am 20. Dezember 1923 war der letzte Teilbetrag dieser Summe bewilligt worden. Zu weiterer Kreditgewährung war die Rentenbank berechtigt, aber nicht verpflichtet. Von den dem Deutschen Reiche zustehenden 1200 Millionen waren 300 Millionen unverzinslich und zur Abdeckung der bei der Reichsbank diskontierten Schatzanweisungen bestimmt. Faktisch bedeutete dies, daß die Papiermark aus dem Verkehr gezogen und in Rentenmark eingetauscht wurde. Die Rentenmark sollte sozusagen die Papiermark aufsaugen und eine Verknappung der Papiermark hervorrufen. Zu Rückzahlungen des unverzinslichen Darlehens war das Reich nicht verpflichtet, die Tilgung sollte aus den Überschüssen der Bank erfolgen.

Die verzinslichen 900 Millionen standen zu allgemeinen Zwecken der Reichsverwaltung zur Verfügung. Auf die Verteilung der Kreditbeträge hatte die Rentenbank keinen Einfluß. Der Zinssatz für die Kredite betrug 6%.

Die andere Hälfte der Emission der Rentenmarkscheine mit ebenfalls 1200 Millionen wurde für die Zwecke der Wirtschaft zur Verfügung gestellt. Die Deutsche Rentenbank durfte aber diese Kredite nicht unmittelbar herausgeben, sondern war auf den Weg über die Reichsbank und die Privatbanken angewiesen. Der Reichsbank allein verblieben über 1100 Millionen. Bei der Gewährung der Wirtschaftskredite war die Reichsbank nicht Agent oder Kommissionär, sie nahm vielmehr die Kredite von der Deutschen Rentenbank als Eigenschuldner und gab sie als Gläubiger weiter. Die Schuldner und die Höhe der Kredite wurden von der Reichsbank ohne Einflußmöglichkeit der Rentenbank bestimmt. Die Reichsbank sollte nur im allgemeinen die zugunsten der Deutschen Rentenbank Belasteten entsprechend der Belastung berücksichtigen.

5. Die Liquidation der Rentenbankscheine.

Die Rentenbankscheine waren von vornherein nur für ein kurzes Übergangsstadium bestimmt. Die Liquidierung des Umlaufes an Rentenbankscheinen erfolgte durch das „Gesetz über die Liquidierung des Umlaufs an Rentenbankscheinen vom 30. August 1924[1]". Danach dürfen neue Rentenmarkscheine über den Betrag der am 30. August 1924 ausgegebenen Scheine nicht mehr ausgegeben werden. Ferner muß der Gesamtbetrag der ausgegebenen Rentenmarkscheine innerhalb längstens zehn Jahren liquidiert sein. Zu diesem Zweck wird bei der Reichsbank ein besonderer Tilgungsfonds gebildet. Dieser Tilgungsfonds wird aus folgenden Quellen gespeist:

a) Die Deutsche Reichsbank hat alle ihr auf Grund des § 4 dieses Gesetzes für die Zeit vom 1. Oktober 1924 ab von den Grundschuldverpflichtungen zufließenden Einnahmen an den Tilgungsfonds abzuführen.

b) Das Reich hat jährlich 60 Millionen Rentenmark in gleichen vierteljährlichen Raten an den Tilgungsfonds abzuführen, erstmalig am 1. Januar 1925.

---

[1] Reichsgesetzblatt 1924, Teil II, Nr. 32 vom 30. August 1924, S. 252 ff.

c) Der dem Reiche auf Grund des § 37 des Bankgesetzes jährlich zufließende Gewinnanteil fließt in den Tilgungsfonds.

Mit Hilfe dieses Tilgungsfonds werden zunächst die laut § 16
der Rentenbankverordnung dem Deutschen Reiche bis zu 1200 Millionen Rentenmark gewährten Kredite von der Reichsbank eingezogen. Die übrigen im Betrage von 870 Millionen Rentenmark gewährten Kredite sollen mit tunlichster Beschleunigung, jedoch unter
angemessener Rücksichtnahme auf die wirtschaftliche Lage des
Schuldners abgewickelt werden. Die Abwickelung soll unter allen
Umständen binnen drei Jahren beendet sein; am Schlusse des ersten
Jahres soll mindestens ein Drittel, am Schlusse des zweiten Jahres
mindestens ein weiteres Drittel des übernommenen Kreditbestandes
abgewickelt sein; die dreijährige Frist beginnt am 1. Dezember 1924.

6. Die Rentenbank als landwirtschaftliche Kreditanstalt.

In § 9 des Gesetzes über die Liquidierung des Umlaufs an
Rentenbankscheinen wurde bestimmt:

Soweit die im § 7 unter a) vorgesehenen Leistungen der Deutschen Rentenbank 60 Millionen Rentenmark im Jahre übersteigen,
hat die Reichsbank aus dem überschießenden Betrage jährlich 25 Millionen auszusondern und einer mit Einverständnis der Deutschen
Rentenbank und der Reichsregierung zu begründenden landwirtschaftlichen Kreditanstalt zur Verfügung zu stellen. Die Deutsche
Rentenbank ist berechtigt, mit Zustimmung der Reichsregierung
auch ihre sonstigen verfügbaren Mittel, soweit darüber nicht nach
den Bestimmungen dieses Gesetzes verfügt ist, für die Zwecke dieser
Kreditanstalt oder für verwandte Zwecke zu verwenden.

Die Mittel, die die neu errichtete „Deutsche Rentenbank-
Kreditanstalt" der Landwirtschaft zur Verfügung stellte, sollten
aus zwei Quellen fließen; es handelte sich einmal um den bisherigen
Reingewinn der Rentenbank, also die Summe, die bis zum 1. Oktober 1924 von den von der Rentenbank belasteten landwirtschaftlichen und gewerblichen Unternehmer als Zinsen bezahlt werden
(ca. 110 Millionen) und um die Beträge, die das Reich als Verzinsung
für 1 Milliarde Rentenbankkredit bis zum 1. Januar 1925 zu zahlen
hatte (ca. 65 Millionen). Hinzutreten soll jährlich (vom 1. Januar
1924 ab) ein Betrag von 25 Millionen, der aus den Mitteln abgezweigt
wird, die die Landwirtschaft jährlich, und zwar schätzungsweise etwa
acht Jahre lang, zur Tilgung der zirkulierenden Rentenmark zahlt.
Die Deutsche Rentenbank-Kredit-Anstalt darf Geschäfte nur mit
den bereits vorhandenen großen agrarischen Kreditorganisationen
tätigen, und volle 65% der erwähnten Kapitalbeträge sollen der
Preußischen Zentralgenossenschaft zugeleitet werden[1]).

„Dagegen sollen die Mittel für den landwirtschaftlichen Real-
Kredit, der nur durch Realkredit-Institute weitergeleitet werden soll
(Landschaften-Hypothekenbanken usw.), durch Ausgabe von lang-
fristig rückzahlbaren Schuldverschreibungen beschafft werden. Diese
Schuldverschreibungen dürfen mit Genehmigung der Reichsregierung
bis zum achtfachen Betrag des Kapitals der Bank ausgegeben werden.
Der Erlös ist zur Gewährung von Krediten zur wirtschaftlichen

---

[1]) Vgl. Magazin der Wirtschaft, 1. Jahrg. Nr. 4. 1925. S. 136.

Gestaltung der landwirtschaftlichen Betriebe zu verwenden. Die Schuldverschreibungen müssen gedeckt sein durch Pfandbriefe staatlicher, landwirtschaftlicher, kommunaler oder anderer unter staatlicher Aufsicht stehenden Bodenkreditinstitute Deutschlands und deutscher Hypothekenbanken oder durch Hypotheken an inländischen land- und forstwirtschaftlichen Grundstücken, die für die in der Satzung bezeichneten Kreditinstitute bestellt sind. Die Hypotheken müssen mindestens den Anforderungen des Hypothekenbankgesetzes entsprechen. Die Vorschriften über die auszustellenden Schuldverschreibungen auf den Inhaber werden von der Reichsregierung erlassen.

Den Gläubigern ist eine Spezialbefriedigung aus den bestellten Hypotheken garantiert. Diese Schuldverschreibungen sollen nach der Begründung des Gesetzentwurfes im Auslande untergebracht werden, es ist ein Absatz auf dem inländischen Markt nicht in Aussicht genommen[1]."

§ 60. Zur Vorgeschichte der Rentenmark.

Die Einführung der Rentenmark war das endgültige Resultat langer und eingehender Beratungen und erfolgte erst, nachdem eine Reihe anderer Vorschläge zur Neuordnung der deutschen Währungsverhältnisse eine Ablehnung erfahren hatten.

Die Grundgedanken der Rentenmarkgesetzgebung gehen auf H e l f f e r i c h zurück, trotzdem H. selbst ein auf Roggenwert basiertes Geld vorgeschlagen hatte. In dem ersten Entwurf seines Währungsplanes, den H. in der Kreuzzeitung vom 14. September 1923 veröffentlichte, lautete der wichtigste § 2: „Auf die land- und forstwirtschaftlich sowie gärtnerisch genutzten Grundstücke des Deutschen Reiches werden auf Roggenmark (Art. IV, § 2) lautende Roggenwert-Grundschulden in Höhe von 5 v. H. des Wehrbeitragswertes mit Rang vor allen anderen Belastungen zugunsten der Währungsbank eingetragen. — Die Roggenwerthypotheken sind mit 5 v. H. jährlich verzinslich[2]."   Dieser H e l f f e r i c h sche Plan stieß aber sofort auf Widerspruch, namentlich aus den Kreisen des Handels, der Industrie und der Banken. Der Reichsverband der Deutschen Industrie hielt eine Beratung über die Währungsfrage ab, in der über den H.schen Plan berichtet wurde, und wo auf die Bedenken der Roggenwährung hingewiesen wurde, die in erster Linie auf der ungenügenden Wertbeständigkeit des Roggens begründet seien. Mitglieder des Präsidiums und Vorstandes hatten Grundzüge für eine Goldnotenbank ausgearbeitet, die den unmittelbaren Übergang zur Goldwährung ermöglichen sollte. Die Verfasser dachten sich den technischen Vorgang der Gründung einer Goldnotenbank so, daß eine Anzahl großer Firmen sich verpflichten, etwa einen Betrag von 200 Millionen Mark als Aktienkapital zu zeichnen; ferner müßte das Ausland zur Beteiligung aufgefordert werden. — Aus den Richtlinien für die Errichtung einer Goldnotenbank seien die ersten beiden grundlegenden hier mitgeteilt:

---

[1] Die Deutsche Rentenbank-Kreditanstalt. Von F r i s c h , Direktor der Dresdner Bank. Im „Bankarchiv" Nr. 13 vom 1. April 1925, S. 253 ff.

[2] Veröffentlichungen des Reichsverbandes der Deutschen Industrie, Heft 20: Die Entstehung der Deutschen Rentenbank von Dr. F r i e d r i c h   R a m h o r s t , März 1924.

1. Es wird eine vom Reich und der Reichsbank unabhängige Goldnotenbank in Form einer Aktiengesellschaft errichtet.

2. Das Aktienkapital beträgt 500 Millionen Goldmark, von denen durch ein Gründerkonsortium 200 Millionen Goldmark sichergestellt werden. Dem Auslande soll eine Beteiligung bis zu einem Drittel angeboten werden. Den privaten deutschen Besitzern ausländischer Zahlungsmittel soll durch vollständige Wiederherstellung des Bankgeheimnisses und durch die Aussicht auf eine angemessene Verzinsung ein Anreiz zur Hergabe von Devisen gegeben werden.

Bei den Beratungen der Sachverständigen, zu denen der Finanzminister auf den 5. September 1923 eingeladen hatte, wurden die beiden Entwürfe, sowohl der auf Roggenmark, wie der auf Goldmark basierte, beraten. H e l f f e r i c h setzte sich mit Nachdruck für die Abstellung der neuen Währung auf den Roggen ein, auf ein Erzeugnis, das wir haben und fortgesetzt neu erzeugen, und nicht auf das Gold, das wir nicht haben, das wir im eigenen Lande nur in ganz minimalen Quantitäten gewinnen können und für dessen Bereitstellung wir auf die uns zunächst nicht zur Verfügung stehende Hilfe des Auslandes angewiesen seien. Seine Absicht sei, brauchbare Zahlungsmittel für den inländischen Verkehr zu schaffen. Er habe stets anerkannt, daß für den Verkehr mit dem Auslande eine Ergänzung notwendig sei, wie sie die Vorschläge des Reichsverbandes, die auf Errichtung einer Gold- und Devisenbank hinausgehen, ins Auge fassen. Eine organische Verbindung beider Institute hielt er für möglich und erwünscht. Rechtsanwalt L a m m e r s vertrat die Auffassung, daß eine lediglich auf die dingliche Belastung der deutschen Wirtschaft gestützte Währung nicht so real fundiert sei, um nicht in absehbarer Zeit eine neue Inflation herbeizuführen. Die Vorteile der neuen Währung bestünden in der Hergabe der nötigen Mittel für den Staat. Eine Hilfe auf weite Sicht werde nicht gewährt, und es sei deshalb eine auf Goldbasis aufgebaute Währungsreform alsbald in Angriff zu nehmen. F r o w e i n stellte den Standpunkt des Reichsverbandes dahin klar, daß der Plan H e l f f e r i c h s nicht abgelehnt werde, da die Schaffung eines wertbeständigen Zahlungsmittels im Inland unbedingt erforderlich sei, daß aber alsbald auch ein wertbeständiges Zahlungsmittel für den Verkehr mit dem Auslande anzustreben sei. H i l l i g e r als Vertreter der Landwirtschaft erklärte, daß die Landwirtschaft die schwere Belastung aus dem H e l f f e r i c h schen Plan auf sich nehmen werde. Die Roggenwährung sei erwünscht, da die Landwirtschaft nur noch nach Roggen rechne, doch würde die Zugrundelegung der Goldrechnung nicht abgelehnt werden.

Bei einer weiteren Beratung dieser Entwürfe im Währungsausschusse des Reichswirtschaftsrates wurden nochmals eingehend alle Gesichtspunkte erörtert, die zur Kritik beider Entwürfe von Wichtigkeit waren. H e l f f e r i c h führte dabei aus, daß, wenn der Roggen als Grundlage gewählt würde, die Bank in der Lage sei, 20- oder 10-Roggenmarknoten auszugeben, voll gedeckt und einlösbar. Jeder, der die Roggennoten bei der Bank präsentiere, habe das Recht, daß ihm die Bank dafür ein entsprechendes Quantum Roggen ausliefere. Damit werde eine Kapazität der Ausgabe von Noten geschaffen, die in wertbeständigen Pfandbriefen in Höhe von 4 Milliarden Goldmark im Maximum einlösbar seien. — Aber auch er hielt das Ganze nur für eine Notbrücke: „Einerlei, wie man die Sache aufbaut, ob auf Roggenwert oder Goldwert, wir brauchen wieder den Anschluß an den Weltmarkt und deshalb müssen wir die Möglichkeit vorsehen, wie die Dinge sich gestalten, wenn das Reich wieder zur Goldwährung zurückkehrt." Für diesen Fall soll die Bank liquidieren oder sich auf Gold umstellen und die eingetragenen Roggenwerthypotheken, die Pfandbriefe und die Buchführung auf Gold konvertieren können.

S c h a c h t sprach sich gegen die Roggenwährung aus, namentlich in Rücksicht auf den internationalen Zahlungsverkehr: Die Frage der internationalen Zahlungsfähigkeit werde durch die Roggennoten nicht gelöst. Die Schwankungen des Roggenpreises würden eine Schwankung des Roggengeldes herbeiführen, die Roggennote werde gegenüber dem international geltenden Goldgeld ein Disagio bilden.

Im weiteren Verlauf der Erörterungen wurde dann ein von den Mitgliedern des Reichswirtschaftsrates B e r n h a r d und F e i l e r eingebrachter Antrag angenommen, worin unter Ablehnung des H e l f f e r i c h schen Projekts gesagt wurde: „Die dringende Gefahr einer völligen Zurückweisung der Papiermark, die als Zahlungsmittel zur Aufrechterhaltung des Verkehrs notwendig bleibt, erheischt unter der Voraussetzung der Etatsbilanzierung die Schaffung eines wertbeständigen Zahlungsmittels, das auf sich selbst gestellt und unabhängig von den inneren und äußeren Schwankungen ist. Die Grundlage eines solchen Zahlungsmittels können zur Zeit nur das Gold oder ein Devisenfonds bilden."

Dann [beschäftigte sich das Reichskabinett mit der Währungsfrage. Es wurde einstimmig beschlossen, die Lösung dieser Frage auf dem Wege einer Goldnotenbank zu suchen, die bei voller rechtlicher Selbständigkeit und unbedingter Unabhängigkeit von den Reichsfinanzen in organischer Verbindung mit der Reichsbank ihre Tätigkeit ausüben sollte. . . . . Die Papiermarkwährung sollte vorläufig weiter beibehalten werden. Die Währungsreform werde also vorerst eine Parallelwährung schaffen, d. h. Goldnoten und Papiernoten werden nebeneinander bestehen, ohne daß ein bestimmtes Kursverhältnis zwischen beiden festgelegt wird. Ein allgemeiner Umtausch der Papiernoten in die neuen Goldnoten war vorerst nicht geplant. Dagegen hoffte man, möglichst bald eine Kontingentierung der Papiernotenausgabe vornehmen zu können.

Am 19. September legte der Reichsfinanzminister einen Gesetzentwurf vor, der die Schaffung einer Bodenmark vorsah, die sich auf eine auf Goldmark lautende Belastung des Besitzes gründete. Das Kapital der Währungsbank wurde auf 2400 Millionen Bodenmark bemessen, entsprechend einer Belastung in Höhe von 3 v. H. des Wehrbeitragswertes der landwirtschaftlich, forstwirtschaftlich und gärtnerisch benutzten Grundstücke und einer entsprechenden Belastung des industriellen usw. Unternehmertums. — In diesem Plan war der Grundgedanke des H e l f f e r i c h schen Projektes übernommen, die Belastung der Wirtschaft, auf Grund deren eine Währungsbank zu schaffen sei. Die Noten sollten entsprechend dem H e l f f e r i c h schen Gedanken gegen verzinsliche Obligationen einlösbar sein, es sei aber die Goldbasis statt der Roggenbasis gewählt worden, weil die Roggennoten die Bedürfnisse der Industrie nicht befriedigen könnten, sondern nur für die Landwirtschaft geeignet seien.

Am 13. Oktober wurde dann ein neuer Gesetzentwurf betreffend der Errichtung der Deutschen Rentenbank vorgelegt. Die wesentlichste Änderung gegenüber der vorherigen Vorlage bestand darin, daß das neu zu schaffende Zahlungsmittel nicht den Charakter als Währungsgeld erhielt. Dieser Gesetzentwurf kam allerdings den weitergehenden Wünschen der deutschen Bankwelt nicht entgegen, die eine verstärkte Herausgabe der Goldanleihe in Vorschlag brachte.

§ 61. Zur Kritik der Rentenmark.

Zur Kritik der Rentenmark kann jedenfalls auf den Erfolg selbst hingewiesen werden. Es ist tatsächlich für diese Übergangszeit mit Hilfe der Rentenmark gelungen, den Kurs der Mark auf 4,2 Billionen zu stabilisieren. So hat sich die Rentenmark als Stütze der Papiermark erwiesen. Die vielen Einwände und ängstlichen Prophezeiungen über das Schicksal der Rentenmark sind durch die Erfahrungen selbst widerlegt worden.

Da man die neue Mark auch Bodenmark nannte, wurde der falsche Anschein erweckt, als ob wir mit der Rentenmark eine neue, auf den Grund und Boden basierte Papierwährung erhalten hätten. Man hat sogar die Rentenmark mit dem L a w schen Projekt eines durch den Grund und Boden gedeckten Papiergeldes und mit den oben geschilderten Territorialmandaten aus der zweiten Periode der Assignatenwirtschaft verglichen. Das alles erweckt falsche Vorstellungen über das Wesen der Rentenmark. Die Rentenmark ist eine eigenartige Erscheinung in der Geschichte des Geldwesens und hat geldtheoretisch keinen Vorläufer. Die Rentenmark stellt keine neue Währung dar. Sie war auch nicht gesetzliches Zahlungsmittel, als welches nach wie vor die Papiermark galt; sie war nur auf den inländischen Zahlungsverkehr beschränkt. Mit der Rentenmark hatten wir eine provisorische Not- und Hilfsaktion geschaffen: die Rentenmark sollte Schrittmacher für die spätere definitive Sanierung der deutschen Währung sein. Mit einer auf dem Boden basierten Papierwährung hat die Rentenmark schon um deswillen nichts zu tun, weil bei diesen Papiergeldideen es sich um ein Papiergeld handeln sollte, das in ganz vager Weise durch Grund und Boden gedeckt sein sollte. Die Deckung bei der Rentenmark bestand in ziffermäßig genau bestimmten Beträgen, die sowohl aus Grundstücken wie aus Gewerbebetrieben stammten, und welche die betreffenden Grundbesitzer und gewerblichen Unternehmer in Beträgen, die auf Goldmarkbasis berechnet waren, abzuliefern verpflichtet waren. Die Belastung der Wirtschaft stellte also eine Goldverpflichtung dar, die verzinst werden mußte, und über welche Rentenbriefe aufgestellt wurden, mit denen die Rentenmark auf Verlangen eingelöst werden mußte. Aber die genannten Deckungsvorschriften waren nicht das Wesentliche, das den Erfolg der Stabilisierung garantieren sollte. Viel bedeutsamer war eine ganze Reihe von innerpolitischen und außenpolitischen Maßnahmen, die getroffen wurden:

1. Die Rentenmark sollte ihrem Werte nach eine Goldmark sein und eine Goldmark = $1/_{2790}$ Kilogramm Feingold. Damit war der Anschluß an die alte deutsche Goldwährung festgelegt. Andererseits sollte die Rentenmark in einem festen Wertverhältnis zum Dollar stehen, und zwar sollte sie ihrem Werte nach $10/_{42}$ des amerikanischen Dollars gleichkommen. So waren also 4,2 Billionen Papier-

mark = 1 Dollar. Indem die Reichsbank sich bereit erklärte, für jede Reichsmark eine Billion Papiermark zu geben, war damit ein fester Kurs der Papiermark statuiert und die Papiermark auf Dollarkurs stabilisiert.

2. Die strenge Kontingentierungsvorschrift: mehr als 3200 Millionen Rentenmarkscheine durften nicht ausgegeben werden, und dieser Betrag von 3200 Millionen kam dem Kapital gleich, über welches die Rentenbank verfügte.

3. Wichtiger als diese Maßnahmen (über die der Leser das einzelne im Gesetzestext nachlesen kann) war der Umschwung in der deutschen Finanzpolitik. Die Notenpresse wurde stillgelegt, oder richtiger gesagt: die Diskontierung von Reichsschatzwechseln bei der Reichsbank hörte auf, und damit war die wichtigste Quelle der Inflation verstopft. Die Reichsbank erhielt bis zu 300 Millionen Mark Rentenmarkscheine, um sie für Rechnung des Reichs gegen Papiermark zu veräußern und den Erlös von der Schatzanweisungsschuld des Reichs abzuschreiben. Es fand also eine Einlösung der Papiermark gegen Rentenmark statt, wodurch der Notenumlauf vermindert und die Rentenmark in den Geldumlauf übergeführt wurde. Wie sehr für die Wertbeständigkeit der Rentenmark die Tatsache der Einstellung der Notenpresse und nicht die positive Sicherung der Rentenmarkinhaber maßgebend war, ergibt die Erwägung, daß die Einlösung der Rentenmark in 5proz. Rentenbriefe gewährleistet wurde, während in damaliger Zeit ein viel höherer Zinsfuß auch bei sichersten Anlagen zu erlangen war. Von der Einlösungsmöglichkeit der Rentenbankscheine ist kein Gebrauch gemacht worden. Der höchste Betrag der ausgegebenen Rentenbriefe belief sich auf nur 235 500 Gold-Mark Rentenbriefe. (Vgl. v. C r u m m , Wertsicherungen der Rentenmark. Bank-Archiv. 1. Okt. 1926. S. 5.)

4. Damit aber diese Kontingentierung der Rentenmark ermöglicht wurde, wurden gleichzeitig strengste Maßnahmen in der Einnahme- und Ausgabewirtschaft des Deutschen Reiches getroffen. Durch sehr rigorose Steuergesetze wurde die Aktivseite des Budgets gestärkt, andererseits die Ausgabeseite durch Beamtenabbau, bedeutende Reduktion der Beamtengehälter und größte Ersparnis an den öffentlichen Ausgaben vermindert.

5. Hierzu trat eine scharfe Restriktion der Kreditgewährung seitens der Banken, besonders, nachdem vom 7. April 1924 ab die Reichsbank die Neugewährung von Krediten eingestellt hatte.

6. Eine Entlastung für die Rentenmark, die nur binnenländisches Zahlungsmittel sein sollte, wurde durch die am 13. März 1924 mit einem Kapital von 10 Millionen Pfund Sterling gegründete Golddiskontbank geschaffen. Diese Bank war speziell für die Bedürfnisse des ausländischen Zahlungsverkehrs bestimmt; deutsche Zahlungen nach dem Auslande sollten besonders durch die Golddiskontbank vermittelt werden. Dadurch sollte die Gefahr vermieden werden, daß durch zu starke Nachfrage nach Devisen eine neue Quelle der Markentwertung entstehen könnte.

7. Von großer Bedeutung für die Stabilisierung der Mark war der Umschwung in den außenpolitischen Verhältnissen, namentlich seitdem durch die Annahme des Dawesplanes das Vertrauen des Auslandes Deutschland gegenüber gestärkt wurde.

Wenn es auch mit Hilfe der Rentenbank gelang, die Stabilisierung der Mark zu erreichen, so war dennoch die Liquidierung der Rentenbank notwendig. Sie sollte nur eine Übergangsmaßregel darstellen, ein ideales Geldwesen war die Rentenmark nicht. Schon um deswillen konnte die Rentenmark keine dauernde Einrichtung werden, weil es ein Unding wäre, die Geldschöpfung privaten Wirtschaftsverbänden zu überlassen; die Geldemission muß immer ein staatliches Hoheitsrecht sein, und es durfte nicht neben der Reichsbank noch ein zweites Institut mit dem Recht der Notenausgabe bestehen.

Insofern ist die neuere gesetzliche Regelung des Geldwesens, welche die Geldverfassung wieder allein der staatlichen Hoheit unterstellt, ein Fortschritt gegenüber der Rentenmark und der Rentenbank. Ich kann daher der Meinung G e r b e r s nicht beipflichten, der umgekehrt die Ansicht vertritt, daß die Rentenmark eine bessere Lösung darstellte, als die neuere gesetzliche Regelung.

G e r b e r vergleicht die Epoche der Rentenmark mit der neuesten gesetzlichen Regelung durch das neue Münzgesetz und das neue Bankgesetz und kommt zum Resultat, daß diese neueste gesetzliche Ordnung, verglichen mit der Rentenmarkperiode, einen großen Rückschritt darstelle. Das durch die Inflation zerstörte Vertrauen in die Finanzwirtschaft des Reiches sei durch die Rentenmark wiederhergestellt gewesen, die deutsche Souveränität sei erhalten bzw. neu erworben worden, sie hätte eine politische Großtat dargestellt; dagegen sei durch die neue Währungsgesetzgebung die wiedererrungene Souveränität im Geldwesen preisgegeben worden. Sie bedeute den „endgültigen Verlust der Selbstbestimmung im Geldwesen. Es gäbe jetzt nur noch eine Geldverfassung für Deutschland, aber keine deutsche Geldverfassung mehr, und das deutsche Geldwesen stehe entscheidend unter dem Gedanken der internationalen Vormundschaft über Deutschland[1]."

M. E. ist genau das Gegenteil der Fall: Gerade die Rentenbankgesetzgebung stand im schroffsten Gegensatz zur Souveränität des Geldwesens, denn die Geldschöpfung war den Wirtschaftsverbänden überlassen. Die staatliche Hoheit im Geldwesen war damit preisgegeben, und es wäre ein unhaltbarer Zustand gewesen, die Geldschöpfung dauernd der Wirtschaft zu überlassen. Daß die Notenausgabe eine Zeitlang der internationalen Kontrolle untersteht, ist eine gewiß höchst bedauerliche Folge des Versailler Diktats und des Dawesgutachtens, aber dies tritt doch allein nicht im Notenwesen hervor, sondern auch im Eisenbahnwesen, Zollwesen usw. Eine große Übertreibung bedeutet es, deshalb zu sagen, daß die deutsche Souveränität im Geldwesen damit preisgegeben wäre, während wir uns doch gerade freuen müßten, daß endlich wieder die feste gesetzliche Grundlage des Geldwesens, und zwar unabhängig von der Wirtschaft, erreicht worden ist. Man darf doch wegen vorübergehender Erschwerungen in der deutschen Wirtschaftspolitik, die sich aus politischen Konstellationen ergeben, nicht geldtheoretische Schlüsse über die Grundlage der neuen Währungsgesetzgebung ziehen. Gewiß hat G e r b e r darin recht, daß durch die Rentenmark das Vertrauen in die Finanzwirtschaft des Reiches wiederhergestellt wurde, aber sie war doch nur eine Notbrücke, und das Vertrauen wurde

---

[1] a. a. O., S. 144.

gerade deshalb wiederhergestellt, weil die Rentenmark von vornherein nur als interimistische Erscheinung gedacht war. Indem G e r b e r die Rentenbank durchaus richtig als eine „nach den Grundsätzen des Privatrechtes arbeitende Bank" bezeichnet, durfte er gerade von seinem Standpunkt aus, daß das Geld eine öffentlichrechtliche Angelegenheit sei, das von der Rentenbank emittierte Geld nicht höher schätzen, als das neue, allein durch den Staat und nach staatlichen Grundsätzen geschaffene Geld. Wie kann es G e r b e r mit seinen im ersten Kapitel so klar herausgearbeiteten Grundsätzen über das Geld, die er am Schluß seines Werkes noch einmal mit den Worten wiederholt (S. 150): „Das Geld ist eine Wirtschaftserscheinung, aber eine rechtliche und zwar öffentlich-rechtliche. Geld ist im Hinblick auf die Wertbestimmung die Durchsetzung des Staatsgedankens in der Wirtschaft" in Einklang bringen, ein Geld wie die Rentenmark, das ein staatsloses Geld war, in dieser Weise als ideale Erscheinung aufzufassen?

§ 62. Die vorläufige Lösung: die Goldkernwährung.

Die jetzt geltende deutsche Währung, wie sie durch das Münzgesetz und das neue Bankgesetz, festgelegt ist, läßt sich als Goldkernwährung bezeichnen. Bei dieser Währung dient Gold als Preisfestsetzungs- und Preisvergleichungsmittel (ich vermeide den Ausdruck Wertmaß, weil Gold selbst im Werte veränderlich ist) und als Zahlungsmittel für den ausländischen Verkehr. Für den inländischen Zahlungsverkehr sind Banknoten, die nicht in Goldmünzen einlöslich sind, bestimmt.

Im einzelnen ist folgendes zu bemerken: Das Münzgesetz vom 30. August 1924 stimmt inhaltlich im wesentlichen mit den Münzgesetzen vom 4. Dezember 1871 und 9. Juli 1873 überein. Hiernach gilt offiziell in Deutschland die Goldwährung. Der Währung liegt zugrunde die Reichsgoldmünze, die in derselben Weise wie in der früheren deutschen Goldwährung ausgeprägt wird, nämlich 1 kg Feingold = 2790 Reichsmark. Die Silber- und Kupfermünzen sind wie früher Scheidegeld; gesetzliche Zahlungsmittel sind unbeschränkt nur die Goldmünzen und die von der Reichsbank ausgestellten und auf Reichsmark lautenden Noten. Neben den Banknoten der Reichsbank und der Privatnotenbanken gibt es kein weiteres Papiergeld mehr. Alle anderen Papiergeldarten, sowohl aus der Vorkriegszeit, wie aus der Kriegs- und Nachkriegszeit, sind beseitigt. Die Reichskassenscheine, das Papiergeld der Vorkriegszeit, die einen Schönheitsfehler der alten Goldwährung darstellten, wurden, soweit sie noch im Umlauf waren, bis August 1923 eingezogen. Die Darlehnskassenscheine, das Papiergeld der Kriegszeit, scheiden ebenfalls aus dem Verkehr aus. Die alten Papiermarkscheine, d. h. die zu Papiergeld gewordenen Reichsbanknoten der Kriegs- und Nachkriegszeit werden allmählich ebenfalls eingezogen. Das Nähere hierüber findet sich in dem oben abgedruckten Bankgesetz § 3; darin ist bestimmt: „Die Reichsbank ist verpflichtet, ihren gesamten bisherigen Notenumlauf aufzurufen und gegen Reichsmarknoten umzutauschen. Eine Billion Mark bisheriger Ausgabe ist durch eine Reichsmark zu ersetzen. Die eingezogenen Noten sind zu vernichten. Die näheren Bestimmungen über den Aufruf, die Fristen für die Einlieferung und Kraftloserklärung der alten Noten setzt das Reichsbankdirektorium fest."

Was die Rentenmarkscheine anlangt, so habe ich bereits über die Einziehung derselben oben berichtet.

Sobald auf diese Weise alle Papiergeldarten einschließlich der Rentenmarkscheine aus dem Verkehr gezogen sind, bleiben nur noch die Banknoten neben den Goldmünzen als Geld bestehen. Die näheren Bestimmungen über die Ausgabe der Banknoten sind im neuen Bankgesetz angegeben. Dieses neue Bankgesetz unterscheidet sich in wesentlichen Punkten vom alten Bankgesetz. Diese Unterschiede, soweit sie währungspolitisch von Bedeutung sind, sind namentlich die folgenden:

a) Die Aufhebung der Bareinlösung der Banknoten.

Im alten Bankgesetz vom 14. März 1875 war die Bareinlösung in § 18 vorgeschrieben: „Die Reichsbank ist verpflichtet, ihre Noten:

a) bei ihrer Hauptkasse in Berlin sofort auf Präsentation,
b) bei ihren Zweiganstalten, soweit es deren Barbestände und Geldbedürfnisse gestatten,

dem Inhaber gegen kursfähiges deutsches Geld einzulösen." Im neuen Bankgesetz lautet die betreffende Bestimmung: „Die Bank ist verpflichtet, ihre Noten:

a) bei ihrer Hauptkasse in Berlin sofort auf Präsentation,
b) bei ihren Zweiganstalten, soweit es deren Barbestände und Geldbedürfnisse gestatten,

dem Inhaber einzulösen.

Die Einlösung erfolgt nach Wahl der Bank in:

1. deutschen Goldmünzen zum jeweiligen gesetzlichen Gewicht und Feingehalt zu pari;
2. Goldbarren in Stücken von nicht weniger als 1000 Reichsmark und nicht mehr als 35 000 Reichsmark zu ihrem Reingoldwert in deutschen Goldstücken zum jeweiligen gesetzlichen Gewicht und Feingehalt;
3. Schecks oder Auszahlung in ausländischer Währung in Höhe des in Gold umgerechneten jeweiligen Marktwertes der betreffenden Währung; die Satzung bezeichnet diejenigen ausländischen Banken, auf die die Schecks oder Auszahlungen lauten müssen. Die Reichsbank kann hierbei eine Vergütung in Rechnung stellen. Diese darf jedoch den Betrag nicht übersteigen, der sich aus dem dem Einlösungsbetrage entsprechenden Anteile an den Versendungsspesen nebst Zinsen für größere Geldtransporte nach dem betreffenden ausländischen Bankplatze ergibt."

Die Änderung bedeutet, daß statt „kursfähigen Geldes" nur noch Goldmünzen und Goldbarren, außerdem aber Schecks oder Auszahlungen in ausländischer Währung zur Einlösung benutzt werden dürfen. Aber diese ausländischen Zahlungsmittel dürfen nur in Höhe des in Gold umgerechneten jeweiligen Marktwertes der betreffenden Währung bei der Einlösung berechnet werden.

Im Prinzip ist damit die alte Golddeckung, wenn auch in etwas erweiterter Form, beibehalten, aber diese Einlösungsvorschrift braucht vorläufig nicht erfüllt zu werden. Die Vorschrift wird erst in Kraft

gesetzt, wenn sie durch das Reichsbankdirektorium und den General-
rat der Reichsbank beschlossen wird. Bis zu diesem Zeitpunkt haben
wir in Deutschland die Goldkernwährung, d. h. im wesentlichen das
Währungssystem, das Österreich-Ungarn von 1892—1914 hatte. Die
Banknoten stellen dabei ein uneinlösliches aber gedecktes Papiergeld mit Zwangskurs dar. Die Goldmünzen und Golddevisen werden
für Auslandszahlungen benutzt.

b) Die Deckungsvorschrift.

An die Stelle der alten Dritteldeckung ist im neuen Bankgesetz
eine normale Golddeckung von 40 % vorgeschrieben, aber diese Golddeckung ist im Gegensatz zum alten Gesetz in doppelter Weise
eingeschränkt:

1. Unter ,,Gold" sind nicht nur Goldmünzen zu verstehen,
sondern auch bis zu einem gewissen Grade Devisen und zwar Banknoten, Wechsel mit einer Laufzeit von höchstens 14 Tagen und
täglich fällige Forderungen, die bei einer als zahlungsfähig bekannten
Bank an einem ausländischen zentralen Finanzplatz in ausländischer
Währung zahlbar sind. Diese Devisen dürfen aber nur mit einem
Viertel der Gesamtgolddeckung herangezogen werden.

2. Unter die Normaldeckung darf unter Umständen heruntergegangen werden. Die Unterdeckung führt zu einer Notensteuer,
die stark progressiv gestaffelt ist, und mindestens 3 % beträgt, aber
bis auf 8 % und noch höher hinaufgehen kann. Diese Unterschreitung
der Normaldeckung hat wieder Einfluß auf den Diskontsatz, der
mindestens 5 % betragen muß, wenn die Deckung während einer
Woche oder länger unter 40 % beträgt.

Diese Bestimmung bedeutet einen Fortschritt gegenüber der
früheren starren Dritteldeckungs-Vorschrift. Für die Durchführung
auch der strengen Goldwährung ist diese Dritteldeckung nicht notwendig. Sowohl das ganz starre englische System mit voller Bardeckung der Noten, wie auch das deutsche System der Dritteldeckung
ist überflüssig. Viel zweckmäßiger ist es, der Bankleitung eine gewisse Freiheit zu lassen, welchen Barvorrat sie zur Deckung der Noten
für notwendig erachtet. Man hätte in dieser Dehnbarkeit der
Deckungsvorschriften noch weitergehen können, als das im neuen
Bankgesetz geschehen ist. Aber durch die neuen Bestimmungen ist
die Leitung der Deutschen Reichsbank vor eine schwierige, wichtige
und verantwortungsvolle Aufgabe gestellt, die sie wiederum nur in
verständnisvollem Zusammenwirken mit den Bankleitungen der
anderen Länder wird lösen können. Es scheint mir zwar übertrieben
zu sein, wenn behauptet wird, daß die Devisen nicht dieselbe Sicherheit der Deckung bieten wie Goldmünzen, aber es muß auf strenge
Sichtung des Devisenmaterials geachtet werden und zugleich auch
darauf, den Goldvorrat so groß zu halten, daß die Normaldeckung
nicht häufig unterschritten wird, schon wegen der Gefahr des hohen
Diskonts für die Kreditgewährung. Besonders wichtig ist die Inne-
haltung dieser Deckungsvorschriften, weil die Reichsbank vorläufig
noch nicht zur Bareinlösung der Banknoten verpflichtet ist. Deutschland kann die Gefahr einer Rückkehr zur Papiergeldwirtschaft nur
vermeiden, wenn ihm auch die Möglichkeit gegeben ist, den nötigen
Vorrat an Gold und Devisen zu halten.

Dieser Zustand der Goldkernwährung ist aber nur als vorläufiger gedacht. Sobald es die Umstände erlauben, soll der Übergang zur reinen Goldwährung erfolgen, und mir scheint auch im Interesse der endgültigen Sanierung der deutschen Währungsverhältnisse es dringend erforderlich, dieses Endziel der reinen Goldwährung beharrlich im Auge zu halten. Aber, so könnte eingewandt werden, ist es nicht möglich, bei der Goldkernwährung zu bleiben, und stellt diese nicht eine bessere Währung dar als die reine Goldwährung? Tatsächlich wird diese Behauptung von einzelnen Geldtheoretikern aufgestellt. Ich werde mich daher im folgenden Abschnitt mit diesen Anschauungen auseinandersetzen müssen und zugleich in einer Kritik der Goldkernwährung meine Anschauung zu beweisen suchen, daß ihr gegenüber die reine Goldwährung den Vorzug verdient.

13. Kapitel.

Die Gegner der Goldwährung.

V o r b e m e r k u n g.

Die Frage, wie die deutsche Währung nach dem Kriege geordnet werden soll, wurde in der Fachpresse und in Broschüren lebhaft erörtert. Dabei wurde auch der Standpunkt vertreten, daß wir die Grundlagen unseres Geldsystems, die Goldwährung, aufgeben und zu einem neuen Währungssystem übergehen sollten. Diese Forderung wurde keineswegs aus dem Gesichtspunkte heraus vertreten, daß wir wegen der Schwierigkeiten der Goldbeschaffung und aus Gründen der Zahlungs- und Handelsbilanz genötigt seien, die Goldwährung preiszugeben, also gezwungenermaßen ein weniger gutes Währungssystem annehmen müßten, sondern aus dem Grunde, weil die vorgeschlagene neue Währung Vorzüge gegenüber der Goldwährung besäße und wir die Gelegenheit des Friedensschlusses zu dem Übergang zu einem höheren und besseren Währungssystem benutzen müßten. Es ist dafür bezeichnend, daß die meisten der Autoren, die während des Krieges mit solchen Forderungen hervorgetreten sind, schon vorher solche währungspolitischen Vorschläge vertreten hatten und dann behaupteten, daß die Erfahrungen des Krieges die Richtigkeit ihrer Meinung bewiesen hätten.

Diese Währungsreformer vertreten untereinander grundverschiedene Meinungen und Vorschläge. Die Gruppe, die am wenigsten das bisherige Goldwährungssystem ändern will, ist die, welche die Goldkernwährung fordert, d. h. den während des Krieges bestehenden Zustand zu einem dauernden machen wollte. Es soll also nicht die Goldwährung gänzlich beseitigt, sondern sogar in gewisser Hinsicht beibehalten werden insofern, als ein großer Goldschatz bei der Reichsbank bestehen bleiben soll mit der doppelten Aufgabe, für die Zahlungen nach dem Auslande einen Reservevorrat zu bilden und gleichzeitig zur Deckung der Banknoten zu dienen, die aber — und darin liegt die prinzipielle Abkehr von der früheren Goldwährung — nicht mehr in Gold eingelöst werden sollen.

Die andere Gruppe geht wesentlich weiter. Sie will überhaupt von jeder Golddeckung der Noten und des Papiergeldes absehen und will auch für die Auslandszahlungen nur teilweise einen geringen Goldvorrat reservieren, auch den Auslandsverkehr großenteils durch Devisen und Effekten erledigen. Man kann diese als Vertreter der Papierwährung bezeichnen.

Ich will einige Vertreter der einzelnen Gruppen zu Worte kommen lassen.

§ 63. Heyn und sein Plan der Goldkernwährung[1]).

H e y n geht davon aus, daß nach dem Kriege ein sehr bedeutender Goldbedarf eintreten werde, wenn wir die Goldwährung beibehalten wollten. Unter der Voraussetzung, daß der Parikurs unserer Valuta wieder hergestellt sei und daß die Verhältnisse des Geldbedarfes sich wieder normal gestaltet hätten, nimmt er an, daß unser Goldbedarf infolge der Steigerung der Preise nach dem Kriege größer sein werde als vorher. Um aber den günstigsten Fall zu setzen, geht er davon aus, daß die Verhältnisse nach dem Kriege denjenigen vor dem Kriege glichen. Dann müßte die Reichsbank die aus dem Verkehr ihr zugeflossene Menge Gold, die auf 1570 Mill. Mk. zu schätzen sei, wieder hergeben. Da sie außerdem für den Kriegsschatz und für den Bedarf der neu anzugliedernden Gebiete noch weitere 400 Mill. hergeben müßte, so blieben von dem auf 2469 Mill. angewachsenen Goldschatz der Reichsbank nur noch etwa 500 Mill. Mk. übrig; dies wäre aber nicht ausreichend für die Aufrechterhaltung der Dritteldeckung der Noten, zumal die Notenmenge wegen der neuangegliederten Gebiete sich noch vergrößern müßte, so daß mindestens ein Goldschatz von 1000 Mill. Mk notwendig wäre; einbezüglich einer für Zeiten höchsten Bedarfs nötigen Reserve von etwa 200 Mill. Mk. müßten also zu den 500 Mill. noch ca. 700 Mill. Mk. neu beschafft werden.

Aber auch diese großen Opfer müßten gebracht werden, wenn wirklich die Aufrechterhaltung der Goldwährung eine Notwendigkeit wäre. Dies bestreitet H e y n. Er meint, daß nach dem Kriege die Wahl zwischen zwei Systemen offen stünde. Entweder: eine verhältnismäßig schwache Goldwährung mit Goldumlauf, deren Herstellung also noch einen Aufwand von 700 Mill. Mk. erfordern würde. Oder: eine starke Goldkernwährung, d. h. eine Währung mit starkem „Goldkern" in der Reichsbank (2000—2200 Mill. Mk. ohne Kriegsschatz), wobei der innere Goldumlauf mit Noten, die nicht in bar eingelöst zu werden brauchten, gesättigt würde und der Goldschatz der Reichsbank für den Zahlungsverkehr mit dem Auslande reserviert bliebe. H e y n entscheidet sich für die zweite Lösung und behauptet, daß dieses uneinlösliche Notengeld die Funktionen des Geldes nicht nur ebensogut, sondern besser als das Goldgeld der Goldwährung erfülle. Indem der Staat dieses Papiergeld mit der Fähigkeit ausstatte, Geldschulden vom gleichen Nominalbetrage zu decken, erlange es Brauchbarkeit und Kostspieligkeit. Brauchbar sei es zweifellos wegen seiner gesetzlichen Zahlkraft, kostspielig deshalb, weil der Staat dieses Papier nicht umsonst abgebe, also die Beschaffenheit eines solchen Papiers den Staat etwas koste. Der Preis des staatlichen Notengeldes werde sich auf der Höhe des früheren Metallgeldes halten können, denn der Staat, der Noten im Nennwert von einer Mark ausgebe und diese mit gesetzlicher Zahlkraft in entsprechender Höhe ausstelle, werde diese Noten nur zu demselben Werte ausgeben wie früher das Effektivgeld. Also wenn z. B. eine Mark der Goldwährung den Wert von etwa 40 Stück Weißbrötchen verkörpert hätte, so werde der Staat auch die Eine-Mark-Note auf diesem Werte halten: „Die Empfänger werden das

[1]) Unser Geldwesen nach dem Kriege. Von Dr. O t t o H e y n , Nürnberg. Finanzwirtschaftliche Zeitfragen, herausg. von S c h a n z und W o l f , 28. Heft. Stuttgart, Ferd. Enke, 1916.

neue Notengeld teils zu diesen Preisen annehmen m ü s s e n , weil
sie als Kreditgeber des Staates oder als Staatsdiener oder aus sonstigen Gründen das nicht weigern können, teils werden sie es f r e i -
w i l l i g dazu annehmen in dem Bewußtsein, daß das Notengeld
den gleichen Nennwert und die gleiche gesetzliche Zahlungskraft
besitzt wie das frühere Metallgeld, und in der Erwartung, daß es
auch die gleiche Kaufkraft erlangen werde." Herrschte aber solches
Vertrauen zu dem neuen Gelde, so würden auch bei Kreditgeschäften
keine Goldklauseln und keine höheren Preise vereinbart. Bei dieser
Sachlage bliebe die Basis, die gesetzliche Zahlungskraft, unverändert.
Aber auch die weiteren Elemente des Wertes, die Beschaffungskosten
und die Kaufkraft, blieben die gleichen, denn der Staat werde darauf
bedacht sein, das Notengeld so teuer wie möglich abzugeben, und
solange das geschehe, hätten auch die anderen Besitzer von Notengeld keinen Grund, dasselbe billiger abzugeben, als das ehemalige
Metallgeld. Solange das Vertrauen zum Papiergeld erhalten bleibe,
sei seine Kraft ebenso groß wie die des Goldgeldes, an dessen Stelle
es trete. Das nötige Vertrauen läge aber bei einer Goldkernwährung
in dem großen Goldschatz der Zentralbank, der zwar niemandem
zugänglich sei, aber doch dieses Vertrauen stütze. Falsch sei es,
anzunehmen, daß das Goldgeld größere Wertstabilität habe gegenüber Papiergeld. Zwar sei das Goldgeld dem Mißtrauen zweifellos
weniger ausgesetzt, als ein aus Papier bestehendes Geld, aber die
Erfahrungen des Krieges in Deutschland, ebenso wie die längeren
Erfahrungen in Österreich-Ungarn hätten gezeigt, daß auch dem
nichteinlöslichen Geld volles Vertrauen zuteil werde, wenn nur das
zur Deckung bestimmte Gold vorhanden sei, auch wenn es nicht zur
Einlösung zur Verfügung stände.

Der Zustand der Goldkernwährung sei sogar sicherer als der
der Goldwährung mit Gold- und Notenumlauf, weil die Gefahr einer
massenhaften Präsentation der Noten zur Einlösung, also die Möglichkeit eines Run auf die Notenbank entfiele. Ein Vorteil der
Papierwährung sei ferner, daß jede Gefahr einer Thesaurierung, d. h.
einer Zurückhaltung der Goldmünzen wegfiele, da niemand Interesse
daran habe, Papiergeld aufzusammeln. — Die Gefahr einer Geldknappheit sei bei einer Goldwährung immer vorhanden, woraus
häufig die hohen Diskontsätze resultierten. Diese Gefahr sei bei einer
Goldkernwährung mit reichlichem Goldschatz bedeutend geringer.
Die umgekehrte Möglichkeit eines Geldüberflusses infolge der Zuvielausgabe von Geld sei allerdings bei einer Goldkernwährung mit aus-
schließlichem Papiergeldumlauf größer als bei einer Geldwährung.
Aber dieser Gefahr ließe sich durch allerlei staatliche Maßnahmen
begegnen, z. B. durch Fixierung eines Maximums des Notenumlaufs.
Die Gefahr werde auch immer geringer, je mehr die Ausdehnung
des Kredits in „vernünftigen" Grenzen gehalten werde. Die Stabilität des Wertverhältnisses des inländischen Geldes könne ebenso
leicht wie bei der Goldwährung bei der Goldkernwährung durch eine
geschickte Devisenpolitik erreicht werden, wie die Erfahrungen
Österreich-Ungarns der letzten 20 Jahre ergeben hätten. Die Chancen
der Aufrechterhaltung eines stabilen Wechselkurses seien sogar bei
einer Goldkernwährung noch größer als bei einer Goldwährung, da
viel mehr Gold abgegeben werden könne, um den Kurs zu halten,
denn bei der Goldwährung sei wegen der Golddeckung und der

Einlösungspflicht der Noten die Goldreserve zur Stabilisierung der Wechselkurse geringer als bei der Goldkernwährung, bei der die Goldreserve ausschließlich dem Zwecke der Stabilisierung der Wechselkurse dienen könne. Die Goldkernwährung ermögliche auch eine bessere Kriegsrüstung einerseits durch das Vorhandensein eines großen Goldschatzes im unmittelbaren Besitze der Landesregierung und anderseits durch die Gewöhnung der Bevölkerung an denjenigen Zustand des Geldwesens, der im Kriege notwendig eintreten müsse: an den ausschließlichen Umlauf in Notengeld.

Die Kritik H e y n s muß anknüpfen an seine Theorie des Geldwertes, die er in mehreren Arbeiten dargelegt hat[1]).

H e y n hat den springenden Punkt in dieser ganzen Kontroverse durchaus richtig erfaßt, wenn er betont, daß das V e r - t r a u e n zum Geld vorhanden sein müsse, und daß das Geld ein D i n g v o n W e r t sein müsse, wenn dieses Vertrauen erhalten bleiben solle. Die Frage lautet also: Ist auch bei einem stoffwertlosen Gelde das genügende Vertrauen vorhanden, oder ist aus diesem Grunde eine Metallwährung vorzuziehen? H e y n steht auf dem Standpunkte, daß dieses Vertrauen auch bei einer Währung mit Zettelumlauf ebenso gefestigt sei wie bei der Metallwährung. Seine erste These lautet: ,,Das Geld muß einen wirtschaftlichen Wert haben, und es muß dieser Wert auch so beschaffen sein, daß in den in Geld ausgedrückten Preisen das reale, durch Angebot und Nachfrage bestimmte Wertverhältnis der einzelnen Waren zueinander richtig zum Ausdruck kommt, und daß Veränderungen der Preise Veränderungen von Angebot und Nachfrage nach Waren richtig anzeigen.'' Mit dieser These bin ich einverstanden, und die Polemik, die H e y n hier gegen B e n d i x e n führt, ist durchaus zutreffend. Gegenüber der Behauptung B e n d i x e n s , die Ansicht, daß Geld Vertrauen genießen müsse, beruhe auf einem Denkfehler, wird von H e y n mit Recht gesagt: ,,Das Volk muß auch die Überzeugung haben, daß dem Gelde die gleiche Zahlkraft für Rechnungen und Steuern (also zur Schuldentilgung) auch für die (nahe und ferne) Zukunft verbleiben wird, und daß mit gleichen Fähigkeiten ausgestattetes Geld in Zukunft nicht werde billiger beschafft werden können (wie es z. B. zur Zeit der Assignaten nach und nach möglich war); das Volk darf ferner nicht die Meinung hegen, daß die Kaufkraft dieses Geldes durch ,,Ursachen auf der Geldseite'', vor allem durch übermäßige Vermehrung seiner Menge, die ja stets als solche Ursache bezeichnet wird, beeinträchtigt und herabgesetzt werden würde[2]).'' Mit demselben Recht weist H e y n an anderer Stelle[3]) die irrige Meinung von B e n d i x e n zurück, daß das Geld nur ein ,,einfaches Rechnungsmittel'', eine Art Spielmarke sei. Wer sich über die Funktionen des Geldes klar ist, muß auch darüber klar sein, daß das Geld ein Ding von Wert sein muß; da das Geld, wie H e y n richtig hervorhebt, vor allem die Aufgabe des allgemeinen Tauschmittels hat, also einen einheitlichen und einfachen Ausdruck der

---

[1]) 1. Theorie des wirtschaftlichen Wertes, Berlin 1899; 2. Papierwährung mit Goldreserve für den Auslandsverkehr, Berlin 1894; 3. Irrtümer auf dem Gebiete des Geldwesens, Berlin 1900.

[2]) Unser Geldwesen nach dem Kriege, Stuttgart 1916, S. 34, Anhang.

[3]) Zur Frage der Eliminierung des Wertproblems aus der Geldtheorie. Zeitschrift für Sozialwissenschaft, 1913. S. 27 ff.

Preise aller zum Angebot gebrachten und nachgefragten Güter in Mengen derselben Einheit zu ermöglichen, so muß es auch ein Ding sein, welches Wert hat, und zwar Wert von der Art, wie der Wert der Gegenstände des wirtschaftlichen Verkehrs.

Die zweite These H e y n s lautet: Das Geld braucht nicht Stoffwert zu haben: „worauf dieser Wert (d. h. der Wert des Geldes) beruht, ist an sich gleichgültig. Er braucht an sich nicht „Substanzwert" zu sein. Es ist also an sich nicht notwendig, daß das Geld einen besonderen „Stoffwert" hat, d. h. daß es auf Grund seiner stofflichen Brauchbarkeit Wert besitzt, oder in dem Sinne, daß es seiner körperlichen Eigenschaft wegen auch noch zu anderen Zwecken als zur Ausübung der Geldfunktion geeignet wäre, wie z. B. das Goldgeld als Edelmetall zu industriellen Zwecken, noch in dem Sinne, daß es sich ganz besonders oder allein zur Herstellung von Münzen als Repräsentanten des Goldes eignete, und daß diese spezielle Brauchbarkeit (neben der „Kostbarkeit"), indem sie die Nachfrage des Staates zum Zwecke der Versorgung des Verkehrs mit den erforderlichen Geldzeichen hervorriefe, ihm seinen Wert verliehe[1]." — Auch dieser These kann ich zustimmen, soweit das Geld als s t a a t l i c h e s Z a h l u n g s m i t t e l betrachtet wird. In der Tat kann der Staat allen Dingen die Eigenschaft als Geld geben; es steht durchaus in seiner legislatorischen Macht, auch Papierzetteln gesetzliche Zahlungskraft und damit die Qualität als Geld zu verleihen. Das Geld als gesetzliches Zahlungsmittel braucht keinen Stoffwert zu haben; ob es aber auch seine wichtige Funktion, als Preisfixierungs- und Preisvergleichungsmittel zu dienen, erfüllen kann, ist eine andere Frage. Diese Frage entscheidet sich danach, ob das stoffwertlose Geld dasselbe V e r t r a u e n und dieselbe r e l a t i v e W e r t s t a b i l i t ä t genießen kann, wie das Geld mit Stoffwert. H e y n behauptet, daß dieses der Fall sei, und zwar will er die Wertbasis des Papiergeldes darin finden, daß er die Elemente des Güterwertes auch beim Papiergeld als vorhanden annimmt. Den allgemeinen Gesetzen der Preisbildung der Güter unterliege auch das Papiergeld; da nach diesen allgemeinen Gesetzen „Brauchbarkeit" und „Kostspieligkeit" die Bestimmungsgründe des Güterwertes seien, müßten diese auch beim „guten" Papiergeld aufgezeigt werden. Wenn H e y n diese elementaren Vorbedingungen der Wertbildung auch beim Papiergeld vorfindet, so kann ich ihm auch hierin zustimmen. Zweifellos ist es „brauchbar", da man mit diesem Gelde Schulden und Steuern zahlen kann, zweifellos hat es auch „Kostspieligkeit", denn wenn auch die Kosten der Herstellung so gut wie Null sind, so kann man doch die Kostspieligkeit darin finden, daß der Staat selbst das Papier möglichst teuer zu verwerten sucht und es daher nur gegen Güter, die Kosten verursacht haben, hergeben wird. Dies alles kann zugegeben werden, aber der Irrtum H e y n s und anderer Vertreter der nominalistischen Theorie liegt in der Beurteilung der H ö h e des Wertes des Papiergeldes. Daß das Papiergeld überhaupt einen Wert hat, soll nicht bestritten werden, wohl aber, daß die Höhe des Wertes beim Papiergeld ebenso richtig und zweckmäßig sich bilden kann, wie beim Metallgeld. Daß der Staat, wie H e y n meint, die Absicht und den guten Willen hat,

---

[1] Die Erfordernisse des Geldes. Zeitschr. f. Sozialwissenschaft, 1911, S. 152.

die Höhe des Papiergeldes möglichst stabil zu erhalten mit der
Höhe des Wertes des Metallgeldes, an dessen Stelle es tritt, ist richtig,
aber es ist in höchstem Maße zweifelhaft, ob diese Absicht gelingen
kann. H e y n s Argumentation, daß die Empfänger des Notengeldes
als Beamte dieses Geld zu demselben Werte annehmen müssen wie
das Metallgeld, ist richtig, aber das alles bezieht sich nur auf den
N o m i n a l w e r t. Über den R e a l w e r t hat der Staat keine
Macht. Die wirkliche Kaufkraft des Geldes kann er niemals bestimmen, da sie sich aus der Preisbildung der Waren selbst ergibt.
Nun behauptet H e y n , die Leute würden auch das Papiergeld
zu demselben Werte annehmen in der E r w a r t u n g , daß es die
gleiche Kaufkraft haben werde wie das Metallgeld. Gerade diese
Erwartung ist aber lediglich Vertrauenssache, und dies ist der Punkt,
wo die Papierwährung immer gegenüber der Metallwährung im Nachteil sein muß. Papiergeld ist reines Vertrauensgeld, Metallgeld ist
Geld von realem Wert. In einem Stück Metallgeld besitzt jedermann
ein reales Gut, dessen Wert durch den Geldkörper bestimmt ist. In
einem Stück uneinlöslichen Papiergeldes, das der Staat zu einem
bestimmten Nominalwerte ausgibt, besitzt jemand nur eine Anweisung, sich Güter in der Höhe dieses Nominalbetrages einzutauschen. Wieviel solcher Güter er eintauschen kann, hängt von
der Bildung der Warenpreise ab. Für diese ist aber die Höhe des
Geldwertes wiederum von entscheidender Bedeutung. — Bei der
Goldwährung ist es ein Stück Edelmetall, dessen Wert in letzter
Linie entscheidend ist, bei der Papierwährung das Vertrauen, daß
es dem Staate gelingt, den Wert des Papiergeldes auf der Höhe des
Nominal(Metall-)wertes zu erhalten. Ist aber jemals anzunehmen,
daß der Wert eines Vertrauensgeldes so hoch steht, wie der Wert
eines Realgeldes? Dies ist um deswillen ausgeschlossen, weil die
M e n g e des auszugebenden Papiergeldes immer von der Willkür
des Staates abhängt. Sobald dieser die Möglichkeit hat, ein Geld
ohne ,,Kosten" herzustellen, ist immer das Mißtrauen vorhanden,
daß diese Menge leicht vergrößert werden kann, daher ist immer
eine Tendenz zur Entwertung des Papiergeldes möglich: ,,Die Werterhaltung, und damit das gedeihliche Funktionieren des Notengeldes,
ist aber — ebenso wie die Werterhaltung jedes anderen Gutes —
dadurch bedingt, daß nicht nur die Grundlagen seines Wertes in
Wirklichkeit unverändert erhalten bleiben, sondern daß auch der
Glaube hieran nicht ins Wanken gerät[1])." Dieser Glaube ist bisher
stets ins Wanken geraten. H e y n legt viel zu einseitig das Gewicht
auf die Staatsmacht und die gute Absicht des Staates, die Wertstabilität zu erhalten. Er sagt: ,,Daß der Staat diese gesetzliche
Zahlkraft nicht herabsetzt und daß er selbst nach wie vor das neue
Geld zum Nominalwert annimmt, versteht sich in einem geordneten
Staatswesen, das es mit seiner Pflicht der Regelung des Geldumlaufs
genau nimmt, von selbst. Bei dieser Sachlage bleibt dann aber die
Basis des Geldwertes, die g e s e t z l i c h e Z a h l k r a f t , unverändert und wird ihre Verwertbarkeit, sowohl was das Anwendungs-
gebiet, als auch was die Bedingungen der Anwendung anlangt, in
dem früheren Umfang erhalten[2])."

---

[1]) Zur Verteidigung der Chartaltheorie des Geldes, in C o n r a d s Jahrbüchern, 51. Bd., S. 781.
[2]) Ebenda.

Woran muß diese gute Absicht des Staates immer wieder scheitern? Machen wir uns klar, was der Staat auf diesem Gebiete leisten kann. Er kann immer nur dekretieren: dieses Papier hat den und den Nominalwert, z. B. hundert Mark. Dafür muß jeder Bürger bei allen Zahlungen den Schein annehmen, aber wieviel an Waren er für diesen Schein erhält, dies zu bestimmen, liegt nicht in der Macht des Staates, wenn nicht unsere ganze individualistische Gesellschaftsordnung preisgegeben werden soll. Der Staat kann zweierlei nicht hindern: 1. Wenn jemand z. B. beim Kauf einer Ware einen solchen Schein zu 100 Mk. dem Verkäufer gibt, kann der Verkäufer sagen: wenn du mir statt in Papier in Gold zahlst, bin ich mit 98 Mk. zufrieden. Das ist die allgemein bekannte Erscheinung des Agios des Metallgeldes, des Disagios des Papiergeldes. Sollte aber der Staat etwa durch scharfe Strafbestimmungen Zahlungen in Metallgeld ganz verbieten oder alles Metallgeld einziehen, so kann er keinesfalls hindern, daß 2. die Preise sich dann ganz allein und ausschließlich nach dem Werte dieses Papiergeldes, d. h. eines reinen Vertrauensgeldes, bilden. Auch die denkbar beste Organisation der Papiergeldausgabe wird eine starke Erhöhung aller Warenpreise nicht hindern können, und diese Preiserhöhung ist um deswillen volkswirtschaftlich bedenklich, weil sie nicht auf den realen Ursachen der Marktpreisbildung, also z. B. auf der Knappheit der Waren beruht, sondern auf einer Entwertung des Tauschmittels infolge des mangelnden Vertrauens zum Papiergelde. Insofern stimme ich durchaus Lansburgh zu, wenn er diese Einwendung einmal in die kurze Formel kleidet: ,,Alles, was die Staatsgewalt dem Gelde gegenüber vermag, ist auf das rein ‚D e k l a r a t o r i s c h e‘ beschränkt, dagegen vermag der Staat nichts in ‚valorisatorischer‘ Hinsicht[1]).‘‘

Die theoretischen Mängel der H e y n schen Auffassung treten noch klarer hervor, wenn wir seine praktischen Reformvorschläge und ihre Begründung kritisch betrachten. Sein wichtigster Vorschlag geht dahin, unseren heutigen Kriegswährungszustand auch im Frieden beizubehalten, d. h. es soll ein Goldschatz bei der Reichsbank aufbewahrt werden, der dem Zweck dienen soll, die auswärtigen Wechselkurse auf dem Paristande zu erhalten und außerdem durch sein bloßes Dasein ein gewisses Vertrauen zu der Sicherheit der umlaufenden Noten zu gewähren. Diese Noten sollen aber nicht in bar einlöslich sein.

Vorsichtiger als in der Broschüre ,,Unser Geldwesen nach dem Kriege‘‘ drückt sich H e y n in dem Aufsatz ,,Der Goldschatz der Reichsbank und seine Bedeutung im Kriege und nach dem Kriege‘‘[2]) aus. Dort sagt er, daß es zwei Wege gäbe, um dem Ziele der Entgoldung des Verkehrs näher zu kommen. Der eine sei folgender: ,,Das Nächstliegende wäre es, den jetzigen Zustand, bei welchem die Reichsbank von der Verpflichtung zur Einlösung der Noten in Gold entbunden ist, unverändert fortbestehen zu lassen. Dann würde der Goldschatz der Reichsbank auch in Zukunft für den Inlandsverkehr gesperrt sein und von niemandem mehr in Anspruch genommen werden können. Der Reichsbank würde lediglich die Verpflichtung auferlegt werden, für die Aufrechterhaltung der Parität und für die Stabilität der Wechselkurse gegenüber dem Auslande zu sorgen und

---

[1]) Die Kriegskostendeckung und ihre Quellen. Berlin 1915. S. 55.
[2]) Zeitschrift für Sozialwissenschaft, 1916, Heft 1.

deshalb für Ausfuhrzwecke Gold abzugeben[1])." H e y n hat jedoch selbst Zweifel, ob bei diesem Zustand der Währung unser Kredit im Auslande aufrechterhalten bliebe. Er gibt daher noch einen zweiten Weg an, den er als den besseren bezeichnet: „Besser wäre es aber immerhin, wenn die E i n l ö s b a r k e i t d e r N o t e n i n G o l d w i e d e r h e r g e s t e l l t werden würde. Damit würde allerdings die bisherige Sperre des Goldschatzes der Reichsbank aufgehoben und dieser rechtlich dem Zugriff auch der inländischen Interessenten preisgegeben werden. Wenn es aber als E h r e n - p f l i c h t jedes Deutschen hingestellt würde, auf die Verwendung von Gold in freiem Verkehr so lange zu verzichten, als der Goldschatz der Reichsbank unter 2400 Mill. Mk. betrage, so würde niemand es wagen, sich diesem ungeschriebenen Gesetz zu entziehen. Welchen Zwang die öffentliche Meinung in dieser Beziehung ausübt, das haben wir ja eben erst wieder bei den Goldsammlungen für die Reichsbank gesehen. Dem Ausländer würde dieses ungeschriebene Gesetz nicht im Wege stehen, er würde, wenn er die bei der Präsentation seines Wechsels oder bei der Einziehung einer sonstigen Forderung zunächst erhaltenen Noten zur Einlösung präsentierte, ohne weiteres Gold erhalten, wie ja auch die Reichsbank zur Aufrechterhaltung des Parikurses unserer Mark stets Gold abgeben soll. Damit wäre aber die Einlösung der Auslandsforderungen in Gold sichergestellt, Deutschland nach wie vor ein Land mit effektiver Goldwährung, sein Kredit als solcher gerettet. Wir würden also unser Ziel der Konzentrierung unseres Goldbesitzes ohne irgendeinen anderen Nachteil als den Verzicht auf ein schönes und bequemes Umlaufsmittel erreichen[1])."

Was den Plan der Goldkernwährung anlangt, so ist sie ja durchaus nichts Neues. Bereits R i c a r d o hatte sich in verschiedenen Schriften zugunsten einer Goldkernwährung ausgesprochen und wir wollen, bevor wir in eine Kritik der Goldkernwährung eintreten, die Gedanken R i c a r d o s darlegen.

§ 64. Ricardo als Vertreter der Goldkernwährung.

Der Plan der Einführung einer Goldkernwährung an Stelle der reinen Goldwährung hatte bereits in der Zeit der englischen Bankrestriktion in R i c a r d o einen energischen Verteidiger gefunden.

Wir sahen, daß in der Übergangszeit von 1819—1823 die Einlösung nur gegen Barren, nicht gegen Goldmünzen gesetzlich vorgesehen war. Diesen Zustand verlangte R i c a r d o als einen dauernden; er meinte, auf diesem Wege dem Ideal einer Währung, die möglichst wenig Metall erfordern soll, nachzukommen. In seiner 1816 erschienenen Schrift „Proposals for an economical and secure Currency", die schon am 26. Juni 1815, also vor der gesetzlichen Wiedereinführung der Goldwährung abgeschlossen war, schlug er eine völlige Neuordnung des Geldwesens vor. Er erblickt den Fortschritt im Geldwesen darin, daß es sich mehr und mehr vom Gebrauch des Edelmetalls emanzipiere und diesen wertvollen Gegenstand durch einen wertlosen ersetze; so groß der Fortschritt gewesen sei, der durch Annahme der Edelmetalle zu Geldzwecken erreicht worden wäre, ein weiterer Fortschritt müsse in der Ersetzung der Edelmetalle durch Papier bestehen.

---

[1]) Zeitschrift für Sozialwissenschaft, 1916, Heft 1, S. 40.

Solange die Edelmetalle die Währungsgrundlage unseres Umlaufsmittels bilden, muß das Geld notwendigerweise dieselben Wertveränderungen durchmachen wie jene Metalle. Daß die Edelmetalle doch für längere Zeiträume verhältnismäßig wertbeständig blieben, bildete wahrscheinlich den Grund, warum man sie in allen Ländern als Wertmaß für die anderen Güter bevorzugte.

Ein Umlaufsmittel kann als vollkommen angesehen werden, wenn seine Grundlage (Standard) wertbeständig ist, wenn es immer mit ihm gleichwertig und wenn sein Gebrauch mit der größten Sparsamkeit verbunden ist.

Ein Papierumlauf hat gegenüber einem Metallumlauf nicht zuletzt den Vorteil, daß man seine Menge sehr leicht verändern kann, wie es gerade der Bedarf des Handels und zeitweilige Umstände erfordern können; dadurch kann das erstrebenswerte Ziel, den Geldwert stabil zu erhalten, auf praktische, sichere und billige Art erreicht werden[1].

Abgesehen von allen anderen Vorteilen, die mit der Verwendung von Papiergeld verbunden sind, kann durch eine einsichtsvolle Regulierung der Menge ein Grad von Wertbeständigkeit des Umlaufsmittels, womit alle Zahlungen geleistet werden, gesichert werden, wie es durch kein anderes Mittel zu erreichen ist[2].

Gleichzeitig spricht sich aber R i c a r d o scharf gegen jede Form der reinen Papierwährung aus. Gegen die Lehre S t e u a r t s, der eine reine Papierwährung empfahl, bemerkte er: „Dieser Gedanke einer Währung ohne eine bestimmte Grundlage (specific standard) wurde — wie ich glaube — zuerst von Sir J a m e s S t e u a r t vorgebracht, aber noch niemand konnte einen Beweis dafür erbringen, daß ein solches Geld wertbeständig erhalten werden könne. Die, welche dieser Ansicht beigepflichtet haben, haben eben nicht gesehen, daß eine solche Währung nicht nur nicht unveränderlich, sondern gerade den größten Schwankungen ausgesetzt wäre, — daß der einzige Nutzen einer Währungsgrundlage darin besteht, die Menge und vermittels der Menge den Wert der Umlaufsmittel zu regeln, — daß dieser ohne Währungsgrundlage allen Schwankungen ausgesetzt wäre, denen die Unwissenheit oder die Interessen der Ausgeber ihn ausliefern würde[3]."

Das Publikum gegen jede Änderung im Geldwerte zu sichern, ausgenommen diejenige, welcher die Währungsmünze selbst ausgesetzt ist und gleichzeitig den Geldumlauf mit dem billigsten Mittel einzurichten, hieße den vollkommensten Zustand erreichen, zu dem ein Geldwesen gebracht werden könne, und wir würden alle diese Vorteile besitzen, wenn die Bank angehalten würde, u n g e m ü n z t e s Gold oder Silber zum Münzpreise im Austausche gegen ihre Noten herzugeben, anstatt Guineen abzuliefern; durch welches Mittel das Papier nie unter den Preis der Barren fallen könnte, ohne eine Verminderung seiner Menge zu bewirken.

Um das Steigen des Papiergeldes über den Wert der Barren zu verhindern, müßte die Bank auch verpflichtet werden, ihr Papier im Austausche gegen Gold zum Preise von 3 £ 17 sh. pro Unze herzugeben. Um der Bank nicht zuviel Mühe zu machen, sollte der

---

[1] Proposals, S. 397.
[2] Prop., S. 399.
[3] Prop., S. 400.

Betrag an Gold, der im Austausche gegen Noten zum Münzpreise von 3 £ 17 sh. 10½ d. gegeben werden müsse und der Betrag, der an der Bank zu 3 £ 17 sh. verkauft werden könne, nie weniger als 20 Unzen betragen. Mit anderen Worten, die Bank sollte verpflichtet sein, jede Menge Goldes, die ihr angeboten werde, im Betrage von nicht weniger als 20 Unzen, zum Preise von 3 £ 17 sh. per Unze zu kaufen und jede Menge zum Preise von 3 £ 17 sh. 10½ d. zu verkaufen[1]).

Wiederholt hat R i c a r d o diese Gedanken auch später vertreten: „My first preference is to have nothing but a paper circulation" — erklärt er vor dem Kommissionsausschusse von 1819[2]) — und die in Umlauf befindliche Goldmenge bezeichnete er wiederholt als „dead stock", welcher dem Lande verlorenginge.

An J o h n S i n c l a i r schrieb er am 11. Mai 1820[3]): „Ich stimme Ihnen betreffs der Vorteile des Papiers statt Münzumlaufs z u u n d i c h w ü n s c h t e n i c h t, d a ß j e m a l s e i n e a n d e r e W ä h r u n g i n d i e s e m L a n d e e i n g e f ü h r t w ü r d e. Aber wir gehen in bezug auf die Mittel, wie der Wert und Betrag des Papiers festgestellt werden sollte, auseinander. Ich glaube, der beste Weg ist, das Papier gegen Barren zu festem Satze einlösbar zu machen."

Deshalb bedauerte er auch, daß die Ausschüsse zum Resultat gekommen waren, Einlösung der Noten in M ü n z e zu verlangen. Ihm wäre die Verpflichtung der Bank zur Einlösung in Barren genügend erschienen, da er eben hoffte, das Publikum werde sich allmählich vom Metallgeld ganz emanzipieren. „Ich bedauere," schreibt er an T r o w e r[1]), „daß die Ausschüsse nicht die Maßnahme empfohlen haben, die Bank zu zwingen, Gold zum Preise von 3 £ 17 sh. 6 d. zu kaufen, wenn immer es ihnen zu diesem Preise angeboten wird — die Rückkehr zur Barzahlung scheint mir unnötig und wahrscheinlich mit keinem Vorteil verknüpft zu sein."

In dreierlei Richtung wich das Gesetz von 1819 von R i - c a r d o s Ideen ab:

1. Die Einlösung der Noten gegen Barren sollte nur vorübergehend, nicht d a u e r n d erfolgen, nämlich nur bis 1823.

2. R i c a r d o hatte die Wiederaufnahme der Barzahlungen mit einer Reduktion der Notenmenge verknüpfen wollen, was nicht geschah.

3. R i c a r d o hatte die Skala, wonach die Bank zunächst die Noten zum Preise von 4 £ 1 sh. per Unze Gold und erst allmählich zum Münzpreise einlösen sollte, für nicht nötig gehalten.

Die tatsächliche Entwicklung ·hat insofern R i c a r d o unrecht gegeben, daß auch ohne eine Verminderung der Notenmenge sich die Neuordnung des Geldwesens ohne Schwierigkeit vollzogen hat.

Auch vor dem Jahre 1819 war wiederholt für die Bank von England ohne Reduktion der Notenmenge die Möglichkeit der Wiederaufnahme der Barzahlungen vorhanden.

Die Direktoren der Bank von England zeigten sich schon 1817 bereit, die Barzahlungen aufzunehmen; denn in diesem Jahre hatte die

---

[1]) Prop., S. 405.
[2]) Briefwechsel, III, S. 110.
[3]) Ebendort, S. 33.

Bank einen größeren Barvorrat als jemals seit ihrer Errichtung[1]). „Die Lage der Bank in den Jahren 1816 und 1817", so heißt es in dem Berichte der Oberhauskommission von 1819[2]), „scheint den Direktoren Anlaß gegeben zu haben, im letzten Jahre durch zwei aufeinanderfolgende Bekanntmachungen ihre Absicht kundzugeben, ihre vor dem 1. Januar 1817 datierten Noten in bar einzulösen."

In dieser Zeit hatte aber die Bank von England keineswegs eine Verminderung ihrer Noten vorgenommen. Wie aus einem Berichte eines Direktors der Bank hervorgeht, hatte es die Bank während des ganzen Jahres 1817 nicht für nötig gehalten, irgendeine Reduktion ihrer Notenemission eintreten zu lassen, weder infolge der Wirkung der fremden Anleihen auf die Wechselkurse, noch wegen ihrer Zahlungen in Gold, gemäß den zwei oben erwähnten Bekanntmachungen. Tatsächlich überstieg die durchschnittliche Notenausgabe des Jahres 1817 um 1 700 000 £ die von 1816; die durchschnittliche Ausgabe des letzten Halbjahres 1817 überstieg die durchschnittliche Ausgabe des ersten Halbjahres um 1 870 000 und diese Vermehrung zusammen mit dem Aufschwung der Landbanken nach ihrer vorangegangenen Depression, hat wahrscheinlich die Menge des im Umlaufe befindlichen Geldes im zweiten Halbjahr 1817 über den Betrag anwachsen lassen, der im vorhergehenden Jahre vorhanden war[3]).

Die Wiederherstellung des Paristandes von Papier und Geld trat entgegen den Prophezeiungen R i c a r d o s ein, ohne daß eine Reduktion der Noten oder des Geldumlaufs überhaupt nötig war.

Bis Ende August 1819 — berichtet T o o k e — hatte keine Verminderung des Notenumlaufs stattgefunden, und doch war seit Februar der Preis des Goldes von 4 £ 1 sh. auf 3 £ 18 sh., also abgesehen von einem nicht nennenswerten Unterschiede, bis auf den Münzpreis gefallen. Was aber den Stand der Wechselkurse betrifft, die sich schon auf Pari befanden und fortwährend stiegen, so ließen sie keinen Zweifel über das Zuströmen edler Metalle, woraus also folgt, daß es keiner Verminderung des Notenumlaufs bedurfte, um den Änderungen des neuen Gesetzes nachzukommen.

Wenn R i c a r d o die Meinung vor dem Ausschusse vertrat, daß die Einlösung der Noten nur gegen Barren, nicht gegen Münze, eine d a u e r n d e und keine vorübergehende Maßnahme sein sollte, so ging er dabei von der Hoffnung aus, daß das Publikum sich so an den Gebrauch der Papierscheine gewöhnen werde, daß es überhaupt eine Einlösung der Noten nur in Ausnahmefällen vornehmen würde.

Vor der Kommission des Unterhauses wurde er gefragt[4]): „Sie haben gemeint, daß nur eine sehr kleine Menge Goldes oder Barren im Umlauf nötig sei, damit die Bank ihre Zahlungen wieder aufnehmen könne?" Er antwortete: „Das ist der Fall unter der Voraussetzung, daß eine Abmachung getroffen wird, wonach die Bank nicht gezwungen werden soll, ihre Noten in Münze zu zahlen, sondern in Barren; ich glaube, daß in diesem Falle eine sehr kleine

---

[1]) Lords Report, S. 4.
[2]) Commons Cash payments Reports 1819.
[3]) Einleitung zum Lords Report.
[4]) Commons Reports 1819, S. 141.

Menge Barren nötig sein würde, um die Bank in den Stand zu setzen, ihre Zahlungen aufzunehmen."

R i c a r d o betrachtete das bare Geld als den „dead part of our stock"[1]), und als er vor derselben Kommission über eine Modifikation seines Planes befragt wurde, dahingehend, daß die Bank zum Teil in Barren, zum Teil in Münze einlösen sollte, und ob unter solchem System eine große Menge G o l d m ü n z e zum Zwecke der Einlösung bereitgehalten werden müßte, sagte er aus[2]): „Dies ist eine schwer zu beantwortende Frage; ich sollte glauben, daß der Geschmack des Publikums für Papiergeld jetzt so befestigt ist, daß es wenig Neigung hätte, Goldmünze zu fordern und in diesem Falle würde eine sehr kleine Menge für alle Zwecke des Umlaufs genügen."

Vor der Kommission des Oberhauses gab er dann auch die ziffernmäßige Auskunft[3]): „Ich glaube, daß ein Vorrat von 3 Millionen bei guter Geschäftsführung reichlich genügend wäre unter der Voraussetzung einer Notenzirkulation von 24 Millionen."

Es liegt auf der Hand, daß dieser Betrag längst nicht einmal für die Bedürfnisse der inneren Zirkulation ausreichen könnte, d. h. für die Einlösungspflicht der Bank gegenüber den inländischen Noteninhabern; zudem ist aber noch ein großer Bedarf an Goldreserve für Goldzahlungen an das Ausland nötig.

An letztere allein denkt auch R i c a r d o , da er für die einheimische Zirkulation das Gold ganz entbehren zu können glaubte:. „Obgleich die Goldbarren dann als Wertmaß fungieren," erklärte er vor der Kommission des Oberhauses, „so glaube ich doch, daß sie niemals a l s   G e l d benutzt werden; alle unsere Geschäfte in Barren würden in unserem auswärtigen Handel sein und bei dem Gebrauch für unsere Manufakturen."

Wie gründlich auch hierin die Tatsachen R i c a r d o unrecht gaben, lehrt ein Blick auf den Stand des Noten- und Geldbestandes der Bank von England nach Aufhebung der Bankbeschränkung. Welche große Summen Geldes mußten oft ans Ausland versandt werden und wie oft war binnen kurzer Zeit ein weit größerer Geldvorrat als der von R i c a r d o als Höchstzahl angegebene in kürzester Zeit infolge der auswärtigen Zahlungsverpflichtungen völlig erschöpft!

Betrug doch — um nur einzelnes anzuführen — im Herbste 1830 der Barbestand der Bank von England 11 150 480 £, und in weniger als 18 Monaten wurden der Bank beinahe 7 Millionen entzogen. Es waren unerwartete große Barsendungen ins Ausland nötig geworden, bald infolge der Handelsbilanz, bald infolge der Finanz- operationen fremder Staaten[4]).

„Hätte", bemerkt hierzu T o o k e [5]), „der Barbestand beim Anfange nur die Hälfte oder selbst 7—8 Millionen betragen, so hätte, um ihm zu genügen, schon zu sehr gewaltsamen Maßregeln durch Verminderung der Unterpfänder und Einschränkung des Notenumlaufs gegriffen und der Geldmarkt außerordentlich gestört werden müssen."

---

[1]) Commons Reports 1819, S. 229.
[2]) Ebenda, S. 229.
[3]) Lords Report, 1819 S. 187.
[4]) T o o k e , I, S. 384.
[5]) T o o k e , I, S. 387.

§ 65. Kritik der Goldkernwährung.

Bevor ich mich zur Kritik der Goldkernwährung wende, muß ich einiges über Begriff und Wesen dieser Währung vorausschicken, weil die verschiedenen Befürworter dieses Währungssystems in ihren praktischen Vorschlägen auseinandergehen und weil auch die praktische Durchführung dieses Währungssystems in verschiedenartiger Weise vor sich ging.

Das Wesen der Goldkernwährung beruht auf einem n e g a - t i v e n Moment, nämlich darin, daß im inneren Zahlungsverkehr des Landes Goldmünzen nicht gebraucht werden, obwohl Gold die gesetzliche Währungsgrundlage bildet[1]). In allen übrigen Punkten kommen Modifikationen und Varianten bei der Goldkernwährung vor. Der „Goldschatz" oder der „Goldkern" kann sowohl in Goldbarren als auch in inländischen oder ausländischen Goldmünzen und auch in Golddevisen bestehen. Die Zahlungsmittel, die im Innern des Landes zirkulieren, sind in der Regel uneinlösliche Banknoten oder uneinlösliches Papiergeld oder auch Scheidemünzen. Das Wesentlichste ist, daß diese Geldsurrogate nicht in Goldmünze, also nicht in eigentlichem Währungsgeld einlöslich sind. Die Aufhebung der Einlösungspflicht der Noten oder des Papiergeldes in barem Geld scheint mir ein Kriterium der Goldkernwährung zu sein. M a c h l u p vertritt hier eine andere Auffassung. Nachdem er auf Österreich-Ungarn und Indien hingewiesen hatte, wo die Barzahlung bei der Goldkernwährung ausdrücklich suspendiert wurde, fährt er fort: „Diese ausdrückliche gesetzliche Suspension der Barzahlungen hat viele dazu verleitet, eben dies für ein oder für das wesentliche Merkmal der Goldkernwährung zu erklären. Und in einer Reihe von Schriften versuchte man die angeblichen Vorteile des Fehlens der Einlösungsverpflichtung darzulegen. Diese Auffassung ist die Folge einer krassen Verwechslung juridischer und ökonomischer Tatsachen. Denn ökonomisch relevant ist einzig und allein die Tatsache, ob die Einlösung in Wirklichkeit stattfindet oder nicht[2])." — Diese Auffassung halte ich für falsch: es gehört gerade zum Wesen der Goldkernwährung, daß die Einlösungspflicht der Noten weder de iuro noch de facto besteht. Zwar hat R i c a r d o ausdrücklich die Einlösungspflicht der Noten in Barren in seinem Plane gefordert, aber das steht nicht im Widerspruch zu meiner Behauptung, denn R i c a r d o ist trotzdem zu den Vertretern der Goldkernwährung zu rechnen, weil er die Barreneinlösung um deswillen fordert, weil die Barren nur für den Auslandsverkehr, nicht aber für den Inlandsverkehr bestimmt sein sollen.

Nachdem wir so das Wesen der Goldkernwährung erklärt haben, kommen wir zur kritischen Fragestellung, ob R i c a r d o und H e y n recht haben, wenn sie der Goldkernwährung vor der reinen Goldwährung den Vorzug geben. Auch M a c h l u p spricht sich zugunsten der Goldkernwährung aus: „Mit einer verhältnismäßig bescheidenen Menge Goldes ist nach all dem die Gold-

---

[1]) Übereinstimmend hiermit M a c h l u p , F r.: Die Goldkernwährung. Halberstadt 1925, S. 7: „Das wirklich Wesentliche, das für alle Goldkernwährungen typisch ist, ist aufzufinden, und wir finden es in einem Merkmale, das ein Negativum darstellt: dieses wesentlichste Merkmal ist die A b w e s e n h e i t e i n e s G o l d - u m l a u f e s."
[2]) M a c h l u p , a. a. O., S. 14/15.

währung durchführbar, ohne an Sicherheit zu verlieren[1]). Daß diese Goldersparnis[2]) als größter Vorteil der Goldkernwährung angesehen wird, ist wohl verständlich[3])." Und an anderer Stelle: „Daß zu einer wohlgesicherten Goldwährung ein Goldumlauf unentbehrlich sei, wird wohl nicht mehr behauptet werden können; ob ein Goldumlauf wünschenswert ist oder nicht, kann von verschiedenen Gesichtspunkten aus betrachtet werden. Die Anschaffung eines Goldumlaufs bedeutet jedenfalls die Beschaffung von Goldmengen, die weit über jene Mengen hinausgehen, die zur Herstellung der Goldkernwährung notwendig sind — ist also ein Luxus, den sich nur wenige Staaten werden erlauben dürfen[4])."

Diesen Äußerungen gegenüber möchte ich meine entgegengesetzte Meinung aufstellen. Als vorläufige Maßregel oder als Übergangsmaßregel kann die Goldkernwährung vortreffliche Dienste leisten, aber als endgültige Lösung verdient die reine Goldwährung den Vorzug. Die Goldkernwährung kann Dienste leisten:

1. als Übergangsmaßnahme für Länder mit Silber- oder Papierwährung, die zur reinen Goldwährung übergehen wollen;

2. als vorläufige Sanierungsmaßnahme für Länder mit reiner Goldwährung, die in die Papiergeldwirtschaft geraten sind und aus dieser wieder zur reinen Goldwährung übergehen wollen. In diesem Sinne hatte ich bereits 1921 (in der zweiten Auflage meiner Schrift „Über Fragen des Geldwesens und der Valuta", Vorrede datiert Januar 1921) gesagt: „Es bleibt aber noch ein dritter Weg, und den wird Deutschland wohl oder übel in absehbarer Zeit einschlagen müssen. Nämlich, sobald die Verhältnisse der Zahlungs- und Handelsbilanz es erlauben, zur Goldkernwährung überzugehen, d. h. zu einer neuen gesetzlichen Regulierung des heutigen Zustandes" (S.199). Es ist mir daher unerfindlich, wie M a c h l u p behaupten kann, ich hätte die Möglichkeit einer Goldkernwährung negiert und den Satz von mir zitiert: . . . „Während es für die zweite Behauptung gar kein ‚Problem' geben kann, negiert die erste Behauptung überhaupt die Möglichkeit einer Goldkernwährung. So behauptete D i e h l: ‚Es wird immer unmöglich sein, Papier in größerem Umfange als Ersatz des baren Geldes in den Verkehr zu bringen. Das Edelmetall muß nicht nur als Wertmaß dienen, sondern es muß auch realiter als Umlaufsmittel vorhanden sein.' (Sozialwissenschaftliche Erläuterungen zu David R i c a r d o s Grundsätzen der Volkswirtschaft und Besteuerung. Leipzig 1905. II. Teil, S. 286.) Diese Behauptung ist durch kein zwingendes Argument gestützt, durch ausreichende Erfahrungstatsachen dagegen gründlich widerlegt[5])." Ich hatte bei dieser Äußerung nur an die definitive Lösung, nicht aber an eine Übergangsmaßregel gedacht. Um deswillen scheint mir die reine Goldwährung als definitive Lösung den Vorzug zu verdienen, weil die Einlösungspflicht der Noten in barem Gelde, die bei der Goldkernwäh-

---

[1]) Vgl. C o n a n t , The Gold Exchange Standard: „If the supply on the margin of the international exchange movement is adequately guarded than the whole system is secure."

[2]) Trotzdem gibt es Goldkernwährungen, die mehr Gold enthalten, als manche Goldumlaufswährung. Die Konzentration des Geldes macht sie zu Goldkernwährungen, auch wenn die Ersparungsmöglichkeit, die das System verleiht, nicht ausgenützt wird.

[3]) M a c h l u p , a. a. O., S. 31/32.

[4]) Ebenda, S. 174.

[5]) M a c h l u p , a. a. O., S. 9/10.

rung aufgehoben ist, das beste Mittel gegen eine Geld- oder Kreditinflation darstellt. Sobald die Geldschöpfung nicht mehr an die Beschaffung von Metall geknüpft ist, sondern auf kostenlosem Wege durch Ausgabe von uneinlöslichen Noten geschehen kann, wird trotz aller Kautelen immer die Möglichkeit bestehen, daß politische oder wirtschaftliche Machtinteressen bei der Geldschöpfung hervortreten können. Das Vertrauen in eine Währung sowohl im Inlande als im Auslande ist am größten, wenn das zur Währungsgrundlage dienende Metallgeld nicht nur als Basis des Währungssystems, als Preisvergleichungsmittel und als Geld zu Auslandszahlungen fungiert, sondern auch in der inneren Zirkulation des Landes in die Erscheinung tritt. Daß durch die verschiedensten Maßregeln der staatlichen Verwaltung und der Politik der Zentralnotenbank und durch die Einrichtungen des bargeldlosen Zahlungsverkehrs der Gebrauch des Metallgeldes hierbei auf ein Minimum reduziert werden soll, versteht sich von selbst. Die Goldkernwährung ist aber namentlich wegen ihrer möglichen schädlichen Einwirkung auf die Kreditpolitik abzulehnen, denn es kann bei diesem Währungssystem unter Umständen viel leichter und bequemer Kredit gewährt werden, und dies kann zu schädlicher K r e d i t e x p a n s i o n führen.

Die Befürworter der Goldkernwährung haben selbst auf die Erleichterung der Kreditgewährung als Vorteil dieses Systems hingewiesen. Ich verweise auf zwei Auslassungen dieser Art, die bei M a c h l u p selbst zitiert werden: „Gerade darin zeigt sich die Wirkung der Goldkonzentration, daß man die starke Verschlechterung des Status durch reichliche Kredite mit kaltem Blute kann auflaufen lassen, ohne gleich die Diskontschraube anzuziehen" (P l e n g e, „Von der Diskontpolitik zur Herrschaft über den Goldmarkt", S. 329). Ebenso: „Sodann würde die Reichsbank die Möglichkeit erlangen, umfassendere Kredite zu bewilligen" (O. H e y n, „Der Goldschatz der Reichsbank und seine Bedeutung im Krieg und nach dem Kriege." In der Zeitschrift für Sozialwissenschaft, 1916, S. 38)[1]). Es liegt aber gerade in der Einlösungspflicht der Notenbanken ein großer Zwang zu vorsichtigster Handhabung der Kreditgewährung wegen der Gefahren der Inflation, die mit dem Umlauf uneinlöslicher Noten verknüpft sein können. C a s s e l hat mit Recht auf der Tagung des Verbandes deutscher Privatbankiers auf diese wichtige Bedeutung der reinen Goldwährung hingewiesen. Er führte u. a. aus: „Die Bedeutung der Goldwährung für die innere Valutapolitik liegt darin, daß die Verpflichtung, die Valuta stets in Gold einzulösen, die Bankleitung zu einer richtigen Begrenzung der gesamten Zahlungsmittelversorgung zwingt. Für die Gesetzgebung ist es viel einfacher, eine Einlösungspflicht vorzuschreiben als der Zentralbank eine Verpflichtung aufzuerlegen zur ständigen Aufrechterhaltung der inneren Kaufkraft der Valuta bei einer gewissen Höhe. Darüber müssen wir also im klaren sein, wenn wir eine Goldwährung einführen: wir entgehen dadurch nicht der Notwendigkeit einer solchen Regulierung der vorhandenen Bedingungen der Banken, welche die erforderliche Knappheit der Zahlungsmittelversorgung sichert[2])."

---

[1]) a. a. O., S. 36.
[2]) Verhandlungen des Verbandes deutscher Privatbankiers, 17.—19. Januar 1925, S. 23.

Die Anhänger der Goldkernwährung weisen auch mit Vorliebe auf die günstigen Erfahrungen hin, die mit diesem Währungssystem gemacht sein sollen. So sagt M a c h l u p : „Die Möglichkeit einer goldumlaufslosen W ä h r u n g hat die Geschichte des öfteren bewiesen und zudem auch noch die Möglichkeit der goldumlaufslosen G o l d währung, der Goldkernwährung[1])."

Mir scheinen die Erfahrungen nicht zugunsten der Goldkernwährung zu sprechen. Gewiß ist zuzugeben, daß z. B. in Österreich-Ungarn durch die währungspolitischen Maßnahmen der österreichisch-ungarischen Bank das Agio des Goldes, das vorher zeitweise eine Höhe von 6½ oder 5½ % erreichte, allmählich verschwand. Das wurde auf dem Wege erreicht, daß wenn der freie Verkehr ein ungenügendes Angebot an Auslandswechseln aufwies, die Bank als Abgeberin von Devisen auftrat, um andererseits auch jedes Devisenangebot bei günstiger Zahlungsbilanz aufzunehmen. Auf diese Weise wurde in ruhigen Zeiten erreicht, daß die Wechselkurse sich innerhalb der Goldpunkte bewegten. Aber diese Devisenpolitik ist keineswegs immer erfolgreich gewesen. Während die Wechselkurse in Goldwährungsländern nie mehr als um höchstens ½ % von der Parität abwichen, waren die Devisenkurse in Österreich zeitweilig noch ziemlich hoch über Parität, z. B. im Kriegsjahr 1907 die Devise London fast 1 % (0,97) über Parität. Auch 1911 infolge der schlechten Handelsbilanz und dann wieder 1912 und 1913 infolge der Balkankriege[2]). Auch die Wechselkurse auf Paris hatten während des größten Teiles dieses Jahres, ebenso die auf Berlin wiederholt den theoretischen Goldpunkt überschritten.

Auch die Erfahrungen in Belgien sprechen nicht zugunsten der Goldkernwährung.

Die eingehenden Untersuchungen von P a u l W i t t e n , „Über die Devisenpolitik der Nationalbank von Belgien"[3]) sind in dieser Beziehung sehr lehrreich. W i t t e n zeigt in dieser Abhandlung, wie die belgische Nationalbank zu einem häufigeren Eingreifen in den Devisenmarkt im wesentlichen veranlaßt wurde „durch die sich mehr und mehr versteifende ungünstige Gestaltung der ausländischen Wechselkurse, die zu einer fast dauernden Erscheinung im belgischen Wirtschaftsleben geworden ist"[4]). Er zeigt, wie die ungünstige Einwirkung auf dem belgischen Geldmarkt noch dadurch verstärkt wurde, daß die Nachbarländer eine hochentwickelte Goldwährung und damit ein großes Aufsaugungsvermögen für das internationale Zahlungsmetall besaßen[5]).

Die Untersuchung führt auch zu dem Ergebnis, daß es der Nationalbank nicht gelungen war, einen dauernden Erfolg in der Währungspolitik zu erreichen trotz eines ungewöhnlich großen Bestandes an Auslandswechseln. — So war z. B. bei der holländischen Devise an der Brüsseler Börse die Abweichung von der Parität nach oben bis zu 2,28 % gestiegen[6]).

---

[1]) a. a. O., S. 10.

[2]) Vgl. D i e h l , Zur Frage eines Zollbündnisses zwischen Deutschland und Österreich-Ungarn. Jena 1915. S. 37.

[3]) S c h m o l l e r s Jahrbuch. 42. Jahrg. 1918. 2. Heft. S. 615 und 3. Heft u. 4. S. 965 ff.

[4]) a. a. O., S. 632.

[5]) a. a. O., S. 644.

[6]) a. a. O., S. 990.

Der Verfasser kommt zu folgenden allgemeinen Schlußbetrachtungen: „Wenn es der Nationalbank von Belgien trotz ihrer umfangreichen Mittel bisher nicht gelungen ist, den Devisenmarkt zu beherrschen, so liegen die tieferen Ursachen für diesen Mißerfolg in den ungesunden Währungsverhältnissen des Landes. Dieser Zustand ist auf die Dauer schon allein geeignet, eine ungünstige Bewertung der belgischen Valuta im Auslande nach sich zu ziehen, die auch die wirksamsten Erfolge der Devisenpolitik schließlich abschwächen müssen[1]."

„Das belgische Gold war aus dem Münzverkehr des Landes so gut wie ganz verschwunden, und die Nationalbank hielt sorgsam ihren Goldbestand in ihren Gewölben zurück[2]."

„In dieser ungesunden Verfassung der belgischen Währungsverhältnisse ist im wesentlichen der Umstand begründet, daß die belgische Nationalbank, trotz ihres ungewöhnlich großen Vorrats an Auslandswechseln, keine dauernden Erfolge in ihrer Wechselkursregulierung erzielen konnte. Denn die Sicherheit und die solide Organisation des Geldwesens eines Landes bilden nicht nur die wichtigste Grundlage für eine gedeihliche Entfaltung des inneren Wirtschaftslebens, sie sind auch die Voraussetzung für das Maß seines Kredites, die Bewertung seiner Valuta im Auslande[3]."

„Die Möglichkeit einer dauernden Beherrschung des Devisenmarktes wäre für die belgische Nationalbank erst dann gegeben gewesen, wenn die Währungsverhältnisse des Landes durchgreifend reformiert und das Geldwesen auf eine gesunde Goldbasis gestellt gewesen wäre. Wäre diese Reform für die belgische Volkswirtschaft auch unvermeidlich mit schweren Opfern verbunden, so würden sie auf die Dauer aufgewogen worden sein durch den Fortfall jener beständigen Belastungen, die das Geschäftsleben in seinem Zahlungsverkehr mit dem Auslande infolge der Stabilität der ungünstigen Tendenz der Devisenkurse zu tragen hatte[4]."

Doch selbst einmal angenommen, daß die Erfahrungen günstige gewesen seien, was ist damit bewiesen? Doch nur dieses: ein Land, das im Innern seine gesetzliche Goldwährung noch nicht streng durchführen konnte, hat im Interesse der Aufrechterhaltung der Valuta im Auslande durch eine Golddevisenpolitik Störungen dieser Valuta, die sonst unvermeidlich gewesen wären, beseitigen wollen. Diese ganze Politik der Auslandsreserve ist also eine Art S i c h e r h e i t s v e n t i l, damit die aus dem Fehlen der Einlösungspflicht der Noten sich ergebenden Mißstände wenigstens im Verkehr mit dem Auslande nicht hervortreten sollen. Heißt das aber, daß die Länder, die eine strenge Goldwährung eingeführt haben, diese preisgeben und das österreichisch-ungarische System annehmen sollen? Es ist doch besser, keine Gelegenheit zum Entstehen solcher Mißstände zu geben.

„Es ist auch ganz etwas anderes" — sagt v. L u m m[5]) mit Recht —, „ob ein Land von den Barzahlungen zum Zwangskurs

---

[1]) a. a. O., S. 993.
[2]) a. a. O., S. 994.
[3]) a. a. O., S. 999.
[4]) a. a. O., S. 1000.
[5]) In seinem Aufsatz „Diskontpolitik" im Bankarchiv vom 1. März 1912. S. 166.

übergeht oder ob es lediglich einen solchen in der Not der Zeiten geborenen Zustand aus Opportunitätsgründen weiter bestehen läßt. Für Deutschland würde die Suspension der Barzahlungen seinen Kredit am Weltmarkt stark beeinträchtigen, seine Stellung in der Weltwirtschaft schwer schädigen, ja vielleicht sogar seine politische Stellung gefährden. Ob es der Österreichisch-ungarischen Bank gelingen wird, der ihr durch das neue Bankgesetz bei Strafe des Privilegverlusts auferlegten Verpflichtung zur dauernden Aufrechterhaltung der Stabilität der Wechselkurse, in Zukunft immer gerecht zu werden, namentlich in wirklich kritischen Zeiten, bleibt abzuwarten."

So muß der gegenwärtige Zustand der Goldkernwährung allmählich durch die reine Goldwährung abgelöst werden. Wann Deutschland zu diesem endgültigen Zustand der Sanierung seiner Währungsverhältnisse durch die Einführung der reinen Goldwährung kommen wird, läßt sich in keiner Weise voraussagen. Nicht nur die künftige Gestaltung der wirtschaftlichen Verhältnisse, der Handels- und Zahlungsbilanz, sind hierfür maßgebend, sondern auch vor allem die weitere Entwicklung unserer innenpolitischen und außenpolitischen Zustände.

§ 66. Spätere Anschauungen von Heyn.

Gegenüber meinen Einwänden hat H e y n in einigen Veröffentlichungen Stellung genommen[1]). H e y n meint, daß eine Überprüfung der von ihm aufgestellten Ansicht unter Berücksichtigung meiner Kritik ihn nur in der Auffassung bestärkt habe, daß er auf dem richtigen Wege sei, aber sie habe doch zu einer gewissen Modifikation seiner Ansichten geführt und zugleich so viele neue Gesichtspunkte zutage gefördert, daß er es für richtig hielte, das Ergebnis zu veröffentlichen. In H e y n s - neuer Abhandlung sind zum großen Teil die alten Argumente gegen den Metallismus wiederholt. Ich will daher an dieser Stelle auf die Abhandlung nur insoweit eingehen, als H e y n· neue Gesichtspunkte für seine Geldtheorie beigebracht hat und insoweit er in seinen geldpolitischen Anschauungen eine abweichende Auffassung gegenüber den früheren vertritt. — Wie ich schon oben betont hatte, besteht zwischen H e y n und mir eine weitgehende Übereinstimmung insofern, als auch er im Gegensatz zu B e n d i x e n und anderen Nominalisten daran festhält, daß „das Geld Wert haben müsse"[2]). Aber in der Art der Wertbestimmung des Geldes glaubt H e y n eine abweichende Meinung mir gegenüber vertreten zu müssen. Er wendet sich gegen meinen Satz, daß Geld Stoffwert haben müsse, um den Verkehrsbeteiligten zu ermöglichen, am Wert dieser Geldware den Wert der übrigen Waren zu vergleichen. Ich hatte auch vom Geld als tertium comparationis gesprochen, womit die Warenwerte verglichen würden. Dagegen wendet H e y n ein, daß die Wertvermittlung keineswegs durch einen Vergleich des geschätzten Gegenstandes mit dem Gelde erfolge, sondern: „Es werden vielmehr

---

[1]) „Goldwährung oder Goldkernwährung." Eine Auseinandersetzung mit Prof. Dr. D i e h l. Jahrbücher für Nat.-Ökon. u. Statistik. Bd. 112. III. Folge. — Vgl. ferner: „Wertbasis und Deckung des Papiergeldes", I. Bank-Archiv. Nr. 18 u. 19. Jahrg. XIX. 1920.
[2]) „Goldwährung". S. 21.

die Werte von Ware und Geld getrennt festgestellt und dann die Ergebnisse dieser Feststellung miteinander verglichen. Das Geld fungiert nicht als (von der Ware verschiedenes) „tertium comparationis", sondern ist Gegenstand der Schätzung, ebenso wie die Ware. Die Schätzung der Ware vollzieht sich nicht durch irgendeinen Vergleich mit dem Gelde, sondern durch die Ermittlung der Konsequenzen ihrer Nichterlangung bzw. ihres Verlustes, unter Feststellung dessen, welchen Nutzen sie uns bei der beabsichtigten Verwendung bringen würde, und der Kosten für die anderweitige Beschaffung dieses Nutzens."

In diesem Punkte bin ich von H e y n mißverstanden worden. Ich meinte nicht, daß die Waren am Gelde, als einem f e s t s t e h e n - d e n Wert abgeschätzt würden, und insoweit Geld „tertium comparationis" sei, sondern ich bin derselben Ansicht wie H e y n , daß eine selbständige Schätzung, sowohl der Waren als des Geldes stattfinden müsse. Was ich behauptete, ist nur, daß gegenüber allen übrigen Waren die für Geldzwecke gewählte Ware eine besondere Rolle als allgemeines Vergleichungsgut spiele. — Nur insoweit habe ich den Ausdruck „tertium comparationis" verstanden. Daß dabei das Geld selbst wieder für sich geschätzt werden muß, habe ich nie geleugnet. Insofern weiche ich aber von H e y n in weitgehendem Maße ab, als er meint, daß die Grundsätze der Wertbildung beim Papiergeld ebenso zweckmäßig seien als beim Metallgeld. — Nur durch sehr gekünstelte Erklärungen ist H e y n zu diesem Schlusse gekommen. H e y n macht den Versuch, eine genaue Parallelität zwischen den Wertbildungsfaktoren beim Papiergeld und Metallgeld nachzuweisen. Der Wert des Papiergeldes beruhe sowohl auf seiner Nützlichkeit als auf den Kosten seiner Beschaffung.

I. Nützlichkeit habe es

a) vermöge seiner Kaufkraft;

b) durch die ihm durch Gesetz zugewiesene und jederzeit praktisch verwertbare Zahlkraft (Schuldentilgungskraft).

II. Kosten verursachte es

a) für die Teilnehmer am Tauschverkehr, denn diese könnten Papiergeld nur kaufweise gegen Waren und Effekten oder leihweise gegen Zinsversprechen, aber immer nur gegen Entgelt erlangen;

b) auch für den Staat, denn der Staat brauche nicht lediglich die Notenpresse in Bewegung zu setzen, um sich Papiergeld in unbeschränkter Menge zu beschaffen, einerseits seien der Herstellung von Papiergeld in der Regel durch das Gesetz Schranken gezogen, und andererseits sei die Herstellung (wenigstens in Westeuropa) an die Bedingung geknüpft, daß der Staat eine binnen verhältnismäßig kurzer Frist einlösbare Schuldverpflichtung auf sich nehme und das ihm damit gewährte Darlehen (wenn auch nur niedrig oder zu eigenen Gunsten) verzinse[1]).

Damit vergleicht er die Wertfaktoren eines Geldes mit Stoffwert, speziell des Goldgeldes und meint, daß auch hier die nützlichen Eigenschaften des Goldgeldes, soweit es als Geld in Frage käme, ausschließlich in seiner Kaufkraft und in seiner Zahlkraft bestünden, denn es werde erworben, um damit entweder andere Dinge zu kaufen oder um Schulden zu bezahlen. „Vereinzelt erfolgt

---

[1]) „Goldwährung." S. 22.

allerdings der Erwerb auch zu dem Zwecke, um es zu Schmucksachen zu verarbeiten oder zu technischen Zwecken anderer Art
zu verwenden oder es zu exportieren. In allen diesen Fällen aber
wird es nicht als Geld seiner Bestimmung gemäß zur Verwendung
als allgemeines Tauschmittel, sondern um seines goldenen Körpers
willen als Ware begehrt. Es erfüllt nicht mehr die Goldfunktion,
sondern ist Ware. Durch die beabsichtigte Verwendung wird es
der Erfüllung des Gelddienstes entzogen und kommt deshalb hier,
wo nur die Eignung als Geld in Frage steht, nicht weiter in Betracht.
Was aber den zweiten Wertfaktor, die Beschaffungskosten anlangt,
so ist zu berücksichtigen, daß auch die Beschaffung des Goldgeldes
im allgemeinen nur auf dem Wege des Tausches gegen Waren und
Effekten usw. erfolgt, ebenso wie beim Papiergelde. Nur die Besitzer von Gold können es auch selbst herstellen bzw. herstellen
lassen, produzieren. Die Kosten dieser Herstellung aber bestehen,
abgesehen von den (geringen) Prägungskosten, in dem Verluste des
zu verwendenden Goldes, das einerseits nur durch Wiederankauf
einer entsprechenden Menge anderen Goldes, zu einem im allgemeinen
dem Nennwerte des Goldgeldes entsprechenden Preise ersetzt werden
kann[1])."

H e y n schließt diese vergleichende Gegenüberstellung mit den
Worten: „Hiernach ist festzustellen, daß für die Wertvergleichung
bei der Preisbildung das Vorhandensein von Stoffwert für das Geld
an sich nicht nötig ist[2])."

Die ganze Argumentation H e y n s geht an dem springenden
Punkte vollkommen vorbei. Nicht darauf kommt es an, daß die
ä u ß e r l i c h e n Momente der Wertbildung bei beiden Geldarten
als identisch festgestellt werden, sondern ob die i n n e r e n Momente die gleichen sind. Oder mit anderen Worten: Es genügt nicht,
zu zeigen, daß beim Papiergeld wie beim Metallgeld Kaufkraft,
Zahlkraft, Kosten usw. als wertbestimmende Momente vorhanden
sind, sondern welche ö k o n o m i s c h e S i c h e r h e i t für den
Tauschverkehr in beiden Fällen vorhanden ist. Dann zeigt sich
zweifellos die Überlegenheit des Metallgeldes. Für die Kaufkraft
und Zahlkraft beim Metallgeld ist die reale Substanz des im Gelde
enthaltenen Metalles maßgebend. Beim Papiergeld lediglich der
Kredit, welchen die Stelle genießt, die das Papiergeld ausgibt. Was
die K o s t e n anlangt, so kann man doch unmöglich die realen
Kosten, welche die Beschaffung des Metalles verursacht, mit den
rein fiktiven Kosten vergleichen, die der Staat hat, indem er für
seine schwebenden Schulden Zinsverpflichtungen eingeht. Die Zinsen
werden in der Regel doch wieder mit Papiergeld bezahlt, also können
reale Kosten ganz vermieden werden. Mißtrauen in die Wertbeständigkeit des Geldes ist unvermeidlich mit der Papiergeldausgabe
verknüpft.

Gerade dieses Mißtrauen, auf welches ich in meiner Schrift
verschiedentlich hingewiesen hatte, wird von H e y n bestritten,
meist wieder mit den alten vagen Argumenten: daß der Herstellung
des Papiergeldes in der Regel durch Gesetz Schranken gezogen seien,
oder daß die Befürchtung, der Staat werde das Papiergeld in über-

---

[1]) „Goldwährung." S. 23.
[2]) „Goldwährung." S. 25.

mäßiger Menge zum Angebot bringen, in Staaten wie Deutschland, wo der Grundsatz herrsche, daß die Ausgaben des Staates durch Steuern und Anleihen bestritten würden, wegfiele usw.[1]).

Oder daß das wohlerwogene Staatsinteresse einer übermäßigen Abgabe von Papiergeld mit Rücksicht auf die sonst eintretenden nachteiligen Folgen entgegenträte[2]).

Bei diesen sehr allgemein gehaltenen Sätzen kommt immer wieder der Gedanke zum Vorschein: die Papiergeldausgabe ist gesetzlich geregelt, der Staat muß Steuern oder Anleihen aufbringen usw. Das alles sind nur formalistische Gesichtspunkte. Auf die m a t e r i e l l e Durchführung dieser durch Gesetz gegebenen Befugnisse kommt es an. Und da zeigt es sich immer wieder, daß von dieser gesetzlichen Befugnis nur allzu leicht ein volkswirtschaftlich bedenklicher Gebrauch gemacht wird. — H e y n will auch durch Tatsachen beweisen, daß dieses Mißtrauen nicht vorhanden zu sein brauche. Er behauptet allen Ernstes, daß in Rußland allerdings ein solches Mißtrauen geherrscht habe und zur Entwertung des Rubels geführt habe, aber „es ist erst dann entstanden, als im Wechsel mehrerer Regierungen unter dem Zwange der Not alle gesunden Grundsätze des Geldwesens bei der Ausgabe von Papiergeld verlassen wurden. In Deutschland dagegen und ebenso in Frankreich und England hat sich solches Mißtrauen nicht gezeigt, obwohl die riesige Geldvermehrung und das starke Sinken des Kurses unserer Valuta wohl hätte Anlaß dazu geben können: das Papiergeld ist hier nirgends aus dem Grunde niedriger gewertet und billiger abgegeben worden, weil man gemeint hätte, sein Wert werde aus natürlichen Gründen in Zukunft geringer sein[3]).“ — Wenn H e y n das in den ersten Kriegsjahren geschrieben hätte, könnte man es allenfalls noch gelten lassen, aber daß H e y n diese Sätze 1919 noch schreiben konnte, und in ähnlicher Weise im Bank-Archiv 1920 wiederholen konnte, daß die Erfahrung der letzten Jahre in Deutschland beweise, daß zum Mißtrauen kein Anlaß wäre, ist mir unbegreiflich. Denn daß bei dem schlechten Stande der Valuta auch das Mißtrauen seitens der Bevölkerung eine Rolle spielt, sollte doch nicht abgeleugnet werden.

Nach wie vor ist übrigens H e y n keineswegs Anhänger einer Papierwährung, sondern er betont von neuem, daß das Goldgeld dem Papiergeld vorzuziehen sei: „Trotz alledem denke ich gar nicht daran zu leugnen, daß ein Geld mit Stoffwert, wie das Goldgeld, unter übrigens gleichen Umständen dem reinen Papiergeld vorzuziehen ist. Das Goldgeld ist dem Papiergeld zweifellos deshalb überlegen, weil es eine doppelte Stütze seines Wertes besitzt, nämlich diejenige, die ihm seine Geldfunktion und diejenige, die ihm sein goldener Körper verleiht[4]).“

Aber Goldgeld sei nicht Goldwährung und er hält an seinem früheren Vorschlag der Beibehaltung der Goldkernwährung fest, die er für das bessere System gegenüber der Goldwährung erachtet.

Ich habe in meiner Kritik der Goldkernwährung darauf hingewiesen, daß auch hierbei ein gewisses Mißtrauen sowohl von seiten

---

[1]) „Goldwährung.“ S. 28.
[2]) „Wertbasis.“ S. 213.
[3]) „Goldwährung.“ S. 25/26.
[4]) „Goldwährung.“ S. 29.

des Auslandes wie von seiten des Inlandes unvermeidlich sei. — Heyn bestreitet das nicht, behauptet aber, daß das Mißtrauen bei der Goldwährung ebenso vorhanden sei: „Die Goldbasis sei bei der reinen Goldwährung viel zu klein, während umgekehrt bei der Goldkernwährung wegen der Ersparnis des umlaufenden Goldes der Goldschatz für das Ausland um so größer sein könne." Es muß hier ganz außer Betracht bleiben, daß wir jetzt, nach dem unglücklichen Ausgang des Krieges, wohl durch die Not gezwungen werden, längere Zeit hindurch uns mit einer Goldkernwährung zu begnügen. Ich bestreite aber durchaus, daß dieses Währungssystem an sich das bessere Währungssystem gegenüber der reinen Goldwährung sei. Heyn verweist auf die verhältnismäßig knappen Goldvorräte in den Goldwährungsländern trotz der strengen Notendeckungsvorschriften. Aber die Tatsachen beweisen doch, daß es den Goldwährungsländern gelungen ist, ihre Währungsverhältnisse und die Wechselkurse in Friedenszeiten in völlig geordneter Weise aufrechtzuerhalten, während die Erfahrungen der Länder mit Goldkernwährung keineswegs zu ihren Gunsten sprechen. — Meinem Hinweis gegenüber, daß der österreichisch-ungarische Wechselkurs bei der Goldkernwährung sehr starken Schwankungen ausgesetzt und häufig sehr ungünstig war, behauptet Heyn, daß dies daran gelegen habe, weil der Goldschatz Österreich-Ungarns nicht ausgereicht hätte. Das kann in gewisser Hinsicht zugegeben werden. Gewiß, der Goldvorrat reichte nicht aus, aber schon die Tatsache, daß ein Land zur Goldkernwährung statt zur Goldwährung seine Zuflucht nimmt, ist ein Beweis, daß nicht genügend Goldvorrat vorhanden ist. Dies bewirkt Mißtrauen auf dem internationalen Wechselmarkt und beeinflußt den Wechselkurs ungünstig.

In seinen praktischen Vorschlägen zur Geldreform nimmt Heyn in seiner neuesten Abhandlung eine bemerkenswerte Schwenkung vor. — Ich hatte in meiner Kritik auf die Gefahr der staatlichen Papiergeldausgabe hingewiesen, da es sehr schwierig sei, die Menge des umlaufenden Geldes zu fixieren. Daraufhin macht Heyn jetzt den Vorschlag, „daß der Staat, nachdem er bei dem Übergang zur Goldkernwährung das umlaufende Goldgeld durch Papiergeld ersetzt habe, gar keine Vermehrung der Papiergeldmenge mehr vornehme, dem Verkehr vielmehr überließe, sich unter Inanspruchnahme von Kredit bei den Notenbanken und den Kreditbanken auf Grund der notwendigen Deckung sich sein Geld vollständig selbst zu beschaffen"[1]. — Im einzelnen ergibt sich die Änderung der Stellungnahme von Heyn aus folgender Gegenüberstellung seiner früheren und jetzigen Vorschläge zur Geldreform.

Früher hatte Heyn vorgeschlagen:

1. Einen festen Goldvorrat zur Stabilisierung der Wechselkurse.

2. Herstellung eines festen Minimalbedarfs an Geldzeichen in Papiergeld, der ungefähr unserem Bestand an Goldgeld, wie er vor dem Kriege war, entsprechen solle (definitives Geld).

3. Ausgabe von Notengeld seitens der Reichsbank etwa bis zu 1500 Millionen Mk. auf Kredit gegen Diskontierung von Wechseln oder Lombardierung von Wertpapieren.

---

[1] „Goldwährung." S. 34.

4. Bei zunehmendem Bedarf Erhöhung der Menge des definitiv ausgegebenen Geldes auf Grund der Erfahrung.

Jetzt hat H e y n dies folgendermaßen modifiziert:

1. Ausgabe des Papiergeldes nur im Betrage des früher umlaufenden Goldgeldes (da die Goldkernwährung eingeführt werden soll); das soll unter den veränderten Verhältnissen nach dem Kriege heißen, der Staat müßte so viel Papiergeld aus dem Verkehr ziehen, wie er es im Falle der Wiederherstellung der Goldwährung tun würde.

2. Dann überhaupt keine weitere Ausgabe von Papiergeld mehr; die Schaffung weiterer Geldzeichen nur auf dem Wege des Kredits bei Notenbanken und bei Kreditbanken. „Dann," sagt H e y n , „wäre doch die Fixierung der staatlichen Geldmenge erreicht[1])." Wie soll aber die Deckung dieser von Banken zu schaffenden Zahlungsmittel (Banknoten und Giroforderungen) festgesetzt sein? Diese soll eine rein bankmäßige sein, ohne teilweise Deckung durch Gold, wie früher bei den Banknoten. Die Deckung würde also im wesentlichen eine wechselmäßige sein. — Darüber sagt H e y n in seiner Abhandlung im Bank-Archiv: „Unter allen Umständen braucht aber diese Deckung keine Golddeckung zu sein. Eine Deckung durch Wechsel, wie sie das deutsche Bankgesetz wenigstens als Teildeckung vorschreibt, in Verbindung mit einer absoluten Höchstgrenze genügt vollkommen. Die Wechseldeckung hat sogar noch den Vorzug der Elastizität, der Anpassungsfähigkeit an die Bedürfnisse des Verkehrs. Überdies bringt sie den besonderen Vorteil mit sich, daß sie eine Nachfrage nach dem Papiergelde zur Einlösung der diskontierten Wechsel bei deren Fälligkeit hervorruft und dadurch einerseits die Verwendbarkeit jedes Stückes Papiergeld zur Tilgung dieser Wechselschulden sichert und andererseits — mit der Ablieferung an die ausgebende Notenbank — das völlige Verschwinden des Papiergeldes aus dem Verkehr veranlaßt[2])." — Ich muß auch diesen neueren Vorschlägen H e y n s gegenüber meine ablehnende Stellung aufrecht erhalten. Gewiß, die Gefahr einer „uferlosen" Vermehrung des Papiergeldes wäre vermieden, wenn die Menge auf eine definitive Höchstgrenze festgelegt wäre. Aber, wie soll es möglich sein, die ganze Menge der Geldzahlungsmittel –– soweit es das Verkehrsbedürfnis erfordert — nur auf dem Wege des wechselmäßigen Kredites zu beschaffen? Wir kämen dann wieder zur klassischen Geldschöpfung B e n d i x e n s , die ich in meiner Schrift eingehend kritisiert habe. — Der Umfang dieser Notenausgabe richtet sich nach dem Kreditbedarf der am Wechselverkehr beteiligten Kreise, nicht aber nach dem Bedarf an Zahlungsmitteln für die ganze Volkswirtschaft. — Für diesen könnte — beim Fehlen des Metallgeldes — wiederum nur durch zusätzliches Papiergeld gesorgt werden. — Im übrigen vermissen wir auch hier eine klare Bestimmung über die Ausdehnung und genauere Durchführung der Notenausgabe seitens der Kreditbank. H e y n selbst empfindet diesen Mangel; er schreibt: „Die Frage der ‚Geldschöpfung‘ aber, oder richtiger die Frage, inwieweit dem Verkehr unter Vermehrung der Menge der Banknoten oder des aus kurzfristigen Depositen und Kreditoren bestehenden Girogeldes Kredit eingeräumt werden darf,

---

[1]) „Goldwährung." S. 34.
[2]) Bank-Archiv. Nr. 19 vom 1. Juli 1920. S. 222.

bliebe dann wissenschaftlich immer noch zu lösen. Bisher ist sie —
für die Banknotenausgabe innerhalb der durch den Goldvorrat bestimmten äußersten Grenze — lediglich in der Praxis durch das
pflichtmäßige Ermessen der Reichsbank und der Kreditbanken gelöst worden[1])."

Es muß daher bei dem Urteil bleiben, das v. B o r t k i e w i c z
dem früheren währungspolitischen Programm H e y n s gegenüber
abgegeben hat: „Durch die praktischen Argumente, die H e y n
zugunsten seiner Reformvorschläge geltend macht, wird das Mißtrauen nicht aufgewogen, das von alters her dem uneinlöslichen
Papiergeld aus dem Grunde entgegengebracht wird, weil es ihm
an einer natürlichen Schranke seiner Vermehrbarkeit fehlt. Das ist
und bleibt eine Eigentümlichkeit des uneinlöslichen Papiergeldes,
welches immer die Stellung sein möge, die dieser Geldart in der
Theorie zugewiesen wird[2])."

§ 67. Die Theorie der „klassischen Geldschöpfung" von Bendixen[3]).

a) D i e A u f f a s s u n g B e n d i x e n s v o m W e s e n
d e s G e l d e s.

B e n d i x e n geht bei seiner Grundauffassung vom Wesen
des Geldes von bestimmten Sätzen der K n a p p schen Geldtheorie
aus. Er bekennt sich zu der nominalistischen Auffassung des Geldes
im Gegensatz zur metallistischen, d. h. zu der Lehre, daß die Werteinheit im Geldwesen (also Mark, Franken, Gulden, Rubel usw.)
nicht „metallistisch", sondern „nominal" definiert werden müßte,
gleicherweise in Gold- wie in Papierwährungsländern: „Ob zur Herstellung der Zahlungsmittel Metall verwendet wird oder nicht, ist
für den Begriff des Geldes gleichgültig[4])." Man dürfe sich der Erkenntnis nicht verschließen, daß der Begriff des Geldes von seiner
stofflichen Erscheinung unabhängig sei und dürfe den Grund für
die Wertschätzung des Geldes nicht im Metall suchen. In der Tat
fänden wir in finanziell geordneten Ländern mit Papierwährung,
wie es Österreich in den achtziger Jahren des vorigen Jahrhunderts
unzweifelhaft gewesen sei, dasselbe sichere Vertrauen zum Wert des
Geldes, obgleich Goldmünzen und metallische Notendeckung fehlten.
Welcher Umstand aber gebe dem Geld seinen Wert, wenn es der
Stoff nicht sei? B e n d i x e n meint, der Krieg habe die Wahrheit
der K n a p p schen Geldtheorie aufs klarste erwiesen: „Ich halte
es für K n a p p s schönstes Verdienst, daß er die Nominalität
der Werteinheit auch für die Goldwährungsländer nachgewiesen hat.
Der gegenwärtige Krieg, der die Identifikation der Reichsbank mit
einer gesetzlich bestimmten Goldmenge unmöglich macht, hat der
staatlichen Theorie die empirische Bestätigung gebracht[5])." . . . „Der
Krieg wird das Ende auch des wissenschaftlichen Metallismus sein;
man wird einsehen lernen, daß die staatliche Theorie die Elementar-

---

[1]) „Goldwährung." S. 35.
[2]) S c h m o l l e r s Jahrbuch. 42. Jahrg. 1918. S. 752.
[3]) Vgl. die Schriften: 1. Währungspolitik und Geldtheorie im Lichte des Weltkrieges. München 1916. — 2. Die Reichsbank nach dem Kriege (verfaßt April 1916).
— 3. Das unlösbare Geldproblem (verfaßt 1916). — 4. Das Wesen des Geldes (1908).
— 5. Geld und Kapital (1921).
[4]) Wesen des Geldes. S. 4.
[5]) Währungspolitik. S. 87.

lehre des Geldes ist, über die man so wenig streitet wie über das Einmaleins, und daß man sie einfach wissen muß, wenn man wissenschaftlich über das Geld arbeiten will[1])." Eine Ergänzung will B e n d i x e n liefern; er will die juristisch-dogmatische Geldlehre K n a p p s durch seine wirtschaftliche Geldlehre ergänzen; er will neben der staatlichen Theorie des Geldes eine wirtschaftliche Theorie des Geldes aufstellen. B e n d i x e n erblickt die Aufgabe der wirtschaftlichen Theorie des Geldes darin, das Wesen des Geldes seiner ökonomischen Funktion nach zu bestimmen und daraus die Grundsätze der Geldschöpfung zu entwickeln, und zwar der Geldschöpfung, wie sie bestehen sollte, um „klassisches" Geld hervorzubringen. Unter „klassischem Geld" versteht B e n d i x e n das Geld, das keinen Wertänderungen unterliegt, daher auch die Preise nicht beeinflußt, so daß bei Preisänderungen der Grund immer nur auf der Warenseite, nie auf der Geldseite liegen kann (Wesen usw., S. 19). Welche Funktion übt das Geld aus? B e n d i x e n faßt unsere individualistische Wirtschaftsordnung als einen wunderbaren sozialen Mechanismus auf, als ein Arbeiten aller für alle unter dem Prinzip des individualistischen Gleichgewichts der Leistungen. Dieser Mechanismus habe zwei Voraussetzungen: 1. die allgemeine Fähigkeit, mit Werten zu rechnen unter Anwendung allgemein anerkannter Werteinheiten. 2. Die Verwendung von Zeichen, welche solche Werteinheiten bedeuten und allgemein als Belege über geleistete Dienste und deren Wert anerkannt werden (Wesen usw., S. 22). Diese Voraussetzung soll das Geld erfüllen, das als Vermittler zwischen Produktion und Konsumtion dient: „So stellt sich das Geld, das juristisch Zahlungsmittel ist, volkswirtschaftlich als ein durch Vorleistungen erworbenes Anrecht an verkaufsreifen konsumtiblen Produkten dar" (ebenda, S. 23).

Nach B e n d i x e n sind zwei Erfordernisse für das „klassische Geld" und seine Schöpfung aufzustellen: 1. die Geldschöpfung muß so geordnet sein, daß man für seine Leistungen Geld bekommen kann; 2. das Geld muß von der Art sein, daß es verschwindet mit der Konsumtion der Güter, zu deren Anschaffung es dient. Da es Konsumgüter repräsentierte, dürfe es diese nicht überleben. Solches Geld existiere bereits: es sei die Reichsbanknote, gegründet auf dem akzeptierten Warenwechsel. Diese Reichsbanknote sei das „klassische Geld": „Der Inhaber des akzeptierten Warenwechsels beansprucht bei der Reichsbank Geldzeichen auf Grund des Nachweises, daß im entsprechenden Umfange Werte geschaffen und der Gemeinschaft zur Verfügung gestellt sind" (Wesen usw., S. 35). — B e n d i x e n meint, daß man, auf dieser Basis fortschreitend, dem Staate oder der von ihm eingesetzten zentralen Geldquelle eine Geldschöpfungspflicht zuschreiben könne; der Staat habe dafür zu sorgen, daß Geldzeichen als Legitimation für Gegenleistungen in dem durch die Vorleistungen bedingten Umfange vorhanden seien. Er müsse also neuschöpfend auftreten, wenn mit dem Fortschritt des wirtschaftlichen Lebens die Produktion wachse und müsse bei sinkender Produktion für die Einziehung der Geldzeichen Sorge tragen. Hier habe man das „klassische Geld", welches im Parallelismus mit dem Entstehen und Vergehen der Konsumgüter erscheine

---

[1]) Währungspolitik. S. 86.

und verschwinde und welches unbelastet durch den Wert seines Stoffes die dienende Funktion, zu der es berufen sei, erfülle, ohne das Wertverhältnis der abzuwägenden Werte durch die Influenz seines eigenen Wertes zu stören (Wesen usw., S. 36). Der Banknote soll gleichstehen als „klassisches Geld" das Giroguthaben, das die Reichsbank auf Grund diskontierter Wechsel schafft. Geld in notaler und giraler Gestalt sollen zusammen „das klassische Geld" bilden. — Dieses „klassische Geld" zu schaffen, wird als Pflicht des Staates bezeichnet: „Geld ist ohne Rücksicht auf den Herstellungsstoff staatlich gesetztes Zahlungsmittel. Der Staat oder die unter seiner Autorität wirkende Zentralnotenbank hat die Pflicht, dem Verkehr die Geldzeichen zur Verfügung zu stellen, die in der Hand des Einzelnen Anweisungen auf Gegenleistungen auf Grund seiner Vorleistungen darstellen. Nicht auf Gold, sondern auf Geld richtet sich das Verkehrsbedürfnis" (Währungspolitik, S. 12).

So erscheint es B e n d i x e n, wie er es in seiner letzten Schrift ausdrückt, als sinnlos, vom Standpunkt der reinen Logik, wenn man das Geld mit einem Währungsmetall verkette, sobald man die Nominalität der Werteinheit erfaßt habe: „Dieser Widersinn kennzeichnet die Goldwährung als Werteinheit schlechthin, einerlei, ob man das Gold bei der Zentralbank konzentriert bewahrt und nur Noten mit Annahmezwang und ohne Bareinlösung umlaufen läßt, oder — was bisher das übliche war — ob man den Verkehr mit Goldmünzen „sättigt". Die letztere Art enthält nur noch einen besonderen logischen Fehler. Sie stattet das Geldzeichen, das eine Anweisung auf Leistungen darstellt, mit einem Sachwert aus, der dem Werte jener Leistungen gleichkommt. Ein Theaterbillet, für 4 Mk., das für 4 Mk. Silber enthält, wäre eine ebenso sinnreiche Erfindung. Auch eßbare Anweisungen auf Brot wären ein passendes Gegenstück" (Währungspolitik, S. 91). . ·-·. Erledigt und widerlegt seien damit alle Schlußfolgerungen, welche aus der Seltenheit des Währungsmetalls auf die Höhe der Preise gezogen würden; erledigt alle gelehrten Werke, die den „Geldwert" festzustellen suchten; erledigt sei die Geldverfassung und Staatsfinanzen konfundierende Meinung, daß Papiergeld an sich übel sei; erledigt die Ansicht, daß das Papiergeld seinen „Wert" aus seiner Seltenheit gewänne, erledigt alle Untersuchungen über die Änderungen des Geldwertes. Denn das Geld sei kein Objekt der Bewertung und die scheinbare Vorstellung des Geldwertes nur ein Reflex der Preise; das Geld soll überhaupt kein wirtschaftliches Gut sein, sondern, wie B e n d i x e n es einmal formulierte, ein staatlich begültigtes Wertzeichen (Währungspolitik, S. 97): „Fragen wir nach dem Wesen des Geldes, so müssen wir nicht an die Trübung denken, die seine Erscheinung durch die Zutat des Substanzwertes erfährt."

b) Die währungspolitischen Reformvorschläge von Bendixen.

Aus diesen theoretischen Erwägungen heraus macht B e n - d i x e n eine Reihe von Vorschlägen zur Reform der Reichsbank und des Geldwesens. Handelte es sich in seinen Erstlingsschriften um ziemlich nebensächliche, harmlose Reformen, so ist er neuerdings zu immer radikaleren Neuerungsvorschlägen gekommen. In seiner 1918 erschienenen Schrift über das Wesen des Geldes hatte B e n -

d i x e n ausdrücklich betont, daß an der Goldwährung festgehalten werden müsse. Er forderte damals nur, daß die deutschen Banknoten, und zwar „selbstverständlich vorbehaltlich der Einlösungspflicht der Reichsbank" als gesetzliches Zahlungsmittel anerkannt werden sollen, was bekanntlich inzwischen tatsächlich durchgeführt wurde; ferner, daß die in Gold zahlbaren Wechsel auf das Ausland bei der Reichsbank als Golddeckung anzunehmen seien, endlich, daß die Vorschrift der Dritteldeckung mit einem „tunlichst" versehen werde, damit aus einem Manko an Gold, wie es an den Quartalsterminen ganz harmloserweise eintreten kann, der Reichsbank nicht der Vorwurf der Gesetzesverletzung erwachsen kann" (Wesen des Geldes, S. 55/56).

In der 1921 erschienenen Sammlung von Aufsätzen handelt es sich besonders um Vorschläge, welche den staatsrechtlichen Charakter der Reichsbank betreffen. Zwar verwarf er den Gedanken einer Verstaatlichung der Reichsbank; er wollte aber die gegenwärtige „privatrechtlich-fiskalische Struktur" der Reichsbank dahin abändern, daß ihr gemeinwirtschaftlicher Charakter mehr gegenüber dem privatwirtschaftlichen hervortreten soll. Die Anteilseigner sollten nicht am Gewinn beteiligt sein, sondern mit einer festen Verzinsung ihres Kapitals, das Reich aber mit einer nicht zu hoch bemessenen Rente abgefunden werden. Alle anderen Überschüsse sollten der Reichsbank selbst zufallen, um ihr zu ermöglichen, der Wiederkehr schwerer Zeiten in der Stärke und Rüstung entgegenzugehen, die ihr ein vergrößerter Bestand an Gold oder besser noch an Wechseln auf das Ausland verleihen würde (Geld und Kapital, S. 74). Erst in seinem neuesten Werke und besonders in der Abhandlung „Die Reichsbank nach dem Kriege" hat er die volle Konsequenz aus seiner theoretischen Lehre gezogen. Er behauptet, daß die Verfassung und die Aufgaben der Reichsbank auf völlig überlebter rechtlicher Grundlage beruhten (S. 2) und daß ein unerträglicher gesetzlicher Zustand vorliege. — In seinem Feldpostbrief über die Reichsbank im Kriege (vom 18. Januar 1915) nennt er die Einrechnung der Darlehenskassenscheine in den Goldbestand der Reichsbank „einen häßlichen Kniff, durch den wir unsere Aufrichtigkeit und die gesunde Lage der Reichsbank diskreditert" hätten (Währungspolitik, S. 21). — Das Bankgesetz erklärt er für durchaus fehlerhaft, und nur die Klugheit und das Geschick der Reichsbankleitung hätten die schweren Mängel des Gesetzes überschattet (ebenda, S. 23). Er verlangt jetzt „einen Umbau der Reichsbank von Grund auf" (S. 25). Seine Vorschläge laufen jetzt tatsächlich auf eine Abschaffung der Goldwährung hinaus. Im einzelnen sind die wichtigsten von ihm vorgeschlagenen Neuerungen folgende:

1. A u f h e b u n g   d e r   B a r e i n l ö s u n g s p f l i c h t   d e r   N o t e n   s e i t e n s   d e r   R e i c h s b a n k.

Die Erfahrungen des Krieges hätten die Entbehrlichkeit der Bareinlösung dargetan: „Statt Gold zu fordern, bringen die Leute ihr Gold in vielen Hunderten von Millionen freiwillig zur Reichsbank und wechseln es in Papier um. So hat man nicht nur die Entbehrlichkeit der Goldmünzen erkannt, sondern man hält auch ihren individuellen Besitz für unvereinbar mit der Pflicht der Vaterlandsliebe. ‚Das Gold gehört in die Reichsbank, nicht in den Verkehr.'

Dieser Satz ist heute eine Forderung des Patriotismus, aber er ist mehr: er ist zugleich eine Errungenschaft volkswirtschaftlicher Einsicht. So ist dann auf einmal die theoretische Forderung, daß man das in den Münzen verkörperte Gold als nationales, nicht als privates Eigentum anzusehen habe, durch den Krieg zur praktischen Wahrheit geworden" (Währungspolitik, S. 27).

2. Beseitigung der Dritteldeckung.

Die Aufhebung der Bareinlösung soll auch die Beseitigung der Dritteldeckung der Noten zur Folge haben, denn die Vorschrift, daß mindestens der dritte Teil des Notenumlaufs in Gold (oder kurantem Geld) gedeckt sein müsse, hätte einzig und allein ihren Grund in der Verpflichtung der Bank, ihre Noten jederzeit auf Verlangen gegen bar einzulösen (S. 31). Mit der Beseitigung der Bareinlösung verliere der Goldbestand bei der Reichsbank seine Bedeutung für den inneren Aufbau der Zahlungswirtschaft.

3. Aufhebung der freien Goldprägung.

Die Goldannahmepflicht der Reichsbank, d. h. die Bestimmung, daß die Reichsbank verpflichtet ist, jedem Überbringer eines halben Kilo Goldes 1392 Mk. zu zahlen, falle fort mit der falschen metallistischen Lehre. Für die positive Geldschöpfung der Reichsbank ergäben sich dann folgende vier Aufgaben:

a) Die klassische Geldschöpfung, d. h. die Schaffung des wichtigsten und eigentlichen Geldes durch Ausgabe von Banknoten, die durch Warenwechsel gedeckt sind.

b) Ersetzung der Reichskassenscheine durch Banknoten; um das Bedürfnis nach kleinem Papiergeld, d. h. nach Scheinen zu 5 und 10 Mk. zu befriedigen, soll die Reichsbank im Umfang von 240 Millionen Mark Banknoten mit gesetzlicher Zahlkraft ausgeben, und zwar soll dies auf folgende Weise geschehen: die Reichsbank zieht die bisher umlaufenden 120 Millionen Mk. Reichskassenscheine ein und zahlt der Reichskasse für den Reichskriegsschatz 120 Millionen Mk. in Gold. Gegen diese Leistung wird das Reich Schuldner der Reichsbank im Betrag von 240 Millionen Mk. Die neuen Noten gelten dann als bankmäßig gedeckt durch die Buchforderung der Reichsbank an das Reich, und die Reichsbank ist verpflichtet, die Noten jederzeit auf Verlangen gegen Reichsscheidemünzen umzuwechseln.

c) Ausgabe von Noten, die nicht gegen Warenwechsel gedeckt sind. Die weiteren Zahlungsmittel, die nicht den schwankenden, durch Warenwechsel gedeckten Notenumlauf, sondern den dauernden Bedarf an „großem" Geld darstellen, sollen auch von der Reichsbank kreiert werden, und zwar in einem bestimmten Verhältnis zur Größe der Bevölkerung: „Was der Verkehr an großem Geld braucht, wird sich in ungefährem Betrage unschwer ermitteln lassen. . . . Man gelangt so zu einer bestimmten Summe auf den Kopf der Bevölkerung, und wie das Reich die Scheidemünzen, so soll die Reichsbank die Banknoten dem Verkehr nach diesem Maßstabe zur Verfügung stellen" (S. 66).

d) Der Notenbedarf an Quartalsterminen. — Auch der Mehrbedarf an Noten zu den Quartalsterminen soll von der Reichsbank befriedigt werden, und zwar könne die Reichsbank den Mehrbedarf in der erfahrungsmäßigen Höhe liefern, wobei für diese kurze Zeit die zur Lombardierung eingereichten Effekten vollständig genügen.

Da auf diese Weise für den inneren Zahlungsverkehr so gut wie alles mit papierenen Zahlungsmitteln geleistet wird, bleibt der ganze bisherige Goldschatz der Reichsbank für die Zwecke der Wechselkursregulierung und der Wiederherstellung der Parität unserer Valuta zu freier Verfügung. Aber auch für diese Zwecke könne in großem Umfang das Gold erspart werden: „Diesen Dienst leistet jedoch in Friedenszeiten ebensogut und besser als das Gold ein Devisenvorrat, der obendrein den Vorzug hat, Zinsen einzutragen. Ebenso kann ein Bestand an ausländischen Effekten im Besitze der Reichsbank zur Regulierung der Valutenkurse nützliche Verwendung finden, nur daß freilich der Verkauf der Effekten möglicherweise mit Kursverlusten verbunden ist, was bei der Ausgabe von Gold und Devisen nicht der Fall ist" (S. 48). . . . Devisen, Gold, Effekten — auf keines dieser drei sollte die Reichsbank verzichten, um im Frieden die Währung zu verteidigen und im Kriege die starken finanziellen Reserven zur Hand zu haben. Das mag das Gesetz ausdrücklich aussprechen. Aber die Frage, in welchem Umfange diese drei Wertkategorien vorhanden sein sollen, überlasse man getrost der Verwaltungspraxis und sehe besonders davon ab, für die Höhe des zu haltenden Goldbestandes eine absolute oder relative Norm zu bestimmen" (Währungspolitik, S. 50).

§ 68. Kritik der Theorie von Bendixen.

Der Grundirrtum B e n d i x e n s , aus dem alle übrigen fehlerhaften theoretischen Gedankengänge hervorgehen, liegt in seiner Geldschöpfungstheorie, in der Vorstellung, als ob die eigentliche Geldschöpfung in dem „klassischen" Geld vorliege, welches die Zentralbank ausgebe, wenn sie Noten gegen Warenwechsel liefere. Der Satz: „Wenn die Reichsbank gegen ihr zum Diskont gegebene Wechsel Banknoten ausgibt, so gibt sie Geld"[1]), enthält einen großen und folgenschweren Irrtum. Tatsächlich gibt die Bank nicht Geld, sondern Kredit. Die Banknote ist überhaupt kein Geld, sondern ein Kreditpapier. Auf Grund der verschiedenen Sicherheiten, welche die Bank gegenüber dem Wechselgeber hat, räumt sie ihm Kredit ein, und das Publikum, wenn es Banknoten wie bares Geld in Zahlung nimmt, gibt seinerseits Kredit im Hinblick auf die großen Sicherheiten, welche die Bank bietet. Ob und inwieweit dieser Kredit gewährt wird, hängt sowohl für die Bank wie für das Publikum von den sachlichen, realen Garantien ab, welche dem Papier zugrunde liegen. Für die Bank ist es keineswegs so, daß im Warenwechsel einfach ein Warenäquivalent vorliege gegenüber dem in den Noten ausgeprägten Geldäquivalent, sondern so, daß der Kredit vor allem gewährt wird auf Grund der guten Unterschriften, die der Wechsel haben muß. Ebenso irrig ist die Behauptung: „Entweder sind Warenwechsel geeignet, als Unterlage für klassisches Geld zu dienen, dann sind sie es unbeschränkt ohne Rücksicht auf ihre Quantität und auf etwa daneben bestehende Golddeckung, oder sie sind es nicht, und dann ist auch die kleinste Notenemission auf Grund von Warenwechseln ohne volle Golddeckung ein Fehler der Geldpolitik, eine Schöpfung unechten Geldes, gegen welche die Besitzer echten Geldes guten Grund hätten, energisch zu protestieren" (Wesen des Geldes, S. 39). Warenwechsel sind allerdings keine Grundlage zu

---

[1]) Vgl. „Geld und Kapital." S. 10.

„klassischem" Geld, überhaupt kein Geld, sondern können nur zur Grundlage von Kreditpapieren dienen, die Zahlungsdienste verrichten, wenn eben die notwendigen Garantien vorhanden sind. Diese brauchen aber nicht in voller Golddeckung der Noten zu bestehen; wenn durch geschickte Banknotengesetzgebung in anderer Weise solche Garantien geschaffen werden, so können sie sehr wohl Gelddienste verrichten oder als Geldsurrogate dienen. Warum aber erkennen die Goldgeldbesitzer durch ihr Verhalten diese Surrogate als gleichwertig mit dem Gelde an? B e n d i x e n antwortet: „Weil auch die Goldgeldbesitzer nicht auf das Gold sehen, sondern nur auf die Funktion des Geldes, dem Besitzer den Erwerb von Gütern zu vermitteln. Sie sind sich eines Vorzugs vor den Besitzern von Noten oder Giralgeld überhaupt gar nicht bewußt" (ebenda, S. 40). Und doch ist es nicht diese angebliche Gütervermittlungsfunktion, sondern umgekehrt gerade die Goldsicherheit, welche der Banknote diese Eigenschaft als Geldsurrogat verleiht. B e n d i x e n gibt ein „vereinfachtes" Beispiel, um den Vorgang der Wechseldiskontierung zu erklären: „Ein Fabrikant hat sein Kapital in dreimonatigem Betrieb in Ware verwandelt. Er ist mit seinen Mitteln zu Ende. Für die Ware hat er einen Käufer gefunden, der aber Kredit beansprucht, weil er Zeit braucht, Unterabnehmer zu finden, und auch nicht sofort Geld erhält. Der Käufer also akzeptiert einen Dreimonatwechsel, den der Fabrikant bei der Reichsbank in Diskont gibt. Jetzt hat der Fabrikant wieder Geld, kann Rohmaterial kaufen, seine Arbeiter bezahlen und neue Waren herstellen. Nach 3 Monaten bezahlt der Käufer seine Wechselschuld an die Reichsbank aus den für die Ware einkassierten Geldern. Zugleich übernimmt er die neue Warenpartie, und das Spiel wiederholt sich" (Wesen des Geldes, S. 33). — Gerade dieses Beispiel ist charakteristisch für B e n d i x e n s Art und Weise, theoretische Darlegungen zu geben. Er nimmt hier einen Fall, der uns zeigen soll, daß alles sich nur um Warenvermittlung dreht, daß das Geld nur eine „symbolische" Rolle spielt, daß der ganze Warenumsatz sich glatt und ohne Schwierigkeiten abwickelt. — Wie aber, wenn der Käufer seine Wechselschuld an die Reichsbank nicht aus den für die Waren einkassierten Geldern bezahlen kann, weil er die Waren nicht verkaufen konnte? Hier muß ganz unabhängig vom Warenumsatz sein Vermögen, bzw. das der übrigen „als zahlungsfähig bekannten Firmen oder Personen" die Garantie bieten, daß die Noten wirklich „so gut wie Geld" im Umlauf angenommen werden. — Wie man sieht, ist die „klassische" Geldschöpfung nicht als ein einfaches, aus dem Warenverkehr sich ergebendes Rechenexempel anzusehen, so daß das Geld und ebenso die Banknote nur eine Rechnungseinheit wäre, nur ein Symbol für die Waren, die umgesetzt werden; sondern es ist die reale unbedingte Sicherheit, die in der Gewißheit liegt, daß der Noteninhaber Geld und nicht „Ware" für die Note erhalten kann, welche der Banknote die wichtige Rolle im Zahlungswesen verleiht. Also nicht deshalb ist die Banknote ein Geldzeichen, weil in entsprechendem Umfange „Werte" geschaffen sind, sondern weil der Noteninhaber die ausgebende Bank für kreditwürdig hält. Was für das sog. „notale" Geld gilt, trifft ebenso für den bargeldlosen Scheck- und Giralverkehr zu. Schecks und Giroübertragungen können Gelddienste verrichten, weil auch diese Kreditmittel sich auf Grund einer realen Geldbasis abspielen; auf Grund der Guthaben, welche die Konteninhaber besitzen, oder auf

Grund eines Kredits, der ihnen eingeräumt wird, kann sich ein ausgedehnter Zahlungs- und Verrechnungsverkehr ausbilden, der aber doch immer seinen letzten Rückhalt, seine eigentliche Basis in dem Geldsystem hat, auf dessen Grundlage erst diese Zahlungsmethoden sich ausbilden können. Es ist also ganz unmöglich, das notale oder girale Geld als originäre Geldschöpfung anzusehen; es handelt sich lediglich um Kreditmittel, um „Buchgeld", das reales Geld zur Voraussetzung hat. B e n d i x e n begeht den schweren Irrtum, das Wesen des Zirkulationsmittels Geld nicht aus der Zirkulationssphäre, sondern aus der Kreditsphäre, die erst auf dieser Zirkulation sich aufbaut, erklären zu wollen.

Wie das „reale" Geld selbst beschaffen sein muß, kann man nur beantworten, wenn man sich die Funktionen klarmacht, welche das Geld zu verrichten hat. B e n d i x e n kennt nur die eine Funktion des Geldes, als Zahlungsmittel oder als Rechnungseinheit zu dienen und meint, daß hierfür jeder Papierschein genüge. Dies ist aber eine einseitige und viel zu enge Betrachtungsweise; sie läßt andere viel wichtigere Funktionen des Geldes außer acht. Ohne weiteres soll zugegeben werden, daß das Geld in bestimmten Wirtschaftsverfassungen nur Zahlungsmittel oder Rechnungseinheit wäre, nur als eine Anweisung auf Güter, nur als Symbol betrachtet werden könne. Dies würde z. B. der Fall sein in einer kommunistischen Wirtschaftsordnung. Wenn planmäßig eine zentrale Gemeinschaftsorganisation alle Güter verfertigte, wenn die einzelnen Produkte nach Vorschrift der Zentralorganisation in bestimmter Quantität und Qualität hergestellt, in Magazinen aufbewahrt und den Genossen des kommunistischen Staates zur Verfügung gestellt würden, so könnte z. B. jedem Genossen für die von ihm geleistete Arbeit eine Anweisung auf eine bestimmte Anzahl Arbeitsstunden gegeben werden, und er könnte auf Grund dieser Anweisungen aus den Magazinen die Güter erhalten, welche der bestimmten Zahl von Arbeitsstunden entsprechen. Hier ist also ein Geld ohne jeden eigenen Wert, ein stofflich wertloses Geld, ein Anweisungsgeld durchaus möglich. Dies ist aber ausgeschlossen in der zersplitterten individualistischen Wirtschaftsverfassung, in der wir leben. In der auf Privateigentum und freier Konkurrenz beruhenden Gesellschaftsordnung hat das Geld die wichtigste Funktion zu erfüllen, W e r t v e r g l e i c h u n g s m i t t e l , bzw. P r e i s f e s t s e t z u n g s m i t t e l zu sein. Diese wichtige Funktion des Geldes hat B e n d i x e n völlig übersehen oder vielmehr er hält sie für unnötig, indem er behauptet, Geld brauche überhaupt keiner Wert zu haben, die ganze Frage des Geldwertes sei überflüssig.

Damit komme ich zu der Geldwerttheorie von B e n d i x e n. Der Wert des Geldes, meint B e n d i x e n [1]), sei kein eigener, sondern nur ein abgeleiteter und bedeute nichts anderes als den Wert der für das Geld käuflichen Waren oder Dienste, „da der wertberechnende Gedanke das Geld selbst als Objekt nicht ergreift". Werte schätzen hieße Preise vergleichen mit Hilfe des Generalnenners Geld (Währungspolitik, S. 29). — Wie kann man aber Werte vergleichen, wenn kein tertium comparationis da ist? Dieses ist aber das Geld, und wenn B e n d i x e n meint, Geld habe nur die symbolische Bedeutung, die Bewegung des Warenwertes zu reflektieren, so ist hierauf zu er-

---

[1]) Vgl. Geld und Kapital. S. 35.

widern: die Warenwerte werden doch nicht obrigkeitlich fixiert, sie bilden sich im freien Wirtschaftsverkehr. Wie kann aber dieser freie wirtschaftliche Tauschverkehr funktionieren, wenn nicht eine bestimmte Ware da ist, an der die Wertänderungen der anderen Waren gemessen werden? Daß auch diese Ware, nämlich das Geld, selbst im Werte veränderlich ist, ist zuzugeben, aber es ist doch aus den bekannten Gründen ein verhältnismäßig weit weniger schwankender Wert, als der Wert der übrigen Waren. Wenn B e n d i x e n sagt, das Geld habe selbst keinen Wert, sondern repräsentiere nur den Wert der übrigen Waren, so fragen wir, welche Waren sind damit gemeint? Für Geld kann man Getreide, Fahrräder, Stahlfedern, Baumwolle, Stiefelwichse usw. haben. Alle diese Werte sollen also im Werte des Geldes widergespiegelt werden! Soweit aber diese Widerspiegelung stattfindet, so ist es nur möglich, weil es gegenüber den vielerlei Waren, die ich eben aufzählte, eine Ware ganz besonderer Art gibt mit den Eigenschaften, die sie eben zur Geldware geeignet machen. Daher nochmals: solange wir eine individualistische, auf freier Konkurrenz beruhende Volkswirtschaft haben, ist auch eine allgemein beliebte Ware zu Gelddiensten nötig, d. h. zu der Funktion, am Werte dieser Geldware den Wert der übrigen Waren zu vergleichen. Ich vermeide absichtlich den Ausdruck Wertmaßstab, um nicht den Anschein zu erwecken, als hielte ich den Wert des Geldes für konstant. Nur ein Geld, das selbst Stoffwert hat, kann in der individualistischen Volkswirtschaft diese Funktion des Wertvergleichungsmittels leisten, was ich an anderer Stelle so formuliert habe[1]): „Wenn der Staat die ganze Produktion regelt und die Warenpreise fixiert, kann er auch ein wertloses Geldzeichen schaffen, das nur eine Anweisung auf einen bestimmten Teil dieses Warenvorrates darstellt. Wenn aber die Produktion e i n z e l n e n   P r i v a t w i r t s c h a f t e n anvertraut ist, die nach Belieben Waren auf den Markt werfen, muß auch ein W e r t - v e r g l e i c h u n g s m i t t e l da sein. Die Produzenten müssen die kauflustigen Konsumenten auffordern können: Nun schätzt ihr an einem allgemein beliebten Gegenstande wie z. B. Gold ab, wieviel ihr uns für unsere Waren geben wollt!" (S. 21.)

Nun führt B e n d i x e n allen Ernstes gegen diese Begründung des Geldwertes auf den Goldwert an, daß die Leute derartige Erwägungen doch gar nicht anstellen (Wesen des Geldes, S. 7): „Jeder kann es an sich selbst erfahren, wenn er prüft, wie er in Gedanken verfährt, wenn er eine Sache kaufen oder sich auch nur über ihren Wert eine Vorstellung machen will. Der Mann müßte noch geboren werden, dem vor einer Villa, die 70 000 Mk. kosten soll, der Gedanke an einen 50 Pfd. schweren Goldklumpen auftaucht." Also deshalb, weil die Leute nicht an den Goldwert denken, soll er nicht maßgebend sein. Als ob es überhaupt jemals Gewohnheit der Menschen sei, sich über den Zusammenhang der volkswirtschaftlichen Erscheinungen Rechenschaft abzulegen.

Es ist eine gänzlich unberechtigte Behauptung von B e n d i x e n, die „Metallisten" hätten die Illusion der „Wertbeständigkeit des Geldes". Er gibt der Hoffnung Ausdruck, daß die K n a p p s c h e Theorie die metallistische Irrlehre überwinden wird und sagt dann (Geld und Kapital, S. 97): „Die Illusion von der immanenten Wert-

---

[1]) Deutschland als geschlossener Handelsstaat im Weltkrieg. Stuttgart und Berlin 1916.

beständigkeit des allgemeinen Wertmessers wird bis dahin hoffentlich überwunden sein." Diese Illusion haben die Metallisten nie gehabt, wohl aber hat sie B e n d i x e n , der wiederholt von der „Wertbeständigkeit" des Geldes spricht, wobei er Wert und Preis miteinander verwechselt und den wichtigen Unterschied von innerem und äußerem Geldwert außer acht läßt. Ich zitiere wörtlich die folgenden Stellen bei B e n d i x e n : „Nicht das Gold gibt dem Geld seinen Wert, sondern das Gold erhält seinen Wert vom Gelde, d. h. von der Münzgesetzgebung. Der Staat schafft die Werteinheit und bestimmt den Feingehalt der Münze; indem er dann ferner die freie Ausprägbarkeit des Währungsmetalls anordnet, gibt er diesem den festen Wert. Es würde nur der Aufhebung der freien Goldprägung in allen Ländern bedürfen, um die Wertbeständigkeit des Goldes gründlich zu zerstören[1]). . . . Niemand, der Gold zu haben wünscht, braucht dafür einen höheren Preis anzulegen, da er ja in dem umlaufenden Gelde diesen Feingehalt vorfindet. So kann der Goldwert nicht über diesen Preis steigen[2])." „. . . Wenn man aber erkannt hat, daß nicht der Metallwert, sondern die Staatsautorität das Gold zum Gelde macht, so sollte die Tauschgutqualität des Geldes abgetan sein[3])." Da Gold also nach B e n d i x e n seinen Preis von der Geldverfassung herleitet, könne das Geld nicht seinen Wert vom Golde haben. Hier haben wir ganz deutlich die fatale Verwechslung von Wert und Preis. Der Preis, den die staatliche Gesetzgebung fixiert, ist eben ein rein nominaler, der innere Wert des Goldes, der besonders von der Produktionsbedingungen dieses Metalls abhängt, wird davon gar nicht berührt. B e n d i x e n hat die merkwürdige Vorstellung, als ob die staatliche Gesetzgebung einen Goldwert und sogar einen stabilen Goldwert schaffen könne. Er beachtet nicht, daß der Staat nur die ganz untergeordnete Funktion ausüben kann, einer bestimmten Gewichtsmenge Metall einen bestimmten N a m e n zu geben. Wieviel Wert aber hinter diesem Geldnamen sich verbirgt, hängt vom Werte des Metalls ab. Der Staat kann also nur den Preis, nicht aber den Wert des Geldes fixieren; daher ist es auch eine Utopie, wenn B e n d i x e n meint, der Staat müsse ein wirklich wertbeständiges Geld schaffen, und wenn er meint, in seinen durch Warenwechsel gedeckten Noten ein solches Geld geschaffen zu haben. Ein wertbeständiges Geld ist begrifflich ein Widerspruch an sich. Falsch ist es auch in dieser Hinsicht, einen Unterschied zwischen dem Geld als nationalem und internationalem Zahlungsmittel zu machen. B e n d i x e n will das Gold nur noch als Zahlungsmittel für gewisse internationale Zahlungsdienste betrachten; für den inneren Zahlungsverkehr genügten Zahlungsmittel ohne eigenen Wert. Prinzipiell ist hier gar kein Unterschied vorhanden. Auch für den inneren Verkehr muß — privatwirtschaftlichen Wirtschaftsverkehr vorausgesetzt — ein Metallgeld oder ein anderes Geld mit Stoffwert vorhanden sein, da sonst die Preisfixierung und Preisvergleichung nicht möglich wäre.

So wenig wie das q u a l i t a t i v e Geldproblem ist das q u a n t i t a t i v e Geldproblem durch die B e n d i x e n sche Theorie gelöst. Wie soll der Staat die Menge des auszugebenden Papiergeldes so bestimmen, daß einerseits Geldüberfluß mit der Wirkung der Geld-

---

[1]) Geld und Kapital. S. 36.
[2]) Ebenda S. 37.
[3]) Währungspolitik. S. 105.

verschlechterung (Inflation) und andererseits Geldknappheit, d. h.
ein Mangel an Umlaufsmitteln, vermieden werden? B e n d i x e n
meint zwar, der Fehler der älteren Papierwährungen sei gewesen, daß
aus Finanzgründen die Notenpresse zu stark in Tätigkeit gesetzt
worden wäre und dadurch die bekannten Übelstände der Papiergeldwirtschaft verursacht seien. Anders, wenn die Geldschöpfung
nicht als Finanzmaßregel, sondern in systematischer Weise als staatliche Verwaltungstätigkeit betrieben würde. Hier könne die Menge
des Geldes sehr wohl in vernünftigen Grenzen gehalten werden. Gerade
das wichtigste Geld, die durch Warenwechsel gedeckten Noten, entspreche dem Erfordernis: neues Geld nur, soweit neue Waren in Umlauf kommen. Ganz abgesehen davon, daß dieses automatische Verhältnis zwischen Notenmenge und Warenmenge, wie ich oben schon
zeigte, gar nicht besteht, ist nicht zu vergessen, daß immer nur ein
Teil des Warenumsatzes auf diesem kreditmäßigen Wege vor sich
geht, der andere Teil auf dem Wege des Barverkehrs, auf dessen
Grundlage sich erst der kreditmäßige Verkehr aufbaut. Soll dieser
ganze Zahlungsverkehr, der Barverkehr und der Kreditverkehr mit
Papiergeld bewerkstelligt werden, so könnte der Staat nur dann diese
Quantität richtig autoritativ fixieren, wenn er auch die Menge der
Warenproduktion und des Warenumsatzes autoritativ bestimmen
könnte. Soll der Staat die Geldschöpfung quantitativ fixieren, so
müßte er auch die Warenschöpfung quantitativ fixieren. Da aber in
unserer individualistischen Wirtschaftsordnung die Warenproduktion
und der Warenverkehr sowohl quantitativ wie qualitativ völlig dem
freien Ermessen der Produzenten und Konsumenten überlassen sind,
muß auch ein Geld vorhanden sein, das sich quantitativ diesem freien
Verkehr und seinen wechselnden Bedürfnissen nach Umlaufsmitteln
anpassen kann. Dies ist nur durchführbar bei grundsätzlich freier
Prägung des Währungsmetalls und bei einem auf dieser Währungsbasis aufgebauten möglichst elastischen System von Kreditmitteln
(Noten, Schecks usw.).

Kommen wir somit zu einer Ablehnung der theoretischen
Anschauungen von B e n d i x e n , so müssen wir ebenso seine wäh-
rungspolitischen Vorschläge als verfehlt bezeichnen. Das, was
B e n d i x e n erreichen will, ist durch seine Reform zu erreichen
unmöglich. Weder könnte der Staat auf diese Weise die Goldmenge
„im Parallelismus mit der Warenmenge" halten, noch könnte er „die
Geldschöpfung von den Zufälligkeiten der montanen Produktion befreien", wohl aber würde, wenn nach B e n d i x e n s Vorschlag
Deutschland die Goldwährung aufgeben sollte, das ganze deutsche
Geld- und Kreditwesen im höchsten Maße geschädigt und gefährdet.
Ich bestreite auch durchaus, daß die „Erfahrungen des Krieges" zu
einer wissenschaftlichen Vertiefung der Geldschöpfungsfrage geführt
hätten, oder daß der Krieg für die sog. staatliche Geldtheorie die
empirische Bestätigung gebracht und die Gleichberechtigung des
papierenen und metallenen Geldes gelehrt habe. Auch von anderen
Autoren ist behauptet worden, daß der Krieg die Richtigkeit der
K n a p p schen Geldtheorie bewiesen habe. Ich komme später noch
darauf zurück, inwieweit es überhaupt berechtigt ist, in diesen Fragen
die K n a p p sche Theorie heranzuziehen. Hier sei nur hervorgehoben,
daß für die letzten grundlegenden Fragen der Geldtheorie der Krieg
gar keine neuen Gesichtspunkte ergeben hat, soviel Interessantes und

Lehrreiches im einzelnen die Geld- und Währungszustände der kriegführenden und neutralen Länder geboten haben. Und ebenso hat der Krieg keine neuen Erscheinungen in der praktischen Währungspolitik hervorgebracht. Alle in den Kriegszeiten getroffenen Einrichtungen des Geld- und Finanzwesens einschließlich der Darlehnskassenscheine haben in früheren Kriegen bereits ihre Vorläufer gehabt. In allen Kriegen hat man in mehr oder minder großem Maße papierene Zahlungsmittel zur Ergänzung oder zum Ersatz der metallenen Zahlungsmittel in Anspruch genommen. Immer wurde Kreditgeld in mehr oder minder großem Umfange dem Bargeld hinzugefügt. Aber eine Lehre hat auch dieser Krieg wieder gegeben, die aber nicht f ü r B e n d i x e n , sondern g e g e n ihn spricht: daß nämlich auch in Kriegszeiten der Kredit und die Währung des betreffenden Landes um so gesicherter und gefestigter sind, je mehr das Papier- und Kreditgeld sich an die metallene Währungsbasis anlehnt, je mehr die ausgegebenen Noten „metallisch" gedeckt sind. B e n d i x e n hätte alle Ursache gehabt, anzuerkennen, mit wie großem Erfolg die Politik der deutschen Reichsbank es lange Zeit verstanden hat, die deutsche Valuta relativ stark zu erhalten, dadurch, daß sie die strengen Deckungsvorschriften aufrecht erhielt, und eigentliches, d. h. ungedecktes Papiergeld nur in ganz bescheidenem Umfange zugelassen hat. Die Angriffe B e n d i x e n s gegen die gesetzlichen und Verwaltungsgrundsätze der Reichsbank sind völlig unberechtigt. Würde Deutschland die Einlösungspflicht der Banknoten und die teilweise Golddeckung der Noten preisgeben, so müßte dies zu einer dauernden Entwertung der deutschen Valuta führen. — Soviel Tadel B e n d i x e n der deutschen Reichsbank spendet, soviel Lob erteilt er der österreichungarischen Bank- und Währungspolitik. Die österreich-ungarischen Währungsverhältnisse erscheinen ihm schlechthin als ideal: „Unter allen Geldsystemen das fortgeschrittenste ist das österreichische. Hier war die Not die Lehrmeisterin. Aus schlechter Papierwirtschaft, die eine Folge zerrütteter Staatsfinanzen war, ist ein gesundes Papiergeldsystem geworden, das im Lande alles Vertrauen genießt. Einen Österreicher braucht man von der symbolischen Natur des Geldes nicht erst zu überzeugen" (Wesen des Geldes, S. 42). Es sei ein Wahn, uneinlösliches Papiergeld für bedenklich zu halten; um diesen Wahn zu zerstreuen, brauche man bloß einen Blick auf die Geld- und Verkehrsverhältnisse im österreichischen Nachbarstaat zu werfen (Währungspolitik, S. 28): „Daß die Devisenpolitik, wie sie zuerst die Österreichisch-ungarische Bank und nach ihr die Reichsbank entwickelt hat, die ideale Lösung der intervalutarischen Kursregulierung darstellt, neben welcher die Goldversendung fast primitiv anmutet, das ist für Friedenszeiten wohl von keiner Seite mehr bestritten" (Währungspolitik, S. 38). — Ich kann, wie ich bereits oben sagte, die österreichisch-ungarischen Währungszustände keineswegs als „ideale" Lösung der Währungsfrage betrachten. Daß die Devisenpolitik der Österreichisch-ungarischen Bank ein vorzügliches Mittel war, um das Manko der österreichisch-ungarischen Goldwährung, das in der mangelnden Einlösungspflicht ihrer Noten besteht, auszugleichen, ist zuzugeben; sie ist und bleibt ein Notbehelf für die Länder, welche die Einlösungspflicht ihrer Noten nicht durchgeführt haben. B e n d i x e n verweist auf die Periode von 1878 bis 1892, also auf die Zeit vor Einführung der Goldwährung, und bemerkt: „Das Geld hat sich vom wertvollen Tauschgut zur abstrakten Werteinheit entwickelt, wobei den konkreten Wertzeichen die Qualität als wertvolles Tauschgut teilweise belassen worden ist. Die historische Kenntnis dieser Tatsache und der Anblick goldener Münzen macht es dem naiven Denkvermögen schwer, die Werteinheit als etwas Abstraktes zu begreifen. Immerhin sollte dies dem Österreicher leichter fallen, als dem Reichsdeutschen, namentlich wenn er als denkendes Wesen die Jahre der freien Valuta von 1878 bis 1892 in Österreich durchlebt und dadurch erfahren hat, daß ein wohlgeordnetes Geldwesen auch ohne metallische Basis bestehen kann. Das österreichische Geld von 1878 bis 1892 war Geld in reinster Gestalt" (Währungspolitik, S. 97).

Ich will ganz absehen davon, daß zweifellos die Valuta sich besser aufrechterhalten konnte im Hinblick auf die schon geplante und als sicher angenommene Einführung der Goldwährung: ist aber B e n d i x e n nicht bekannt, daß selbst in dieser Zeit noch die österreichische Valuta zeitweise sehr schlecht war? So betrug der Preis für 100 Gulden Gold (250 Fr.) im Durchschnitt des Jahres 1872 110,37 Gulden ö. W.-Noten und stieg von diesem Jahr an mit kürzeren Unterbrechungen bis auf 125,23 Gulden ö. W.-Noten im Durchschnitt des Jahres 1887. — Wenn auch die Schwierigkeit der österreichischen Valutaverhältnisse durch Einführung der Goldwährung 1892 im wesentlichen behoben wurde, so bewirkte doch die mangelnde Einlösungspflicht der Banknoten, daß auch in dieser Zeit die österreichischen Wechselkurse, verglichen mit denen der Goldwährungsländer, trotz der energischen Devisenpolitik der Österreichisch-ungarischen Bank häufig sehr ungünstig waren.

Ebenso werden von B e n d i x e n die neuerlichen Maßnahmen der schwedischen Reichsbank ganz unrichtigerweise zugunsten seiner antimetallistischen Theorie herangezogen. B e n d i x e n sagt darüber: ,,Gerade in den Tagen, wo ich dieses niederschreibe, geht die Nachricht ein, daß Schweden sich der Goldeinfuhr verschließe und die anderen skandinavischen Staaten ihm voraussichtlich folgen würden. Ist das ein Einzelfall oder der Beginn einer Entwicklung? Wenn andere neutrale Staaten ein gleiches beschließen, welchen Wert als Zahlungsmittel für das Ausland hat dann noch unser stolzer Goldschatz von 2½ Milliarden Mark? Wäre es da nicht doch angebracht, einen Teil dieses Goldes rechtzeitig in Auslandsguthaben zu verwandeln?" (Währungspolitik, S. 53). — Mit dieser schwedischen Goldpolitik hat es tatsächlich folgende Bewandtnis. Wenn die schwedische Reichsbank von der Pflicht entbunden wurde, ein Kilogramm Gold zu 2480 Kronen einzulösen, so geschah dies, weil es vorteilhafter für Schweden war, unter den damaligen Valutaverhältnissen statt Gold Waren in das Land zu bringen. Schweden wollte von der entwerteten Valuta der kriegführenden Länder profitieren, wie es ein guter Sachkenner dieser Verhältnisse, S v e n   H e l a n d e r, beschreibt: ,,Würde das Gold frei in Schweden einwandern können, müßten wir es nach der alten Parität bezahlen, wenn die Reichsbank das Geld zum festen Kurs einkaufen müßte. Aber wir können es mit den jetzigen Wechselkursen viel billiger bekommen, wenn wir in entwerteter ausländischer Valuta Gold kaufen, im betreffenden Lande Ausfuhrlizenz erhalten (was im Lizenzfeilschen immer möglich ist) und es selbst nach Schweden kommen lassen. Wenn wir überhaupt Gold haben wollen, würden wir es viel zu teuer bezahlen, wenn die erwähnten Maßnahmen nicht ergriffen worden wären[1])."

Schweden war während des Krieges mit Gold gesättigt; infolge seiner großen Ausfuhr stiegen die Wechselkurse, was eine immer größere Goldeinfuhr bewirkte; ein weiterer Zustrom hätte unter Umständen Inflation bewirken können, die, wie ich oben zeigte, auch durch ein Übermaß von Gold hervorgerufen werden kann. So brauchte Schweden vor allem Waren, aber keinen neuen Goldzufluß. Der Bankdirektor K a e m m e r e r (Hamburg) hatte während des Krieges eine Unterhaltung mit dem Leiter der schwedischen Reichsbank in Stockholm, welcher belustigt lächelte über die Version, daß Schweden gewissermaßen eine Abwendung vom Gold inauguriere. Der beste Kommentar hierzu war das lebhafte Interesse, daß dieser Herr für den Zeitpunkt an den Tag legte, zu dem man voraussichtlich für eine „Reichsmarkforderung" wieder Gold haben könne[2]).

Man sollte es also unterlassen, die vorübergehende Maßnahme, die ein einzelnes Land während des Krieges unter ganz anormalen Handels- und Verkehrsverhältnissen zu ergreifen genötigt war, als Beweis für die Notwendigkeit so folgenschwerer Reformen im Frieden, wie es die Abschaffung der Goldwährung wäre, anzuführen.

Ungewöhnliche Zeiten erfordern ungewöhnliche Maßnahmen; es ist aber grundsätzlich verkehrt, wirtschaftliche Maßnahmen, die in solchen Zeiten getroffen werden, auch für Friedenszeiten fordern zu wollen. Dies geschieht aber — und in dieser Hinsicht ist B e n - d i x e n s Schrift typisch für viele kriegswirtschaftliche Schriften — mit Vorliebe dann, wenn die kriegswirtschaftliche Organisation irgendwie dem Ideal entspricht, welches der betreffende Verfasser von der Wirtschaftsorganisation auch für Friedenszeiten hat. Ebenso, wie viele staatssozialistisch gesinnte Nationalökonomen die verschiedenen gemeinwirtschaftlichen Maßregeln der Kriegszeit zum Anlaß nahmen, solche Organisation auch als vorbildlich für Friedenszeiten zu preisen, so weisen auch die Gegner der Goldwährung auf den papierenen Zahlungsverkehr der Kriegswirtschaft hin als auf die auch für Friedenszeiten ideale Lösung der Währungsfrage.

Zum Schluß möchte ich noch darauf hinweisen, daß es durchaus falsch wäre, die K n a p p sche Geldtheorie mit den B e n d i x e n - schen Anschauungen über Geldwesen zu identifizieren. K n a p p ist Geldtheoretiker und keineswegs Währungspolitiker. Wenn also die K n a p p sche Theorie auf B e n d i x e n einen großen Einfluß gehabt hat, so ist sie doch inhaltlich von der B e n d i x e n schen Lehre durchaus zu trennen. K n a p p hatte das Papiergeld logisch-theoretisch dem Metallgeld als gleichwertig bezeichnet, B e n d i x e n wollte das Papiergeld auch praktisch-währungspolitisch dem Metallgeld gleichsetzen. Trotz seiner platonischen Liebe für stoffwertloses Geld hat K n a p p wiederholt in seinem Werke die Beibehaltung der Goldwährung empfohlen und nur als eine ganz entfernte theoretische Zukunftsmöglichkeit eine Geldverfassung ohne Bargeldumlauf angesehen[3]). K n a p p behauptete als Geldtheoretiker, daß die Definition

---

[1]) Die Goldpolitik Schwedens. Europäische Staats- u. Wirtschaftszeitung. Nr. 11 vom 27. Mai 1916. S. 590 ff.

[2]) „Zur deutschen Valuta" von G. H. K a e m m e r e r, Hamburg, in der Frankfurter Zeitung vom 24. Dezember 1916.

[3]) Vgl. meine Kritik des K n a p p schen Werkes. Bankarchiv. Jahrg. 1905/06.

des Geldes so weit gefaßt werden müßte, daß sie nicht nur das Metallgeld, sondern auch das Papiergeld umfasse. Er ging von der Zahlungsmittelfunktion des Geldes aus und kam so zu der Definition, daß das
Geld chartales Zahlungsmittel sei, d. h. unabhängig von dem Stoff,
aus dem das Geld hergestellt würde. Unzweifelhaft hat K n a p p
durch seine Theorie manche Einseitigkeiten der älteren metallistischen
Geldlehre berichtigt; sobald aber das Geld währungspolitisch betrachtet wird, darf man sich nicht auf eine bestimmte Funktion des
Geldes beschränken, sondern muß alle Funktionen des Geldes in Betracht ziehen, die für die Rolle wichtig sind, die das Geld innerhalb
einer bestimmten Wirtschaftsordnung leisten muß. Für eine individualistische Wirtschaftsordnung halte ich ein Geld mit Stoffwert für notwendig, weil sonst die Funktion des Geldes als Preis-
fixierungs- und Wertvergleichungsmittel nicht erfüllt werden
kann. B e n d i x e n sagt einmal (Währungspolitik, S. 24): „Ich ver-
spreche mir von einer Neuordnung des Reichsbankgebietes unter der
gegenwärtigen Leitung nicht viel Gutes. Ich frage mich ängstlich,
ob der Chirurg, der die Operation machen soll, auch genug Anatomie
versteht.“ Um bei diesem Vergleich zu bleiben, möchte ich meinerseits
die K n a p p sche Geldtheorie mit einem ärztlichen Instrumente vergleichen, das nur in der Hand eines geübten Chirurgen angewandt
werden sollte, weil es sonst Unheil stiften kann. Mir scheint B e n -
d i x e n nicht der Chirurg zu sein, dem man eine Operation am deutschen Geldwesen anvertrauen darf.

B e n d i x e n hat in seinen Erwiderungen[1]) gegen meine Kritik,
die ich zuerst im Bank-Archiv 1916 veröffentlicht hatte, keine neuen
Gesichtspunkte hervorgebracht. Der Hamburger Bankdirektor M a x
S c h i n c k e l hat sich meinen Ausführungen gegen B e n d i x e n
angeschlossen und speziell meine Zweifel an der Zweckmäßigkeit der
„klassischen“ Geldschöpfung B e n d i x e n s , nämlich der Schaffung
von Geld auf Grund von Warenwechseln, mit einigen aus der Praxis
geschöpften Beispielen bestätigt. So sagt er z. B.[2]): „Wie aber, wenn
bei Fälligkeit der Wechselschuld die Ware noch nicht verkauft werden
konnte? Hier würde B e n d i x e n sich wahrscheinlich mit einer
Prolongation des Wechsels helfen.“ Noch viel näher der Praxis kommt
die weitere Frage: „Wie aber, wenn die fast gleichzeitig mit dem 90
Tage nach Sicht gezogenen Wechsel von Amerika eingetroffene Ware
bereits 14 Tage nach Akzept und Diskontierung des Wechsels zu
Gelde gemacht und ins Inland weiterverkauft, der Akzeptant jedoch
abermals einen dreimonatlichen „Warenwechsel“ gegen dieselbe Ware
gezogen und bei der Reichsbank diskontiert hat, und die Ware bis
zum Verfall des ersten gegen sie gezogenen Wechsels noch mehrmals
die Hände gewechselt und jedesmal einen neuen ‚Warenwechsel‘ geschaffen hat?“ Sollten solche „Warenwechsel“ wirklich mehr Noten-
deckungswert für die Reichsbank haben, wie die „Bankwechsel“, die
der Exporteur als Rimesse von einem überseeischen Kunden erhält,
der sichergehen will und daher drüben lieber einen „Bankwechsel“ als
einen „Warenwechsel“ kauft? Daß die Reichsbank aus Gründen ihrer
Diskontpolitik den aus irgendeinem Warenumsatz hervorgegangenen

[1]) Im Bankarchiv, Nr. 2 vom 17. Oktober 1916. S. 28/29 und ferner in seiner
Schrift „Das Inflationsproblem“. S. 21 ff.

[2]) Vgl. seine Abhandlung: „Diehl contra Bendixen“ in Nr. 2 des Bankarchivs
vom 17. Oktober 1916. S. 29/30.

Wechsel als dem gewissermaßen ligitimeren, den Vorzug vor einem reinen Finanzwechsel gibt, darf nicht zu der Annahme verleiten, daß auf die Einlösung des sog. Warenwechsels immer mit größerer oder gar mit absoluter Sicherheit zu rechnen ist, daß man ihn getrost so an Stelle des Goldes als vollwertige Notendeckung verwenden könnte."

Auch der Warenwechsel wird eben sehr häufig durchaus nicht nur als Zahlungsmittel, sondern auch zu Kreditvorgängen aller Art benutzt.

In einer kleinen Schrift, betitelt: „Das natürliche Gesetz der Arbeit", verfaßt von K a r l B ö h m e r und verlegt bei Max Volkening, Minden i. W., wird ein ganz alltäglicher Vorgang aus der Kreditpraxis folgendermaßen geschildert: Ein Warenposten wird von Fabrikanten an den Großhandel gegen Dreimonatsakzept verkauft, und der Großhandel gibt die Ware ebenfalls gegen Dreimonatsakzept weiter. Der Fabrikant diskontiert seinen Wechsel bei einer Bank, der Großhändler den seinigen ebenfalls, und da er sein Akzept erst nach drei Monaten einzulösen braucht, so wird er sofort „unter Ausnutzung des Kassa-Skontos" wieder Ware einkaufen, die an einen anderen Einzelhändler geht. Die Produktion, die in diesem Falle wirtschaftlich nur einen einmaligen Kredit rechtfertigt, hat somit den Kredit übersetzt und zu d o p p e l t e m W a r e n e i n k a u f Veranlassung gegeben, obwohl er noch nicht e i n m a l wirklich vom Konsum bezahlt ist[1]).

Wiederholt hat B e n d i x e n zu meinen kritischen Ausführungen Stellung genommen[2]) und hat besonders in folgenden Punkten nochmals seine von mir abweichende Stellung präzisiert:

a) N o m i n a l i s m u s o d e r M e t a l l i s m u s?

B e n d i x e n polemisiert besonders gegen meinen Satz: „Der Staat übt nur die ganz untergeordnete Funktion aus, einer bestimmten Gewichtsmenge Metall einen bestimmten Namen zu geben. Wieviel Wert aber hinter diesem Geldnamen sich verbirgt, hängt vom Wert des Metalls ab. Der Staat kann also nur den Preis, nicht aber den Wert des Geldes fixieren" (S. 505) und wendet dagegen folgendes ein: „Wäre es wahr, was der Metallist ungeprüft anzunehmen pflegt, daß eine Geldschuld ein Metallquantum zum Gegenstand habe, so würde eine Umprägung der Münzen an dem realen Inhalt der Obligation nichts zu ändern vermögen. Wenn also beispielsweise die neuen Stücke nur halb so viel Währungsmetall enthalten, wie die alten, so müßte der Schuldner eben die doppelte Anzahl entrichten, um sich freizumachen. Nun wissen wir aber aus der Geschichte, daß die Taler, die Gulden, die Livres usw. mit ganz anderer als dieser Wirkung umgeprägt und mit vermindertem Feingehalt ausgebracht

[1]) Vgl. Die Bank. 8. Heft. August 1926 (Herausgegeben von A. L a n s b u r g h). S. 498.

[2]) Vgl. dessen Schriften: Vom theoretischen Metallismus. Kritik der Lehre K a r l D i e h l s. Jahrb. f. Nat.-Ökon. u. Statistik. 112. Bd. III. Folge. — Nominalismus oder Metallismus. Jahrb. f. Nat.-Ökon. u. Statistik, 113. Bd. III. Folge. — Bemerkungen zur Geldschöpfungslehre. Ebenda 113. Bd. — Zur Frage der Definition des Zahlungsmittels und der Werteinheit. Ebenda 115. Bd. — Zwei Schriften B e n d i x e n s sind inzwischen in neuer Auflage erschienen. Geld und Kapital. G. Fischer, Jena (2. Aufl. 1918). — Das Wesen des Geldes. Duncker & Humblot (2. Aufl. 1918).

worden sind. Niemals hat weder unter den Gläubigern noch den
Schuldnern ein Zweifel darüber bestanden, daß, wenn nicht etwa Stücke
von bestimmtem Feingehalt stipuliert waren, die neue Münze als
vollgültiges Solutionsmittel für die alte Schuld, ohne Rücksicht
auf Feingehalt, allein nach der vom Staate proklamierten Geltung anzusehen war. Damit ist aber doch wohl erwiesen, daß nicht nur in
der staatlichen Theorie, sondern auch in der Anschauung des Lebens
der Gegenstand der Geldschulden ein nicht real, sondern nur nominal definiertes Etwas ist und daß die Verpflichtung des Schuldners
darin besteht, nicht Edelmetall, sondern Zahlungsmittel zu leisten,
und zwar ohne daß es auf Stoff und Feingehalt ankäme. Mit anderen Worten: Geldschulden sind nicht Real-, sondern Nominalschulden. Sie lauten auf Werteinheiten. Welche Stücke aber als
Träger von Werteinheiten zur Zahlung von Schulden verwendbar
sind, bestimmt der Staat" (S. 505—506).

Bendixen hat, wie aus dieser Stelle hervorgeht, meine
Auffassung und wohl auch die metallistische Grundanschauung
mißverstanden. Ich leugne nicht, daß der Staat jederzeit das Recht
und die Möglichkeit hat, beliebige Dinge n o m i n a l als Geldzeichen
auszugeben und diesen den vollen Geldcharakter zu verleihen. Insoweit bin ich selbst Nominalist und habe wiederholt meine Geld-
definition dahin abgegeben: Geld ist alles das, was vom Staate als
gesetzliches Zahlungsmittel proklamiert wird. An obiger Stelle
sprach ich nur vom g e m ü n z t e n Gelde und wollte darauf hinweisen, daß der Staat bei gutgeordnetem Münzwesen nichts weiter
leisten könne, als daß er durch seine Prägung eine authentische Erklärung über den Metallgehalt einer gewissen Münze abgibt, daß er
also keinen „Wert" kreiren könne, sondern daß der Wert dieser
Geldmünze lediglich von dem Wert des in der Münze enthaltenen
Metalles bedingt sei.

Es ist zu unterscheiden zwischen dem „Preis" des Geldes
einerseits, d. h. der Feststellung des im Münzgesetz bestimmten
Verhältnisses zwischen der Menge des Metalles und dem Namen der
Münze und dem „Münzwert" anderseits, d. h. dem eigentlichen
inneren Wert des Geldstückes, der durch den Wert des Metalls bestimmt wird.

Ferner habe ich auch nie geleugnet, was ausdrücklich gegenüber einigen meiner Kritiker hervorgehoben werden muß, daß der
Staat jederzeit Geld im Rechtssinne in jeder beliebigen Form schaffen
kann, auch in Form von Papiergeld, ich habe aber betont, daß innerhalb der p r i v a t k a p i t a l i s t i s c h e n W i r t s c h a f t s o r d -
n u n g ein volkswirtschaftlich rationelles Geldwesen auf einem
Geld mit Stoffwert basiert sein müsse. — Ich unterscheide also
durchaus zwischen Geld in weiterem Sinne, welches durch staatliche
Anordnung Geldcharakter erhalten hat, und dem Geld im volkswirtschaftlichen Sinne eines guten, d. h. volkswirtschaftlich z w e c k -
m ä ß i g e n Geldes.

Alles, was B e n d i x e n über die Natur und Bedeutung der
Geldschulden sagt, ist mir nicht nur wohl bekannt, sondern kann
von mir auch ohne weiteres zugegeben werden; trifft aber die „metallistische Theorie" in keiner Weise. — B e n d i x e n gibt verschiedene
Beispiele von Münzfußveränderungen aus der Geldgeschichte und
meint: „Aber sollte diese juristisch und rechtshistorisch so bedeut-

same Tatsache wirklich für die Wissenschaft vom Gelde so belanglos sein, sollte sie bloß den Juristen, nicht auch den Ökonomisten angehen? Ist es nicht vielmehr offenbar, daß dieser juristischen Tatsache ein wirtschaftliches Verhältnis zugrunde liegen muß, für welches die juristische Erscheinungsform nur das äußere Gewand bildet? Ich meine, die Nominalität der Werteinheit, die sich in dem Schicksal der Geldschulden so deutlich zeigt, kann gar nicht anders als wirtschaftlicher Natur sein" (S. 507).

Die angeführten Tatsachen haben tatsächlich nur juristische Bedeutung und beweisen nichts für die Nominalität der Werteinheit. Was „wirtschaftlicher Natur" im Schicksal der Geldschulden ist, ist gerade der Umstand, daß — unbeeinflußt durch die staatliche Festsetzung über die Ausprägung und die Namensbezeichnung der Zahlungsmittel — wirtschaftlich die Zahlungsmittel nach dem tatsächlichen Wert, der ihnen vom Verkehr beigelegt wird, bewertet werden müssen. Und da beweist gerade die Geschichte sowohl der Metallwährung wie der Papierwährungen, daß sich der wirtschaftliche Verkehr niemals um diese „nominalen" Festsetzungen kümmert, sondern um den wirklichen Wert, der den Zahlungsmitteln zukommt. Die Geschichte des Geldes zeigt auf Schritt und Tritt die Richtigkeit der metallistischen Theorie.

B e n d i x e n will das Wesen des Geldes in der „abstrakten Werteinheit" erblicken. Geld ist für ihn nicht Metall, sondern eine abstrakte Werteinheit, deren Träger das jeweils begültigte Zahlungsmittel ist. Werteinheit und Zahlungsmittel im Sinne B e n d i x e n s müssen auseinandergehalten werden. Unter W e r t e i n h e i t versteht B e n d i x e n die „abstrakte Vorstellung", mit der wir rechnen. Unter Z a h l u n g s m i t t e l n die auf Werteinheiten lautenden Geldzeichen oder Giroguthaben[1]).

Gegen diesen ganzen Begriff der „abstrakten Werteinheit" wende ich mich auch den neuesten Ausführungen B e n d i x e n s gegenüber.

Geld ist keine abstrakte Werteinheit, sondern es handelt sich stets um konkrete, vom Staate ausgegebene Zahlungsmittel, mögen sie aus Papier oder Metall sein. „Wert" erhalten die Zahlungsmittel nicht deshalb, weil der Staat sie ausgibt, sondern nur, weil und insoweit ihnen Vertrauen von seiten der im wirtschaftlichen Verkehr Beteiligten entgegengebracht wird. Der ganze Ausdruck „abstrakte Werteinheit" ist irreführend, denn er muß zu der Annahme verleiten, daß der Staat nicht nur rechtlich als Geld erklären könne, was ihm beliebt, sondern daß ihm auch v o l k s w i r t s c h a f t l i c h diese Möglichkeit gegeben sei. Hier müssen wir in der oben dargelegten Weise unterscheiden. Als Geldtheoretiker kann ich von der Definition ausgehen, daß das Geld das für eine Zahlungsgemeinschaft kreierte Zahlungsmittel ist, aber als Geldtheoretiker muß ich auch zugleich erklären, daß und warum dieses Geld innerhalb bestimmter Wirtschaftsverfassungen einen Stoffwert haben muß, wenn nicht große Verwirrungen im Geld- und Kreditverkehr hervorgerufen werden sollen.

Bei dieser Gelegenheit möchte ich ein paar Worte über die Beziehung zwischen Theorie und Praxis in der Geldlehre sagen. Die

---

[1]) Vgl. Wesen des Geldes. 2. Aufl. S. 69.

Vertreter der K n a p p schen Schule machen gerne einen Unterschied zwischen Theorie und Praxis im Geldwesen. — Weist man z. B. auf die großen Mißstände hin, welche die Papierwährung in verschiedenen Ländern mit sich brachte, so pflegen sie sich auf die Position zurückzuziehen, sie wären keine Geldpolitiker, sondern Geldtheoretiker. — Die Theorie müsse die Definition des Geldes so weit fassen, daß alles Geld, das gute und das schlechte, darunter falle, und was in der praktischen Währungspolitik geschähe, sei für die Geldtheorie gleichgültig. Ich kann diese Auffassung nicht teilen, und meine, daß das ganze Geldwesen eine eminent praktische Angelegenheit ist, daß jedenfalls die Geldtheorie für die praktische Nutzanwendung in der Geldpolitik ihre große Wichtigkeit hat.

Das war bei den theoretischen Führern der Geldwährung der Fall, das müssen auch die Vertreter der Papiergeldwährung beherzigen. Schon die sehr radikale Art, in der manche Geldreformer praktische Schlüsse aus der K n a p p schen Theorie gezogen haben, die K n a p p veranlaßt haben, in der zweiten Auflage seines Werkes sehr deutlich von ihnen abzurücken, sollte K n a p p und seine Freunde veranlassen, auch der Geldtheorie eine breitere Basis zu geben.

Man kann also sehr wohl in der Theorie des Geldes von einer Definition ausgehen, die alles Geld, sowohl das gute, wie auch das schlechte umfaßt, soll aber auch gleichzeitig schon in der Geldtheorie den nötigen Fingerzeig dafür geben, welches die Kriterien eines rationellen Geldwesens für bestimmte Wirtschaftsverfassungen sind.

Die „nominale Werteinheit" ist jedenfalls nicht, wie B e n - d i x e n meint, die „Seele des Geldes", und zwar gerade für die ökonomische Betrachtung, sondern umgekehrt für die ökonomische Betrachtung ist die nominale Werteinheit eine nebensächliche Äußerlichkeit. — Für die wirtschaftliche Betrachtung kommt es vor allem auf den inneren Wert des Geldes an, damit komme ich zum folgenden Punkt der Polemik, zur Frage der Wert- und Preisbildung des Geldes.

b) W e r t u n d P r e i s d e s G e l d e s.

B e n d i x e n beanstandet meine Auffassung, daß die Preise durch einen Vergleich von Ware und Geld zustande kommen, und daß für diese Preisbildung ein Wertvergleichungsmittel von selbständigem Werte notwendig sei. Besonders wendet er sich gegen meine Interpretation des Vorgangs zwischen Produzenten und Konsumenten, wobei ich den Verkäufern die Worte in den Mund lege: „Nun schätzt ihr an einem allgemein beliebten Gegenstande, wie z. B. Gold, ab, wieviel ihr uns für unsere Ware geben wollt" (S. 509). B e n d i x e n meint, daß kein Mensch, der eine Sache kaufe oder schätze, dabei an Geld dächte. Selbstverständlich ist meine Erklärung nicht wörtlich zu nehmen. Ich denke nicht daran, daß etwa jeder einzelne Käufer persönlich eine Wertschätzung in Gold vornähme, bevor er eine Ware kauft, und weiß, daß er sich dieser Vorgänge nicht einmal bewußt ist. Und dennoch beruht die ganze Marktpreisbildung auf solchen Schätzungen einerseits der Ware, anderseits des Geldes, und bei freier Konkurrenzwirtschaft ist ein Tauschwerkzeug von relativer Wertstabilität notwendig, welches zur Wertvergleichung der Waren dient. — B e n d i x e n will demgegenüber die Vorgänge darstellen, wie sie in Wirklichkeit verlaufen und behauptet, daß der wirkliche Gegenstand des Vergleichens die „verschiedenen Kaufgelegenheiten" seien: „Der Käufer erwägt, was er für das Geld, das er für die ihm vorgelegte Ware anlegen soll, sonst würde erwerben können. Er vergleicht also die Vorteile miteinander, die ihm die verschiedenen Kaufgelegenheiten bieten. Aber kein Mensch denkt an das Vergnügen, das der Besitz des Goldes gewährt und schätzt am Golde, wieviel er für die Ware zahlen möchte" (S. 510). Also auf die Schätzung des Geldes soll es überhaupt nicht ankommen, sondern maßgebend sei nur die B e s c h r ä n k t h e i t d e r K a u f - m i t t e l. Wovon soll aber der Umfang der Kaufmittel abhängen? Darauf antwortet B e n d i x e n: der Umfang sei in der privaten Konsumwirtschaft unter normalen Verhältnissen durch die „Vorleistung" bedingt, welchem Ausdruck er gegenüber der üblichen Bezeichnung „Einkommen" den Vorzug gibt. — In Kriegszeiten erführe dieser Umfang eine Erweiterung durch Handhabung der Notenpresse: „Die Steigerung der Preise erklärt sich vollauf aus der Vermehrung der Kaufmittel, ohne daß es dazu der Annahme eines öffentlichen Mißtrauens gegen das Papiergeld bedürfte" (S. 510). Im Frieden sei die Sache noch einfacher: „Wer aber erkannt hat, daß nur die Vermehrung der Kaufmittel die Gebote steigert, und daß bei unveränderter Kaufkraft weder der Käufer in der Lage ist, seine Gebote zu erhöhen, noch der Verkäufer, der nicht auf seiner Ware sitzen bleiben will, höhere Preise verlangen kann — der wird sich leicht überzeugen, daß der Herstellungsstoff der Geldzeichen für die Höhe der Preise vollständig gleichgültig ist. Die numerische Vergrößerung der Kaufkraft ist es, die die Steigerung der Preise schon bei unvermindertem Preisangebot bewirkt; nicht der Stoff der Zahlungsmittel, ja nicht einmal deren absolute Vermehrung, denn soweit das neue Geld nicht kaufend zu Markte geht, läßt es die Preise unberührt." B e n d i x e n will also den Faktor des G e l d w e r t e s bei der Preisbildung ganz a u s s c h a l t e n, er meint, daß alles nur vom Umfang der Kaufmittel bzw. von der Größe der Kaufkraft abhänge. Diesen Ausführungen gegenüber möchte ich nochmals, wie schon früher, betonen: daß Menge und Wert des Geldes direkt nicht die Preise beeinflussen, sondern selbstverständlich nur vermittels der Kaufkraft der Konsumenten, aber und dies ist doch der springende Punkt: für die Kaufkraft ist Wert und Menge des Geldes von größter Bedeutung. — Der Herstellungsstoff der Geldzeichen soll nach B e n d i x e n für die Höhe der Preise völlig gleichgültig sein. Und doch ist dieser Herstellungsstoff der Geldzeichen bei allen größeren Preisrevolutionen von ausschlaggebender Bedeutung gewesen! Wie anders sind die Preiserhöhungen im 16. und 17. Jahrhundert zu erklären, als durch die Senkung des Geldwertes infolge der Vermehrung der Edelmetalle, und ebenso die Preiserhöhungen in den 50er Jahren des 19. Jahrhunderts durch die australischen und kalifornischen Goldfunde? Was lag hier also vor? Ohne jede Änderung auf der W a r e n s e i t e kamen die Preisumwälzungen dadurch zustande, daß durch die erleichterte Beschaffung des Silbers bzw. Goldes das G e l d m e t a l l an Wert verlor und dadurch — auf dem Wege über die Einkommensvermehrung der Käufer — eine Preissteigerung eintrat. — Wenn B e n d i x e n immer wieder nur auf die „Vergrößerung der Kaufkraft" hinweist, so verzichtet er auf

eine nähere Kausalerklärung, wie die Preissteigerungen zustande
kommen. Und ebenso vermisse ich die wirkliche Kausalerklärung
bei der Inflation durch Papiergeldvermehrung. Es bedürfe, meint
B e n d i x e n , gar nicht der Annahme des öffentlichen Mißtrauens
gegen Papiergeld, die Vermehrung der Kaufmittel genüge vollkommen
zur Erklärung der Preissteigerung. Meines Erachtens genügt diese
Erklärung durchaus nicht. Die Vermehrung der Kaufmittel findet
auch bei der Inflation infolge der Goldvermehrung statt. Bei der
Papiergeldinflation tritt das gesunkene Mißtrauen als verstärkendes
Moment noch hinzu. Dieses gesunkene Vertrauen bewirkt eine ge-
ringere Wertschätzung des Geldes und so zeigt sich, daß, ohne diese
Vorgänge des Geldwertes zu beachten, die Preisbildung nicht zu
erklären ist. B e n d i x e n fragt, ob ich wirklich glaubte, daß „die
kindliche Freude an dem blinkenden gelben Metalle das Gebot des
Käufers bestimme?" (S. 512). Davon kann natürlich nicht die
Rede sein. Wenn ich vom Wert des Geldes als preisbestimmendem
Faktor spreche, meine ich natürlich den Wert im allgemeinen. Die
Freude am „blinkenden Metall" war von Wichtigkeit für die Wahl
des Edelmetalles zum Geldstoff überhaupt. Ich hatte ganz andere
Momente im Auge. Ich hatte B e n d i x e n vorgeworfen, daß er
Wert und Preis verwechsle, wenn er behauptet, daß das Gold seinen
Wert vom Gelde, d. h. von der Geldverfassung erhielte und habe erklärt, daß das Gold von der Geldverfassung höchstens einen M ü n z -
p r e i s erhält, aber keinen Wert. B e n d i x e n erwidert: „Ich
habe also den staatlich festgelegten Preis als den Wert des Goldes
bezeichnet, und das wird doch so lange nicht erlaubt sein, als man von
objektivem Wert, Tauschwert und gemeinem Wert sprechen darf"
(S. 511). Nein, man darf hier nicht von Wert sprechen, denn bei der
oben erwähnten staatlichen Münzpreisfestsetzung handelt es sich
um eine amtliche Preisfeststellung, nicht aber um den „Wert". Der
Wert sowohl nach seinen objektiven, wie nach seinen subjektiven
Bestimmungsgründen ist allein abhängig von den wirklichen Faktoren,
die den Wert bestimmen, also z. B. den Produktionskosten der
Edelmetalle, den subjektiven Schätzungen der Käufer gemäß ihrem
Vermögen, ihren Einkommensverhältnissen usw.—Diese Wertfaktoren
hatte ich im Auge, aber natürlich nicht das kindliche Vergnügen
am Golde. — Es soll, sagt B e n d i x e n , ein unfaßbarer Gedanke
sein, „daß der kaufende Konsument sich von dem Werte des Geldes
eine Vorstellung machen soll, die mit dem staatlichen Goldpreis
nichts zu tun hat, sondern aus den Produktionsbedingungen und sonstigen von D i e h l nicht genannten Faktoren geschöpft wird, und
nun an diesem von der Münznorm nach oben oder unten viel oder
wenig abweichenden Werte abschätzen müsse, wieviel er für die angebotene Ware zu zahlen willens sei" (S. 513). — Gewiß ist dieser
Gedanke unfaßbar. Der einzelne Konsument kann diese Verhältnisse
gar nicht überblicken, und doch bildet sich unter dem Einflusse
dieser Produktionsverschiebungen eine Marktwertschätzung heraus,
die auch für den einzelnen Käufer maßgebend wird. Der Gegenstand
der Beobachtung seitens der Käufer seien die Preise: „Der Käufer
merkt, daß die Preise steigen und daß er schlecht auskommt, wenn
er nicht mehr einnimmt wie bisher. So fordert er mehr für seine Leistung, wie er für seinen Konsum mehr hat zahlen müssen. Gegenstand seiner Beobachtung sind die Preise, nicht das Gold und seine

Produktionsbedingungen" (S. 514). — Das alles ist aber kein Gegengrund gegen meine Behauptung; denn es kommt auf die wissenschaftliche Zerlegung des Ursachenkomplexes an, der bei der Preisänderung maßgebend ist, und hierfür spielt es gar keine Rolle, ob der Käufer sich der wirklichen Zusammenhänge bewußt ist oder nicht.

Gegenüber meiner Behauptung, daß das Geld als „tertium comparationis" bei der Wertvergleichung auf dem Warenmarkte dienen müsse, wendet B e n d i x e n folgendes ein: Das Verhältnis der Wert- oder Preiseinheit zu den Preisen sei durchaus gleich dem Verhältnis der Längeneinheit zu den Längen: „Dadurch lassen sich auch in die Mysterien des Geldproblems Einblicke gewinnen." Sehen wir zu, welche Einblicke das sind! — Nach der Meinung von B e n - d i x e n erfülle nicht das Gold, sondern die „abstrakte Werteinheit" die Funktion des Geldes als „Wertfeststellungs- bzw. Preisvergleichungsmittel".

„Die Werteinheit ist Wert." — Demnach soll es einen eigentlichen „Geldwert" überhaupt nicht mehr geben, nur in älteren, längst vergangenen Zeiten habe das Geld als Tauschgut eine Rolle gespielt, sei es Gegenstand subjektiver Schätzung gewesen. Jetzt sei der Geldwert nur eine objektive Größe, nämlich das „reziproke Verhältnis der Preise". Ist wirklich der Geldwert nur eine „abgeleitete Reflexion", spiegelt er wirklich nur die Preisänderungen wider, ohne hierbei selbständig mitzuwirken? — Wie schief diese ganze Auffassung ist, geht am besten aus dem Vergleich hervor, den B e n d i x e n zwischen einem Meterstock und dem Zahlungsmittel zieht. B e n - d i x e n will an den Längenmaßen zeigen, daß als Vergleichungsmittel nicht nur konkrete, sondern auch abstrakte Größen geeignet seien. Beim „Meter" denke kein Mensch daran, daß er der 40 millionste Teil des Erdumfanges ist. Für das Volk sei es „abstrakte Länge" und dann erklärt B e n d i x e n: „Der Meter s t o c k h a t Länge, nämlich die Länge, die er anzeigt. Das M e t e r aber i s t Länge, ist N a m e für Länge. Das Meter verhält sich zum Meterstock, wie die Werteinheit zum Zahlungsmittel. Meterstock und Zahlungsmittel sind Träger der Größen, auf die sie lauten" (S. 517). — Meines Erachtens hat dieser ganze Vergleich in jeder Hinsicht die Eigenschaft, zu hinken. — Das Meter ist keine abstrakte Größe, sondern tatsächlich effektiv bis auf Millimeter genau als feste Maßeinheit, als „mètre vrai et définitif" festgestellt. Die Unterscheidung zwischen Meterstock, der Länge habe, und dem Meter, welches nur Name für Länge sei, trifft nicht zu. Meterstock und Meter sind beide ganz konkrete Größen. Das Meter ist ebensowenig abstrakte Werteinheit, wie das Geld.

Das „Zahlungsmittel" ist die äußerliche Erscheinung des Geldes. Der Wert des Zahlungsmittels ist aber abhängig von dem Geldwert, der dahinter steckt. Dieser „Geldwert" ist keine „abstrakte Größe", sondern hängt von der wirtschaftlichen Schätzung ab, die dem Zahlungsmittel zuteil wird, nicht aber von der amtlichen Namensnennung, die ihm der Staat gibt. Und darum unterscheiden sich Geld und Meter grundsätzlich als Maßstäbe. Der Meterstock hat nicht nur Länge, sondern ist auch Länge selbst und das Meter ist kein „Name" für Länge, sondern konkretes Längenmaß. Das Meter verhält sich nicht zum Meterstock wie die Werteinheit zum Zahlungsmittel, sondern Meter und Meterstock sind identisch. Zahlungsmittel und Werteinheit sind aber nicht identisch, sondern das Zahlungsmittel wird erst zu einer Werteinheit je nach der Qualität des Zahlungsmittels. Diese Qualität kann ihm aber nicht durch staatlichen Befehl gegeben, nicht äußerlich aufgeprägt werden, sondern hängt von der Substanz und dem inneren Wert des Zahlungsmittels ab. — Darum ist auch der Satz, daß Geld ein Wertmaß sei, verfehlt, weil das Geld nur ein äußerliches Zahlungsmittel ist, dessen Wert sich je nach den inneren Eigenschaften, die das Geld besitzt, ändert. — Die Behauptung B e n d i x e n s , daß nur für die rechtshistorische Betrachtung das Geld einen Eigenwert habe, da realiter der Preis in Edelmetallen nach Gewicht festgesetzt wurde, daß das alles aber seine Bedeutung verloren habe, sobald man die Preise nicht mehr in Edelmetall, sondern in Mark, Franks usw. ausdrücke, ist falsch. Auch bei fortgeschrittenster Geldverfassung ist immer noch, gerade wie in den Zeiten der Festsetzung der Preise in Gewichtsmengen von Edelmetall, der Metallwert und nicht der Befehl des Staates für den Wert des Geldes entscheidend. Nichts kann für das Verständnis des Geldes so irreführend sein, als wenn B e n d i x e n sagt, daß in der entwickelten Volkswirtschaft es nicht mehr auf den Metallgehalt ankäme, sondern auf die „Geltung", d. h. den Ausspruch des Staates, der die Zahlungsmittel zum Träger jener Werteinheiten erkläre. — Ich möchte noch auf den ganzen Ideengang B e n d i x e n s hinweisen, wie er sich vorstellt, daß in der Periode entwickelter Volkswirtschaft die Rolle des Geldes bei der Preisbewegung vollkommen verschwände im Gegensatz zu den früheren Kulturperioden; denn diese ganze Auffassung ist charakteristisch für seine nominalistische Geldtheorie. — Mit dem Beginn einer Volkswirtschaft siege der Markt mit seinen Preisen über die schätzende Seele. Wieviel der einzelne für ein Gut fordere oder biete, entschiede dann nicht mehr die subjektive Bewertung, sondern die Marktlage. Der Wert des allgemeinen Tauschgutes sei nicht mehr, wie in der früheren Zeit, wo es beim Tausch ein Gut wie andere Güter war, in jedem einzelnen Falle Ergebnis einer subjektiven Schätzung, sondern eine objektive Größe, nämlich das „reziproke Verhältnis der Preise". Geht B e n d i x e n doch so weit zu sagen, Geld sei überhaupt nicht Gegenstand des wertenden Gedankens und er behauptet, daß die Bewertung des Währungsmetalles bei der Bestimmung der Preise keine Rolle spiele. „Denn wenn sich die menschliche Vorstellung vom Gelde, und die Preise von dem Wechsel des Währungsmetalles unberührt erweisen, so ist es doch wohl offenbar, daß die Individualität des speziellen Währungsmetalles und die Schätzung, die die Menschen ihm widmen, auf die Geldvorstellung und die Preise ohne Einfluß sind" (Währungspolitik und Geldtheorie im Lichte des Weltkrieges, 2. Aufl., S. 123).

Geld soll also nur ein „Generalnenner" sein für die zahllosen Wertrelationen, in denen alle wirtschaftlichen Güter zueinanderstehen (a. a. O., S. 134). — Diese ganze Darstellung scheint mir mit den wirtschaftlichen Wertbildungsvorgängen durchaus im Widerspruch zu stehen. Was ist mit dem Satze gesagt, daß der Markt mit seinen Preisen über die schätzende Seele, oder daß die sog. Marktlage über die Subjektivität der Konsumenten den Sieg davontrug? Was steckt denn hinter der Marktlage und dem Markt mit seinen Preisen anderes, als Millionen von subjektiven Wertschätzungen, die letztlich auch in dem hochentwickelten kapitalistischen Marktverkehr für Wert und Preis der Waren entscheidend sind? — Diese subjektiven Wertschätzungen, und das ist speziell für die Geldtheorie wichtig, richten sich aber nicht nur auf die Ware, sondern auch auf das Geld.

Ich muß also nochmals, wie bereits in meinem Buch über das Geldwesen, gegen die Grundanschauung B e n d i x e n s Einspruch erheben, wonach das Geld nur ein Zeichen, ein Symbol, ein Legitimationspapier sein soll. Immer wieder kommen derartige Sätze bei B e n d i x e n vor, wie z. B. (a. a. O., S. 130): „Denn das Geld ist kein wirtschaftliches Gut, sondern Legitimation zum Empfang wirtschaftlicher Güter." Oder (a. a. O., S. 131): „Das Geld ist nur ein Symbol." Oder „Staatlich begültigtes Wertzeichen." — Was wird mit solchen Lehren erreicht? Nur dieses, daß sich das ganze Geld in ein symbolisches, abstraktes Wesen für die T h e o r i e verflüchtigt und daß dann daraus die p r a k t i s c h e Nutzanwendung gezogen wird, daß der Staat schließlich zu Geld machen kann, was ihm beliebt. Das Geld sei ja doch nur Reflex der Preise usw. Die Realität des Geldes und Geldbegriffes wird völlig verkannt, wenn alles in die Vorstellungswelt der Menschen verlegt wird.

c) D i e G e l d s c h ö p f u n g s l e h r e.

Hier kann ich mich kurz fassen, wie auch B e n d i x e n seine Einwände gegen meine Kritik dieser Lehre sehr kurz abgefaßt hat.

Ich habe ausführlich in meiner Schrift dargelegt, warum ich den Plan B e n d i x e n s , sog. „klassisches Geld" auf Grund von diskontierten Warenwechseln zu schaffen, ablehnen muß. B e n d i x e n hat gegenüber meinen kritischen Ausführungen die Konzession gemacht, daß er selbst die Idee, durch diese Geldschöpfung ein „wertbeständiges Geld" zu schaffen, jetzt preisgibt. Den Ausdruck „wertbeständiges Geld" werde man besser unterlassen (S. 521).

Das klassische Geld verhindere weder die Bewegung der Preise untereinander, noch die Bewegung des Preisdurchschnitts, wie z. B. die Steigerung des Preisniveaus, die wir als Folge von allgemeinen Lohnverbesserungen zu erleben oft Gelegenheit hatten. „Wohl aber kann verlangt werden, daß die G e l d schöpfung die Preise der Waren unbeeinflußt lasse, und daß der Staat nicht auf dem Wege einer unwirtschaftlichen Geldschöpfung ungerechtfertigte Kaufkraft in die Welt setze, und dadurch die richtige Preisbildung störe." Jedoch auch dieses Ziel wird durch das klassische Geld nicht erreicht werden können. — Ich habe das Bedenken gegen das klassische Geld dahin formuliert, daß dies bedeute: auf dem Wege des Kredites Geld zu schaffen. — Ich hatte die Natur der Banknote charakterisiert als Mittel der Kreditvermittlung, ihr aber den Geldcharakter abgesprochen und habe betont, daß die Reichsbank nicht Geld gibt, sondern Kredit. B e n d i x e n wendet sich in der 2. Auflage seiner Schrift über Währungspolitik gegen meine Auffassung. „Die Banknote, sagt D i e h l , ist ein Kreditpapier, und indem die Reichsbank dieses ausgibt, gibt sie Kredit. Aber ist das richtig? Wenn die Banknote ein Kreditpapier ist, so bedeutet ihre Ausgabe nicht Kredit geben, sondern Kredit nehmen. Logischerweise hätte also D i e h l von seinem Standpunkt aus sagen müssen: „Wenn die Reichsbank einen Wechsel diskontiert, so gibt sie nicht Geld, sondern nimmt

Kredit." Das hat D i e h l gewiß auch sagen wollen. Er ist wohl nur bei der merkwürdigen Vorstellung, wie der Wechseleinreicher und die Reichsbank sich gegenseitig tauschweise Kredit geben, etwas verwirrt geworden und das kann jedem passieren, der von der weltfremden Theorie überzeugt werden soll, daß er durch die Annahme eines mit gesetzlicher Zahlkraft ausgestatteten Hundertmarkscheines der Reichsbank einen Blankokredit einräume[1])."

Ich gebe zu, daß ich ebensogut hätte sagen können, die Reichsbank nimmt Kredit, denn es liegt ein doppelseitiges Kreditgeschäft vor. Die Bank gibt Kredit demjenigen, dem sie den Wechsel diskontiert, andererseits nimmt sie Kredit, indem sie ein Kreditpapier in Umlauf setzt, für das sie nicht sofort einen Gegenwert zu leisten braucht. — Doch dies ist nur nebensächlich, die Hauptsache war mir, den K r e d i t charakter zu betonen im Gegensatz zum G e l d -charakter.

Ich möchte aber diesen meinen Standpunkt den neuerlichen Ausführungen B e n d i x e n s gegenüber noch etwas näher präzisieren.

Die Banknote kann in dreierlei Formen auftreten:

1. In ihrer reinen Form, als einfaches Kreditpapier ohne gesetzliche Zahlkraft, aber mit strenger Einlösbarkeit. Wenn dann im Verkehr die Banknote wie Geld genommen wird, so ist sie nicht Geld im juristischen oder ökonomischen Sinne, sondern ein Geldsurrogat. — Das Publikum nimmt die Banknote als Geld im Vertrauen auf das wirkliche Geld, das zur Einlösung verfügungsbereit ist.

2. Die Banknote kann gesetzliches Zahlungsmittel sein bei strenger Einlösungspflicht. Hier ist die Banknote Geld im juristischen Sinne, aber nicht im wirtschaftlichen, weil nur im Vertrauen auf die Einlösbarkeit in barem Geld die Banknote wie Geld zirkuliert.

3. Die Banknote kann uneinlöslich sein, ungedeckt durch einen Barvorrat und mit Zwangskurs ausgestattet, dann haben wir eine „entartete Banknote" vor uns oder ein reines Papiergeld und das ist gerade die Art von Geld, die B e n d i x e n neu schaffen will. Und deshalb meinte ich, daß in diesem Falle ein Geld geschaffen wird, welches im Gegensatz zur eigentlichen Banknote, nur auf Kredit beruht. Diese Banknote muß zu den üblen Erscheinungen der Papiergeldwirtschaft führen und das hatte ich gegenüber der klassischen Geldschöpfung B e n d i x e n s hervorgehoben. B e n d i x e n sagt, das wahre Geld müsse immer parallel mit der Warenschöpfung entstehen. Aber nicht jede Ware wird zu Geld. Selbst wenn ein Wechsel einem Fabrikanten auf Grund verkaufter Waren diskontiert ist, so ist immer noch nicht die Sicherheit gegeben, ob bei dem Wiederverkäufer, an den die Ware verkauft ist, die Ware wirklich Käufer findet. Ferner kommen nicht nur Produzentenwechsel in Frage, sondern auch Kaufmannswechsel. Auch Wechsel, die statt auf einen Abnehmer der Ware, auf ein Bankhaus gezogen werden sollen, dienen zur Geldschöpfung. „Es braucht kaum bemerkt zu werden, daß ein durchaus gleichartiges Interesse bei dem Kaufmann vorliegt, der den Fabrikanten befriedigt, von seinen Unterabnehmern aber statt Geldes einstweilen nur Wechselunterschriften erlangt. Solch ein

---

[1]) Währungspolitik und Geldtheorie. S. 76.

Wechsel steht dem Produzentenwechsel selbstverständlich gleich. Ebenso mag der Wechsel statt auf den Abnehmer der Waren auf ein Bankhaus gezogen sein[1])."

Wenn B e n d i x e n darauf verweist, daß in der Praxis der Reichsbank dies alles schon seit 40 Jahren tadellos funktioniere, so ist auf den großen Unterschied zu verweisen, daß nach dem früheren Rechtszustand (d. h. vor dem Kriege) für die Noten die strenge Einlösungspflicht bestanden hat und daher die Reichsbank gezwungen war, zum Schutze des Barvorrates in der Diskontierung der Wechsel sehr vorsichtig zu sein. Ganz anders, wenn die Reichsbank diesen strengen Vorschriften nicht mehr unterworfen wäre. Wenn die Reichsbank auch mit derselben großen Vorsicht vorginge, würde das zur Folge haben, daß eine Menge Kaufleute, Fabrikanten usw. auf diesem Wege nicht Kredit erhalten könnten und daß das andere Papiergeld, das noch neben dem klassischen Geld bei B e n d i x e n auch eine Rolle spielen soll, in großem Umfange vorhanden sein müßte. Oder die Bank ist laxer in der Kreditgewährung und dies führt zu leichtsinniger Ausgabe von Papiergeld. Jedenfalls können inflationistische Wirkungen durch die klassische Geldschöpfung niemals verhindert werden. B e n d i x e n fordert, daß durch diese Geldschöpfung die Preise in keiner Weise beeinflußt werden. Aber unter allen Umständen wird neben dem klassischen Geld das Papiergeld noch in beträchtlicher Menge im Umlauf sein müssen. Die Preise richten sich dann nach der Geldmenge im ganzen und nicht nach der Menge des Geldes, welches auf Grund von Warenwechseln ausgegeben wird.

Kurz, mit der B e n d i x e n schen klassischen Geldschöpfung wären wieder alle Gefahren einer Papiergeldwirtschaft vorhanden und das ist gerade der Vorzug der früheren Geldverfassung gewesen, daß sie auf dem Wege des Kredites in absolut unbedenklicher Weise eine große Menge von Zahlungsmitteln schaffen konnte, weil diese Zahlungsmittel wieder fest in der Goldwährung verankert waren. Fehlt aber die Stütze der Goldwährung, wie das in B e n d i x e n s Plan der Fall ist, so würde auch das Vertrauen fehlen, welches gerade die Wertstabilität der Banknoten bewirkt hat.

d) Die Schwedische Währung.

B e n d i x e n nimmt besonders Anstoß an meiner Art, wie ich zu dem Problem der schwedischen Währung Stellung genommen habe.

Wie man auch zu der währungspolitischen Maßnahme Schwedens sich stellen möge, hier sei doch ein neuer Währungstypus in die Erscheinung getreten, welcher der methodischen wissenschaftlichen Betrachtung im höchsten Maße würdig und bedürftig sei, und das Eigentümliche dieses Währungstypus sei doch gerade, daß ein Land, welches bereits die Goldwährung gehabt habe, sie wieder preisgegeben habe, weil es durch diese Währung in große Verlegenheiten gekommen sei. Hier hätten die Metallisten also doch allen Anlaß, meint B e n d i x e n , auch diesem Vorgang gegenüber ihre Theorie zu rechtfertigen.

Was ich schon in meinem Buch andeutete, will ich hier etwas näher präzisieren, daß nämlich dieser ganze Vorgang weder gegen die

---

[1]) „Das Wesen des Geldes." S. 43.

metallistische Theorie im allgemeinen, noch gegen die Goldwährung
irgend etwas besagt. — Die Metallisten haben nie behauptet, daß
die Goldwährung tadellos funktioniere und nicht Anlaß zu Störungen
geben könne. Ich selbst habe auf die Möglichkeit der Goldinflation
und ihre Gefahren hingewiesen. Was wir behauptet haben, war
immer nur, daß diese Gefahren erheblich kleiner sind, als die der
Papiergeldwirtschaft. Daß vollends in Zeiten des Krieges sich Schwierigkeiten auch für die Goldwährung ergeben können, liegt auf der
Hand. Man hat aber keinen Anlaß, aus solchen irregulären Abweichungen die Regel selbst für fehlerhaft zu erklären.

In einer ausführlichen, auf schwedischen Quellen beruhenden Studie hat N e u s t ä t t e r [1]) die Schicksale der schwedischen Währung während des Krieges geschildert. Die Tatsachen
seien kurz auf Grund der genannten Arbeit zusammengefaßt: Die
schwedische Valuta war in normalen Zeiten eine echte Goldwährung
mit freier Privatprägung, festem Einkaufspreis für Gold und unbegrenzter Noteneinlösungspflicht. Zu Beginn des Krieges hatte
Schweden Schwierigkeiten, die Parität der Wechselkurse gegenüber
dem Abströmen des Goldes aufrechtzuerhalten. Schon am 2. August
1914 wurde die Noteneinlösungspflicht der Reichsbank aufgehoben
wegen der Gefahr, das Gold abströmen zu sehen und mit den Dek-
kungsbestimmungen in Kollision zu geraten. Zuerst war also das
Bestreben der schwedischen Reichsbank darauf gerichtet, die Valuta
bis zur Goldparität zu h e b e n; daher wurde die Reichsbank bis
zum Februar 1916 von ihrer Einlösungspflicht entbunden und es gelang ihr ohne weitere währungspolitische Maßnahmen, daß der
Wechselkurs die Goldparität erreichte. Bald aber war diese Goldparität überschritten. Schon seit Anfang 1916 hatte die Reichsbank
wegen erheblicher Zunahme des Goldvorrats die Einlösung der Noten
in Gold wieder aufnehmen können. Dann trat aber die Möglichkeit
einer Goldinflation ein: Bei dem Warenhunger der kriegführenden
Länder war die Gefahr vorhanden, daß Schweden mit Gold überschwemmt würde. — Die schwedische Reichsbank war verpflichtet,
Gold zum festen Preis von 1 kg zu 2480 Kronen zu kaufen, während
das Edelmetall tatsächlich nicht mehr diesen Wert in schwedischer
Währung repräsentierte. Diese Bestimmung der Einkaufspflicht in
Gold war absolut unbedenklich in normalen Zeiten, weil die Bank
ohne bemerkenswerte Verluste das Gold, das für die Zwecke der Bank
überflüssig war, abstoßen konnte, jetzt aber hätte die Bank bei Verkauf in Gold Verlust gehabt, und da der Goldvorrat der schwedischen
Bank groß genug war, um allen Ansprüchen zu genügen, wurde die
Reichsbank von der Pflicht entbunden, Gold zu festem Preise in beliebiger Menge zu kaufen. Diese Gesetzänderung trat am 8. Februar
1916 in Kraft mit Gültigkeit bis zum 4. Februar 1917. — Schweden
hatte mehr Interesse daran, Waren aus dem Auslande zu erhalten,
als Gold. Solange aber die schwedische Reichsbank verpflichtet war,
jede ihr angebotene Menge Gold zu kaufen, hatte auch das Ausland
die Möglichkeit, seine Zahlungen an Schweden in Form von Goldsendungen statt in Warenimporten zu leisten. Um die nötigen Waren
einführen zu können, mußte also das Zuströmen weiterer Goldsendungen verhindert werden.

---

[1]) H a n n a N e u s t ä t t e r, „Schwedische Währung während des Weltkrieges". Drei-Masken-Verlag, München 1920.

Ich wüßte nicht, warum man aus dieser nur aus der ungewöhnlichen Konstellation des Krieges verursachten Sachlage irgendeinen Schluß gegen die Zweckmäßigkeit der Goldwährung in normalen Zeiten folgern könnte. So kommt auch die Verfasserin zu dem Schluß, daß die metallistische Theorie durch die schwedischen Währungsverhältnisse in keiner Weise erschüttert sei.

„Aus diesen Ausführungen ergibt sich, daß die Goldwährung dem Ideal des wertkonstanten Geldes am nächsten kommt. Daß aber die metallistische Theorie zu eng sei, um die Zustände nichtmetallistischer Währungen zu erklären, kann nicht zugestanden werden. Sie umfaßt, wie die staatliche Theorie des Geldes, die Erklärungen für jede tatsächliche Entwicklung und gesteht zu, wie z. B. auch die medizinische Wissenschaft, daß es Tatsachen jenseits der Regel gibt. Mit anderen Worten: sie erkennt Reguläres und Abnormes an, ohne sich dessen zu schämen." Es kann also jedenfalls davon keine Rede sein, daß Schweden, wie E l s t e r [1] sagt, „seine Zahlungsmittel allein aus w i r t s c h a f t s t h e o r e t i s c h e n Erwägungen heraus von seiner metallischen Basis gelöst" hätte — wirtschaftstheoretische Erwägungen spielten hierbei keine Rolle —, es waren lediglich vorübergehende Utilitätserwägungen, die Schweden zu seinem Vorgehen bestimmten.

§ 69. Die Theorie der „abstrakten Rechnungseinheit" von Liefmann.

L i e f m a n n s Geldtheorie ist wie seine ganze Wirtschaftstheorie psychisch fundiert. Wirtschaften ist für ihn nicht gleichbedeutend mit Produzieren, mit Sachgüterbeschaffung, sondern es ist etwas Psychisches, eine Art von Erwägungen, nämlich ein Vergleichen von Lust- und Unlustgefühlen. Diese Art von Erwägungen, die das zweckmäßigste Disponieren über die aufzuwendenden Opfer zur Erlangung eines Maximums von Genuß zum Inhalt haben, nennt er „Wirtschaften". Der Mensch werde dann wirtschaftlich handeln, wenn er seine Kosten so verteile, daß der Überschuß von Nutzen über die Kosten, den er mit der letzten auf jede Bedürfnisart noch zu verwendenden Kosteneinheit erziele, bei allen Bedürfnisarten gleich groß sei. Diesen Überschuß von Nutzen über die Kosten nennt L i e f m a n n Ertrag. Dieses wirtschaftliche Prinzip sei auch zugleich Organisationsprinzip des ganzen Tauschverkehrs der Volkswirtschaft. Hier zerfalle die wirtschaftliche Tätigkeit in zwei Teile: die Erwerbswirtschaft und die Konsumwirtschaft. In seiner Erwerbswirtschaft erstrebe der Wirtschafter einen möglichst hohen Geldertrag und verwende ihn dann in seiner Konsumwirtschaft nach dem Gesetze des Ausgleichs der Grenzerträge. Welches soll nun die tauschwirtschaftliche Funktion des Geldes sein? Das Geld habe die Funktion, einen regelmäßigen Tauschverkehr zu ermöglichen. Die wesentliche Funktion des Geldes sei die des allgemeinen Tauschmittels. Das Wesen des Geldes besteht darin, sagt L i e f m a n n: „daß jeder es nimmt". Jeder suche es zu erwerben, weil mit seinem Besitz die Befriedigung aller Bedürfnisse sichergestellt sei. Ursprünglich habe nur ein wertgeschätztes Sachgut die Rolle des allgemeinen Tausch- und Zahlungsmittels spielen können, aber sobald dieses allgemeine Kosten- und Rechnungseinheit werde, in der alle Erträge der Einzelwirtschaft,

---

[1] Die Seele des Geldes. Jena 1920. S. 219.

dann Einkommen genannt, veranschlagt würden, sei deren Verkörperung in einem wertgeschätzten Sachgut nicht mehr erforderlich, dann erst beginne die eigentliche Epoche der Geldwirtschaft. Je mehr aber die Geldrechnung vorschreite, um so mehr träten die vom Staat geschaffenen realen Zahlungsmittel an Bedeutung zurück hinter der rein abstrakten Rechnungseinheit, die von den einzelnen als Grundlage ihres Einkommens geschätzt werde und alle Umsätze vermittle. Das Geld sei die abstrakte Rechnungseinheit, auf die die Einkommen lauten. Nie werde der „Wert", die Kaufkraft des Geldes, durch den Wert des Geldstoffes bestimmt, sondern Kaufkraft sei immer das, was man damit kaufen könne, aber diese Kaufkraft bleibe immer individuell und subjektiv. Es gäbe keine allgemeine Kaufkraft des Geldes, sondern nur eine subjektive der Einkommen: „Wie bei anderen Kostengütern ist die stoffliche Eigenschaft ganz unwesentlich, sofern man sich nur Genußgüter mit ihnen beschaffen, Bedürfnisse befriedigen kann. Scheidemünzen und Papiergeld zirkulieren nicht als Verkörperung eines geschätzten Stoffes — niemand, der Goldmünzen empfängt und ausgibt, hat von ihrem Stoffwert eine Vorstellung —, sondern als Verkörperung der abstrakten Rechnungseinheit, mit der in der Form des Einkommens alle Nutzen und Kosten kalkuliert werden[1]."

Schließlich werde der größte Teil der Umsätze überhaupt nicht mehr mit Zahlungsmitteln ausgeführt, sondern, was innerhalb der Einzelwirtschaften mit dem Einkommen schon lange der Fall gewesen sei, alle Kosten im Tauschverkehr und bei den Erwerbswirtschaften, auch der Nutzen würden in der abstrakten Rechnungseinheit nur „verrechnet". Die Erfahrung habe bewiesen, daß ein „Geld" ohne jede metallische Deckung bestehen und die Umsätze vermitteln könne. Nötig sei auch nicht, daß das Papiergeld durch Edelmetall gedeckt werde, wenn der Staat nur eine beliebige Vermehrung des Papiergeldes unterlasse: „Denn das Papiergeld empfängt seinen „Wert" doch nicht von dem Edelmetall, sondern von der abstrakten Rechnungseinheit aller Umsätze, auf die auch das Geld nur lautet. Die Schätzung dieser Rechnungseinheit, genauer die Bedeutung, welche sie als K o s t e n in den wirtschaftlichen Erwägungen der Einzelwirtschaften hat, kann verändert werden nur durch Veränderungen in den E i n - k o m m e n. Denn die Einkommen und nicht die Geldmengen sind es, die die Güter kaufen[2]." Deshalb sei eine Metalldeckung papierener Zahlungsmittel, wenn nur ihre Vermehrung dem Eingriff des Staates ebenso entzogen sei, wie dem Privater, überflüssig.

§ 70. Kritik der Liefmannschen Geldtheorie.

Die Kritik der L i e f m a n n schen Geldtheorie würde ein Eingehen auf seine methodische Grundauffassung und die Grundlagen seiner psychischen Wirtschaftstheorie erfordern.

Hier sei auf diese Grundlagen nur insoweit eingegangen, als zur Kritik seiner speziell gegen die Goldwährung gerichteten Ausführungen notwendig ist. Einige Punkte habe ich oben schon berührt, als ich seine Stellungnahme zur Frage über den Zusammenhang der Inflation und der Valuta behandelte. Hier sei nochmals mein grund-

---

[1] „Geld und Gold." S. 192.
[2] a. a. O., S. 192.

sätzlicher Standpunkt hervorgehoben, der dem L i e f m a n n s direkt entgegengesetzt ist, daß ich nämlich nicht das „Wirtschaften" als etwas „Psychisches" ansehe und daß ich es nicht für richtig halten kann, die ganze Wirtschaftstheorie auf solchen psychischen Erwägungen aufzubauen, daß vielmehr das sog. „Wirtschaften" nur Sinn und Bedeutung erhält unter Zugrundelegung einer bestimmten Wirtschaftsorganisation, die wiederum bestimmte rechtliche Normen erfordert. Es gibt also keine allgemeine Wirtschaftstheorie, sondern nur Wirtschaftserscheinungen bestimmter historisch-rechtlicher Wirtschaftsepochen.

Der individualistische Ausgangspunkt, von dem L i e f m a n n bei seinen Wirtschaftstheorien ausgeht, muß zu falschen Schlußfolgerungen führen. Es ist nicht richtig, daß das „Ertragsstreben" der einzelnen den ganzen tauschwirtschaftlichen Organismus in Gang setzt und in Bewegung hält[1]), und daß dies auch für die Erscheinung des Geldes zuträfe und daß aus der richtigen Auffassung der Funktion des Geldes in der E i n z e l w i r t s c h a f t die Geldlehre hervorgehen müsse[2]). Gerade das „Ertragsstreben" der einzelnen kann erst verstanden werden, wenn wir es im Rahmen der staatlichen Ordnung betrachten, welche dieses Ertragsstreben zuläßt und ihm auch seine Grenzen setzt. Ebenso ist auch nur dann das Geld zu verstehen, wenn wir die rechtlichen Grundlagen des Geldwesens und die staatlichen Normen betrachten, auf denen es beruht. Darum kann ich auch die L i e f m a n n sche Definition des Geldes nicht akzeptieren, wonach Geld ein allgemeines Tauschmittel zum Zweck der vergrößerten Bedarfsbefriedigung sei. Mit der Kennzeichnung des Geldes als allgemeines Tauschmittel ist jedenfalls seine wichtigste Funktion in der kapitalistischen Wirtschaftsordnung nicht erfaßt. Tauschmittel gab es auch schon in der Naturaltauschwirtschaft. Das der Geldwirtschaft Eigentümliche ist gerade, daß nicht „getauscht" wird, sondern daß Geldzahlungen geleistet werden. Sie setzen ein irgendwie rechtlich geregeltes Geldwesen voraus. Zwei andere Funktionen sind dann entscheidend für das Wesen des Geldes, nämlich die des gesetzlichen Zahlungsmittels und des Mittels der Preisfestsetzung. Auch scheint es mir nicht richtig, daß das Geld sich „allmählich entwickelt" habe, sondern das Geld ist ein Stück der Rechtsordnung, das auf dem bewußten Willen der Gemeinschaft beruht. Zuerst gewohnheitsrechtlich, dann durch spezielle Gesetzgebung mußte ein Gut bestimmt werden, welches in einer bestimmten Zahlungsgemeinschaft den Rang des unbedingt gültigen Zahlungsmittels erhielt. Ob dieses Geld einen Stoffwert haben muß oder nicht, entscheidet sich wiederum nach der Form der wirtschaftlichen Rechtsordnung. Eine Wirtschaftsordnung, die auf dem Privateigentum und der freien Konkurrenz basiert, muß ein Geld haben, welches selbst Stoffwert hat, weil es sonst keine geregelte Preisbildung geben kann. Die Preise können sich dann nicht durch „Schätzungen" der einzelnen allein bilden, sie erfordern auch ein staatlich fixiertes Vergleichsgut, das bei allen Warenumsätzen zugrunde gelegt werden muß. Wenn die Produzenten nach freiem Belieben Waren auf den Markt bringen und die Konsumenten auf dem Markt nach freiem Belieben Waren kaufen, muß ein Preisgut vorhanden sein, welches gegenüber allen übrigen Waren als Vergleichs-

---

[1]) Vgl. „Geld und Gold". S. 34.
[2]) Ebenda.

ware fungiert. Diese Vergleichsware kann nicht ein wertloses Stück Papier sein, denn dann entfiele die Möglichkeit, am Werte dieses Gutes, also des Geldes, den Wert der übrigen Güter zu messen. Natürlich ist hierbei das Geld nicht als unveränderlicher Wertmaßstab angenommen, denn es unterliegt selbst Wertschwankungen, aber es ist das vergleichsweise im Wert stabilste Gut, in welchem die Preise der anderen Güter festgesetzt werden. Also gerade wenn eine freiheitliche Wirtschaftsordnung besteht, muß das Geldwesen der Freiheit und Willkür entzogen und unter strenge staatliche Normen gestellt werden, weil sonst keine geregelte Marktpreisbildung möglich wäre. Dagegen bei gebundener Wirtschaftsform, etwa in einem sozialistischen Staatswesen, in dem jedem sein Arbeitspensum und sein Güterquantum zugewiesen wird, wo also der freie Tauschverkehr fehlt, kann das Geld stoffwertlos sein, braucht es nur eine Anweisung auf ein bestimmtes Quantum der staatlichen Gütervorräte zu sein. Das Geld soll nach L i e f m a n n nur subjektiven Wert haben, da es seinen Wert nur von den Genußgütern ableite, zu deren Beschaffung es diene, und da die Geldmengen, über die der einzelne verfüge, verschieden seien und jeder die Güter, die er dafür kaufen könne, verschieden schätze. Gewiß hat das Geld auch „subjektiven" Wert. Es wird verschieden subjektiv bewertet nach der Vermögenslage der einzelnen und insofern ist das Einkommen auch ein Bestimmungsgrund des Geldwertes. Aber viel wichtiger als diese subjektiven Bestimmungsgründe des Geldwertes sind die objektiven Bestimmungsgründe, die durch den inneren Wert und die Qualität des Geldes bestimmt werden. Auch bei der Goldwährung können solche „objektiven" Preisänderungen durch Vermehrung des Goldvorrates eintreten, und es ist mir unerfindlich, wie L i e f m a n n behaupten kann, daß die Schwankungen der Goldzufuhr keinerlei Wirkung auf die Preise ausüben könnten[1]). Daß z. B. die australischen und kalifornischen Goldfunde auf die Preise von Einfluß waren, sollte doch wohl nicht bestritten werden!

Was die praktischen Vorschläge L i e f m a n n s anlangt, so weisen sie große Ähnlichkeit mit denen von B e n d i x e n auf, die ich oben bereits kritisiert habe. Auch L i e f m a n n gegenüber muß betont werden, daß er die Papierwährung empfiehlt, ohne die so wichtige Frage beantwortet zu haben, wie der Staat diese Papiergeldausgabe bewerkstelligen soll unter Vermeidung der Gefahr einer Entwertung des Geldes. Gerade L i e f m a n n , der immer wieder betont, daß Inflation nur durch übermäßige Ausgabe von Papiergeld von seiten des Staates eintreten könne, hätte diese staatlichen Kautelen auch genau angeben müssen. Mit solchen allgemeinen Äußerungen, wie z. B., daß „wenn erst die richtige Einsicht in das Wesen und die Funktion des Geldes in den maßgebenden Kreisen verbreitet wäre, so sei es auch nicht schwierig, Gesetze zu machen, welche einem Mißbrauch der Notenpresse durch den Staat viel schärfere Schranken setzten als die Goldwährung"[2]), oder der Bemerkung, „man dürfe so viel Vertrauen zu einem geordneten Staatswesen haben, daß es das Papiergeld nicht uferlos vermehre"[3]), ist dieses schwierige Problem nicht erledigt.

Positiv sagt L i e f m a n n darüber folgendes: „Für die Vermehrung des Papiergeldes muß strenge Anpassung an die Erträge

---

[1]) „Geld und Gold." S. 194.
[2]) Geldvermehrung. S. 187.
[3]) Ebenda S. 188.

festgesetzt sein, es kann auch Deckung durch gute Warenwechsel, evtl. auch durch wichtige Rohstoffe vorgeschrieben werden[1])." Die einzige Stelle in seinen Schriften, wo er sich über diese Frage etwas genauer äußert, ist auf S. 181 seines Buches „Geld und Gold", wo er sagt: „Aber man muß erkennen, daß die verschiedenen Arten, in denen eine Papiergeldvermehrung möglich ist, sehr verschieden wirken, und zwar kann man sagen, sind ihre Wirkungen um so weniger gefährlich, je mehr die Geldvermehrung an den Tauschverkehr anknüpft, im Anschluß an ihn erfolgt und durch ihn begründet ist. Man kann auch sagen, eine Geldvermehrung ist um so weniger gefährlich, 1. je mehr sie nur dazu dient, wirklich im Tauschverkehr entstandene Erträge zu realisieren, 2. je mehr dafür gesorgt ist, daß die Geldvermehrung nur eine vorübergehende ist, sich zeitweilig erhöhten Umsätzen anpaßt und dann unter Umständen von selbst sich zurückschraubt." Demnach würde eine Vermehrung der Staatsnoten und der Banknoten zu unterscheiden sein. Bei den Staatsnoten soll eine gesetzliche Maximalgrenze festgesetzt werden; die Vermehrung müßte also eine gesetzliche Sanktion erhalten. Nun meint L i e f m a n n , „die gesetzgebenden Körperschaften würden bei besserer Einsicht in das Geldwesen nicht so leicht geneigt sein, Erhöhungen der Papiergeldausgabe zu bewilligen, wie das noch im Weltkriege in manchen Ländern der Fall war"[2]), und die Gesetzgebung könne unbedingt Kautelen dagegen schaffen, daß das Papiergeld nicht uferlos vermehrt werde. Aber gerade in Zeiten der Hochkonjunktur und der Krisen wird das Verlangen nach Vermehrung des Staatspapiergeldes besonders groß sein, und es dürfte den gesetzgebenden Körperschaften schwer fallen, dem Verlangen zu widerstehen, auf kostenlosem Wege durch Schaffung neuen Geldes Erweiterung des Kredits zu gewähren. Hier ist die Goldwährung, wobei zur Schaffung neuen Geldes Ankauf von Gold notwendig ist, ein viel besseres Mittel zur Verhütung der Inflation.

Was die Banknoten anlangt, die nur durch Warenwechsel gedeckt sein sollen, könnte gerade in kritischen Zeiten eine nur auf dem Wege des Kredits und ohne Golddeckung erfolgende Vermehrung der Banknoten ebenfalls die Gefahr der Entwertung des Geldes mit sich bringen. — Ganz bedenklich erscheint mir der Vorschlag L i e f m a n n s , das Papiergeld durch Vorräte an gewissen Rohstoffen zu decken[3]). Er meint, als solche Deckungsmittel könnten Waren genommen werden, die auch für die Zwecke der staatlichen Vorratswirtschaft in Betracht kommen: Getreide, Kupfer, Baumwolle, Wolle, Nickel, Platin usw.[4]). Hier würden zwei ganz verschiedene Zwecke miteinander verknüpft, denn es ist der Zweck der Vorratswirtschaft, daß solche wichtigen Waren, wie die genannten, unbedingt z u r s o - f o r t i g e n V e r w e n d u n g b e r e i t l i e g e n. Sollen sie aber gleichzeitig zur Papiergelddeckung dienen, so würde dann im Moment, wo sie ihrem eigentlichen Zwecke gemäß zur Vorratswirtschaft herangezogen werden, wieder das Geld ungedeckt sein. Ferner ist zu beachten, daß alle diese Waren außerordentlich im Preise schwanken, so daß das Papiergeld auf einen ganz schwankenden Wert basiert wäre[5]).

---

[1]) Geldvermehrung. S. 188.
[2]) Ebenda S. 188.
[3]) Ebenda S. 184.
[4]) „Geld und Gold." S. 225.
[5]) Selbst Autoren, die L i e f m a n n s theoretischer Anschauung nahestehen,

Was den weiteren Vorschlag L i e f m a n n s anlangt, für die Auslandszahlungen Devisen und internationale Effekten bereit zu halten,
so sollte man doch gerade nach den Erfahrungen des Weltkrieges mit
solchen Plänen sehr vorsichtig sein; und wenn L i e f m a n n meint,
man solle nur Devisen solcher Länder nehmen, „mit denen man nicht
leicht in Krieg kommen kann", so dürfte die Entscheidung dieser
Frage sehr schwierig sein.

Ganz verfehlt scheint mir die Idee, die Abschaffung der Goldwährung quasi als eine Strafe oder einen Racheakt gegenüber England
aufzufassen. L i e f m a n n meint, der Rückgang der Goldproduktion
werde dann für England die gerechte Strafe dafür sein, daß es seines
Goldes wegen seinerzeit den Raubzug gegen die Burenstaaten unternommen habe[1]).

So sollen also nationalpolitische Tendenzen für die Wahl
unseres Währungssystems entscheidend sein! Glaubt man im Ernste
hiermit England zu schrecken oder zu schädigen? Mir scheint, gerade
das Gegenteil würde eintreten. Da die anglo-amerikanische Welt
bei der Goldwährung bleibt, würde sich England nur freuen,
wenn Deutschland zur Papierwährung überginge und damit sein
internationaler Kredit an Ansehen verlöre. Es ist doch eine Illusion, anzunehmen, daß der Bund kleiner Staaten, die sich nach
L i e f m a n n s Idee von der Goldwährung loslösen sollen und deren
Devisen als Deckungsmittel für den deutschen Auslandsverkehr dienen sollen[2]), große Erfolge auf währungspolitischem Gebiet erreichen
könnte. Der mitteleuropäische Papierwährungsbund würde dem
anglo-amerikanischen Goldwährungssystem gegenüber zweifellos den
kürzeren ziehen.

Es ist bemerkenswert, daß Autoren, die den geldtheoretischen
Anschauungen L i e f m a n n s sehr nahe stehen, seine praktischen
Vorschläge ablehnen, so z. B. F e d e r n , der hierzu bemerkt[3]): „In
der praktischen Forderung nach vollständiger Loslösung des Geldes
vom Gold, nach Verkauf des Goldschatzes, den L i e f m a n n für
Deutschland verlangt, stimmen wir mit ihm nicht überein. Theoretisch kann ein vom Gold losgelöstes Geldwesen zweifellos vollkommen gut stehen. Praktisch hat gerade die internationale Bindung an
das Gold gewisse Vorteile, derentwegen wir es für unwahrscheinlich
halten, daß die großen Handelsstaaten die Loslösung in absehbarer
Zeit vollziehen werden. Wir werden also auch Gelegenheit haben, diese
Frage eingehend zu erörtern."

Das eben erwähnte nationalpolitische Thema in der Währungsfrage wird auch von anderen Autoren angeschlagen, so besonders von
S c h m i d t - Essen, dessen Schrift den bezeichnenden Titel führt:

weisen auf das Bedenkliche der Warendeckung hin, z. B. N e u r a t h (in seiner
Schrift „Großvorratswirtschaft und Notenbankpolitik". Wien-Berlin 1918):
„. . . Dabei darf man freilich nicht aus dem Auge verlieren, daß Waren als
bloße Saldoreserve nicht unbedenklich sind, wenn nicht durch umfassende Abmachungen der Absatz, insbesondere auf dem internationalen Markt, gesichert ist.
Denn die Eigenschaft des Goldes, jederzeit absetzbare Ware zu sein, kann nicht ohne
weiteres ersetzt werden, wenn nicht über die früher üblichen Handelsbeziehungen
hinaus Kompensationsverträge eine größere Rolle spielen." (S. 14.)
[1]) Vgl. „Geldvermehrung". S. 193.
[2]) Ebenda S. 196.
[3]) Krieg und Geldlehre. Im österreichischen Volkswirt, Nr. 36 vom 9. Juni
1917.

„Nationale Währungspolitik. Los von England!"[1]). Er verlangt die Abschaffung der Goldwährung vom „nationalen Standpunkt aus" und sagt darüber: „Die falsche Lehre von der Identität von Geld und Gold mit all ihren Konsequenzen plapperten wir in Wissenschaft und Publizistik den Engländern nach. So ging das n a t i o n a l e Prinzip für uns verloren; es wurde von dem i n t e r n a t i o n a l e n Goldbegriff übertrumpft, aber nur scheinbar, da diese „internationale" Auffassung sich, wie wir gesehen haben, deckt mit der national-englischen Betrachtungsweise. Wir vertraten also und vertreten in weitesten Kreisen noch heute das englische Währungsideal, dessen nationale Bedingtheit nicht erkannt und das für ein Menschheitsideal gehalten wird. Was nun der Deutsche F r i e d r i c h L i s t für die Handelspolitik ist, das bedeutet der Deutsche G e o r g F r i e d r i c h K n a p p für die Währungspolitik. Er setzt der e n g l i s c h e n Lehre von der Internationalität der idealen Währungsverfassung die d e u t s c h e Lehre von dem staatlichen Charakter des Geldwesens und der Relativität des Währungsideals gegenüber. So hat die deutsche Theorie uns und den übrigen Staaten die Waffen zur Befreiung aus englischen Ketten geliefert."

Man hüte sich, in dieser Frage, die so nüchtern und realpolitisch wie nur möglich behandelt werden sollte, nationalpolitische Tendenzen hereinzuziehen. Wenn England zum System der Goldwährung übergegangen ist, so geschah es keineswegs aus dem national-egoistischen Motiv, seine Beherrschung des Goldmarktes auszunutzen, sondern wegen der sachlichen Vorzüge, welche die Goldwährung für das Geldwesen der privatkapitalistischen Wirtschaftsordnung hat. In diesem Sinne müssen auch wir die Weiterführung unserer Goldwährung erstreben und dürfen uns nicht durch nationale Sympathien oder Antipathien leiten lassen.

§ 71. Weitere kritische Beiträge zur metallistischen Theorie.

K n a p p s grundlegendes Werk ist 1918 in 2. Auflage erschienen. K n a p p hat auch in der neuen Auflage[2]) an seinem grundsätzlichen Standpunkte festgehalten, das Geld nur von verwaltungsrechtlichem und rechtshistorischem Standpunkte aus zu betrachten und hat die wirtschaftlichen Probleme des Geldwesens ebenso beiseite gelassen, wie die Fragen der Geld- und Währungspolitik.

Da ich in meiner Schrift nur diejenigen Geldtheoretiker behandle, die auch gleichzeitig praktische Vorschläge zur Geldreform machen, habe ich auch jetzt keinen Anlaß auf K n a p p s Werk einzugehen. Nur ein paar Bemerkungen zu dem Werk können hier Platz finden. In der Zeit zwischen dem Erscheinen der ersten und zweiten Auflage (1905—1918) sind eine ganze Reihe geldtheoretischer Schriften erschienen, die ebenfalls auf dem nominalistischen Standpunkt stehen, aber zugleich die Abschaffung der Goldwährung und die Einführung irgendeiner Art von Papierwährung empfehlen.

Hierzu ist die Bemerkung von K n a p p von Interesse: „Unter den Anhängern der neuen Lehre finden sich einige Übertreiber, die nun hoffen, daß es mit der Goldwährung auf immer vorbei sei. Dies wäre vorerst abzuwarten[3])." Es ist ferner von Interesse, daß

---

[1]) Dresden 1917. S. 14.
[2]) Staatliche Theorie des Geldes, 2. Aufl. München u. Leipzig 1918.
[3]) a. a. O., S. 447.

K n a p p auch in der neuen Auflage den Satz unverändert wieder
abdruckt: „Nichts liegt uns ferner, als das wahre Papiergeld zu empfehlen, wie es beispielsweise in den österreichischen Staatsnoten von
1866 aufgetreten ist. Wohl dem Staate, der beim baren Gelde bleiben
will — und kann! Auch wüßte ich keinen Grund anzugeben, weshalb
wir unter den jetzt (1905) herrschenden Umständen von der Goldwährung abgehen sollten. Das sei von vornherein zur Beruhigung der
Publizisten gesagt[1]."

Aus einer Äußerung K n a p p s über die künftige Gestaltung
der Goldwährung in Deutschland geht hervor, daß er jedenfalls an
eine Verdrängung des Goldes aus der Geldverfassung nicht denkt.
„Es ist nicht wahrscheinlich, daß das Deutsche Reich bald wieder im
strengen Sinne des Wortes zur Goldwährung zurückkehrt. Solche
Restaurationen haben immer eine sehr lange Vorbereitung erfordert.
Auch in Frankreich und Italien wird es schwerlich bald geschehen, von
Rußland ganz zu schweigen. Wir werden für den inneren Verkehr vor-
läufig beim Notengelde bleiben[2]."
D a m i t   i s t   a b e r   n i c h t   b e h a u p t e t ,   d a ß   d e m
G o l d e   s e i n e   V o r z u g s s t e l l u n g   i n   u n s e r e r   G e l d -
v e r f a s s u n g   v ö l l i g   g e n o m m e n   w e r d e.

Nur einmal hat K n a p p zu einem praktischen Währungsproblem Stellung genommen, nämlich in seinem Gutachten über die
Währungsfrage bei einem deutsch-österreichischen Zollbündnisse[3]. Er
empfahl damals für den Fall des Zustandekommens eines solchen Zollbündnisses die beiderseitige Erhebung der Zölle in Goldgeld. — Von
Interesse ist auch der K n a p p sche Nachtrag in der 2. Auflage, wo
er zu der für das Problem des Metallismus sehr wichtigen Frage des
Geldwertes Stellung nimmt. Er schildert dort, welche Verwirrung
durch die verschiedene und oft sehr unklare Fassung des Begriffes
„Geldwert" hervorgerufen wurde. — Auf die wichtige theoretische
Frage, ob es überhaupt einen eigenen Geldwert gibt, wie der Geldwert
auf die Preise wirkt, und auf das Inflationsproblem ist der Verfasser
nicht eingegangen. Nur kurz deutet er an, daß es fehlerhaft sei, für
die vielen Störungen des Wirtschaftslebens während des Krieges das
Papiergeld verantwortlich zu machen. Auf das neue Werk von K u r t
S i n g e r [4] habe ich hier keinen Anlaß einzugehen, da sein Standpunkt in geldtheoretischer Hinsicht sich völlig mit dem von K n a p p
deckt und er in geldpolitischer Hinsicht im wesentlichen auf dem Boden
von B e n d i x e n steht. Das Hauptverdienst dieses Buches liegt darin, daß es in sehr klarer und folgerichtiger Weise eine Darstellung des
deutschen Geldwesens vor, während und nach dem Kriege vom Standpunkt der K n a p p schen Theorie gibt. —

Die Frage des Geldwertes hat eine sehr eingehende Behandlung
in dem wertvollen Beitrag erfahren, den S c h u m p e t e r [5] neuerdings zur Geldtheorie beigesteuert hat. Ich will auf die Abhandlung
nur insoweit eingehen, als sie sich mit dem Kernproblem der metallistischen Theorie beschäftigt. — S c h u m p e t e r hält eine Versöh-

---

[1]) a. a. O., S. 1.
[2]) a. a. O., S. 433.
[3]) Schriften des Vereins für Sozialpolitik. 155. Bd. I. Teil. S. 183.
[4]) Das Geld als Zeichen. Jena 1920.
[5]) S c h u m p e t e r , Das Sozialprodukt und die Rechenpfennige. Archiv
für Sozialwissenschaft und Sozialpolitik. 1917/18. 44. Band.

nung zwischen den Anhängren und Gegnern der K n a p p schen Theorie für möglich, wenn eine Einigung über gewisse theoretische Grundfragen erzielt werde, die von beiden Parteien angenommen werden könnte. Nach der S c h u m p e t e r schen Terminologie ist unter „Sozialprodukt" die Gesamtheit aller materiellen und immateriellen Güter zu verstehen, die in einer Volkswirtschaftsperiode zur Konsumtion bereitgestellt werden, die Abnutzungsquoten dauerbarer Güter eingeschlossen. Der Kreislauf des volkswirtschaftlichen Lebens soll sich darin erschöpfen, dieses Sozialprodukt herzustellen und zu verteilen, worauf Konsumtion und dann wiederum Produktion nachfolge. Der Anteil jedes Wirtschaftssubjektes am Sozialprodukt soll vom Marktwert seines persönlichen oder sachlichen Beitrags zur Produktion abhängen. — Welche Rolle spielt in diesem volkswirtschaftlichen Kreislaufe die Geldrechnung? S c h u m p e t e r meint, daß sie daran so wenig ändere, wie die Verwendung von Spielmarken beim Wesen des Spieles. Das Dazwischentreten des Geldes hätte nur markttechnische Bedeutung. Die Preissumme aller Genußgüter müsse im Zustande stationären Gleichgewichts der Preissumme aller Produktionsgüter gleich sein. Beide seien identisch gleich der Summe aller Geldeinkommen. Der Ausdruck „Geldeinkommen" ist hier im Sinne von Geldausdruck der konsumierten Güter genommen. Das Wesen des Geldes werde in dem Ausdruck A n w e i s u n g am besten wiedergegeben. Gleichzeitig sei das Geld auch eine B e - s c h e i n i g u n g über produktive Leistungen. Da aber diese „Anweisung" nicht auf bestimmte Quantitäten und Qualitäten der Güter laute, sondern auf Güter im allgemeinen, ergäbe sich die Wichtigkeit der Frage nach den Bestimmungsgründen des Geldwertes oder der Kaufkraft der Güter. — Für die Betrachtung dieses Problems stellt S c h u m p e t e r zwei Gruppen von Theoretikern gegenüber. Auf der einen Seite die Anhänger der sog. W a r e n t h e o r i e des Geldes, die in der Regel als Metallisten bezeichnet werden, auf der anderen Seite die Anhänger der sog. A n w e i s u n g s t h e o r i e, die gewöhnlich als Nominalisten bezeichnet werden. Für die Vertreter der Warentheorie hängt der Wert des Geldes vom Wert des Stoffes ab, aus dem das Geld gemacht wird; er ist einfach der Tauschwert des Materials. Diese Theorie lehnt S c h u m p e t e r ab und vertritt die Anweisungstheorie, wonach das Geld überhaupt kein wirtschaftliches Gut, sondern nur ein technisches Hilfsmittel des Wirtschaftsverkehrs, eine Spielmarke ohne Eigenbedeutung wäre. Es sei falsch, die Kaufkraft des Geldes aus den subjektiven Wertschätzungen der Marktparteien für Geld und Ware abzuleiten; vielmehr seien die Wertschätzungen für Geld lediglich reflektierte, sie setzten bestimmte Austauschverhältnisse zwischen Geld und Ware bereits voraus, also eben die Kaufkraft, die sie erklären sollen, und die nichts anderes sei, als der reziproke Wert der Geldpreise der einzelnen Waren. „Geldwert" kann also nichts anderes bedeuten, als die Kaufkraft der Einkommenseinheit, die weder ein Tauschwert sei, noch auf einem Gebrauchswert beruhe (S. 651). Wenn man heute noch an der Warentheorie festhalte, so beweise das nur, daß man die historischen Anfänge einer Erscheinung mit dem Wesen einer Sache verwechsle. Die Auffassung, daß nur Geld, welches auf Wert von Stoff basiert sei, gut funktioniere, scheitere schon an der Tatsache, daß sich uneinlösliches Papier dauernd im

Verkehr erhalten könne.. Ferner an der Tatsache, daß Metallgeld, dessen freie Prägung eingestellt sei, im Kurse über seinem Stoffwert stehen könne.

In seinen bisherigen Ausführungen unterscheidet sich S c h u m - p e t e r nicht wesentlich von den anderen Vertretern der nomina- listischen Geldtheorie. Auch die zuletzt angeführten „Tatsachen", an denen die Metallisten „scheitern" sollen, sind schon öfters her- vorgehoben, wenn auch mit Unrecht, denn uneinlösliches Papiergeld hat sich nie dauernd im Verkehr gehalten ohne schwere Störungen des Geld- und Kreditverkehrs. Und was den Fall des überwertigen Metallgeldes anlangt, so handelt es sich hier einfach um eine Monopol- preisbildung. Wenn die freie Prägung eingestellt ist, ist der Boden der strengen Goldwährung verlassen. Es liegen besondere Umstände vor, die einen Monopolpreis hervorrufen, die aber gegen das nor- male Funktionieren der Goldwährung nichts beweisen.

Worin aber S c h u m p e t e r sich wesentlich von den übrigen Nominalisten unterscheidet, ist die weitgehende Konzession, die er den Metallisten gegenüber macht. Darum sprach er auch im Anfang seiner Abhandlung von seiner Versöhnungsmission zwischen Metal- listen und Nominalisten. — Sein Vermittlungsversuch scheint im wesentlichen auf folgendem zu beruhen. Wenn ich ihn recht verstehe, will er zum Ausdruck bringen, daß in der T h e o r i e die nomi- nalistische oder Anweisungstheorie allein berechtigt sei, daß aber anderseits in p r a x i gewisse Grundwahrheiten der metallistischen Lehre unbedingt Berücksichtigung finden müßten. — Charakte- ristisch für seine Auffassung ist seine Bemerkung über J o h n S t u a r t M i l l. Er meint, daß J. S t. M i l l nicht zu den Geldtheoretikern zu rechnen sei, für welche das Geld auf einem wertvollen Stoffe ba- siert sein müsse, und bemerkt dazu in einer Anmerkung: „M i l l verwirft das Papiergeld — aber lediglich aus p r a k t i s c h e n Gründen, und zwar aus solchen, die heute noch zutreffen[1])." Also, wenn jemand lediglich aus praktischen Gründen Metallist ist, brauche er dennoch kein metallistischer Theoretiker zu sein. — Ich möchte an Hand der S c h u m p e t e r schen Ausführungen einiges über das Verhältnis zwischen theoretischer und praktischer Betrachtung in der Geldlehre einfügen. Zunächst möchte ich noch auf einige Sätze bei S c h u m p e t e r hinweisen, die für alle Gegner der metallisti- schen Theorie sehr beachtenswert sind, worin er die Wichtigkeit seiner Theorie hervorhebt, trotzdem er, wie er selbst sagt, kein Me- tallist ist. Man könne, meint er, Metallist sein und trotzdem „sehr tüchtiger Geldtheoretiker und Währungspolitiker". „Auch ist mit jener Erkenntnis noch gar nichts über die Frage gesagt, ob sich eine Währung aus vollwertigem Stoff empfehle oder nicht. Es ist sogar zweifellos — und es ist nachgerade Zeit das zu betonen —, daß die Bindung des Geldes an einen wertvollen Stoff zwar den Mangel hat, daß die Einkommenseinheit dann den Fluktuationen des Wertes dieses Stoffes ausgesetzt ist, aber dennoch von der größten prak- tischen Bedeutung sein kann, nur daß diese Bedeutung anderswo liegt, als wo man sie zu suchen pflegte. Die besondere Art von „Anwei- sung", die man Geld nennt, hat das Eigentümliche, daß niemand für den Wareninhalt derselben garantiert. Besteht daher das Geld

---

[1]) S c h u m p e t e r, Das Sozialprodukt und die Rechenpfennige. Archiv für Sozialwissenschaft und Sozialpolitik. S. 641.

aus einem wertvollen Stoff, so hat sein Inhaber eine solche, freilich nicht völlig einwandfrei funktionierende Garantie, gleichsam eine Art Faustpfand für eine Einlösung in Ware. Nur dieses Faustpfand sichert, solange die Sicherheit nicht von einer über den Beteiligten stehenden Macht, die unter Umständen sogar überstaatlich sein müßte, oder durch ein entsprechendes moralisches Niveau zweifelsfrei gegeben ist, durch seine Kostspieligkeit vor der Gefahr, die den Anweisungen auf das volkswirtschaftliche Güterreservoir sonst immer droht, vor ihrer beliebigen Vermehrung Deshalb ist es bis auf vorläufig unerreichte Kulturstufen hinauf möglicherweise unentbehrliche Voraussetzung glatten Funktionierens des durch das Geld bewirkten automatischen Abrechnungsprozesses[1])." Hat man diese Stelle gelesen, so muß man zu der Meinung kommen, S c h u m - p e t e r wäre Metallist. Wenn er dies trotzdem ablehnt, so gibt hierfür wohl die Bemerkung in der Anmerkung eine Erklärung: „Man müsse eben, wie schon K n a p p betont hätte, was⸱aber allzu leicht vergessen werde, zwischen theoretischem und praktischem Metallismus unterscheiden" (S. 643). Auch S c h u m p e t e r ist also der Meinung, man müsse in der Theorie, da tatsächlich stoffwertloses Geld auch die Funktion des Geldes erfüllen könne, das Wesen des Geldes nicht im Stoffe, sondern in der Tatsache erblicken, daß es eine Anweisung auf das Sozialprodukt sei. Die prinzipielle Unabhängigkeit des Geldwertes vom Geldstoff und die Auffassung der Geldrolle in voller Reinheit losgelöst von dem Beimengsel des Stoffwertes, soll nach S c h u m p e t e r „ein großer Fortschritt" sein (S. 644). Meines Erachtens liegt hier eine Verkennung der Aufgabe der Geldtheorie vor. Wenn S c h u m p e t e r selbst die großen praktischen Vorzüge der metallistischen Währung zugibt und die wirtschaftlichen Mißstände der Papierwirtschaft schildert, so muß das auch schon in der Geld t h e o r i e berücksichtigt werden. Man kann dann wohl, wie ich oben schon ausführte, ex definitione Geld als das staatlich begültigte Zahlungsmittel bezeichnen, muß aber auch schon in der Theorie hinzufügen, daß es eine bestimmte Geldform, die für alle möglichen Wirtschafts- und Rechtsordnungen paßt, überhaupt nicht gibt, sondern daß die Ordnung des Geldwesens von den Verkehrsnotwendigkeiten abhängt. S c h u m p e t e r sagt selbst einmal sehr richtig: „So ist auch der Geldverkehr zwar jeweils durch die Rechtsordnung geregelt oder gestaltet, aber er bleibt trotzdem ein ihr gegenüberstehendes, von ihr unterscheidbares, nur aus sich selbst resp. den i n n e r e n N o t w e n d i g k e i t e n d e r V e r k e h r s w i r t s c h a f t erklärbares Objekt ihrer Regelung und wird auch in keinem tieferen Sinn ihr Geschöpf, wenn ihr Eingriff seine konkreten Formen völlig ändert[2])." Gerade vom Standpunkt dieser Erkenntnis aus führt die Konstruktion S c h u m p e t e r s , das Geld als Anweisung auf das Sozialprodukt aufzufassen, nicht weiter. Beide Ausdrücke sind irreführend. Bei „Sozialprodukt" denkt man unwillkürlich an ein Produkt, das irgendwie auf dem Wege sozialer bzw. sozialistischer Regelung zustande gekommen ist. Er paßt in das System von R o d b e r t u s hinein, nicht aber auf die Vorgänge der privatkapitalistischen Wirtschaftsordnung, wo die Produkte durch freie Beiträge freier Wirtschaftsindividuen zu-

---

[1]) a. a. O., S. 642—643.
[2]) a. a. O., S. 645.

stande kommen. Ebensowenig paßt der Ausdruck „Anweisung", denn bei Anweisung denkt man an ein Forderungsrecht auf eine bestimmte Sache. Geld ist aber eine allgemein verwertbare Sache. Die Gegenüberstellung von Produktenmasse einerseits und dem Geld als einer Anweisung auf diese Produkte anderseits ist irreführend, denn das Geld gehört selbst zu der Produktenmasse, ist Produkt und Ware, gerade so wie die übrigen Produkte, abgesehen von dem Unterschied, daß der stoffliche Inhalt dieser Ware eine staatliche Beglaubigung erfahren hat. Ich spreche hier natürlich allein vom Metallgeld, welches die schlechthin unentbehrliche Grundlage eines geordneten Geldwesens innerhalb der privatkapitalistischen Wirtschaftsordnung ist. Nach S c h u m p e t e r s Meinung soll auch das Metallgeld „kein Gut" sein (S. 646), denn wenn der „wertvolle Stoff" als Geld verwendet werde, müsse er notwendig aufhören, seine Rolle als wirtschaftliches Gut zu erfüllen. — Meines Erachtens ist es umgekehrt: gerade weil das Geld die Qualität als wirtschaftliches Gut hat und die Alternativverwendung als Metall und Münze zuläßt, ist es zu seinen Funktionen besonders brauchbar. Das Geld soll angeblich nie Eigenwert haben, und werde nur wegen seiner Kaufkraft geschätzt. Aber diese Kaufkraft hat es gerade wegen seines Eigenwertes. — Wohin die S c h u m p e t e r sche Anweisungstheorie führt, erkennt man am besten aus seiner Aufzählung all der Dinge, die „Geld" sein sollen. Er sagt mit Recht, daß der ökonomische Geldbegriff seine Realdefinition und seinen Umfang nur aus der F u n k t i o n empfangen könne, die es erfüllte. Da die Funktion des Geldes nach S c h u m p e t e r die ist, eine Anweisung auf den Gütervorrat zu sein, versteht er unter Geld alle Dinge, für die man unter irgendwelchen Umständen Güter erlangen kann. Er gibt folgenden Katalog:

1. Alle Waren, die tatsächlich als Geld zirkulieren, so z. B. Waren wie Zucker, Tabak, Tee usw., wenn sie zu Tauschmittelzwecken benutzt werden.

2. Geld aus einem Stoff, dessen Marktpreis geringer ist, als die Kaufkraft der daraus erzeugten Einheiten, z. B. Scheidemünzen.

3. Banknoten.

4. Scheck- und Giroguthaben.

5. „Alle Beträge der Zahlungen, die Einkommensverwendungen sind und durch Skontration a l l e i n erledigt werden[1])."

6. „Kreditinstrumente und Forderungsrechte aller Art, sofern sie tatsächlich die Geldrolle erfüllen", z. B. Wechsel, die zahlungshalber von Hand zu Hand gehen, Coupons usw. — Ich will hoffen, daß diese weite Fassung des Geldbegriffes, wie sie S c h u m p e t e r vorschlägt, keine Aufnahme in der nationalökonomischen Theorie findet, denn dann wäre die Hauptaufgabe der Theorie, Wesentliches vom Unwesentlichen zu unterscheiden, außer acht gelassen. Wenn S c h u m p e t e r mit Recht sagt, daß für den Umfang des Geldbegriffes die Funktion des Geldes entscheidend sei, so muß er auch die Funktion zugrunde legen, die für das Wesen des Geldes die entscheidende ist. Entscheidend aber ist nicht, ob diese oder jene Sache gelegentlich einmal zu Tauschzwecken benutzt wird, wenn man gerade kein Geld zur Hand hat, wie z. B. Briefmarken, sondern entscheidend ist die Funk-

---

[1]) a. a. O., S. 659/660.

tion, g e s e t z l i c h e s Z a h l u n g s m i t t e l zu sein. Dies unterscheidet Geld von allen möglichen anderen Dingen, die gelegentlich Gelddienste verrichten können, ohne aber Geld im wahren Sinne des Wortes zu sein. Gerade im Interesse einer klaren ökonomischen Theorie des Geldes ist eine scharfe Abgrenzung des Begriffes notwendig, sonst verflüchtigt sich der ganze Geldbegriff, und man muß unwillkürlich fragen, was denn nicht Geld sei. — Ich weiß, welchen Einwand S c h u m p e t e r erheben wird und er hat auch tatsächlich diesen Einwand sehr ausführlich hervorgehoben: gesetzliche Zahlkraft sei j u r i s t i s c h von Belang, nicht aber n a t i o n a l ö k o n o m i s c h. In der ganzen Behandlung von S c h u m p e t e r spielt die Ablehnung aller juristisch bedeutsamen Momente eine große Rolle, geht er doch so weit zu sagen, daß die Einlösung der Banknote nur juristisch, aber nicht ökonomisch bedeutsam sei: ,,Daß der Inhaber einer Banknote ein Recht auf Gold hat, das er normalerweise nicht ausübt, ist eine juristische Oberflächentatsache, die mit dem ökonomischen Wesen der Rolle der Banknote wenig zu tun hat[1])." Gegenüber seinem Geldbegriffe erklärt er, daß jede andere Fassung des Geldbegriffes abgelehnt werden muß: ,,Jede andere entstellt das Wesen der Sache, indem sie Grenzen zieht, wo der Wirtschaftsprozeß keine aufweist und verrammelt sich mit juristischen und technischen Nebendingen und historischer Zufälligkeit den Ausblick. Allerdings verliert in unserer Fassung die Geldmenge jene leicht erfaßbare bestimmte Größe, die sie hat, wenn man sie etwa der Menge: Metallgeld plus Papiergeld plus Banknoten gleichsetzt. Ist man sich darüber klar, daß damit die tatsächlich wirksame Geldmenge nicht erfaßt ist, so nützt es wenig, diese letztere Fassung beizubehalten, mit der wir nichts anfangen können und deren Einfachheit sich später durch um so größere Kompliziertheit der mit ihr arbeitenden Gedankengänge rächt[2])."

Ich muß ebenso, wie ich oben die Unterscheidung von theoretischem und praktischem Metallismus zurückgewiesen habe, auch diese Trennung von juristischer und ökonomischer Betrachtung ablehnen. — Es liegt durchaus keine ,,Überschätzung" der juristischen Regeln und gar kein ,,Verrammeltsein mit juristischen Nebendingen" vor, wenn auch der Nationalökonom für die Begriffsbestimmung des Geldes die Qualität als gesetzliches Zahlungsmittel feststellt. Der Jurist gibt seiner Definition auch den für den Nationalökonom brauchbarsten grundlegenden Ausgangspunkt an. — Denn nicht nur für Rechtsstreitigkeiten aller Art, sondern auch für die volkswirtschaftliche Auffassung des Geldwesens ist es von Wichtigkeit, eine scharfe Trennungslinie zwischen dem eigentlichen Gelde und allen möglichen Geldsurrogaten zu ziehen. Auch für den ganzen volkswirtschaftlichen Verkehr ist es von großer Bedeutung zu wissen, was das letzte Solutionsmittel für alle Forderungen ist. Der geordnete Wirtschaftsverkehr hat ein solches ,,definitives" Zahlungsmittel nötig. Es ist das Zweckmäßigste, dies auch zum Kriterium des Geldbegriffes zu machen. Das schließt natürlich nicht aus, daß der Nationalökonom bei Einzeluntersuchungen z. B. über die Inflation, über den Einfluß des sog. Geldwertes auf die Preise, über die Geldmengen in der Volkswirtschaft usw. vielfach neben dem Geld im eigentlichen Sinne auch

---

[1]) a. a. O., S. 658.
[2]) a. a. O., S. 662 unten bis 603 oben.

Geldsurrogate und Kreditzahlungsmittel einbezieht. Es ist sogar ein
Mangel mancher geldtheoretischen Untersuchung, daß sie den Einfluß solcher sekundärer Geldarten nicht genügend in Betracht zieht.
Aber ein möglichst klarer, festumgrenzter Geldbegriff und nicht ein
verschwommener, muß den Ausgangspunkt jeder Geldtheorie bilden.

B u d g e [1]) hat S c h u m p e t e r s Theorie ausführlich kritisiert und spricht mit Recht von dem „ausgesprochenen Eklektizismus" (S. 743), der in seiner Abhandlung über das Sozialprodukt und
die Rechenpfennige sich zeige. Derselbe Verfasser hat in seiner Abhandlung vom theoretischen Nominalismus[2]) auch zu der allgemeinen
Kontroverse zwischen Metallismus und Nominalismus Stellung genommen. In Anknüpfung an B e n d i x e n s Polemik gegen mich
sucht er die Unrichtigkeit der nominalistischen Theorie nachzuweisen.
In wesentlichen Punkten stimmt B u d g e mit meiner Kritik B e n -
d i x e n s überein, in anderen weicht er von mir ab. — Sehr treffend
wendet B u d g e gegen B e n d i x e n ein, daß er sich die Volkswirtschaft wie eine von einer Zentrale geleitete Organisation vorstelle,
welche für jede· Leistung eine Bescheinigung ausgebe, mittels derer
ein Anrecht auf die Gegenleistung erworben werde. Davon könne aber
in unserer tauschwirtschaftlich organisierten Wirtschaftsgesellschaft
keine Rede sein (S. 487). Trotzdem verwahrt sich B u d g e dagegen
als „Metallist" bezeichnet zu werden, denn er erkenne ausdrücklich
die theoretische Möglichkeit einer Währung in stoffwertlosem oder
unkörperlichem Gelde an (S. 497). Und an anderer Stelle sagt er:
„Theoretisch ist meines Erachtens eine Papierwährung mit stabiler
Kaufkraft des Geldes durchaus denkbar. Es ist theoretisch betrachtet
unrichtig anzunehmen, eine Papierwährung müsse stets eine Inflation
im Gefolge haben. Eine andere Frage ist indessen die, bei welcher Art
der Währung die Gefahr der Inflation·eine größere ist. Bei Beantwortung dieser Frage stehe ich nicht an,--mich rückhaltlos auf die
Seite der Anhänger der Goldwährung zu schlagen[3])."

Auch hier wieder die meines Erachtens unrichtige Gegenüberstellung von Theorie und Praxis. — Entweder man ist Metallist oder
Nominalist, dann aber zugleich theoretisch und praktisch, ein Gegensatz zwischen Theorie und Praxis kann dann nicht bestehen. Wer
theoretisch ein bestimmtes Geldsystem für richtig hält, muß es auch als
geeignet für die Praxis ansehen. Was hat die Anerkennung der theoretischen Möglichkeit einer stoffwertlosen Währung für einen Sinn,
wenn man gleichzeitig auf die Mängel und Schwierigkeiten ihrer praktischen Anwendung hinweist? Nach dem ganzen Inhalt seiner Abhandlung ist B u d g e jedenfalls zu den Metallisten zu rechnen.
B u d g e meint, daß ich dagegen den Einfluß des Vertrauens zum
Papiergeld bei der Preisgestaltung erheblich überschätze: „Vertrauen
ist eine außerökonomische Kategorie und es kann somit niemals einen
unmittelbaren Einfluß auf die Tauschwertgestaltung ausüben. Es
kann eine Rolle spielen nur als ein Motiv einer gegebenen Gestaltung
der Marktlage, insofern als die Möglichkeit besteht, daß aus Furcht vor
einer künftigen Geldentwertung größere Mengen Papiergeld auf den

---

[1]) S. B u d g e , Waren- oder Anweisungstheorie des Geldes? Archiv für
Sozialwissenschaft und Sozialpolitik. 1918/19. 46. Band.
[2]) S. B u d g e , Vom theoretischen Nominalismus. Jahrbücher für Nationalökonomie und Statistik. 113. Bd. III. Folge. 58. Bd. 1919. Verlag von G. Fischer.
[3]) a. a. O., S. 484/485.

Markt geworfen werden und andererseits die Besitzer von Waren mit ihrem Angebot zurückhalten, weil Waren zur Zeit besser seien als Geld. Aber diese indirekte Einwirkung des Vertrauens auf den Wert des Geldes kann naturgemäß nur vorübergehend sein[1])." Ich halte selbstverständlich das „Vertrauen" für eine ökonomische Kategorie und zwar für eine sehr wichtige. Bei allen Verkehrsakten spielt das Vertrauen eine große Rolle. Wie bei der Wertschätzung der Waren ist es auch bei der Wertschätzung des Geldes und speziell des Papiergeldes von großer Bedeutung. — Im Gegensatz zu meiner Auffassung hält B u d g e an der Erklärung fest, daß Geld Wertmaß oder Wertmesser sei. Ich halte den Ausdruck für irreführend, weil Geld im Wert veränderlich ist. B u d g e selbst gibt zu: „Ein Wertmaß von natürlicher Konstanz ist undenkbar"[2]). Aus diesem Grunde aber kann auch Geld nicht Wertmaß sein.

Die Hauptprobleme des Geldwesens werden auch in dem großen Werk von E l s t e r [3]) eingehend behandelt, nachdem derselbe Verfasser vorher schon in mehreren Abhandlungen zu einzelnen Fragen der Geldtheorie Stellung genommen hatte. Das Werk E l s t e r s baut sich auf dem Grundgedanken der K n a p p schen und B e n d i x e n schen Geldtheorie auf und hat sich insbesondere die Aufgabe gestellt, die Lehre B e n d i x e n s in einem geschlossenen System zur Darstellung zu bringen, da dieser Autor seine Anschauungen nur in verschiedenen Einzelheiten zerstreut dargelegt hat, aber nicht im systematischen Zusammenhang. — Soweit das Werk von E l s t e r nur die Lehren von K n a p p und B e n d i x e n systematisiert, ist hier kein Anlaß vorhanden, darauf einzugehen, da wir auf unsere Kritik dieser Theorie selbst verweisen können. — Aber E l s t e r geht teilweise auch eigene Wege, weicht in einzelnen Punkten erheblich von B u d g e und auch von K n a p p ab, gibt neue originelle Problemstellungen und auch eine neue Terminologie. — Ich behandle hier nur diejenigen Ausführungen, die sich speziell mit seiner kritischen Stellung zum Metallismus beschäftigen. In E l s t e r s System spielen vor allem zwei Begriffe eine wichtige Rolle: „Sozialprodukt" und „Gemeinschaft". Ersteren Begriff hat E l s t e r von S c h u m p e t e r nur dem Namen nach übernommen, inhaltlich aber anders bestimmt. — Bevor ich auf diesen Begriff eingehe, einiges über den Begriff „Gemeinwirtschaft". E l s t e r hält es für falsch, in der üblichen Weise die moderne Geldwirtschaft als eine höhere Entwicklungsstufe gegenüber der Hauswirtschaft aufzufassen, so daß die Erscheinung des Geldes sich aus der Tauschwirtschaft erklären lasse, die sich im Anschluß an die ältere tauschlose Eigenwirtschaft entwickelt habe. Vielmehr bedeutet die Geldwirtschaft einen Gegensatz zur Hauswirtschaft und naturalen Tauschwirtschaft. Sie sei nur zu verstehen, wenn man ihr Wesen aus dem Aufkommen einer neuen Wirtschaftsstufe und einer neuen Wirtschaftsform erkläre, der sog. G e m e i n w i r t s c h a f t. In der Gemeinwirtschaft trete die Idee der Gemeinschaft hervor: „Es ist der Bedarf aller, an dem alle genießend teilnehmen; es ist der Bedarf aller, für den alle sich schaffend mühen: Produktionsgemeinschaft — Konsumgemeinschaft" (S. 26).

---

[1]) a. a. O., S. 499.
[2]) a. a. O., S. 503.
[3]) E l s t e r, Die Seele des Geldes. Verlag von G. Fischer. Jena 1920.

„In der modernen Gemeinwirtschaft konsumiert die Gemeinschaft das Produkt der Gemeinschaftsarbeit, jeder einzelne einen Anteil am Produkt" (S. 27).

Welche Rolle spielt das Geld in dieser Gemeinwirtschaft? Es soll Beteiligungsmöglichkeit am Sozialprodukt sein, wie E l s t e r es im Gegensatz zu B e n d i x e n formuliert, der das Geld als „Anrecht an den verkaufsreifen konsumtiblen Produkten" bezeichnet hatte.

So ergibt sich auch der Begriff des Zahlungsmittels: „Indem ein Wirtschafter zahlt, überträgt er Beteiligungsmöglichkeiten am Sozialprodukte, die ihm zustehen, auf einen anderen Wirtschafter; Zahlung ist hiernach nichts anderes als die Übertragung von Beteiligungsmöglichkeiten am Sozialprodukte[1])." — Was ist aber „Sozialprodukt"?

Dieser Begriff ist bei E l s t e r weiter gefaßt, als bei S c h u m - p e t e r. Während S c h u m p e t e r darunter nur Genußgüter versteht, will E l s t e r unter Sozialprodukt alle diejenigen Objekte des gemeinwirtschaftlichen Verteilungsverkehrs zusammenfassen, für die Preise gegeben und genommen werden (S. 99). Das Geld ist nach dieser Auffassung eine Zahl, weil die Beteiligung am Sozialprodukt mittels des Geldes zahlenmäßig vor sich geht. Das Maß der Beteiligung, das jedem einzelnen am Sozialprodukt zusteht, bestimmt sich nach der Geldmenge, über die er verfügt. Das Geld ist nach E l s t e r in Übereinstimmung mit den übrigen Nominalisten kein Gut, auch kein Gegenstand des wirtschaftlichen Verteilungsverkehrs, sondern nur ein technisches Mittel, eine abstrakte Einheit. — So stehen Eigenwirtschaft und Gemeinwirtschaft im Gegensatz zueinander: „Die Eigenwirtschaft vergleicht die Intensitäten der Schätzung, die der einzelne Wirtschafter den Wirtschaftsgütern entgegenbringt; in der Gemeinwirtschaft aber wird mit Werten gerechnet, nicht anders, als mit Zahlen gerechnet wird. Die Schätzungen der Eigenwirtschaft sind Empfindungsgrade; die Werte der Gemeinschaft sind — wie die Preise — zahlenmäßige Größen. Sie sind Quantitätsverhältnisse, Zahlenverhältnisse[2])."

Drei Begriffsmerkmale sind demnach dem Geld zu eigen: „Beteiligungsmöglichkeit am Sozialprodukte — Beteiligungsmittel am Sozialprodukte (Zahlungsmittel) — Beteiligungsmaß am Sozialprodukte (Werteinheit). Von diesen drei Begriffen steht der erste zum zweiten, wie die (abstrakte) Möglichkeit zum (konkreten) Mittel ihrer Verwirklichung; der erste zum dritten, wie die Substanz zur Quantität, die gezählten Dinge zur zählenden Zahl; der zweite zum dritten, wie Maßstab zur Maßeinheit. Dies ist die Synthese der Geldbegriffe[3])."

Soweit die grundlegenden Gedanken der E l s t e r schen Geldtheorie. Ehe ich auf weitere Einzelheiten eingehe, will ich kritisch zu diesem Ausgangspunkte seiner Lehre Stellung nehmen. — Wie der Leser, der die neuere Geldliteratur kennt, sieht, kommt E l s t e r im Ergebnis auf dasselbe hinaus, was die früheren Nominalisten und namentlich B e n d i x e n gelehrt hatten. Nur in der Ableitung der

[1]) a. a. O., S. 31.
[2]) a. a. O., S. 84.
[3]) a. a. O., S. 95.

Theorie geht er eigene Wege. In dieser Hinsicht kann ich in den E l -
s t e r schen Darlegungen keinen Fortschritt erblicken, auch nicht
vom Standpunkt der nominalistischen Theorie aus. Das Geldproblem
wird nicht erhellt, sondern verdunkelt durch die gekünstelte Art
und Weise, wie hier Entstehung und Wesen des Geldes abgeleitet
wird. Zunächst ein paar Worte zur Terminologie. Ist es schon zu
beklagen, wenn manche Theoretiker durch Schaffung immer neuer
Begriffe und Fachausdrücke das Verständnis ihrer Werke erschweren,
so ist es doppelt mißlich, wenn sie althergebrachten Begriffen einen
neuen, veränderten Sinn beilegen und damit die in unserem Fach
vorhandene begriffliche Verwirrung noch vermehren. — Schon bei
S c h u m p e t e r s Begriff vom Sozialprodukt hatte ich auf das
mißverständliche dieses Begriffes hingewiesen, dasselbe gilt für
diesen Ausdruck in der Fassung E l s t e r s , noch mehr aber für
seinen Begriff Gemeinwirtschaft, dem er einen von der bisher üblichen
Auffassung gänzlich veränderten Sinn unterlegt. — Zur Sache
habe ich folgendes zu bemerken: E l s t e r hält es für den Grundfehler der bisherigen Geldtheorie, daß sie die Entstehung des Geldes
aus der Entwicklung von der sog. Hauswirtschaft zur Tauschwirtschaft und von der ersten primitiven Tauschwirtschaft zur verfeinerten modernen Geldwirtschaft ableitet. Man könne das Geld nur verstehen, wenn man die Geldwirtschaft als eine zur früheren Eigenwirtschaft und Naturalwirtschaft im Gegensatz stehende gänzlich
neue Wirtschaftsform und Wirtschaftsstufe auffaßt, nämlich als
sog. G e m e i n w i r t s c h a f t. Darauf ist zu erwidern: Eigenwirtschaft und Gemeinwirtschaft sind überhaupt keine Gegensätze,
denn Eigenwirtschaft ist eine Wirtschafts s t u f e und Gemeinwirtschaft ist eine W i r t s c h a f t s f o r m. Die Gegensätze sind vielmehr Eigenwirtschaft und Verkehrswirtschaft, als die zwei Haupt-
stufen der wirtschaftlichen Entwicklung, soweit das Wirtschaftsleben
privatwirtschaftlich organisiert ist. Das wirtschaftliche Leben spielt
sich zuerst im Rahmen der einzelnen Hauswirtschaft ab, später im
Rahmen der verkehrswirtschaftlichen Beziehungen zwischen zahlreichen Einzelwirtschaften. Der andere Gegensatz ist Individual-
wirtschaft und Gemeinwirtschaft. Hier handelt es sich um die prinzipiell verschiedenen F o r m e n der Wirtschaftsorganisation, die
Wirtschaftsform auf der Grundlage des Privateigentums und der
freien Betätigung der freien Einzelwirtschaften einerseits und die
Wirtschaftsform auf Basis des Gemeineigentums und der gemeinwirtschaftlich geregelten Wirtschaft. Der ältere Agrarkommunismus und die von den Sozialisten angestrebte zukünftige Gesellschaftsorganisation sind Beispiele für Gemeinwirtschaften. Indem nun
E l s t e r die in der Idee nur vorhandene sozialistische Gesellschaft
und die moderne Geldwirtschaft als Gemeinwirtschaften bezeichnet,
verwischt er diese Unterschiede vollkommen, und es kann nur zu
Verworrenheit führen, wenn man die Geldwirtschaft, die gerade nur
aus dem Nebeneinanderbestehen zahlreicher unabhängiger Einzelwirtschaften zu erklären ist, aus dem mystischen Bestande einer
sog. Gemeinwirtschaft ableitet. — Was soll der Sinn solcher Sätze
sein, wie z. B.: ,,Unsere Wirtschaft ist Gemeinschaft; Gemeinschaft
in Erzeugung und Verbrauch, Gemeinschaft auch als Zahlgemein-
schaft[1])'' ?

---
[1]) a. a. O., S. 37.

„Der psychische Vorgang, der das Gut zum Gelde werden läßt, ist nun ganz offenbar nur unter einer einzigen Voraussetzung möglich. Er wird nur möglich mit dem Entstehen jener Wirtschaftsformen, die sich als organische Gemeinschaft über der zersplitterten Vielheit der einzelnen Wirtschaften erheben. Ehe dieses geschehen ist, kann kein Objekt die Beteiligung am Sozialprodukte vermitteln und mit Rücksicht auf diese Beteiligungsmöglichkeit der Gegenstand des Begehrens sein; denn es gibt ein Sozialprodukt erst, wenn und weil eine Produktions- und Konsumgemeinschaft — wenn auch in noch so unvollkommener Form — ins Leben getreten ist[1])." „Die Beteiligungsmöglichkeit am Sozialprodukte ist die von der Gemeinschaftsorganisation ihrem einzelnen Mitgliede gewährte Gegenleistung für seine Mitarbeit am Sozialprodukte[2])." „Nur die Vorleistung auf das Sozialprodukt darf den gemeinwirtschaftlich gerechtfertigten Anspruch auf Teilnahme am Konsumtionsfonds begründen" (S. 179). Jeder, der diese Sätze liest, muß den Eindruck haben, als ob von einer Gesellschaftsorganisation die Rede sei, wo jeder einzelne Wirtschafter an die Weisung einer zentralen Wirtschaftsbehörde gebunden ist, etwa wie im kommunistischen Staat, in dem jedem seine Betätigung im Wirtschaftsleben und sein Anteil am Ertrage zugewiesen wird.

Des ferneren spricht E l s t e r von einem „individual-psychischen Prozeß", durch welchen das Geld auf einer neuen zur Eigenwirtschaft im Gegensatz stehenden Wirtschaftsstufe zur Entstehung kommen soll und zwar so, daß das Geld nicht mehr als „Gut", sondern in Rücksicht auf die im Gelde verkörperte Beteiligungsmöglichkeit am Sozialprodukt genommen werde. Tatsächlich hat aber beim Aufkommen des Geldes gar kein neuer individualpsychischer Prozeß stattgefunden, sondern die schon vorher bestandenen Beziehungen zwischen Einzelwirtschaften haben nur eine Verfeinerung und technische Verbesserung erfahren. Und zwar nicht weil eine Gemeinwirtschaft mit neuer psychischer Einstellung aufkam, sondern weil die primitiven Methoden des älteren Tauschverkehrs für den entwickelteren Marktverkehr nicht mehr ausreichten; nicht weil Gemeinwirtschaft an Stelle der Eigenwirtschaft trat, sondern im Gegenteil, weil die Eigenwirtschaften sich immer kräftiger entwickelten und in immer lebhafteren Verkehr miteinander traten, mußte an Stelle des naturalen Tauschverkehrs von Fall zu Fall ein verbesserter Tauschverkehr vermittels eines allgemein anerkannten Tauschmittels treten.

Von einer Zahlungsgemeinschaft kann man allerdings reden, denn gerade in einer individualistisch geordneten Volkswirtschaft ist die gemeinwirtschaftliche Regelung des Geldwesens eine unbedingte Notwendigkeit, ebenso wie eine gemeinwirtschaftliche Regelung des Maß- und Gewichtswesens. Nicht aber sollte man von einer Produktions- und Konsumtionsgemeinschaft sprechen bei einer volkswirtschaftlichen Organisation, die auf der individuellen Freiheit der Produktion und Konsumtion beruht. Wäre wirklich eine Gemeinwirtschaft vorhanden, so brauchte man Geld überhaupt nicht, sondern es könnten „Anweisungen" auf das Sozialprodukt ausgegeben werden.

---

[1]) a. a. O., S. 41.
[2]) a. a. O., S. 46.

Da aber die Einzelwirtschaften auf der Stufe der Verkehrswirtschaft ungebunden und frei wirtschaften, muß außer den Produkten, die von den Produzenten innerhalb ihrer Unternehmungen produziert werden, auch noch ein Produkt hergestellt werden, das den Verkehr zwischen den Einzelwirtschaften vermittelt. Ob und wieweit dieses Produkt auf den höchsten Stufen der Verkehrs- und Geldwirtschaft durch ein stoffwertloses Geld ersetzt werden kann, ist eine Frage für sich. Die ganze logische Ableitung des Geldwesens in der Art von E l s t e r ist unzutreffend und wird auch wohl die meisten nominalistischen Theoretiker nicht befriedigen.

Aus dem zuletzt Gesagten ergibt sich auch die Stellung des Geldes zur Rechtsordnung. — Im Gegensatz zu E l s t e r muß ich daran festhalten, daß das Geld eine Rechtsinstitution ist, oder ein Geschöpf der Rechtsordnung, wie K n a p p sagt. Ohne auf die besondere Auslegung dieses Satzes bei K n a p p oder auf die Kontroverse über den Sinn desselben nachzugehen, sei hier nur soviel bemerkt, daß der Satz von E l s t e r: „Die Werteinheit ist nicht ein Geschöpf der Rechtsordnung. Sie ist das Geschöpf des Verkehrs, der Gesellschaft, und zwar der hier als „Gemeinwirtschaft" bezeichneten Verkehrs- und Gesellschaftsorganisation", mir nicht haltbar zu sein scheint, denn im Wesen des Geldes liegt es begründet, daß es eine rechtliche Institution ist. Was anders unterscheidet den älteren Zustand des individuellen und zufälligen Tauschverkehrs von dem geregelten Tauschverkehr der Geldwirtschaft, als der Umstand, daß die betreffende Gemeinschaft, innerhalb deren der Tauschverkehr sich durch private Abmachungen der einzelnen Beteiligten vollzogen hatte, sich über ein generelles Tauschobjekt einigt, das von jedermann bei Zahlungen angenommen werden muß? Diese von der Gemeinschaft anerkannte Geltung beruht aber auf einer Rechtssatzung, einerlei, ob es sich um Gewohnheitsrecht oder geschriebenes Recht handelt. Mit dieser rechtlichen Normierung beginnt erst die Geldwirtschaft. Die Gemeinschaft hat dann eine Institution geschaffen, die für alle bindend ist, und wodurch die Willkür einzelner in der Auswahl der Zahlungsmittel beseitigt ist.

Ich hatte in meinem Buch über Geldwesen und Valuta gesagt (S. 121), daß E l s t e r im Gegensatz zu K n a p p auch praktischer Wirtschaftspolitiker sei. E l s t e r hat daran Anstoß genommen. Die Stelle, auf Grund deren ich diese Meinung abgab, findet sich auf S. 299 seiner Abhandlung „zur Analyse des Geldproblems". Diese Stelle wird in E l s t e r s Werk wörtlich wiederholt. Er spricht von der Belanglosigkeit des Geldstoffes und erklärt dies dahin: „Die Zahlungsmittel, deren sich die Geldwirtschaft bedient, bedürfen zur Verrichtung ihres Dienstes keinerlei besonderer stofflicher Eigenschaften, als der einen und einzigen, daß sie die Geldeinheiten (die sie darstellen, die sie aber nicht sind), eindeutig darstellen. Ob sie zweckmäßig aus Metall hergestellt werden, ob aus Papier oder aus welchem Stoff es immer sei, ist einzig und allein eine Frage der Technik. Die materielle Funktion des Geldes wird von den stofflichen Eigenschaften der Geldzeichen nicht berührt, wie denn die Resultate einer Rechenaufgabe nicht davon abhängen, ob sie mit Hilfe metallener oder hölzerner, roter oder weißer Kugeln auf der Rechenmaschine gelöst

---

[1]) a. a. O., S. 191.

wird. Selbst das stofflose Geld, das Buchgeld, ist heute längst Wirklichkeit[1])." — Ich glaube auf Grund dieser Stelle war ich durchaus zu meiner Ansicht berechtigt, denn es gehört in die praktische Wirtschaftspolitik, wenn man es lediglich als eine technische Frage bezeichnet, ob die Geldzeichen aus Metall oder Papier hergestellt werden. Es kann doch nur heißen, daß der Übergang zur Papierwährung lediglich von technischen Fragen abhängt. — In seinem großen Werk ist E l s t e r ausführlich auf Fragen der Geldpolitik und Währungspolitik eingegangen. Aus seinen Ausführungen ergibt sich, daß E l s t e r ebenso wie H e y n und B e n d i x e n auch Geldpolitiker und nicht wie K n a p p nur Geldtheoretiker ist. Er tritt für eine neue Art von Geldschöpfung ein. Er hält die Art, wie B e n d i x e n dieses Problem gelöst hat, für die zur Zeit beste, aber noch nicht vollendete Lösung. — Es ist bemerkenswert, daß E l s t e r trotz seiner großen Verehrung für B e n d i x e n starke Bedenken gegenüber seiner Geldschöpfungslehre äußert. — Diese Ausführungen halte ich für die besten und wichtigsten seines Buches. — Er weist nach, daß das klassische Geld von B e n d i x e n , welches auf der Theorie beruht, wonach ein Parallelismus zwischen Ware und Geld bestehen müsse, eine Lücke aufweise. ,,Auch wenn das Geld nur mit der Ware zur Entstehung kommt, und mit der Ware von dem Markte verschwindet, so müßte folgerichtig doch die Theorie, die auf dem ,Parallelismus zwischen Ware und Geld' begründet ist, auch noch ein weiteres Verlangen stellen; das weitere Verlangen nämlich, daß nun auch mit jeder neu erzeugten Ware das — ihr entsprechende Geld — entsteht und wieder verschwindet. Mit anderen Worten: Damit eine Geldschöpfung wirklich ,klassisch' sei (wirklich ,klassisch' und nicht nur besser als jede bislang geübte), müßte sie dafür Sorge tragen, daß nicht nur dann kein neues Geld entsteht, wenn keine neuen Waren auf den Markt gelangen, sondern daß nun auch umgekehrt mit der Erzeugung jeder neuen Ware zugleich auch die Schöpfung eines neuen Geldes gewährleistet wird[2])." — Ein zweites Bedenken findet E l s t e r darin, daß B e n d i x e n nirgends verlangt, daß nur der Produzentenwechsel zur Unterlage für die neue Geldschöpfung zu nehmen sei: ,,Der Fall ist denkbar und alltäglich, daß ein Produzent die neuen Waren an den Großhändler gegen Wechsel begibt, und daß noch während das auf diese Wechsel gegründete Neugeld auf den Warenmärkten kauft, nun auch der Großhändler — und zwar wiederum gegen Wechsel — die Ware an den Detaillisten weitergibt. Auch deren Wechsel wären nach der Praxis der Reichsbank und nach der Lehre B e n d i x e n s zur Unterlage für eine Neugeldschöpfung durchaus geeignet; und auch von einer den ,klassischen' Grundsatz umgehenden Kreditschwindelei dürfte hier gewißlich nicht die Rede sein[3])." — Hier hat E l s t e r sehr richtig gewisse Mängel der B e n d i x e n schen Geldschöpfungslehre nachgewiesen.

Ich hatte ebenfalls große Bedenken gegenüber dem klassischen Gelde von B e n d i x e n geäußert, und namentlich auf die Grundlage des Geldes, den Wechsel, hingewiesen, von dem man nicht wissen kann, ob er wirklich ein Wechsel im Sinne B e n d i x e n s

---

[1]) a. a. O., S. 185.
[2]) a. a. O., S. 303/304.
[3]) a. a. O., S. 304/305.

sei, oder ein Finanzwechsel, ob er nicht notleidend werden kann usw. — E l s t e r lehnt meine Kritik ab mit der Begründung, daß doch die Reichsbank schon seit mehr als 40 Jahren ihre Noten nach diesen Grundsätzen ausgegeben habe und daß sich niemals die ernsten Gefahren gezeigt hätten, auf die ich mit warnenden Worten hingewiesen hätte (S. 280). Hierbei besteht aber doch der wesentliche Unterschied, daß von der Reichsbank solche Fehler vermieden werden konnten, weil nach den bis zum Krieg bestehenden Deckungs- und Einlösungsvorschriften, die Wechsel eine ganz andere Sicherheit darboten, da die auf die Wechsel ausgegebenen Banknoten noch durch Gold gedeckt waren. Darum konnten sie eine ganz andere Rolle im Geldwesen spielen, als wenn diese Kautelen, wie es nach B e n d i x e n s Vorschlag der Fall ist, ganz fortfallen sollen.

Wenn E l s t e r daran die Bemerkung knüpft, daß meine Kritik die Züge einer „dem Leben entfremdeten Studierstubenweisheit" (S. 282) zeige, so möchte ich darauf hinweisen, daß gerade diese meine Kritik von einem ausgezeichneten Praktiker des Bankwesens, von S c h i n k e l [1]), „als eine vorzügliche und gründliche Widerlegung der B e n d i x e n schen Theorie" bezeichnet wurde.

Auch ein anderer Praktiker des Bankwesens, H a h n, wendet sich gegen die Auffassung B e n d i x e n s über die währungspolitische Bedeutung des Warenwechsels[2]).

Ich erwähne dies nur, um auch die sonst mir gegenüber geäußerte Behauptung von der Stubengelehrtheit zu beleuchten. Die Frage, wessen Ausführungen mehr „Stubengelehrsamkeit" aufweisen, die von B e n d i x e n oder die meinigen, kann ich getrost der Beurteilung der Fachleute überlassen und will nur darauf hinweisen, daß Praktiker, die sich auf das Gebiet der Theorie begeben, sich oft als weit „weltfremder" erweisen, als die „Theoretiker ohne Anschauung".

Was E l s t e r s eigene Meinung über die künftige Geldreform anlangt, so tritt er für eine „metallistisch nicht gebundene Währung" ein (S. 217).

Allerdings müsse diese Währung „wirtschaftstheoretischen" Erwägungen ihr Dasein verdanken. Sie dürfe nicht von einer „geldhungrigen" Finanzleitung mißbraucht werden. — Ich vermisse aber bei E l s t e r eine klare Auskunft darüber, wie dieser Mißbrauch vermieden werden soll. Auch bei E l s t e r fehlt, wie bei den meisten Geldreformern, welche die Goldwährung abschaffen wollen, ein fest umrissenes Programm der künftigen Währungspolitik. Wir müssen uns auch hier mit allgemeinen Grundgedanken begnügen. — In Kap. III § 8 über die deutsche Währung der Zukunft sagt er: „Als ‚klassisch' vorstellen könnte nach allem ich mir eine Geldschöpfung, die neues Geld stets dann — und auch nur dann — entstehen ließe, wenn immer ein Wirtschaftsgut (ein Sachgut oder eine Leistung) auf die Märkte tritt; und die dieses Geld im gleichen Augenblicke nun auch wieder verschwinden ließe, in dem der Kaufakt abgeschlossen ist, für dessen Durchführung es geschaffen wurde[3])." Er fügt dann aber hinzu:

---

[1]) a. a. O., S. 307.
[2]) „Diehl contra Bendixen", Bankarchiv 1916/17.
[3]) Dr. A. H a h n (Bankdirektor in Frankfurt a. M.), Volkswirtschaftliche Theorie des Bankkredits. Tübingen 1920. S. 121.

„Dies ist höchstens eine gedankliche Möglichkeit; und ihrer Andeutung soll darum auch die Feststellung auf dem Fuße folgen, daß es mir völlig ferne liegt, sie etwa nun zur Grundlage einer Programmatik machen zu wollen[1]).“ — Das „klassische“ Geld könne man aber nur auf Grundlage einer „anders gearteten Wirtschaft“ schaffen. — Mit B e n d i x e n stimmt er darin überein, daß es „unsere Geldverfassung wesentlich verbessern hieße, wenn man die Schöpfung neuen Geldes — so eng dies eben möglich ist — mit der Gütererzeugung verknüpfen wollte[2]).“ — E l s t e r selbst hat aber zugegeben, daß B e n d i x e n s praktischer Vorschlag dieser Forderung nicht gerecht wird. E l s t e r ist ferner mit B e n d i x e n darin einverstanden, daß: „die Verkoppelung von Geld und Gold im Wesen unseres Geldes keine Begründung findet (mag immer sie geschichtlich voll erklärlich sein) und daß die Abkehr von der früher ganz allgemein und oft noch heute als die beste uns gepriesenen Goldwährung eine entschiedene Verbesserung unserer Geldverfassung bedeuten würde und — lange schon im Zuge der Entwicklung liegt[3]).“ Und nun folgen ein paar Sätze, die denselben Mangel aufweisen, den wir bei den meisten neueren Geldreformern finden, sobald diese das Gebiet der praktischen Geldpolitik beschreiten: „Über die Menge des jeweilig zu schaffenden Geldes soll das jeweilige Bedürfnis der Volkswirtschaft entscheiden. . . .“ „Wirtschaftlich ungerechtfertigt ist jede Geldschöpfung, die nicht mit einer Gütervermehrung ursächlich im Zusammenhang steht[4]).“ — Diese Sätze sind viel zu allgemein gehalten, um über diesen wichtigen Punkt Klarheit zu schaffen. Unter der Voraussetzung der Gesundung einer deutschen Volkswirtschaft, schlägt E l s t e r des weiteren für die Währung der Zukunft vor: die Aufhebung der bei Beginn des Krieges erlassenen Änderung zum Bankgesetze, einschließlich des Darlehnskassengesetzes. Die Einlösungspflicht der Noten in Gold soll aber auch in Zukunft aufgehoben bleiben, ferner Fortfall der freien Goldprägung und der Pflicht der Zentralbanken, Gold zu festem Satze anzukaufen. — Das bedeutet negativ Beseitigung der Goldwährung; positiv verlangt er, daß der Reichsbank die Schöpfung des definitiven Geldes allein vorbehalten bleiben müsse. Daneben sollen andere Stellen, wie bisher, geldschöpferisch tätig sein. Der wichtigste Punkt aber, wie diese Stellen ohne die Goldwährung die Sicherheit für eine gesunde Währung und für die Vermeidung einer Inflation bieten sollen, wird mit den paar Worten erledigt: „Die Sorge um ihre Liquidität wird ihre Geldschöpfung in Schranken halten, die an die Grundsätze der von der Reichsbank geübten ketten und uns vor inflatorischen Erscheinungen schützen. Die Reichsbank aber? Sie schafft ihr Geld je nach dem Bedürfnisse der Volkswirtschaft, einstweilen also wohl vornehmlich auf der Grundlage des diskontierten Warenwechsels[5]).“ — Ich glaube, es ist nicht zu streng geurteilt, wenn ich meine Meinung über das neue große Werk von E l s t e r dahin zusammenfasse, daß es, ebenso wie die Arbeiten von B e n d i x e n , H e y n und L i e f m a n n nicht theoretisch genügend fundamentiert ist, um die noch herr-

---

[1]) a. a.   , S. 307/308.
[2]) a. a.   , S. 309.
[3]) a. a.   , S. 309.
[4]) a. a. O., S. 309.
[5]) a. a. O., S. 313/314.

schende metallistische Theorie zu erschüttern, und daß die praktischen Vorschläge nicht genügend klar und durchsichtig herausgearbeitet sind, um daraufhin ein neues Währungsprogramm zu
begründen.

Von neuem habe ich den Eindruck auch bei diesem Werk gewonnen, daß die ältere Geldliteratur, namentlich aus der Zeit der
englischen klassischen Nationalökonomie und aus der Periode vor
der Begründung der deutschen Goldwährung, schärfer, klarer und
systematischer durchgebildet ist, als die Lehren der Nationalökonomen,
welche es unternehmen, diese Theorie anzugreifen.

14. Kapitel.

Die Idee eines Weltgeldes.

§ 72. Vorschläge zur Einführung eines internationalen Währungsgeldes.

Um die großen Störungen, die im internationalen Handels- und Zahlungsverkehr durch die Valutaschwankungen entstehen, zu verhindern, haben einzelne Geldtheoretiker den Plan erwogen, durch eine internationale Regelung des Geldwesens alle Schwankungen, die durch die Verschiedenheit des einzelstaatlichen Geldes entstehen, unmöglich zu machen. Die wichtigsten dieser Vorschläge bewegen sich in viererlei Richtungen und zwar:

1. der internationalen Doppelwährung,
2. der internationalen Papierwährung,
3. der internationalen Goldmünzen und
4. der internationalen Goldnote.

ad 1. Über den Gedanken einer internationalen Doppelwährung habe ich bereits oben (S. 304) ausführlich berichtet und ebenso über die teilweise Verwirklichung dieses Planes in der lateinischen Münzunion.

ad 2. Unter den Anhängern der Papierwährung finden sich auch solche, welche das Papierwährungssystem auf internationaler Basis empfehlen. Neuerdings ist dies in einer amerikanischen Schrift geschehen, die auch ins Deutsche übersetzt ist und ziemlich viel Beachtung gefunden hat[1]). Der Verfasser meint, daß das Papiergeld (Kreditgeld) die Aufgabe des Geldes in jeder Hinsicht sicherer und besser erfüllen könne, als dies jemals durch Gold- oder Silbergeld geschehen sei. Um jedoch volle Sicherheit und Wertbeständigkeit zu haben, müsse das Papiergeld unter einer Reihe von Bedingungen ausgegeben werden, von denen die wichtigsten folgende sind:

1. „Das Papiergeld muß aus unverzinslichen Geldscheinen bestehen, die nur vom Staate und nur für erhaltene Werte ausgegeben werden; die Deckung liegt im Kredit und im Vermögen des ganzen Volkes.

2. Der Gesamtbetrag der ausgegebenen Noten muß begrenzt sein und in einem festen Verhältnis erhalten werden zum Volksvermögen oder besser zur Volkszahl.

---

[1]) Ein wissenschaftliches Geldsystem und eine Weltwährung von E c o n o - m i c u s. Vom Verf. genehmigte Übersetzung der in Neuyork erschienenen Schrift: „A Scientific Money System and a World Currency" (Copyright by Davie Press, Inc.). Leipzig 1923.

3. Die ausgegebenen Noten müssen gesetzliches Zahlungsmittel sein für alle Steuern und für alle öffentlichen und privaten Schulden, unter Ausschluß aller anderen Geldarten, einerlei ob aus Papier, Gold oder Silber[1])."

Was den „Wert" anlangt, gegen den das Papiergeld ausgegeben werden soll, so drückt sich der Verfasser hier etwas unklar aus. Er meint: „Wir brauchen aber irgendeine Maßeinheit für den Austausch von Werten, und wir können sie auch erreichen auf gleichem Wege, wie die metrische Einheit für Maße und Gewichte erreicht wurde. Statt Gold, Silber, Arbeit, Weizen oder eine andere Ware zum Messen und Einlösen eines Papierdollars zu wählen, lasset uns den Gesamtreichtum des Landes als Unterpfand für den Wert des Dollars annehmen. Die Geldschaffung sollte immer eine Aufgabe des Staates sein. Nie sollte man sie an Banken übertragen, die nicht durchaus dem Staate gehören, dessen Aufsicht und Verantwortlichkeit für das Geld nicht gemindert werden darf durch Beteiligungen an irgendeiner Bank- oder Finanzanstalt. Die Regierung darf Geldscheine nur gegen den vollen, in Leistungen und Waren erhaltenen Wert ausgeben; sie dienen dann als Geld bester Art[2])." — Das Papiergeld soll auf Dollareinheit lauten: „Die vielerlei Geldeinheiten: Pfund, Mark, Franken, Gulden, Kronen usw. haben keinen rechten Daseinsgrund, sie sind zeitwidrig. Die Dollareinheit wird für alle Länder passen, gerade wie das metrische System allen Ländern zusagen kann und wird"[3]). Werde der Dollar als Geldeinheit auf wissenschaftlicher Grundlage für die ganze Welt festgesetzt, so wie es sein sollte, so werde er von selbst dahin wirken, das Entgelt für die gleiche Art Arbeit schrittweise in allen Ländern gleichmäßiger und gerechter zu machen; unter ihm werde die Kaufkraft des Dollars in jedem der verschiedenen Länder annähernd so fest bleiben, im Kriege wie im Frieden, wie es in menschlichen Dingen erreichbar ist. Dieses internationale Papiergeld würde dann etwa so aussehen:

Die Vereinigten Staaten von Amerika
(oder) Die Russische Republik
(oder) Das Deutsche Reich
(oder) Die Republik Cuba
(oder) Die mexikanische Republik

schulden dem Inhaber

Einen Dollar

fällig 21. Mai 1924

(oder an irgendeinem anderen Tage)

Als gesetzliches Zahlungsmittel anzunehmen für alle Steuern, öffentlichen und privaten Schulden. Eine Gebühr von 10% wird von diesem Geldschein nach Ablauf der Fälligkeitsfrist gekürzt. Dieser Geldschein ist ein Jahr nach Fälligwerden null und nichtig.

---

[1]) a. a. O., S. 8.
[2]) a. a. O., S. 10/11.
[3]) a. a. O., S. 50.

ad 3. Für eine internationale Goldmünze ist zuerst der Franzose M i c h e l   C h e v a l i e r   in seinem Werke „La Monnaie" 1850 eingetreten. Er hielt eine Einigung aller Staaten über eine nur durch Gepräge verschiedene, in Schrot und Korn aber genau gleiche und daher überall gleich zahlungskräftige Münze für wünschenswert. Zu ausführlichen Beratungen über die „Weltmünze" führte die internationale Münzkonferenz in Paris 1867. — Eine Hauptgruppe in der Konferenz verlangte einfache Goldwährung für die Weltmünzen wie für das französische Landesgeld. Unter ihnen wollten die einen — z. B. Serien — den Typ français für eine neue Weltgoldmünze zur Geltung bringen. Andere verlangten eine neu konstituierte Goldmünze in einfachem Anschluß an das metrische Gewichtssystem, wie es sich in den bisherigen französischen Geldmünzen oft findet. So kam z. B. M i c h e l   C h e v a l i e r   auf ein Geldstück à 10 g Münzgold $^9/_{10}$ fein, M a n n e q u i n   auf ein solches à 5 g fein[1]).

ad 4. Die schweren Störungen der Valuta während des Weltkrieges in allen am Krieg beteiligten Ländern führte zu einer ganzen Reihe von Vorschlägen, wie durch eine internationale Regelung des Geldwesens diese Schwierigkeiten zu überwinden seien. So hatte z. B. V i s s e r i n g   den Vorschlag der Schaffung einer Goldnote gemacht[2]). Es sollte eine allgemeine Kreditorganisation geschaffen werden, an der alle irgendwie bedeutenden Länder der Welt teilzunehmen hätten. Sie hätte einen organisierten Güteraustausch einzurichten für Staaten, deren Valuta nicht mehr als Zahlungsmittel im Weltverkehr angenommen werden kann. Hierzu sei ein „Tauschhandelsinstitut" zu gründen, welches Listen für die Waren, die Deutschland kaufen, und für diejenigen, die es liefern wolle, zu führen und Angebot und Nachfrage zu registrieren und auszugleichen habe. Die Abrechnung solle, da die deutsche Mark sich hierzu nicht eigne, in einer fiktiven Goldmark oder in einem fiktiven Goldgulden erfolgen (ähnlich wie früher in Hamburg nach Mark Banco gerechnet worden sei). Die auf beiden Seiten stehenden Beträge müßten bis auf unbenannte Saldi im Clearingverfahren ausgeglichen werden. Bei diesem Verfahren sei jede Partei sicher, den vollen wirklichen Wert für die von ihr gelieferten Waren zu erhalten und nicht mehr mit Papiergeld abgespeist zu werden. Unter der Kontrolle des Tauschhandelsinstituts werde dann auch die Erteilung von Krediten seitens ausländischer Banken an inländische Fabrikanten möglich werden. Der Schwede B i t t n e r   hat zusammen mit A x e l s e n   der internationalen Finanzkonferenz in Brüssel den Vorschlag der Schaffung des sog. Mono unterbreitet. Der Mono solle das werden, was die Weltpostmarke ist: ein internationales Kredit- und Zahlungsmittel. Es sollte eine internationale Bank (Associated Banker's Clearing) gegründet werden, welche ihren Sitz in einem möglichst zentral gelegenen Staate haben solle und dessen Direktorium international zusammengesetzt sein müßte. Dieses Bankinstitut soll in jedem Staate der Welt eine Filiale haben. Jeder Staat deponiert bei seiner A. B. C. Division einen Betrag in Gold oder Hartgeld oder Metallen oder Sicherheiten in der Höhe seines Importbedarfes

---

[1]) K. K n i e s , Weltgeld und Weltmünzen. Berlin 1874.
[2]) Vgl. H e y n , Visserings Währungsreformvorschläge für die internationale Finanzkonferenz. Bank-Archiv vom 1. April 1920.
Vgl. W o l f , Valuta und Finanznot in Deutschland. Stuttgart 1926.

für das nächste Halbjahr (die A. B. C. D. haftet durch ihr Direktorium der A. B. C. für dieses Depot) und verfügt von diesem Moment an über einen Kredit in der vierfachen Höhe seiner Einlage, umgerechnet auf dem stabilen Verhältnis seiner Goldwährung zum Mono, in Mono bei der A. B. C., also auf der ganzen Welt. S c h ä r hat ein neues vom Papiergeld unabhängiges internationales Rechnungsgeld vorgeschlagen, das zum Gold in einem bestimmten Wertverhältnis stehen soll: Import- und Exportgeschäfte sollen dann vermittels dieses Geldes durch eine Zentralbank verrechnet werden. Diese einheitlich geleitete internationale Notenbank, welche Filialen in allen Ländern des Völkerbundes haben soll, soll mit dem Recht ausgestattet werden, ihre auf das Gramm Gold als Währungseinheit lautenden Noten den einzelnen Ländern, je nach ihrer Exportfähigkeit und Kreditwürdigkeit zur Verfügung zu stellen.

Auch in Verbindung mit dem Plan einer europäischen Zollunion sind Vorschläge einer Währungsunion gemacht worden[1]). Man meint, daß, wenn für die in der Zollunion zusammengeschlossenen Länder auch das Geldwesen vereinheitlicht würde, dann eine einheitliche Währung für eine Vielheit von Ländern eingeführt werden könnte, keine Störungen mehr aus den Währungszuständen der einzelnen Länder möglich wären[2]). D a l b e r g macht einen Vorschlag, zur Einführung einer Goldnote als „Handelsgeld", wobei die Souveränität der einzelnen Staaten am Geldwesen nicht angetastet zu werden brauchten und doch für gewisse internationale Zahlungen ein einheitliches Geld geschaffen würde: „Wenn man nun bei den Goldkern- oder Devisenwährungen der Staaten der Zollunion in Erwägung ziehen würde, ein allgemeines Handelsgeld zu schaffen — d. i. ein Geld, das außerhalb des „gemeinen" Geldwesens steht —, so kommt natürlich kein Metallgeld, sondern nur eine Note oder ein Goldzertifikat von besonderer Sicherung in Betracht, zumal es bei der politischen Selbständigkeit der einzelnen Staaten aussichtslos erscheint, etwa so kleine Scheine zu schaffen, daß sie für den täglichen Verkehr in Frage kämen, und die infolgedessen das Landesgeld verdrängen könnten. In Frage kämen wohl nur ganz große Scheine, die zwar ebenso wie das Landesgeld auf Gold- oder Golddevisenwert abgestellt sind, für die aber eine besonders qualifizierte Deckung unter Unionskontrolle in Aussicht zu nehmen wäre, so daß sie durch inflationistisches Vorgehen einzelner Zollunionsstaaten nicht berührt werden könnten. Man könnte ein Goldzertifikat schaffen mit 100 v. H. Deckung in Gold oder Devisen; oder etwa eine Note mit 50 proz. Deckung in Gold oder Devisen und mit einem besonders international fundierten Statut der Notenbank, das jede inflationistische Gebarung ausschließt und völlige Unabhängigkeit der Leitung gewährleistet. Solche Goldzertifikate oder Goldnoten würden in den Unionstaaten gesetzliche Zahlkraft haben für alle Goldschulden, und nach Maßgabe des Goldkurses der Währung auch für die Schulden in Landeswährung. Man hätte damit

---

[1]) Vgl. R. D a l b e r g , „Banko-Mark im Außenhandel". Die Entwicklung einer neuen stabilen Geldeinheit aus der Erkenntnis von Triebkräften und Auswirkungen des Währungsverfalles. Berlin 1922. — Auch H a n t o s , „Das Geldproblem in Mitteleuropa", Verlag Gustav Fischer, S. 121 u. 143, entscheidet sich für die mitteleuropäischen Währungen zum Anschluß an das Pfund.

[2]) R. D a l b e r g , „Deutsche Währungs- und Kreditpolitik 1923—1926". Berlin 1926. S. 146.

ein Doppeltes erreicht; einmal einen überall in der Zollunion geltenden Geldschein, der keine mit Verlust und Umständlichkeiten verbundene Einwechselung erleidet, und der also den Reiseverkehr in
den Zolländern erleichtern würde. Weit darüber hinausgehen aber
würde die zweite im Falle der Währungsverschlechterung eines
Landes eintretende Wirkung: es würde sofort das Rechnen in diesem
von der Währungsverschlechterung nicht berührten Gelde allgemein
werden. Es würde allgemeine Goldrechnung eintreten und die
Täuschungen und die gesamtwirtschaftlichen Schäden, die aus irrigen
Vorstellungen über den Geldwert entstehen, vermieden werden"[1].

§ 73. Kritik der Idee eines Weltgeldes.

Allen erwähnten Vorschlägen und Ideen der Einführung
eines Weltgeldes ist der Irrtum gemeinsam, daß die Schwierigkeiten, die sich bei der Regelung des einzelstaatlichen Geldwesens
herausstellen, geringer würden, wenn man das Geldwesen auf internationale Basis stellte. Gerade das Umgekehrte ist der Fall. Diese
Schwierigkeiten würden noch größer werden, weil bei der Aufstellung eines für alle Länder der Welt gültigen Währungssystems sich
alle die Schwierigkeiten akkumulieren würden, die schon bei der
Durchführung eines guten Geldsystems in einem einzelnen Lande
vorhanden sind. Ferner wird bei allen, welche an die Möglichkeit
eines Weltgeldes glauben, übersehen, daß das Geld eine nationale
Angelegenheit ist und aufs engste mit den politischen, finanziellen
und sozialen Zuständen jedes einzelnen Landes verknüpft ist. Die
Einrichtung des Geldwesens gehört zu den wichtigsten Angelegen-
heiten, die aus der Souveränität und den Hoheitsrechten des Staates
fließen und kann unmöglich einem internationalen Forum übertragen werden. Selbst wenn es gelänge, einmal die Länder der Welt
zu einem solchen Währungsvertrage zu vereinigen, so könnte es
nicht ausbleiben, wie die Erfahrungen mit allen Währungsunionen
im engeren Bezirk gelehrt haben, daß bei irgendeiner finanziellen
oder politischen schwierigen Lage, in die eines der beteiligten Länder
geriete, sofort die Grundlage der vertragsmäßigen Vereinbarung von
dem betreffenden Lande preisgegeben werden muß.

Die beste Lösung des Gedankens eines Weltgeldes ist, daß
jedes Land für sich ein möglichst wertbeständiges Geld durchführt.
Dann wird sich von selbst eine gewisse internationale Solidarität
im Geldwesen herausstellen. Statt der Utopie eines internationalen
Geldes nachzujagen, müßten daher die Anhänger des Weltgeldes
dafür eintreten, daß möglichst alle am Weltverkehr beteiligten
Länder dem Ziele der Einführung der reinen Goldwährung zustreben,
weil dann, wie wir früher gezeigt haben, die Valutaschwankungen
zwischen den einzelnen Ländern auf ein ganz unbedeutendes Minimum herabgedrückt würden. Aber vorläufig ist für viele Länder die
Möglichkeit der Durchführung der Goldwährung noch nicht gegeben.
Bis dieses Ziel erreicht werden kann, muß der Gedanke der internationalen Solidarität auf dem Wege verwirklicht werden, daß
durch eine gewisse Verständigung zwischen den wichtigsten am Weltverkehr beteiligten Ländern dieses Ziel wenigstens einigermaßen
erreicht werden könnte. Der wiederholt in den letzten Jahren ge-

---

[1] D a l b e r g , Währungs- und Kreditpolitik usw. S. 154/155.

machte Vorschlag der Zusammenberufung einer internationalen Währungskonferenz verdient insofern durchaus Zustimmung, wenn er sich auf den Gedanken einer gewissen Verständigung zur Herbeiführung einer möglichst großen Wertbeständigkeit bei den internationalen Zahlungsleistungen beschränkt. Die Durchführung der Währung selbst muß jedem einzelnen Lande je nach seinen finanziellen und ökonomischen Verhältnissen überlassen bleiben. Ich erinnere nur an die Mißerfolge, welche frühere internationale Münzkonferenzen gehabt haben. Man lese die Protokolle der internationalen Münzkonferenz, die im März und April 1881 in Paris stattfand, oder der internationalen Münzkonferenz vom November 1892 in Brüssel. Man lernt daraus, wie schwer es ist, alle Länder der Welt auf eine gemeinsame Währungsbasis zu stellen. Die Schwierigkeiten, die ein einzelnes Land mit der Regelung seiner Währungsverhältnisse hat, werden vervielfacht, wenn man alle Länder unter einen Hut bringen will. Ich erinnere ferner an das Schicksal der lateinischen Münzkonvention von 1865, die schon kurz nach Abschluß nicht mehr aufrecht erhalten werden konnte.

Die Schwierigkeiten, die sich bei den früheren internationalen Münzkonferenzen herausgestellt haben, würden von neuem und in stärkerem Maße hervortreten. Gewiß, es handelte sich damals um die Durchführung einer internationalen Doppelwährung, aber die Einführung einer internationalen Goldwährung würde noch größeren Schwierigkeiten begegnen, und dennoch heißt es ausdrücklich im Bericht der Genueser Finanzkommission: „Die Konvention wird also auf einem Goldwährungsstandard aufgebaut sein." — Es wird vielen Ländern, auch solchen, die früher bereits die Goldwährung hatten, in absehbarer Zeit unmöglich sein, die Goldwährung streng durchzuführen. Die Situation, die sich in nächster Zeit herausbilden wird, ist vielmehr diese: es werden sich goldstarke und goldschwache Länder gegenüberstehen. Die goldstarken Länder werden in die Lage kommen, die Goldwährung restlos durchzuführen, die goldschwachen Länder werden noch längere Zeit sich mit der Goldkernwährung in irgendeiner Form begnügen müssen. Dann müssen die Länder der Goldkernwährung eine gewisse Stütze an den Ländern mit reiner Goldwährung haben. Es muß im Interesse gerade auch der goldstarken Länder gelegen sein, daß die Länder mit Goldkernwährung den genügenden Vorrat an Gold und Devisen haben, um die Stabilität der Währung aufrecht erhalten zu können; und speziell Amerika, das jetzt die größten Goldvorräte der Welt besitzt, hat selbst ein Interesse daran, daß ein Land, wie z. B. Deutschland, über eine genügende Menge ausländischer Zahlungsmittel verfügt. Dabei braucht uns Amerika nicht etwa Gold herüberzuschicken, es genügt, wenn wir im Besitze der nötigen Devisen und Guthaben sind, die für diesen Zweck genau ebenso verwendbar sind. Die Länder mit reiner Goldwährung müssen also ihre Gold-, Devisen- und Diskontpolitik so gestalten, daß auch die Interessen der goldschwachen Länder gewahrt bleiben.

Wie aus dem Dargelegten ersichtlich ist, werden die Verwaltungen der Notenbanken aller Länder in nächster Zeit vor neue, schwierige und wichtige Aufgaben gestellt. Es wäre von der größten Bedeutung, wenn durch eine internationale Konferenz eine Aussprache über die wichtigsten Grundsätze der Neuregelung stattfinden würde, die einen rein währungstechnischen Charakter haben sollte. Es ist bedeutsam, daß vor einiger Zeit der amerikanische Senatsausschuß sich für eine internationale Währungskonferenz ausgesprochen hat. Der Zusammentritt dieser Konferenz sollte möglichst bald unter Hinzuziehung von Sachverständigen, Praktikern und Theoretikern erfolgen.

15. Kapitel.

Soziale Geldreformer.

Vorbemerkung.

Ich nenne soziale Geldreformer diejenigen Sozialreformer, welche durch eine Neugestaltung des Geldwesens die kapitalistische Wirtschaftsordnung in grundlegender Weise umgestalten wollen. Während die sonstigen Gegner der kapitalistischen Gesellschaftsordnung, vor allem die Mehrzahl der Sozialisten, bei ihren Plänen zur Änderung der Wirtschaftsordnung in erster Linie eine Änderung der P r o d u k t i o n s w e i s e anstreben, wollen die sozialen Geldreformer in erster Linie eine Reform des G e l d w e s e n s vornehmen.

§ 74. Das Arbeitsgeld von Robert Owen (Die Arbeitstauschbank in London 1832/34)[1].

Der reiche Baumwollfabrikant O w e n, der, wie sein Biograph B o o t h [2]) berichtet, den Ruf genoß, der geschickteste Industrielle der Welt zu sein, der sein Vermögen von Millionen für soziale Reformversuche opferte, gründete in England eine Arbeiter-Tauschbank. Die theoretischen Grundsätze, von denen O w e n bei Errichtung seiner Bank geleitet war, sind in Kürze die folgenden[3]):

Jeder Mensch hat Arbeitskraft und den Wunsch, Güter zu erlangen. Die Märkte sind angefüllt mit Gütern aller Art, aber trotzdem herrscht die größte Armut, weil den Menschen das G e l d fehlt, sich die Güter zu verschaffen. Durch das G e l d ist von der Gesellschaft ein k ü n s t l i c h e s Tauschsystem eingeführt worden, das bewirkt, daß die eine Klasse der Menschen sich bereichert und die andere in Armut gerät, und daß die Arbeiter zu einem Lohnsystem gezwungen werden, das sie abhängig macht von den Schwankungen des Markts und in seinen Wirkungen grausamer ist, als irgendeine Form der Sklaverei[4]). Das Geld ist nicht der richtige Maßstab des

---

[1]) Vgl. O w e n s Autobiographie. Vol. I: The Life of Robert Owen, written by Himself. London 1857. — Vol. I A: A supplementary appendix to the first volume of the life of Robert Owen. London 1858. — (Besonders Report to the county of Lanark, of a plan for relieving public distress and removing discontent. May 1, 1810, S. 261 ff.) — Owens Zeitschrift: „The Crisis." 4 Bände. London 1832—1834. — B o o t h , Robert Owen, the founder of socialism in England. London 1869. — H o l y o a k e , History of cooperation. London 1875. Bd. 1, Kap. VII. — A n t o n M e n g e r , Das Recht auf den vollen Arbeitsertrag. § 8. S. 91—94.

[2]) B o o t h , a. a. O., S. 9.
[3]) O w e n s Autobiographie. Vol. I A: Aus dem 1810 verfaßten Report to the county of Lanark. S. 261 ff.
[4]) Ebenda. S. 268.

Werts und kann auch nie dieser Maßstab sein; um die Armut zu beseitigen, um den Wohlstand im Lande sich frei entfalten zu lassen (to let prosperity loose on the country) muß eine Änderung des Wertmaßstabes vorgenommen werden. — Die A r b e i t ist die wahre Quelle alles Wohlstandes und alles nationalen Reichtums[1]). Daher ist auch der n a t ü r l i c h e Maßstab alles Werts (the natural standard of value) im Prinzip die menschliche Arbeit, und heute ist es geradezu eine Notwendigkeit, dieses Prinzip in der Praxis zur Durchführung zu bringen. Es muß daher die Menge von Arbeit, die in jeder Ware steckt, als Maßstab ihres Wertes und zur Vergleichung dem Werte aller anderen Waren dienen. — Als wichtigster und einzig gerechter Grundsatz muß gelten: That which can create new wealth is of course worth the wealth which it creates. Die menschliche Arbeit ist imstande, vielfach (many times) die Menge von Gütern herzustellen, die nötig ist, um jedes Individuum in Wohlstand zu erhalten. Der Arbeiter ist aber berechtigt, von diesem von ihm geschaffenen Reichtum seinen gebührenden Anteil zu haben; und die besten Interessen jeder Gemeinschaft verlangen dies geradezu. Dieser Anteil kann aber auf keine andere Art bestimmt werden, als dadurch, daß Bestimmungen getroffen werden, durch die der natural standard of value (nämlich: die Arbeit) auch der practical standard of value wird.

Um diese theoretischen Grundsätze in die Wirklichkeit zu übertragen, um die Arbeit zum wirklichen Wertmaßstab zu machen, errichtete O w e n eine Arbeitstauschbank. Im September 1832 wurde die Labour Exchange Bank in London, Gray's Inn Roaf, eröffnet[2]).

Über den Geschäftsbetrieb und die Schicksale der Arbeitstauschbank unterrichtet am besten O w'e n s Zeitschrift ,,The Crisis'', die auch von der Nummer vom 27. April 1833 des II. Bandes an den Titelzusatz hat: and National-Cooperative Trades Union and Equitable Labour Exchange Gazette. —

R o b e r t D a l e O w e n, der Sohn von R o b e r t O w e n, gibt in einer Nummer des ,,Crisis'' kurz den Zweck der Labour Bank so an. Der Plan ist folgender[3]): ,,Ein Depot ist eröffnet für die Verteilung des Reichtums; ein Platz, wo der Tausch aller Produkte ausgeführt werden kann. — Aber wie ist das auszuführen? Auf die einfachste Weise. — Der Produzent deponiert das, was er abzugeben wünscht; der Konsument wählt sich aus, was er zu erlangen wünscht, der gerechte Preis für beide wird von einem uninteressierten Ausschuß von Taxatoren festgesetzt. Der Produzent erhält sofort einen Schein (representative) für seine Arbeit und für diesen Schein erhält er einen gleichen Wert von allen anderen Vorräten der Bank.''

Wir wollen den Mechanismus der Bank etwas näher an einem

---

[1]) Ebenda. S. 264.

[2]) B o o t h, a. a. O., S. 149. — Der Aufruf zur Beteiligung, den O w e n veröffentlichte, lautete: ,,Notice to the Public Equitable Labour Exchanges' Institution of the Industrious classes, Gray's Inn Road, King's Cross, Agriculturists, gardeners, manufacturers, provision merchants, factors, warehousemen, wholesale and retail dealers of all descriptions, mechanics and all others, who may be inclined to dispose of their various articles of trade and merchandise in the only equitable manner in which men can mutually dispose of their property to each other viz, its value in labour, without the intervention of money, are requested to transmit their names and adress etc.'' cf. H o l y a k e, a. a. O., S. 157.

[3]) Vol. II. vom 12. Januar 1833. S. 6.

Beispiel erläutern: Ein Schuhmacher hat ein Paar Stiefel angefertigt; das Rohmaterial hat 2 sh. gekostet und er hat 10 Stunden Arbeit darauf verwandt. Mit diesem Paar Stiefel geht er auf die Bank und macht die Angabe, wieviel Auslagen und wieviel Arbeit er gehabt; dann werden ihm für das Paar Stiefel Noten ausgehändigt, auf Arbeitsstunden lautend, und zwar in diesem Falle 10 Noten à 1 Stunde für die von ihm geleistete Arbeit, und das Rohmaterial wird ihm so vergütet, daß 6 d. = 1 Arbeitsstunde sind, also 2 sh. = 4 Arbeitsstunden gerechnet werden, so daß er im ganzen 14 Noten à 1 Stunde zu erhalten hätte. J e d o c h   i s t   h i e r b e i   n o c h   e i n e   s e h r w i c h t i g e   E i n s c h r ä n k u n g. Die Bank hat Taxatoren angestellt, welche die Waren und die Angaben der Produzenten zu prüfen haben; finden also die Taxatoren, daß das Produkt nicht einer Leistung von 10 Arbeitsstunden gleichzuschätzen ist, dann können sie einen niedrigeren Preis für die Ware bieten[1]. — Hat der Schuster seine 14 Noten erhalten, dann kann er aus den Vorräten der Bank sich wählen, was er benötigt, z. B. einen Hut oder einen Schirm oder Lebensmittel usw., so daß nach der Idee O w e n s auf diese Weise alle Produzenten und Konsumenten ohne Vermittlung des Geldes und ohne Zwischenhändler ihre Waren verkaufen resp. kaufen konnten. Für den Dienst der Bank ist 1 d. für den Schilling zu bezahlen, d. h. 8⅓ %. Der Erfolg der Bank war anfangs ein sehr ansehnlicher. Das Publikum zeigte großes Interesse für das Institut, und nach einem Berichte in der „Crisis" waren schon in den ersten vier Monaten der Eröffnung, d. h. vom 3. September bis 29. Dezember 1832 Waren im Betrage von 445 501 Arbeitsstunden deponiert und im Betrage von 376 166 Arbeitsstunden eingetauscht. — Nicht weniger als 300 Geschäfte machten bekannt, daß sie die Arbeitsmarken wie bares Geld annähmen, und sogar mehrere Londoner Theater nahmen an ihren Kassen die labor notes an Zahlungsstatt an[2]. Ja, selbst eine große moralische Wirkung auf die nicht-produzierenden Klassen glaubte B o o t h konstatieren zu können. „Wir sind informiert," schreibt B o o t h [3], „daß eine schreckliche Furcht unter den nicht-arbeitenden Klassen Platz gegriffen hat. Manche Personen, die bis dahin nutzlose Glieder der Gesellschaft waren,

---

[1] Nicht die überhaupt geleistete Arbeit wird bezahlt, sondern das „ordinary work", die Arbeit, die von den Taxatoren als D u r c h s c h n i t t s a r b e i t geschätzt wurde; diese Bestimmung ist besonders wichtig im Hinblick auf die ähnlichen modernen R o d b e r t u s schen Vorschläge eines N o r m a l w e r k s und darauf gegründeten Arbeitsgeldes. — Ganz schief sind daher auch die Urteile oberflächlicher Kritiker der O w e n schen Vorschläge, die sie damit ad absurdum zu führen glauben, daß sie sagen, eine Stunde Arbeit des einen Arbeiters sei oft etwas ganz anderes als eine Stunde Arbeit eines anderen Arbeiters. So urteilt z. B. R e y - b a u d (Etudes I, S. 245): „Noch offenbarer wurde O w e n durch eine andere, ebenso törichte Unternehmung kompromittiert, die sich National-labour-equitable exchange nannte. In dieser handelte es sich um nichts weniger als um die Abschaffung des Geldes, das durch einen anderen Wert, ‚Arbeitsstunden', ersetzt werden sollte. Eine ‚Arbeitsstunde' war die kleinste Münze dieses Geldes. Für ein Paar Stiefel gab man eine gewisse Summe Bäcker- oder Weberarbeitsstunden. Zu diesem Zwecke wurde ein merkwürdiges Papiergeld, das einen Wert ausdrückte, kreiert. Man kann kaum begreifen, daß ein so urteilsfähiger Kopf wie O w e n sich zu einem so kindischen Versuche hinreißen lassen konnte. . . . Die Arbeiten sind sich nicht ähnlicher als die Arbeiter, und der eine Arbeiter kann in zwei Stunden ein größeres und besseres Stück Arbeit liefern als ein anderer in vier." (11)

[2] H o l y o a k e, a. a. O., I, S. 165.

[3] a. a. O., S. 145 ff.

haben sich entschlossen, eine produktive Beschäftigung zu suchen." Dale Owen selbst teilt mit, daß er in einer Woche ein Paar Schuhe gemacht habe und daß zwei seiner Brüder eine ähnliche Gewandtheit erlangt hätten; ein Herr gab seiner großen Freude Ausdruck, die er empfunden hätte, als er jüngst das edle Schneiderhandwerk erlernt und sich dadurch zum ersten Male als ein Mitglied der nützlichen Klassen gefühlt hätte[1]).

Der große Erfolg der Bank währte nicht lange; schon bald nach der Eröffnung ließ das Interesse des Publikums, das teilweise wohl auch aus Neugierde einzelne Geschäfte mit der Bank abgeschlossen hatte, nach. Die Zahl der deponierten und noch mehr die der eingetauschten Waren wurde immer kleiner, und vielfache Klagen wurden von den Kunden der Bank erhoben. Die Produzenten klagten, daß die Taxatoren bei Abschätzung der durchschnittlichen Arbeitszeit, die auf die Waren zu verwenden sei, ungerecht verführen. — Die Inhaber der Tauschbons fanden häufig unter den Vorräten der Bank nicht das, was sie benötigten. Dies ist der Hauptübelstand jeder Tauschbank: nutzlose Gegenstände häufen sich in der Bank an und die nützlichen sind sehr schnell vergriffen. Die Leute brachten Ofenschirme, Bilderrahmen, Feuerzangen und andere derartige Dinge und nahmen dafür Kleidungsstücke, Fleischwaren und ähnliches. Wollte aber die Tauschbank so skrupellos mit der Aufnahme sein, daß sie nur Gegenstände letzterer Art annahm, so verfehlte sie ihren wichtigsten sozial-ökonomischen Zweck, nämlich den erschwerten Absatz zu erleichtern. Nicht nur absolut unbrauchbare Gegenstände belasteten die Bank, sondern auch solche, die wegen des veränderten Geschmacks oder der Mode des Publikums nicht mehr beliebt waren. Dieser in der Natur der Tauschbankeinrichtung liegende Mißstand wurde noch durch das Gebahren der Produzenten, die Kunden der Tauschbank waren, gesteigert: diese richteten sich in ihrer Produktion gar nicht mehr nach den Wünschen des Publikums, sondern hatten nur das Bestreben, möglichst großen Nutzen aus der Tauschbank zu ziehen; besonders suchten sie Gegenstände zu produzieren, auf die sie bei verhältnismäßig geringer Auslage an Rohmaterial sehr viel Arbeit verwenden konnten. Ein Schneider z. B., der ein Stück Tuch gekauft hatte, das hinreichte entweder für ein Paar Beinkleider oder für vier Westen, zog es natürlich vor, vier Westen daraus zu machen, da er hierfür bei gleicher Auslage an Rohmaterial einen größeren Betrag an Arbeitsnoten erhielt, als wenn er ein paar Beinkleider angefertigt hätte.

Es ist von großem Interesse, zu verfolgen, wie allmählich die Bank genötigt wird, sich wieder des Geldes, wenigstens teilweise, zu bedienen, um dem oben erwähnten Mißstand abzuhelfen, und da es an Rohstoffen unter den Vorräten der Bank sehr mangelte, wurde eine neue Bestimmung getroffen, derzufolge die Bank eine Subskription eröffnete, um eine größere Geldsumme zu erlangen. Für dieses Geld sollten Rohstoffe bester Qualität gekauft und an geeignete Mitglieder abgegeben werden, die daraus Waren herstellen sollten unter der Bedingung, die fertigen Waren an die Bank abzuliefern; ihre auf die Waren verwandte Arbeit wurde ihnen in Arbeitsnoten vergütet. Die Bank gab aber die so hergestellten Waren nur

---

[1]) Ebenda, S. 151.

so ab, daß der darin enthaltene Rohstoff gegen bar, die darauf verwandte Arbeit in Arbeitsnoten zu bezahlen war[1]). — Damit war eigentlich schon das Prinzip der Tauschbank, den Verkauf zwischen Produzenten und Konsumenten zu bewerkstelligen, durchbrochen. Trotz dieser und ähnlicher Maßregeln konnte sich aber die Bank nicht aufrecht erhalten: im Verkehr wurde die Arbeitsnote nur noch zu 4½ d. genommen, statt ihres Nominalwertes von 6 d.[2]) Trotz der größten Anstrengungen, die gemacht wurden, nahm die Zahl der Kunden immer mehr ab, und in der Nummer vom 31. Mai 1834 der „Crisis" wird bekanntgemacht, daß keine Noten mehr ausgegeben würden und daß die Noteninhaber sich aus den Vorräten der Bank bezahlt machen sollen[3]).

So scheiterte dieser Versuch eines Mannes, der seine großen Erfahrungen und Kenntnisse im gewerblichen Leben, große Geldsummen, seine ganze Tatkraft und einen unermüdlichen Fleiß dafür eingesetzt hatte, ein Versuch, der bestimmt war, wie B o o t h es ausdrückt, den Spruch des Paulus zu verwirklichen: „Wofern ihr nichts arbeitet, sollt ihr auch nichts essen." —

Falsch ist die Behauptung von M a r x[4]), die O w e n sche Note setze eine vergesellschaftete Arbeit voraus, sei kein G e l d , sondern nur eine Anweisung auf einen individuellen Anteil an der Gemeinarbeit. O w e n s Ideal war allerdings die kommunistische Gesellschaftsorganisation; er selbst hatte kommunistische Gemeinden gegründet; die Arbeitstauschbank war jedoch keineswegs kommunistisch eingerichtet; jeder konnte die Produkte seines Gewerbebetriebes in die Bank bringen und dafür Noten empfangen[5]).

---

[1]) Vgl. the Crisis, Vol. III vom 7. Dez. 1833, S. 119.

[2]) The Crisis. Vol. III vom 21. Dez. 1833, S. 131.

[3]) The Crisis. Vol. IV, S. 64: The committee having made arrangements for manufacturing according to the system of the Union, and for effecting sales of Union Goods in the Exchange, do hereby give notice that no more notes will be issued for deposits at present. The holders of notes are at the same time requested to make their selections from the stock as early as possible.

[4]) „Das O w e n sche ‚Arbeitsgeld‘ ist ebensowenig ‚Geld‘ wie etwa eine Theatermarke. O w e n setzte unmittelbar vergesellschaftete Arbeit voraus, eine der Warenproduktion diametral entgegengesetzte Produktionsform. Das Arbeitszertifikat konstatiert nur den individuellen Anteil des Produzenten an der Gemeinarbeit und seinen individuellen Anspruch auf den zur Konsumtion bestimmten Teil des Gemeinguts. Aber es fällt O w e n nicht ein, die Warenproduktion vorauszusetzen und dennoch ihre notwendigen Bedingungen durch Geldpfuschereien umgehen zu wollen." (M a r x , Das Kapital. Bd. I, 3. Aufl. Hamburg 1833. S. 65.) Ebenso falsch ist die Bemerkung von E n g e l s (in einer Anmerkung bei M a r x , Das Elend der Philosophie. S. 62), die Theorie des Herrn B r a y habe ihre Anhänger gefunden und man habe in vielen Städten Englands equitable-labour-exchange-bazars gegründet. Das in Betracht kommende Werk B r a y s erschien jedoch 1839, also 7 Jahre später, als die equitable-labour-exchange-banks gegründet wurden.

[5]) Auf die praktische Durchführung der O w e n schen Idee des Arbeitsgeldes hat der Amerikaner J o s i a h W a r r e n von maßgebendem Einfluß gewesen. (Vgl. H o l y o a k e , a. a. O., I, S. 158 und W a r r e n , Equitable commerce. New York 1852. — Practical details in equitable commerce. Vol. I. New York 1852.) W a r r e n hatte im Jahre 1826 O w e n in dessen kommunistischer Gemeinde New Harmony besucht, und dort haben beide ihre in manchen Punkten voneinander abweichenden Ansichten über das Arbeitsgeld miteinander ausgetauscht. W a r r e n stellte die Theorie auf, die soziale Not hätte ihre Ursache darin, daß das W e r t - p r i n z i p und nicht das K o s t e n p r i n z i p (cost-principle) im Verkehre angewandt werde. Nach dem W e r t prinzipe stellt jeder seine Preise so hoch, als er hoffen kann sie zu erlangen; nach dem K o s t e n prinzip sollte jeder seine Preise so stellen, als die Güter Kosten verursacht haben; als Kosten kommt aber nur die A r b e i t in Betracht, denn natürlicher Reichtum (natural wealth) darf nicht be-

Der Grund, weshalb die O w e n sche Bank scheitern mußte, lag also darin, daß er seine soziale Reform an einem ganz falschen Punkte anfaßte. Man kann nicht die Folgen der individualistischen Produktionsweise beseitigen, indem man das Tauschmittel, das dem Verkehr dieser Produktionsform dient, ändert oder beseitigt; damit kommt man an die Wurzeln der von O w e n beklagten Mißstände gar nicht heran. Dies ist der Grundfehler aller, auch der folgenden Geldreformer, daß sie Übelstände, die aus der Produktionssphäre stammen, durch eine Änderung der Einrichtungen der Zirkulationssphäre beseitigen zu können glauben. Sie übersehen vollkommen, daß das Geld immer nur ein Vehikel des ganzen Wirtschaftsverkehrs ist, das aber mit bestimmten Grundlagen des Wirtschaftslebens verknüpft ist. Man kann aber unmöglich durch eine Reform des Geldes die Übelstände beseitigen, die unvermeidlich mit gewissen Grundlagen des Wirtschaftslebens verknüpft sind, wenn man das Geld ändert, sonst aber die Grundlagen des Wirtschaftslebens unangetastet läßt.

§ 75. Proudhons Tauschbank und Volksbank.

Die Bankprojekte P r o u d h o n s hatten hauptsächlich zum Ziele, die Unentgeltlichkeit des Kredits durchzuführen. Insoweit sie dieses Ziel erreichen wollten, gehört die Erörterung darüber in die erst später von mir zu behandelnden Fragen des Kredits und des Zinses. Zugleich aber wollte P r o u d h o n mit seinen Bankprojekten auch ein neues Geld an die Stelle des Metallgeldes setzen. Dieser Teil seiner Reformpläne soll hier behandelt werden.

Nach den Statuten der Tauschbank sollte sich diese als eine private Handelsgesellschaft unter dem Namen ,,Nationalgesellschaft der Tauschbank'' (société nationale de la Banque d'échange) konstituieren. Die allgemeinen Grundlagen waren nach den Statuten folgende:

Der Z w e c k der Gesellschaft ist, jedem Mitgliede ohne Mithilfe des baren Geldes alle Produkte, Lebensmittel, Dienste oder Arbeiten zu verschaffen und ferner die Reorganisation der landwirtschaftlichen und industriellen Arbeit zu bewerkstelligen, indem sie die Lage der Produzenten ändert (Art. 2). Alle Bürger können ohne Geldeinlagen,

---

zahlt werden. Anstatt des Geldes soll daher eine Arbeitsnote als circulating medium eingeführt werden. ,,Eine Note, die von jedem Individuum für seine eigene Arbeit ausgestellt ist, die er nach den Kosten schätzt, ist vollkommen gerecht und passend für alle Zwecke eines circulating medium. Sie ist gegründet auf Knochen und Muskeln, die materiellen Kräfte, die Talente, das Eigentum und die Eigentum schaffenden Kräfte d e s g a n z e n V o l k e s; — die gesundeste aller Grundlagen und es ist die einzige Art circulating medium, die jemals hätte ausgegeben werden dürfen.'' (W a r r e n , Equitable commerce, S. 68.) Durch W a r r e n s Arbeitsgeld sollte jedoch nicht jede Arbeit gleich hoch geschätzt werden, vielmehr wurde die Arbeit des Getreidebauers als Normalarbeit angenommen und jeder konnte nach seinem Belieben seine Arbeit im Vergleich zur Normalarbeit höher oder geringer schätzen. Die Arbeit des Getreidebauers wurde geschätzt zu 1 Pfund Getreide für 2 Minuten Arbeit oder 30 Pfund Getreide für 1 Stunde Arbeit. Eine labor note hatte z. B. folgenden Wortlaut: Due to Bearer on Demand, ten hour's labor in carpenter work — mit dem Zusatz or three hundred pound of corn. Dieser Zusatz konnte also verschieden lauten, je nach der Arbeit 8, 10, 15, 20 Pfund Getreide für die Stunde; unterzeichnet war die Note von dem Aussteller, der für die Einlösung haftete. Die Note war nicht übertragbar, sondern nur dem auszuzahlen, an dessen Order sie ausgestellt war, damit besonders für den Anfang eine vorsichtige Handhabung der Notenausgabe möglich war.

durch einfachen Beitritt zu den Statuten, an ihr teilnehmen; sie müssen sich nur verpflichten, das Kreditpapier der Tauschbank für jede Zahlung anzunehmen (Art. 3). Die Gesellschaft besitzt kein Kapital (Art. 4); ihre Dauer ist unbegrenzt (Art. 5); ihr Sitz ist in Paris (Art. 6).

Die Gesellschaft stellt als Grundsätze auf: Arbeiten ist Produzieren aus Nichts; Kreditieren ist Austauschen; Austauschen ist Kapitalisieren; sie hat zur Formel die Gegenseitigkeit (Art. 8). — Die Tauschbank ist also eine Kreditanstalt, welche bestimmt ist, den Austausch aller Produkte ohne Hilfe des Geldes und folglich die unbegrenzte Vermehrung der Produkte ohne Vorschüsse von barem Gelde zu bewerkstelligen (Art. 9). An Stelle des Geldes bedient sich die Bank eines gesellschaftlichen Papieres (papier social) (Art. 10). Dieses Papier repräsentiert nicht wie die Banknoten das bare Geld, sondern die verschiedenen persönlichen Verbindlichkeiten der Gesellschaftsmitglieder und die verschiedenen Produkte, die sie veranlaßt haben (Art. 11). Das Papier der Tauschbank zirkuliert von Hand zu Hand und dient dazu, die Produkte der verschiedenen Mitglieder zu erhalten; es ersetzt das Geld als Tauschmittel (Art. 12). Die Emission kann niemals übertrieben werden, weil sie nur nach Maßgabe der Überlieferung (livraison) der Produkte und gegen angenommene Fakturen oder Verbindlichkeiten, die aus der Überlieferung entstehen, geschieht (Art. 13). Die Entwertung ist unmöglich, weil das Papier stets in dem Produkte, welches seine Ausgabe veranlaßt hat und in der Verantwortlichkeit des Produzenten und der Indossanten sein Pfand hat (Art. 14). Die Tauschbank macht keine Gewinne (Art. 15).

Die Bankpapiere heißen bons d'échange. Die verschiedenen Abschnitte derselben sind zu 20, 100, 500 und 1000 Fr. Die Bons können stets bei der Bank und bei allen Mitgliedern gegen Waren und Dienstleistungen aller Art auf Sicht umgetauscht werden. Anderseits können die Waren und Dienstleistungen aller Art bei der Bank gegen Bons d'échange ausgetauscht werden. Gegen bares Geld können die Bons nicht eingelöst werden. Die Ausgleichungsbeiträge (appoint) werden allein in barem Gelde ausbezahlt (Art. 16—18).

Die Tauschbank ist nie zustande gekommen, ihre Statuten sind nie verwirklicht worden, die Aufnahme derselben war eine sehr kühle und blieb weit hinter den Erwartungen P r o u d h o n s zurück.

Durch den geringen Erfolg des Plans der Tauschbank ließ sich jedoch P r o u d h o n nicht entmutigen; um seine Kreditpläne zur Verwirklichung zu bringen, entschloß er sich bereits Anfang des Jahres 1849, eine Bank auf Grund seiner Prinzipien auf e i g e n e Hand, unter e i g e n e m Namen, unter e i g e n e r Verantwortung zu gründen unter dem Namen V o l k s b a n k und öffentlich zur Beteiligung aufzufordern. Diese Bank sollte als Gesellschaftsfirma P. J. P r o u d h o n & C o. eingetragen werden. Abgesehen von den Mitgliedern der eigenen Handelsgesellschaft war jeder Bürger berufen, Teilhaber an der Volksbank in der Eigenschaft eines Mitarbeiters (coopérateur) zu werden. Dazu brauchte er nichts zu tun, als sich ihren Statuten zu unterwerfen und ihr Papier anzunehmen. Die Eigenschaft eines Aktionärs schließt zugleich alle Verbindlichkeiten des einfach Beitretenden (adhérent) in sich, außer wenn sich der Aktionär das Gegenteil ausdrücklich vorbehält (Art. 4—6).

Die bons de circulation wurden an der Bank ausgegeben 1. gegen bares Geld, 2. gegen Handelspapiere mit zwei Unterschriften, 3. gegen Umsatz von Waren, 4. gegen Verbindlichkeiten, welche Korporationen und Assoziationen von Arbeitern als Gesamtheiten übernehmen, 5. gegen Bürgschaft, 6. gegen Renten und Hypotheken, 7. gegen persönliche Garantie.

Umsatz (Escompte) des baren Geldes. — Alle Konsumenten — ob Gesellschafter der Bank oder nicht —, welche die von den beteiligten Produzenten zu garantierenden Preiserniedrigungen genießen wollten, hatten in die Kasse der Bank das zu ihrem Ankaufe nötige Geld einzuschießen und erhielten als Deckung dafür den gleichen Betrag in Zirkulationsnoten. — Die Handelsleute, Gewerbetreibenden und Produzenten ihrerseits, welche sich die Kundschaft der Noteninhaber sichern und von allen Vorteilen, welche diese neue Methode des Produktenaustausches bot, Nutzen ziehen wollten, hatten ihren Beitritt zu der Gesellschaft zu erklären und verpflichteten sich dadurch, das Papier der Volksbank in allen Fällen an Zahlungsstatt anzunehmen.

P r o u d h o n s Geldtheorie ist kurz zusammengefaßt folgende: Aller Wert entspringt aus A r b e i t. Jedes Produkt ist ein repräsentatives Zeichen der Arbeit. Jedes Produkt kann folglich gegen ein anderes umgetauscht werden. Auch das G e l d ist ein repräsentatives Zeichen der Arbeit. Woher kommt es, daß dem Gelde allgemein ein Vorzug eingeräumt wird? Dies kommt daher, weil das Geld die einzige Ware ist, deren Wert ö f f e n t l i c h konstituiert wurde. Dadurch, daß es so zu einem scharf bestimmten Werte gelangt ist, dient es als Vermittler bei allen Handelsgeschäften; diese Rolle könnte aber jede andere Ware ebensogut spielen, wenn nur der Wert aller Waren konstituiert wäre.

Gegen diese Geldtheorie ist zunächst einzuwenden, daß sie auf einer falschen Werttheorie basiert ist; für die Kritik der Wertlehre P r o u d h o n s verweisen wir auf das früher bereits Gesagte, aber auch speziell über die Natur und das Wesen des Geldes enthält diese Theorie mehrere Irrtümer[1]).

Nicht weil der Wert des Geldes irgendwie konstituiert ist, n i c h t, weil es ein Zeichen der Arbeit ist, wie andere Produkte, nur mit dem Unterschiede, daß der Wert b e m e s s e n sei, dient das Geld als Tauschwerkzeug, sondern weil es aus einem Gute hergestellt ist, das den Vorzug hat, jederzeit, überall und von jedermann gern genommen zu werden, nämlich aus e d l e m M e t a l l e. Nicht a l l e G ü t e r können daher, wie P r o u d h o n meint, Geldesdienste verrichten, sondern jeweils nur solche, die sich allgemeiner Beliebtheit erfreuen. Wenn auf primitiven Kulturstufen Stücke Vieh, Pelzwerk, Elfenbein und andere Dinge als Geld gebraucht wurden, so geschah dies auch n i c h t, weil deren Wert irgendwie konstituiert war, sondern weil es allgemein beliebte Güter waren.

---

[1]) Über Natur und Wesen des Geldes, besonders auch im Hinblick auf die sozialistischen Theorien und die Vorschläge der Tauschbanken, vgl. K a r l K n i e s , Geld und Kredit. 1. Abteilung: Das Geld. 2. Aufl. Berlin 1885. Besond. 238—277. 2. Abteilung: Der Kredit. 2. Hälfte. Berlin 1879. Besond. S. 403 ff. (Bonnards Tauschbank). T h e o d o r H e r t z k a , Die Gesetze der sozialen Entwicklung. Leipzig 1886. Besond. Buch 2, Kap. 5: Geld und Kredit im sozialen Staate. S. 247 bis 254. — O t t o G e r l a c h , Über die Bedingungen wirtschaftlicher Tätigkeit. Jena 1890. S. 84.

Proudhon verurteilt jedoch das Geld nicht allgemein; bisher habe es seine notwendige Funktion gehabt; solange der Menschheit die Kenntnis über die Quelle alles Wertes mangelte, hätte sie notwendig ein bestimmtes Gut als Wertmaß bedurft; jetzt, wo durch ihn der wahre Wert in der Arbeit entdeckt sei, müsse auch dieser wahre Wert zur allgemeinen Bestimmung gelangen.

Dies muß daher nach Proudhon das Ziel des Strebens sein: „Wenn der Wert aller Produkte einmal bestimmt ist, wie der des Geldes und dadurch alle Waren tauschbar sind, kurz wie die Münze bei allen Zahlungen annehmbar gemacht, wäre die Gesellschaft durch diese einzige Tatsache zum höchsten Grade ökonomischer Entwicklung gelangt, den sie vom Gesichtspunkte des Handels zu erreichen vermag; — die soziale Ökonomie wäre dann nicht mehr wie heute in bezug auf Tausch im Zustande des Werdens; sie wäre im Zustande der Vervollkommnung; die Produktion wäre nicht definitiv organisiert, aber der Tausch und die Zirkulation wären es bereits, und der Arbeiter brauchte nur zu produzieren, unablässig zu produzieren, um den Reichtum und seinen Wohlstand zu sichern."

Arbeitskraft sei genügend vorhanden, meint Proudhon, was die Leute hindere zu kaufen, sei der Mangel an Geld; daher müsse das Geld völlig beseitigt werden und jedes Arbeitsprodukt müsse fortan Geld sein. — Während heute Produkte gegen Geld und Geld gegen Produkte gegeben werden, soll durch die Volksbank der direkte Tausch von Produkten gegen Produkte vermittelt werden. — Sehen wir uns jetzt etwas näher den Mechanismus der Volksbank an: die Kritik wird ergeben, daß diese Bank weder imstande war, den Wert zu konstituieren, noch das Geld überflüssig zu machen, noch es auch nur teilweise zu beseitigen.

Die Volksbank stand jedem Produzenten, der seine Produkte gegen Tauschbons an die Bank resp. die Kunden der Bank abliefern wollte, offen, und ebenso jedem Konsumenten, der gegen Tauschbons oder gegen bares Geld Produkte eintauschen wollte, z. B. ein Schuster lieferte Stiefel, bzw. erklärte sich bereit, die Stiefel an einen Kunden der Tauschbank zu liefern, und erhielt dafür einen Tauschbon, im Betrage des Preises dieser Stiefel; für diesen Tauschbon konnte er in der Bank oder bei einem Kunden der Bank seinerseits einen Gegenstand, z. B. ein Möbel, im gleichen Preise erhalten. Aber nur als Tauschmittel sollte das Geld für die Angehörigen der Volksbank beseitigt werden, nicht als Preismesser: die Bank nahm nicht, wie dies in anderen Tauschbanken, z. B. der von Owen, der Fall war, eine neue Bewertung der Produkte vor, sondern der Preis, wie er von dem betreffenden Produzenten in seinem Gewerbe außerhalb festgesetzt war, sollte auch der Volksbank gegenüber gelten: hatte z. B. der Schuster den Preis für ein Paar Stiefel auf 10 Fr. festgesetzt, so erhielt er von der Bank einen Tauschbon lautend auf den Wert von 10 Fr.[1]. — Andere konnten ihren Lohn an die Volksbank auszahlen, erhielten dafür Tauschbons bis zur Höhe des eingezahlten, sie konnten dafür bei den Produzenten der Volksbank die nötigen Produkte eintauschen. Es war Proudhons Hoffnung, daß die Volksbank immer mehr Mitglieder ge-

---

[1] Ein solcher Tauschbon hatte folgenden Text: Bei Sicht zahlen Sie dem Überbringer in Waren, Produkten oder Dienstleistungen Ihres Gewerbes die Summe von 10 Fr.

winnen werde, so daß schließlich alle Produzenten und Konsumenten
ihr angehörten; dann sollte in der Tat das Geld überflüssig sein;
alle Umsätze würden mit den Zetteln vorgenommen; der Franc würde
tatsächlich nur noch als N a m e für die W e r t e i n h e i t fungieren, als Geld hätte er aufgehört zu existieren, dann seien a l l e
W a r e n   G e l d.

Dies Ziel konnte die Volksbank n i c h t erreichen, weil sie
vor allem den Hauptfehler hatte, daß sie einerseits jeden Produzenten
als Mitglied annahm, anderseits aber nicht Vorsorge traf, das die
von den Produzenten gelieferten Produkte den Bedürfnissen und
Wünschen der Kunden entsprachen.

Der ältere Entwurf der T a u s c h b a n k   P r o u d h o n s
war vorsichtiger: danach sollten Noten nur ausgegeben werden auf
Grund fest abgeschlossener Geschäfte, d. h. nach Maßgabe der Überlieferung von Produkten und gegen angenommene Fakturen oder
Verbindlichkeiten, die aus der Überlieferung der Produkte entstehen,
so daß ein Tauschbon stets in dem Produkte, welches seine Ausgabe
veranlaßt hatte, und in der Verantwortlichkeit des Produzenten und
des Indossanten ein Unterpfand hatte (vgl. Art. 13 u. 14 der Tauschbank). Von dieser Einschränkung findet sich in den Statuten der
Volksbank nichts mehr; die Zirkulationsbons vielmehr sollten allgemeinen Charakter haben, so daß sie „mit dem unauslöschlichen
Gesellschaftscharakter bekleidete Lieferungsweisen darstellen, welche
nach Sicht von jedem Gesellschafter und Adhärenten der Bank in
Produkten oder Dienstleistungen seines Gewerbes auszuzahlen sind"
(vgl. Art. 18 der Volksbank). Die Volksbank greift aber n i c h t
in den Produktionsbetrieb der ihr angehörigen Produzenten ein,
d. h. sie überläßt jedem, was, wie und wieviel er produzieren will.
Dies ist der entscheidende Punkt, warum der ganze Plan undurchführbar ist. Die Prinzipien des Individualismus und des Sozialismus wollte P r o u d h o n in seiner Bank vereinigen; er wollte das
individualistische Wirtschaftssystem beibehalten, strebte aber gleichzeitig Ziele an, wie z. B. Beseitigung des Geldes, die nur bei sozialistischer Organisation zu erreichen sind. Dies machte die Eigentümlichkeit und gleichzeitig die Schwäche P r o u d h o n s aus. „Die
Volksbank" — so erklärt ihr Gründer ausdrücklich — „hält die Freiheit des Verkehrs und die wetteifernde Anerkennung als das Prinzip
jedes Fortschritts und als die Garantie der guten Beschaffenheit
und Wohlfeilheit der Produkte aufrecht" (vgl. Art. 27). Auch durch
das mit der Bank verbundene Syndikat der Produktion und Konsumtion sollten keineswegs Produktion und Konsumtion autoritativ
geregelt werden; das Syndikat hatte nur den Zweck, die Kreditwürdigkeit der Darlehnssuchenden zu prüfen, sich um den Beitritt
von Produzenten aller Art zu bemühen, Notizen über Preise, Löhne
usw. zu sammeln, aber jedes Mitglied sollte in der freien Ausübung
seines Gewerbes unbehelligt bleiben.

Unter diesen Umständen hätte unvermeidlich die P r o u d h o n -
sche Bank dieselbe Erfahrung gemacht, wie die Tauschbanken, die
vorher und nachher in Frankreich und England bestanden haben;
während nämlich die guten, leicht absatzfähigen und nützlichen
Gegenstände schnellen Absatz fanden, sammelten sich die unnützen
und schlechten Waren in großen Massen in der Bank resp. bei den
Kunden; die Mitglieder der Bank könnten dann sehr vielfach für

ihre Tauschbons nicht die Ware erhalten, die sie benötigten, und die Bank konnte viele ihrer Waren resp. die Waren ihrer Kunden nicht absetzen. Wollte aber die Tauschbank nur leicht absatzfähige Waren annehmen, so verfehlte sie ihren Hauptzweck, nämlich Abhilfe zu schaffen für den erschwerten Absatz. Güter mit einem bestimmten Verkaufspreise sind noch lange nicht dasselbe als die Summe Geldes, welche dieser Verkaufspreis angibt; wenn Produzenten ihre irgendwelchen Güter der Bank liefern dürfen und dafür Tauschbons, d. h. Scheine, die in der Bank wie bares Geld zirkulieren, erhalten, so macht sich der Preisskala der Güter gegenüber die Bedürfnisskala der Bankmitglieder in der Weise geltend, daß solche Güter, die der Mode und dem Geschmack des Publikums unterworfen sind, leicht liegen bleiben und daß anderseits viele Kunden für ihre Tauschbons unter den Waren der Bank keine Deckung finden. Diesem Übelstand könnte nur abgeholfen werden, wenn die Bank genau den Bedarf der Mitglieder ermittelte und die Produzenten zwänge, diesem Bedarfe entsprechend ihre Produktion einzurichten, und dann auch alle Mitglieder zwänge, ihren Bedarf aus den so hergestellten Produkten zu befriedigen; dann wäre kein Geld nötig; eine Anweisung auf einen Teil des hergestellten Gütervorrates würde genügen.

§ 76. Die Tauschbank von Mazel in Marseille 1829—1845.

Der Mechanismus der Bank M a z e l in Marseille war etwa folgender: Ein Schuster lieferte an die Bank Stiefel bis zu einem gewissen Betrage; dafür erhielt er Tauschbons in gleichem Betrage; wofür er bei anderen Mitgliedern der Bank Lebensmittel, Rohstoffe usw. empfangen konnte; es ist im wesentlichen derselbe Vorgang wie bei O w e n , jedoch mit einem bemerkenswerten Unterschiede: O w e n nahm eine Abschätzung der Produkte vor, M a z e l nicht; bei M a z e l wurden die Produkte zu dem Preise angenommen, den sie auch im freien Verkehr hatten.

M a z e l selbst sagt einmal in einem 1835 erschienenen Prospekt der Marseiller Bank[1]) über die Ziele dieser Einrichtung: „Hat man Kredit nötig bei einem Bäcker, Fleischer, Weinhändler oder Spezereihändler usw., so liefert man irgendwelches Objekt (un objet de nature quelconque) von einem Werte, der der Höhe des gewünschten Kredits gleichkommt, und man wird vom Bäcker, Fleischer usw. befriedigt, die ihrerseits wieder von der Assoziation befriedigt werden." — Der Hauptmißstand aller Tauschbanksysteme findet sich auch bei M a z e l vor: Die Produzenten beliebter Waren tauschten nur mit Widerstreben ihre gute Ware gegen die Bons ein, für die sie unter Umständen nur schlechte Ware erhielten.

Nachdem die Bank 1829 gegründet war, wurde bereits in den ersten 6 Monaten ein Umsatz von 2 400 000 Fr. erzielt[2]). Nicht weniger als 50 000 Arbeiterfamilien waren als Mitglieder beigetreten[3]). Mehrere Millionen von Tauschoperationen wurden durch Vermittlung dieser Bank in vielen Städten Frankreichs, Belgiens und der Schweiz unter der Direktion M a z e l s durchgeführt. — Der glänzende Erfolg war jedoch nicht von Dauer; es kam bald zu Uneinigkeit und

---

[1]) Association universelle et commerciale d'échanges, zitiert bei D a r i - m o n , De la Réforme des banques. S. 75.
[2]) So berichtet M a z e l selbst in der Revolution, vom 13. Juni 1849.
[3]) M a z e l , Code social. S. 88.

Streitigkeiten unter den Mitgliedern. Dafür ein Beispiel. Eine Minorität von Bankmitgliedern hatte sich geweigert, gegen Scheine ihre Waren auszuliefern; deshalb ergriff M a z e l Maßregeln, um diese zur Herausgabe der Waren zu zwingen; ein Notar Bonneveau aus Lyon sollte als huissier social fungieren und berechtigt sein, in solchen Fällen eine Schätzung der Waren bei den Mitgliedern der Bank vorzunehmen; zu dem von ihm geschätzten Preise mußten die betreffenden Mitglieder ihre Waren gegen die Tauschscheine herausgeben. — Weigerte sich z. B. ein Schuster, ein Paar Stiefel im Werte von 20 Fr. gegen einen Tauschschein zu liefern, so konnte der huissier social ein Paar, das er für 20 Fr. schätzte, mit Beschlag belegen; außerdem konnte er für die Gerichtskosten noch ein zweites Paar zu 10 Fr. pfänden[1]).

Zu solchen Schwierigkeiten kamen noch andere Umstände, namentlich, wie M a z e l selbst klagt, „die Begierde und Gewinnsucht der Menschen, die jede neue Idee für ihre egoistischen Zwecke benutzen wollen[2])".

Im Jahre 1845 erfolgte der Zusammenbruch der Bank; das Publikum, so meint M a z e l, sei noch nicht reif für seine Ideen gewesen; im Jahre 1848 hoffte er bessere Resultate mit der erleuchteteren Pariser Arbeiterschaft zu erzielen.

Wir glauben jedoch, daß es nicht Schuld des Publikums war, wenn die Bank zusammenbrach, sondern die Tauschbank selbst ist eine Einrichtung, an die sich das Publikum nie auf die Dauer wird gewöhnen können. Es ist zu verwundern, daß die M a z e l sche Bank 16 Jahre lang hat bestehen können[3]).

§ 77. Die Tauschbank von Bonnard in Marseille 1849—1858[4]).

Am 10. Januar 1849 gründete B o n n a r d in Marseille in Form einer Kommanditgesellschaft eine Tauschbank, die am 10. Februar desselben Jahres definitiv konstituiert wurde[5]).

Über Zweck und Theorie seiner Bank sagt B o n n a r d in einem Schreiben[6]) folgendes: „Die Lehre und die Praxis des Tausches,

---

[1]) M a z e l, Code social. S. 89.
[2]) La Révolution, vom 13. Juni 1849.
[3]) In seinem Code social (erschienen 1843) macht M a z e l teilweise neue Reformvorschläge. Das Metallgeld soll durch Arbeitsgeld ersetzt werden, so daß alle Menschen nach der geleisteten Arbeit gelohnt werden. — In dem Generalinventarium des öffentlichen Vermögens sollen alle Fähigkeiten und Dienstleistungen in 7 Klassen geteilt werden; jedermann muß nach seinen Leistungen einer dieser Klassen zugeteilt werden; jeder Mensch muß 10 Stunden arbeiten; für diese 10 Stunden erhält ein Mitglied der 1. Klasse einen Schein zu 10 Fr. (die Francs werden aus der alten Ordnung als Maßeinheit herübergenommen), ein Mitglied der 2. Klasse erhält für die Stunde 1 Fr. 50 Cent., also für den Tag 15 Fr., 3. Klasse 2 Fr. usw. 7. Klasse: 4 Fr. per Stunde. Die Beträge werden in Waren oder Arbeitsleistungen ausbezahlt (S. 108).
[4]) Literatur über B o n n a r d s Tauschbank besonders C o u r c e l l e - S e n e u i l, D'une Banque d'échange fondée par M. B o n n a r d à Marseille im Journal des Economistes. Avril 1853, S. 13—23. — H ü b n e r, Die Banken. Leipzig 1854. S. 199—202. — Die Mitteilungen von C o u r c e l l e - S e n e u i l und H ü b n e r beruhen auf den Rechenschaftsberichten der B o n n a r d schen Bank. — Ferner: P r o u d h o n, Manuel du spéculateur à la bourse. I. Aufl. 1854. S. 326 in den Oeuvres complètes. T. VI, S. 239. — D a r i m o n, a. a. O., S. 74 ff. — K n i e s, Geld und Kredit. I. Abteilung: Das Geld. II. Aufl. Berlin 1885. S. 239 bis 243. II. Abteilung: Der Kredit. 2. Hälfte. Berlin 1879. S. 403.
[5]) C o u r c e l l e - S e n e u i l, a. a. O., S. 13.
[6]) Zitiert bei H ü b n e r, a. a. O., S. 199.

mit welcher wir uns seit 10 Jahren beschäftigt haben, überzeugten uns, daß diese Art des Handels die beste, ja vielleicht die einzige ist, fähig, das Gleichgewicht zwischen Produktion und Konsumtion wieder herzustellen und alle anderen Werte außer dem Gelde wieder von der Gedrücktheit (délaissement) zu erheben, welche das Geld verursacht, wenn es, anstatt Mittel zu bleiben, beinahe der einzige Zweck aller Geschäfte wird. Durchdrungen von dieser Überzeugung und der schwierigen Lage des Geschäfts organisieren wir auf einer breiten Grundlage und unter der Firma „Tauschbank" ein Institut, welches jedem Gelegenheit bieten wird, unser System zu prüfen, und welches auch dem Ärmsten offen steht, nach seinen Bedürfnissen Hilfe, Kredit und Schutz zu holen. Es wird ein Mustercomptoir für den Tausch und ein mächtiges Beispiel sein. Unsere Geschäfte außerhalb Marseille werden jedoch vorläufig nicht speziell dem Tausch gewidmet sein, denn auf eine Entfernung von z. B. 100 Meilen kann die gegenseitige Abschätzung der Tauschwerte nicht gleichzeitig sein, und es würden stets die Chancen demjenigen ungünstig sein, welcher die Ware zuerst versendet."

Um die Art der Geschäfte der B o n n a r d schen Bank zu kennzeichnen, will ich ein Beispiel aus einem Geschäftsberichte mitteilen[1]): „Ein Bildhauer ist Eigentümer eines Grundstücks in ungünstiger Lage und kann es nicht verkaufen. — Die Bank übernimmt das Grundstück und gibt ihm an Zahlungsstatt Anweisungen (Bons) auf tägliche Nahrungsmittel und auf Rohstoffe seiner Industrie. Das Grundstück ist von der Bank einem Baumeister im Austausche gegen eine hypothekarische Forderung übergeben, von welcher er vergeblich Nutzen suchte. — Die Forderung wurde von dem Besitzer einer Partie Möbel übernommen, die er bisher nicht veräußern konnte, weil sie seinem Geschäftsbetriebe fremd waren. Diese Möbel sind in der Folge in den Händen der Bank der Gegenstand zahlreicher Tauschgeschäfte im Detail geworden. Der Verkäufer hat die Hypothekarforderung für ihren ganzen Wert veräußert, der Bildhauer ist auf eine nützliche Weise zu dem Werte seines Eigentums gelangt, der Baumeister hat das Grundstück an verschiedene seiner Arbeiter und Lieferanten verteilt."

Wie schon aus diesen beiden Zitaten ersichtlich und wie aus unseren weiteren Darlegungen über die B o n n a r d sche Bank noch hervorgehen wird, weist diese Bank einen wichtigen Unterschied gegenüber den Tauschbanken von O w e n und M a z e l auf: O w e n und M a z e l hatten das Prinzip der G e n e r a l i s i e r u n g, B o nn a r d das Prinzip der S p e z i a l i s i e r u n g. In O w e n s Bank konnte j e d e r seine Waren bringen, und er erhielt dafür Tauschbons in dem Betrage, zu dem seine Waren abgeschätzt wurden; bei M a z e l konnte jeder, der eine Anzahl Produkte an die Bank lieferte oder sich verpflichtete, diese an Mitglieder der Bank gegen Tauschbons abzugeben, im Betrage des Marktpreises der gelieferten Produkte Tauschbons erhalten. — B o n n a r d gab keineswegs jedem für seine Produkte Tauschbons, sondern er traf eine Auswahl derart, daß er nur für solche Produkte Bons gab, für die auch anderseits Nachfrage vorhanden war oder in sicherer Aussicht stand. Er suchte überall Tauschgeschäfte zu vermitteln, wo Geschäfte mit

---

[1]) Zitiert bei H ü b n e r, a. a. O., S. 201.

barem Geld nicht zustande kommen konnten. Es war also keine
allgemeine Tauschbank, sondern eine Kommissionstauschbank.

Die Bank B o n n a r d war eine Zentralstelle für Angebot
und Nachfrage; sie beschränkte sich aber nicht wie die gewöhnlichen
Kommissionsgeschäfte auf einzelne Waren, sondern zog alle Arten
Güter in ihren Geschäftsbereich. B o n n a r d ging von folgender
Idee aus: Sehr häufig kommt es im Verkehrsleben vor, daß Leute
irgendwelche Güter gern verkaufen möchten, aber niemanden finden,
der ihnen bares Geld dafür gibt; es wäre ihnen aber auch gedient,
wenn sie statt des Geldes irgendein anderes Gut, das ihnen fehlt,
erhalten könnten; wenn sich also jemand fände, der zwar kein bares
Geld, aber wohl ein anderes ihren Bedürfnissen entsprechendes Wert-
objekt liefern könnte, und seinerseits das Gut des anderen besitzen
möchte, so wäre beiden geholfen. — Solche korrespondierende Verhältnisse von Angebot und Nachfrage auszukundschaften und den
Tausch zu vermitteln, war die Aufgabe der B o n n a r d schen Bank.
— Der Mechanismus der Bank war etwa folgender:

Angenommen, A., ein Fabrikant von Lederwaren, braucht
Leder zu seiner Fabrikation, es fehlt ihm aber an barem Gelde zum
Ankauf dieses Rohstoffes und am nötigen Kredit, so wendet er sich
an die Tauschbank; wenn die Bank für die Waren des A. bereits
Abnehmer hat, oder solche in sicherer Aussicht stehen, so liefert
sie an A. die gewünschten Rohstoffe in Form von Bons eines Roh-
stoffhändlers. — Dafür gibt A. an die Bank Tauschbons, mit seinem
Namen unterzeichnet (die etwa mit unseren Bier- oder Theater-
marken zu vergleichen sind) und auf einen Betrag lauten, der dem
Verkaufspreise der erhaltenen Rohstoffe gleichkommt; A. verpflichtet
sich dadurch den Inhabern dieser Tauschbons, diese gegen seine
Waren einzutauschen. Nehmen wir nun weiter an, daß gleichzeitig
B., ein Lederwarenhändler, Lederwaren braucht, so kann B. bei
der Bank Tauschbons des A. erhalten, vorausgesetzt, daß er seinerseits der Bank genügende Sicherheit in Wertobjekten bietet. B. ist
berechtigt, bevor er die Bons des A. nimmt, in dem Lager des A.
die Waren zu prüfen; ist der Kauf abgeschlossen, so geht B. zur
Bank, nimmt dort die Bons in Empfang und kann mit den quittierten
Bons den A. bezahlen; A. kann gegen diese Bons keine Einwendung
erheben, denn es ist ja sein „eigenes Geld".

Die Bank B o n n a r d hatte keine Gläubiger; wenn sie Waren
kaufte, um sie ihren Kunden zum Tausch anzubieten, geschah dies
in bar. — Die Bank hatte nur ein Risiko: daß die Subskribenten
von Tauschbons insolvent wurden, solange noch ihre Bons in den
Kassen der Bank waren; — denn sobald die Bons Abnehmer gefunden
hatten, war die Bank jeder weiteren Verpflichtung ledig; denn die
Bons wurden ja nur dann von den Empfängern entgegengenommen
und quittiert, wenn dieselben die feste Absicht hatten, die Ware,
auf welche die Bons lauteten, anzunehmen, wenn das Geschäft also
abgeschlossen war. Die Bank mußte daher große Vorsicht anwenden
und nur die Bons von Produzenten mit guten Unterschriften annehmen, und solche, deren Absatz ein sicherer war. — Diese Vorsicht
wurde von B o n n a r d angewandt; da B o n n a r d mit dieser
Vorsicht eine außergewöhnliche Geschäftskenntnis und Routine und
großes kaufmännisches Geschick verband, so hat er mit seiner Bank
mehrere Jahre hindurch geradezu glänzende Erfolge erzielt.

Dafür einige Ziffern aus den Rechenschaftsberichten der Bank[1]). Trotzdem die Bank nur mit einem Kapital von 7825 Fr. begründet wurde, hatte sie im ersten Jahre für 434 624 Fr. Geschäfte gemacht. — Der zweite Jahresbericht zeigte bereits eine Erhöhung des Aktienkapitals auf 37 350 Fr. — Der Reingewinn betrug 48 388 Fr. — Der dritte Rechenschaftsbericht von 1851—1857 meldet von einem eingezahlten Aktienkapital von 50 025 Fr., Reingewinn: 46 198 Fr.

Doch auch in der Bank B o n n a r d waren die großen Erfolge nicht von Dauer. Nachdem die Bank 10 Jahre bestanden hatte, brach sie nach einem unsauberen Prozesse in 1857 und 308 000 Fr. Verlust in 1858 im Jahre 1859 zusammen[2]). — An Stelle des Grundsatzes der vorsichtigen Spezialisierung, den die Bank anfangs beobachtete, muß allmählich ein viel laxerer Geschäftsbetrieb getreten sein, wenn wir beispielsweise erfahren, daß ein Möbelhändler in einem Prozesse gegen die Tauschbank klagte, daß ihm für seine Anweisungen nicht etwa Anweisungen auf Holz, Roßhaare, Möbelstoffe u. dgl., sondern auf Buchdruckerschwärze, Panamaringe, Kaffeemühlen, Bruchbänder, Tierärzte, Schullehrer u. dgl. gegeben worden seien[3]).

Im Jahre 1853 gründete B o n n a r d eine Tauschbank in Paris unter dem Namen „comptoir central"[4]). Im Jahre 1853/54 bereits glänzte sie mit einem Geschäftsumsatz von 45 Millionen Fr.[5]). — Über die weiteren Schicksale dieser Pariser Bank konnten wir leider nichts in Erfahrung bringen. — Werfen wir einen Rückblick auf die drei von uns betrachteten Bankinstitute.

Wir sahen, daß alle drei Banken, die von O w e n , M a z e l und B o n n a r d , anfänglich guten Erfolg hatten, allmählich aber zugrunde gingen. Die Schwierigkeiten des Experiments, den geldwirtschaftlichen Verkehr wieder vollkommen oder nur partiell durch einen Tauschverkehr ersetzen zu wollen, ließen alle Versuche scheitern. — Relativ am besten gelang die Einrichtung, die sich das kleinste Ziel gesteckt hatte, die von B o n n a r d . Während O w e n das Geld als Tauschmittel und als Preismaßstab beseitigen wollte, wollte M a z e l das Geld als Tauschmittel überflüssig machen; B o n n a r d wollte nicht einmal generell das Geld als Tauschmittel abschaffen, sondern nur da Naturaltauschgeschäfte vermitteln, wo Geldgeschäfte unmöglich waren. — M a z e l und O w e n verfolgten mit ihren Banken, ebenso wie P r o u d h o n mit seiner Volksbank, hohe sozialökonomische Ziele; sie wollten die Arbeit von aller Bedrückung befreien, und direkt oder indirekt bewirken, daß jeder, der arbeitet, auch für seine Arbeit seine Bedürfnisse soll befriedigen können. — Irgendwelche Bedeutung vom sozialökonomischen oder auch nur philanthropischen Standpunkt hat B o n n a r d s Bank nicht; gewiß sind viele Tauschgeschäfte durch B o n n a r d vermittelt

---

[1]) H ü b n e r , a. a. O., S. 200 und 201.
[2]) K n i e s , Das Geld. S. 240.
[3]) Ebenda, S. 242.
[4]) P r o u d h o n , Manuel du spéculateur à la bourse, oeuvres complètes. XI, S. 239.
[5]) K n i e s , Kredit. 2. Hälfte. S. 403. Dort berichtet K n i e s , daß das System B o n n a r d auch nach Deutschland gekommen sei: „Im Jahre 1856 kam es auch nach Deutschland, wo es sich zunächst am Ufer der Elbe als Waren-Kredit-Comptoir der Magdeburger Handelskompagnie und am Ufer der Spree als Berliner Waren-Kredit-Gesellschaft niederließ."

worden, die ohne ihn nicht zustande gekommen wären; aber dies bedeutet noch keine Abhilfe für die soziale Not, solange mit der Vorsicht vorgegangen wird, die B o n n a r d mit Recht anfänglich beobachtete, nämlich nur für solche Artikel Anweisungen zu geben, die sicheren Absatz versprachen. — Es ist dies ein interessantes privatwirtschaftliches Experiment, das meist mißglücken wird, und nur dann glücken k a n n, wenn ein Mann mit genauer Kenntnis der Preis- und Absatzverhältnisse, mit großer Geschäftsgewandtheit und vorsichtigem Geschäftsgebahren an der Spitze eines solchen Instituts steht.

Die Bank B o n n a r d ist lehrreich, weil sie zeigt, in wie engen Grenzen die „Welt ohne Geld“ nur möglich ist und wie weit dies vom Ideal vieler Sozialisten entfernt ist.

Die Bank B o n n a r d lehrt auch, was am ganzen Plan P r o u d h o n s unter günstigen Umständen allein hätte realisiert werden können: eine auf bestimmte einzelne Fälle beschränkte Tauscheinrichtung von Produkten gegen Produkte, anstatt von Produkten gegen Geld.

Die Bank B o n n a r d ist eine Spekulation wie andere kaufmännische Spekulationen auch; an P r o u d h o n s soziale Ziele hat B o n n a r d nicht gedacht; P r o u d h o n wollte den gegenseitigen unentgeltlichen Kredit; bei einer Bank wie der von B o n - n a r d, die in einem Jahr 100 000 Fr. Gewinn an ihre Aktionäre und Geschäftsführer verteilte, kann von Mutualität wohl kaum die Rede sein[1].

§ 78. Das Freigeld von Silvio Gesell[2].

Während P r o u d h o n das Geldproblem dadurch zu lösen suchte, daß er alle Waren zu Geld machen wollte, will es G e s e l l von der umgekehrten Seite anfangen. Er will die Waren lassen, wie sie sind, auch keine Arbeitszettel kreieren, aber das Geld so umgestalten, daß das Geld genau dieselben Eigenschaften hat wie die Waren. Da nun die Waren die Eigentümlichkeit haben, daß sie von ihren Inhabern möglichst bald abgesetzt werden müssen, will er auch ein Geld schaffen, dessen Eigentümlichkeit darin besteht, daß der Inhaber suchen muß, es möglichst bald los zu werden. „Suchen wir nach einem Geld,“ sagt G e s e l l, „welches den Produzenten den Absatz für die Produkte ihrer vollen Arbeitskraft sichert, so werden wir ausrufen, ein vortreffliches Geld[3].“ Und zwar müsse man von diesem neuen zweckentsprechenden Tauschmittel verlangen:

---

[1] Nach dem Muster von M a z e l s und B o n n a r d s Bank sind noch eine ganze Reihe von Tauschbanken in Frankreich errichtet worden; die Namen der bedeutendsten sind: La Monnaie foncière, La Monnaie mobilière, L'Union des petits commerçants, L'Association générale pour les échanges, Le Comptoir commercial, La Banque universelle d'échange usw. Keine dieser Banken hat, soviel uns bekannt, dauernden Bestand gehabt (vgl. D a r i m o n, a. a. O., S. 78).

[2] Vgl. dazu: D i e h l, P. J. Proudhon. Seine Lehre und sein Leben. 2. Abteilung. Jena 1890. — H. L a n g e l ü t k e, Tauschbank und Schwundgeld als Wege zur zinslosen Wirtschaft. Jena 1925. — H a u s e r, Moderne Geldverbesserer. Jena 1920. Ferner: „Zeitschrift für Schweizerische Statistik und Volkswirtschaft.“ 56. Jahrg. 1920. 1. Heft: Zur Kritik der „absoluten Währung“.

[3] G e s e l l, Die natürliche Wirtschaftsordnung durch Freiland und Freigeld. S. 93.

. „1. Daß es den Austausch der Produkte sichere, was wir daran erkennen werden, daß der Tausch ohne Absatzstockungen, Krisen und Arbeitslosigkeit vor sich geht.

2. Daß es den Austausch beschleunige, was wir an den geringen Warenbeständen, der geringen Zahl von Kaufleuten und Läden und an den entsprechend gefüllten Vorratsräumen der Verbraucher ermessen werden.

3. Daß es den Austausch verbillige, was wir an dem geringen Unterschied zwischen dem Preis, den der Produzent erhält und dem Preis, den der Konsument bezahlt, ermessen werden[1]).“

Wie soll dieses neue vortreffliche Geld beschaffen sein? Es soll gegenüber der heute bestehenden Geldwirtschaft folgende Eigentümlichkeiten haben:

1. Es soll ein Papiergeld sein, alles Metallgeld soll abgeschafft sein.

2. Dieses Papiergeld soll die Eigentümlichkeit haben, daß jedermann den dringenden Wunsch hat, es möglichst bald los zu werden. Man müsse das Geld als Ware verschlechtern, wenn man es als Tauschmittel verbessern wolle. Das will G e s e l l dadurch erreichen, daß die von ihm ausgegebenen Geldzettel mit einem Kursverlust behaftet sind, so daß von Woche zu Woche das Geld an Wert verliert. Ein Zettel, der am 1. Januar 100 Mk. gilt, fällt von Woche zu Woche um 1 $^{0}/_{00}$, so daß er am Ende des Jahres nur noch 94,80 gilt. Auf diese Weise würde jeder Inhaber eines Geldscheines versuchen, für das Geld Ware zu kaufen; das würde zu einer außerordentlichen Belebung und Verbilligung des ganzen Warenverkehrs beitragen.

3. Dieses Geld soll auch bewirken, daß die Waren immer einen festen Durchschnittspreis haben. Es müßte statistisch immer von Zeit zu Zeit ein mittlerer Durchschnittspreis ermittelt werden. Gehen dann die Warenpreise in die Höhe, so soll der Staat eine entsprechende Menge Geldes einziehen. Umgekehrt, sinken die Preise, so wird neues Geld ausgegeben. Auf diese Weise soll immer ein mittlerer gleichbleibender Durchschnittspreis der Waren erreicht werden.

4. Soll dieses Geld bewirken, daß auch der Zins beseitigt wird, und schließlich

5. sollen dann auch die Krisen verschwinden.

Ich will auf die Zins- und Krisentheorie von G e s e l l später mit ein paar Worten zurückkommen, will jetzt nur die ersten drei Punkte ganz kurz kritisieren.

Die gewünschten Ziele können durch das Freigeld nicht erreicht werden. Ich will ganz davon absehen, daß diese absolute Währung alle Mängel und Bedenken aufweist, die jede Papierwährung gegenüber der Metallwährung hat. Denn sobald ein Geld geschaffen wird, das „kostenlos“ hergestellt werden kann, wird stets das Vertrauen in die Stabilität der Währung fehlen, alle Übelstände der Inflation sind dann unvermeidlich. Gerade die Geldverhältnisse in den meisten Ländern während der Kriegszeit hätten doch G e s e l l eines Besseren belehren müssen, aber er selbst hat einmal erklärt: „Ich will vom Kriege nichts, auch keinen Lehrstoff geschenkt er-

---

[1]) G e s e l l , a. a. O., S. 94.

halten¹).'' Dazu kommen noch die besonderen Mängel des Freigeldes.   G e s e l l meint, wenn das neue Geld automatisch an
Wert verlöre, werde es schleunigst weitergegeben; das führe zum
lebhaftesten regsten Warenverkehr und dadurch zu unbedingt ge-
sichertem Absatz für alle Produzenten. Dies ist gänzlich illusorisch.
Auch heute haben wir schon dieselben Beweggründe für den
Geldbesitzer, wie bei der absoluten Währung, das Geld baldigst
zu verwenden. Auch in unserem heutigen Geldwesen trägt jeder
Geldbesitzer einen Verlust, der Geld aufbewahrt und es nicht zum
Zwecke des Warenkaufs verwendet; denn wenn er das Geld als Gelddarlehen verwertet, erhält er Zins. Aber so wenig wie heute, wird
man unter der absoluten Währung das Geld hergeben, nur um einer
Entwertung vorzubeugen, wenn nicht ein wirklicher dringender
W a r e n b e d a r f vorliegt. Auf die Bedarfsgestaltung kommt es
also letztlich an, nicht aber, wie G e s e l l immer betont, auf die
lebhafte Nachfrage des Inhabers eines Geldzettels, das Geld möglichst bald los zu werden. Ebensowenig wird durch das Freigeld die
Stetigkeit der Preisbildung garantiert. Das Schwanken der Preise
soll aufhören, es soll ein fester, unveränderlicher Stand der Warenpreise gesichert sein. G e s e l l und seine Anhänger überschätzen
hierbei viel zu sehr die Beeinflussung der Preise von der Geldseite
her. Gewiß spielen auch Geldmenge und Geldwert eine große Rolle
bei der Preisgestaltung, und es wird niemand leugnen, daß z. B.
die Schwankungen der Goldproduktion bei der Goldwährung, der
Papiergeldausgabe bei der Papierwährung einen großen Einfluß auf
die Preise haben. Aber diese Einflüsse sind, abgesehen von den
ganz anormalen Zuständen, wie sie etwa in der Papiergeldwirtschaft in Kriegszeiten hervortreten, gering, verglichen mit den viel
wichtigeren Komponenten der Preisbildung auf seiten der Produktion und der Nachfrage. Nur der Anhänger einer ganz naiven Quantitätstheorie kann glauben, daß durch Vermehrung bzw. Verminderung
der Geldmenge bei veränderten Durchschnittspreisen die Preise
eine Stabilität aufweisen. Welch mächtige Wirkung auf die Preise
geht z. B. vom Gesetz des abnehmenden Bodenertrags aus. Nur
so erklärt es sich, daß bei der a l l g e m e i n e n Erhöhung der Preise
seit dem Ende des vorigen Jahrhunderts die Preise der Bergwerksprodukte und überhaupt die Produkte der Urproduktion
b e s o n d e r s starke Tendenz zur Erhöhung aufweisen. Diese
in natürlichen Verhältnissen begründeten Preiserhöhungen würden
auch bei der absoluten Währung weiter bestehen, und die Preise
trotz aller Geldmaßregeln auch weiterhin steigen bzw. fallen,
je nach den tatsächlich entscheidenden Tendenzen auf seiten der
Produktion bzw. Nachfrage. Die von G e s e l l aufgestellte Formel:
,,Geld = Warenabsatz = Arbeit = Geld'' ist eine reine Utopie und
es ist unmöglich, wie G e s e l l es meint, anzunehmen, man könne
die Nachfrage genau so leicht fabrizieren, wie man das Angebot
fabrizieren könne: ,,Wir arbeiten und werfen unsere Produkte auf
den Markt — das Angebot —; das Reichsgeldamt betrachtet das
Angebot und wirft ein entsprechendes Quantum Geld auf den Markt
— die Nachfrage. Nachfrage und Angebot sind jetzt Arbeitsprodukte.
Von privater Handlung, von Wünschen, Hoffnungen, Konjunkturen

---

¹) G e s e l l , a. a. O., S. 259 .

und Spekulationen ist bei der Nachfrage keine Spur mehr. So groß
wir die Nachfrage haben wollen, genau so groß wird sie bestellt und
gemacht. Unser Produkt, das Warenangebot, ist die Bestellung für
die Nachfrage, und das Reichsgeldamt führt die Bestellung aus[1])."
Diese Auf- und Abschwankungen sind volkswirtschaftlich nicht schädlich. Sie sind sogar unentbehrlich, um die Vorgänge des Marktes,
der Produktion, der Nachfrage richtig kontrollieren und eventuell
regulieren zu können. Gerade die Goldwährung hat sich hierbei
als ausgezeichneter Indikator der wirklichen Preisvorgänge bewiesen, während bei einer Geldschaffung, die von der Willkür des
Staates abhängt, das Geld diese Rolle als Preisvergleichungsmittel
nicht mehr spielen kann.

Das Freigeld soll auch bewirken, daß allmählich der Zins
verschwindet, und damit kommen wir zu der neuen Zinstheorie, die
G e s e l l aufgestellt hat. G e s e l l behauptet nämlich, daß der
eigentliche Urzins der Geldzins sei und daß der Zins der Realkapitalien nur ein abgeleiteter sei, d. h. daher käme, weil das Geld selbst
einen Zins trägt. Dieser Geldzins soll auf dem Markte entstehen,
und zwar auf die Weise, daß der Kaufmann, der vom Produzenten
eine Ware kauft und an den Konsumenten weiter verkauft, einen
Geldzins erhält, d. h. in dem Geldpreis, den er verlangt, noch den
Urzins hinzuschlägt. Der Konsument muß also dann den Preis,
den der Produzent erhalten hat, plus Zins bezahlen. Weil das Geld
Zins erhebt, werde dann auch von den eigentlichen Realkapitalien
Zins erhoben. Man gäbe z. B. kein Geld für den Bau von Häusern
her, wenn man nicht den gleichen Zins erhielte, den das Geld von
den Waren erhält. Sobald aber durch die Einführung des Freigeldes
das Geld sein altes Vorrecht verlöre, d. h. wenn der Geldbesitzer
es nicht mehr spare, verschwände auch der Zins, sowohl der Urzins,
nämlich der Geldzins, als auch der Kapitalzins. Was soll man zu dieser
Zinstheorie sagen, die G e s e l l selbst einmal in folgendem Satz
zusammenfaßt: „Das sog. Realkapital muß Zins abwerfen, weil es
nur durch Ausgeben von Geld zustande kommen kann und weil dieses
Geld ein Kapital ist. Das sog. Realkapital besitzt nicht, wie das
Geld, eigene zinszeugende Organe[2])." Genau das Gegenteil ist richtig.
Das Geld ist nicht Kapital und trägt als Geld überhaupt keinen Zins.
Wo immer man das Geld benutzt, um Zug um Zug Waren zu kaufen,
d. h. also gerade dann, wenn Geld seine eigentlichen Geldfunktionen
ausübt, ist es kein Kapital und trägt auch keinen Zins. Geld kann
Kapital werden, aber nur dann, wenn es seine eigentliche Geld-
natur abstreift und Kapitalfunktionen annimmt, also z. B. wenn
man Geldsummen leihweise einem andern überträgt, der hierfür
Realkapitalien erwerben kann und sie zeitweise ökonomisch ausnützen kann. Geld kann auch Kapital werden beim Zwischenhändler,
der Geldvorräte als Handelskapital braucht. In all diesen Fällen
liegen wirkliche Kapitalfunktionen vor, d. h. angesammelte Gütervorräte werden für wirtschaftliche Zwecke zeitweise festgelegt, und
in solcher Weise werden immer Kapitalien einen Zins abwerfen, und
zwar ganz unabhängig von jeder Form der Geldverfassung, wenn
immer derartige Govorräte für längere Zeiträume wirtschaftlich
verwertet werden können und müssen. Und darum ist der Gedanke

---

[1]) G e s e l l , a. a. O., S. 149.
[2]) G e s e l l , a. a. O., S. 371.

von G e s e l l , daß der Zins allmählich auf Null herabsinken könnte, genau so utopisch, wie derselbe Gedanke, der sich schon bei P r o u d - h o n , F l ü r s c h e i m und andern findet.

Ähnlich wie die Zinstheorie ist auch die Krisentheorie von G e s e l l zu beurteilen. Die Krisen sollen verschwinden, wenn das heutige Geldwesen verändert wird; denn die Krisen hätten ihren Ursprung in den sinkenden Warenpreisen. Die Preise würden aber nicht mehr sinken, und damit die Krisen verschwinden, wenn die Geldfabrikation nach den Bedürfnissen des Marktes gestaltet würde, und das geschähe, wenn das aus Papier gefertigte Geld so gestaltet werde, daß es unter allen Umständen gegen Waren angeboten würde. Auch hier finden wir wieder dieselbe Überschätzung des Geldes. Möge die Geldverfassung geschaffen sein wie sie wolle, die Möglichkeit zu krisenhaften Erscheinungen der Volkswirtschaft wird immer vorhanden sein, wenn die Wirtschaftsordnung die Gelegenheit zu optimistischer Schätzung der Marktlage und damit zu Überproduktion und Überspekulation darbietet.

Wir haben versucht, zu zeigen, wie mangelhaft die national-ökonomisch-theoretischen Grundlagen beschaffen sind, auf denen G e s e l l und seine Anhänger ihr System aufgebaut haben. Es erübrigt sich daher, noch auf die Einzelheiten ihrer Geldreform einzugehen. Wunderbar genug und wohl nur durch die Kriegs- und Revolutionsperiode zu erklären, daß diese Geldreformer überhaupt eine Anhängerschaft gefunden haben und mit ihren Geldreformplänen die Öffentlichkeit beschäftigen konnten.

Ich begnüge mich hier mit den erwähnten sozialen Geldreformern, aber eine große Anzahl der Ideen der Geldverbesserung sind auch in neuerer Zeit, namentlich unter dem Einfluß der Inflation und der Papiergeldwirtschaft erschienen. Über diese Geldverbesserer unterrichtet gut die Schrift von H a b e r [1]).

---

[1]) F r a n z   H a b e r , Untersuchungen über Irrtümer moderner Geldverbesserer. Jena 1926. — Dort werden namentlich außer G e s e l l behandelt: B e r t h o l d   O t t o s „Abschaffung des Geldes"; G o t t f r i e d   F e d e r s „Geldreform"; O p p e r m a n n s „Währungsreform" sowie E m i l   H u b r i c h t s „Währungsreform".

Zweiter Teil:

Die Lehre vom Kredit.

16. Kapitel.
Begriff und Arten des Kredits.

§ 79. Begriff und Wesen des Kredits.

Immer wenn wir in der Wirtschaftswissenschaft den Namen Kredit gebrauchen, denken wir an eine bestimmte rechtliche Form des entgeltlichen Güterverkehrs. Der Kreditverkehr ist die rechtliche Form des entgeltlichen Güterverkehrs, die den Gegensatz zum Barverkehr bildet. Der Güterumsatz beim Barverkehr vollzieht sich so, daß Zug um Zug Leistung und Gegenleistung erfolgt; dagegen liegt beim Kreditverkehr zwischen der Leistung und der Gegenleistung eine zeitliche Differenz. Der Kreditgeber gibt die Leistung in einem früheren Zeitpunkt, als die Gegenleistung durch den Kreditnehmer erfolgt. Z. B. wenn jemand eine Ware auf Kredit kauft, so leistet der Verkäufer der Ware (der Kreditgeber) sofort durch Hingabe der Ware, der Käufer (Kreditnehmer) zahlt den Kaufpreis erst nach einem bestimmten Zeitablauf. Wir kommen zu folgender Definition von Kreditverkehr: der Kreditverkehr ist im Gegensatz zum Barverkehr diejenige Form des entgeltlichen Güterverkehrs, bei der Leistung und Gegenleistung zeitlich auseinanderfallen. Der Kreditverkehr kommt in allen möglichen Zweigen des Wirtschaftslebens vor. Neben dem eben erwähnten Warenkaufkredit gibt es die verschiedensten Formen des Gelddarlehnskredits, des Effektenkredits, des Hypothekenkredits, aber auch Pacht und Miete gehören zu diesen Kreditvorgängen im weiteren Sinne.

Unter allen Kreditgeschäften ist eines praktisch von überragender Bedeutung, für das wir noch einen engeren Kreditbegriff aufstellen müssen, und zwar für das Gelddarlehnsgeschäft. Wir definieren daher: Kreditgeschäft im engeren Sinne ist die zeitweilige Überlassung einer Geldsumme seitens des Gläubigers an den Schuldner gegen Zahlung eines Zinses.

§ 80. Die Arten des Kredits.

I. Produktivkredit und Konsumtivkredit.

Je nach dem Zweck, welchem der dem Schuldner eingeräumte Kredit dienen soll, unterscheiden wir Produktiv- und Konsumtivkredit. Beim Produktivkredit soll der gewährte Kredit produktiven Zwecken dienen, z. B. der Beschaffung von Betriebsmitteln für ein industrielles oder kaufmännisches Unternehmen; dagegen soll der Konsumtivkredit dem Schuldner die Möglichkeit geben, sich die Mittel zu konsumtiven Zwecken, also zur Lebensfristung, d. h. zur Erlangung von Nahrungsmitteln, Kleidung, Wohnung usw. zu beschaffen. — Die Grenze zwischen Produktiv- und Konsumtivkredit ist keineswegs klar und fest zu ziehen. Der zu produktiven Zwecken eingeräumte Kredit kann oft zugleich dem Kreditnehmer die Mittel zum Lebensunterhalt schaffen, und der Konsumtivkredit kann durch die dem Kreditnehmer gegebene Möglichkeit, seinen Lebensunterhalt zu beschaffen, die Basis für künftige produktive Tätigkeit ermöglichen. Deshalb ist auch die öfters vertretene Auffassung, daß nur der Produktivkredit volkswirtschaftliche Bedeutung habe, dagegen der Konsumtivkredit unwirtschaftlich oder unproduktiv sei, verfehlt. Es wird dabei übersehen, daß mit dieser Unterscheidung nur eine rein äußerliche Trennung der Kreditgeschäfte nach ihrem Verwendungszweck, nicht aber nach ihrer volkswirtschaftlichen Bedeutung gegeben wird. Wenn der Produktivkredit vom Kreditnehmer in wirtschaftlich unzweckmäßiger Weise verwendet wird, z. B. zur Herstellung unverkäuflicher Waren, so hat hier der Kredit eine im Sinne der wirtschaftlichen Verwertbarkeit keineswegs produktive Wirkung gehabt. Umgekehrt kann ein Konsumtivkredit, der einem tüchtigen Techniker das Studium ermöglicht, auf Grund dessen er später erfolgreiche wirtschaftliche Leistungen vollzieht, sehr produktiv sein.

2. Produktiver und unproduktiver Kredit.

Mit der eben behandelten Unterscheidung steht die von produktivem und unproduktivem Kredit im Zusammenhang. Diese Unterscheidung spielt beim öffentlichen Kredit eine Rolle, d. h. bei dem Kredit, den öffentlich-rechtliche Verbände und Körperschaften aufnehmen. Der unproduktive Kredit ist derjenige, den öffentliche Verbände für die Bestreitung solcher Ausgaben aufnehmen, denen keine Erträge gegenüberstehen; dagegen der produktive Kredit derjenige, bei dem solche Erträgnisse zu erwarten sind. Z. B. wenn ein Staat einen Kredit aufnimmt, um Kasernen oder Truppenübungsplätze zu errichten, so liegt unproduktiver Kredit vor, dagegen ist der Kredit, der zum Ankauf einer Eisenbahn oder eines Bergwerkes dient, produktiver Kredit. — Auch diese Unterscheidung kann leicht zu Mißverständnissen führen und muß jedenfalls richtig dahin erläutert werden, daß auch der sog. unproduktive Kredit in gewissem Sinne sehr produktiv wirken kann, indem z. B. der für militärische Zwecke aufgenommene Kredit durch die körperliche Ertüchtigung des Volkes von wichtigster Bedeutung für die Produktivität der Volkswirtschaft sein kann, oder umgekehrt z. B. der produktive Kredit, der zum Erwerb eines Bergwerkes aufgenommen wird, doch in ökonomischer Beziehung unproduktiv sein kann, wenn das Bergwerk wirtschaftlich unzweckmäßig oder unrentabel bewirtschaftet wird.

3. Personal- und Realkredit.

Nach der Sicherheitsstellung, welche der Kreditnehmer dem Kreditgeber für die Rückgabe des Darlehens leistet, unterscheidet man Personal- und Realkredit. Beim Realkredit stellt der Schuldner

.durch eine Verpfändung von Vermögensobjekten die Rückleistung sicher, beim Personalkredit fehlt eine solche reale Sicherstellung. Der Realkredit kann entweder Lombardkredit sein, wenn das Pfand in einer beweglichen Sache besteht (z. B. Waren, Wertpapiere) oder Hypothekarkredit, wenn das Pfandobjekt ein Grundstück oder Haus ist.

4. Gedeckter und ungedeckter Kredit.

Auch der Personalkredit kann gedeckter Kredit sein, wenn auch nicht wie der Realkredit durch ein Pfandobjekt; z. B. kann der Personalkredit durch die Bürgschaft eines Dritten gedeckt sein. Ungedeckter Personalkredit oder sog. Blankokredit liegt vor, wenn z. B. eine Bank einem Kunden einen Kontokorrentkredit einräumt, ohne daß ein Guthaben vorhanden ist.

5. Terminierter und unterminierter Kredit.

Beim terminierten Kredit wird bei Abschluß des Kreditgeschäftes ein Termin für die Rückzahlung festgesetzt, beim unterminierten Kredit fehlt eine solche Abmachung. ·

6. Kurzfristiger und langfristiger Kredit.

Hat die Rückzahlung des Kredits in kurzer Frist zu erfolgen, so spricht man von kurzfristigem, ist die Rückzahlung erst nach längerer Zeitdauer festgesetzt, spricht man von langfristigem Kredit. Der im Handels- und Geschäftsverkehr übliche Dreimonatskredit ist kurzfristiger Kredit, als langfristiger wird der über diesen Zeitraum hinausgehende Kredit bezeichnet, z. B. der Betriebskredit bei der Landwirtschaft, der üblicherweise Sechs-, Neun- und Zwölfmonatskredit ist. Der Wechselkredit der Deutschen Reichsbank ist ein kurzfristiger, d. h. Dreimonatskredit. Da die Landwirtschaft in der Hauptsache auf langfristigen Kredit angewiesen ist, erklärt es sich, warum der Reichsbankkredit der Landwirtschaft nicht in dem Maße zur Verfügung gestellt werden kann, wie der Industrie und dem Handel.

7. Kündbarer und unkündbarer Kredit.

Wenn auch für den unterminierten Kredit keine bestimmte Ablaufsfrist festgesetzt ist, so ist dieser Kredit doch keineswegs auf ewige Dauer berechnet. Die Beendigung des Kreditgeschäftes soll aber von der Willensentschließung der Kontrahenten abhängen. Aller Kredit ist kündbar. — Der sog. unkündbare Kredit ist derjenige, bei welchem die Kündigung einer der beiden Parteien oder beiden für eine bestimmte Zeit versagt sein soll. Die meisten Staatsanleihen der neueren Zeit sind unkündbar von seiten der Gläubiger und kündbar von seiten des Staates. Ebenso ist der Immobiliarkredit unkündbar, den die Preußischen Landschaften den Grundbesitzern gewähren; während die Grundbesitzer selbst als Schuldner mit der statuarischen Kündigungsfrist jederzeit kündigen können, kann von der Landschaft das Darlehen nur aus bestimmten Gründen, z. B. wegen Devastation, gekündigt werden. Ebenso ist der Kredit von seiten der Besitzer der Landschaftspfandbriefe unkündbar.

8. Amortisabler und nichtamortisabler Kredit.

Muß das Darlehen nicht nur verzinst und zurückgezahlt, sondern auch regelmäßig getilgt werden, so liegt amortisabler Kredit vor. In der Regel ist der Kredit nicht tilgungspflichtig. Bei dem zuletzt erwähnten Kredit der Preußischen Landschaften ist eine Tilgungspflicht vorgeschrieben, und zwar verlangen die neueren Landschaften allgemein ½—¾% Amortisation. Früher war die Amortisationspflicht ganz allgemein beim Hypothekarkredit; erst etwa seit der zweiten Hälfte des 18. Jahrhunderts ist sie fortgefallen.

9. Aktive und passive Kreditgeschäfte.

Aktive Kreditgeschäfte sind diejenigen, bei denen die betreffenden Kreditinstitute Kredit erteilen, also wobei sie Kreditgeber sind; die passiven diejenigen, wobei sie selbst Kredit aufnehmen. Zu den Aktivgeschäften der Kreditbanken gehört z. B. die Kreditgewährung im Lombardgeschäft; zu den Passivgeschäften die Kreditaufnahme im Depositengeschäft, wobei das Depositum zur freien Verfügung der Kreditbank steht.

10. Öffentlicher Kredit und privater Kredit.

Unter öffentlichem Kredit versteht man den Kredit, der von öffentlich-rechtlichen Körperschaften erteilt oder genommen wird; unter privatem Kredit denjenigen, den private Personen oder Erwerbsgesellschaften geben oder nehmen.

§ 81. Die volkswirtschaftlichen Wirkungen des Kredits.

Mit dem Wesen des Kredits hängen die volkswirtschaftlichen Wirkungen zusammen, die vom Kreditverkehr ausgehen. Wir haben das Wesen des Kredits in der Zeitdifferenz zwischen Hingabe und Rückgabe einer Leistung erkannt. Darum ist die hauptsächliche Wirkung des Kredits die Förderung der Wirtschaftsführung und speziell der Produktion durch Hinwegräumung gewisser zeitlicher Schranken. — Wenn wir jetzt die volkswirtschaftlichen Wirkungen des Kredits im einzelnen betrachten, so handelt es sich hier nur um diese Wirkungen innerhalb des kapitalistischen Wirtschaftssystems, nicht um die Wirkungen des Kredits in früheren und älteren Wirtschaftsepochen.

Die Wirkungen des Kredits können sich immer nur so äußern, daß durch den Kredit bestimmte Folgeerscheinungen der kapitalistischen Wirtschaft verstärkt oder abgeschwächt werden. Es ist irreführend, wie es so oft geschieht, von den „wundervollen" Wirkungen des Kredits zu sprechen, wenn man tatsächlich den technischen und wirtschaftlichen Fortschritt im kapitalistischen Zeitalter meint, und ebenso irreführend von den „verheerenden" Wirkungen des Kredits zu sprechen, wenn man etwa an die Krisen des 19. Jahrhunderts und die Konjunkturschwankungen des 20. Jahrhunderts denkt. Es ist direkt falsch, hier den Kredit verantwortlich zu machen, statt, wie es richtig wäre, zu sagen, daß die Tendenzen der kapitalistischen Wirtschaftsform, die zu solchen Erschütterungen führen, durch den Kredit eine Verstärkung erfahren.

Als die wichtigsten Wirkungen, die von der Kreditseite her ausgehen, hebe ich die folgenden hervor:

1. Die Vergrößerung der produktiven Wirkungskraft des Kapitals.

Wir haben im Abschnitt über die kapitalistische Produktionsweise gesehen, daß ihr Wesen darin besteht, daß mit Unterstützung eines bereits vorhandenen Gütervorrates bzw. mit Hilfe eines Erwerbsvermögens (Kapital) produziert wird, und haben dargelegt, welche Vorzüge diese Wirtschaftsform gegenüber der vorkapitalistischen Wirtschaft hat. Die Wirkung des Kredits zeigt sich darin, daß auch solche Personen diese kapitalistische Produktionsweise durchführen und sich in ihr als Unternehmer betätigen können, die nicht durch eigene Arbeit oder Ersparnisse in den Besitz des dazu nötigen Kapitals gelangt sind. Indem diesen Personen eine bestimmte Geldsumme zeitweise zur Benutzung überlassen wird, können sie die kapitalistischen Produktionsumwege einschlagen, können sie aller Vorteile der wirtschaftlichen Durchführung eines Betriebes teilhaftig werden, auch wenn sie nur über persönliche Tüchtigkeit und Arbeitskraft verfügen, nicht aber über Kapitalbesitz. Tüchtige Landwirte, Techniker, Ingenieure, Kaufleute usw. können in viel ergiebigerer Weise an der Förderung des Wirtschaftslebens mitarbeiten, wenn sie durch fremdes Kapital unterstützt, ihre Arbeitskraft betätigen, als wenn sie nur exekutiv tätig wären oder warten müßten, bis sie durch eigene Arbeit und Ersparung die nötigen Kapitalien erworben haben. Indem der Kredit die Möglichkeit zur Anwendung kapitalistischer Produktionsmethoden auch solchen Personen gibt, die aus Mangel an persönlichem Kapitalbesitz dazu nicht imstande wären, vermehrt er die produktiven Wirkungen des Kapitalbesitzes durch K a p i t a l v e r s c h i e b u n g. Man muß hierbei nicht nur an die Vorgänge in der Sphäre des industriellen und gewerblichen Lebens denken, auch andere Zweige des Wirtschaftslebens kommen in Betracht. Wenn einem tüchtigen Geschäftsmann durch den Kredit Mittel zur Errichtung eines Warengeschäfts gegeben werden oder einem tüchtigen Pächter die Mittel zur Übernahme einer landwirtschaftlichen Pachtung, so handelt es sich auch hier um denselben Vorgang: die Kapitalmittel, die einem Wirtschaftssubjekt gegen die versprochene spätere Rückleistung zur Verfügung gestellt werden, können bei geschickter wirtschaftlicher Verwendung dieser Mittel wirksamer und ertragreicher angewandt werden, als wenn sie im Besitz von Personen geblieben wären, die diese Mittel nur als kleine Sparguthaben thesauriert oder konsumtiv verwendet hätten.

Je mehr die Möglichkeit gegeben wird, die zahlreichen Menschen, die über gewisse Sparmittel verfügen, in dieser Weise zur produktiven Verwendung der Spargelder anzureizen, ohne selbst produktiv tätig zu sein, um so größer können die Wirkungen des Kredits werden. Hierin liegt die große Bedeutung aller wirtschaftlichen Gebilde, die quasi als Sammelbecken vieler zersplitterter kleinerer Sparkapitalien diese Summen konzentrieren und in den Dienst großer wirtschaftlicher Unternehmungen stellen können, z. B. die Aktiengesellschaften mit ihren vielen Tausenden Aktionären, d. h. Kreditgebern, oder die Preußischen Landschaften, die durch die von ihnen ausgegebenen Pfandbriefe viele Menschen veranlassen, ihre Ersparnisse in dieser Form zinsbar anzulegen und dadurch der Landwirtschaft den Landschaftskredit zugänglich machen.

2. Die Menge des für den Wirtschaftsverkehr benötigten baren Geldes bzw. Metallgeldes wird durch die Schaffung von Kreditzahlungsmitteln bedeutend eingeschränkt.

Von besonderer Bedeutung ist der Kredit für die Durchführung des Geldwesens in der kapitalistischen Wirtschaft. Ich zeigte in der Lehre vom Geld, daß die kapitalistische Wirtschaft eines Geldes zur Erledigung der Warenumsätze bedarf, welches selbst einen Wert hat, d. h. aus irgendeinem wertvollen Stoff besteht. Ich zeigte auch, warum in neuerer Zeit immer Edelmetall zu Geldzwecken gebraucht wurde. Darin besteht der zweite bedeutende Vorteil des Kredits, daß sich auf der Grundlage eines guten Währungssystems ein großer Aufbau von Kreditzahlungsmitteln errichten läßt. Hat z. B. jemand ein Guthaben bei einer Bank, so kann er vermittels Schecks darüber verfügen und mit diesen Schecks viele Zahlungen leisten, ohne bares Geld zu gebrauchen. Hat jemand für gelieferte Waren einen Dreimonatswechsel erhalten, so kann auch dieser Dreimonatswechsel zu verschiedenen Zahlungen verwendet werden. In dieser Weise kann durch Banknoten, Wechsel, Schecks, Girozahlungen und ähnliche Kreditzahlungsmittel auf einer schmalen Basis von Gold eine gewaltige Masse von Umsätzen durchgeführt werden. Wie der einzelne durch den Kredit eine Förderung seiner Produktionskraft erfahren kann, so kann auch der einzelne durch den Kredit eine Verstärkung seiner Kaufkraft insofern erfahren, als ihm die Ausübung dieser Kaufkraft bereits in einem Zeitpunkt ermöglicht wird, wann ihm noch kein bares Geld zur Verfügung steht. Der Kredit wirkt also nicht nur als Kapitalverschiebung, sondern auch als K a u f k r a f t v e r s c h i e b u n g.

3. Der Kredit kann zu größerer Stabilität der Preisbildung führen.

Ich verweise auf das, was ich über diesen Punkt bereits in der Preislehre gesagt habe. Durch Benutzung des Kredits können Produzenten und Kaufleute erreichen, daß sie ihre Waren nicht in Zeiten ungünstiger Konjunktur zu gedrückten Preisen abstoßen müssen, sondern günstigere Marktverhältnisse abwarten können. Hierin liegt die Bedeutung der Warrants (Lagerscheine), der Kornhausgenossenschaften usw.

4. Der Kredit wird in den Dienst der wirtschaftlichen Vorsorge für die Zukunft gestellt.

Vor allem kommt hier die Lebensversicherung in Betracht. Die Prämienzahlungen der Versicherten bedeuten eine Kreditgewährung an die Versicherungsgesellschaften. Dafür erhalten die Versicherten die Gewähr, beim Eintritt bestimmter, im voraus nicht zu übersehender Ereignisse eine finanzielle Sicherheit zu haben.

5. Neben den volkswirtschaftlich günstigen Wirkungen des Kredits dürfen die Gefahren und Mißstände, die durch Überspannung oder wirtschaftlich verfehlte Anwendung des Kredits entstehen, nicht übersehen werden.

Ich habe auf die mit dem Kredit zusammenhängenden Übelstände und Gefahren bereits in der Lehre von der Produktion und in der Lehre vom Geld hingewiesen. Die ganze Papiergeldwirtschaft mit allen ihren volkswirtschaftlich verhängnisvollen Folgen ist nichts anderes als eine mißbräuchliche, wenn auch in Notzeiten schwer vermeidbare Ausnützung des Staatskredits zur Geldschöpfung. Im Abschnitt über die Krisen zeigte ich, wieviele Spezial- und Teilkrisen aufs engste mit dem Kredit zusammenhängen, und zwar besonders die Spekulations- und Börsenkrisen (Bd. II, S. 305). Durch den Kredit wird das Entstehen einer Spekulationskrisis in bedeutendem Maße gefördert, weil die Spekulanten durch das ihnen kreditierte Kapital weit über den Umfang des eigenen Kapitals hinaus spekulative Geschäfte betreiben können. Kreditvorgänge sind auch mitbestimmende Faktoren bei den Krisen e i n z e l n e r E r w e r b s z w e i g e. Dies war z. B. bei der Agrarkrise der 80er und 90er Jahre des vorigen Jahrhunderts in Deutschland der Fall. Der Umstand, daß der Großgrundbesitz von dieser Krise in besonders starkem Maße in Mitleidenschaft gezogen wurde, hatte seine Ursache in der Überlastung der Großgrundbesitzer mit Besitzschulden. Wenn hier eine durch übermäßigen Kreditgebrauch verursachte S c h u l d n o t des Grundbesitzes vorliegt, so spricht man von K r e d i t n o t des Grundbesitzes, wenn der landwirtschaftliche Kredit in volkswirtschaftlich unzweckmäßigen Formen aufgenommen wird. Dies war namentlich in bäuerlichen Kreisen in großem Maße der Fall, als die Raiffeisenkassen und andere Kreditorganisationen noch nicht genügend verbreitet waren und daher der bäuerliche Kredit oft bei privaten Geschäftsleuten zu Wucherzinsen aufgenommen wurde. Wie die schwere Notlage, in der sich das Handwerk in den letzten Jahrzehnten befindet, nicht nur aus dem Konkurrenzkampf mit dem Großbetrieb zu erklären ist, sondern auch durch die Anwendung sehr unzweckmäßiger Kreditformen, z. B. Aufnahme von Wechselkredit seitens der Handwerker einerseits, Borgkredit an die Kunden anderseits, hat S c h ö n i t z in seinem Buche über den kleingewerblichen Kredit nachgewiesen[1]).

Die immer feinere Ausbildung des Kreditsystems und die vergrößerten Garantien, die dem Gläubiger durch die rechtliche Ausbildung des Kreditsystems gegeben worden sind, haben ebenfalls manche volkswirtschaftlich bedenkliche Folgen gezeigt. Dies hat sich z. B. auf dem Gebiete des Immobiliarkredits erwiesen, wo die erleichterte und verbesserte Form, Hypothekarkredit zu erhalten, und zwar Dauerkredit ohne Tilgungszwang und die Garantien, die der Kreditgeber in den Grundstücken hatte, dahin führten, daß der Kreis der Kauflustigen auf dem Grundstücks- und Häusermarkt sich oft über das wirtschaftlich berechtigte Maß erweiterte und zu einer Preissteigerung des Haus- und Grundbesitzes führte, die in den wirtschaftlichen Ertragsverhältnissen nicht gerechtfertigt war. W e y e r m a n n hat auf diese Wirkungen des Dauerkredits, den Preis der Immobilien in ungesunder Weise zu steigern, in eingehender theoretischer und historischer Beweisführung hingewiesen[2]). Er

---

[1]) Der kleingewerbliche Kredit in Deutschland. Karlsruhe 1912.
[2]) Zur Geschichte des Immobiliarkreditwesens in Preußen mit besonderer Nutzanwendung auf die Theorie der Bodenverschuldung. Karlsruhe 1910, besonders S. 212 ff.

zeigt, daß durch die Möglichkeit, auch ohne genügende Mittel zur
Zahlung des Kaufpreises auf dem Wege des Kredits Grundstücke
oder Häuser zu kaufen, der Kreis der Kauffähigen für dieses oder
jenes Grundstück entsprechend weiter gezogen wird und daß dann
die Preiswirkung der vermehrten Nachfrage bei natürlich beschränktem Angebot nicht ausbleiben kann. „Der Immobiliarkredit wurde
zu einem Dauerkredit ohne Bedürfnis einer Tilgung und als weitere
Folge wurden die Preise der Immobilien ohne die Meliorierung oder
sonstige Wertvermehrung erheblich gesteigert[1]." Diese Bodenpreissteigerung reizte wiederum zu starkem Besitzwechsel an: „Das
Hauptübel liegt in dem mit der Bodenpreissteigerung Hand in Hand
gehenden starken B e s i t z w e c h s e l , d. i. der eben besprochenen Loslösung des Kredit- bzw. Preisprofits vom Boden selbst und
seinen Bewirtschaftern. Jeder Liegenschaftsverkauf zu erhöhtem
Preise ohne entsprechend erhöhten Ertrag schafft, wie v. K e s s e l
schon 1836 treffend bemerkte, einen w o h l h a b e n d e r e n K a -
p i t a l i s t e n u n d e i n e n ä r m e r e n G r u n d b e s i t z e r[2]."

---

[1] W e y e r m a n n , a. a. O., S. 217.
[2] Ebenda, S. 226.

17. Kapitel.

Einige theoretische Grundprobleme des Kreditwesens.

Die von mir vertretene Definition des Kredits ist in der Literatur lebhaft umstritten. Viele Nationalökonomen zeigen durch ihre Definition des Kredits, daß sie über das Wesen und die wirtschaftliche Bedeutung des Kredits eine von der in diesem Werke vertretenen Anschauung abweichende Auffassung haben. Besonders in neuerer und neuester Zeit sind eine Anzahl Kredittheorien hervorgetreten, die teilweise in Anlehnung an ältere kredittheoretische Lehrmeinungen in prinzipieller Hinsicht zu kritischen Diskussionen Anlaß gegeben haben. Ich will in diesem Kapitel zu einigen der wichtigsten dieser Kredittheorien Stellung nehmen.

§ 82. Die Kreditwirtschaft als eine Stufe der wirtschaftlichen Entwicklung.

Im Jahre 1848 erschien das ideenreiche Werk von B r u n o H i l d e b r a n d , „Die Nationalökonomie der Gegenwart und Zukunft"; dort war ein Gedanke kurz angedeutet, den H i l d e - b r a n d im Jahre 1864 in der Abhandlung „Natural-, Geld- und Kreditwirtschaft"[1]) näher ausgeführt hat. In kurzer Zusammenfassung ist der Gedankengang H i l d e b r a n d s folgender: Nicht nur das Leben der einzelnen Völker, sondern auch die Wirtschaft der ganzen Menschheit nehme einen gesetzlichen Verlauf zu immer höherer Vervollkommnung. Diese gesetzliche Entwicklung zu immer höherer Kultur bringt H. auf die Formel, daß drei Wirtschaftsformen aufeinanderfolgen, nämlich: die Natural-, die Geld- und die Kreditwirtschaft. Die zwei ersten Wirtschaftsformen gehörten der Vergangenheit und der Gegenwart an, die Kreditwirtschaft sei die Wirtschaftsform der nächsten Zukunft und werde die Geldwirtschaft ebenso ablösen, wie diese die Naturalwirtschaft überwunden habe. Die Kreditwirtschaft sei nicht nur die Wirtschaftsform der Zukunft, sie sei zugleich das wirksamste H e i l m i t t e l g e g e n d i e s o z i a l e n S c h ä d e n d e r G e g e n w a r t .

Die von H i l d e b r a n d aufgestellte Stufenfolge muß abgelehnt werden, ebenso wie die seiner Abhandlung zugrunde liegende Auffassung, die dem Kredit eine viel größere Rolle in der Volkswirtschaft zuerkennt, als ihm tatsächlich zukommt. Da diese hier von H. vertretene Auffassung in manchen neueren Kreditlehren

---

[1]) Jahrbücher für Nationalökonomie und Statistik. 2. Band. Jena 1864.

deutscher und ausländischer Autoren in modifizierter und teilweise verstärkter Form wieder auftritt, ist es notwendig, auf die hier vorliegenden Irrtümer hinzuweisen.

1. Die Auffassung, daß die Kreditwirtschaft ebenso auf die Geldwirtschaft folge, wie diese auf die Naturalwirtschaft gefolgt sei, ist irrig, weil der Kreditverkehr auch schon auf der Stufe der Naturalwirtschaft vorkommt. Kreditvorgänge sind überall sowohl in der Naturalwirtschaft wie in der Geldwirtschaft vorhanden, wenn ein Gütertausch nicht in bar, sondern mit zeitlicher Differenz abgewickelt wird. Die in der Naturalwirtschaft sehr weit verbreiteten Kreditgeschäfte in Naturalform, die Früchtedarlehen und besonders das Getreidedarlehen zeigen, daß kreditwirtschaftliche Geschäfte auch beim naturalwirtschaftlichen Verkehr möglich sind. Nur soviel kann zugegeben werden, daß auf der Stufe der Geldwirtschaft der Kredit bedeutend an Ausdehnung gewonnen hat, daß sich immer verfeinerte Methoden der kreditmäßigen Zahlungsmittel ausgebildet haben. Aber — und das ist gerade das Entscheidende —, diese verfeinerte Ausbildung des Kreditwesens vollzieht sich auf der Basis des Geldverkehrs, kann vom Geldverkehr nicht getrennt werden, daher kann auch nicht die Rede davon sein, daß etwa einmal die Kreditwirtschaft die Geldwirtschaft ablösen könnte, weil auch eine noch so fein ausgebildete Kreditwirtschaft immer die Geldwirtschaft zur Voraussetzung hat. Solange eine kapitalistische Wirtschaft existiert, ist auch Geld- und Kreditwirtschaft unlöslich mit ihr verbunden. Erst wenn einmal die kapitalistische Wirtschaft einer anderen Wirtschaftsform Platz gemacht haben würde, müßten auch an Stelle des mit der kapitalistischen Wirtschaft eng verbundenen Geld- und Kreditverkehrs andere Formen des Güterverkehrs platzgreifen. ‑ ‑ |

2. Die H i l d e b r a n d sche Stufenfolge kann auch um deswillen nicht akzeptiert werden, weil sie das für das Wesen der Wirtschaft entscheidende Moment auf eine falsche Stelle verlegt. Entscheidend für die Struktur der Volkswirtschaft ist immer die A r t d e r P r o d u k t i o n , nicht die Form des Tauschverkehrs, denn der Tauschverkehr, also vor allem die auf dem Markt sich vollziehenden Geld- und Krediterscheinungen sind in ihrer Eigenart von der Produktionsweise abhängig. So bedarf z. B. die agrarkommunistische Produktionsweise überhaupt keines Geldes, während die kapitalistische Wirtschaft ohne Geld nicht bestehen kann. H. behauptet: „So entsteht in der Geldwirtschaft nicht nur eine Vermehrung der bestehenden, sondern auch eine vollständige Umgestaltung der vorhandenen Produktivkräfte, und damit ändert sich auch der ganze Produktionsprozeß der Völker[1].“ Gerade das Gegenteil trifft zu. Mit den Wandlungen des Produktionsprozesses ändern sich die wirtschaftlichen Formen des Marktverkehrs. Die Bezeichnungen: agrarkommunistische, feudale, zünftlerische, merkantilistische, kapitalistische Wirtschaft deuten auf die grundlegenden Unterschiede der Wirtschaftsformen hin, während die Gestaltung des Geld- und Kreditwesens nur eine sekundäre und untergeordnete Rolle spielt.

3. Wegen dieser sekundären Rolle, die Geld und Kredit im

---

[1] a. a. O., S. 16/17.

Rahmen des Wirtschaftslebens spielen, ist es auch irrig, sowohl die Vorzüge als die Nachteile der einzelnen Wirtschaftsepochen der Durchführung des Geld- und Kreditwesens zuzuschreiben. Das allgemeine Los der Völker auf der nationalökonomischen Entwicklungsstufe der Naturalwirtschaft — meint H i l d e b r a n d — sei notwendig Armut und Elend gewesen; erst die Geldwirtschaft hätte diesen Notstand allmählich aufgehoben: „An die Stelle der Armut tritt Wohlstand[1]).“ Aber die Geldwirtschaft hätte immer noch eine Lücke in dieser Fortschrittsentwicklung gelassen, ein neues geldwirtschaftliches Elend sei entstanden, und zwar deshalb, weil die Geldwirtschaft zu einer Suprematie der Kapitalbesitzer und zu einer Unterdrückung der Schwächeren, des Proletariats geführt habe. Der dritten Wirtschaftsform, der Kreditwirtschaft, käme die Aufgabe zu, diese Kluft zwischen Eigentümern und Nichteigentümern zu schließen. Der moralische Wert des Menschen erlange dann die Kraft des Kapitals und mit der endgültigen Herrschaft der Kreditwirtschaft sei zugleich das Heilmittel gegen alle sozialen Schäden gefunden.

In diesen Betrachtungen über die Zusammenhänge zwischen den Wirtschaftsformen und den sozialen Zuständen wird wiederum das eigentliche entscheidende Moment verkannt. Alles Wirtschaftsleben ist immer ein Kampf mit der Knappheit der Natur gegenüber den Bedürfnissen der Menschen, und dieser Kampf wird immer, wenn auch in verschiedenen Formen, in jeder denkbaren gesellschaftlichen Organisation des Wirtschaftslebens vorhanden sein. Soweit aber in diesem Kampf ums Dasein die g e - s e l l s c h a f t l i c h e   W i r t s c h a f t s f o r m eine Rolle spielt, ist niemals das Geld- und Kreditwesen das entscheidende Moment, sondern die E i g e n t u m s f o r m. Was also H. über Not und Elend, Reichtum und Fortschritt sagt, hängt letztlich, so weit überhaupt hierfür die Organisation der Wirtschaft verantwortlich gemacht werden kann, mit den Eigentumsformen zusammen. Die Kluft zwischen Eigentümer und Nichteigentümer kann nicht geschlossen werden, solange das Privateigentum an den Produktionsmitteln besteht, auch wenn noch so verfeinerte Kreditinstitutionen geschaffen werden. Es ist eine reine Utopie, anzunehmen, daß der Kredit der Zauberstab sein soll, der die Menschheit aus allen sozialen Nöten befreien soll; merkwürdig nur, daß diese Utopie jetzt nach 80 Jahren wiederum, wie ich später zeigen werde, in verschiedener Form neu in die Erscheinung tritt.

§ 83. Der Kredit und das Moment des „Vertrauens".

In meiner Definition des Kredits habe ich das Moment des Vertrauens nicht aufgenommen, das in den meisten Kreditdefinitionen in den Mittelpunkt gestellt wird. Um nur einige Zitate von bekannten Kreditschriftstellern zu erwähnen: so erklärt z. B. der zuletzt erwähnte H i l d e b r a n d: „Kredit ist das Vertrauen in die Erfüllung eines gegebenen Versprechens und zugleich die Summe von Eigenschaften, welche dieses Vertrauen begründeten[2]).“ Schon vorher hatte T h o r n t o n den Handelskredit als dasjenige V e r -

---

[1]) Ebenda, S. 12.
[2]) a. a. O., S. 19.

t r a u e n bezeichnet, welches zwischen Kaufleuten in Ansehung
ihrer kaufmännischen Geschäfte stattfindet[1]). J a k o b bezeichnet
Kredit als die Eigenschaft, wodurch jemand das Vertrauen erweckt,
daß er seine Zahlungsverbindlichkeiten erfüllen werde, oder als die
Meinung, daß er seine Verbindlichkeiten erfüllen wolle und könne[2]).
N e b e n i n s definiert den Kredit als das Vertrauen, welches man
in die Wirksamkeit eines Versprechens setzt, wodurch eine Person
gegen empfangene Werte zu künftiger Leistung von Gegenwerten
sich verpflichtet[3]). G u s t a v C o h n nennt den Kredit eine Stimmung und eine Eigenschaft der Menschen in ihren wirtschaftlichen
Beziehungen und bezeichnet ihn als das Vertrauen in die Zahlungsfähigkeit eines andern, auch als jenes besondere Vertrauen, welches
der Pünktlichkeit in der Erfüllung von Zahlungsverbindlichkeiten
entgegengebracht wird[4]). K o m o r z y n s k i gibt in seinem Werke
über Kredit noch eine große Menge weiterer Zitate dieser Art[5]).

Auch von juristischer Seite wird diese Auffassung vertreten.

So erwähnt O e r t m a n n[6]) die Definition von T h ö l (Handelsrecht, § 100): Kredit ist „das Vertrauen, daß ein Versprechen erfüllt werde".

In neuester Zeit findet sich die Lehre, daß Kredit mit Vertrauen identisch sei, namentlich bei H a h n. Er sagt über die
volkswirtschaftliche Funktion der Banken folgendes: „Sie (die
Banken) vermitteln gleichsam dem Schuldner das ihm fehlende allgemeine Vertrauen, sie sind deshalb nach unserer Auffassung nichts
weiter als Kreditvermittlerinnen in des Wortes wörtlicher Bedeutung
von Vermittlerinnen des Vertrauens[7])."

Ich möchte allgemein gegen die Heranziehung des Ver-
trauensmomentes als des wesentlichen Kriteriums des Kredits
folgendes bemerken: alle Kreditdefinitionen, die in dieser Weise
das Vertrauensmoment heranziehen, übersehen, daß das Vertrauen
eine psychologische Begleiterscheinung des ganzen Wirtschaftslebens
ist. Jedes wirtschaftliche Rechtsgeschäft muß auf Vertrauen basieren,
das Kaufgeschäft darauf, daß die Ware gute Qualität hat, daß die
Ware pünktlich geliefert wird usw., das Kreditgeschäft darauf,
daß der Schuldner den Kredit zurückzahlt; aber dieses Vertrauensmoment spielt im Kreditverkehr eine kleinere Rolle als
sonst im Wirtschaftsverkehr, denn in der weitaus überwiegenden
Zahl aller Kreditgeschäfte ist ein besonderes Vertrauen seitens
des Gläubigers gar nicht notwendig, weil der Kreditnehmer irgendein Pfand seinem Gläubiger einräumen muß. Der sog. ungedeckte
Kredit spielt eine geringfügige Rolle gegenüber dem gedeckten Kredit.
Es gibt auch zahlreiche Kreditvorgänge, bei denen das Vertrauen
gar keine Rolle spielen k a n n, weil der Kredit erzwungen wird. Dahin
gehört z. B. der Fall der staatlichen Zwangsanleihe und auch der
staatlichen Papiergeldemission. Hier wird von seiten des Staates ein

---

[1]) Inquiry into the nature and effects of Papercredit in Great Britain. Übersetzung von J a k o b 1803, S. 1.
[2]) Grundsätze der Nationalökonomie. 3. Aufl. 1814. S. 272.
[3]) Der öffentliche Kredit. 2. Aufl. 1829, S. 1.
[4]) Grundlegung der Nationalökonomie. 1885, S. 551.
[5]) Die nationalökonomische Lehre vom Kredit. 1903, S. 46—50.
[6]) Handwörterbuch der Staatswissenschaften. 3. Aufl. 6. Bd., S. 232.
[7]) Volkswirtschaftliche Theorie des Bankkredits. Tübingen 1920. S. 51.

Kredit aufgenommen, trotzdem vielleicht die Kreditgeber das größte Mißtrauen haben, ob jemals der Kredit zurückgezahlt wird.

Bei der Frage, ob zum Wesen des Kredits das Vertrauensmoment gehöre, handelt es sich keineswegs um eine reine Begriffsspalterei oder um eine terminologische Angelegenheit der Gelehrten. Die Art dieser Definition kann auch von größter Wichtigkeit für rechtliche Entscheidungen sein. Dies möchte ich an einem Beispiel aus dem Gebiet des Genossenschaftskredits nachweisen. Durch den § 49 des Genossenschaftsgesetzes ist bestimmt, daß Aufsichtsrat und Generalversammlung den Gesamtbetrag der von der Genossenschaft zu bewilligenden Kredite festzusetzen haben. Die Frage, welche Geschäfte zu den Kreditgeschäften zu rechnen sind, ist daher für die Durchführung dieser Bestimmung wichtig. Ferner kann auch diese theoretische Erwägung praktische Bedeutung gewinnen, da im Genossenschaftsgesetz die Bestimmung besteht, daß Kreditgewährung an Nichtmitglieder überhaupt nicht zulässig ist. Zu praktischen Streitigkeiten führte dies, als die Frage erwogen wurde, ob das Wechseldiskontgeschäft die Krediteigenschaft habe. Je nachdem ob das Wechseldiskontgeschäft als Kreditgeschäft anzusehen ist oder nicht, kann der Tätigkeitskreis der Genossenschaft sehr eng begrenzt bzw. sehr erweitert werden. Auch für den Kreditverkehr der Genossenschaften mit den einzelnen Genossen ist der Entscheid von großer praktischer Bedeutung, sowohl für die Genossenschaft als auch für den Genossen, denn davon hängt es ab, ob das Diskontieren von Geschäftswechseln in die Höchstkreditlisten der einzelnen Genossen aufgenommen werden muß oder nicht[1]). In der Stellungnahme zu dieser Frage pro et contra wurde von der einen Seite die Erklärung, daß Kredit gleich Vertrauen sei, als Hauptargument für die Ansicht benutzt, daß das Diskontgeschäft ein Kaufgeschäft und kein Kreditgeschäft sei. Der allgemeine Genossenschaftstag zu Gotha 1885 hatte den einstimmigen Beschluß gefaßt: „Die Diskontierung von Geschäftswechseln ist ein dem Wechseleinreicher gewährter Kredit. Die Gesuche um Diskontierung von Wechseln unterliegen deshalb wie jedes andere Kreditgesuch den Vorschriften des Statuts über Kreditgewährung." Jetzt entspann sich ein Kampf in der Genossenschaftspresse für und wider diesen Beschluß. Die Gegner, die die Meinung vertraten, das Diskontgeschäft sei überhaupt kein Kreditgeschäft, stützten sich hierbei auf die übliche Kreditdefinition: K r e d i t s e i V e r t r a u e n , das man einem andern entgegenbringe. Hier sei aber gar kein Vertrauen nötig, denn die Sicherheit sei beim Wechselgeschäft außerordentlich hoch durch die Verbindlichkeit der Giranten und des Ausstellenden und ferner durch das juristische Institut der Wechselstrenge. Ähnliche Streitigkeiten haben sich ergeben bei der Frage, ob Lombardgeschäfte Kreditgeschäfte seien, weil ja auch hierbei ein eigentliches Vertrauen nicht notwendig wäre, wegen der Sicherstellung des Gläubigers durch das Pfand. Auch das Reichsgericht hatte im August 1907 zu dieser Frage Stellung genommen. Das Urteil lautet: „Die Diskontierung eines Wechsels stellt sich der Regel nach rechtlich als K a u f des Wechsels dar, wenn auch wirtschaftlich durch die Diskontierung wie durch ein Darlehen die Beschaffuug von Geld

---

[1]) Vgl. S c h ö n i t z , a. a. O., S. 15.

mitteln erreicht werden kann. Wird die Diskontierung zur Ver-
schleierung eines Darlehens benutzt, oder mit einem Darlehen zur
Sicherheit des Darlehensgläubigers verbunden, so liegt in ersterem
Falle überhaupt kein Wechsel k a u f , sondern lediglich ein Dar-
lehen, in letzterem Falle neben dem Wechselkauf ein Darlehen vor.
Der Wechselinhaber, der sich z. B., um den dem Wechselanspruch
entgegenstehenden Verjährungseinwand zu erheben, auf ein solches
Darlehen beruft, ist jedoch hierfür beweispflichtig[1]).‟

　　Meiner Ansicht nach ist die ganze Frage einfacher und eindeutiger zu entscheiden. Volkswirtschaftlich betrachtet stellt jedes
Wechseldiskontgeschäft ein Kreditgeschäft dar, denn auch bei dem
besten und feinsten Wechsel, wo die denkbar größte Sicherheit gegeben ist, liegt der Umstand vor, den ich als essentiell für das Kreditgeschäft hervorgehoben habe, daß zwischen Leistung und Gegenleistung
eine zeitliche Differenz liegt. Durchaus richtig bemerkt S c h ö -
n i t z : „Theoretisch betrachtet bleibt seinem ö k o n o m i s c h e n
Wesen nach jedes Wechseldiskontgeschäft, also auch das Privat-
diskontgeschäft, ein Kreditgeschäft, genau so wie die Banknotenausgabe ein Kreditvorgang ist und bleibt, auch wenn die wenigsten,
die Banknoten von der Reichsbank erhalten, wissen, daß in diesem
Augenblick Kreditbeziehungen entstehen, und auch wenn die wenigen,
die es wissen, daß hier eigentlich ein Kreditvorgang vorliegt, ihn
doch nicht als solchen auffassen, da ja die Reichsbank ‚sicher wie
Gold‘ sei[2]) !‟

§ 84. Die Entgeltlichkeit als Wesensmoment des Kredits.

　　In meiner Definition des Kredits ist die Entgeltlichkeit als
Wesensmoment aufgenommen. Dies wird mit dem Hinweis auf den
unentgeltlichen Kredit bestritten: da es auch unentgeltlichen Kredit
gebe, bilde die Entgeltlichkeit kein für die Begriffsbestimmung
wesentliches Moment. So erklärt der Jurist O e r t m a n n : „Endlich macht es nichts aus, ob der Kreditgeber den Kredit unentgeltlich oder entgeltlich gewährt. . . So häufig die Kreditentlohnung
im Leben vorkommen mag, von selbst versteht sie sich nicht. Es
bedarf vielmehr dazu in der Regel einer besonderen Vereinbarung[3]).‟
Das BGB. bestimmt das Wesen des Darlehensvertrages § 607 dahin: „Wer Geld oder andere vertretbare Sachen als Darlehen
empfangen hat, ist verpflichtet, dem Darleiher das Empfangene in
Sachen von gleicher Art, Güte und Menge zurückzuerstatten.‟ Und
ausdrücklich ist im § 608 als besonderer Fall erwähnt, daß für ein
Darlehen Zinsen bedungen werden: „Sind für ein Darlehen Zinsen
bedungen, so sind sie, sofern nicht ein anderes bestimmt ist, nach
dem Ablauf je eines Jahres, und, wenn das Darlehen vor dem Ablauf eines Jahres zurückzuerstatten ist, bei der Rückerstattung zu
entrichten.‟ Der Jurist muß natürlich auch ein Darlehen, wenn es
zinslos gegeben wird, unter die Darlehensgeschäfte rechnen; der
Nationalökonom muß aber dem zinslosen Darlehen den wirtschaftlichen Kreditcharakter absprechen, weil es sich wirtschaftlich in
diesem Fall um eine Schenkung handelt.

---

[1]) S c h ö n i t z , a. a. O., S. 16/17.
[2]) Ebenda, S. 18.
[3]) a. a. O., S. 234.

Im einzelnen ist zu der Frage folgendes noch zu bemerken:

a) Als Beispiel des unentgeltlichen Kredits weist man im Gebiete des öffentlichen Kredits auf die „unverzinslichen" Schatzscheine hin. Diese Schatzscheine sind de facto nicht unverzinslich; sie werden wie Wechsel gleich gegen Abzug des Diskont verkauft. Man könnte auch das Staatspapiergeld als unentgeltlichen Kredit auffassen. Hier muß aber das einlösliche und das uneinlösliche Papiergeld getrennt werden. Beim einlöslichen Papiergeld wie etwa bei den deutschen Reichskassenscheinen vor dem Krieg war diese „schwebende Schuld" des Reiches doch nicht einfach als unentgeltlicher Kredit aufzufassen, da wegen der Einlösbarkeit der Scheine jedenfalls die eventuelle Notwendigkeit des Staates vorlag, die Scheine in bares Geld umzutauschen. Anders bei dem uneinlöslichen Staatspapiergeld, also bei dem Papiergeld im engeren Sinne. Hier liegt in der Tat eine unentgeltliche Zwangsanleihe des Staates vor, aber wirtschaftlich kann man nicht von einem Kreditvorgang sprechen insofern, weil hier eine mißbräuchliche Art der Aufnahme des Staatskredits in Form einer Geldschöpfung vorliegt. Es handelt sich hier, wie ich im Abschnitt über Papiergeld gezeigt habe, um eine Form der Besteuerung, in diesem Falle zahlt nicht der kreditnehmende Staat Zinsen, sondern die kreditgebenden Staatsbürger müssen eine harte und schwere Belastung auf sich nehmen.

b) Im privaten Kreditverkehr kommen zwar Fälle vor, wo der Kredit unentgeltlich gegeben wird. Da liegt aber, wie eben bereits erwähnt, ein Geschenk seitens des Kreditgebers vor, der auf die ihm gebührenden Zinsen verzichtet, oder etwa bei dem Fall eines Kaufes auf Borg wird in der Regel der Verkäufer den Preis der Waren entsprechend der Dauer der Kreditierung um einen entsprechenden Zuschlag erhöhen. Es fehlt allerdings in der nationalökonomischen Literatur nicht an Theorien und Plänen seitens einiger Kreditreformer, die einen unentgeltlichen Kredit für möglich halten und vermittels dieser Reform alle sozialen Übelstände heilen wollen. Aber alle diese Pläne und Ideen sind undurchführbar und stellen sich als reine Utopien dar. Als Beispiel solcher Projekte des unentgeltlichen Kredits nenne ich P r o u d h o n s Plan der Volksbank. P r o u d h o n wollte nicht nur, wie ich bereits oben zeigte, ein neues G e l d kreieren, sondern auch vermittels seiner Volksbank den Z i n s a u s d e r W e l t s c h a f f e n , da alle Mitglieder der Bank sich gegenseitig u n e n t g e l t l i c h K r e d i t gewähren sollten. Ich wies im zweiten Bande meines Werkes über P r o u d h o n nach, warum dieses Projekt vollkommen unrealisierbar ist. Ebenso utopisch ist auch der Plan von S i l v i o G e s e l l , den Zins durch sein Freigeld oder Schwundgeld zu beseitigen. Auf die theoretische Frage, ob jemals der Zins auf Null herabsinken könnte, womit ja ebenfalls die Möglichkeit eines unentgeltlichen Kredits statuiert wäre, werde ich im vierten Bande dieses Werkes, in der Lehre vom Zins, eingehen; hier genügt jedenfalls die Feststellung, daß zum Wesen des Kredits das Moment der Entgeltlichkeit gehört, und daß es sich bei allen sog. unentgeltlichen Kreditvorgängen um Verkehrsvorgänge handelt, bei denen ein eigentliches Kreditgeschäft nicht zugrunde liegt.

§ 85. Der Kredit als Überlassung von Vermögensnutzungen und Überlassung von Eigentum.

K o m o r z y n s k i stellt das Wesen des Kredits dahin fest, daß es sich um diejenige Gestaltung des privatwirtschaftlichen Verkehrs handelte, durch welche ein Vermögen in fremde Wirtschaftsführung zur Nutzung dortselbst überstellt wird[1]). Hierbei bedeutet für K o m o r z y n s k i „ein Vermögen zur Nutzung überlassen" soviel wie zur Ertragsbeschaffung überlassen, weil sich vermittels der Güternutzungen noch über den Wiederersatz der aufgebrauchten Güterwerte hinaus Erträge schaffen liessen, und diese unter dem Gesichtspunkte der Vermögensnutzung erscheinen[2]). „Die ökonomische Zuwendung an den Kreditnehmer liegt vielmehr darin, daß demselben fremdes Vermögen zur Nutzung überwiesen ist, so daß er nun über einen vergrößerten Güterbesitz verfügt und in seiner Wirtschaftsführung vermehrten Ertrag zu ziehen vermag. Sie besteht somit im temporären Ertrage des kreditierten Vermögens, d. i. in der Ertragsmehrung, welche die Kreditnehmer während der Dauer der Kreditgewährung vermittels des Güterzuwachses gewinnt, den ihm das Kreditgeschäft verschafft hat[3])."

Ich lehne diese Kreditdefinition ab, weil sie mir zu eng erscheint; denn sie könnte doch nur für den Produktivkredit zutreffen, nicht aber für den Konsumtivkredit, wobei der Verwendungszweck des Kredits gar nicht darin besteht, mit der kreditierten Summe Erträge zu erzielen. Außerdem ist sie auch unvollständig, weil gerade das für den Kredit wesentliche Moment, die Zeitdifferenz zwischen Leistung und Gegenleistung, nicht hervorgehoben wird. Es ist ferner für K o m o r z y n s k i s Kreditdefinition wesentlich, daß das E i g e n t u m an den kreditierten Gütern übertragen wird. Er sagt: „Es ist immer ein wesentliches Moment im Kredit, daß der Kreditnehmer E i g e n t ü m e r der ihm durch den Kreditvorgang zugeführten konkreten Güter wird. Er muß über dieselben volle rechtliche Verfügungsgewalt erlangen, er muß sie nach Belieben nutzen, verwenden, aufzehren und veräußern dürfen[4])."

Dieses Moment der Eigentumsübertragung wird von anderen Kredittheoretikern noch schärfer in den Vordergrund gestellt, z. B. von O e r t m a n n , der erklärt: „Kredit ist einfach die Ü b e r - oder B e l a s s u n g von Gütern zu E i g e n t u m gegen das bloße persönliche Versprechen zukünftiger Rück- oder Gegenleistung[5])." Und „somit gehört das Moment der Ü b e r t r a g u n g d e s E i g e n t u m s (oder des sonst dem Kreditierenden in dem Gute zustehenden Rechts) bzw. seine Belassung beim Kreditnehmer zum Wesen des Kredits. Jede davon absehende Erklärung würde den Begriff unzulässig verflüchtigen[6])."

Auch S c h ö n i t z gibt folgende Definition des Kredits: „Kredit ist derjenige wirtschaftliche Verkehr, durch den ein Wirtschaftssubjekt Teile seines Vermögens einem anderen Wirtschafts-

---

[1]) a. a.   ., S. 25.
[2]) a. a.   ., S. 27.
[3]) a. a.   ., S. 31.
[4]) a. a.   ., S. 29.
[5]) a. a. O., S. 235.
[6]) a. a. O., S. 232.

subjekt zur Nutzung als E i g e n t u m unter Anspruch auf künftige Gegenleistung in fungiblen Gütern (vor allem in Geld) überläßt[1]).''
Ich halte die Hereinziehung des Moments der Eigentumsübertragung für falsch. Die Folge wäre, daß eine ganze Menge Kreditgeschäfte, z. B. Leihe, Pacht, Miete nicht zu diesen gezählt werden könnten, weil hier das Eigentum gar nicht übertragen wird. Diese Konsequenz zieht auch K o m o r z y n s k i , indem er erklärt: ,,Die Übergabe eines dauerbaren Sachgutes an einen andern zur Leihe (in Pacht oder Miete) ist nicht Krediterteilung. Hierbei wird eine Zeitreihe von Nutzungen des dauerbaren Sachgutes in die Verfügungsgewalt des Entlehners (Mieters, Pächters) gegen Entgelt überlassen, also zum Abtausch gebracht[2]).'' — Diese Kreditdefinition ist in einseitiger Weise auf den praktisch allerdings sehr wichtigen Fall des Gelddarlehens zugeschnitten.. Beim Gelddarlehen wird allerdings die Geldsumme dem Kreditnehmer zu Eigentum übertragen.

§ 86. Der Kredit als Wirtschaftsgut.

Im Gegensatz zu der von mir vertretenen Auffassung, wonach unter Kredit eine rechtliche und wirtschaftliche Form des Güterverkehrs zu verstehen ist, steht die Kredittheorie, welche den Kreditbegriff versachlicht und den Kredit als ein S a c h g u t oder als wirtschaftliches Gut auffaßt. Wie man im täglichen Sprachgebrauch davon redet, daß Kredit gegeben oder genommen wird, so soll der Kredit als reales Gut betrachtet werden. Diese Theorie wird besonders von dem schottischen Nationalökonomen M a c l e o d in der zweiten Hälfte des vorigen Jahrhunderts vertreten.
Bevor ich auf diese M a c l e o d schen Theorien eingehe, will ich einiges zur Charakteristik dieses Autors, der in der Kredittheorie eine große Rolle spielt, vorausschicken: H e n r y D u n n i n g M a c l e o d , geboren 1821 in Edinburg, war Rechtsanwalt und kam im Jahre 1845 gelegentlich eines Prozesses zur Beschäftigung mit Fragen des Kredits; dann hat er sein ganzes Leben der Erforschung von Kreditproblemen gewidmet und hatte dazu auch praktischen Anlaß, da er Direktor der 1858 insolvent gewordenen Royal British Bank wurde. Er starb 1902 in London. Das Hauptwerk, worin er seine Kredittheorie ausführlich und zusammenfassend dargelegt hat, ist das zweibändige Werk: The Theory of Credit (London 1889/91, in 2. Auflage erschienen London 1897)[3]). Dieses Werk, das nicht weniger als 1140 Seiten umfaßt, legt in breiter, oft direkt seichter Geschwätzigkeit und in ewigen Wiederholungen die Grundgedanken des Autors dar. Es ist angefüllt mit zahllosen Zitaten aus allen Völker- und allen Literaturgattungen. Die res incorporales des Römischen Rechts werden ebenso zitiert wie zahlreiche Dichter und Denker aller Völker, wenn sie einmal ein Wort über Kredit gesagt haben, das irgendwie mit seiner Kredittheorie auch nur im entferntesten im Einklang stehen könnte. — Außerdem sind von seinen Werken noch zu erwähnen: The Theorie and practice of banking: with the elementary principles of currency, prices, credit and exchanges. 2 Bände in 5. Auflage erschienen 1892/93. Ferner: The

---

[1]) a. a. O., S. 9.
[2]) a. a. O.
[3]) Ich zitiere nach der zweiten Auflage.

elements of banking, London 1876 (neuste Auflage 1891) und: Lectures on credit and banking, London 1882.

Macleod hat zweifellos durch seine großen Werke über Kredit viel tatsächliches Material über die Kreditgeschäfte in den verschiedenen Ländern der Welt beigebracht. Als Kredittheoretiker hat er zwar anregend gewirkt, aber doch mit Recht viel mehr Widerspruch als Anhängerschaft gefunden. Seine Kredittheorie ist unklar und muß zu Verwirrung führen. Mit Recht sind daher seine Kredittheorien von allen hervorragenden Geld- und Kredittheoretikern der älteren Generation abgelehnt worden, so von A d. W a g n e r , K n i e s , L e x i s , B ö h m - B a w e r k , G u s t. C o h n , K o - m o r z y n s k i und vielen anderen. Auch in seinem eigenen Heimatlande hat er keine Anhänger gefunden, wie G u s t. C o h n bemerkt: „Macleod, der vor mehr als 30 Jahren mit großem Geräusch auftrat, hat wenig Eindruck auf seine Landsleute gemacht, und selbst bei Behandlung des Kredit- und Bankwesens störte die Neigung zu extravaganten Theorien[1].“ — Um so erstaunlicher ist es, daß die M a c l e o d sche Theorie, wie wir noch zeigen werden, in neuerer und neuester Zeit wieder Zustimmung in Deutschland und Amerika gefunden hat. Von hervorragenden deutschen Nationalökonomen wird sogar versucht, eine Art Ehrenrettung für M a c l e o d vorzunehmen. Ob und inwieweit dies ein Versuch mit tauglichen Mitteln ist, werde ich später noch zu prüfen haben.

M a c l e o d behauptete im Gegensatz zur herrschenden nationalökonomischen Lehre, daß der Reichtum nicht nur aus Sachgütern bestünde, sondern auch aus abstrakten Rechten. So müßten z. B. die Arbeit und der Kredit ebenso zum Reichtum gerechnet werden wie die materiellen Sachgüter; maßgebend für die Güterqualität sei immer nur die Frage, ob die betreffenden Dinge gekauft und verkauft werden können. Der Reichtum eines Grundbesitzers könne z. B. bestehen in seinem Grundstück, außerdem aber auch in seinem Kredit, und beide Arten des Eigentums könnten gekauft und verkauft werden. Die Nationalökonomie, meint M a c l e o d , sei die Wissenschaft, die von allen tauschfähigen Quantitäten handle. Zweierlei Dinge könnten den Gegenstand des Tauschverkehrs bilden:

1. materielle Dinge, wie Getreide, Grundstücke, Häuser usw.;

2. solche Dinge wie Arbeit und Kenntnisse; obgleich sie nicht greifbare Sachen seien, könnten sie doch gekauft und verkauft werden. — Zu dieser zweiten Art von Dingen gehöre auch der Kredit, der genau so gekauft und verkauft werden könne, wie andere Waren. Daher bilde der Personalkredit aller Banken, Kaufleute und Händler einen großen Teil des nationalen Wohlstandes.

Ich füge einige wörtliche Zitate von M a c l e o d hinzu, die für seine Kreditauffassung grundlegend sind:

„The economists only admitted the material products of the earth which are brought into commerce and exchanged to be wealth: and steadfastly refused to admit that labor and credit are wealth (S. VI).

Economics, then, in accordance with the concept of its founders, and to which the most advanced economists are now rapidly

---

[1] G. C o h n , Die heutige Nationalökonomie in England und Amerika. Schmollers Jahrb. 1889. S. 23.

reverting, is the science which treats of the laws which govern the relations of exchangeable quantities — or the T h e o r y o f V a - l u e — which opens up a magnificent field for inductive investigation — and which, next to civil government, is the most important thing in human affairs (S. X).

E c o n o m i c s is the science of E x c h a n g e s : or the science which treats of the scientific principles and mechanism of commerce in its widest extent and in all its forms and varieties (Chapter I, S. 1).

Hence it may be defined as the science which treats of the principles and mechanism of commerce in all its forms: it is sometimes called the theory of value: or the science of wealth: or it may be called the science which treats of the laws which govern the relations of exchangeable quantities (S. 2).

We have, then, already found two distinct kinds of things which can be bought and sold: of whose value can be measured in money: (1) Material things which can be seen and handled, such as money, corn, cattle, lands, houses &c., which can be transferred by manual delivery: (2) Things like labor and knowledge, which can neither be seen nor handled: but which can bought and sold: and though these two kinds of things have nothing in common besides the capability of being bought and sold: they are each for that reason, comprehended under the term wealth (S. 14/15).

In dieser Auffassung M a c l e o d s über den Kredit als Wirtschaftsgut scheint mir die Quelle seiner Irrtümer und Mißverständnisse zu liegen.

M a c l e o d wirft der Volkswirtschaftslehre vor, daß sie den Begriff für Güter zu eng fasse, wenn sie darunter nur Sachgüter versteht. Auch abstrakte Rechte, wie z. B. Kredit, gehörten zum Volksreichtum. Dieser Anschauung liegt eine Verwechslung des p r i v a t - w i r t s c h a f t l i c h e n und v o l k s w i r t s c h a f t l i c h e n Standpunktes zugrunde. M a c l e o d findet das Kriterium für den Begriff der wirtschaftlichen Güter darin, daß sie gekauft und verkauft werden könnten, also daß man einen Wechsel auf 1000 £ genau so gut verkaufen könnte, wie eine Ware im Werte von 1000 £; deshalb sei auch der Wechsel ebenso ein Gut wie die Ware. Richtiger müßte man sagen: der Wechsel kann ein Vermögensobjekt sein vom privatwirtschaftlichen Standpunkt, nicht aber vom volkswirtschaftlichen Standpunkt. Man kann den Reichtum eines Volkes als einen Vorrat von Gütern aller Art auffassen, sowohl an fertigen Genuß- und an Gebrauchsgütern wie etwa Getreide, Eisen, Möbel usw., als an Produktionsmitteln wie z. B. Grundstücken, Bergwerken, Maschinen usf. — Alle diese Güter bilden aber zugleich Gegenstände des wirtschaftlichen Tausch-, Markt- und Geldverkehrs zwischen den Einzelwirtschaften eines Volkes.

Bei dieser Betrachtungsweise müssen die rechtlichen Momente der Verfügungsgewalt über die Güter noch hinzukommen, also Eigentumsrechte, Pfandrechte, Forderungsrechte usw. — Die wirtschaftliche Betrachtung erfordert immer, daß wir unser Augenmerk auf die beiden Momente lenken: auf die Güter selbst und die rechtlichen Akte der Verfügung über die Güter; z. B. ein Haus ist ein wirtschaftliches Gut, ich kann aber über das Haus nur verfügen kraft meines Eigentumsrechtes am Hause. Dieses Eigentumsrecht ist aber nicht ein besonderes zusätzliches wirtschaftliches Gut neben dem Hause, sondern das einzige wirtschaftliche Gut, welches in Frage kommt, ist das Haus selbst. Man kann also nicht abstrakte R e c h t e a n d e n   G ü t e r n in die Güterkategorie selbst aufnehmen. Dies will M a c l e o d , und so behauptet er allen Ernstes, daß z. B. eine Hypothekenforderung auf ein Haus als ein eigenes selbständiges Gut existierte neben dem Hause selbst, das als Pfand für die Hypothek gilt. Der Wechsel, den ein Kaufmann für eine Forderung erhält, soll ein selbständiges Gut sein neben der Geldsumme, auf die der Wechsel lautet. — Gewiß ist richtig, daß vom Standpunkt der p r i - v a t e n   V e r m ö g e n s b i l a n z aus ein Wechsel in der Hand des Besitzers einen Bestandteil seines Vermögens ausmacht, aber diese Wechselforderung ist nicht ein besonderes Gut neben der Geldsumme, auf die der Wechsel lautet vom volkswirtschaftlichen Standpunkt. Mit Zähigkeit hält M a c l e o d an seinem Standpunkt, den er immer wiederholt, fest, daß Forderungsrechte Güter seien, wie Sachgüter, und er kommt zu der grotesken Folgerung, daß der Schuldner, der doch Kredit von seinem Gläubiger empfängt, tatsächlich seinem Gläubiger Kredit gebe, denn der Schuldner, meint M a c l e o d, gibt dem Gläubiger ein Zahlungsversprechen in verbriefter Form, z. B. einen Wechsel. Da dieser Wechsel für den Gläubiger ein verkäufliches Gut sei, soll also der Schuldner dem Gläubiger Kredit geben. Daher nennt er die „debts" als Forderungsrechte des Gläubigers selbständige Tauschwerte. Er spricht von i n d e p e n d e n t value, i n d e p e n d e n t economic entity, i n d e p e n d e n t exchangeable property. — Wenn jemand einem anderen 1000 Mk. geliehen hat, so soll nach M a c l e o d der Gläubiger in dem Forderungsrechte an seinen Schuldner ein selbständiges Gut haben, welches von den 1000 entliehenen Mark vollkommen zu trennen sei. Aber genau so wenig wie das Eigentumsrecht an einem Hause ein besonderes Gut ist neben dem Hause selbst, ist auch das Forderungsrecht auf 1000 Mk. ein selbständiges Gut neben den 1000 Mk.

Man sieht, zu welchen merkwürdigen Schlußfolgerungen man gelangt, wenn man wie M a c l e o d alles, was gekauft und verkauft wird, als wirtschaftliches Gut ansieht. Es ist in dieser Auffassung der abstrakten Rechte als Wirtschaftsgüter genau derselbe Irrtum enthalten wie in der Meinung, daß außer dem Kredit auch die Arbeit ein wirtschaftliches Gut sei. Tatsächlich ist die Arbeit ein E n t - s t e h u n g s g r u n d für Güter, in den wirtschaftlichen Gütern ist Arbeit enthalten, und vermittels der Arbeit sind die Mehrzahl der Güter hergestellt. Deshalb darf man die Arbeit doch nicht zu den Gütern selbst rechnen, bei deren Entstehung sie mitgewirkt hat; und so ist es auch im Kreditverkehr: Wirtschaftliche Güter allein sind die geschuldeten Gegenstände selbst, nicht aber die Urkunden, die dem Geschäftsverkehr mit diesen Gütern zugrundeliegen.

§ 87. Der Kredit als Geld.

Wir haben bereits L a w als Papiergeldtheoretiker kennengelernt. Die Papiergeldtheorie L a w s hängt eng mit seiner Auffassung zusammen, daß der Kredit so gut wie Geld sei. Die große Überschätzung der Zirkulation für die Volkswirtschaft tritt schon in seinen grundlegenden Sätzen hervor: „La loi de la circulation est la seule qui puisse sauver les empires" und „Das große Gesetz der Gesellschaft, das alle ökonomischen Tatsachen beherrscht, ist das Gesetz der Zirkulation". Die Geldtheorie L a w s findet sich in erweiterter und wesentlich modifizierter Gestalt und mit einer neuen Kredittheorie verbunden in seinen französisch geschriebenen Mémoires sur les Banques und Lettres sur les Banques[1]). Im ersten Mémoire[2]) gibt L a w , nachdem er erklärt hat, daß der Handel und die Zahl der Bevölkerung, die der Reichtum und die Macht des Landes seien, von der Menge und der Beschaffenheit des Geldes abhinge, die folgenschwere Erklärung des Kredits: „Die Kredite sind notwendig und nützlich, sie haben dieselben Wirkungen und denselben Nutzen im Handel, als ob die Menge des Geldes vermehrt wäre." („Les crédits sont nécessaires et utiles, ils font les mêmes effets et le même bien dans le commecre, comme si la quantité de la monnaie était augmentée.")

Der Staat müsse daher vor allem eine Vermehrung des Kredits anstreben. L a w begründet dies folgendermaßen: „Wenn man die M e n g e einer Sache vermehrt oder die N a c h f r a g e vermindert, sinkt der Preis; denn der Wert aller Dinge wird durch das Verhältnis von Narhfrage und Angebot bestimmt . . .

Wenn man einen andern Gegenstand einführen kann, der die Gelddienste verrichten könnte, so wird der Wert des Geldes sinken in dem Maße, als der andere Gegenstand geeignet ist, diesem Gebrauche zu dienen. — Also, da die Einführung des Kredits die Menge des Geldes wirklich vermehrt . . . so muß dies den Preis oder Zins des Geldes vermindern, das Vertrauen wieder herstellen und die verborgenen Geldstücke hervorlocken[3])."

Im 6. Briefe über die Banken erklärt L a w[3]), wie mit der auf dem Kreditwege erfolgten Geldvermehrung auch die Einkünfte des Königs und des Gutsherrn sich steigern: „Wenn das Geld vermehrt und der Boden in derselben Menge geblieben ist, vermehrt sich die Nachfrage nach dem Boden und man gibt mehr Geld für dieselbe Menge an Boden. Auch die Früchte und Erzeugnisse des Bodens werden teurer und der Pächter kann dem Könige und dem Gutsherrn mehr zahlen, als wenn das Geld in demselben Verhältnis geblieben wäre, in dem es ohne den Kredit war."

Im Jahre 1839 erschien in erster Auflage das Werk „Du crédit et de la circulation[4])" des polnischen Grafen C i e s z k o w s k i , worin der ursprüngliche Plan L a w s einer Ausmünzung des Bodens wieder aufgenommen und zur Grundlage eines neuen Geld- und Kreditsystems gemacht wurde. — C i e s z k o w s k i wendet sich gegen die Ansicht, daß der Kredit eine Antizipation der Zukunft sei, und gibt eine neue Definition des Kredits: „Der Kredit ist die Umwandlung der festen und gebundenen Kapitalien in zirkulierende oder befreite Kapitalien, d. h. das Mittel, welches den an sich nicht zirkulationsfähigen Werten die Fähigkeit zu zirkulieren verleiht." (S. 5: „le crédit est la métamorphose des capitaux stables et engagés

---

[1]) Vgl. Economistes financiers du dix-huitième siècle. Paris, Guillaumin, 1851.

[2]) a. a. O., S. 517.

[3]) II. mémoire, a. a. O., S. 553.

[4]) C i e s z k o w s k i , Du crédit et de la circulation. Paris 1839. — Eine zweite vermehrte Auflage erschien Paris 1847. — Ich zitiere nach der ersten Auflage.

en capitaux circulants ou dégagés, c'est à dire le moyen qui doue les valeurs non-circulables par elles-mêmes de la faculté de circuler", II. Aufl., S. 6: le moyen qui rend disponibles et circulables des capitaux qui ne l'étaient point et leur permet par conséquent de se porter partout où leur besoin se fait sentir").

Wo der Kredit eine Antizipation der Zukunft sei, sei er unsolid und für den Verkehr gefährlich; C i e s z k o w s k i hat eine merkwürdige Antipathie gegen jede Art von persönlichem oder moralischem Kredit, und gegen den Konsumtivkredit; Kredit sei nur da berechtigt, wo er sich auf ein reales Pfand stütze, unberechtigt, wo er auf Hoffnungen und Erwartungen hin, die sich erst in der Zukunft realisieren sollen, gegeben werde.

Der Konsumtivkredit sei verderblich, denn er erleichtere die Verschwendung der Kapitalien, während der Produktivkredit die Vermehrung der Reichtümer begünstige (S. 29). — Ganz verwerflich sei der Kredit, der zu Spekulationszwecken und auf Gewinnhoffnungen gegeben werde, der crédit de pure circulation, wie ihn C i e s z - k o w s k i nennt.

C i e s z k o w s k i verlangt, daß ein neues Kreditsystem geschaffen werde, das allen Kredit auf einen realen Fonds begründe; — nur die Wirklichkeit, nicht die Hoffnung solle dem Kredit zur Basis dienen; der Kredit soll sich nur an Realitäten, nicht an Erwartungen anlehnen; er verlangt Hypotheken, nicht Hypothesen (S. 24: „il demande des hypothèques et non des hypothèses").

„Ex nihilo nihil fit; wenn ihr etwas produzieren wollt", sagt C i e s z k o w s k i, „zeigt eure Materialien und nicht das, was ihr einmal zu erreichen hofft; das ist ein fehlerhafter Zirkel."

Auch das heutige Geldwesen ist nach C i e s z k o w s k i mangelhaft; es muß daher eine Reform des Geld- und Kreditwesens zugleich vorgenommen werden. — C i e s z k o w s k i entwickelt seine Ansicht kurz folgendermaßen: das Geld ist ein b e w e g l i c h e s Kapital, dessen größter Vorteil in der Leichtigkeit seiner Zirkulation besteht; es ist fruchtbar, wenn es in Bewegung ist, es verliert seine produktive Kraft, sobald es ruht; es wird dann ein totes Kapital (S. 54). Anders die öffentlichen Papiere (les papiers publics); sie müssen gerade r u h e n, um ihren Besitzern Zinsen eintragen zu können (S. 55). Es handelt sich darum, ein neues Geldkapital (capital monétaire) zu schaffen, das zugleich der Zirkulation und dem Kredit dient; der Staat soll Zirkulationsscheine ausgeben, die als gesetzliches Geld bei allen öffentlichen und privaten Zahlungen dienen sollen, aber, da sie Anteile am öffentlichen Vermögen repräsentieren, Zinsen tragen und gleichzeitig zur Kreditgewährung dienen sollen (S. 57). |

Worauf soll der Staat das neue Geld- und Kreditsystem basieren? Auf den Grund und Boden. — Diejenigen Staaten, die genügenden Domanialbesitz haben, sollen diesen Wert mobilisieren, indem sie Kreditscheine ausgeben, jedoch unter dem Betrage des Verkaufswerts dieser Hypotheken; die Staaten, die nicht genügenden Domanialbesitz haben, sollen die Erträgnisse aus der Grundsteuer als Pfand der Kreditbillette benutzen: „ainsi valeurs domaniales et capitalisation des impôts fonciers, telles sont les principales bases hypothécaires du crédit réel de l'Etat" (S. 135).

Der Staat sollte im C i e s z k o w s k i schen System die einzige Kreditquelle sein; nur die staatlichen Rentenbillette fungieren als Geld- und Kreditpapiere. Dieses Papiergeld sollte nicht einlösbar sein; nur im Anfang sollte zur Beruhigung des Publikums an gewissen Tagen die Einlösung geschehen.

Wie kommen diese auf den Grundbesitz basierten „warrants circulants" in den Verkehr? Zunächst amortisiert der Staat der Reihe nach alle seine Schulden, indem er die Staatsschuldscheine zum Börsenkurse ankauft und mit Rentenscheinen bezahlt; da diese Rentenscheine bares Geld sind und bei allen Zahlungen als gesetzliche Münze gelten und außerdem Zinsen tragen, müssen die Gläubiger befriedigt sein; — ferner bedient sich ihrer der Staat zur Ausbeutung des Kredits von Lokalbanken und Privatbankiers, die im ganzen Lande zerstreut sind; diese Lokalbanken dürfen aber keinen anderen Kredit als den in Form der Staatsrentenscheine gewähren: „l'émission des titres de crédit et de circulation doit être centrale et gouvernementale, leur transmission doit être périphérique et particulière" (S. 175). Diese Lokalbanken erhalten gegen sicheres P f a n d , d. h. gegen Immobilien, Depositen, Konsignationen usw., einen offenen Kredit bei der Staatskreditanstalt als dem Zentralorgan bis zur Höhe des Werts der Pfandobjekte; bis zu dieser Höhe können die Lokalbanken ihrerseits den Kredit in Rentenscheinen gewähren; sie haben nur die Zinsen an die Staatsbank zu zahlen, die ihrerseits an ihren Kassen jedem Inhaber von Kreditscheinen halbjährlich die Zinsen auszahlt. — Diese Zinsen sind zu 3,65 % festgesetzt, damit sie bei jeder Überlieferung der Scheine leicht berechnet werden können; für den Tag betragen die Zinsen also 1 Centimes für 100 Fr. — Der Gewinn der Lokalbanken besteht in dem Mehrertrag des Diskonts, den sie ihren Schuldnern berechnen gegenüber dem Zinse, den sie selbst an die Staatsbank zu zahlen haben. — Das Metallgeld soll ganz aus dem Verkehr verschwinden und nur noch bei kleinen Zahlungen als Scheidemünze fungieren (II. Aufl., S. 191).

Es würde zu weit führen, wollten wir hier in die Einzelheiten des umfangreichen C i e s z k o w s k i schen Planes eingehen; es ist hier auch nicht von Belang, denn den praktischen Vorschlag C i e s z - k o w s k i s , die Ausmünzung des Bodens, haben wir bereits bei L a w kritisiert. Wohl aber ist die Grundidee C i e s z k o w s k i s , daß das heutige Metall-Geldsystem und das darauf basierte Kreditsystem eine Störung und Schädigung des Verkehrs herbeiführe und daß ein neues Umlaufsmittel ohne inneren Wert geschaffen werden müsse, das gleichzeitig die Dienste des Geldes und des Kredits vermittle, von nachhaltigstem Einfluß auf spätere Kredittheoretiker gewesen.

Dieser Gedanke, daß der Kredit so gut wie Geld sei, wird später in immer wiederholter Form von M a c l e o d vertreten. Reichtum ist nach M a c l e o d alles, was Kaufkraft hat; weil aber Geld und Kredit Kaufkraft darstellen, gehören sie auch zum Reichtum. Banknoten, Schecks und Wechsel seien ein unabhängiges Eigentum, d. h. ein Eigentum ganz für sich, losgelöst von anderen Gütern, sie würden selbst gegen Güter ausgetauscht und seien daher auch als Geld zu betrachten; und zwar könne man die Behauptung aufstellen: Kredit ist Geld und Geld ist Kredit, denn wenn jemand für irgendwelche Produkte Geld in Empfang nimmt, so tut er das in dem Vertrauen, daß er für das Geld irgendwelche anderen Güter eintauschen kann. Da also Geld nur ein Rechtsanspruch ist, woraufhin man andere Güter erhalten kann, ist also Geld auch Kredit; denn auch der Kredit ist nichts anderes als ein Rechtsanspruch auf andere Güter. Kredit sei aber auch gerade so wie Geld ein Wertmaß. Wenn irgend jemand eine Sache leiht, so wird er nur soviel in Kreditform geben, als er auch in Geld geben würde, also sei Kredit genau so ein Wertmaß wie Geld.

Indem M a c l e o d so Geld und Kredit unter dem Namen Currency zusammenfaßt, kommt er zu einem sehr weiten Geldbegriff. Er begreift unter Geld nicht nur gemünztes Geld und nicht nur Banknoten, Schecks, Wechsel und Giroguthaben, sondern auch Briefmarken; denn alle diese Dinge könnten als Zahlungsmittel dienen, und man könne mit ihnen Schulden tilgen. M a c l e o d erklärt direkt Forderungen (debts) als Güter. Geld und Wechsel seien genau von derselben Art, nämlich Zeichen für eine Forderung, die der Besitzer habe (S. 878). Der Wechsel sei genau eine Zahlung für Güter wie das Geld (S. 941). Zahlt jemand für einen Wechsel eine Geldsumme, so sei dies nur ein Austausch eines besondern (particular) Rechtsanspruches für einen allgemeinen und dauernden Rechtsanspruch. Das Geld repräsentiere nicht Waren, sondern es repräsentiere Forderungen, die ihr Äquivalent noch nicht in Waren gefunden haben (S. 892). Das Geld sei wie der Kredit ein Rechtsanspruch, auf Grund dessen man zu einem künftigen Zeitpunkte ein Äquivalent für Dienste, die bereits geleistet sind, verlangen könne. Ein Kauf auf Kredit sei ebenso ein Tausch wie ein Kauf mit barem Geld, und durch das moderne Kreditsystem seien die Bankkredite für alle praktischen Zwecke das Landesgeld geworden (S. 1083).

Ganz ausdrücklich erklärt M a c l e o d den Kredit als ein zusätzliches Geld, d. h. als ein besonderes Geld, das zu der im Lande bereits vorhandenen Geldmasse hinzutrete. Die Stelle lautet wörtlich so: Kredite sind ihrer Natur und ihren Wirkungen nach in jeder Hinsicht einer gleichen Menge von Geld ebenbürtig („and they are in their nature and effects in every respect equivalent to an equal quantity of money", S. 255). Wenn man gefragt werde, was die größte Entdeckung der Welt sei, welche die Geschicke der menschlichen Rasse am meisten beeinflußt habe, so sei es die Entdeckung, daß Forderungsrechte verkäufliche Waren seien und daher so gut wie Geld. Er vergleicht die Banken mit Goldminen und meint, daß der Kredit dieselbe Bedeutung für die Wirtschaft habe, wie der Nil für Ägypten. Die Banken seien die eigentlichen Geldschöpfer, und die Banken, die durch ihren Kredit Geld schöpfen in der Form von Depositen oder Noten, hätten die Grenzen des Kredits mindestens vertausendfacht. („The institution of banks and bankers who create currency by means of their credit, either in the form of deposits or notes, has enlarged the limits of credit at least a thousand fold", (S. 318). Und noch schärfer sagt er an anderer Stelle: Das Hauptgeschäft eines Bankiers ist, Kredit zu erzeugen und zu erteilen, damit er als Geld zirkulieren kann („Thus the essential business of a „banker" is to create and issue credit to circulate as money", (S. 584).

Auch H a h n faßt den Kredit als Geld auf: „Ein Scheck-oder Giroguthaben, das zu Zahlungszwecken von einer Person auf die andere übertragen wird, ist nur juristisch ein Forderungsrecht auf Geld, für die ökonomische Betrachtung ist es, wenn und insoweit es nicht in Währungsgeld abgehoben und eingelöst wird, nicht ein Recht auf Geld, sondern Geld selbst[1])."

Nach M a c l e o d s Meinung ist Kredit genau dem Gelde gleich: gerade so wie die umlaufenden Geldmünzen könne der Kredit die Funktion als Zahlungsmittel und Wertmaß erfüllen, und zwar soll der Kredit — wie M a c l e o d immer wieder betont — als z u s ä t z l i c h e s selbständiges Geld zu dem übrigen im Lande zirkulierenden Geld hinzukommen. Auch dieser Auffassung liegt eine mißverständliche Deutung der Begriffe Geld und Kredit zugrunde. In jeder kapitalistisch organisierten Volkswirtschaft muß zur Ermöglichung eines geregelten Marktverkehrs und einer geregelten Preisbildung ein Wirtschaftsgut bestimmt werden, welches die Funktionen des Tauschmittels und der Preisvergleichung erfüllen kann. Dieses Wirtschaftsgut wird Geld genannt; es ist das allgemeine gesetzliche Zahlungsmittel und zugleich das Mittel, um Schulden zu tilgen. Hat ein Land eine bestimmte Menge Geldes, z. B. Goldmünzen, so schließt das nicht aus, daß noch außerdem verschiedene andere Z a h l u n g s m i t t e l im Wirtschaftsverkehr Verwendung finden, daß z. B. viele Zahlungen auch durch Giroüberweisung, durch Schecks, Wechsel usw. erledigt werden. Durch ein gut ausgebildetes Kreditsystem können viele Zahlungen kompensiert werden und dadurch viele Bargeldzahlungen erspart werden. Mit einem Wechsel auf 1000 Mk. können fünf, sechs und noch mehr Zahlungen geleistet werden, aber die Geldsumme, die allein in Frage kommt, sind die 1000 Mk., die bei Fälligwerden des Wechsels bezahlt werden.

Darin liegt der folgenschwere Irrtum M a c l e o d s, daß er das Wesen des Kredits, der eine E r g ä n z u n g des Geldzahlungssystems darstellt, darin erblickt, daß Kredit selbst Geld sei, und zwar ein Geld, das zu dem bereits vorhandenen Gelde in der Volkswirtschaft noch hinzukomme. Dies ist falsch. Das Geld selbst wird durch alle diese Kreditzahlungsmittel in keiner Weise vermehrt, sondern nur der G e l d g e b r a u c h kann dadurch bedeutend eingeschränkt werden. Der Irrtum M a c l e o d s kommt daher, daß er Geld selbst als Kredit ansieht. Er erblickt das Wesen des Geldes darin, daß es einen Rechtsanspruch auf Erfüllung von Vorleistungen in der Zukunft darstelle, und dasselbe sei auch beim Kredit der Fall. Und dennoch ist hier ein bedeutender Unterschied vorhanden. Das Geld ist ein reales, präsentes Befriedigungsmittel für sofortigen Eintausch von Gütern aller Art; beim Kredit kommt das neue Moment hinzu, daß jedes Kreditmittel immer erst nach Ablauf einer bestimmten Zeit realisiert werden kann. Soweit also Kreditmittel zugleich als Zahlungsmittel dienen, setzen sie schon eine gewisse Geldsumme voraus, auf welche sich das Kreditmittel bezieht. Daher kann dieses Kreditmittel nicht als n e u e s G e l d zu dem vorhandenen hinzutreten.

All dies Gesagte gilt nur mit einer Ausnahme: wenn man nämlich v e r m i t t e l s d e s K r e d i t e s e i n e G e l d - s c h ö p f u n g vornimmt. Wenn ein Staat in der Weise Kredit aufnimmt, daß er ein uneinlösliches, ungedecktes Papiergeld mit

---

[1]) Volkswirtschaftliche Theorie des Bankkredits. Tübingen 1920. S. 19.

Zwangskurs als Geld ausgibt, so schafft er allerdings in dieser Weise vermittelst des Staatskredits neues zusätzliches Geld; denn alle Beamten und alle Leistungen, die der Staat mit diesem Geld bezahlt, erhalten hierdurch neue Zahlungsmittel, die zu den bisher bestehenden hinzutreten bzw. sie ersetzen. Aber gerade diese Art von Geldschöpfung wird von M a c l e o d aufs schärfste abgelehnt, und die Kapitel seines Werkes, wo er diese Form der Papiergeldwirtschaft kritisiert, gehören zu den besten seines Buches.

M a c l e o d gibt noch einen anderen Grund an, warum Geld und Kredit gleichgestellt sein müßten, das sei der, daß sie beide K a u f k r a f t , purchasing power, repräsentierten.

Auch hier muß zunächst eine Klarstellung erfolgen, was mit dem Begriff K a u f k r a f t gemeint sein kann. Weder Geld noch Kredit stellen Kaufkraft dar, nur Menschen besitzen eine gewisse Kaufkraft und üben sie auf Grund ihres Vermögens bzw. Einkommens aus. Die Menschen können diese Kaufkraft in zweierlei Weise ausüben: entweder Zug um Zug, indem sie bei ihrem Kauf die Gegenleistung in barem Gelde hergeben oder so, daß sie den betreffenden Gegenstand kaufen, aber die Gegenleistung erst für einen späteren Termin versprechen. Dann liegt ein Kreditvorgang vor. Aber auch in diesem Falle bleibt die Kaufkraft des Betreffenden genau dieselbe, und nur weil der Betreffende über eine gewisse Kaufkraft verfügt, kann er auch die kreditmäßige Erledigung des Geschäftes vornehmen.

Diese Betrachtung soll nochmals zeigen, daß eine z u - s ä t z l i c h e Kaufkraft durch den Kredit nicht geschaffen wird, sondern es wird nur eine a n d e r e A r t d e r A u s ü b u n g d e r K a u f k r a f t ermöglicht.

Sind auch die genannten Kredittheoretiker darin einig, daß sie Kredit dem Gelde gleichsetzen, so sind doch die Schlußfolgerungen, die sie daraus für die Geld- und Währungspolitik ziehen, durchaus verschieden. L a w und C i e s z k o w s k i wollten, wie wir gezeigt haben, das Metallgeld durch ein durch den Grund und Boden gedecktes Papiergeld ersetzen; dagegen war M a c l e o d ein scharfer Gegner jeder Art von Papierwährung. So weitgehend die Übereinstimmung M a c l e o d s mit L a w in einigen grundlegenden Sätzen über das Wesen des Kredits ist, so scharf ist die Kritik, die M a c l e o d selbst an der Nutzanwendung übt, die L a w aus seiner Kredittheorie für die Währungs- und Kreditpolitik zieht und welche M a c l e o d als L a w i s m bezeichnet. Der große Irrtum L a w s sei gewesen, daß er die natürlichen Grenzen der Vermehrung des Kredits nicht erkannt habe, und daß diese Grenzen darin gegeben seien, daß die Bankkredite immer in Übereinstimmung mit dem Münzvorrat gehalten werden müssen, und dieses Ziel könne man nur dadurch erreichen, daß die Banknoten immer auf Verlangen des Inhabers in Münze eingelöst werden müssen (S. 828). Wenn dagegen große Mengen neuer Zahlungsmittel in die Zirkulation einströmten, ohne diese Grenze innezuhalten, so müßte eine verhängnisvolle Entwertung des Geldes eintreten, und von diesem Gesichtspunkt aus kommt er zu einer eingehenden Kritik der L a w schen Papiergeldpläne, welche zu den besten Kapiteln des umfangreichen Werkes von M a c l e o d gehören. „Wenn erst einmal Staat und Regierung beginnen, Papiergeld auszugeben", sagt M a c l e o d , „werden sie auch niemals der Versuchung widerstehen, es in grenzenloser Weise zu vermehren, so daß die Entwertung unvermeidlich wird" (S. 1105). Und ganz im Gegensatz zu L a w , der in seinen ersten Schriften ein auf Grund und Boden basiertes Papiergeld empfahl, dann als Direktor der Königlichen Bank in Frankreich die ungedeckten und uneinlöslichen Noten mit Zwangskurs herausgab, stellt M a c l e o d sehr vorsichtige Richtlinien für die Grenzen der Kreditgewährung der Banken auf. Das ganze Geheimnis des Bankkredites bestünde darin, streng darauf zu halten, daß genügend Vorräte an Münzen vorhanden sind, um allen Verbindlichkeiten der Bank nachzukommen, und die Diskontrate immer in Rücksicht auf den Münzvorrat der Bank und den Stand der auswärtigen Wechselkurse anzupassen.

Während M a c l e o d trotz seiner Kredittheorie strenger Metallist war, hat H a h n auf Grund dieser kredittheoretischen Anschauungen antimetallistische Schlußfolgerungen gezogen. Offenbar hatten die Erfahrungen, die in Frankreich mit dem L a w schen Papiergeld und mit den Assignaten gemacht wurden, und die er selbst in seiner Heimat bei der ungedeckten Notenausgabe der schottischen Banken kennenlernte, M a c l e o d zu seiner Stellungnahme gegen jede Art von Papiergeld veranlaßt. — H a h n dagegen hält einen Metallschatz zur Notendeckung für überflüssig (S. 81), und die Erlangung von Mitteln durch Notenausgabe betrachtet er als einen Akt der Geldschöpfung, nicht aber als Schuldaufnahme (S. 54). Schon in seiner 1918 erschienenen Schrift „Von der Kriegs- zur Friedenswährung"[1] erklärt er, daß zwischen der Tauschkraftbildung beim metallischen und beim papierenen Geld nur ein quantitativer, kein qualitativer Unterschied bestünde[2]. Er empfiehlt für die Friedenswährung: keine Ausprägung von Goldmünzen und keine Einlösungspflicht der Noten mehr. Er meint, man könne „die öffentliche Meinung des Landes teils durch gesetzliche Maßnahmen, teils durch psychologische Beeinflussung von ihrem Vorurteil den uneinlösbaren Noten gegenüber befreien und das Vertrauen in ihre Kaufkraft so sehr stärken, daß auch in den kritischsten Augenblicken eine Störung des Geldumlaufs und ein Zusammenbruch der Währung nicht erfolgen kann[3]". Die Reichsbank solle statt eines großen Goldvorrates lieber Devisen-, Effekten- und Warenvorräte als „Auslandswerte" sammeln. Doch hat H a h n selbst gewisse Bedenken, wie das Verschwinden des Goldvorrates möglicherweise auf das Ausland wirken könne. Es bliebe die Frage: „ob nicht das Vorhandensein eines Goldvorrates als solchen wegen der von ihm ausgehenden Suggestivkraft die Bereitwilligkeit zur Kreditierung und die Spekulation in der Markdevise zu heben imstande ist[4]." Darum sei zu erwägen, ob es sich nicht empfehle, von einer Ausweisung des Goldbestandes in den Bilanzen der Reichsbank überhaupt abzusehen: „Mit dem Verschwinden der Angaben über die Größe des Goldvorrates in den Bilanzen der Reichsbank würde — zumal wenn andere Zentralnotenbanken entsprechend

---

[1] Archiv für Sozialwissenschaft und Sozialpolitik. Ergänzungsheft XIV. Tübingen 1918.
[2] Ebenda, S. 17.
[3] Ebenda, S. 20.
[4] Ebenda, S. 37.

vorgehen würden — die materiell nicht zu begründende Überschätzung des Goldes zum Teile wenigstens ihres Nährbodens beraubt und damit auch die von manchen behauptete Suggestivkraft
des Goldvorrats verlorengehen[1])."

Auch nach den Erfahrungen, die in Deutschland und in anderen Ländern während des Krieges und in der Nachkriegszeit mit
der Papiergeldausgabe gemacht wurden, hat H a h n in seinen
neueren Schriften zur Geldfrage im wesentlichen an diesen Anschauungen festgehalten. Er bekämpfte das Goldnotenprojekt des Reichs-
bankpräsidenten S c h a c h t mit der Bemerkung: „Eine neue Goldnote, die parallel neben oder statt der heute bestehenden Zahlungsmittel umlaufen würde, ist weder erforderlich, noch auch genügend,
um die Währungsverhältnisse zu sanieren. Sie ist nicht erforderlich
und die Opferung von Gold zu ihrer Deckung unnötig, weil, wie die
Theorie und die Praxis gerade der letzten Wochen lehren, auch eine
uneinlösbare, ungedeckte Papiernote stabil gehalten werden kann,
sofern sie nur nicht vermehrt wird[2])."

Die im neuen Münzgesetz vorgesehene Ausprägung von goldenen 10- und 20-Markstücken nennt er einen Rückschritt in veraltete Gedankengänge vom geldtheoretischen und währungspolitischen
Standpunkt[3]). Sowohl die Notenbegrenzungs- wie die Golddeckungs-
vorschriften hält er in der Theorie für schädlich, in der Praxis für
unwirksam. Nur eine einzige Bestimmung sei erforderlich und genügend: die Bestimmung, daß die Zentralbank verpflichtet wäre,
sei es Barrengold, seien es bestimmte, als wertbeständig angesehene
fremde Devisen, zum festen Kurse abzugeben[4]). Darum hält er auch
die damals eingeführte Papiermark-, Rentenmark-, Währungsverfassung Deutschlands für diejenige Regelung der Währungsverhältnisse, die prinzipiell modernen geldtheoretischen Grundsätzen entsprochen hätte. Die heute geltende Goldkernwährung mit ihrer
vorläufigen Uneinlösbarkeit der Noten verteidigt er als Dauerzustand
gegenüber denen, welche die reine Goldwährung anstreben. Nach
seiner Ansicht ist eine Ausprägung von Goldmünzen nicht notwendig: „Der inländische Zahlungsverkehr muß völlig entgoldet
bleiben. Denn einerseits ist es ein unnötiger Luxus, Zahlungsmittel
aus Gold herzustellen, wenn papierene Zahlungsmittel genügen, und
anderseits kann eine Einlösung von notalen Zahlungsmitteln in
goldene Inlandszahlungsmittel tatsächlich nie durchgeführt werden,
sobald sie einmal in großem Umfange begehrt wird[5])."

Es ist charakteristisch für H a h n s Geldtheorie, daß er die
Papiernoten empfiehlt, „sofern sie nur nicht vermehrt werden";
als ob nicht bei jeder Papiergeldwirtschaft die Gefahr größerer
Vermehrung immer latent vorhanden wäre! Wenn er fernerhin der
Goldkernwährung den Vorzug vor der reinen Goldwährung gibt,
so übersieht er die große Bedeutung, welche die reine Goldwährung
gerade vom kreditpolitischen Standpunkt aus hat; denn in der
strengen Einlösungspflicht der Notenbanken liegt ein wichtiger

---

[1]) Ebenda, S. 38.
[2]) Unsere Währungslage im Lichte der Geldtheorie. Frankfurt a. M. 1924.
S. 32.
[3]) Goldvorteil und Goldvorurteil. Frankfurt 1924. S. 15.
[4]) Ebenda, S. 31.
[5]) Ebenda, S. 45/46.

Zwang zu vorsichtigster Handhabung wegen der Gefahren der Inflation, die mit dem Umlauf uneinlöslicher Noten verknüpft ist. H a h n allerdings schätzt ja diese Gefahren, wie wir gesehen haben, sehr gering ein.

Es ist bedeutsam, daß ein neuer amerikanischer Autor, H a w - t r e y , der keineswegs ein unbedingter Anhänger der reinen Goldwährung ist, doch auf die Wichtigkeit des Goldvorrates im Hinblick auf vorsichtige Kreditpolitik ausdrücklich hinweist: „Die beste Schutzwehr gegen eine übermäßige Kreditausweitung und die aus ihr unvermeidlich folgenden übermäßigen Krediteinengungen und Finanzkrisen liegt eben darin, daß man in den Anfangsstadien der Kreditausweitung eine möglichst große Goldanhäufung in den Zentralreserven besitzt. Jedes Land, dessen auf Gesetz oder Verwaltungsübung beruhende Währungsordnung eine gegebene Kreditausweitung nur unter der Bedingung des Vorhandenseins einer verhältnismäßig großen Goldreserve zuläßt, trägt dazu bei, die Krediteinengung in mäßigen Grenzen zu halten. Ein Land mit Devisenkernwährung anderseits kann möglicherweise gleichfalls an dieser Aufgabe teilnehmen: aber eben nur dann, wenn es zur Zeit der Währungsausweitung eine Goldreserve ansammelt und sie zur Zeit der Währungseinengung wieder freigibt; dagegen bleibt es, wenn es den Gebrauch des Goldes gänzlich meidet, völlig passiv[1)]."

§ 88. Der Kredit als Kapital.

Wir haben gesehen, daß der K r e d i t in größtem Maßstab dazu beiträgt, das Kapital und damit den ganzen Kapitalverkehr beweglicher und elastischer zu gestalten. So wichtig diese volkswirtschaftliche Funktion des Kredits ist, so darf deshalb doch der Kredit nicht mit Kapital identifiziert werden. M a c l e o d geht soweit, den Kredit direkt mit Kapital, und zwar mit einem neuen selbständigen Kapital gleichzustellen.

Daß der Kredit nicht nur Geld, sondern auch ein produktives Kapital sei, sucht M a c l e o d durch die von den schottischen Banken den Landwirten gewährten sog. cash credits zu erklären. Diese gegen Sicherheit gewährten Bankkredite hätten es den Pächtern ermöglicht, ihren Betrieb bedeutend zu intensivieren und zu meliorieren. Die großen Fortschritte der schottischen Landwirtschaft seien in der Hauptsache den cash credits zu verdanken. Wer könne da noch leugnen, daß der Kredit ein produktives Kapital sei? Und so kommt M a c l e o d tatsächlich gerade im Hinblick auf diese von den schottischen Banken gewährten cash credits zu dem Satz, daß die Banken Kredite aus dem „Nichts" geschaffen hätten, und daß dann die Kredite ihre Funktion, als produktives Kapital zu dienen, erfüllt hätten, sie wieder in das Nichts zurückkehrten, woher sie stammten. Auch hierfür ein paar wörtliche Zitate: „Thus it is now clearly demonstrated that C r e d i t may be used as P r o - d u c t i v e C a p i t a l exactly in the same way, and in the same sense, and for all the purposes, that Money is. . . . The express function of the Banks was to create Credits. Incorporeal entities, created out of N o t h i n g for a transitory existence: and when they had performed their functions vanishing into the N o t h i n g

---

[1)] R. G. H a w t r e y , Currency and Credit. 2. Aufl. London 1923. S. 166.

from whence they came. And has not this C r e d i t been C a -
p i t a l ?" (S. 623/624.)

Zur Kritik dieser Gleichsetzung von Kredit und Kapital sei
folgendes bemerkt:

Der Kredit soll nicht nur Geld sein, sondern auch Kapital,
und zwar produktives oder produzierendes Kapital. Wenn M a c -
l e o d unter Kapital alle Güter versteht, die zur Erzielung von
Gewinn benutzt werden, so könnte man dem durchaus zustimmen,
nicht aber der gleich darauf folgenden Erläuterung, daß zu diesem
Kapital außer Sachgütern auch abstrakte Rechte gehören; denn es
läßt sich leicht zeigen, daß diese sog. a b s t r a k t e n R e c h t e, die
M a c l e o d als zusätzliches additionelles Kapital bezeichnet, nichts
anderes sind als Rechtstitel auf bereits vorhandene Kapitalien.
Gerade das von M a c l e o d mit Vorliebe angeführte Beispiel der
cash credits der schottischen Banken läßt diese Irrung M a c l e o d s
besonders scharf hervortreten. M a c l e o d wirft die Frage auf,
ob jemand bestreiten könne, daß der Kredit Kapital sei, wenn man
an die gewaltigen Fortschritte in der schottischen Landwirtschaft
denke, die den Krediten zu verdanken wären, welche die schottischen
Pächter von den Banken erhalten hätten! Wie liegt die Sache in
Wirklichkeit? Das einzige wirkliche Kapital, das in Frage kommt,
besteht aus den Betriebsmitteln, also den Düngemitteln, Saatgut,
landwirtschaftlichen Maschinen und Geräten, mit denen ausgestattet
die schottischen Landwirte ihre Grundstücke meliorieren konnten.
Der Kredit, der den Pächtern eingeräumt wurde, ist kein Kapital;
dieses abstrakte Recht ist nur die juristische Form, durch welche
das bereits vorhandene Kapital den Pächtern zeitweise gegen die
Verpflichtung zur Rückzahlung des Kapitals nebst Zinsen überlassen wurde. Daß durch diese Kreditgewährung das vorhandene
Kapital eine sehr nützliche wirtschaftliche Anwendung gefunden hat,
daß vermittels des Kredits das Kapital auch in nutzbringendere
und produktivere Hände gelangte, als wenn es als Sparkapital zersplittert bei hunderten von Menschen geblieben wäre, die es nicht
produktiv hätten anlegen können, das alles kann zugegeben werden,
denn darin besteht gerade die befruchtende Wirkung des Kredits,
daß durch diese Kapitalübertragungen das vorhandene Kapital in
die Hände leistungsfähiger Personen kommt, die es vermittelst ihrer
Tätigkeit nützlich verwenden können. Die kapitalistische Produktionsweise bedeutet, daß im Gegensatz zu kapitalloser Wirtschafts-
weise die Produktion mit Produktionsumwegen vor sich gehen kann,
d. h. daß nicht allein mit den Natur- und Arbeitskräften, sondern
auch mit bereits vorhandenen Gütervorräten gewirtschaftet wird.
Indem durch den Kredit Menschen in die Lage versetzt werden,
sofort eine solche Produktionsweise mit Produktionsumwegen ein-
zuschlagen, wird eine viel wirtschaftlichere Verwendung der Sparkapitalien ermöglicht; aber niemals kann der Kredit selbst als neues
Kapital angesehen werden. Die Fortschritte in der schottischen
Landwirtschaft, von denen M a c l e o d berichtet, sind allein den
produktiv tätigen Landwirten zu verdanken, die mit Hilfe der ihnen
kreditierten Betriebsmittel diese Meliorationen vornehmen konnten;
aber um deswillen ist doch keineswegs der Kredit selbst die produktive Kraft, welche diese Fortschritte hervorgebracht hätte.
Aus dem „N i c h t s" heraus soll nach M a c l e o d der Kredit

allein diesen Reichtum schaffen und dann soll er wieder in sein N i c h t s zurückkehren! Wie irrig und bedenklich diese ganze Auffassung ist, ergibt sich aus den eigenen Ausführungen M a c l e o d s, denn er stellt die .Kreditpolitik der schottischen Banken in der ersten und zweiten Periode einander gegenüber und tadelt das Gebaren der schottischen Notenbanken in der ersten Periode, weil sie den Notenkredit ohne die nötige Deckung und ohne Einlösungspflicht gegeben hätten. Erst als die schottischen Banken streng an die bare Einlösungspflicht gebunden gewesen wären und über genügenden Vorrat an Gold und Silber verfügt hätten, hätten die cash credits auch ihre gute Wirkung ausgeübt. Damit gibt implicite M a c l e o d selbst zu, daß nur auf Grund bereits vorhandenen Kapitals der Kredit möglich wäre, und noch mehr zeigte sich, daß M a c l e o d diese Tatsache kannte, ohne aber die nötigen Konsequenzen für seine Kredittheorie zu ziehen, wenn er die wohltätigen Wirkungen des Kredits der preußischen Landschaften mit denen der schottischen Banken in Parallele stellte. Der preußische Landschaftskredit soll dieselbe wunderbare Wirkung gehabt haben, wie die Kredite der schottischen Banken, nämlich die Landwirtschaft der preußischen Provinzen für Jahrhunderte hinaus gefördert und gestärkt zu haben. Diese Parallele ist in gewisser Hinsicht zutreffend, nur nicht in dem Sinne, wie M a c l e o d es meint, daß der K r e d i t die produktive Kraft gewesen sei, welcher diese Fortschritte zu verdanken seien. Auch hier waren die Kapitalien bereits vorhanden, nämlich einerseits in dem großen Wert des solidarisch haftenden Grundbesitzes der in den Landschaften vereinigten Grundbesitzer und anderseits in den Sparkapitalien, welche die Landschaften durch die von ihnen ausgegebenen verzinslichen Pfandbriefe heranzuziehen vermochten. Durch geschickte Zusammenfassung der bereits vorhandenen Sparkapitalien einerseits und vermittels des bereits vorhandenen Bodenwertes anderseits konnte Kapital den kreditbedürftigen Landwirten zur Verfügung gestellt werden und hierdurch wurden diese in besonders geeigneter Weise zur Neubildung von Kapital befähigt. Auch hier hat der Kredit nur die Möglichkeit gegeben, Kapitalien produktiver und nutzbringender zu verwenden, als wenn sie zersplittert als Sparkapitalien bei den zahlreichen Inhabern von Pfandbriefen der Landschaften fungiert hätten. Der große Umschwung der Landwirtschaften der preußischen Provinzen ist nicht dem Kredit, sondern der Tätigkeit der Landwirte zu danken.

Ich möchte noch an einem weiteren Beispiel zeigen, zu welcher Verwirrung der Begriffe die M a c l e o d sche Theorie führen muß. M a c l e o d spricht von den großen Wirkungen, welche der Banknotenkredit für den Bau der Kanäle in England gehabt hätte. Durch diese Kanalbauten in der Zeit von 1776—1796 hätte England ein reiches Kanalnetz bekommen, wodurch seine Volkswirtschaft in höchstem Maße gefördert worden sei, und er hebt hervor, daß diese Kanäle vermittels des K r e d i t s gebaut worden seien, der in Form von Banknoten der englischen Landbanken gewährt worden sei Da aber, so fährt M a c l e o d fort, diese englischen Landbanken nicht die solide Verfassung wie die schottischen Banken gehabt hätten, wären sie massenhaft in der Zeit der Panik von 1793—1797 weggefegt worden. ,,Aber'', so sagt er wörtlich, ,,wenn auch die Banken

weggefegt wurden, die soliden Resultate ihrer Banknotenausgabe
sind dauernd geblieben." — Wie liegt hier die Sache in Wirklichkeit?
Nicht vermittels des Banknotenkredits der englischen Landbanken,
die später Bankerott machten, sind die Kanalbauten ausgeführt
worden, sondern vermittels der bereits vorhandenen Kapitalien,
welche die Kanalbaugesellschaften für die ihnen zur Verfügung gestellten Banknoten erhalten hatten. Für diese Noten also konnten
sie die nötigen Baumaterialien, Lohnsummen usw. erhalten, mit
denen die Kanalbauten durchgeführt wurden; die Personen aber,
die gegen diese Noten die betr. Materialien und Gelder hingaben,
hatten dann das Nachsehen, als durch den Bankerott der Landbanken
die Noten wertlos wurden. Es ist unerfindlich, wie man ein solches
Beispiel anführen kann, um die p r o d u k t i v e K r a f t d e s
K r e d i t s zu illustrieren.

Wie bedenklich die Lehre ist, daß der Kredit so gut wie ein
neues produktives Kapital sei, zeigt auch die Stellungnahme M a -
c l e o d s zur Frage des ö f f e n t l i c h e n K r e d i t s. Er faßt den
Staatskredit als Reichtum auf. Auch der Kredit des Staates bringt
nach M a c l e o d genau wie der Kredit einer Privatperson den gegenwärtigen Wert seines künftigen Einkommens in den Verkehr. Die
Staatsschuldscheine (funds) sollen austauschbares Eigentum sein,
ähnlich wie Wechsel, Aktien usw. (S. 27). M a c l e o d meint, der
Reichtum eines Staates bestünde in seinem Kredit oder in seiner
Macht, Geld zu kaufen gegen eine Annuität oder gegen das Recht
des Gläubigers, eine Anzahl von künftigen Zahlungen zu erhalten.
Sowohl Privatpersonen wie der Staat könnten ihren Kredit ausnutzen, indem sie Kaufkraft schaffen; das sei genau dasselbe, als
wenn man Gold aus einem Bergwerk gewinne und es in den Verkehr brächte. Auf diese Weise werde durch den Staatskredit der
Reichtum vermehrt, geradeso als ob eine gleiche Menge neuen Goldes
geschaffen würde: ,,When Persons and the State utilise their Credit
by making purchases with it, they coin their Credit: and just as
extracting Gold from the mine, coining it, and bringing it into
commerce augments the mass of Exchangeable Quantitives: so when
Persons and the State coin their Credit: it augments the mass of
Exchangeable Quantities, or Wealth. It brings into commerce the
Present Values of their Future Income: and this Credit, coined and
brought into commerce, has in every respect indentical effects with
an equal quantity of Gold." (S. 724.)

Diese Auffassung, daß die Staatsschulden im Grunde genommen
kein Opfer für das Volk bedeuteten, sondern eine Reichtumsver-
mehrung darstellten, fand sich auch früher in der Literatur. So sagt
V o l t a i r e einmal: ,,Ein Land, das sich selbst schuldet, verarmt
nicht, die Anleihen wirken sogar ermunternd auf die Industrie."
Und C o l q u h o n erklärt: ,,Die Kriegsschuld bedeutet, wenn das
Geld im Lande bleibt, weder eine Vermehrung noch eine Vermin-
derung des Volksvermögens. Die bürgerliche Gesellschaft ist wie eine
Familie zu betrachten. Hat ein Mitglied der Familie dem andern
Zinsen zu zahlen, so ist das für das Ganze ohne Belang, nur soweit
Schuldtitel im Besitz Fremder sich befinden, liegt eine wirkliche
Schuld vor, welche das Volk drückt." — Es ist bekannt, wie auch
im Weltkriege bei der wiederholten Auflegung von Kriegsanleihe
immer wieder betont wurde, daß hier im Grunde genommen gar kein

Opfer vorliege, weil das Geld im Land bliebe. Wie gefährlich kann eine solche Kreditauffassung auch für manche kleine Gemeinde werden, wenn sie bei Auflegung von Anleihen, die über die wirtschaftliche Kraft der Gemeinde hinausgehen, sich mit dem Gedanken beruhigt, daß die Anleihe „ermunternd auf die Industrie wirke".

In ähnlicher Weise wie M a c l e o d argumentiert auch H a h n, wenn er den Kredit als produktives Kapital bezeichnet. Mit Recht bezeichnet H a h n die Frage: wie weit wird durch die Einräumung eines neuen Kredits beim Kreditnehmer und damit in der Volkswirtschaft überhaupt der Bestand an Kapital in volkswirtschaftlichem Sinne an produzierten Produktionsmitteln vergrößert? als die zentrale Frage der Kredittheorie. Wir wollen uns einmal mit H a h n auf diese Fassung des Kapitalbegriffes beschränken (obwohl hiermit ein viel zu enger und überhaupt mehr technischer als volkswirtschaftlicher Kapitalbegriff aufgestellt wird) und feststellen, wie H a h n selbst diese Frage beantwortet. Nach H a h n ist die Frage verschieden zu beantworten, je nachdem es sich um einen Kredit mit oder ohne Neuschaffung von Kaufkraft handle. Wenn ein Kredit nur auf Grund von Ersparnissen eingeräumt werde, die bereits von der Volkswirtschaft gemacht seien, so finde hier nur eine Übertragung des Anspruchs auf Güter von einem Wirtschaftssubjekt auf ein anderes statt. Der Kredit wirke hier nur insofern gütervermehrend, als Güter nicht vom Sparer konsumtiv verbraucht würden, sondern der produktiven Verwendung bei dem Kreditnehmer zugeführt würden. Anders aber, wenn durch den Kredit neue Kaufkraft ad hoc geschaffen werde, das sei dann der Fall, wenn es sich um den sog. inflatorischen Kredit handle. Dieser Ausdruck soll folgendes bedeuten. Es gibt nach H a h n eine doppelte Art, wie die Banken Kredit geben könnten, nämlich so, daß sie Kredit auf Grund bereits vorhandener Sparguthaben einräumen. Hier werde einfach die Kaufkraft beim Sparer stillgelegt und auf den Kreditnehmer übertragen. Es werde aber keine neue Kaufkraft geschaffen. Oder so: daß die Banken neue Kaufkraft durch neue Geld- und Kreditschöpfung schaffen. Hier werde durch die neue Kaufkraft die Gesamtkaufkraft vermehrt. Die Frage lautet also jetzt folgendermaßen: Findet durch diese Art von Krediteinräumuug der Banken — nach H a h n als inflatorischer Kredit bezeichnet — eine Kapitalvermehrung statt? Wie wir sahen, hatte M a c l e o d die Frage dahin entschieden, daß er den Kredit dem Kapital gleichsetzte. Diese Auffassung lehnt H a h n als zu weitgehend ab, weil Krediteinräumung selbst keine Produktion sei und nur Produktionsgüter hervorbringen könne. Auf der anderen Seite sei aber nach H a h n die kapitalschaffende Kraft des Kredits nicht zu leugnen, denn man sehe in Wirklichkeit, daß unabhängig davon, ob in der Volkswirtschaft Gütervorräte vorhanden seien oder nicht, der Kredit beim Kreditnehmer z. B. neue produktive Anlagen hervorbrächte. Dieses Dilemma löst H a h n so, daß er erklärt, es sei eine falsche Vorstellung der Kapitalbildung, wenn man diese als eine Frage der Güterproduktion auffasse; Kapitalbildung sei vielmehr eine Frage der G ü t e r v e r t e i l u n g und zwar der Güterverteilung in intertemporaler wie in interpersonaler Beziehung. H a h n erklärt dies des näheren so: auch ohne Vergrößerung der Produktion könnten sich die Kapitalvorräte einer Nation vergrößern, nur durch Verlän-

gerung der Produktionsumwege, wobei H a h n mit Hinweis auf
bekannte Beispiele von B ö h m - B a w e r k erwähnt, daß z. B.
eine Anzahl Arbeiter statt Schuhe mit der Hand herzustellen, zuerst
Schuhbereitungsmaschinen herstellten; dann hätte man im zweiten
Fall zu Beginn der zweiten Produktionsperiode die Maschinen und
außerdem die in Entstehung begriffenen Schuhe. Die Vermehrung
der Kapitalgütervorräte einer Nation sei also nicht die Folge vermehrter Produktion, sondern die Folge einer Änderung der G ü t e r -
v e r t e i l u n g in intertemporaler Beziehung und zugleich auch in interpersonaler Beziehung dadurch, daß bestimmte Gütervorräte statt
dem konsumtiven Gebrauch der produktiven Verwendung zugeführt
würden. — Mir scheint, daß diese ganze Art der Beweisführung,
wonach Kreditvermehrung einer Kapitalvermehrung gleichkommt,
ein geschicktes dialektisches Kunststück darstellt. H a h n sieht
vollkommen ein, daß der Kredit, weil er der Produktionssphäre nicht
angehört, nicht gütererzeugend wirken könne. Da nun aber der
Kredit distributionsverändernd wirkt, wird einfach die Kapitalbildung
als Folge der Verteilung, nicht als Folge der Produktion erklärt.
H a h n sagt, Krediteinräumung bringe doch unabhängig davon,
ob in der Volkswirtschaft Gütervorräte vorhanden seien oder nicht,
produktive Anlagen hervor, und nun schließt er weiter, weil die
Banken neuen Kredit schaffen könnten, könnten sie auch zugleich
neues Kapital bilden. Selbst, wenn aber die Banken Kredit neu
schaffen, d. h. z. B. einem Unternehmer ungedeckten Kontokorrentkredit einräumen, so müssen doch bereits Gütervorräte vorhanden sein, in deren Besitz gerade der Kreditnehmer mit Hilfe
der Bank kommen will. Das Kapital, um das es sich handelt, sind
die vorhandenen Gütervorräte und sonst nichts. Die Arbeiter, welche
im Beispiele H a h n s statt Schuhe mit der Hand herzustellen,
erst eine Maschine produzierten, und dann mit der Maschine mehr
Schuhe herstellen konnten als vorher, müssen ein Jahr lang etwa
einen Gütervorrat zur Verfügung haben, um leben zu können. Das
ist gerade der Zweck des Kredits, daß sie die Verfügungsmacht
über diesen Gütervorrat eine Zeitlang erhalten. Also nicht der Kredit
ist die Ursache der Kapitalneubildung, sondern ganz allein — wie
ich dies M a c l e o d gegenüber schon betont habe — die produktiv
schaffenden Menschen mit Unterstützung von bereits vorhandenen
Gütervorräten. Der Kredit leistet nur das, daß er den betreffenden
Arbeitern oder Unternehmern die Möglichkeit zu einer technischen
Mehrleistung bietet, so daß die Masse an Produkten größer wird, als
sie bei der Handarbeit möglich wäre. Damit ist aber noch in keiner
Weise gesagt, daß hierdurch auch eine K a p i t a l v e r m e h r u n g
zustande käme; denn die vermittels der Krediteinräumung ermög-
lichte Einschlagung von Produktionsumwegen bedeutet doch nichts
weiter als eine Vermehrung an P r o d u k t e n. Ob dies auch zu einer
Vermehrung von Kapital führt, so daß eine Vermögenszunahme
entsteht, die Gewinne abwirft, hängt von allen möglichen Faktoren
ab, die mit dem Kredit gar nichts zu tun haben. Sind z. B. die mit
der Maschine hergestellten Produkte entweder qualitativ nicht den
Wünschen der Konsumenten entsprechend oder in solcher Menge
erzeugt, daß ein Absatz zu lohnendem Preise nicht möglich wird,
so kann sogar K a p i t a l z e r s t ö r u n g oder K a p i t a l -
v e r m i n d e r u n g die Folge der Krediteinräumung sein.

Wenn H a h n die Krediteinräumung als Schaffung k a u f -
k r ä f t i g e r Nachfrage bezeichnet, so trifft dies nur für die Nachfrage nach den P r o d u k t i o n s g ü t e r n zu, die von den Kredit-
nehmern zu ihrer Produktion gebraucht werden, gilt aber keineswegs
für die fertigen Endprodukte. Finden diese keinen Absatz, dann
hat der Kredit nicht nur keine kaufkräftige Nachfrage geschaffen,
sondern oft ist sogar mit Hilfe des Kredits ein Übermaß an Produkten
erzeugt und dadurch eine Absatzstockung verursacht. Darum sind
auch Sätze wie der, daß die Kapitalbildung nicht nur Folge des
Sparens, sondern der Kredithingabe sei, oder daß die Kredithingabe
primär gegenüber der Kapitalbildung sei, irreführend. Wie stark
seine Überschätzung der Bedeutung des Kredites ist, geht auch aus
folgenden Sätzen hervor, die dem Sinne nach genau mit den M a -
c l e o d schen Lehren übereinstimmen: „Ohne Krediteinräumung
können keine Kapitalgüter produziert werden, kann sich keine Kapitalbildung im Sinne der Bildung eines Stockes von Produktionsmitteln
vollziehen. Die Krediteinräumung ist es, die die Kapitalbildung als
Sekundärerscheinung nach sich zieht, genau wie jede Nachfrage die
Nachfragebefriedigungstätigkeit, die Produktion. — Die Krediteinräumung ist aber nicht nur Ursache der Bildung von Kapital, sie ist
auch bestimmend für seine Zusammensetzung, seine Größe, ja sogar
für seine Verteilung unter die Subjekte der Volkswirtschaft." (S. 121.)
Jede Krediteinräumung setzt bereits vorhandenes Kapital voraus
und in zahlreichen Fällen vollzieht sich die Kapitalneubildung, ohne
Inanspruchnahme von Kredit auf Grund eigener Produktionsüber-
schüsse des Unternehmers. Wenn H a h n meint, daß die herrschende Auffassung, wonach die in einer Volkswirtschaft verfügbare
Kreditmenge von dem aus früheren Produktionsperioden stammenden Stock von Gütern abhängig wäre, widerlegt sei, so müßte der
Kredit gerade wie bei M a c l e o d aus dem Nichts heraus zu
schöpfen sein, oder vielmehr aus dem mystischen Vertrauen heraus,
welches für H a h n das Essentielle des Kredites ist.

Es zeigt sich also, daß H a h n gegenüber dasselbe gilt wie
gegenüber seinem schottischen Vorläufer: die reine Rechtsform der
Krediteinräumung kann bei geschickter und wirtschaftlich zweckmäßiger Verwendung zu größerer Kapitalbildung führen als ohne
diesen Kredit, aber ob und in welchem Umfange dies geschieht, ist
lediglich vom Erfolg des Unternehmens selbst abhängig. Der Kredit
bedeutet nur eine K a p i t a l v e r s c h i e b u n g , nicht aber eine
Kapitalvermehrung.

Es hängt mit H a h n s Auffassung von der kreditschöpfenden
Macht der Banken zusammen, daß er das aktive Kreditgeschäft dem
passiven gegenüber voranstellt. Damit tritt er der herrschenden
Lehre entgegen. Nach dieser müssen zuerst die Banken durch ihre
Depositen die Mittel erhalten, aus denen sie dann ihrerseits ihren
Kunden Kredit gewähren. Also hiernach muß das Passivgeschäft
vorangehen. Nach H a h n soll umgekehrt das Aktivgeschäft der
Banken vorangehen, um überhaupt das Passivgeschäft möglich zu
machen; das Passivgeschäft soll ein Reflex vorangegangener Kreditgewährung sein. H a h n will mit seiner Auffassung in Gegensatz
zur gesamten Bank- und Kreditliteratur treten. Als einzige Ausnahme
erwähnt er S c h u m p e t e r , fügt dann aber auch noch M a -

c l e o d hinzu, „abgesehen von den nicht klaren Ausführungen bei
M a c l e o d [1]“.

Also: die Banken brauchen nach H a h n gar nicht erst die
Mittel zur Kreditgewährung aus ihrem Kundenkreise zu beschaffen,
sie können aus eigener Kraft Kredit erzeugen. Da ergibt sich die
Frage: aus welchen Mitteln und mit welcher Kraft ausgestattet
können die Banken Kredit gewähren, also aktive Kreditgeschäfte
betreiben? H a h n erklärt dies so: der heutige Bankkreditverkehr
habe sich aus dem früheren Zustand des grundsätzlichen Barverkehrs entwickelt. Diese Entwicklung sei nur infolge der primären
Schaffung von Girokonten durch die Banken möglich geworden,
„denn ohne sie gäbe es offensichtlich überhaupt keine Überweisungs-
konten, kein Giralgeld, und es bestünde ausschließlich Bargeld-
verkehr — abgesehen etwa von solchen Überweisungsguthaben, die
von den Banken gegen Einlieferung von Edelmetallmünzen eingeräumt
wurden, und die man zur Not als nicht von den Banken primär
kreiert betrachten kann, weil sie nur als Ersatz und Repräsentanten
der in den Banken konzentrierten Münzen umlaufen[2]“.

Welches sind die Mittel, durch welche die Banken primär Kredit
schöpfen können, da diese Mittel aus einem festen Vorrat an Forde-
rungsrechten nicht bestehen sollen? Diese Frage wird von H a h n
im Sinne M a c l e o d s beantwortet, indem er nämlich eine reine
Fiktion an die Stelle eines realen Wertobjektes setzt. Er antwortet
mit dem Hinweis auf das „Vertrauen“, welches die Banken genießen.
Die Banken könnten als Träger des allgemeinen Vertrauens auch
primär Kredit geben. H a h n zitiert zustimmend den Ausdruck
von M a c l e o d , daß die Bank kein Institut sei zur Kreditvermittlung, sondern eine Kreditmanufaktur (Manufactory of Credit).
So faßt er die Banken als Vertrauensfabriken auf. Er erklärt dieses
des näheren so: wenn es keine Banken gäbe und die Menschen untereinander sich Kredit geben müßten, so könnten die einzelnen Personen dieses nur tun, soweit sie untereinander als kreditwürdig
bekannt sind. Da aber in der modernen Volkswirtschaft die einzelnen
Wirtschaftssubjekte bestenfalls ihrem engeren Geschäftskreis, nie
aber der Allgemeinheit als kreditwürdig bekannt sind, so müsse es
Interessenten geben, die bereit seien, mit ihrem Kredit für die in
bezug auf ihre Kreditwürdigkeit nicht allgemein bekannten Schuldner
einzutreten: „Die Banken vermitteln gleichsam dem Schuldner das
ihm fehlende allgemeine Vertrauen. Sie sind deshalb nach unserer
Auffassung nichts weiter als Kreditvermittlerinnen in des Wortes
wörtlicher Bedeutung von Vermittlerinnen des Vertrauens[3].“

Wenn ich von dem oben bereits erwähnten prinzipiellen Einwand absehe, daß das Vertrauensmoment gar nicht zum Kreditbegriff gehört, so ist weiterhin folgendes zu prüfen: Wenn uns die
Banken quasi als Vertrauensmittelpunkte vorgeführt werden, die
eine Zusammenfassung von Hunderten von Personen darstellen, die
Kredit geben oder nehmen wollen, so muß doch dieses Vertrauen
irgendwie einen realen Hintergrund haben in objektiven Mitteln
oder festbegrenzten Vermögensbeständen, aus denen zu schöpfen oder

---

[1] Volkswirtschaftliche Theorie des Bankkredits. S. 29.
[2] Ebenda, S. 29.
[3] Ebenda, S. 51.

auf Grund deren sie allein Kredite bewilligen können. In dieser Hinsicht ist die von Hahn vorgenommene Unterscheidung der sog. Primärbanken und der Sekundärbanken von Wichtigkeit. Die Primärbanken oder Kreditschöpfungsbanken sollen durch ihre Tätigkeit das Kreditverhältnis primär hervorrufen, während die Sekundärbanken oder Krediterscheinungsbanken nur Kredit geben, der ihnen selbst bereits gewährt ist. Reine Sekundärbanken sollen z. B. die Sparkassen sein und die Pfandbriefe ausgebenden Hypothekenkanken, weil sie auf Grund von Guthaben, die ihnen überwiesen werden, den Kredit gewähren; dagegen reine Primärbanken z. B. die kleinen Bankgeschäfte, insbesondere der Provinz, die Kredite geben, ohne auf der anderen Seite in irgend erheblichem Umfang seitens des Publikums Einlagen zu erhalten und daher regelmäßig eine starke Verschuldung den Sekundärbanken gegenüber aufweisen. Aber müssen denn auch nicht die sog. Primärbanken, die also selbst kreditschöpferisch auftreten, irgend über Mittel verfügen, die ihnen diese Kreditgewährung ermöglicht?

Wie weit können die Banken mit ihrem Kreditangebot gehen, wenn dieses nicht durch den Umfang ihrer Mittel begrenzt sein soll? Da nach Hahn das Kreditangebot nichts anderes als Vertrauensangebot darstellen soll, soll auch das Kreditangebot von dem Maße des bei den Kreditbanken vorhandenen Vertrauens abhängig sein. (S. 63.) Nur bei den Sekundärbanken hinge das Maß der Krediteinräumung vom Vorhandensein von Ersparnissen ab, bei den Primärbanken sei allein das Maß des Vertrauens entscheidend. Es ist aber oberster Grundsatz für die Kreditpolitik der Banken, daß sie nur im Rahmen ihrer Liquidität Kredit gewähren können. Für die Bedeutung dieser Liquidität hat auch Hahn volles Verständnis. Er sagt: ,,Die Bankenliquidität ist das wichtigste Moment für den Umfang des Angebots an den Kreditmärkten." Und zwar handelt es sich um die wirtschaftliche Liquidität, d. h. die Frage, ob die Banken ihren Verpflichtungen nachkommen können, d. h. ihre Schulden glattstellen können, und um die geldliche Liquidität, d. h. um die Frage, ob die Banken die Auszahlung in Geld leisten können, wenn es von den Kunden verlangt wird. Mit der Schwierigkeit, ob unter Umständen die Krediteinräumung der Primärbanken, deren Umfang nur auf Vertrauen beruhen soll, zu einer Geldkrisis oder Kreditkrise führen könne, findet sich Hahn in sehr origineller Weise ab. Eine geldliche Illiquidität der Banken hält Hahn um deswillen für ausgeschlossen, weil die Banken immer ihren Rückhalt in der Zentralnotenbank hätten: ,,Ist es doch mehr und mehr zum Grundsatz aller Zentralnoteninstitute geworden, die Banken in Zeiten von Geldkrisen im Interesse der Vermeidung von in ihrer Wirkung unübersehbaren Katastrophen durch reichliche Gewährung von Notenkrediten zu unterstützen" (S. 78). Deshalb meint er allen Ernstes, daß Erwägungen bezüglich der geldlichen Liquidität für Fälle außerordentlichen Geldbedarfs bei der Kreditgewährung der Banken keine Rolle spielten (S. 82). Ein Einwand liegt sehr nahe: die zentralen Noteninstitute sind ihrerseits doch in ihrer Kreditgewährung an feste Grenzen geknüpft, teils durch die gesetzlichen Vorschriften über Notendeckung, teils durch den Umfang der eigenen Mittel. Auch mit dieser Schwierigkeit findet Hahn sich ab, indem er zu beweisen sucht, daß die Zentralnotenbank in ihrer Notenausgabe praktisch unbeschränkt sei. Die Banknoten sollen nämlich, wenn auch nicht juristisch, so doch grundsätzlich, uneinlösbar sein. Die Einlösungspflicht habe nur formellen Charakter, keine Notenbank sei praktisch in der Lage, im Ernstfalle allen Einlösungsrechten seitens der Noteninhaber nachzukommen, und deshalb sei auch der zur Ermöglichung der Einlösung vorrätig gehaltene Metallschatz überflüssig. Da also die Notenausgabe der Zentralbank praktisch unbegrenzt sei, weil im schlimmsten Fall die Aufhebung der Einlösungspflicht eintreten müßte, so ergebe sich daraus, daß die Liquidität der Notenbanken zu allen Zeiten unbedingt vorhanden sei: „Das Bestreben zur Aufrechterhaltung der Dritteldeckung und zur Vergrößerung des für den Inlandszahlungsdienst vorrätig gehaltenen Goldvorrates ist schlechterdings mit der, wie gezeigt, bei einer modernen Notenbank gegebenenfalls notwendigerweise eintretenden Unfähigkeit zur Einlösung der Noten logisch unvereinbar" (S. 82).

Da also die Banken außer aus ihren eigenen Notenvorräten auch noch aus den Vorräten der Noten kreierenden Zentralbanken zu schöpfen in der Lage seien, und da dieses Notenschöpfungsrecht praktisch unbegrenzt sei, so löst sich für ihn alle Schwierigkeit der Liquidität durch die primäre Geldschöpfung seitens der Zentralnotenbank, und so kommt er zu dem Schluß, daß die Banken in ihrer Gesamtheit von den Vorräten an Geld, die ihnen vom Publikum zufließen, unabhängig seien (S. 85). — Immerhin könnte sich doch vielleicht, meint Hahn, dadurch in Zukunft einmal eine wirkliche Abhängigkeit der Banken von der Zentralnotenbank entwickeln (S. 86), aber diese Schwierigkeit erachtet Hahn nicht für sehr groß, weil die Banken auch ohne das von der Zentralbank zur Verfügung gestellte Notenmaterial Kreditexpansion betreiben könnten (S. 88). Die von den Banken ausgehende Kreditexpansion müsse dann zwangsläufig die Zentralnotenbank zur Schaffung neuer Zahlungsmittel veranlassen. Damit stimme auch die Praxis überein: „Die Banken beobachten bei der Einräumung von Krediten alle anderen Umstände eher, als ihren Vorrat an Zahlungsmitteln. Sie verlassen sich in dieser Beziehung ganz auf die Zentralnotenbank, von der sie wissen, daß sie — damit ihrerseits primäre Kaufkraft schaffend — der Kreditexpansion der Banken stets folgt[1]" (S. 89).

§ 89. Der Einfluß des Kredits auf den Verlauf der Konjunkturen und die Entstehung der Krisen. Die Kreditkontrolle als Mittel der Konjunkturregelung und zur Vermeidung der Krisen.

Von einzelnen Kredittheoretikern wird dem Kredit ein geradezu entscheidender Einfluß auf die Konjunkturen und Krisen zugeschrieben. Hier ist wiederum in erster Linie Macleod zu nennen,

---

[1]) Zur Literatur über Hahn vgl.: A. Lampe, Zur Theorie des Sparprozesses und der Kreditschöpfung. Jena 1926. L. v. Bortkiewicz, Das Wesen, die Grenzen und die Wirkungen des Bankkredits. In Weltwirtschaftl. Archiv, 17. Bd., 1921/22. S. 70 ff. Adolf Weber, Depositenbanken und Spekulationsbanken, 2. Aufl. München und Leipzig 1922. H. G. Haenel, Geld und Kredit. Ein Beitrag zur Kritik des Nominalismus in der Zeitschrift für die gesamte Staatswissenschaft, 79. Jahrgang. 1925, Heft 2. Bruno Moll, Besprechung von Hahns volkswirtschaftlicher Theorie des Bankkredits in Zeitschrift für Sozialwissenschaft. Neue Folge, 12. Jahrg. Leipzig 1921. S. 218 ff. J. Männer, Die Theorien des Geldmarktes. Freiburger Dissertation 1925.

dessen Auffassung über diese Zusammenhänge auch in der neuesten Literatur vielfach Aufnahme gefunden hat.

Wie M a c l e o d · dem vernünftigen Gebrauch des Kredits alle Erfolge in der Entwicklung des Wirtschaftslebens im 19. Jahrhundert zuschreibt, so soll der unvernünftige Gebrauch des Kredits alle die Zusammenbrüche verschuldet haben, die in dem etwa zehnjährigen Zyklus das Wirtschaftsleben der Welt aufs tiefste erschütterten. Das sei der Fall gewesen in den Krisen von 1825 und 1838/39, von 1847, 1857, 1867. Die übermäßige Kreditgewährung seitens der Banken sei die Ursache der Überproduktion, welche die Depressionen hervorrufe und die ungenügende Bereitschaft der Banken, vermittels des Kredits eine Sanierung herbeizuführen, führe dann zum Sturm auf die Banken nach barem Geld, die das Symptom der Krisen bilden.

Die spezielle Form des Kredits, die M a c l e o d als „gefährlich" bezeichnet, sei der sog. Akkommodationskredit (Vorschuß oder Gefälligkeitskredit) im Gegensatz zu dem soliden kaufmännischen Wechselkredit. Diesen Kredit erklärt M a c l e o d als gesund, weil er auf wirklicher Zirkulation von Waren beruhe; den andern Kredit für gefährlich, weil er auf vagen Zukunftshoffnungen basiert sei. Wenn M a c l e o d auch alle Depressionen als durch Überspannung des Kredits verursacht bezeichnet, so meint er doch, daß diese Auf- und Abwärtsbewegungen des Konjunkturenverlaufes nicht zu vermeiden seien, weil sie mit dem kapitalistischen Wirtschaftssystem eng verknüpft wären. Was aber sicher vermeidlich wäre, das sei die Zuspitzung dieser Depression zu einer Krisis, denn diese Krisen hätten ihren Ursprung in der schlechten Bankverfassung, die den Banken nicht genügend Spielraum zu Kreditgewährungen in schwierigen Geschäftszeiten biete. M a c l e o d nennt die r e s t r i k t i v e K r e -d i t t h e o r i e diejenige Lehre, auf der die Peelsche Bankakte beruhe, wonach die Notenausgabe der Bank von England auf den Umfang ihres baren Goldvorrates beschränkt sei; die richtigere Kredittheorie sei die e x p a n s i v e K r e d i t t h e o r i e, die durch größere Anpassungsfähigkeit der Notenausgabe an die geschäftlichen Erfordernisse es den großen kaufmännischen Häusern ermögliche, über die Zeit der Depression hinaus sich als solvent zu erhalten.

M a c l e o d erblickt das Heilmittel zur Vermeidung der Krisen in einer Kreditkontrolle. Er spricht direkt von einer w i s s e n-s c h a f t l i c h e n K o n t r o l l e d e s K r e d i t s (scientific control) (S. 938). Mit Stolz sagt er, daß er im Sommer des Jahres 1855 die wahre Methode der Kreditkontrolle erfunden habe (S. 1040). Die Kreditkontrolle könne, wenn die Schranken der Peelschen Akte gefallen wären, am besten durch die Diskontrate ausgeübt werden. Er sagt, die Diskontrate sei die wahre höchste Gewalt zur Kreditkontrolle. Die unbeschränkte Ausgabe der Noten innerhalb der Grenzen der Liquidität der Banken im Zusammenhang mit einer scharfen Regelung des Diskontsatzes wäre durchaus ein Mittel, Krisen unmöglich zu machen: „The power of unlimited issues is absolutely indispensable to enable the Bank to meet a great emergency promptly and successfully, when millions of notes have to be issued without delay to avert a Monetary Panic, and perfectly safe when done under a high Rate of Discount, so as to prevent the Exchanges being turned against the country. It is the completion and the coping stone of the doctrines of the Bullion Report: and the theory of Banking, Credit and the Paper Currency is now absolutely complete" (S. 1119).

Wie bei M a c l e o d i s t auch bei H a h n der Verlauf der Konjunkturen und die Krisenbildung in erster Linie durch den Kredit bedingt. Er wirft die Frage auf, worauf die Absatzstockung zurückzuführen sei und meint, daß sie die zentrale Frage jeder Konjunkturen- und Krisentheorie sei. Er beantwortet die Frage damit, daß er den Bankkredit als den eigentlichen K o n j u n k t u r e r r e g e r erklärt[1]. Die Banken könnten infolge ihrer freien Geldschöpfungsmöglichkeiten bald mehr bald weniger geldliche Nachfragen in der Volkswirtschaft hervorrufen (S. 146). Der Verlauf der Konjunkturen zeige folgendes typische Bild: in der Hochkonjunktur würden zahlreiche neue Unternehmungen gegründet, Preise und Löhne stiegen, alles floriere; bald aber trete der Umschwung ein oder, wenn der Umschwung plötzlich erfolge, die Krisis: der Absatz stockt, die Banken suchen dann durch Erhöhung der Zinssätze ihren Status durch Kreditentziehung zu verbessern (S. 147). Dadurch würden zahlreiche Produktionszweige unrentabel und zum Stillstand gebracht. Dieser typische Verlauf der Hausse- und Baissebewegung soll in letzter Linie auf die Kreditgebarung der Banken oder sonstiger Kreditgeber zurückzuführen sein. Die Hochkonjunktur sei durch die Zinspolitik der Banken verursacht, weil ein im Verhältnis zum Gewinn der Industrie zu niedriger Zins die Gründung neuer Unternehmungen unrentabel erscheinen lasse. Die Absatzstockung komme daher, weil die durch die Kreditexpansion vermehrte Kaufkraft nicht konsumtiv, sondern zur Ersparnisbildung verwendet werde. Die Baisse endlich sei durch die Kreditrestriktion veranlaßt, welche die Banken eintreten ließen, wenn die Absatzstockung eintritt.

Wie die Konjunkturen und Krisen durch den Kredit verursacht sein sollen, so soll auch nach H a h n eine Regelung der Konjunktur und eine Beseitigung der Krisen vermittels des Kredits möglich sein. H a h n schließt sich der neuerdings in der englischen und amerikanischen Literatur öfter vertretenen Idee, daß eine konjunkturlose Wirtschaft anzustreben sei, nicht an; er hält vielmehr die Konjunktur an und für sich für einen wichtigen Stimulus im kapitalistischen Wirtschaftsverkehr, aber er meint, daß diejenigen, welche die konjunkturlose Wirtschaft erreichen wollten, diese allerdings nur auf dem Wege der Geld- und Kreditpolitik erlangen könnten. Er lehnt auch speziell die These von K e y n e s , daß durch eine manipulierte Währung eine konjunkturlose Wirtschaft herbeigeführt werden müßte, ab[2]), aber er stimmt anderseits dem Satz von K e y n e s zu, daß die Schwankungen im Güterumschlag und in der Beschäftigung zu den ernstesten und unheilbarsten wirtschaftlichen Krankheiten der modernen Gesellschaftsordnung zählen, und daß dies in der Hauptsache Krankheiten unseres Kredit- und Banksystems seien (S. 586). H a h n will ebenfalls auf diesem Wege eine gewisse Beherrschung der Konjunkturbewegung, wenn auch keine konjunkturlose Wirtschaft erreichen. Die Möglichkeit der Konjunkturbeherrschung und der Kreditkontrolle sei heute aber durchaus gegeben. Jede Zentralbank sei in der Lage — unbeschadet ihrer

---

[1]) Volkswirtschaftliche Theorie des Bankkredits. S. 156.
[2]) H a h n , Die konjunkturlose Wirtschaft. Wirtschaftsdienst 1925. S. 584.
Vgl. auch L a n g e l ü t k e , Die konjunkturlose Wirtschaft. Ebenda.

eigenen Abhängigkeit von der Politik anderer großer Zentralbanken — die Konjunktur ihres Landes zu beherrschen, indem sie ihr Angebot an Kredit durch Diskonterhöhung verteuere, durch Diskonterniedrigung verbillige[1]). Die Konjunkturen seien nicht Fügungen des Schicksals, sondern F ü g u n g e n   d e r   N o t e n b a n k l e i t u n g. Die Kunst liege also darin, den Diskontsatz so festzusetzen, daß Hoffnung auf weitere Preissteigerung und Furcht vor weiterem Preisfall durch Diskonterhöhung bzw. -Erniedrigung kompensiert würden[2]). Mit andern Worten: die übermäßige Ausdehnung der Produktion in der Hausse soll durch hohen Diskontsatz und die Depression in der Baisse durch niedrigen Diskont eingedämmt werden.

Als zweites Mittel neben der Diskontpolitik führt H a h n die Kreditkontrolle an. H a h n erblickt die Ursache der Krisenbildung besonders darin, daß die Unternehmer ihre Produktion stilllegen, wenn eine Absatzstockung eintritt und fragt, ob es nicht hiergegen ein Mittel gäbe. Er bejaht diese Möglichkeit jedenfalls für die Theorie und zwar gäbe es zwei Wege: einmal, daß die Unternehmungen dann, wenn der Absatz zu stocken beginne, durch Erweiterung, Vermehrung und vor allem Verbilligung des Kredits zur Weiterproduktion angeregt werden müßten[3]). Aber muß dies nicht erst recht zur Überproduktion und Krise führen? Hierauf antwortet H a h n mit dem Hinweis auf seinen zweiten Weg, der eingeschlagen werden müsse, damit trotz Mangel der Konsumtion die Produktion in einer Volkswirtschaft fortgesetzt und ihre Erzeugnisse gestapelt werden könnten. Das Mittel bestünde darin, daß ein Aufkauf der konsumreifen Erzeugnisse der Produktion durch einen Großaufkäufer stattfinde. Dieser Großaufkäufer, der dazu noch das Privileg der Zinsfreiheit genösse, sei in jeder Volkswirtschaft in der Person des Fiskus zu finden. Der Fiskus müsse sich die Gütervorräte sichern und damit die Produktion im Gange halten. Die Mittel dazu könnte der Fiskus durch Steuern aufbringen. Auf diese Weise glaubt H a h n vermittels einer Kreditexpansion wenigstens in der Theorie eine ewige Hochkonjunktur zu ermöglichen und meint, daß dieser Gedanke keineswegs in das Reich der Utopie gehöre.

Ebenso wie M a c l e o d in maßloser Übertreibung die Kapitalneubildung und Vermehrung des Wohlstandes auf den Kredit zurückführt, statt auf die wirklichen produktiven Kräfte, schreibt er auch die Schuld an den wirtschaftlichen Depressionen und Krisen allein dem Kredite zu. Auch hier finden wir den alten Irrtum, in der Zirkulationssphäre und nicht in der Produktionssphäre die treibenden Kräfte des Wirtschaftslebens zu suchen. Wie die Überspannung des Kredits an der Überproduktion schuld sein soll, die zu der Depression führe, seien durch den Mangel an Kredit die Krisen verschuldet. Gewiß stehen der Konjunkturenverlauf und die Krisen oft in engem Zusammenhang mit den Kreditvorgängen; man spricht daher auch von Geld-, Kredit- und Spekulationskrisen. Das sind aber die besonderen, die s p e z i e l l e n   K r i s e n, die ihren Ursprung im Kreditwesen haben, namentlich die Krisen, die dadurch entstehen, daß Spekulanten durch übermäßige Kreditaufnahme ihre Spekulation

---

[1]) H a h n, Krisenbekämpfung durch Diskontpolitik und Kreditkontrolle. In „Soziale Praxis", Jahrg. 35. Nr. 37. September 1926. S. 931.

[2]) Ebenda.

[3]) Volkswirtschaftliche Theorie des Bankkredits. S. 150.

weit über den eigenen Kapitalbesitz hinaus vergrößern können, bis
es dann zur Überspekulation und Krise kommt. Aber wenn man
von dieser besonderen Art der Krisen absieht, trifft es doch im allgemeinen für die Wirtschaftskrisen in keiner Weise zu, daß sie in
erster Linie durch den Kredit verschuldet seien. M a c l e o d selbst
erklärt, daß die Überproduktion in der Regel die Depression herbeiführe, die sich dann zur Krise zuspitze. Für diese Überproduktion
macht er die Kreditgeber verantwortlich, die in zu weit gehen-
dem Maße Kredit gewährt hätten. Richtiger würde man die Überproduktion auf das Vorgehen der Unternehmer selbst zurückführen und zwar einerlei, ob und inwieweit hierbei als weiteres stimu-
lierendes Moment eine Überspannung des Kredits hinzutreten kann.
Vielfach haben die Unternehmer aus den eigenen Überschüssen ihrer
Betriebe und ohne Kreditinanspruchnahme die Mittel zur Überproduktion gewonnen. Aber die Überproduktion ist nur eine der
Ursachen der Krisen, es kommen noch viele andere und wichtige
Krisen verursachende Momente hinzu, die ganz abseits der Kreditsphäre liegen. Ich weise nur auf den bedeutenden Einfluß der Ernten
auf die Konjunkturen- und Krisenbildungen hin; überreiche Ernten
haben oft zu Krisen geführt. Nicht also übermäßiger Kredit ist die
Ursache der Krisen, sondern durch ein großes Überangebot von
Getreide waren die Getreidepreise so gesunken, daß nicht nur die
Landwirte selbst, sondern auch weite andere Kreise des Wirtschaftslebens davon in Mitleidenschaft gezogen wurden. So war die preus-
sische Agrarkrisis von 1820/21 durch die Aufeinanderfolge mehrerer
überreicher Ernten verursacht, und ebenso ist die Krise von 1836/37
in England auf eine Reihe überaus guter vorangegangener Ernten
zurückzuführen. Diese überreichen Ernten bedeuteten für das In-
dustrieland England eine günstige Konjunktur, die dann stark überschätzt wurde und zu den bekannten Krisenerscheinungen geführt
hat. Ebenso sind bei der Krise von 1847 in England Ernte-
erscheinungen in erster Linie maßgebend gewesen. Die Getreideernte von 1845 war schlecht, die von 1846 direkt eine Mißernte,
dazu trat noch eine Mißernte in Baumwolle. Weil aber der Getreide-
mangel zu übermäßiger Ausdehnung der Getreideeinfuhr vom Ausland geführt hatte, mußte diese große Vermehrung der Getreidevorräte, als im Jahre 1847 eine sehr günstige Ernte eintrat, zu Rück-
schlägen, zu einem Preissturz des Getreides und damit zur Krise
führen. Auch die Krise von 1857, die in vielen Ländern der Welt
hervortrat, hat mit Kreditvorgängen nichts zu tun, sie hatte ihre
Ursache in den großen Goldfunden in Brasilien und Kalifornien
Anfang der 50er Jahre. Der große neue Goldzufluß brachte viele
neue zusätzliche Kaufkraft hervor, fachte dadurch in ungesunder
Weise den Spekulationsgeist an, was zur Überproduktion und zur
Krise führte. — So wenig also ein Übermaß an Kredit Schuld an den
Depressionen und den Krisen ist, sondern höchstens als mitwirkende
Ursache betrachtet werden kann, kann auch der Mangel an Kredit
nicht Schuld an den Krisen tragen, die sich aus den Depressionen
entwickeln. Es liegt doch eine merkwürdige Auffassung der Aufgaben der Kreditbanken vor, daß sie, wenn die Unternehmer durch
Überproduktion in schwierige Lagen geraten sind, mit ihrem Kredit
zur Hilfe kommen sollen, um die Produzenten aus dieser Lage
zu befreien.

Richtig an den Ausführungen M a c l e o d s über diesen Zusammenhang ist nur, daß er speziell die englische Bankverfassung kritisiert, weil hier allerdings durch die strengen Vorschriften der Peelschen Akte, ähnlich wie es bei der früheren amerikanischen Banknotenverfassung der Fall war, eine zu geringe Anpassung der Notenausgabe an die Kreditbedürftigkeit der Geschäftswelt vorlag. Aber so treffend auch die Kritik M a c l e o d s gegenüber der mangelhaften Elastizität des englischen Banknotensystems ist, so ist es doch eine ganz extravagante Behauptung, daß ohne diese Beschränkung der Peelschen Akte keine einzige der Krisen des 19. Jahrhunderts in die Erscheinung getreten wäre. Auch in Deutschland und Österreich, die eine viel elastischere Banknotenverfassung hatten, sind Krisen hervorgetreten und zudem ist nicht zu übersehen, daß gerade in den schwierigen Zeiten, von denen M a c l e o d spricht, die starren Vorschriften der Peelschen Akte suspendiert worden waren.

Wenn ich jetzt zu einer Kritik der H a h n schen Anschauung über den Zusammenhang zwischen Kredit einerseits und Konjunkturen und Krisen anderseits übergehe, so kann ich in vielen Punkten auf das verweisen, was ich bereits über ähnliche Gedankengänge bei M a c l e o d gesagt habe. Eine eingehende Kritik, die hier nicht beabsichtigt ist, müßte das ganze Konjunkturen- und Krisenproblem aufrollen. Es müßte geprüft werden, ob wirklich der Konjunkturenverlauf ein so regelmäßiger, gesetzmäßiger und cyklischer ist, wie H a h n und andere Konjunkturtheoretiker annehmen. Geht man doch hierin so weit, daß man glaubt, für die einzelnen Abschnitte des jedesmaligen Konjunkturverlaufs eine genau bestimmte Zahl von Jahren angeben zu können. Es müßte ferner erörtert werden, ob die Krisen nur ein Teilabschnitt des allgemeinen Konjunkturverlaufs sind, oder ob sie nicht besondere eigenartige Kausalzusammenhänge aufweisen. Nur kurz sei angedeutet, daß ich den Konjunkturverlauf für eine sehr komplexe Erscheinung halte, die sich nicht auf ein einheitliches Schema bringen läßt und ferner, daß ich meinerseits die Krise nicht als Teilerscheinung des allgemeinen Konjunkturverlaufs ansehe[1]). Aber selbst, wenn ich in diesen Punkten auch durchaus der H a h n schen Auffassung zustimmte, auch dann müßte die von ihm und M a c l e o d vertretene Lehre, daß die Konjunkturen und Krisen durch Vorgänge auf dem Geld- und Kreditmarkt beherrscht seien, abgelehnt werden. Der Grundfehler dieser wie vieler anderer neuerdings hervortretenden Konjunkturtheorien liegt darin, daß sie die letzten kausalen Faktoren der Konjunkturen in der Zirkulationssphäre suchen, statt dort, wo sie wirklich zu finden sind, nämlich in der Produktionssphäre. Dadurch wird von vornherein die ganze Konjunkturenforschung in falsche Bahnen gelenkt. Es ist unrichtig, daß die Geldmengenveränderungen automatisch die Veränderungen der allgemeinen Preishöhe und damit auch die Konjunkturen ursächlich hervorriefen. — Über das Wesen der Konjunkturenbewegungen sei folgendes Grundsätzliche vorausgeschickt: die Konjunkturbewegung, d. h. die wechselnde Auf- und Abwärtsbewegung von günstigen und ungünstigen Wirtschaftsperioden ist eine mit der individualistischen

---

[1]) cf. Band II dieses Werkes, S. 322 ff.

auf Privateigentum und freier Konkurrenz beruhenden Wirtschafts-
weise unbedingt und unvermeidlich verbundene Erscheinung; eine
konjunkturlose kapitalistische Wirtschaft ist eine contradictio in
adjecto. Die Ursache dieser Auf- und Abwärtsbewegung liegt aber
nicht wie die neuere monetäre und kreditäre Konjunkturtheorie
behauptet, in der Kreditsphäre, sondern letztlich bei den Unternehmern selbst und den von ihnen eingeschlagenen Produktions-
wegen. — Da bei der kapitalistischen Produktionsweise Art, Maß
und Tempo der Produktion von der Willkür der Unternehmer abhängen, ebenso wie der Absatz von der Willkür der Konsumenten,
liegt auch das dem Gang der Konjunktur wesentlich entscheidende
Moment auf Seite der Produktion. Eine große Mehrzahl der Unternehmungen muß auf lange Sicht hinaus produzieren, muß daher
mit unsicheren künftigen Gestaltungen des Marktes und des Absatzes rechnen. Die S t i m m u n g der Produzenten gibt schließlich
den Ausschlag für die Ausdehnung der Produktion. Für diese
Stimmungen, die also letzten Endes die Konjunkturen beherrschen,
sind eine Menge von Faktoren von Einfluß; nicht nur der Ernteausfall, auf den ich früher schon hingewiesen habe, sondern auch
neue große technische Erfindungen, von denen man sich in Zukunft große Erfolge verspricht, oder die Aussicht auf neue auswärtige
Absatzgebiete. Dies alles kann z. B die S t i m m u n g erzeugen, die
zu einer Hochkonjunktur führt, ebenso wie umgekehrt die Erwartung ungünstiger künftiger Markt- und Absatzverhältnisse eine
pessimistische Stimmung hervorruft und zur Baisse führt. In beiden
Fällen, sowohl bei der Hausse wie bei der Baisse, kommt der Kredit
als wichtiger s e k u n d ä r e r Faktor in Betracht. In der aufwärts-
gehenden Periode dadurch, daß die Unternehmungslust durch den
den Unternehmern eingeräumten Kredit eine große Steigerung erfahren kann, und umgekehrt in der Baisseperiode, so daß durch Kreditrestriktion diese Stagnation noch verschärft werden kann. Aber
wohlgemerkt: der Kredit spielt hierbei keine primäre, sondern immer
nur eine sekundäre Rolle. Die eigentlichen Konjunkturerreger sind
nicht die Bankkredite, sondern die Banken mit ihrer größeren oder
geringeren Bereitwilligkeit, Kredit zu gewähren, s c h w i m m e n
s e l b s t   i m   g r o ß e n   S t r o m   d e r   K o n j u n k t u r b e w e g u n g
m i t. Also ist es nicht der Diskont, wie H a h n meint, der darüber
entscheiden soll, was und wie produziert wird, sondern darüber entscheidet allein der Wille der Unternehmer, und wenn eine große
Unternehmungslust vorhanden ist, so lassen sich die Unternehmer
auch durch hohe Diskontsätze nicht abschrecken, wie umgekehrt
auch ein niedriger Diskont die Unternehmer nicht leicht zur Fortsetzung der Produktion veranlassen wird, wenn die Chancen der
Zukunft pessimistisch beurteilt werden.

   Auch um deswillen ist es einseitig, den Kredit für den Konjunkturenverlauf verantwortlich zu machen, als bei der Expansion
der Unternehmungen auch die größte Ausnutzung des bereits vorhandenen fixen Kapitals eine entscheidende Rolle spielt, ferner, daß
oft in viel größerem Maße als der zusätzliche Kredit die bereits
vorhandenen akkumulierten Gewinne, die Reserven und Überschüsse
eine sehr wichtige Rolle spielen[1]). Da also die Initiative für die Ex-

---

   [1]) Auf die Bedeutung dieser akkumulierten Gewinne ist in der neuerdings
erschienenen Schrift von N. J. P o l a k wiederholt hingewiesen. (Grundzüge der

pansion der Unternehmungen allein bei den Unternehmern selbst liegt und nicht bei den Banken, ist es auch eine ganz verkehrte Verschiebung der Schuldlast, den Bankkredit für die Überspannung der Produktion verantwortlich zu machen. Daß die Banken indirekt durch gewisse Warnungen einen Einfluß auf die Produktion und die Unternehmer ausüben können, ist zweifellos, aber es hieße doch direkt die Industrie unter die Bevormundung der Banken stellen, wenn man diesen einen ausschlaggebenden Einfluß auf den Gang der Produktion einräumen wollte. Ein Blick auf die Konjunkturbewegung des jetzt gerade abgelaufenen Jahres zeigt deutlich, wie irrig die Annahme ist, den Bankkredit als Konjunkturerreger zu bezeichnen. Welche Ereignisse haben für die Konjunktur des letzten Jahres am meisten Wirkung ausgeübt? Das war einmal der englische Kohlenarbeiterstreik und fernerhin die großen technischen neuen Erfindungen und Errungenschaften, die aller Voraussicht nach große Umwälzungen in der Industrie hervorrufen werden, und auf deren wirtschaftliche Ergebnisse man die größten Hoffnungen setzt.

Wenn ich somit die primäre Rolle des Kredits in bezug auf Konjunkturen und Krisen in Abrede stelle, so soll damit keineswegs die große Bedeutung, die dem Kredit hierbei zukommt, geleugnet werden. Die Tatsache, daß große allgemeine Wirtschaftskrisen, wie sie das 19. Jahrhundert aufwies, seit den 70er Jahren des vorigen Jahrhunderts nicht mehr aufgetreten sind, wenn ich von der ganz andersartigen, durch den Krieg hervorgerufenen Krisis absehe, ist auf verschiedene Ursachen zurückzuführen, unter denen auch Veränderungen des Kreditwesens zweifellos eine große Rolle spielen. Allgemein bekannt ist der Fall des Hauses Baring Bros. London; der Bankerott dieses Hauses wurde durch eine gemeinsame Garantie von seiten der Londoner Banken abgewehrt, und die Mittel des Geldmarktes hierbei zeitweise durch die Einfuhr von 3 000 000 Pfund in Gold aus Paris verstärkt. Im Jahre 1907 wurde aus einer ganzen Menge von Ländern Gold über London nach New York gesandt. Im Jahre 1839 verlor England im Gefolge der kontinentalen Krisis des Jahres 1838 Gold. Darauf wurde ein Kredit von 2 000 000 Pfund von den Pariser Banken eingeräumt, auf den die Bank von England ziehen konnte, und Wechsel auf Grund dieses Kredites nahmen die Stelle von Gold ein. Für denselben Zweck wurde in Hamburg ein Kredit von 900 000 Pfund eröffnet[1]).

Aber wenn auch der Kredit einer dieser Faktoren ist, die krisenverhindernd gewirkt haben, so wäre es doch falsch, ihn als alleiniges

---

Finanzierung mit Rücksicht auf die Kreditdauer. Betriebs- und finanzwirtschaftliche Forschungen. Herausgeg. von Prof. Dr. F. S c h m i d t , II. Serie, Heft 25. Berlin 1926.) So spricht z. B. P o l a k von der Aufnahme von Kredit seitens der Industrieunternehmungen und bemerkt dann: „Der Vorgang ist aber häufig ein anderer: Die Unternehmung hat nämlich reichlich Barmittel, aus den ausdauernden Produktionsmitteln freigewordenes Kapital und akkumulierten Gewinn. Zwar muß ersteres zu seiner Zeit zum Ersatz verwandt, muß der Gewinn in absehbarer Zeit ausgeschüttet werden. Aber solange die Zeit dafür noch nicht angebrochen ist, bilden beide für die Unternehmung brachliegendes Kapital. Warum soll man bei Dritten Kapital aufnehmen, solange in der eigenen Hand noch Kapital vorhanden ist? An Dritte kann man sich immer noch wenden, wenn die eigenen Mittel nicht mehr so reichlich sind" (S. 147). P o l a k spricht von der dynamischen Verwendung statisch ersparter Kapitalien.

[1]) H a w t r e y , a. a. O., S. 163.

Abhilfsmittel anzusehen, und vor allem darf man die Rolle, die der Kredit hierbei gespielt hat, nicht aus dem großen Zusammenhang der übrigen dabei mitspielenden Faktoren herausnehmen. Alle wirtschaftlichen Institutionen, welche die Ursache der Krisen, nämlich die Planlosigkeit der wirtschaftlichen Produktionsweise eingedämmt haben, haben auch die Krisen verringert, und zu diesen Institutionen gehört auch die veränderte Struktur des Kreditwesens. Ebenso wie die Verstaatlichung des Eisenbahnwesens und der gemeinwirtschaftliche Betrieb anderer derartiger Unternehmungen und ebenso wie die Kartelle, Syndikate und Trusts an Stelle der planlosen eine mehr planmäßige Wirtschaft herbeigeführt haben, hat auch die Zentralisation und Konzentration des Kredits an Stelle der früheren Zersplitterung des Notenwesens in der Zeit der Banknotenfreiheit einen gewissen regulierenden Einfluß auf das Wirtschaftswesen ausgeübt. Aber wenn man dies auch alles zugibt, so muß man es doch als Illusion erklären, zu glauben, daß die Kreditkontrolle, die H a h n vorschlägt, die Konjunkturen regeln und die Krisen beseitigen könnte. Eine noch so gewissenhafte Diskontpolitik der Zentralnotenbanken und der Privatbanken kann niemals den Gang der Konjunkturen endgültig beherrschen, solange die freie privatwirtschaftliche Betätigung des Unternehmertums bestehen bleibt. Daraus ergibt sich klar die Konsequenz: Kreditkontrolle, wenn sie wirklich wirksam sein soll, muß auch zur Kontrolle der ganzen Wirtschaftsführung der Unternehmungen führen, würde also logisch die Sozialisierung des Wirtschaftslebens und das Ende der freien Wirtschaft bedeuten. Es ist daher konsequent, und im Sinne dieser letzten Ausführung selbst gehalten, daß schließlich H a h n als letzte Hilfe in der Not den Staat zur Hilfe ruft, der als Großkäufer der nicht absatzfähigen - Produkte auftreten soll. Verstaatlichung des Kredits und Verstaatlichung des ganzen Wirtschaftslebens, das ist die letzte Konsequenz, zu der diese Ideen von Hahn und anderer verwandter Konjunkturtheoretiker führen müßten.

§ 90. Anklänge an die Macleodschen Theorien in der neueren deutschen und englisch-amerikanischen Kreditliteratur.

Während die Nationalökonomen der älteren Generation einstimmig die M a c l e o d schen Lehren abgelehnt haben, treten in neuster Zeit einige Autoren hervor, die in mehr oder minder weitgehender Weise die M a c l e o d schen Ideen wieder aufnehmen.

Wir haben bereits H a h n als Nachfolger M a c l e o d s kennengelernt, auch S c h u m p e t e r und S o m b a r t haben eine Ehrenrettung gegenüber M a c l e o d versucht.

H a h n hebt wiederholt hervor, daß er von S c h u m p e t e r die Anregung zu einzelnen seiner grundlegenden Anschauungen über Kredit erhalten habe, und ebenso weist S c h u m p e t e r des öfteren auf seine Übereinstimmung mit H a h n hin[1]). Trotz dieser auf Gegenseitigkeit beruhenden Bescheinigung der Übereinstimmung möchte ich darauf hinweisen, daß die S c h u m p e t e r sche Kredittheorie nur in t e r m i n o l o g i s c h e r Hinsicht, nicht aber dem sachlichen Inhalte nach mit den Lehren von

---

[1]) J o s. S c h u m p e t e r , Theorie der wirtschaftlichen Entwicklung. 2. neu bearb. Aufl. München und Leipzig 1926.

H a h n eine Übereinstimmung aufweist. Die Übereinstimmung liegt vor allem darin: S c h u m p e t e r geht wie H a h n von der grundlegenden Definition von M a c l e o d, daß der Kredit Kaufkraft sei und daß dem Kredit eine Kaufkraft schaffende Macht zukomme, aus. Es liegt eine fast wörtliche Übereinstimmung mit dem von M a c l e o d in allen möglichen Variationen vorgetragenen Satz vor, daß Kredit = Kaufkraft sei. Ich will noch zwei entscheidende Stellen bei M a c l e o d wörtlich zitieren: ,,Purchasing Power is Wealth: all difficulty vanishes. Because Money is Purchasing Power: and also Credit is Purchasing Power. A traders Purchasing Power is his Money and his Credit. Therefore his Money and his Credit are equally Wealth. . . . The Wealth of an individual or a nation is their ,,Purchasing Power". And their Purchasing Power is their Money, together with their C r e d i t: Credit is therefore Purchasing Power over and above and additional to Money: and hence it must be a resource cumulative to Money[1])." Es läuft das auf dasselbe hinaus, als wenn S c h u m p e t e r meint, daß der innerste Kern des Kreditphänomens in der folgenden Weise zu erklären sei: ,,Kredit ist wesentlich Kaufkraft s c h a f f u n g zum Zwecke ihrer Überlassung an den Unternehmer, nicht aber einfach Überlassung von vorhandener Kaufkraft — von Bescheinigungen über vorhandene Produkte — an ihn[2])." Es ist die Funktion des Kreditgebers, so erklärt S c h u m - p e t e r weiter, dem Unternehmer a d h o c g e s c h a f f e n e K a u f - k r a f t zur Verfügung zu stellen[3]).

Trotzdem ich bereits gegen M a c l e o d und gegen H a h n die Kaufkrafttheorie des Kredits zurückgewiesen habe, möchte ich auch gegenüber S c h u m p e t e r folgendes betonen: Der Kredit i s t weder Kaufkraft, noch kann er Kaufkraft s c h a f f e n, sondern vermittels des Kredits kann nur dem Kreditnehmer die Ausübung seiner bereits vorhandenen Kaufkraft zu einem Zeitpunkt ermöglicht werden, in dem er noch nicht die nötigen Barmittel zur Verfügung hat. Es handelt sich um eine zeitliche K a u f k r a f t - v e r s c h i e b u n g, nicht aber um eine Kaufkraftschaffung. Wenn ein Käufer für die von ihm gekaufte Ware Lieferantenkredit erhält, so war seine Kaufkraft bereits vorhanden; er kann nur vermittels des Kredits die Kaufkraft schon früher ausüben, als es ihm sonst möglich gewesen wäre. Wenn jemand auf Grund eines Guthabens bei einer Bank Kreditzahlungsmittel zur Verfügung erhält, so ist auch hier bereits eine Kaufkraft vorhanden; aber selbst in dem von S c h u m p e t e r in den Vordergrund gestellten Falle des Unternehmerkredits ist dies nicht der Fall. Hier liegt die Sache so: wenn der Unternehmer von einer Bank Kredit erhält, um Rohstoffe, Maschinen usw. zu kaufen, die er zu seiner Produktion benötigt, so wird ihm allerdings Kaufkraft eingeräumt, aber diese Kaufkraft ist keine neue, durch den Kredit geschaffene Kaufkraft, sondern es ist die latent bereits vorhandene Kaufkraft des Kreditnehmers, die er nur zeitlich früher ausnutzen kann; denn der Kreditnehmer will durch die von ihm mit Hilfe der kreditierten Zahlungsmittel er-

---

[1]) a. a. O., S. 132 und 253
[2]) a. a. O., S. 153.
[3]) Ebenda, S. 154.

zeugten Produkte so viel Gewinn erzielen, daß seine Kaufkraft sich
so vergrößert, daß er die kreditierten Zahlungsmittel einschließlich
Zins zurückerstatten kann. Die latente Kaufkraft wird also effektiv
im Falle einer gewinnbringenden Verwendung der kreditierten Mittel.
Wie wenig aber der Kredit selbst Kaufkraft ist oder schafft,
zeigt sich, wenn der Kreditnehmer seine Produktion nicht mit Gewinn, sondern mit Verlust abschließt. Dann muß er die kreditierten
Mittel samt Zins zurückerstatten und hat noch einen Kapitalverlust obendrein. Also: der Kredit hat hier die Kaufkraft des Kreditnehmers vermindert, aber nicht vermehrt.

Mit diesen Ausführungen will ich nochmals betonen, was ich
oben bereits ausführte, daß es auf die e r f o l g r e i c h e   T ä t i g -
k e i t   d e s   U n t e r n e h m e r s allein ankommt, ob wirklich neue
Kaufkraft geschaffen wird, daß immer nur eine Kaufkraftverschie-
bung in Frage kommt. Aber dies gibt S c h u m p e t e r selbst
zu, und es ergibt sich aus seinen ausführlichen Erläuterungen, die
er seiner erwähnten Kreditdefinition gibt und die wörtlich mit der
von M a c l e o d übereinstimmt, daß er dem Sinne nach etwas
gänzlich anderes meint als M a c l e o d und — wie ich hinzufügen
möchte — auch H a h n . Die wesentliche Einschränkung, die
S c h u m p e t e r seiner Kreditdefinition hinzufügt, lautet: daß
durch diese Kaufkraft (d. h. die vom Kredit geschaffene), ,,die
Menge der produktiven Leistungen, über die die Volkswirtschaft
verfügt, natürlich nicht vermehrt wird", ja er spricht selbst nur von
einer V e r s c h i e b u n g   d e r   K a u f k r a f t : ,,Die Kreditgewährung
bewirkt eine neue Verwendungsweise der vorhandenen produktiven
Leistungen vermittels einer vorhergehenden Verschiebung der Kaufkraft innerhalb der Volkswirtschaft[1].'' — Mit diesen Einschränkungen
fallen die weitgehenden Schlußfolgerungen, die M a c l e o d und
H a h n auf Grund derselben Definition gegeben haben, völlig fort.
Speziell von H a h n weicht aber S c h u m p e t e r des weiteren
noch dadurch ab, daß er feste und genau bestimmte Grenzen der
Möglichkeit der Kreditgewährung gegenüber der von H a h n behaupteten unbegrenzten Kreditschaffungsmöglichkeit der Banken
angibt. Er weist auf diese Abweichung von H a h n hin, indem er bemerkt, daß er diese Grenzen der Kreditgewährung ausdrücklich betone, ,,die These von der unbeschränkten Macht der Banken,
Umlaufsmittel zu schaffen, nachdem sie wiederholt nicht nur ohne
die nötigen Qualifikationen, sondern auch absolut und ohne den
ihr wesentlichen Zusammenhang mit den anderen Elementen meines
Gedankengangs vorgetragen wurde, zu einem Angriffspunkt und
Ablehnungsgrund der neuen Kredittheorie geworden ist". Und in
einer Anmerkung hierzu sagt er: ,,Vgl. den sonst vortrefflichen
Artikel Hahns im Handwörterbuch der Staatswissenschaften unter
,,Kredit". Gegenüber seiner Formulierung erscheint es mir richtig,
zu sagen: Wenngleich nicht durch v o r h a n d e n e Güter, so ist
die mögliche Menge von neuzuschaffender Kaufkraft doch durch
k ü n f t i g e Güter gestützt und beschränkt[2].'' Diese Grenzen
sollen einmal bei einer Metallwährung und dem gedeckten Notenkredit in der Notwendigkeit einer Reservehaltung bestehen. Er

---

[1] a. a. O., S. 156.
[2] a. a. O., S. 164/165.

weist auf die Notwendigkeit einer Reservehaltung, die als Bremse
wirke, sowohl bei der Zentralbank wie bei den anderen Banken, hin
(S. 162). Darum sei der Umfang der Kaufkraftschaffung eine zwar
elastische, aber nichts destoweniger gegebene Größe (S. 163). —
Aber selbst bei der Papierwährung, wo es überhaupt nur Bank-
zahlungsmittel gebe, wäre die Schranke der Kreditgewährung dadurch gegeben, daß die Banken sich vor Verlust schützen müssen,
und daß dieser Verlust immer dann eintrete, wenn es dem Unternehmer nicht gelinge, Waren im Werte von mindestens Kredit plus
Zinsen zu produzieren (S. 163). — Mit allen diesen Ausführungen
sagt S c h u m p e t e r das Gegenteil von dem, was H a h n gelehrt hat.

Wie sich an dieser Stelle S c h u m p e t e r gegen jede Art
von Noteninflation wendet, so bekennt er sich an anderer Stelle
auch direkt zur Goldwährung, und auch hierin tritt der große Unterschied zwischen ihm und H a h n hervor, der, wie wir gesehen haben,
ein Gegner der Goldwährung ist. Er sagt zwar, es sei richtig, daß es
nicht zum Wesen des Geldes gehöre, aus einem Stoff von eigenem Wert
zu bestehen oder darauf zu basieren, aber in seiner praktischen Stellungnahme zur Währungspolitik betont er die unbedingte Notwendigkeit
der Rückkehr zur Goldwährung, und zwar zur reinen Goldwährung
mit effektiver Goldzirkulation. Es sei nebensächlich, daß das kostspielig und theoretisch nicht nötig sei, aber dieser Ballast erleichtere
die Navigation des Schiffes. Und ausdrücklich sagt er, daß heute das
Problem sei, zur Goldwährung zurückzufinden, nicht aber sie zu ersetzen: ,,und das nicht nur aus Bequemlichkeit, aus sekundären
Gründen, wie z. B. aus Rücksicht auf die Interessen der Goldpro-
duzenten und der goldbesitzenden Zentralbanken und Regierungen
und auch nicht bloß deshalb, weil eine wenngleich nicht ideale Ordnung im Geldwesen der Welt so am leichtesten erreicht werden
kann, sondern vor allem deshalb, weil die Rückkehr zur Goldwährung
eine wirtschaftspolitische und soziale Vista eröffnet, die gerade
durch das Modeln der einzelnen Währungen und Volkswirtschaften
gefährdet würde — eine Vista von Überwindung und Verarbeitung
der Kriegsfolgen, von Anpassung der Weltwirtschaft an die veränderten Daten, von wirtschaftlicher Annäherung der Völker und,
wie ich glaube, auch von Entspannung der sozialen Gegensätze[1]." —
Ich kann allerdings einen Gegensatz von Theorie und Praxis
nicht anerkennen und möchte die Manier, die auch K n a p p
hat, den theoretischen und praktischen Standpunkt in der Geldfrage zu trennen, ablehnen; denn welche Stellung man vielleicht
zum Geldproblem nach 100 Jahren nehmen wird, können wir künftigen Theoretikern überlassen, heute lautet das sowohl theoretische
wie praktische Problem, ob die Rückkehr zur reinen Goldwährung
anzustreben sei oder nicht, und diese Frage wird von S c h u m -
p e t e r bejaht und von H a h n verneint.

Vor allem zeigt sich aber die Abweichung S c h u m p e t e r s
von der durch M a c l e o d und H a h n eingeschlagenen Gedankenrichtung in seiner Stellungnahme gegenüber dem von ihnen gepriesenen Allheilmittel der Kreditkontrolle. Seine Abhandlung über
Kreditkontrolle geht weit über eine Kritik dieser Idee im einzelnen

---

[1] J. S c h u m p e t e r, Kreditkontrolle. Archiv für Sozialwissenschaft und
Sozialpolitik. 54. Bd. 1925. S. 311.

hinaus. Sie bedeutet direkt eine Absage gegenüber den grundlegenden Ideen der einzelnen Geld- und Kreditreformer. Mit Recht sagt er gegenüber den Hoffnungen, die man auf die Diskontpolitik setzt: „Angesichts mancher sehr hochgespannter Erwartungen bezüglich der Leistungsfähigkeit bloßer Diskontpolitik ist es nicht überflüssig, hier vor Überschätzungen zu warnen[1]." Und ebenso weist er scharf die Idee zurück, daß der Wechsel von Prosperität und Depression ein „purely monetary phenomenon" sei, und in Übereinstimmung mit meinen Ausführungen über die Halbheit der Kreditkontrolle bezeichnet er diese ganze Gedankenrichtung als einen sehr „ernstzunehmenden Sozialismus[2]".

Angesichts der tiefgehenden Meinungsverschiedenheiten zwischen S c h u m p e t e r und H a h n ist es mir unerfindlich, daß S c h u m p e t e r fortwährend auf H a h n und die Übereinstimmung mit ihm verweist. So wenn er gleich zu Beginn des Kapitels über Kredit und Kapital[3]) sagt, daß sein Gedankengang durch die Untersuchungen von H a h n eine wertvolle Bestätigung und Verbesserung erfahren hätte, und wo er den Leser auf dieses „originelle und verdienstliche Buch, das die Erkenntnis des Problems wesentlich gefördert hat", verweist. Ferner sagt er in der genannten Abhandlung, wo er auf die Zahlungsmittelschaffung der kreditgewährenden Banken hinweist, daß H a h n die prinzipielle Bedeutung dieses Vorganges zum ersten Male systematisch erfaßt habe. Ich kann in den H a h n schen Arbeiten weder eine Bestätigung noch eine Verbesserung der Ideen S c h u m p e t e r s finden, sondern glaube vielmehr, nachgewiesen zu haben, daß die grundlegenden Gedanken H a h n s auf M a c l e o d zurückgehen, und daß gerade in dieser Richtung S c h u m p e t e r wesentlich von M a c l e o d abweicht. Ebenso sind mir aber die stark lobenden Erwähnungen von M a c - l e o d selbst bei S c h u m p e t e r unverständlich. S c h u m - p e t e r betont, daß er ganz unabhängig von M a c l e o d und auf anderem Wege zu dem Resultat gekommen sei, daß Kapital Kaufkraft sei, hebt dann aber das Verdienst von M a c l e o d hervor, das stets anerkannt werden müsse, indem er die Tatsache der Kaufkraftschaffung als ein wesentliches Element zur Organisation des Wirtschaftslebens erkannt habe. Er klagt über die Ungerechtigkeit, mit der die frühere Kritik, z. B. R o s c h e r und K n i e s , gegenüber M a c l e o d verfahren sei, und versucht eine Art Ehrenrettung von M a c l e o d , den er einen viel verkannten Mann und einen sehr originellen Denker nennt.

Es ist bemerkenswert, daß noch eine zweite Ehrenrettung für M a c l e o d vorgenommen worden ist, und zwar geschieht dies von S o m b a r t. Das Kapitel über Kredit in dem neusten Bande von S o m b a r t s Kapitalismus[4]) ist ganz im Geiste der M a c l e o d schen Ideen abgefaßt und scheut auch vor den Übertreibungen nicht zurück, die sich M a c l e o d zuschulden kommen läßt. Ich wies bereits darauf hin, wie S o m b a r t die Wirkungen

---

[1]) Kreditkontrolle, a. a. O., S. 295.
[2]) Ebenda, S. 328.
[3]) In der neuen Auflage seiner Werkes: Theorie der wirtschaftlichen Entwicklung. S. 140
[4]) Das Wirtschaftsleben im Zeitalter des Hochkapitalismus. 1. Halbband. München und Leipzig 1927.

des Kredits im Sinne M a c l e o d s schildert. Vielfach weist er auf M a c l e o d hin, so werden auch die von M a c l e o d vertretenen Anschauungen über die wunderbaren Wirkungen der schottischen cash credits zustimmend mitgeteilt, und ebenso akzeptiert er die Erklärung M a c l e o d s, die in gewisser Hinsicht grundlegend für seine weiteren Ausführungen ist, „the true function of credit is to bring into commerce the present value of future profits[1]". Ich habe auf das Irreführende und Mißverständliche dieser Definition bereits hingewiesen und brauche daher nicht weiter darauf einzugehen. — Auch den Vergleich M a c l e o d s der Wirkung des Kredits mit der des Nilschlamms in Ägypten, scheint S o m b a r t so glücklich zu finden, daß er ihn wiederholt, und es klingt stark an M a c l e o d an, wenn S o m b a r t, wie es scheint, eine unbegrenzte Ausdehnung des Kredits für möglich hält, indem er meint, man könne mit Bestimmtheit sagen: „es gibt für die Ausdehnung des Kapitalverhältnisses keine sozialen Schranken mehr. Und, wie wir hinzufügen können, auch keine räumlichen Schranken mehr[2]."

Noch weit mehr Anklänge an M a c l e o d und teilweise eine Wiederbelebuug seiner Ideen finden sich in der neusten englischen und amerikanischen Literatur. Das Konjunkturenproblem steht jetzt im Vordergrund des Interesses, namentlich der amerikanischen Nationalökonomen, und da tritt uns immer wieder in den verschiedensten Variationen der Gedanke entgegen, daß das Konjunktur- und Krisenproblem ein reines Geld- bzw. Kreditproblem sei, und die Kreditkontrolle ist förmlich ein Schlagwort geworden, das man fast in jedem Buche wiederfindet, welches in neuerer Zeit auf diesem Gebiete erschienen ist. Einen Gegensatz findet man nur insofern bei der Behandlung dieser Probleme, als die eine Richtung die Heilung aller sozialen Übelstände in einer Geldreform und Geldkontrolle, die andere mehr in einer Kreditreform und Kreditkontrolle findet. Die erste Richtung knüpft besonders an die Arbeiten von I r v i n g F i s h e r und an dessen Idee einer Stabilisierung des Dollars an.

F i s h e r erblickt die Quelle aller sozialen Übelstände in den fortwährenden Schwankungen der Preise und meint, daß es unbedingt notwendig sei, eine Stabilisierung der Preise herbeizuführen. Es erinnert an die Idee von C o b d e n, der bei seiner Propagierung der Freihandelsidee immer hinzufügt, daß damit der Weltfriede garantiert sei, wenn F i s h e r meint, daß erst der Weltfriede gesichert sei, wenn auch die Stabilität der Preise erreicht wäre[3]. — Den Störenfried der Stetigkeit der Preise erblickt F i s h e r in den Schwankungen des Geldwertes. Wenn auch einzelne Preisänderungen den verschiedensten Faktoren zuzuschreiben seien, so seien doch die Änderungen des allgemeinen Preisniveaus immer durch Geld- und Kreditänderung bedingt. Die Auf- und Abwärtsbewegungen der Preise korrespondierten mit den Auf- und Abwärtsbewegungen der Geldmenge. Diesen Übelständen gegenüber müsse man sowohl

[1] Ebenda, S. 220.
[2] Ebenda, S. 222.
[3] Vgl. The Stabilization of Business. Edited by Lionel D. Edie. New York 1924. Chapter II: Stabilizing the Dollar. (I r v i n g F i s h e r.) S. 55.

die Inflation wie die Deflation aus der Welt schaffen. Da F i s h e r
die Ursache der Preisverschiebungen auf der Geldseite erblickt,
will er auch die Stetigkeit der Preise durch Festigung des Geldwertes erreichen. Alles käme darauf an, daß der Dollar stets dieselbe Kaufkraft habe, und wie das Meter ein ganz exaktes Längenmaß darstellt, so müsse auch der Dollar ein genaues Maß der Kaufkraft bilden. Die Goldwährung solle beibehalten werden, aber der
Dollar müsse dabei stabil im Werte sein. Dieses Ziel könne dadurch
erreicht werden, daß man den Dollar in verschiedenem Gewicht
auspräge, je nach der jeweiligen Kaufkraft des Geldes. Also: der
Dollar soll nicht immer rund $1/_{20}$ Unze Gold sein, sondern, wenn
z. B. die Preise nach der Indexziffer um 1 % stiegen, so müsse auch
das Gewicht des Dollar um 1 % erhöht werden und umgekehrt. Durch
die amtliche Festsetzung der Indexziffer für 300 Waren habe man
die beste Instanz für die Regulierung des Dollars nach dem Preisstand der Waren. — Durch diese Stabilisierung des Dollars will
I r v i n g   F i s h e r nicht nur die Ungerechtigkeit aus der Welt
schaffen, daß z. B. ein Gläubiger, der jemanden 100 Dollar geliehen
hat, mit diesen 100 Dollars, wenn sie zurückgezahlt werden, eventuell
viel weniger kaufen könnte als zu der Zeit der Kreditgewährung;
auch alle übrigen Mißstände im sozialen Leben sollten dann verschwinden. Minimale Preisoszillationen könnten dann noch vorkommen, aber nicht mehr die großen Preisumwälzungen, wenn die
Quelle derselben, die Veränderung des Geldwertes, verstopft sei.
Die Krisen und Depressionen würden dann an Intensität bedeutend
abnehmen, wenn nicht ganz unmöglich werden.

Gegenüber dieser Auffassung tritt die besonders von K e y n e s
vertretene Gedankenrichtung mit der Meinung hervor, daß es
nicht so sehr auf eine Geldreform als vielmehr auf eine Kreditreform ankäme. — K e y n e s hat gegen den Plan von F i s h e r
einzuwenden, daß die Abhilfe zu spät komme, wenn bereits die
Preisbewegung eingetreten sei. Mit H a w t r e y (,,Monetary Re-
construction", S. 105) ist er der Meinung, daß man nicht der vergangenen, sondern der bevorstehenden Preissteigerung entgegenwirken müsse[1]). Ferner beschränkt sich K e y n e s nicht allein
auf die Stabilisierung des inneren Preisniveaus, sondern auch zugleich auf die Stabilisierung der Valuta. Beides könne nur erreicht
werden durch eine entsprechende Kreditpolitik und Kreditkontrolle
seitens der Banken: ,,Die Tendenz der Gegenwart ist mit Recht
die, die Kreditschöpfung zu kontrollieren und danach erst die Geldschöpfung folgen zu lassen, anstatt wie früher die Geldschöpfung
zu überwachen und zu regeln und die Kreditschöpfung als Folgeerscheinung zu betrachten[2])." Es käme nicht darauf an, wie F i s h e r
meint, den Geldwert zu regulieren, sondern den viel wichtigeren
Kreditzyklus zu regeln. K e y n e s empfiehlt daher, daß die Banken
mit Hilfe ihrer Diskontpolitik und anderer Mittel eine Kreditex-
parlsion oder Kreditkontraktion vornehmen, um Depressionen und
Krisen zu vermeiden.

In Amerika hat die zweite der genannten Richtungen, die

---

[1]) J o h n   M a y n a r d   K e y n e s , Monetary Reform. New York 1920.
S. 203.

[2]) Ebenda, S. 200.

also hauptsächlich das Mittel der Kreditkontrolle empfiehlt, die Oberhand gewonnen, und besonders bei den Autoren, die jetzt so eifrig die Konjunkturforschung treiben, wird in wachsendem Maße die Regulierung des Kredits als Methode der Konjunkturregelung empfohlen. Ich will aus der umfangreichen amerikanischen Literatur, die in neuster Zeit hierüber erschienen ist, nur ein paar typische Autoren anführen. In erster Linie ist M i t c h e l l zu nennen[1]), dessen Anschauungen auch von anderen Autoren vielfach übernommen worden sind. Er meint, daß der Konjunkturenwechsel durchaus vermeidlich sei[2]); wir hätten bereits gelernt, die Krisen zu vermeiden, wir müßten jetzt auch lernen, die Depressionen zu beseitigen. Auch er erblickt in der Diskontpolitik das beste Mittel zur Regelung der Konjunkturen. Man müsse in Zukunft immer zu einer Erhöhung der Diskontrate schreiten, wenn Symptome hervorträten, daß die Produktion über das Maß des wirtschaftlich Tragbaren hinausgehe. Aber M i t c h e l l scheint doch nicht ganz überzeugt zu sein, daß allein das Mittel der Geldökonomie zu diesem Zwecke ausreicht; er hält als zusätzliches Mittel der Abhilfe für die Perioden der Depression die Inangriffnahme großer Staatsunternehmungen und den staatlichen Ankauf von Waren für notwendig. M i t c h e l l ist auch Mitglied des Untersuchungsausschusses der neuerdings in Amerika gegründeten S t a b l e M o n e y L e a g u e. Diese Vereinigung hat sich zum Ziele gesetzt, alle auf Preisstabilisierungen gerichteten Bestrebungen zu erforschen, d. h. alle Bestrebungen, die darauf abzielen, die Geld- und Kreditmenge stets in gleichem Maße wachsen zu lassen wie die Warenmenge. — Professor S p r a g u e hat sich um die Ausarbeitung statistischer Methoden bemüht, vor allem um Verbesserungen der Produktionsstatistik, um den Zeitpunkt richtig bestimmen zu können, wann die Erhöhung bzw. Erniedrigung der Diskontrate einzutreten hat. — Auch die von dem amerikanischen Konjunkturen-Forschungs-Institut der Harvard-Universität (Committee of Economic Research) durchgeführte Methode der Konjunkturprognose zeigt, wie sehr man die Vorgänge auf dem Geld- und Kapitalmarkt in den Mittelpunkt stellt. Das Institut hat drei auf Indices zurückgehende Entwicklungsreihen aufgestellt, die durch eine für den Konjunkturverlauf charakteristische Phasenverschiebung gekennzeichnet sein soll. Die erste wird als Spekulationskurve bezeichnet und setzt sich aus Indexzahlen zusammen, die die Entwicklung der Bankguthaben der New Yorker Banken und der Kurse bestimmter Industrieaktien wiedergibt. Für die zweite Kurve, genannt Geschäftskurve, bilden Warenpreise, Roheisenerzeugungen und Abrechnungsverkehr der Banken den Ausgangspunkt der Indexberechnung. Die dritte, die Geldmarktkurve, legt die Zinssätze für Handelswechsel zugrunde[3]).

Auch der bereits erwähnte amerikanische Kredit- und Geldtheoretiker H a w t r e y ist in erster Line unter den Autoren zu nennen, welche die Ursache der Krisen im wesentlichen in Kreditvorgängen erblicken, und zwar meint er ganz ähnlich wie M a c -

---

[1]) Vgl. The Stabilization of Business usw. Chapter I: „The problem of controlling business cycles" von W e s l e y C. M i t c h e l l , S. 1 f.
[2]) Ebenda, S. 35.
[3]) Vgl. Dr. E u g e n A l t s c h u l , Konjunktur und Konjunkturprognose. In Magazin der Wirtschaft. 1. Jahrg., 1925, S. 208 f.

l e o d , daß die Krisen dadurch verursacht seien, daß in der Hausseperiode eine zu große Kreditexpansion stattfände und dann in der
Baisseperiode eine zu heftige Einschränkung des Kredits erfolgte:
„Obwohl Krisen aus einer über die Welt verbreiteten Krediteinengung
entstehen, sind sie doch nicht notwendig selbst über die Welt verbreitet. In dem Maße, wie die Einengung fortschreitet, mag in dem
einen oder anderen Lande jeweils ein Zusammenbruch eintreten;
und wenn die Krisis heftig und das Land, in dem sie auftritt, ein
Land von Bedeutung ist, mögen die übrigen einer sehr schweren
Anspannung unterliegen. Aber sie können die Anspannung möglicherweise bestehen[1]." „In einer Zeit, wo eine Kreditexpansion
eintritt und die Produktion vorteilhaft und lebhaft ist, ist aller
Wahrscheinlichkeit nach eine große Menge von Neuemissionen vorhanden, um für das Anlagekapital die vermehrte Produktion zu
ermöglichen und von der günstigen Konjunktur Vorteile zu ziehen.
Wenn aber ein Umschwung eintritt, und eine Kreditrestriktion Platz
greift, schrumpft die Hergabe von Mitteln seitens der Verbraucher,
von der die Kapitalanlage einen Teil bildet, plötzlich zusammen; aber
die verschiedenen Pläne zur Ausnutzung des fixen Kapitals können
nicht plötzlich aufgegeben oder wesentlich eingeschränkt werden.
Für einige Anlagen haben sich bereits Garantiezeichner gefunden,
andere werden widerwilligen Garantiezeichnern gegen eine große
Provision aufgedrängt. Das Resultat ist, daß, wenn der Umfang
der Emission plötzlich stark zurückgeht, der Anlagemarkt mit Wertpapieren überfüllt ist, die in der Hauptsache aus neuen Emissionen
bestanden, die nur mit Hilfe vermehrter Kredite der Banken
durchgehalten werden können. Da die Ersparnisse den Überschuß
des Einkommens darstellen, der übrigbleibt, nachdem aller persönlicher Aufwand bestritten worden ist,- sind sie gegen Veränderungen im Betrage des Einkommens sehr empfindlich. Die Kapitalanlage ist daher der veränderlichste Teil der Verbraucherausgabe,
und der Anlagemarkt hat mit größeren Nachfrageschwankungen zu
kämpfen, als der Warenmarkt. Gleichzeitig tragen noch die Notverkäufe von Wertpapieren, die Bankiers und Kaufleuten als Reserven dienten, weiter zur Überlastung des Marktes und zur Herabdrückung des Preises der Wertpapiere bei. Derart wird die Zahlungsfähigkeit der Börsenhändler und Finanzgesellschaften noch
eher gefährdet, als die der Großhändler, und darum stellen auch die
Notverkäufe von Wertpapieren einen sogar noch kennzeichnenderen
Zug einer Krisis dar, als die Notverkäufe von Waren[2]."

Ähnlich wie M a c l e o d erblickt auch H a w t r e y das Heilmittel zur Beseitigung der Krisen in einer K r e d i t k o n t r o l l e , und
zwar hauptsächlich durch zwei Maßregeln: einmal durch möglichst
liberale Kreditgewährung überall dort, wo die Kreditnehmer irgendwie eine gute Sicherheit bieten können und außerdem darin, daß
dann der Kredit nur zu einem sehr hohen Zins gegeben wird (S. 140). —
Aber auch H a w t r e y scheint wie die anderen neueren Kredittheoretiker darin allein doch nicht die einzige Hilfe zu sehen, auch er
will in solchen Fällen die S t a a t s h i l f e heranziehen, und zwar so,
daß der Staat auf die Sicherheit der Produkte hin Vorschüsse leisten
soll oder eventuell auch Produkte aufkaufen soll. Und ähnlich wie

[1] a. a. O., S. 141.
[2] a. a. O., S. 147.

H a h n hält H a w t r e y die zeitweise Aufhebung der Goldein-lösungspflicht der Zentralnotenbanken für zweckmäßig. In einem vor kurzen erschienenen Sammelwerk, welches jüngere amerika-nische Forscher über die gegenwärtigen Strömungen in der ökono-mischen Wissenschaft herausgegeben haben[1]), ist in mehreren der dort veröffentlichten Abhandlungen die Möglichkeit und Notwendig-keit der Kreditkontrolle zur Beherrschung der Konjunkturen be-hauptet worden. So heißt es in dem Aufsatze von B y e [2]): „Wir haben das Konjunkturproblem noch nicht gelöst, aber es ist ein wichtiger Fortschritt hier bereits zu verzeichnen, und wenn dieses schwierige Phänomen unter völliger Kontrolle stehen wird, wie es sicher der Fall sein wird, so gebührt ein großer Teil des Dankes da-für der ökonomischen Theorie." Und M i t c h e l l[3]) äußert sich über dieselbe Frage folgendermaßen: „Es besteht die Erwartung (promise), daß die Regierung in Verbindung mit privaten Instanzen das Pro-blem der Kontrolle der Konjunkturen sehen und angreifen wird." — Andere jüngere Amerikaner urteilen weniger optimistisch, aber auch sie behaupten, daß es nur noch einiger Zeit bedürfe, um über dieses Problem Herr zu werden. So sagt z. B. S o u l e[4]): „Wir haben noch nicht alle praktischen ökonomischen Probleme gelöst, wenn wir entdeckt haben, wie die Schwankungen der Konjunkturen auszumerzen sind. In der Tat bedeutet es ein tieferes Eindringen in den Gegenstand, wenn wir sagen, daß wir den Konjunkturwechsel nicht beseitigen können, bevor wir alle anderen Schwierigkeiten über-wunden haben, die jetzt nur im entfernteren Zusammenhang damit zu stehen scheinen. Auf diesem Felde der Untersuchung wird das schwierige Werk wahrscheinlich in den nächsten paar Jahren ge-löst werden."

Als wichtigstes Mittel zur Konjunkturenbeherrschung er-blicken die meisten dieser jüngeren Amerikaner die Kreditkontrolle. Ich erwähne unter ihnen B e l l e r b y: Control of Credit as Remedy for Unemployment, London 1923 und Monetary Stability, London 1925[5]). Er meint dort: „Der Ausgleich der großen Wirtschafts-schwankungen läßt sich nur durch volkswirtschaftliche Maßnahmen regulieren"; da im Schwanken der Preise ein die Wirtschaft be-unruhigendes Moment gesehen werden muß, die Stetigkeit der Preise erheblich von der Unveränderlichkeit der einer Wirtschaft zur Ver-fügung stehenden Kaufkraft abhängt und die Kontrolle der Aus-dehnung und Einschränkung der gesamten Kaufkraft den Banken obliegt, fordert er eine Kreditkontrolle, in der er zugleich ein Mittel sieht, die Arbeitslosigkeit zu verhüten.

Die Ideen der neueren Geld- und Kreditreformer werden aber nicht nur in den Dienst der Konjunkturforschung gestellt, sondern neuerdings auch in wachsendem Maße in den Dienst der Sozial-politik. Man erblickt jetzt das vornehmste Mittel zur Bekämpfung der Arbeitslosigkeit in einer Regulierung der Geldschöpfung und des Kredits. Zur Untersuchung dieser Fragen hat sich im Jahr

---

[1]) T u g w e l l , Tread of Economics. New York 1924.
[2]) Recent developments. S. 397.
[3]) The prospects of Economics. S. 12.
[4]) Economics — Science and Art. S. 365.
[5]) Zitiert bei W u n d e r l i c h , Arbeitsmarkt, Arbeitslosigkeit und ihre Bekämpfung. In „Soziale Praxis", 35. Jahrgang, Nr. 30 vom 29. August 1926, S. 753/54.

1923 die Internationale Gesellschaft zur Bekämpfung der Arbeitslosigkeit gebildet (International Association on Unemployment).
Für diese Gesellschaft hat B e l l e r b y einen Bericht erstattet mit
dem Titel „Kreditkontrolle als Abhilfsmittel für Arbeitslosigkeit
(Control of Credit as a remedy for Unemployment)". B e l l e r b y
meint, daß es hauptsächlich auf folgende Probleme ankomme:

1. größere Stabilität in der Industrie herbeizuführen durch
Einschränkung der Preisänderungen;

2. diese größere Preisstabilität könne nur erreicht werden
durch Regelung des Geld- und Kreditwesens;

3. der Kredit werde am besten durch die Diskontrate reguliert.

In dem Bericht wird besonders auf die Äußerung von Professor
P i g o u verwiesen, der den Zusammenhang zwischen Preisstabili-
sierung und Beseitigung der Arbeitslosigkeit mit folgenden Sätzen
erklärt habe: „Was immer dazu beiträgt, die industriellen Konjunkturschwankungen zu vermeiden, trägt auch dazu bei, letzten
Endes den Umfang der Arbeitslosigkeit einzuschränken. Unter den
vielen Abhilfemitteln, die hier möglich sind, erfordert besondere
Aufmerksamkeit die Einschränkung der Bankkredite und die
wachsende Einsicht unter den Bankiers über die Wichtigkeit einer
Kreditpolitik, die dahin führen muß, die Preise stetiger zu gestalten"
(S. 53).

Ich hatte oben schon darauf hingewiesen, daß die Kreditkontrolle, wenn sie wirksam sein soll, auch zu einer Zentralisation
und Sozialisierung des Kredits führen muß, bzw. letztlich auch zu
einer Sozialisierung des ganzen Wirtschaftslebens. Es ist daher
von Interesse, daß neuere Vertreter der Idee der Verstaatlichung
des Kredits diese Forderung damit begründen, daß nur auf diese
Weise eine K r e d i t k o n t r o l l e möglich sei.

Vor kurzem ist unter dem Titel „Die Verstaatlichung des
Kredits" die gekrönte Preisschrift herausgegeben worden, die aus dem
von dem Finnländer T r a v e r s - B o r g s t r o e m gestifteten
Preisausschreiben hervorgegangen ist. Sie ist verfaßt von dem
Direktor der Reichsbank in Berlin, Dr. R o b e r t D e u m e r [1]).
T r a v e r s wünschte, daß durch sein Preisausschreiben die von
ihm in seinem Werke „Mutualismus" dargelegten Ideen über
Kredit zur Diskussion gestellt würden[2]). Er wollte in seinem
Werke zeigen, daß durch eine bestimmte Organisation des Kredits
eine Versöhnung von Kapitalismus und Sozialismus herbeigeführt
werden könnte. T r a v e r s wollte keineswegs das Privateigentum
oder die kapitalistische Wirtschaftsform beseitigen, im Gegenteil,
die Initiative der einzelnen sollte nicht nur beibehalten, sondern
noch verstärkt werden durch das Hinzuströmen der sozialen Lebens-
energie, die der neuen Kreditorganisation verdankt werden sollte.
Unter „Mutualisierung des Kredits" sollte auch nicht eine reine
Verstaatlichung des Kredits gemeint sein, die allzu leicht zu Bureau-
kratismus führen könnte. Der Kredit sollte aber nicht mehr zum
Gegenstand privatwirtschaftlichen Erwerbs gemacht werden, es
sollten nur noch Kreditgewährungen in gemeinnütziger Weise auf

---

[1]) München 1926, bei Duncker & Humblot.
[2]) Mutualismus. Eine Synthese von A r t h u r T r a v e r s - B o r g s t r o e m.
München 1923, bei Duncker & Humblot.

der Basis der Gegenseitigkeit erfolgen, daher der Name Mutualismus. Die nationale Staatskreditbank, die T r a v e r s vorschwebt, sollte nur im engen Zusammenhang mit den privaten wirtschaftlichen Verbänden, deren Vertreter an der Geschäftsführung der Staatsbank beteiligt sein sollten, arbeiten dürfen. Eine solche staatliche Zentralbank, die zugleich mutualistisch mit einem Netzwerk lokaler Kreditgesellschaften verbunden wäre, könnte nach der Meinung des Verfassers das ganze Geld- und Kreditwesen in einer Weise beherrschen, daß sein Ideal, die Beseitigung des Leihens und Borgens von Geld auf privatwirtschaftlicher Grundlage, erreicht und dadurch eine Versöhnung der Klassen herbeigeführt würde, ohne daß der wichtige Anreiz des freien Wettbewerbes angetastet werde. Das Preisausschreiben hatte keinen sehr großen Erfolg. Es waren zwar viele Arbeiten aus allen möglichen Ländern eingeliefert worden, aber nur ein Hauptpreis wurde zuerkannt und zwar der eben genannten D e u m e r schen Arbeit; außerdem wurden noch zwei Nebenpreise verteilt; T r a v e r s hatte nicht weniger als 100 000 Fr. insgesamt zur Verteilung zur Verfügung gestellt. — Auch D e u m e r will keineswegs eine volle Verstaatlichung des Kredits sofort vorschlagen, die neue Organisation des Kredits könne vielmehr nur schrittweise erfolgen, und er meint, daß man zunächst bei solchen Kreditzweigen beginnen solle, die bereits Ansätze zu einer Verstaatlichung zeigten, und wo die Umwälzung den wirtschaftlichen Mechanismus nicht zu sehr angreife[1]). D e u m e r verspricht sich von dieser Neuorganisation des Kredits im Sinne einer immer größeren Verstaatlichung eine gewisse Einheitlichkeit und Stetigkeit in der Kreditpolitik[2]). Vor allem soll diese Zentralisation des Kredits auch eine Kreditkontrolle ermöglichen, durch welche die Gefahr einer Kreditnot und der mit ihr in Gefolgschaft stehenden Handelskrisen gebannt werden könnten[3]).

Bei den kritischen Betrachtungen dieses Kapitels über Begriff und Wesen des Kredits handelt es sich keineswegs allein um terminologische Streitfragen. Die Klärung der Begriffe auf diesem Gebiet ist wichtig wegen der Folgen, die sich aus irrigen Kredittheorien für die praktische Wirtschaftspolitik ergeben können. Ich erinnere an die schweren Schädigungen, die Frankreich durch die L a w sche Papiergeldwirtschaft erfahren hat, die auf gewissen Grundsätzen seiner Kredittheorie beruhte. Ich erblicke die Gefahr einiger der neueren Kredittheorien für die Wirtschaftspolitik namentlich in folgendem:

1. Für die Frage der W ä h r u n g s r e f o r m , die in den nächsten Jahren viele Länder beschäftigen wird und wobei es sich besonders um die Frage handeln wird, ob man zur reinen Goldwährung zurückkehren soll oder irgendeine andere Form der jetzigen interimistischen Währung beibehalten soll. Da kann unter Umständen die Lehre, daß Kreditzahlungsmittel für den inneren Zahlungsverkehr ebenso gut seien wie Metallgeld, den Wiederanschluß an die gesunden Prinzipien der Goldwährung verhindern.

2. Bei der gegenwärtig im Vordergrund der Diskussion stehenden Frage der Regelung der Konjunkturen und einer zweckmäßigen

---

[1]) D e u m e r , a. a. O., S. 5.
[2]) Ebenda, S. 182.
[3]) Ebenda, S. 185.

Konjunkturpolitik kann die Lehre, daß der Bankkredit der Konjunkturerreger sei und daß für die Therapie der Krisen in erster Linie geld- und kreditpolitische Maßnahmen notwendig seien, den Weg zu wirklich rationellen Maßnahmen versperren, und die einseitige Betrachtung der Konjunkturen von der monetären oder kreditären Seite kann zu falschen Methoden der Konjunkturenforschung führen.

3. Gegenüber so schweren sozialen Mißständen, wie es die wachsende Arbeitslosigkeit in vielen Ländern heutiger Zeit ist, kann es eine gefährliche Illusion bedeuten, wenn man glaubt, dieses soziale Übel durch Geld- und Kreditmaßnahmen aus der Welt schaffen zu können.

Die Nationalökonomen sollten nicht in den Fehler verfallen, daß sie, wie sie früher oft durch den Geldschleier hindurch die wirklichen Kräfte des Wirtschaftslebens verkannt haben, jetzt hinter dem Kreditschleier die wahren bewegenden Kräfte der Volkswirtschaft verkennen. Es sind ungefähr 100 Jahre her, als die sozialen Geldreformer auftraten, deren Ideen ich oben behandelte, die glaubten, vermittels Ersetzung des Metallgeldes durch Arbeitstauschbons die Welt von allen sozialen Übeln zu erretten. Dahin gehören die Pläne von Proudhons Tauschbank und Volksbank, ebenso wie manche praktischen Versuche, wie die Arbeitstauschbank von Robert Owen und die Tauschbanken von Bonard und Mazel in Frankreich. Wie man damals fälschlicherweise glaubte, durch Änderungen in der Zirkulationssphäre Mißstände, die sich aus der Produktionssphäre ergeben, beseitigen zu können, so glaubt man jetzt ebenso, durch Änderungen des Kreditwesens Übel beseitigen zu können, die mit dem kapitalistischen Wirtschaftssystem selbst verbunden sind. — Die Kreditwirtschaft kann nicht, wie Hildebrand meint, die Geldwirtschaft ablösen, wie diese die Naturalwirtschaft abgelöst hat. Das Kreditwesen ist mitsamt dem Geldsystem, auf dem es basiert, eng verbunden mit der kapitalistischen Wirtschaft überhaupt. Eine Kreditkontrolle in dem Ausmaße und mit den Folgen, welche die neueren Reformer von ihr erhoffen, müßte eine völlige Preisgabe der freien Betätigung im Wirtschaftsleben bedeuten, und eine Sozialisierung oder Verstaatlichung des ganzen Wirtschaftslebens zur Folge haben.

Personenregister.

Sachregister.

Theoretische Nationalökonomie

Von

Prof. Dr. Karl Diehl

Freiburg i. Br.

Erster Band:

Einleitung in die Nationalökonomie

Zweite, unveränderte Auflage

IX, 500 S. gr. 8° 1922 Rmk 6.—, geb. 8.—

Inhalt: I. Das Wesen und die Aufgaben der nationalökonomischen Wissenschaft. 1. Der Gegenstand der nationalökonomischen Wissenschaft. 2. Die Nationalökonomie als Teil der Sozialwissenschaft. 3. Recht und Wirtschaft. 4. Technik und Wirtschaft. 5. Die Haupteinteilung der nationalökonomischen Wissenschaft. — II. Systeme und Methoden der nationalökonomischen Forschung. 6. Die naturgesetzlichen und naturrechtlichen Systeme. 7. Die historische Richtung in der Nationalökonomie. 8. Die Reaktion gegen die historische Schule. Wiedererneuerung der theoretisch-abstrakten Richtung der Nationalökonomie. 9. Die evolutionistische (entwicklungsgesetzliche) Richtung. 10. Die religiöse Richtung. 11. Die ethische Richtung. 12. Die sozialrechtliche Richtung. — Anmerkungen. Register.

Zweiter Band:

Die Lehre von der Produktion

VIII, 372 S. gr. 8° 1924 Rmk 10.—, geb. 12.—

Inhalt: I. Grundlegung der Lehre von der Produktion. 1. Grundbegriffe der Lehre. 2. Die Lehre von den Produktionsfaktoren. — II. Die natürlich technischen Bedingungen der Produktion. 3. Die Natur. 4. Die Arbeit. 5. Die produzierten Produktionsmittel. — III. Die gesellschaftlichen Formen der Produktion. 6. Die wichtigsten gesellschaftlichen Formen der Produktion im allgemeinen. 7. Die Lehre vom Eigentum. — IV. Die kapitalistische Produktionsweise. 8. Über die Begriffe: Kapital, Kapitalismus und kapitalistische Produktionsweise. 9. Einige Hauptprobleme der kapitalistischen Produktionsweise. — Personen- und Sachregister.

Dritter Band:

Die Lehre von der Zirkulation
(Wert, Preis, Geld, Kredit)

Vierter Band:

Die Lehre von der Distribution
(Einkommen, Einkommensverteilung, Lohn, Gewinn, Zins, Rente)

In Vorbereitung

Die Wirtschaftliche Dimension. Eine Abrechnung mit der sterbenden Wertlehre. Von Dr. **Friedrich v. Gottl-Ottlilienfeld,** o. Prof. der theoretischen Nationalökonomie an der Hamburger Universität. XII, 288 S. gr. 8⁰ 1923
Rmk 8.—

Inhalt: Einleitung. — 1. Anlauf der Kritik. 2. Vom Tatbestand der Wirtschaftlichen Dimensionen. 3. Vom Werden der Wirtschaftlichen Dimension. 4. Vom Sinn der Wirtschaftlichen Dimension. 5. Von den Gleichungen des Tausches. 6. Ausklang der Kritik.

Der Streit um die nationalökonomische Wertlehre, mit besonderer Berücksichtigung Gottls. Von Dr. **Josef Back.** VI, 233 S. gr. 8⁰ 1926 Rmk 10.—

Eugen Dührings Wertlehre. Nebst einem Exkurs zur Marxschen Wertlehre. Von **Gerhard Albrecht,** Doktor der Staatswissensch. IV, 66 S. gr. 8⁰ 1914 Rmk 1.80

Grundprobleme der funktionellen Verteilung des wirtschaftlichen Wertes. Von Dr. **Carl Landauer.** Mit 5 graphischen Darstellungen im Text. III, 253 S. gr. 8⁰ 1923
Rmk 7.—

Grundzüge einer personalistischen Werttheorie unter besonderer Berücksichtigung wirtschaftlicher Probleme. Von Dr. **Folkert Wilken,** Privatdoz. an der Hochschule für Staats- u. Wirtschaftswissensch. in Detmold. VIII, 169 S. gr. 8⁰ 1924
Rmk 5.—

Wechselkurs und Güterpreise. Von Dr. **Hugo Müller.** VII, 146 S. gr. 8⁰ 1926
Rmk 6.—

Die Marxsche Geldtheorie. Von Dr. **Herbert Block,** Diplomvolkswirt. VIII, 145 S. gr. 8⁰ 1926
Rmk 6.—

Inhalt: I. Teil. Darlegung der Marxschen Geldtheorie. 1. Wesen und Entstehung des Geldes. 2. Funktionen und Formen des Geldes. 3. Die Grundlagen der kapitalistischen Wirtschaft. 4. Geld und Kredit in der modernen Wirtschaft. — II. Teil. Würdigung der Marxschen Geldtheorie. 1. Methodologie. 2. Oekonomie: a) Wert und Geldwert; b) Die Funktionen des Geldes; c) Die Höhe des Geldwertes; d) Die sozialistische Wirtschaft und das Geld. 3. Philosophie: a) Das Geld als Symbol der Gesellschaftsordnung; b) Das Geld als Faktor der gesellschaftlichen Entwicklung.

Geld und Staat. Eine Untersuchung über die Geldverfassung als Problem des Staatsrechtes im Rahmen einer allgemeinen Systematik des Rechtes. Von Dr. **Hans Gerber,** Privatdoz. an der Univers. Marburg. X, 195 S. gr. 8⁰ 1926 Rmk 9.—

Geld und Kapital. Gesammelte Aufsätze von Dr. **Friedrich Bendixen,** Direktor der Hypothekenbank in Hamburg. Dritte Auflage. VI, 222 S. gr. 8⁰ 1922
Rmk 4.50, geb. 6.—

Die Seele des Geldes. Grundlagen und Ziele einer allgemeinen Geldtheorie. Von **Karl Elster.** Zweite, ergänzte Auflage. XVI, 442 S. gr. 8⁰ 1923
Rmk 8.—, geb. 10.—

Währung und Kredit. Von **R. G. Hawtrey.** Nach der zweiten englischen Auflage herausgegeben von **Franz Oppenheimer,** Dr. med. et phil., o. Prof. an der Univers. Frankfurt a. M. Deutsch von Dr. **Ludwig Oppenheimer** in Berlin-Lichterfelde. IX, 410 S. gr. 8⁰ 1926
Rmk 15.—, geb. 17.—

Tauschbank und Schwundgeld als Wege zur zinslosen Wirtschaft. Von Dr. **H. Langelütke,** Freiburg i. Br. VI, 150 S. gr. 8⁰ 1925
Rmk 7.—

Inhalt: Allgemeiner einführender Teil. — Proudhons soziales Kreditsystem. — Silvio Gesells Schwundgeldsystem.

Zur Theorie des Sparprozesses und der Kreditschöpfung. Von Dr. **Adolf Lampe,** Privatdoz. an der Univers. München. XIV, 176 S. gr. 8⁰ 1926 Rmk 7.50

Theorie des Geldes und der Geldwirtschaft. Von Dr. jur. et rer. pol. **Richard Kerschagl,** Wien. V, 144 S. gr. 8° 1923   Rmk 3.—

Versuche einer neuen Theorie des Geldes (mit besonderer Rücksicht auf Großbritannien). Von **Adam H. Müller.** (1816.) Mit erklärenden Anmerkungen und einer Einführung versehen von Dr. Helene Lieser. („Die Herdflamme". Hrsg. von Prof. Dr. O. Spann. Bd. 2.) VIII, 331 S. gr. 8° 1922   Rmk 2.50, geb. 3.50

Theorie des Geldes. Von **L. Walras.** (Die Stabilisierung des Geldwertes als das Problem von heute und vor fünfzig Jahren.) Nebst einem dogmengeschichtlichen, historischen und darstellenden Teil herausgegeben, übersetzt und erläutert von Dr. Richard Kerschagl und Stephan Raditz, Wien. Mit 4 Tafeln. 115 S. gr. 8° 1922   Rmk 2.70, geb. 4.—

Die Quantitätstheorie. Eine Untersuchung über den ursächlichen Zusammenhang zwischen Geldmenge und Geldwert. Von Dr. rer. pol. **Karl Kirmaier,** Dresden. (Abhandlungen des staatswissenschaftl. Seminars zu Jena. Hrsg. von Prof. Dr. J. Pierstorff, Bd. XVI, H. 1.) VIII, 90 S. gr. 8° 1922   Rmk 2.50

Inhalt: Was ist der Sinn der Quantitätstheorie. — Analyse. Begriffsgewinnung. Vom Geldwert. Von der Werteinheit. Von den Funktionen des Geldes. — Synthese. Darstellung der Theorien. — Kritik. — Ergebnis. Der Charakter einer Geldvermehrung und die Geldverfassung in ihrer Bedeutung für das Maß und die Möglichkeiten von Geldwertbewegungen. — Die schwachen Konkurrenten der Quantitätstheorie. Die Produktionskostentheorie. Die Quantitätstheorie. — Schluß.

Ueber das Wesen des Geldes. Von Prof. Dr. Rich. Hildebrand, Graz. 49 S. 8° 1914   Rmk 1.20

Zeitschrift für Sozialwiss., 1915, 4. Jahrg., Nr. 1: . . . Die kleine Arbeit Hildebrands steht in bezug auf Schärfe der Begriffe und Richtigkeit des Urteils weit über dem Durchschnitt der Veröffentlichungen über Geldwesen und kann in dieser methodischen Hinsicht, sowie als anregende Schrift nur dringend empfohlen werden. A. Voigt, Frankfurt a. M.

Die Nationalökonomie der Gegenwart (1848) und Zukunft und andere gesammelte Schriften von **Bruno Hildebrand.** Herausgegeben und eingeleitet von Prof. Dr. Hans Gehrig. Bd. I. (= Sammlung sozialwissenschaftl. Meister. Hrsg. von Prof. Dr. H. Waentig, Halle a. S. Bd. 22.) XXVI, 388 S. kl. 8° 1922   Rmk 5.—, geb. 6.—

Inhalt: A. Die Nationalökonomie der Gegenwart und Zukunft (1848). I. Die Systeme der Nationalökonomie. 1. Adam Smith und seine Schule. 2. Adam Müller und die nationalökonomische Romantik. 3. Friedrich List und das nationale System der politischen Ökonomie. 4. Die sozialen Wirtschaftstheorien. 5. Die nationalökonomische Theorie Proudhons. — B. Gesammelte Schriften I. 1. Die gegenwärtige Aufgabe der Wissenschaft der Nationalökonomie. 2. Die wissenschaftliche Aufgabe der Statistik. 3. *Natural-, Geld- und Kreditwirtschaft.* 4. *Die Entwicklungsstufen der Geldwirtschaft.* 5. Die Verdienste der Universität um die Fortbildung und das Studium der Staatswissenschaften.

Roggenpapiere und Roggensteuern. Von Prof. Dr. **W. D. Preyer.** Mit 3 Kurventafeln. VI. 151 S. gr. 8° 1923   Rmk 3.50

Inhalt: I. Der schwankende Wertmesser und die Indexmethode. 1. Das Geld. 2. Der Roggen. — II. Die Roggenpapiere. 1. Darstellung. 2. Kritik. — III. Die Roggensteuern. 1. Darstellung. 2. Kritik. — IV. Die Wiederherstellung des festen Geldwertes. 1. Die bisherigen Vorschläge und Versuche. 2. Der einzig mögliche Weg. — Anhang. Diagr. I: Dollarkurs und Roggenpapierpreis. (Oktober 1922 bis März 1923). Diagr. II: Kaufkraft von 50 kg Roggen (1913 und August 1921 bis März 1923). Diagr. III: Roggenpreise in Gramm, Gold und Goldmark.

Kann das Geld abgeschafft werden? Von Dr. jur. et rer. pol. **Arth. Wolfg. Cohn,** Frankfurt a. M. VI, 142 S. gr. 8° 1920   Rmk 3.50

Inhalt: Einleitung: 1. Erläuterung der Fragestellung. — Das Wesen des Geldes. 2. Dienerrolle des Geldes als Mittler am Markt. 3. Die Herrenrolle des Geldes als Verkörperung von Kaufkraft. — Die Abschaffung des Geldes. a) Die völlige Aufhebung des Geldwesens: 4. Die Großnaturalwirtschaft. 5. Der Kommunismus. b) Versuche teilweiser Ausschaltung des Geldes: 6.—9. Die Abschaffung der Geldrechnung, der Geldzahlung, der Geldhortung, des Gelddarlehns. 10. Die Grenzen des Geldes. — Schluß.

Das Geldproblem in Mitteleuropa.
Von Dr. **Elemér Hantos,** Königl. ungarischer Staatssekretär. Mit 1 Tafel. VI, 162 S. gr. 8° 1925   Rmk 7.—

Inhalt: I. Währungsniedergang und Währungsstabilisierung in Mitteleuropa. II. Verlauf der Währungsinflation in Mitteleuropa 1914—1924. III. Die Wirkungen der Währungsinflation in Mitteleuropa. IV. Die Befestigung und der Neuaufbau der Währungen in Mitteleuropa. V. Die Rückkehr zur Goldwährung in Mitteleuropa. VI. Eine Währungsgemeinschaft in Mitteleuropa. — Neuere Literatur. — Anhang.

Die Bildung der Roggenpreise bei freier und gebundener Wirtschaft.
Ein Beitrag zur Erkenntnis der Wertmaßfunktion des Roggens. Von **Curt Grohnert.** Mit 1 Kurve im Text. (= „Königsberger sozialwissenschaftliche Forschungen". Herausgegeben von F. K. Mann, W. D. Preyer, H. Teschemacher. Bd. 2.) VII, 232 S. gr. 8° 1926   Rmk 11.—

Die Geldinflation.
Mit besonderer Berücksichtigung der Geldpolitik der Schweiz während des Weltkrieges. Von Dr. oec. publ. **Rob. Just.** V, 114 S. gr. 8° 1921   Rmk 2.50

Einleitung: 1. Arbeitsleistung und Arbeitsmühe. 2. Die Wertung. 3. Sache und Gut. 4. Die Produktion für den Markt. 5. Ertrag und Erfolg. 6. Der Preis. 7. Die Preisänderungen. — I. Die Gegenwartsgeldinflation: 1. Die Metallgeldüberschwemmung. 2. Die durch Warenwechsel gedeckten Banknoten. 3. Die durch Staatsschatzscheine gedeckten Banknoten. 4. Die Stabilisierung der Valuta. 5. Der Scheck- und Giroverkehr. 6. Die Darlehnskassenscheine. — II. Das Zukunftsgeld. 1. Kapitalgewinn und Zins. 2. Die Deckung langfristiger Kapitalanlagen durch kürzerfristige Anleihen. 3. Die Verfälschung der Kostengleichung durch Konsumtivanleihen. 4. Der Treubruch. — Schlußwort.

Begriff und Wesen der Inflation.
Von Dr. rer. pol. **Fritz Neumark.** („Abhandlungen des staatswissenschaftlichen Seminars zu Jena". Hrsg. von Prof. Dr. J. Pierstorff. Bd. 15, 4.) VII, 69 S. 1922   Rmk 2.—

Inhalt: Geld und Wirtschaft. — Begriff und Wesen der Inflation. — Geldschöpfung und Inflation. — Ursachen der Inflation. — Verlauf und Wirkungen der Inflation. — Möglichkeiten für die Behandlung der Inflation und die Beseitigung ihrer Folgen. — Literatur.

Anti-Marx.
Betrachtungen über den inneren Aufbau der Marxschen Oekonomik. Von Dr. **Karl Muhs,** Prof. der Nationalökonomie an der Univers. Greifswald. I. Band: **Der Produktionsprozeß des Kapitals.** XII, 571 S. gr. 8° 1927   Rmk 30.—, geb. 32.—

Inhalt: Einführung. Aufgabe und Methode der Untersuchung. — Grundlegung. Die marxistische Gesellschafts- und Geschichtsphilosophie. — Erster Teil: **Der Wert. I. Die Ware.** 1. Die Genesis des Wertes. 2. Die Wertformen. 3. Der Tauschprozeß. 4. Wert und Preis. 5. Die Metamorphose der Ware. 6. Ware und Geld. 7. Die Verwandlung des Geldes in Kapital. **II. Die Arbeit.** 8. Das Wertgesetz der Arbeit. 9. Das Gesetz des Lohnes. — Zweiter Teil: **Der Mehrwert. III. Die Produktion des absoluten Mehrwertes.** 10. Arbeitsprozeß und Verwertungsprozeß. 11. Konstantes und variables Kapital. 12. Die Rate des Mehrwerts (Der Exploitationsgrad der Arbeit). 13. Rate und Masse des Mehrwerts. 14. Der Arbeitstag. **IV. Die Produktion des relativen Mehrwerts.** 15. Die Genesis des relativen Mehrwerts. 16. Die Produktionsmethoden des relativen Mehrwerts; Kooperation und große Maschinerie. 17. Arbeiter und Maschine. — Dritter Teil: **Die Akkumulation des Kapitals. V. Der ökonomische Prozeß der kapitalistischen Akkumulation.** 18. Die einfache Reproduktion des Kapitalverhältnisses. 19. Die Transformation des Mehrprodukts in Kapital. 20. Die Vollendung der Akkumulation auf erweiterter Stufenleiter. **VI. Der sozialistische Prozeß der kapitalistischen Akkumulation.** 21. Die Akkumulation und die Bewegung des Arbeitslohnes. 22. Die Konzentration und Zentralisation des Kapitals. 23. Die industrielle Reservearmee und das absolute, allgemeine Gesetz der kapitalistischen Akkumulation. — Anmerkungen.

Transfer.
Betrachtungen über Technik und Grenzen der Reparationsübertragung. Von Dr. **Albert v. Mühlenfels,** Privatdoz. an der Univers. Königsberg. (Königsberger sozialwissenschaftl. Forschungen. Bd. 4.) VII, 101 S. gr. 8° 1916   Rmk 4.50

Inhalt: Einleitung. Das Problem. 1. Kap.: Grundgedanken des bisherigen Schrifttums über das Transferproblem. 2. Kap.: Die Transferpolitik und das Preissenkungsproblem. 3. Kap.: Das Empfangs- und Umstellungsproblem. — Literaturverzeichnis.